C. Faulhaber
6/93

TO CHARLES,
WITH BEST WISHI
FROM
RALPH & JOSE

DENVER
1993

Y0-AAF-839

TABLA

DE LOS PRINCIPIOS DE LA POESÍA ESPAÑOLA

Siglos XVI-XVII

Preparada por
JOSÉ J. LABRADOR HERRAIZ
RALPH A. DIFRANCO

Prólogo de
ARTHUR L-F. ASKINS

CLEVELAND STATE UNIVERSITY
CLEVELAND

1993

COLECCIÓN
CANCIONEROS
CASTELLANOS

volumen quinto

©José J. Labrador, Ralph A. DiFranco, 1993

ISBN: 0-9613055-8-4

Este ramillete de primeros versos es
para Doña María Brey Mariño,
con nuestro agradecimiento
y amistad.

INDICE

na *"Tabla de los principios", que tanto lo es por la valiosa aportación aquí patente como por lo que prometen sus autores (haciendo de tripas corazón y armados con la paciencia de Job) para el futuro.*

Desde los angustiados momentos en que un Fernando Colón o un Bartolomé José Gallardo se enojaron, y para un mejor conocimiento de la literatura española se lanzaron a hacer con sus plumas y papeletas lo que otros —sin molestarse mucho— reclamaban como trabajo necesario con voz descansada y fácil, todos los que nos hemos dedicado a sondear y aclarar las riquezas de la lira hispana del Siglo de Oro hemos procurado, con mayor o menor fortuna, suplir la falta de información fidedigna. Cuántas cajas de fichas con primeros versos, con ligaciones entre familias de manuscritos, con resonancias entre poeta y poeta, con pistas a seguir hemos preparado: para aprovecharnos de ellas nosotros mismos, compartirlas con algunos amigos y, por desgracia, a veces, para verlas después tiradas o archivadas, anulados los esfuerzos de la buena voluntad y del detenido estudio.

Repetimos, entretanto, los muy agudos y justos reparos de D. Antonio Rodríguez-Moñino en su célebre discurso ante la FILL de Nueva York en 1963, y citamos, entre otras, las rotundas palabras de antaño de D. José Fernández Montesinos ante el corpus lírico de Lope:

> *Hace falta allegar todo lo impreso y manuscrito, restaurar en lo posible los textos, antes de lanzarse a la interpretación o atribuir a trote y moche.*

Y seguimos a trote y moche, dadas las modalidades de trabajo disponibles, valiéndonos de lo que nos puede proporcionar la fuerza de nuestra propia bolsa o el azar de nuestras bibliotecas predilectas, para acercarnos al contenido de centenares de libros, visto a través de índices parciales y limitados, dispersos en igual número de ediciones modernas y artículos descriptivos excelentes, labor de varias generaciones de estudiosos dentro y fuera de España. ¿Qué más podemos hacer? Poco, parece, pero mucho, como bien nos lo han demostrado recientemente los años de labor infatigable y el amor desinteresado por la cuestión del Prof. Brian Dutton.

Llegamos así a estos "Principios" de los catedráticos José J. Labrador Herraiz y Ralph A. DiFranco, quienes durante varios años han participado en esta gran aventura de redescubrimiento, dándonos una serie de ediciones de manuscritos antes conocidos de pocos o sólo parcialmente explorados, claves todos para el estudio de la poesía del siglo XVI.

El libro que nos ofrecen, esta supuesta "humilde herramienta auxiliar", pone de golpe sobre la mesa, en formato de fácil consulta, el conjunto de textos y fuentes, como si fueran pocos los 118 aquí vaciados, que les han servido para sus estudios hasta el momento. Y de igual importe en este "hasta el momento": queda la promesa, abiertamente declarada, de iniciar la confección para la poesía del Siglo de Oro de un repertorio global informatizado de fuentes manuscritas e impresas, enriquecido, ya que lo permite la nueva tecnología, por un alto número de modos de acceso de verdad difíciles o imposibles de manejar antes. Pensamos, entre otras, en la riqueza de datos y múltiples posibilidades de búsqueda que proporciona el programa empleado por el Prof. Dutton para la poesía del siglo XV y en el igualmente detallado y matizado programa PhiloBiblon que emplea el Prof. Charles Faulhaber para la producción de la cuarta edición de la Bibliografía Española de Textos Antiguos (-BOOST4).

Trabajo de años será, dada la asombrosa cantidad de materia (todavía mal conocida) que en momentos de descuido los rigores del tiempo nos han legado; trabajo que se modificará y que evolucionará, se espera, con la plena participación y apoyo de los estudiosos.

Mientras tanto, celebramos que constan aquí las primeras
velas dispuestas a recibir el común impulso animador,
testimonio de una voluntad épica en una edad
que algunos dirían ya tardía: pues sí,
gracias a Dios.

Arthur L-F. Askins
University of California-Berkeley

ste volumen completa una década de búsqueda, investigación y publicación de un breve fragmento de la lírica española del siglo de oro que había quedado encerrado, y casi oculto, bajo signaturas poco conocidas de códices custodiados en bibliotecas españolas. Siempre guiados por los sabios consejos de don Antonio Rodríguez-Moñino, a quien no hemos tenido la suerte de conocer, nos propusimos editar, como mejor nos lo permitía nuestra torpeza, unos manuscritos cuyo contenido nos pareció de capital importancia. Las obras inéditas eran muchas, el tiempo corto y el soporte monetario muy discreto. Por ello, seleccionamos los manuscritos poéticos que pedían a mayores gritos su impresión. Siempre apoyados por la buena voluntad de muchos colegas, quienes han sido muy generosos en sus recensiones, la obra ha ido tomando cuerpo, y hoy nos satisface ver que muchos estudiosos se sirven de nuestras ediciones para referencia, para compulsa de textos o para el enriquecimiento de una nota al pie de página.

Esta *Tabla de los principios de la poesía española* sólo pretende ser humilde herramienta auxiliar, vademécum sencillo que ayude al estudioso de la lírica áurea a encontrar con facilidad ese primer verso que roe la memoria a altas horas de la noche. Con este repertorio se podrá saber si el verso se halla entre las 118 fuentes aquí vaciadas o si las pesquisas deberán continuar por otros plúteos.

Diez años de mucho trabajo han dado como resultado, más allá de la aportación literaria, el que hayamos establecido contactos profesionales en todo el mundo. Contactos que en la mayoría de los casos han florecido en hermosa amistad, en confraternidad gozosa. En todos los amigos, en los colegas, pensábamos en las horas bajas de nuestra investigación, y su recuerdo nos animaba. Los recortes presupuestarios han dificultado -qué duda cabe- nuestro empeño. La tijera ha aconsejado a editoriales de postín que esta obra no alcanza las cotas mínimas comerciales; qué saben ellas. Pero eso no ha sido obstáculo para abandonar la tarea: con ello ya contábamos desde el comienzo. La tijera también ha visitado universidades, bibliotecas y fundaciones y ha recortado el apoyo académico, las horas de consulta y el dinero para adquirir más microfilmes. Para estos casos están los ahorrillos. Afortunadamente, hoy ese cuadro de lanzas y tijeras ha quedado oculto tras este pequeño volumen y la amistad de quienes nos han apoyado. Además, piedra a piedra, códice a códice, hemos descubierto cuánto le costó a don Lorenzo Suárez de Figueroa construir su torre en Estepa y, de paso, el precio de un cascabel.

Si se cierra un círculo, otro se abre. En 1994 saldrá de las presas del Patrimonio Nacional la edición del manuscrito 1587, miscelánea salpicada de romances (algunos de Lope de Vega y otros de su amigo Liñán), canciones y glosas del calzado Padilla, malcasadas, ensaladas y otras adoloridas coplas. Sobre el tapete están las ediciones del *Sevillano*, de las poesías de Diego Hurtado de Mendoza, de los cartapacios salmantinos que se hallan en Palacio, además de otros proyectos ya bastante maduros. Suficiente trabajo para otra década,

> que este viento contrario que nos corre,
> mudará la veleta y no la torre. (MP 1587)

Debemos agradecer el apoyo que hemos recibido de Cleveland State University y de University of Denver, de los programas *Fellowship for College Teachers* y *Summer Stipend* de la NEH, y al *Program for Cultural Cooperation Between Spain's Ministry of Culture and United States'*

Universities. Como siempre, nuestro agradecimiento a don Manuel Sánchez Mariana y a don Julián Martín Abad. Y a don Malaquías Velasco, gracias al cual pudimos ver los manuscritos de la Nacional los sábados del verano. También a Dª María Luisa López Vidriero, que ha conseguido iniciar lo que promete ser un sólido y diferente capítulo en la historia de la Biblioteca Real, empezando por mantenerla abierta en verano. El personal de esta biblioteca siempre nos ha tratado con atención y buen servicio. Nuestro agradecimiento a doña Mª Dolores Vives, Directora de la Biblioteca Bartolomé March. Agradecemos también el apoyo de dos jóvenes lexicógrafas de la Real de la Lengua, Dª María Dolores Cigüeña Beccaria y Dª Elena Zamora Gómez, que nos han apuntado a tiempo y con discreción ciertas omisiones. A los catedráticos Giovanni Caravaggi (Pavía) y María Teresa Cacho (Zaragoza) que nos enviaron noticias desde Italia. También al Prof. Manuel Da Costa Fontes (KSU) que nos ayudó a leer algunos textos portugueses.

Párrafo aparte merecen Dª María Brey Mariño y el Prof. Arthur L-F. Askins. La señora Viuda de Rodríguez-Moñino siempre ha tenido abierta su biblioteca para nosotros, y, muy especialmente, nos ha ayudado con su entusiasmo y amistad. El Prof. Askins, enterado de nuestro proyecto, se apresuró a ofrecernos sus valiosísimos ficheros para volcarlos en esta *Tabla*. Magnánimo gesto. No están aquí, pero pronto saldrá un segundo volumen con el contenido de las 43 cajas que nos ha enviado desde su casa en Berkeley, y cuyas papeletas empiezan a entrar en nuestro ordenador.

Finalmente, nuestra gratitud por el apoyo que siempre
hemos recibido de nuestras respectivas familias.
Ahora sólo falta que al amable lector le
parezca útil nuestro esfuerzo
y anote los errores que
encuentre para
subsanarlos.

ace más de un cuarto de siglo, don Antonio Rodríguez-Moñino pedía que se hiciera, y con razón, la "humilde tarea de catalogar los manuscritos poéticos de los siglos XVI y XVII". Este libro es la respuesta todavía incompleta a esa llamada de atención. Cierto es que en los últimos años la catalogación de los manuscritos del XV ha sido efectuada casi hasta su último verso. Por buen camino va la catalogación particular de los manuscritos poéticos de la Nacional, el inventario general de los manuscritos de Palacio y los de otras bibliotecas. Pero habrá que esperar todavía varios años hasta que la tarea de vaciar en catálogos todos los fondos de la lírica del Siglo de Oro pueda darse por terminada. Entre otras cosas, porque la humilde tarea es tan cara como difícil, y, desde luego, muy poco apetitosa para los comerciantes de libros.

Nuestra *Tabla* arranca con el cancionero de la *Colombina* y el *Cancionero general* de 1511, pasa por el *Romancero general* de 1600 y se introduce en la primera parte del siglo XVII, yendo en pos de algunos poemas viejos que todavía se copiaban (y se cantaban con gusto) en esa centuria. Hay en esta tabla una intencionada abundancia de fuentes manuscritas e impresas datadas hacia 1580, fecha importante en la lírica castellana. Algunas fuentes recogidas han sido previamente inventariadas; el contenido de otras, la mayoría, se hace aquí por primera vez. Hemos hecho un esfuerzo para tratar de ver directamente todas las fuentes, subsanando así errores o erratas que aparecen en artículos dispersos e incluso en nuestras propias ediciones.

La relación está hecha por orden alfabético y copia el primer verso de cada poema o letra, el primer verso de cada "glosa", las canciones inmersas en otros poemas más largos (como es el caso de las ensaladas), las octavas y pies dentro de romances, los motes, estribillos, etc. Cuando los primeros versos son iguales pero los poemas son distintos, para aclarar la ambigüedad, añadimos también el segundo verso, y a veces hasta un tercero, si así fuera necesario. En general, el lector encontrará el primer verso, la abreviatura de la fuente manuscrita o impresa, que va seguida del folio o página (p.) en que se halla el poema, y, en algunos casos, también encontrará el número (n.) de orden de la canción en el repertorio musical. Por ejemplo:

La hermosa Bradamante / celosa y desesperada (*Romancero*, Padilla, 168v)
La hermosa Bradamante / del mal de amores herida (RV 1635, 61)
La hermosa Bradamante / en Montalván atendía (*Padilla*, 38)
La hermosa Bradamante / en Montalván atendía (Romancero, Padilla, 165v)
La hermosa Bradamante / muy descontenta vivía (*RH*, 133)
La hermosa compañera (CG 1511, 24v)
La hermosa por cara que sea (MP 1587, 157v)

Cuando un mismo poema está repetido en la fuente, ya sea éste primer verso, primero de la glosa, estribillo, o si simplemente ha sido enunciado en el epígrafe, anotamos los folios. Por ejemplo:

La bella malmaridada (Peralta, 21v, 22)
La bella malmaridada (PN 372, 177, 178v, 277, 278v)
La bella malmaridada (PN 373, 71, 84, 92v, 135v, 192v)
La bella malmaridada (Romancero, Padilla, 244v, 246, 247)

Cuando el verso no es precisamente el primero de un poema, y por lo tanto es más difícil hallarlo en la fuente, aparece en cursiva en nuestra tabla. Nos referimos a los poemas trenzados en las ensaladas, en los romances con estribillo u octava, o cuando se trata de un pie tomado de otro poema.

Para poder agrupar primeros versos distintos, pero que corresponden a poemas básicamente iguales, hemos modernizado las grafías imprescindibles. Así, cuando una pequeña variante que descoloca un verso no tiene la debida importancia como para ser tenida en cuenta, hacemos el cambio lógico y necesario para que se encuentre junto a los otros versos iguales copiados o impresos en otras fuentes. Corregimos las torpezas de algunos copistas cuando conocemos, por otra fuente, cómo es la versión correcta del poema contaminado. Ejemplos:

Pintó en mi alma Amor vuestra hermosura (*Morán*, 11v)
Pintó en mi alma vuestra figura (PN 314, 199)

Por ser los dos sonetos iguales, hemos añadido "Amor" al primer verso del códice parisino, evitando así que surja la posibilidad de pensar que son dos poemas distintos.

Otras veces el copista peca por exceso, como en el caso siguiente:

El recelo que tengo de ver en lo que andas (PN 314, 207v).

En efecto, así aparece en la fuente, pero hemos eliminado "que tengo" porque es un evidente error del copista.

Otras veces la rima exige un cambio a la versión copiada, como en este caso o en otros semejantes:

Dó están los claros ojos que colgando (*Cid*, 146)

El lector verá que está enmendado en nuestra tabla para que rime, como debe ser, con -ada: "Dó están los claros ojos que colgada". Hay muchísimos versos en que mantenemos las variantes de importancia y hacemos las remisiones correspondientes.

Ponemos en Apéndice los versos acéfalos que no hemos tenido el tiempo de reconstruir o no hemos sido capaces de dar con el incipit.

Cuando hemos podido encontrar el verso inicial del poema, en la *Tabla* aparece este primer verso y no el primer verso del poema truncado que nos queda en el códice. En resumen, se trata de que el lector tenga acceso a los textos y a las fuentes del modo más fácil posible.

Junto a los poemas castellanos, hemos incluido también las composiciones escritas en italiano, portugués y valenciano, tratando de dar así una visión más completa del conjunto de las fuentes utilizadas.

Aunque del análisis de esta *Tabla* se pueden sacar muchas conclusiones, nos limitaremos a enunciar tan sólo algunos puntos de interés. Por ejemplo, hay una importante relación entre los códices de Palacio 531, 973 y 1580; también entre los manuscritos *Fuenmayor*, *Jesuitas*, MN 17.951 y las obras impresas *Cacionero* y *Vergel* de López de Ubeda. Al separar la cabeza de la "glosa" correspondiente, se nota con mayor claridad el interés que unos poetas tenían en las composiciones de los otros, y no nos parece que lo hicieran por afán de plagio sino por ingenioso alarde poético. El tema preponderante es el amoroso, como podrá observarse con una simple mirada al término "amor" y a la larga letanía que lo caracteriza: amor antiguo, bravo, cruel, dulce, falso, loco, perfecto, rapaz, triste, verdadero, etc. La ausencia, el olvido, la ingratitud, los celos son otros temas que quedan de relieve en nuestra relación. Se destaca el motivo de los ojos -aquella imagen predilecta del poeta Padilla- : ojos bellos, cansados, claros, graciosos, hermosos, matadores, morenos, negros, noveleros, tristes. Con frecuencia, poemas que para el lector moderno resultan aburridos o poco inspirados, alcanzaron muchísima fama y difusión en su época. Entre los autores es Don Diego Hurtado de Mendoza quien se lleva la palma, y queda claro que debió ser un poeta respetadísimo e imitadísimo a juzgar por la extraordinaria cantidad de fuentes en que se encuentran sus composiciones. Florece con empuje la poesía religiosa, que convive con la abundante poesía erótica y la delicada poesía pastoril. Los romances salpican la tabla, octosílabos que intentan romper esquemas y adaptarse a los nuevos y cambiantes gustos de la sensibilidad poética y musical. Se ve que eran el común denominador de casi todos los códices y tema central de muchos impresos. Se resisten a ceder su puesto a las nuevas formas, empeñándose en convivir con los sonetos, maridándose con las reposadas octavas venidas de lejos y enriqueciéndose al acoger del hermoso caudal de la tradición oral brillantes pareados.

En resumen, esta *Tabla* es un muestrario de gustos y preocupaciones, modas y estilos, afinidades, disparidades y tendencias que, más allá del interés literario se proyecta hacia los campos de la psicología y de la sociología. Es decir, nos ayuda a entender mejor cómo fueron aquellos españoles de hace cuatro siglos y cómo era la sociedad en que se movían. Todo ello, claro, arropado en el artificio poético.

Esta tabla, que todavía es un breve fragmento del amplio cuadro de la lírica áurea, quedará complementada con la publicación de los ficheros del Prof. Arthur L-F. Askins. Ambas aportaciones suplementarán a su vez la ejemplar labor de don Antonio Rodríguez-Moñino.

ABREVIATURAS Y FUENTES

BeUC 75/116   Berkeley, Bancroft Library, University of California, *Obras de don Diego de Mendoza, embaxador del César Carlos Quinto en Roma, Venecia y Constantinopla,* Ms. 75/116, vol. 1.

Borges   Madrid, Biblioteca Rodríguez-Moñino, Ms. E-40-6767.
Bibl.: *Cancioneiro de Cristóvão Borges.* Edición de Arthur Lee-Francis Askins. Paris: Jean Touzot Libraire-Editeur, 1979.

Canc., Maldonado   *Cancionero de López Maldonado.* Madrid: Guillermo Droy, 1586. BNM R-28.437, R-2172.

Canc., Ubeda   *Cancionero general de la doctrina cristiana, muy útil y provechoso, en todo género de verso castellano.* Juan López de Ubeda. Alcalá de Henares: Hernán Ramírez, 1586. BNM R-4624.
Bibl.: Edición de Antonio Rodríguez-Moñino. Madrid: Sociedad de Bibliófilos, 1962-1964.

CG 1511   *Cancionero general de muchos y diversos autores.* Fernando del Castillo. Valencia: Cristóbal Kofman, 1511. BNM R-2092, R-3377.
Bibl.: Edición facsímil de Antonio Rodríguez-Moñino. Madrid: Real Academia Española, 1958.

CG 1514   *Cancionero general de muchos y diversos autores otra vez impreso emendado y corregido por el mismo autor con adición de muchas y muy escogidas obras.* Fernando del Castillo, 1514. PN Rés. Yg. 9.

CG 1527   *Cancionero general ahora nuevamente añadido.* Hernando del Castillo. Toledo: Ramón de Petras, 1527. BNM R-11740.

CG 1535   *Cancionero general en el cual se han añadido agora de nuevo en esta última impresión muchas cosas buenas.* Sevilla: Juan Cromberger, 1535. BNM R-22316.

CG 1554   *Cancionero general de obras nuevas nunca hasta ahora impresas asi por el arte española como por la toscana.* 1554. Wolfenbüttel, Herzog August Bibliothek.
Bibl.: Edición parcial de Alfred Morel-Fatio. *L'Espagne au XVIe et au XVIIe siècle. Documents historiques et littéraires.* Heilbronn: Henninger Frères, 1878, págs. 489-602.

CG 1557	*Cancionero general que contiene muchas obras de diversos autores antiguos con algunas cosas nuevas de modernos de nuevo corregido e impreso.* Anvers: Martín Nuncio, 1557. BNM U-926.
Cid	Madrid, Biblioteca de Palacio, [*Cartapacio de*] *Ramiros Cid y Piscina*, Ms. II- 1580. Bibl.: Edición de José J. Labrador Herraiz, Ralph A. DiFranco (en preparación).
Colombina	Sevilla, Biblioteca Colombina, Ms. 7-I-28. Bibl.: *Cancionero musical de la Colombina.* Edición de Miguel Querol Gavaldá. Barcelona, 1971.
Corte	Evora, Biblioteca Publica, Ms. CXIV/ 2-2. Bibl.: *Cancioneiro de Corte e de Magnates.* Edición de Arthur Lee-Francis Askins. University of California Publications in Modern Philology, No. 84. Berkeley and Los Angeles: University of California Press, 1968.
El Truhanesco, Timoneda	*El Truhanesco.* Juan Timoneda, 1573. Bibl.: *Cancioneros llamados Enredo de amor, Guisadillo de amor y El Truhanesco* (1573). Edición de Antonio Rodríguez-Moñino. Valencia: Castalia, 1951.
Elvas	Elvas, Biblioteca Publia Hortensia, Ms. 11.973. Bibl.: *O Cancioneiro Musical e Poético da Biblioteca Públia Hortênsia.* Edición de Manuel Joaquim. Coimbra: Instituto para a alta Cultura, 1940.
EM Ç-III.22	El Escorial, Monasterio. *Libro de sonetos y octavas de diversos autores*, 1598. Bibl.: Edición parcial de Julián Zarco. "Un cancionero bilingüe manuscrito de la biblioteca de El Escorial." *Religión y Cultura*, 24 (1933): 406-449.
Enredo, Timoneda	*Cancionero llamado Enredo de amor.* Juan Timoneda, 1573. Bibl.: *Cancioneros llamados Enredo de amor, Guisadillo de amor y El Truhanesco.* Edición de Antonio Rodríguez- Moñino. Valencia: Castalia, 1951.
Evora	Evora, Biblioteca Publica, Ms. CXIV/ 1-17. Bibl.: *The Cancioneiro de Evora.* Edición de Arthur Lee-Francis Askins. University of California Publications in Modern Philology, No. 74. Berkeley and Los Angeles: University of California Press, 1965.
Faria	Madrid, Biblioteca Nacional, Ms. 3992. Bibl.: *Cancioneiro Manuel de Faria.* Edición de Edward Glaser. Münster Westfalen: Aschendorffsche Verlagsbuchhandlung, 1968.
Flor de enamorados	*Cancionero llamado Flor de enamorados.* Barcelona: Claudi Bornat, 1562. Bibl.: Edición de Antonio Rodríguez-Moñino y Daniel Devoto. Valencia: Editorial Castalia, 1954.
FN VII-353	Firenze, Biblioteca Nazionale, Magl. VII, 353.
FN VII-354	Firenze, Biblioteca Nazionale, Magl. VII, 354.
FR 2864	Firenze, Biblioteca Riccardiana, Ricc. 2864.
FR 3358	Firenze, Biblioteca Riccardiana, Ricc. 3358.

Tabla 5

FRG   *Flor de romances y glosas, canciones y villancicos.* Zaragoza: Juan Soler, 1578.
                                                Bibl.: Edición de Antonio Rodríguez-Moñino. Valencia: Editorial Castalia, 1954.

Fuenmayor   Madrid, Biblioteca del CSIC (Fondo Rodríguez Marín), *Poesías Varias*, Ms., R.M. 3879.
                                                 Bibl.: Edición parcial de Antonio Rodríguez-Moñino. *Abaco 2. Estudios sobre literatura española.* Madrid: Castalia, 1970, págs. 87-227.

Gallardo   Madrid, Biblioteca Nacional, *Cancionero anónimo*, Ms. 3993.
                                                 Bibl.: *El Cancionero de Gallardo.* Edición de José María Azáceta. Madrid: CSIC, 1962.

Guisadillo, Timoneda   *Cancionero llamado Guisadillo de amor.* Juan Timoneda, 1573.
                                                 Bibl.: *Cancioneros llamados Enredo de amor, Guisadillo de amor y El Truhanesco.* Edición de Antonio Rodríguez-Moñino. Valencia: Castalia, 1951.

Heredia   Madrid, Biblioteca Nacional, *Poesías de varios autores*, Ms. 2621.

Ixar   Madrid, Biblioteca Nacional, Ms. 2882.
                                                 Bibl.: *Cancionero de Juan Fernández de Ixar.* Edición de José María Azáceta. 2 vols. Madrid: CSIC, 1956.

Jacinto López   Madrid, Biblioteca Nacional, [*Cancionero*] *de la mano y pluma de Jacinto López, músico de su Magestad*, 1620, Ms. 3915.

Jesuitas   Madrid, Biblioteca Rodríguez-Moñino, Ms. E-30-6225.
                                                 Bibl.: Edición parcial de Antonio Rodríguez-Moñino. *Abaco 2. Estudios sobre literatura española.* Madrid: Castalia, 1970, págs. 87-227.

Jhoan López   Madrid, Biblioteca Nacional, Ms. 3168.
                                                 Bibl.: *Cancionero del Bachiller Jhoan López.* Edición de Rosalind J. Gabin. 2 vols. Madrid: José Porrúa Turanzas, 1980.

Lemos   Madrid, Biblioteca de Palacio, II-1577. [*Cartapacio de*] *Pedro Lemos.*
                                                 Bibl.: Edición de Ralph A. DiFranco y José J. Labrador Herraiz (en preparación).

León/Serna   Madrid, Biblioteca de Palacio, II-961.
                                                 Bibl.: *Poesías del maestro León y de Fr. Melchor de la Serna y otros (S. XVI). Códice número 961 de la Biblioteca Real de Madrid.* Edición de C. Angel Zorita, Ralph A. DiFranco, José J. Labrador Herraiz. Prólogo de Dietrich Briesemeister. Colección Cancioneros Castellanos, vol. 4. Cleveland: Cleveland State University, 1991.

MBM 23/4/1   Madrid, Biblioteca de Bartolomé March, Ms. 23/4/1.
                                                 Bibl.: José J. Labrador Herraiz y Ralph A. DiFranco. "El manuscrito 23/4/1 de la Biblioteca de Don Bartolomé March", *Bulletin Hispanique*, 94, 1 (1992): 293-325.

MBM 23/8/7   Madrid, Biblioteca de Bartolomé March, *Poesías de don Diego de Mendoza. Están las inéditas i unas ya impressas*, Ms. 23/8/7.

Medinaceli	Madrid, Biblioteca de Bartolomé March. Bibl.: *Cancionero musical de la casa de Medinaceli.* Edición de Miguel Querol Gavaldá. Barcelona, 1949.
MiA S.P.II.100	Milano, Biblioteca Ambrosiana, S.P.II.100. Bibl.: Edición parcial de Giuseppe Mazzocchi. "Un manoscritto milanese (Biblioteca Ambrosiana S.P.II.100) e l'ispanismo del Bembo". *Cancioneros spagnoli a Milano*, ed. Giovanni Caravaggi. Firenze: La Nuova Italia Editrice, 1989, págs. 67-100.
MiB AD.XI.57	Milano, Biblioteca Braidense. Bibl.: Giovanni Caravaggi, *Cancioneros spagnoli a Milano*, ed. Giovanni Caravaggi. Firenze: La Nuova Italia Editrice, 1989, págs. 17-18.
MiT 63	Milano, Biblioteca Trivulziana. Bibl.: Edición parcial de Giovanni Caravaggi. *Cancioneros spagnoli a Milano*, ed. Giovanni Caravaggi. Firenze: La Nuova Italia Editrice, 1989, págs. 31-63.
MiT 994	Milano, Biblioteca Trivulziana. Bibl.: Edición parcial de Giovanni Caravaggi. *Cancioneros spagnoli a Milano*, ed. Giovanni Caravaggi. Firenze: La Nuova Italia Editrice, 1989, págs. 19-31.
MiT 1001	Milano, Biblioteca Trivulziana. Bibl.: Edición parcial de Anna Manero. "I testi spagnoli nel codice 1001 della Biblioteca Trivulziana". *Cancioneros spagnoli a Milano*, ed. Giovanni Caravaggi. Firenze: La Nuova Italia Editrice, 1989, págs. 101-232.
MN 1132	Madrid, Biblioteca Nacional, *Poesías varias.* Bibl.: *Poesías varias.* Edición de Beatriz Elena Entenza de Solare. Buenos Aires: Universidad de Buenos Aires, 1978.
MN 1317	Madrid, Biblioteca Nacional, Meneses. *Historia universal*, Tomo XIII (últimos folios cosidos).
MN 2856	Madrid, Biblioteca Nacional, *Versos varios*, Ms. 2856.
MN 2973	Madrid, Biblioteca Nacional, *Flores de varia poesía.* Bibl.: *Flores de varia poesía.* Edición de Margarita Peña. México: Universidad Nacional Autónoma, 1980.
MN 3670	Madrid, Biblioteca Nacional.
MN 3691	Madrid, Biblioteca Nacional. *Libro de diversas trobas.* Cristóbal de Castillejo.
MN 3698	Madrid, Biblioteca Nacional.
MN 3700	Madrid, Biblioteca Nacional. *Poesías diversas.*
MN 3723	Madrid, Biblioteca Nacional.
MN 3724	Madrid, Biblioteca Nacional.

Tabla 7

MN 3725	Madrid, Biblioteca Nacional.
MN 3806	Madrid, Biblioteca Nacional. *Cancionero de cosas de amor a diferentes propósitos*, 1575.
MN 3902	Madrid, Biblioteca Nacional. Bibl.: *Cancionero de poesías varias. Manuscrito 3902 de la Biblioteca Nacional de Madrid.* Edición de Ralph A. DiFranco, José J. Labrador Herraiz. Colección Cancioneros Castellanos, vol. 2. Cleveland: Cleveland State University, 1989.
MN 3913	Madrid, Biblioteca Nacional. *Parnaso español.*
MN 3968	Madrid, Biblioteca Nacional. *Código poesías españolas.*
MN 4127	Madrid, Biblioteca Nacional. *Libro de romances nuevos con su tabla puesta al principio por el orden del a.b.c., hecho en el año de 1592.*
MN 4256	Madrid, Biblioteca Nacional.
MN 4262	Madrid, Biblioteca Nacional.
MN 4268	Madrid, Biblioteca Nacional.
MN 5593	Madrid, Biblioteca Nacional. *Manuscrito Poesías.*
MN 5602	Madrid, Biblioteca Nacional.
MN 6001	Madrid, Biblioteca Nacional.
MN 17.556	Madrid, Biblioteca Nacional. Bibl.: *Poesías varias y recreación de buenos ingenios.* Edición de Rita Goldberg. Madrid: José Porrúa Turanzas, 1984.
MN 17.557	Madrid, Biblioteca Nacional. *Poesías varias.*
MN 17.951	Madrid, Biblioteca Nacional. *Este libro es de mi Per. Sor. d. Geronimo.* Año de 1662.
MoE Q 8-21	Modena, Biblioteca Estense, *Odae alique hispanicae.* Bibl.: Edición de Charles Aubrun. "Chansonniers musicaux espagnols du XVIIe siècle. II. Le recueils de Modène". *Bulletin Hispanique*, 52 (1950): 313-374.
Morán	Madrid, Biblioteca de Palacio, Ms. II-531. Bibl.: *Cartapacio de Francisco Morán de la Estrella.* Edición de Ralph A. DiFranco, José J. Labrador Herraiz, C. Angel Zorita. Prólogo de Juan Bautista de Avalle-Arce. Madrid: Editorial Patrimonio Nacional, 1989.
MP 570	Madrid, Biblioteca de Palacio, Ms. II-570.
MP 617	Madrid, Biblioteca de Palacio, Ms. II-617. Bibl.: *Cancionero de poesías varias. Manuscrito No. 617 de la Biblioteca Real de*

Madrid. Edición de José J. Labrador Herraiz, C. Angel Zorita, Ralph A. DiFranco. Madrid: El Crotalón, 1986.

MP 644   Madrid, Biblioteca de Palacio, Ms. II-644.
Bibl.: José J. Labrador Herraiz. "Los cancioneros manuscritos de la Real Biblioteca de Palacio. Más fragmentos de un fragmento". *Reales Sitios,* 24 (1987): 21-32.

MP 996   Madrid, Biblioteca de Palacio, *Romances manuscritos,* Ms. II-996.
Bibl.: *Romancero de Palacio.* Edición de José J. Labrador Herraiz, Ralph A. DiFranco. Madrid: Patrimonio Nacional (aparecerá en 1997).

MP 973   Madrid, Biblioteca de Palacio, *Poesías del Maestro León,* Ms. II-973.

MP 1578   Madrid, Biblioteca de Palacio, Ms. II-1578.
Bibl.: Ralph A. DiFranco y José J. Labrador Herraiz. MS. 1578 de la Biblioteca Real de Madrid con poesías de Cetina, Figueroa, Hurtado de Mendoza, Montemayor y otros. *Boletín de la Biblioteca Menéndez Pelayo ,* 69 (1993).

MP 1587   Madrid, Biblioteca de Palacio.
Bibl.: *Cancionero de poesías varias. Manuscrito 1587 de la Biblioteca Real de Madrid.* Edición de José J. Labrador Herraiz, Ralph A. DiFranco. Prólogo de Samuel G. Armistead. Madrid: Editorial Patrimonio Nacional, 1994.

MP 2456   Madrid, Biblioteca de Palacio, Ms. II-2456.

MP 2459   Madrid, Biblioteca de Palacio, Ms. II-2459.

MP 2803   Madrid, Biblioteca de Palacio, Ms. II-2803.
Bibl.: *Cancionero de poesías varias. Manuscrito 2803 de la Biblioteca Real de Madrid.* Edición de José J. Labrador Herraiz, Ralph A. DiFranco. Prólogo de Maxime Chevalier. Madrid: Editorial Patrimonio Nacional, 1989.

MP 2805   Madrid, Biblioteca de Palacio, Ms. II-2805.
Bibl.: Ralph A. DiFranco y José J. Labrador Herraiz. *"El manuscrito 2805 de la Biblioteca de Palacio y la poesía de Diego Hurtado de Mendoza". Medieval Studies in Honor of James R. Chatham.* Madison: Hispanic Medieval Seminary, 1993 (en prensa; quedará incorporado a la edición que de la poesía de don Diego Hurtado de Mendoza estamos preparando).

MP 3560   Madrid, Biblioteca de Palacio, Ms. II-3560.
José J. Labrador Herraiz. "Una fuente para el estudio de la poesía de F. Luis de León. El Ms. 3560 de la Biblioteca Real de Madrid", en *Estudios en homenaje a Enrique Ruiz-Fornells,* eds. Juan Fernández Jiménez, José J. Labrador Herraiz, L. Teresa Valdivieso. Erie, Pennsylvania: ALDEEU, 1990, págs. 255-262.

MRAH 7069   Madrid, Real Academia de la Historia.

NH B-2558   New York, The Hispanic Society of America Library.
Bibl.: *The Hispano-Portuguese Cancioneiro of the Hispanic Society of America.* Edición de Arthur Lee-Francis Askins. Chapel Hill: U.N.C. Department of Romance Languages, 1974.

Tabla   9

Edición de Arthur Lee-Francis Askins. Chapel Hill: U.N.C. Department of Romance Languages, 1974.

OA 189   Oxford, All Souls College Library.

Obras, Cepeda   *Obras*. Joaquín Romero Cepeda. Sevilla, 1582, BNM R-2744.

Obras, Silvestre   *Obras*. Gregorio Silvestre. Lisboa, 1592. BNM R-1863, R-11.617.

PA 1506   *Del illustrisima signora, la signora Genevera Bentiviogli. Libro de diverse canzoni spagnole et italiane.*
Bibl.: Edición de Antonio Restori. "Poesie spagnole appartenute a donna Ginevra Bentivoglio." *Homenaje a Menéndez y Pelayo*. Madrid: Victoriano Suárez, 1899, II, 455-485.

Padilla   Madrid, Biblioteca de Palacio, Ms. II-1579.
Bibl.: *Cartapacio autógrafo de Pedro Hernández de Padilla, criado de Celia*. Edición de Ralph A. DiFranco, José J. Labrador Herraiz (en preparación). "Inventario de los MSS 1579 y 1587, el primero con poesías autógrafas de Pedro de Padilla". *Crítica Hispánica*, 14 (1992): 135-171. "Pedro de Padilla y los manuscritos 1579 y 1587 de la Biblioteca Real de Madrid". *Cuadernos de ALDEEU*, 7 (1991): 163-174.

PBM 56   París, Bibliothèque de Beaux Artes, Mason 56.

Penagos   Madrid, Biblioteca de Palacio, *Cartapacio. Es de Pedro de Penagos. Comenzóse a 9 de agosto de 1593*, Ms. II-1581.
Bibl.: Edición de Ralph A. DiFranco, José J. Labrador Herraiz (en preparación).

Peralta   Madrid, Biblioteca Nacional, [*Cancionero de Gabriel de Peralta*], Ms. 4072.

PhUP1   Philadelphia, University of Pennsylvania Library, Span 1.

PN 258   París, Bibliothèque Nationale, Esp. 258.

PN 307   París, Bibliothèque Nationale, Esp. 307.

PN 311   París, Bibliothèque Nationale, Esp. 311.
Bibl.: *"A ti, doña Marina". The Poetry of Don Diego de Mendoza contained in the Autographic Manuscript ESP. 311, Bibliothèque Nationale, Paris*. Edición de C. Malcom Batchelor. La Habana, Cuba: Ucar, García, 1959.

PN 314   París, Bibliothèque Nationale, Esp. 314.
Bibl.: *Obras de Pedro Laínez*. Edición de Joaquín de Entrambasaguas. 2 vols. Madrid: CSIC, 1951.

PN 371   París, Bibliothèque Nationale, Esp. 371.
Bibl.: *A Critical Edition of MS. Espagnol 371 of the Bibliothèque Nationale (Paris): Spanish Poetry of the Sixteenth-Century*. Edición de Linda Lesack. University of Missouri. Tesis doctoral, 1973.

PN 372   París, Bibliothèque Nationale, Esp. 372.

PN 418	París, Bibliothèque Nationale, Esp. 418. *Palacio de las musas y musas de palacio en las poesías de D. Antonio Hurtado de Mendoza, comendador de Zurita de la Orden de Calatrava, Secretario de Cámara de su Magestad, y de justicia en la suprema inquisición.*
RaC 263	Ravenna, Biblioteca Classense. *Libro romancero de canciones, romances y algunas nuevas para pasar la siesta a los que para dormir tienen la gana*, Alonso de Navarette de Pisa. 1589.
RC 625	Roma, Biblioteca Corsini.
Recopilación, Vázquez	*Recopilación de sonetos y villancicos a quatro y a cinco.* Juan Vázquez. Sevilla, 1560. Bibl.: Edición de Higinio Anglés. Barcelona, 1946.
RG 1600	*Romancero general, en que se contienen todos los romances que andan impresos en las nueve partes de romanceros.* Madrid: Luis Sánchez, 1600. BNM R-14.850-51.
RH	*Romancero historiado con mucha variedad de glosas y sonetos y al fin una floresta pastoril y cartas pastoriles. Hecho y recopilado por Lucas Rodríguez, 1584.* BNM R-13.424. Bibl.: Edición de Antonio Rodríguez-Moñino. Valencia: Editorial Castalia, 1968.
Rojas	Madrid, Biblioteca Nacional, Ms. 3924. Bibl.: *Cancionero de Pedro de Rojas.* Edición de José J. Labrador Herraiz, Ralph A. DiFranco, María T. Cacho. Prólogo de José Manuel Blecua. Colección Cancioneros Castellanos, vol. 1. Cleveland: Cleveland State University, 1988.
Romancero, Padilla	*Romancero de Pedro de Padilla.* Madrid: Francisco Sánchez, 1583.
Rosa de Amores, Timoneda	*Rosa de Amores. Primera parte de romances de Juan Timoneda que tratan diversos y muchos casos de amores,* 1573. Bibl.: Edición de Antonio Rodríguez-Moñino. *Rosa de Romances por Juan Timoneda.* Valencia: Editorial Castalia, 1963.
Rosa Española, Timoneda	*Rosa Española. Segunda parte de romances de Juan Timoneda que tratan de historias de España,* 1573. Bibl.: Edición de Antonio Rodríguez-Moñino. *Rosa de Romances por Juan Timoneda.* Valencia: Editorial Castalia, 1963.
Rosa Gentil, Timoneda	*Rosa Gentil. Tercera parte de romances de Juan Timoneda que tratan historias romanas y troyanas,* 1573. Bibl.: Edición de Antonio Rodríguez-Moñino. *Rosa de Romances por Juan Timoneda.* Valencia: Editorial Castalia, 1963.
Rosa Real, Timoneda	*Rosa Real. Cuarta parte de romances de Juan Timoneda que tratan de casos señalados de reyes y otras personas que han tenido cargos importantes,* 1573. Bibl.: Edición de Antonio Rodríguez-Moñino. *Rosa de Romances por Juan Timoneda.* Valencia: Editorial Castalia, 1963.

Tabla 11

	Bibl.: Edición de Antonio Rodríguez-Moñino. *Rosa de Romances por Juan Timoneda*. Valencia: Editorial Castalia, 1963.
Rosal	Madrid, Biblioteca Rodríguez-Moñino, *Rosal de divinos versos*, Ms. E-30-6227. Bibl.: Edición parcial de Antonio Rodríguez-Moñino. *Abaco 2. Estudios sobre literatura española*. Madrid: Castalia, 1970, págs. 87-227.
RV 768	Roma, Biblioteca Vaticana.
RV 1635	Roma, Biblioteca Vaticana. Año de 1586.
Sablonara	Madrid, Biblioteca Nacional, *Cancionero musical y poético del siglo XVII recogido por Claudio de la Sablonara*, Mm. 1263. Bibl.: Edición de Jesús Aroca. Madrid: Imprenta de la RABM, 1916.
Sevillano	New York, The Hispanic Society of America Library, Ms. B-2486. Bibl.: *Cancionero sevillano*. Edición de Margit Frenk, José J. Labrador Herraiz, Ralph A. DiFranco (de próxima aparición).
SU 2755	Salamanca, Biblioteca Universitaria. Bibl.: *Cartapacio poético del colegio de Cuenca*. Edición de Joaquín Forradellas Figueras. Salamanca: Diputación de Salamanca, 1986.
Tesoro, Padilla	*Tesoro de varias poesías compuesto por Pedro de Padilla*. Madrid, 1580. BNM R-1409.
Toledano	Madrid, Biblioteca Nacional, *Coplas de M. Rodríguez de Castro*, Ms. 17.689. Bibl.: *El manuscrito 17.689 de la Biblioteca Nacional de Madrid*. Edición de Rosa María Falgueras Gorospe. Tesis de licenciatura, Barcelona, 1963.
TorN 1-14	Torino, Biblioteca Nazionale. Bibl.: *Poesie spagnole del seicento*. Edición de G. M. Bertini. Torino: Chiantore, 1946.
TP 506	Toledo, Biblioteca Pública.
Uppsala	Biblioteca de Uppsala. *Villancicos de diversos autores, a dos, y a tres, y a cuatro y a cinco voces*, Venezia, 1556. Bibl.: Edición de Jesús Riosalido. Madrid: Instituto Hispano-Arabe de Cultura, 1983.
Vergel, Ubeda	*Vergel de flores divinas*, Juan López de Ubeda. Alcalá de Henares: Juan Iñiguez de Lequerica, 1582. BNM R-2326.
WHA	Wolfenbüttel, Herzog August Bibliothek, *Este libro es de Juan Peraza, músico de la santa iglesia de Toledo*, Ms. Cod. Guelf 75.1 Aug. 8.

A

A Alconisa cruel salud envía (MN 3902, 33v)
A aquel divino rostro que solía (MN 1132, 8)
A Bartola dijo Blas (MP 996, 212v)
A Blas ha muerto María (*Romancero*, Padilla, 310)
A buscar a su mujer (*Lemos*, 201v)
A buscar anda el cordero (*Jesuitas*, 245)
A buscar sale otro mundo (MN 17.556, iii)
A caballo va Bernardo (*Evora*, 49)
A cabo de mucho tiempo (*Rosa Española*, Timoneda, 7)
A cabo de tantos años (*Sevillano*, 237v)
A cada paso atrás me voy volviendo (MP 973, 238)
A campo sale Cupido (*Obras*, Cepeda, 96)
A caza iban a caza (MN 3725-2, 23)
A caza sale Acteón (*Rosa de Amores*, Timoneda, 54v)
A caza sale el gran turco (*Rosa Real*, Timoneda, 78v)
A caza salía Dina (*Sevillano*, 278)
A caza va el emperador (MN 3725-2, 125)
A caza va el lindo Adonis (*CG* 1557, 401v)
A cazar va el caballero (MN 3725-2, 21)
A Celia no se le iguala (MBM 23/4/1, 84v)
A Celia sus flechas deja (*Cid*, 225v)
A Celia sus flechas deja (MBM 23/4/1, 122)
A Cintia he visto pastores (PN 418, p. 391)
A componer la novia se subieron (*Tesoro*, Padilla, 358)
A concilio dentro en Roma (*Rosa Española*, Timoneda, 40v)
A condição deste fruito (*Corte*, 157)
A condição deste fruito (*Evora*, 1v)
A consentir al fin en su porfía (FN VII-354, 260)
A consentir al fin en su porfía (RaC 263, 129v)
A contar mi hado (*Lemos*, 121)
A contar mi hado (*Penagos*, 84v)
A contemplar vuestro gesto (*CG* 1511, 182v)
A coronarse de flores (*Sablonara*, 31)
A correr a correr zagales (*Sevillano*, 87v)
A corte dos celestes moradores (*Faria*, 41)
A cortes llama el Amor (*Toledano*, 7v)
A cuál antes llegaría (*Canc.*, Ubeda, 124)
A cuál antes llegaría (*Jesuitas*, 194v)
A cuál antes llegaría (*Vergel*, Ubeda, 156v)
A cualquier pasajero (*RG* 1600, 68v)

A cualquiera sepultura (*Padilla*, 11)
A cuándo aguardas alma endurecida (MN 17.951, 69)
A cuerpo y alma crió (*Cid*, 100v)
A cuestas lleva el Verbo soberano (*Vergel*, Ubeda, 39)
A Dafne ya los brazos le crecían (*Toledano*, 81v)
A David le prometió (*Sevillano*, 170v)
A desigual balança (*Faria*, 87)
A despecho de Amor sigo un camino (MN 2973, p. 314)
A Diego Moreno ha sido (*Morán*, 92v)
A Diego Moreno ha sido (*Peralta*, 9v)
A Dios cantando alabamos (*Fuenmayor*, p. 264)
A Dios en público vemos (*Fuenmayor*, p. 264)
A Dios juras hermoso Catalina (MP 570, 289v)
A Dios más dulce y gustoso (*Jhoan López*, 33v)
A Dios pluguiera (WHA 2067, 58v)
A dó bueno por aquí (PBM 56, 43v-44)
A dó bueno por aquí (RaC 263, 79)
A dó está el fruto de tan largos días (*Jesuitas*, 122)
A dó estás alma mía (*Elvas*, 51)
A dó hallarán holganza (*Corte*, 121v)
A dó Meri los pies te llevan ahora (FR 3358, 147v)
A dó Meri los pies te llevan ahora (MN 3698, 68v)
A dó Meri los pies te llevan ahora (MP 996, 239)
A dó Meri los pies te llevan ahora (*Rosal*, p. 337)
A dó miran los ojos que no miran (*Cid*, 270)
A dó mirasteis ojos desdichados (*Morán*, 16)
A dó mirasteis ojos desdichados (*Sevillano*, 225v)
A dó sube el pensamiento (*Borges*, 25)
A dó te vas pastor Espera espera (TP 506, 52v)
A dó va el malogrado (*RG* 1600, 203v)
A dó vas con tanta gala (*Sevillano*, 172v)
A don Alvaro de Luna (MN 2856, 73)
A don Alvaro de Luna (MN 4127, p. 162)
A don Alvaro de Luna (*RG* 1600, 350v)
A donde el Tajo parece (*RG* 1600, 112)
A dónde señor don por vida mía (MBM 23/4/1, 255)
A dónde señor don por vida mía (*Morán*, 26v)
A dónde vais señora (*Sevillano*, 179v)
A dónde vas Amor Vengo huyendo (*Morán*, 18v)
A dos de partir (*Flor de enamorados*, 93)

A ella la del arco y las flechas (*Jacinto López*, 226)
A ella la del arco y las saetas (FN VII-353, 279v)
A ella la del arco y las saetas (FN VII-354, 247)
A entrambos nos está bien (*Jhoan López*, 24v)
A esperança é perdida (*Corte*, 49)
A estar con vuestro marido (*Heredia*, 183v)
A este pobre romero (*Flor de enamorados*, 28v)
A fama e gloria que pudestes destes (*Penagos*, 303v)
A fe de buen jibacaire (CG 1557, 396v)
A fe de caballero (*Morán*, 54)
A fe de hombre de bien señor Cupido (MP 973, 69v)
A fe de hombre de bien y en mi conciencia (FN VII-353, 188v)
A fe de hombre de bien y en mi conciencia (MP 973, 56)
A fe de hombre de bien y en mi conciencia (SU 2755, 220)
A fe pensamiento a fe (MN 17.557, 61v)
A fe pensamiento a fe (MP 996, 85v)
A fe pensamiento a fe (RG 1600, 171)
A fe pensamiento mío (RG 1600, 171)
A festejar un disanto (MN 3700, 187)
A formar quejas a Roma (*Rosa Gentil*, Timoneda, 31v)
A formoçura desta fresca serra (*Corte*, 124)
A fortaleza d'Antonio (MP 2459, 93)
A Galatea buscando (*Cid*, 225)
A Galatea buscando (*Morán*, 92v)
A Galatea buscando (*Tesoro*, Padilla, 66v)
A Grecia parte Rugero (*Tesoro*, Padilla, 405)
A Herodes rey le dijeron (*Lemos*, 166)
A horas breves de meu contentamento (*Corte*, 177)
A huir a huir (MN 17.557, 60)
A Ignacio ha el amor robado (*Vergel*, Ubeda, 164)
A Jimena y a Rodrigo (RG 1600, 94)
A Juanito el de Isabel (*Jhoan López*, 104)
A Júpiter convidó (*Lemos*, 169v)
A la belleza que vieron (*Jacinto López*, 45v)
A la burladora Filis (MP 996, 78v)
A la burladora Filis (RG 1600, 234v)
A la ciudad famosa que eterniza (*Fuenmayor*, p. 303)
A la corte del cielo (*Padilla*, 192)
A la corte vas Perico (MN 3700, 4)
A la dama que en el habla (*Jacinto López*, 184)
A la dulce risa del alba (MN 3700, 211v)
A la dulce risa del alba (*Sablonara*, 1)
A la entrada de un valle en un desierto (*Borges*, 8v)
A la entrada de un valle en un desierto (*Jhoan López*, 17)
A la entrada de un valle en un desierto (MP 617, 245v)
A la entrada de un valle en un desierto (*Toledano*, 81)
A la escaramuza y juego (*Rojas*, 145v)
A la escuela fue la niña (PN 418, p. 367)
A la esposa de Gaiferos (*León/Serna*, 102v)

A la esposa de Gaiferos (*Tesoro*, Padilla, 17)
A la feria galanes (MN 3725-1, 47)
A la fresca sombra (MN 3913, 138v)
A la gala / de la más linda zagala (PBM 56, 66)
A la gala de la linda pastorcica tan bonica (*Jesuitas*, 446v)
A la gala de las dos (*Sevillano*, 145v)
A la gala del convite (*Canc.*, Ubeda, 46)
A la gala del convite (*Vergel*, Ubeda, 76v)
A la gala del garzón (*Sevillano*, 44v)
A la garza mía (FN VII-353, 175v)
A la gloria que poseo (*Morán*, 77v)
A la gran fiesta de Venus (*Jacinto López*, 76)
A la guerra de extranjeros (MN 17.556, 116)
A la guerra de extranjeros (RG 1600, 120v)
A la hermosa dama declarando (MP 1587, 51)
A la hermosa Laida declarando (*Morán*, 135)
A la hora en que mi fe (CG 1514, 97)
A la hora que el Aurora ya venía (MN 3806, 122)
A la hora que Medea (CG 1511, 23v)
A la jineta sentada (MN 3700, 147)
A la jineta vestido (RaC 263, 153)
A la jineta y vestido (*Jacinto López*, 204v)
A la jineta y vestido (MN 17.556, 2)
A la jineta y vestido (MN 17.557, 60v)
A la jineta y vestido (PN 372, 370)
A la jineta y vestido (RG 1600, 27)
A la jineta y vestido (TorN 1-14, 5)
A la luna me quede si no le adoro (MN 3700, 142)
A la madre del consuelo (*Jesuitas*, 477v)
A la mal casada (*Jhoan López*, 43)
A la mal casada (MP 1587, 131v)
A la mal casada / déle Dios placer (*Jacinto López*, 66, 320)
A la mañana Dios y enhorabuena (FN VII-353, 312)
A la mar me arrojo (*Penagos*, 85)
A la más linda señora / de las más lindas que vi (*Padilla*, 130)
A la más seguidita (PN 418, p. 60)
A la mayor desgracia que ha pasado (FN VII-353, 22)
A la mi fe Blas (*Canc.*, Maldonado, 36)
A la mi fe Gil no puedo (MN 3700, 27)
A la moza darle audiencia (RaC 263, 160v)
A la niña bonita (MoE Q 8-21, p. 75)
A la orilla de Genil (*Cid*, 234v)
A la orilla de Genil (FN VII-353, 142v)
A la orilla de Genil (RG 1600, 194), *ver* A la orilla del Genil
A la orilla de Turia dos pastores (*Heredia*, 272)
A la orilla de un brasero (MN 3700, 179v)
A la orilla de un estanque (RG 1600, 112v)
A la orilla de una fuente (*Cid*, 205v)
A la orilla de una fuente (*Morán*, 101)

Tabla 15

A la orilla del agua estando un día (MP 2803, 232)

A la orilla del agua estando un día (RaC 263, 126)

A la orilla del agua vide un día (FN VII-354, 255v)

A la orilla del Genil (MN 3723, 115), *ver* A la orilla de Genil

A la partida me pedís prenda (*Lemos*, 123)

A la pendiente cuna (MN 3700, 172v)

A la postrimera hora (*RG* 1600, 361)

A la puerta llaman (*Canc.*, Ubeda, 10)

A la puerta llaman (*Vergel*, Ubeda, 19v)

A la que amor se rindió (*Romancero*, Padilla, 327v)

A la que el sol se ponía (*Flor de enamorados*, 47)

A la que es Virgen y Madre (*Sevillano*, 174v)

A la ribera de la mar sentada (BeUC 75/116, 74v)

A la ribera de la mar sentada (*Evora*, 60)

A la ribera de la mar sentada (FN VII-354, 41)

A la ribera de la mar sentada (*Heredia*, 338)

A la ribera de la mar sentada (MBM 23/8/7, 253)

A la ribera de la mar sentada (MN 3968, 62)

A la ribera de la mar sentada (MN 4262, 146)

A la ribera de la mar sentada (MN 4268, 112v)

A la ribera de la mar sentada (MP 1578, 13v)

A la ribera de la mar sentada (MP 2805, 112)

A la ribera de la mar sentada (MRAH 9-7069, 65)

A la ribera de la mar sentada (PhUP1, 79)

A la ribera de la mar sentada (PN 258, 194)

A la ribera de la mar sentada (PN 311, 10)

A la ribera de la mar sentada (RV 768, 261), *ver* En la ribera

A la ribera de la mar sentada (TP 506, 31v)

A la sacra Virgen pura (*Sevillano*, 48v)

A la salud de Fileno (PN 418, p. 326)

A la sombra de un aliso (*Cid*, 159, 243v)

A la sombra de un mirto estaba un día (MN 3968, 159v)

A la sombra de un peñasco (*RG* 1600, 214)

A la sombra de un pino que miraba (*Tesoro*, Padilla, 270v)

A la sombra de un pino recostado (*Tesoro*, Padilla, 208v)

A la sombra de un risco helado y frío (*Tesoro*, Padilla, 27v)

A la sombra de una haya (*Romancero*, Padilla, 285)

A la sombra de una haya (TP 506, 162)

A la sombra de una peña (*RG* 1600, 138)

A la sombra Sidonio de un gran pino (TP 506, 51v)

A la sombra y no de aliso (*RG* 1600, 318v)

A la tierra fueron (*Sevillano*, 141v)

A la tierra ha llegado (MN 17.951, 28)

A la tierra voy (*Sevillano*, 43v)

A la umbra de una haya (*Cid*, 162v)

A la una vine aquí (*Jacinto López*, 319)

A la villa fueron / mis ojos llorando (*Elvas*, 34v)

A la villa fueron / mis ojos mirando (*Sevillano*, 240, 248v)

A la villa pastor (MoE Q 8-21, p. 187)

A la villa voy (*Elvas*, 34v, 101v)

A la villa voy (*Sevillano*, 240, 242, 248v)

A la virtud se ha de dar (*CG* 1511, 171v)

A la vista de los dos reyes (*RG* 1600, 163)

A la vista de los Vélez (MN 3723, 227)

A la vista de los Vélez (*RG* 1600, 183)

A la vista de Tarifa (MN 3724, 145v)

A la vista de Tarifa (*RG* 1600, 126v)

A la viuda primero (MP 973, 112)

A la viudaza primero (*Jacinto López*, 184)

A la zambarambe (MoE Q 8-21, p. 176)

A Lais que fue hermosa (MN 3968, 37v), *ver* Lais que

A las almas obstinadas (*Romancero*, Padilla, 54v)

A las armas buen Jesús (*Jesuitas*, 447v)

A las armas el buen conde (MN 5602, 69v)

A las avellanas (FN VII-353, 168)

A las avellanas (MN 17.557, 48)

A las bestias parecemos (*Vergel*, Ubeda, 162v)

A las bodas de Antón Gil (FN VII-353, 109)

A las cosas del placer (*CG* 1511, 142)

A las damas bellas (MN 3725-1, 46)

A las damas que guardáis (*Jacinto López*, 221v)

A las estrellas en el cielo (MN 4127, p. 276)

A las mozas hermosas y gustosas (RaC 263, 160v)

A las mozas porque son mozas (*Rojas*, 143v)

A las murallas de Túnez (PN 418, p. 43)

A las ninfas Narciso enamoraba (MN 3968, 165v)

A las puertas del palacio (*RG* 1600, 247v)

A las señoras hermosas (PA 1506, p. 38)

A las sombras de un laurel (MN 3723, 286)

A las sombras de un laurel (*RG* 1600, 166)

A las voces de un silencio (PN 418, p. 299)

A las voces y alaridos (*Jhoan López*, 7)

A llorar su amarga ausencia (MN 3913, 126)

A lo que fue tengo infinito amor (*Corte*, 175v, 186, 211v)

A lo que saben Celia los panales (MN 2973, p. 188)

A los animales brutos (*CG* 1511, 155v)

A los boquirrubios (MN 17.556, 93)

A los boquirrubios (MP 996, 146v)

A los boquirrubios (*RG* 1600, 50)

A los de amor seguidores (*CG* 1511, 77v)

A los dioses un templo consagraron (*Canc.*, Maldonado, vii v)

A los galanes que vais (*Jacinto López*, 221)

A los maitines era (*Colombina*, 87v)

A los moros de París (*Romancero*, Padilla, 155v)

A los muros de París (*Padilla*, 33)

A los pies de don Enrique (MP 996, 106)

A los pies de don Enrique (*RG* 1600, 122)

A los pies de la esperanza (*Jhoan López*, 44)

A los reyes que ha traído (*Jhoan López*, 46v)

A los soldados que hacían (MN 3723, 26)

A los suspiros de Audalla (MN 3723, 161)

A los suspiros que Audalla (MN 4127, p. 56)

A los suspiros que Audalla (*Penagos*, 127v)

A los suspiros que Audalla (*RG* 1600, 252)

A los torreados muros (MN 3723, 188)

A los torreados muros (MN 4127, p. 61)

A los torreados muros (*RG* 1600, 81)

A los tristes amadores (*Obras*, Silvestre, 172)

A los veinte y dos de julio (MN 2856, 5)

A los vencidos de amor (*Romancero*, Padilla, 314)

A los viejos y a los muertos (FN VII-353, 147)

A los vientos y las ondas (PN 418, p. 330)

A los vuestros dejáis tan espantados (*Vergel*, Ubeda, 33v)

A luz em que minha vida sostentava (EM Ç-III.22, 38v)

A Madalena o seu esposo buscava (*Evora*, 27)

A malas lanzadas mueras (*Penagos*, 134)

A malas lanzadas mueras (*RG* 1600, 326v)

A manos dios de amor muy puro y santo (*Penagos*, 289)

A Marfira Damón salud envía (BeUC 75/116, 46)

A Marfira Damón salud envía (FN VII-354, 159)

A Marfira Damón salud envía (*Jacinto López*, 32v)

A Marfira Damón salud envía (MBM 23/8/7, 66)

A Marfira Damón salud envía (MN 3670, 74, 106, 159)

A Marfira Damón salud envía (MN 3968, 32)

A Marfira Damón salud envía (MN 4256, 94v)

A Marfira Damón salud envía (MN 4262, 59v)

A Marfira Damón salud envía (MN 4268, 9)

A Marfira Damón salud envía (MP 1578, 5, 63, 219)

A Marfira Damón salud envía (MP 2805, 129v)

A Marfira Damón salud envía (MP 617, 280v)

A Marfira Damón salud envía (MRAH 9-7069, 3)

A Marfira Damón salud envía (OA 189, 172)

A Marfira Damón salud envía (PhUP1, 46)

A Marfira Damón salud envía (PN 258, 101)

A Marfira Damón salud envía (PN 307, 10v)

A Marfira Damón salud envía (PN 311, 71)

A Marfira Damón salud envía (TP 506, 25)

A Maria eu Gil amigo (*Borges*, 21v)

A María Gil se ousasse (*Corte*, 202)

A María no es amar (*Corte*, 202)

A más de la de sus soles (PN 418, p. 537)

A media legua de Gelves (MN 3723, 45)

A media legua de Gelves (*RG* 1600, 176v)

A medio mundo alumbró (*Lemos*, 268)

A mejorar la vendimia (MN 3724, 42)

A Menga sólo me di (*Sevillano*, 194)

A merçê que me fizestes (*Corte*, 154)

A mi albedrío y sin orden alguna (MBM 23/4/1, 66), *ver* A su albedrío

A mi corazón no le deis penas (*Lemos*, 122)

A mi Evangelista (*Sevillano*, 48)

A mi gusto me acomodo (MoE Q 8-21, p. 63, p. 141)

A mi libertad yo adoro (PN 314, 167v)

A mi mal venturoso (TP 506, 110)

A mí me debo culpar (*Colombina*, 3)

A mi pensamiento (*RG* 1600, 172)

A mí que me falta saber y sentido (CG 1511, 156v)

A mí que pecado había (*Canc.*, Ubeda, 55v)

A mi triste pensamiento (WHA 2067, 100)

A mis señores poetas (MN 4127, p. 124)

A monte sale el Amor (*Toledano*, 7)

A morte pois que sou vosso (*Borges*, 23)

A mostrar adivinar (MoE Q 8-21, p. 55)

A mostrar adivinar (PA 1506, 38)

A muerte me condenaste (CG 1511, 125v)

A muerte me condenaste (MN 3902, 33)

A muerte me condenaste (MN 5602, 31)

A muerte me condenastes (MP 617, 154v)

A nadie puede espantar (PN 418, p. 64)

A nadie quiero querer (MN 3902, 55)

A nuestro ateneo tengo preguntado (MP 1578, 245)

A oscuras veo andar ciertos gozquillos (*Obras*, Silvestre, 361v)

A pagar la deuda mía (*Padilla*, 58)

A partida que me aparta (PBM 56, 41v-42)

A Pascuala dijo Blas (FN VII-353, 110v)

A pasear una tarde (MP 996, 35v)

A peregrinação de um pensamento (*Faria*, 57)

A perfeição a graça o suave jeito (*Corte*, 122v)

A pie está Diego Ordóñez (MiT 994, 25v, 34)

A pie está Diego Ordóñez (*Rojas*, 93)

A pie está don Diego Ordóñez (*León/Serna*, 108)

A pie está don Diego Ordóñez (*Morán*, 3)

A pie está don Diego Ordóñez (PN 372, 28)

A pie está el fuerte don Diego (*Jesuitas*, 473v)

A pie está el fuerte don Diego (*RH*, 42v)

A pie sale y sin caballo (*León/Serna*, 98v)

A pocos pasos que el Amor había (*Canc.*, Maldonado, 176)

A poderte ver (*Sevillano*, 91v)

A presumpção a graça o suave gesto (EM Ç-III.22, 21)

A puertas de Menga Gil (*Jacinto López*, 319)

A puro machacar el hierro crudo (*Obras*, Silvestre, 361v)

A qué cuenta me decí (*Heredia*, 141)

A qué ha podido hoy severo (*Sevillano*, 164v)

A qué no está sujeto el ser humano (MN 2973, p. 27)

Tabla 17

A que venis tan d'asiento (*Corte*, 120v)

A qué vienes tirano a la cabaña (*Medinaceli*, 140v)

A quem conceden alguma hora a natureza (EM Ç-III.22, 37v)

A quem crê que este seu bem (*Borges*, 59v)

A quién amas di pastor (*Cid*, 214v)

A quién amas di pastor (*Tesoro*, Padilla, 36v)

A quién amas di zagal (*Sevillano*, 71)

A quien basta el conocer (*CG* 1511, 95)

A quien bien le pareciere (*RG* 1600, 108v)

A quién buscas Amor Busco a Marfira (*Morán*, 18v)

A quién buscas Amor Busco a Marfira (MP 570, 241)

A quién buscas Amor Busco a Marfira (MP 617, 245v)

A quién buscas Amor Busco a Marfira (PN 373, 255v)

A quién buscas Amor Busco a Marfira (*Sevillano*, 225)

A quien celebrar quiere tu escritura (MP 570, 250v)

A quién con vuestro llanto Magdalena (*Jhoan López*, 135v)

A quién contaré mis quejas (*Padilla*, 235)

A quién contaré mis quejas (*Sablonara*, 69)

A quién contaré yo (*Padilla*, 235)

A quién daré las quejas amorosas (*Morán*, 50v)

A quién habrá que no asombre (*Canc.*, Ubeda, 43)

A quien hace el amor tantas mercedes (*Jacinto López*, 41v)

A quien le cansa servir (*Padilla*, 45v)

A quien mi saeta hiere (*CG* 1514, 97)

A quien mientras tuvo vida (*Vergel*, Ubeda, 134v)

A quién no admirará el nuevo y gran prodigio (*Canc.*, Maldonado, i)

A quién no habrá que no asombre (*Vergel*, Ubeda, 77v)

A quién no matará sólo un olvido (*Medinaceli*, 78v)

A quién parís Virgen pura (*Sevillano*, 94)

A quien pierde la esperanza (PN 373, 157)

A quién podré preguntar (*Morán*, 4v)

A quien vela (*CG* 1511, 142)

A quien ventura falta (MN 3700, 11)

A recoger los sentidos (PN 418, p. 234)

A rede que no mar atento espalha (NH B-2558, 33)

A reñir salen furiosos (MN 17.556, 32v)

A reñir salen furiosos (MN 3724, 296v)

A reñir salen furiosos (MP 973, 382v)

A reñir salen furiosos (MP 996, 71v)

A reñir salen furiosos (*Penagos*, 73v)

A reñir salen furiosos (*RG* 1600, 343v)

A retar los de Zamora (*Romancero*, Padilla, 147)

A rigurosa muerte condenado (*Padilla*, 111v)

A romana Popuelca preguntava (*Borges*, 71)

A rosa sois comparada (*Sevillano*, 181)

A Salamanca el escolarillo (*RG* 1600, 327v)

A Salamanca iremos (FN VII-353, 196)

A salir en su defensa (MN 4127, p. 214)

A seguro puerto (MP 644, 187v)

A seguro puerto (*Sevillano*, 148)

A seis en cierta mesa incierta a veces (MN 3700, 86v)

A sentença ja é dada (*Corte*, 130v)

A ser con vuestro marido (PN 371, 10v)

A ser con vuestro marido (*Recopilación*, Vázquez, 12v)

A ser con vuestro marido (WHA 2067, 46v)

A ser sin vuestro marido (*Uppsala*, n. 27)

A Silena el amor deja (*Padilla*, 118v)

A Silvia no se le iguala (*Romancero*, Padilla, 318v)

A Siralvo el cortés que en esta tierra (FR 3358, 53v)

A solas canta Riselo (MN 4127, p. 53)

A solas en un monte transportado (*Borges*, 81v)

A solas en un monte transportado (*Sevillano*, 223v)

A solas quiero cantar (*RG* 1600, 133v)

A solas y en confusión (MN 4127, p. 49)

A sólo Silvia conviene (MBM 23/4/1, 113)

A sombra de mis cabellos (*Padilla*, 230v)

A sombras de un acebuche (MN 17.556, 38)

A sombras de un acebuche (MP 973, 391)

A sombras de un acebuche (MP 996, 21v)

A sombras de un acebuche (*Penagos*, 90)

A sombras de un acebuche (*RG* 1600, 28)

A sombras de un verde aliso (*Jacinto López*, 64)

A sombras de una floresta (*León/Serna*, 106v)

A su albedrío y sin orden alguna (*Cid*, 121, 195)

A su albedrío y sin orden alguna (EM Ç-III.22, 75)

A su albedrío y sin orden alguna (FN VII-353, 153)

A su albedrio y sin orden alguna (*Jesuitas*, 463v)

A su albedrío y sin orden alguna (*Medinaceli*, 59v)

A su albedrío y sin orden alguna (MN 3806, 41)

A su albedrío y sin orden alguna (MN 6001, 269v)

A su albedrío y sin orden alguna (*Morán*, 14v, 199)

A su albedrío y sin orden alguna (MP 570, 231)

A su albedrío y sin orden alguna (MP 617, 318)

A su albedrío y sin orden alguna (OA 189, 161)

A su albedrío y sin orden alguna (*Penagos*, 22v)

A su albedrío y sin orden alguna (PN 307, 33)

A su albedrío y sin orden alguna (*Sevillano*, 60, 265)

A su albedrío y sin orden alguna / guió el pastor primero su ganado (MN 17.951, 27v)

A su albedrío y sin orden alguna / lleva Adán con duelo su ganado (*Sevillano*, 152)

A su albedrío y sin orden alguna / ofendió el hombre a Dios por el bocado (*Padilla*, 65v), *ver* A mi albedrío

A su madre en ser humano (*Uppsala*, n. 44)

A su obediencia teniendo (*Cid*, 125)

A su Silvia salud Silvano envía (*Romancero*, Padilla, 184v)

A tal anda don García (*Flor de enamorados*, 49)

A tal extremo de fatigas llego (*Rojas*, 121v)

A tal madre no conviene (*Penagos*, 226v)

A tan alta perfección (*CG 1511*, 124v)

A tan mortal enemigo (*Medinaceli*, 68v)

A tan preciosa comida (*Canc.*, Ubeda, 48v)

A tan preciosa comida (*Vergel*, Ubeda, 76v)

A tan rendido pastor (*Morán*, 38v, 123v)

A tan rendido pastor (*MP 1587*, 100v)

A tanto disimular (*MN 17.557*, 43)

A tanto disimular (*OA 189*, 337)

A tanto disimular (*PN 307*, 187)

A tanto disimular (*Romancero*, Padilla, 286)

A terra feita ceu de sol vestida (*Faria*, 54v)

A ti adoramos Dios (*CG 1511*, 19)

A ti adoramos Dios (*Sevillano*, 33v)

A ti alabamos Dios (*Ixar*, 80)

A ti Belisa dulce ánima mía (*MBM 23/4/1*, 44v)

A ti Belisa dulce ánima mía (*MP 1587*, 27)

A ti Belisa dulce ánima mía (*PN 372*, 27)

A ti bom Jesus que tanto ofendi (*Borges*, 55v)

A ti de los mortales el consuelo (*MN 3700*, 134v)

A ti dichoso y favorable puerto (*Vergel*, Ubeda, 106)

A ti Dios poderoso (*MP 3560*, 44)

A ti Dios que en el cielo (*MP 973*, 85)

A ti divino ingenio a ti la pluma (*FR 3358*, 238v)

A ti divino ingenio a ti la pluma (*Penagos*, 38v)

A ti fray Barasa el viejo (*Lemos*, 66)

A ti la cazadora gorda y flaca (*MN 3968*, 57v), *ver* A vos la cazadora

A ti la más hermosa de este suelo (*PN 372*, 343v)

A ti la rota o derrota del infierno (*FR 3358*, 85v)

A ti la rota rota del infierno (*MP 973*, 342)

A ti Lope de Vega el elocuente (*FN VII-353*, 13)

A ti Lope de Vega el elocuente (*Penagos*, 12v)

A ti mi Dios a quien tanto he costado (*Morán*, 146v)

A ti mi Dios loamos (*Fuenmayor*, p. 528)

A ti mi Redentor llorando pido (*Jesuitas*, 467)

A ti mi Redentor llorando pido (*MN 2973*, p. 39)

A ti no solamente la verdura (*Morán*, 135v)

A ti sola turbación (*CG 1511*, 32)

A ti Venus invoco solamente (*Jacinto López*, 307)

A ti Venus invoco solamente (*Jhoan López*, 108)

A tiempo vine yo que me burlé (*Gallardo*, 53v)

A tierna piedad se mueve (*Jhoan López*, 46v)

A tierras ajenas (*Evora*, 9)

A toda ley madre mía (*MoE Q 8-21*, p. 61)

A todos da claridad (*CG 1511*, 141)

A todos humilmente les suplico (*Lemos*, 2v)

A todos la Fortuna siempre ha dado (*OA 189*, 139)

A tres leguas de Villar (*OA 189*, 321v)

A triste soledad soy condenada (*Tesoro*, Padilla, 239)

A trueco de miraros (*Tesoro*, Padilla, 137)

A trueque de gozaros (*Jesuitas*, 477v)

A trueque de verte (*Heredia*, 194v)

A trueque de verte (*Sevillano*, 296)

A tu carta respondiendo (*MN 3913*, 139v)

A tu divina presencia (*MoE Q 8-21*, p. 151)

A tus desdenes ingrata (*MN 3724*, 104)

A tus desdenes ingrata (*RG 1600*, 87)

A tus verdes años (*RG 1600*, 309v)

A um descanso que eu tinha (*Corte*, 52v)

A un amante portugués (*MN 3700*, 166)

A un balcón de un chapitel (*MN 3723*, 86)

A un balcón de un chapitel (*RG 1600*, 64)

A un hijo mi amor que ha habido (*Sevillano*, 57v)

A un hombre que su mujer (*Lemos*, 235v)

A un ladrón sin Dios sin ley (*Vergel*, Ubeda, 46v)

A un negro rey que combate (*Fuenmayor*, p. 509)

A un niño que en su edad primera era (*FN VII-353*, 72)

A un pastor preguntó ayer (*Morán*, 24v)

A un pastor preguntó ayer (*Padilla*, 132v)

A un pastor preguntó ayer (*Romancero*, Padilla, 295)

A un pastorcillo pobre (*WHA 2067*, 21)

A un rey adoran tres (*Vergel*, Ubeda, 30)

A un sabio yo le oí (*MN 3691*, 19)

A un tiempo temo oso dudo y creo (*FR 3358*, 158)

A una bota de Peralta (*MN 3725-1*, 5)

A una dama he de servir (*Flor de enamorados*, 37)

A una dama su amistad (*MoE Q 8-21*, p. 116)

A una dama su amistad (*MP 1587*, 23)

A una estatua de Cupido (*MN 3700*, 128v)

A una pulida hornera (*Peralta*, 13v)

A unos ojos bellos (*MP 1587*, 133)

A unos ojos bellos / negros que mi miré (*Jhoan López*, 11v)

A veces se cura el ciego (*CG 1554*, 89)

A veces trocaría el ser dichoso (*Tesoro*, Padilla, 364v)

A veces veo ojos que enamoran (*TP 506*, 209v)

A veinte y siete de julio (*Rosa Gentil*, Timoneda, 62)

A veinte y siete de marzo (*CG 1511*, 135v)

A veinte y siete de marzo (*Medinaceli*, 6v)

A veinte y un días del noveno mes (*MP 617*, 19)

A ver al Niño y María (*Sevillano*, 188v)

A ver en tanta hermosura (*Corte*, 122)

A ver la feria a Sevilla (*Penagos*, 129)

A ver su dulce Adonis regalado (*Penagos*, 22)

A ver su dulce Adonis regalado (*Tesoro*, Padilla, 13v)

A vida firme e segura (*Borges*, 59)

A vida foge sem parar uma hora (*Corte*, 181)

Tabla 19

A vida que é sem vos ver (*Borges*, 57v, 59v)

A vista de los dos reyes (MN 3723, 319)

A vista del puerto está (MN 3724, 196)

A vos amarga llorosa (*CG* 1511, 105)

A vos ángel que andáis siempre a mi lado (*Canc.*, Ubeda, 136v)

A vos ángel que andáis siempre a mi lado (*Vergel*, Ubeda, 178)

A vos de buenas mejor (*CG* 1511, 105v)

A vos de buenas mejor (MP 617, 103)

A vos digo señor Tajo (MN 4127, p. 104)

A vos digo señor Tajo (*RG* 1600, 105)

A vos discreto galán (*CG* 1511, 157v)

A vos el discreto galán y polido (*CG* 1511, 156)

A vos el mal de mi bien (*CG* 1511, 104v)

A vos el nuevo presente (*Lemos*, 43v)

A vos eterno rey sin nacimiento (*Vergel*, Ubeda, 206)

A vos fray Gabriel de Toro (*Lemos*, 46)

A vos Girona noble a vos (MN 3700, i)

A vos Juan y con razón (*Jesuitas*, 187)

A vos la cazadora fea y flaca (PN 258, 210v)

A vos la cazadora gorda y flaca (FN VII-354, 42v)

A vos la cazadora gorda y flaca (MBM 23/8/7, 242)

A vos la cazadora gorda y flaca (MN 4256, 159)

A vos la cazadora gorda y flaca (MN 4262, 155v)

A vos la cazadora gorda y flaca (MN 4268, 84v)

A vos la cazadora gorda y flaca (MP 1578, 7)

A vos la cazadora gorda y flaca (MP 2805, 116v)

A vos la cazadora gorda y flaca (OA 189, 69v)

A vos la cazadora gorda y flaca (RV 768, 250v)

A vos la cazadora gorda y flaca (TP 506, 366) *ver* A ti la

A vos os digo señora (MN 3724, 269)

A vos os digo señora (*RG* 1600, 251v)

A vos por quien la fuente pegasea (MN 17.951, 177)

A vos preciosa lira (*Sevillano*, 184v)

A vos que sois prima de los inventores (*CG* 1511, 160)

A vos Virgen poderosa (FR 3358, 91)

A vos Virgen pura / estrella que guía (MP 644, 31)

A vosotras digo (*RG* 1600, 336v)

A vosotros los antiguos (FN VII-353, 83v)

A vueltas de mil despojos (*Canc.*, Maldonado, 50v)

A vuestra capa y favores (*Fuenmayor*, p. 449)

A vuestra perfección está rendido (*Jacinto López*, 209)

A vuestra perfección está rendido (*Rojas*, 159v)

A vuestro pie lastimado (MN 5602, 35)

A zagala del vecino (*Tesoro*, Padilla, 359)

Abajad la vista (FN VII-353, 242)

Abajóse el sacro sacre (*Sevillano*, 162)

Abatí que matan (*Toledano*, 9)

Abatióse el sacre real (PN 373, 62)

Abejuela que al jazmín (*Peralta*, 179v)

Abenámar Abenámar (*Rosa Española*, Timoneda, 57)

Abillat me trobaras gentil Juana (*Ixar*, 347)

Abindarráez llorando (PN 372, 183)

Abindarráez y Muza (*Jacinto López*, 72)

Abindarráez y Muza (MN 17.556, 67)

Abindarráez y Muza (MP 1587, 124v)

Abindarráez y Muza (MP 973, 391v)

Abindarráez y Muza (MP 996, 20v)

Abindarráez y Muza (*RG* 1600, 25v)

Ablanda ya el diamante su dureza (MP 1587, 91v)

Ablande el pobre don la rica mano (*Cid*, 13)

Ablande el pobre don la rica mano (*Morán*, 92)

Aborrece Mingo a quien (*Sevillano*, 287v)

Aborrece ninguno a quien (PN 307, 301)

Aborrecedme y ya más (PN 418, p. 466)

Aborrecible a Dios injustamente (FR 3358, 88v)

Aborrecible a Dios injustamente (*Peralta*, 58v)

Aborto prodigioso de mis daños (*Lemos*, 152v)

Abra dorada llave (*Lemos*, 216)

Abra pasito la puerta (FN VII-353, 244v)

Abrahám mucho merece (*Fuenmayor*, p. 612)

Abranse los altos montes (MP 617, 248v)

Abranse tus entrañas mis entrañas (*Vergel*, Ubeda, 137)

Abrasado en viva llama (*RG* 1600, 58v)

Abrásase Tizón en llama viva (PN 371, 87)

Abrazada te tengo / quién lo dijera (MN 3913, 48)

Abrázame Juana más (FN VII-353, 159)

Abrázame Juana más (*Morán*, 39)

Abrázame y retózame (*Toledano*, 52v), *ver* Bésame y abrázame

Abrazóse la muerte con la vida (MP 2459, 3)

Abre abre las orejas (*Corte*, 158v)

Abre abre las orejas (*Gallardo*, 35)

Abre abre las orejas (*Ixar*, 330v)

Abre abre las orejas (MP 617, 140)

Abre abre las orejas (MRAH 9-7069, 127v)

Abre abre tus orejas (*Lemos*, 51v)

Abre abre tus orejas (*Morán*, 183v)

Abre Amor mis entrañas pues que tanto (MiT 63, 25)

Abre cristiano los ojos (*Canc.*, Ubeda, 54)

Abre cristiano los ojos (*Vergel*, Ubeda, 82)

Abre el ojo zagal ciego (*Morán*, 4)

Abre los ojos pecador y mira (*Canc.*, Ubeda, 99v)

Abre los ojos pecador y mira (*Vergel*, Ubeda, 38v)

Abreme casada por tu fe (MP 2803, 168v)

Abreme casada por tu fe (*Penagos*, 78v)

Abrése el cielo y por su mano arroja (MN 3913, 157)

Abrí abrí abrí (*Toledano*, 8v)

Abrí ya (*Toledano*, 38v)

Abrid ya el entendimiento (*Cid*, 186)

Abridle de par en par (*Vergel*, Ubeda, 47)

Abril de estos montes verdes (MN 3700, 108v)

Abríme Menguilla abríme (*Jacinto López*, 71v)

Abríme señora que he miedo (*Toledano*, 15)

Abrióme amor sin golpe el un costado (MP 3560, 29)

Acá y acullá reposo (FN VII-354, 404v)

Acabá mala landre os mate (*Toledano*, 62v, 88v)

Acaba ya de descargar tu golpe (*Canc.*, Maldonado, 183)

Acaba ya zagala de matarme (*Medinaceli*, 44v)

Acababa el rey Fernando (MN 2856, 83v)

Acabad por vida vuestra (*Toledano*, 11v)

Acabad señor por Dios (MN 5602, 53)

Acabada esta canción (*Tesoro*, Padilla, 335)

Acabada esta victoria (*Romancero*, Padilla, 23)

Acabada la música otro día (*Tesoro*, Padilla, 403)

Acabadas las obsequias (*Rojas*, 91)

Acabado de yantar (*RG* 1600, 232v)

Acabado el rey don Fernando (*RG* 1600, 85)

Acábame o te acabá (*RG* 1600, 332v)

Acábame o te acabá (TorN 1-14, 4)

Acabando de cantar (*Tesoro*, Padilla, 344v)

Acabándome de oír (*Tesoro*, Padilla, 339v)

Acabar desesperado (*Romancero*, Padilla, 321)

Acabase com a vida (PBM 56, 93)

Acabe ya de llegar (MP 996, 185v)

Acabe yo remando en las galeras (*Tesoro*, Padilla, 159v)

Acabó la niña (*Jhoan López*, 141)

Acaso un día me llevó la suerte (FR 2864, 2v)

Acechaba por te ver (*Peralta*, 72v)

Acierta y porfía (*Romancero*, Padilla, 326v)

Acójeme en tu servicio (*León/Serna*, 92v)

Acójeme que me quedo (*Sevillano*, 297)

Acompañado aunque solo (*Jacinto López*, 200)

Acompañado aunque solo (MN 3723, 116)

Acompañado aunque solo (MP 973, 393)

Acompañado aunque solo (*RG* 1600, 219v)

Acompañado de penas (MN 3724, 87)

Acompañado de penas (*RG* 1600, 155v)

Acordad vuestros olvidos (*CG* 1511, 146v)

Acordaos de mí señora (MN 5593, 106v)

Acordaos por Dios señora (*CG* 1511, 101v)

Acordou o rei fazer (*León/Serna*, 84v)

Acostumado tinha o sofrimento (*Faria*, 59v)

Acostumei-me a meus males (*Corte*, 54v)

Acqua madonna al fuego (MoE Q 8-21, p. 69)

Acricio viendo a su hija (*Rosa de Amores*, Timoneda, 51v)

Acrucio viendo a su hija (*Cid*, 206)

Acudid al alma fe (*Sevillano*, 43)

Acuérdate mi Dios y mi Señor (MiT 63, 24v)

Acuérdese que hay verano (FN VII-353, 85v)

Acuérdome que aún no me contentaba (*Lemos*, 118v)

Acusáronme envidiosos (MP 996, 112v)

Adám por una manzana (*Canc.*, Ubeda, 21v)

Adán pecó y pecó de codicioso (FR 3358, 111)

Adaquell que yo vull be (*Flor de enamorados*, 68v)

Adarga adarga adarga (*RG* 1600, 250)

Adex jove curt de cos (*Flor de enamorados*, 24v)

Adió adió Catalina (*Toledano*, 87)

Adió adió que ya es razón (*Toledano*, 87)

Adiós adiós claro río (*RG* 1600, 233)

Adiós adiós rosales de mi vida (*Penagos*, 1v)

Adiós adiós villa y corte (*RG* 1600, 63)

Adiós cintas amarillas (MP 973, 414v)

Adiós despojos (RaC 263, 152)

Adios esperanzas (TorN 1-14, 6)

Adiós Libea te queda (*Sevillano*, 283v)

Adiós montañas adiós oh verdes prados (*Rosal*, p. 38)

Adiós ovejas blancas y corderos (EM Ç-III.22, 78v)

Adiós pensamiento mío (MN 3700, 81)

Adiós placer adiós vana alegría (*Morán*, 16)

Adiós que manda Amor que parta y muera (*Tesoro*, Padilla, 156)

Adiós te quieras quedar (*Sevillano*, 294v)

Adiós verde ribera pradería (PN 373, 250, 260v)

Admirada está la gente (MN 3723, 102)

Admirada está la gente (*RG* 1600, 240)

Admírame de ver en un convite (MN 17.951, 113v)

Admírome tanto en verte (MN 17.556, 89v)

Admírome tanto en verte (MP 996, 144v)

Adolesceos de mi mal (MN 5593, 88)

Adonde del mal pasado (*CG* 1511, 126v)

Adónde está el amor más encendido (MP 570, 240v)

Adóndese está el angélico semblante (*Cid*, 145)

Adónde estás alma mía (PBM 56, 112v-113)

Adónde iré / o qué haré (*Padilla*, 235)

Adónde iré que no encuentre cuitado (MN 3968, 101)

Adónde iré que no encuentre cuitado (MP 570, 216)

Adónde iré que no encuentre cuitado (PN 371, 84)

Adónde pecaré de ti escondido (*Jesuitas*, 362v)

Adónde pecaré de ti escondido (*Obras*, Silvestre, 420v)

Adónde podéis vos ir (PN 373, 114)

Adonde quiera que los ojos vuelvo (*Obras*, Silvestre, 358v)

Adónde se hallaría (MP 617, 135v)

Adónde sufriré mi desventura (MN 4256, 156)

Adónde tienes las mentes (PBM 56, 15v-16)

Tabla 21

Adónde vais Magdalena (*Vergel*, Ubeda, 171)

Adónde vais Marías A los huertos (*Vergel*, Ubeda, 53v)

Adónde vais mi bien sin más valerme (PN 372, 165)

Adónde vais pensamiento (MN 3700, 41)

Adónde vas mi bien sin más valerme (EM Ç-III.22, 99)

Adonis hijo de Mirra (*Rosa de Amores*, Timoneda, 12)

Ador do bem passado e mal presente (EM Ç-III.22, 19v)

Adormido rey despierta (NH B-2558, 37v)

Adoro y beso al cuchillo (EM Ç-III.22, 107)

Adoro y beso el cuchillo (*Romancero*, Padilla, 234v)

Adórote puesto en cruz (MP 644, 130)

Adórote santísimo madero (MiT 63, 24v)

Adquiérese un señorío (*Jacinto López*, 237)

Adrede por me engañar (*Morán*, 4)

Adurmióse el caballero (*Padilla*, 230v)

Adurmióse mi lindo amor (*Sevillano*, 140v, 262v), *ver* Adurmióseme

Adurmióse porque pudiese (MN 5593, 98)

Adurmióseme mi lindo amor (MN 5593, 98)

Afirmada cuello y brazos (*Jacinto López*, 201)

Afirmo que estoy y digo (CG 1511, 122)

Afligida y temerosa (*Jacinto López*, 44v)

Afligida y temerosa (MP 973, 203)

Afligida y temerosa (*Rojas*, 146)

Afligida y temerosa / la bella Tisbe salía (*Rojas*, 162)

Afligido está José (MN 3700, 55)

Afligido pastor el rostro enjuga (*Romancero*, Padilla, 139v)

Afligido y afanado (CG 1511, 4)

Afloja ninfa ya la cuerda dura (PN 314, 123)

Afora afora Rodrigo (RG 1600, 359v), ver Afuera afuera Rodrigo

Afuera afuera / aparta aparta (MN 17.557, 59v)

Afuera afuera afuera (MN 17.556, 94v)

Afuera afuera aparta aparta (RG 1600, 25v)

Afuera afuera Rodrigo (*Morán*, 101v)

Afuera afuera Rodrigo (MP 1587, 64v, 86, 136)

Afuera afuera Rodrigo (*Rosa Española*, Timoneda, 38), *ver* Afora afora

Afuera Amor que me quitáis el sueño (FR 3358, 168)

Afuera consejos vanos (*Cid*, 188v)

Afuera consejos vanos (*Corte*, 141)

Afuera consejos vanos (*Evora*, 36)

Afuera consejos vanos (FRG, p. 256)

Afuera consejos vanos (*Guisadillo*, Timoneda, 10)

Afuera consejos vanos (*Jacinto López*, 217)

Afuera consejos vanos (*León/Serna*, 107v)

Afuera consejos vanos (*Morán*, 34v)

Afuera consejos vanos (MP 1587, 71)

Afuera consejos vanos (MP 973, 201)

Afuera consejos vanos (OA 189, 320v)

Afuera consejos vanos (PN 307, 269v)

Afuera consejos vanos (PN 314, 215v)

Afuera consejos vanos (PN 371, 38)

Afuera consejos vanos (RaC 263, 46v)

Afuera consejos vanos (RaC 263, 78)

Afuera consejos vanos (*Rojas*, 46v)

Afuera consejos vanos (*Sevillano*, 259v)

Afuera consejos vanos (*Tesoro*, Padilla, 363v)

Afuera consejos vanos (WHA 2067, 37)

Afuera corazón afuera afuera (MP 1578, 249)

Afuera fuera burlantes (PN 418, p. 154)

Afuera gustos afuera (MN 17.557, 91)

Afuera mis pensamientos (MP 2803, 166)

Afuera picaño (*Jacinto López*, 318)

Afuera que la muchacha (PN 418, p. 385)

Afuera que Mariflores (PN 418, p. 192)

Afuera que una muchacha (PN 418, p. 311)

Afuera sentidos vanos (*Vergel*, Ubeda, 74v)

Afuera temor afuera (MN 17.951, 25)

Afuera vanidad haceos aparte (*Obras*, Silvestre, 417)

Afuera ya no me aguarde (*Obras*, Silvestre, 255)

Agamenón por Crisis se moría (SU 2755, 39v)

Agora Alcido em quanto o nosso gado (*Borges*, 47)

Agora musa em tão difícil caso (*Corte*, 188)

Agradable compañía (*Cid*, 76)

Agradable compañía (MN 17.951, 161)

Agradable compañía (MN 3806, 72v)

Agradable compañía (MP 617, 157v)

Agradable compañía (RaC 263, 71v)

Agradable compañía (*Sevillano*, 207)

Agradáis al rey del cielo (*Sevillano*, 132v)

Agrícola cruel fiero tirano (*Vergel*, Ubeda, 153v)

Agua Dios agua (RG 1600, 105)

Agua va (*Sevillano*, 72v)

Aguarda Silvia ya tú si quieres (*Sevillano*, 270)

Aguardan a mí (*Heredia*, 91)

Aguardan a mí (MN 5593, 82)

Aguardando estaba Ero (*Flor de enamorados*, 109)

Aguardando estaba Ero (*Rosa de Amores*, Timoneda, 21v)

Aguardando estaba Progne (*Cid*, 208)

Aguardando estaba Progne (*Rosa de Amores*, Timoneda, 59v)

Aguardando que amanezca (RG 1600, 166v)

Aguardo temo creo y a deshora (*Faria*, 9)

Aguas cristalinas (MN 3913, 49)

Aguas tan frescas sombras tan amenas (MP 617, 202)

Agüero en la jornada (MN 3698, 20v)

Agüero en la jornada (MP 996, 251v)

Aguila caudal que con gran vuelo (*Sevillano*, 224)

Aguila que de hito al sol miraste (*Vergel*, Ubeda, 119v)

Aguila que se ha encumbrado (*Morán*, 220)

Ah carillejo ahao / qué quieres Mingo di / que me digas cómo (*Sevillano*, 91v, 93)

Ah carillo ahao / qué quieres Mingo di / vengo enamorado (*Sevillano*, 295v)

Ah carillo determina (*Lemos*, 64v)

Ah damas estad conmigo (MP 973, 288)

Ah enemigo mío (*Toledano*, 48v)

Ah fortuna cruel ah duros fados (EM Ç-III.22, 15)

Ah galán apasionado (MN 3902, 62)

Ah galán apasionado (MN 5593, 91)

Ah galán disimulado (MN 5593, 87)

Ah galán disimulado (*Toledano*, 15v)

Ah galán disimulado / bien parece que sois Dios (*Vergel*, Ubeda, 17v)

Ah galán que vais allí (*Toledano*, 37, 53)

Ah gustos de amor traidores (*RG* 1600, 221)

Ah hermosa / abríme cara de rosa (MP 570, 117v)

Ah hermosa / abríme cara de rosa (*Recopilación*, Vázquez, 23)

Ah hermosa / abríme cara de rosa (*Toledano*, 38v)

Ah hermosa / sois vos la que mora aquí (MN 5593, 101)

Ah hermosa / sois vos la que mora aquí (*Toledano*, 64)

Ah la que ha que sois como un oro (*Flor de enamorados*, 94v)

Ah larga esperanza vana (MN 4127, p. 270)

Ah mi vida / de quien gran merced cumplida (Toledano, 68, 94)

Ah minha Diamene assim deixaste (*Borges*, 70)

Ah mis señores poetas (MN 3723, 321)

Ah mis señores poetas (*RG* 1600, 138v)

Ah morte cruel ingrata e dura (EM Ç-III.22, 37)

Ah Muerte vida mía Quién me llama (*Morán*, 190v)

Ah Muerte vida mía Quién me llama (MP 617, 293)

Ah Muerte vida mía Quién me llama (*Padilla*, 182v)

Ah Muerte vida mía Quién me llama (*Sevillano*, 76)

Ah Muerte vida mía Quién me llama (TP 506, 368v)

Ah no huyas de mí Flórida espera (MiT 63, 8v)

Ah Pabros no sabéis vos (*Jhoan López*, 33v)

Ah Pabros que no sabes (*Jhoan López*, 46v)

Ah Pelayo dónde estás (*Sevillano*, 296v)

Ah Pelayo que desmayo / Benito dime de qué (*Sevillano*, 200v)

Ah Pelayo que desmayo / De qué di (PBM 56, 59v-60)

Ah Pelayo que desmayo / De qué di (*Sevillano*, 296v)

Ah Pelayo que desmayo / De qué di (*Uppsala*, n. 29)

Ah Pelayo si la vieras (PBM 56, 60)

Ah Pelayo si la vieras (*Uppsala*, n. 29)

Ah perro color de breva (*Sevillano*, 86v)

Ah que en llanto está mi gloria (*Cid*, 132)

Ah sacro templo do está depositado (*Rosal*, p. 101)

Ah señora (*Toledano*, 26v)

Ah Silvia por qué huyes Silvia espera (*Sevillano*, 270)

Ah traidora (*Toledano*, 45)

Ah vulgo ingrato ingrato vulgo dime (MN 3902, 103v)

Ahí como las esperanzas (MoE Q 8-21, p. 47)

Ahí que cuando los tenía (MoE Q 8-21, p. 48)

Ahí van las ansias mías (*Ixar*, 341)

Ahógueme el naufragio peligroso (*Jesuitas*, 467)

Ahógueme en el naufragio peligroso (FN VII-353, 10v)

Ahora con la Aurora se levanta (FN VII-354, 399)

Ahora descansaré / de tanto como he penado (*Gallardo*, 41v)

Ahora descansaréis / (*CG* 1511, 149v)

Ahora en la despedida (OA 189, 52v)

Ahora en la dulce ciencia embebecido (BeUC 75/116, 142v)

Ahora en la dulce ciencia embebecido (*Evora*, 54)

Ahora en la dulce ciencia embebecido (MBM 23/8/7, 148v)

Ahora en la dulce ciencia embebecido (MN 2973, p. 82, p. 107)

Ahora en la dulce ciencia embebecido (MN 4256, 110)

Ahora en la dulce ciencia embebecido (OA 189, 59)

Ahora en la dulce ciencia embebecido (PN 258, 210)

Ahora en la dulce ciencia embebecido (PN 311, 3)

Ahora en la dulce ciencia embebecido (RV 768, 250v), *ver* En dulce

Ahora en la dulce escencia embebecido (*Heredia*, 332)

Ahora esté cautivo el triste amante (*Peralta*, 27)

Ahora me derribó la fortuna (*Obras*, Silvestre, 357)

Ahora que el tiempo (TorN 1-14, 1)

Ahora que es acabado (*Padilla*, 250)

Ahora que estás dentro / me desvalija (MN 3913, 48)

Ahora que esto penado (*Uppsala*, n. 50)

Ahora que estoy despacio (*Jhoan López*, 112v)

Ahora que estoy despacio (MN 17.556, 23v)

Ahora que estoy despacio (MN 3700, 112v)

Ahora que estoy despacio (*RG* 1600, 38v)

Ahora que la guitarra (MN 3724, 301)

Ahora que la noche oscura y llena (MP 2803, 225)

Ahora que me acertastes (MiA S.P. II.100, 12)

Ahora que me dejas enlazado (MBM 23/4/1, 251)

Ahora que me dejas enlazado (MN 3968, 94)

Ahora que me dejas enlazado (MP 1578, 112)

Ahora que me desvelas (PN 373, 106v)

Ahora que me ha llegado (*Padilla*, 12v)

Ahora que mi hado y dura suerte (MiT 63, 100)

Ahora que no soy de nadie oído (WHA 2067, 82v)

Ahora que sé de amor de caballero (*Recopilación*, Vázquez, 7)

Ahora que sé de amor me metéis monja (*Recopilación*, Vázquez, 7)

Tabla 23

Ahora que soy niña / niña en cabello (*Recopilación*, Vázquez, 19v)

Ahora que soy niña / quiero alegría (*Recopilación*, Vázquez, 19v)

Ahora que suave (MN 3724, 39)

Ahora que tú y Amor (PN 373, 106v)

Ahora quiero contar (*Peralta*, 34)

Ahora seréis contento (*Heredia*, 84v)

Ahora sus mi soneto ve en buena hora (*Morán*, 187)

Ahora Tirse que el tiempo (MN 17.556, 27)

Ahora vete Amor y vete (*Cid*, 185), *ver* Vete Amor

Ahora viste qué locura (*Toledano*, 32v)

Ahora vuelvo a templaros (*RG* 1600, 54v)

Ahora vuelvo a templarte (MN 4127, p. 17)

Ahora ya Cupido tus saetas (*Morán*, 260)

Ai mísero sujeto à natureza (*Corte*, 145v)

Ainda que no principio de tua vaidade (EM Ç-III.22, 40)

Ainda que o metal luzente e duro (*Corte*, 123v)

Aiogavalo pintaba (MiB AD.XI.57, 13v)

Airado no sé quién de mi contento (*Obras*, Silvestre, 376v)

Ajeno de tener guerra (*RG* 1600, 207)

Ajeno del mal ajeno (*CG* 1554, 20v)

Ajuntáronse en Tejares (MP 973, 173v)

Al abad que aquí tenemos (MP 1587, 190v), *ver* Al cura

Al abad que se enamora (MP 1587, 190)

Al abad que se enamora (*Rojas*, 67v)

Al agua el remo al viento velas dando (*Vergel*, Ubeda, 148v)

Al águila real la muerte avara (MP 2459, 32v)

Al Alcaide de Antequera (*RG* 1600, 282)

Al alcalde de Antequera (MN 3723, 233)

Al alma que a este manjar (*Vergel*, Ubeda, 79)

Al Almirante no miren (MP 617, 215v)

Al Amor al Amor muchachas (MN 17.557, 87v)

Al Amor al Amor muchachas (MP 973, 405)

Al Amor descuidado (MN 3724, 33)

Al amor firme (*CG* 1557, 393v)

Al amor obedeceríamos (*Padilla*, 230)

Al aplauso en que jamás (PN 418, p. 287)

Al arma al arma al arma (MoE Q 8-21, p. 94)

Al arma al arma al arma (*RG* 1600, 126v)

Al arma al arma cielo y tierra (*Jesuitas*, 310)

Al arma al arma sonaban (MN 17.557, 71v)

Al arma al arma sonaban (*RG* 1600, 66v)

Al arma capitanes (*RG* 1600, 137)

Al arma está voceando (MP 996, 166)

Al arma pasiones mías (PN 372, 122)

Al arma toca el infierno (MN 17.951, 167v)

Al arma tocan ya tocan al arma (*Canc.*, Ubeda, 155)

Al arma tocan ya tocan al arma (*Jesuitas*, 486)

Al arma tocan ya tocan al arma (*Vergel*, Ubeda, 186)

Al Aurora clara y bella (*Rojas*, 18v)

Al baile salió el disanto (MN 3700, 120)

Al bien de mi vida (MoE Q 8-21, p. 43)

Al blanco del Sacramento (*Jesuitas*, 147)

Al brotar tan alto crece (*Vergel*, Ubeda, 174v)

Al cabo de años mil (MN 3724, 204)

Al cabo de los años mil (PN 418, p. 9)

Al camino de Toledo (MN 17.557, 60)

Al camino de Toledo (MN 3723, 174)

Al camino de Toledo (MN 4127, p. 36)

Al camino de Toledo (MP 996, 80)

Al camino de Toledo (*RG* 1600, 68v)

Al campo de Leganitos (MN 3700, 71)

Al campo del amor Amor me guía (PN 371, 241v)

Al campo sale con Dios (MN 17.951, 47v)

Al campo sale Narváez (RH, 129)

Al campo sale un pastor (*Jesuitas*, 215v)

Al campo va mi amor y va a la aldea (*Cid*, 52v)

Al campo va mi amor y va a la aldea (MN 3698, 135)

Al campo va mi amor y va al aldea (FR 2864, 35)

Al campo va mi amor y va al aldea (MN 3968, 109)

Al casto rey don Alonso (*RG* 1600, 328)

Al celebrado y gran pastor Verino (*Obras*, Silvestre, 392v)

Al cielo con gran queja yo levanto (MiT 63, 34)

Al cielo mueve con quejas (MN 3724, 73)

Al cielo vais Señora (FN VII-354, 388)

Al cielo y tierra admira la belleza (*Fuenmayor*, p. 95)

Al claro rayo de la blanca luna (FN VII-353, 153)

Al consentir al fin en su porfía (*Jacinto López*, 4)

Al consentir en fin en su porfía (MP 973, 268v)

Al convento frailes (*Rojas*, 158)

Al cordero que mueve (*Rosal*, 215)

Al crudo niño Amor le pintan ciego (MBM 23/4/1, 267v)

Al crudo niño Amor le pintan ciego (PN 373, 251v)

Al crugir de los azotes (*Fuenmayor*, p. 33)

Al cuello le da el agua al descontento (MP 570, 223v)

Al cura que aquí tenemos (*Rojas*, 67v), *ver* Al abad

Al derecho y al través (MN 17.951, 139v)

Al dolor de mi cuidado (*CG* 1511, 202)

Al dolor de mi cuidado (*Colombina*, 58v)

Al dolor de mi cuidado (*Gallardo*, 68)

Al dolor de mi cuidado (MP 617, 152)

Al dulce canto más que de serena (MiT 63, 85v)

Al dulce murmurar de la corriente (PN 373, 261)

Al dulce murmurar del hondo río (MN 2973, p. 195)

Al dulce pensamiento mío pido (MN 17.556, 136)

Al dulce y docto contender cantando (MP 996, 236)

Al dulce y sabroso canto (MN 3724, 97)

Al dulce y sabroso canto (*RG* 1600, 71)

Al eco de mi acento (MN 3913, 118)

Al enredador al enredador vecinas (TorN 1-14, 7)

Al escudo de Aquiles que bañado (*Evora*, 60v)

Al esplendor hermoso que en vos vía (*Faria*, 17)

Al fin aunque divina tu figura (MP 2459, 103v)

Al fin creciendo en Job el dolor fiero (MN 3698, 238)

Al fin el rey católico el monarca (MP 2456, 5v)

Al fin ha venido el día (*Jesuitas*, 247)

Al fin triste Fortuna te cansaste (PN 373, 237v)

Al fin usaste conmigo (*Padilla*, 105v)

Al fraile que luego se arma (*Jacinto López*, 319v)

Al hielo hace la flor (*Peralta*, 39)

Al hielo nace la flor / ved qué calor hay en ella (MP 3560, 45)

Al hijo de la vagasa (TorN 1-14, 7)

Al hombre es satisfacción (*Padilla*, 63)

Al hombre que fuere pobre (*Jacinto López*, 185v)

Al hombre que fuere pobre (MP 1587, 96v)

Al hora que en el mar Febo cubierto (TP 506, 311)

Al interés ha estorbado (FN VII-353, 156v)

Al lado de Sarracina (MN 3723, 238)

Al lado de Sarracina (*RG* 1600, 104v)

Al lado del corazón (MP 996, 177)

Al lagartillo bermejo (*Obras*, Silvestre, 140v)

Al longo da ribeira muy amena (EM Ç-III.22, 58v)

Al mal que amor me ha dado (*Jacinto López*, 206v)

Al mar de esperanza (*Penagos*, 85)

Al más fino cristal (RV 1635, 89v)

Al más libre pastor de los pastores (*Penagos*, 30v)

Al mayor amigo (*Rojas*, 96)

Al mayor temor osar (*Lemos*, 97v)

Al medio estaba en la estrellada cumbre (*Rosal*, 39)

Al mejor tiempo del mundo (MP 996, 186v)

Al mejor tiempo del mundo (*RG* 1600, 223v)

Al menos de mi mal quede memoria (*Canc.*, Maldonado, 177v)

Al mi mal tan mal creído (*Corte*, 55)

Al mismo Amor que te muestra (*Morán*, 188)

Al mismo punto que la blanca Aurora (*Canc.*, Maldonado, 128v)

Al momento con placer (*Cid*, 165v)

Al moro alcaide de Ronda (*Tesoro*, Padilla, 439v)

Al mundo ha salido (*León/Serna*, 99)

Al muy prepotente don Juan el segundo (*Ixar*, 187v)

Al muy sin lustre señor (*Gallardo*, 46v)

Al muy sin lustre señor (*Heredia*, 147)

Al niño Amor le han salido (FN VII-353, 205v)

Al niño desnudo al frío (*Sevillano*, 92v)

Al niño Dios vi (*Peralta*, 39v)

Al niño sagrado que es mi salvador (*Padilla*, 64v)

Al no veros le da pena (OA 189, 331v)

Al parabién de tan alegre día (MP 2459, 112)

Al paraíso terrenal (MP 973, 95)

Al pastor bendito (*Sevillano*, 160)

Al pecho delicado (MP 996, 205)

Al pesebre me llevaba (*Canc.*, Ubeda, 24v)

Al pie de un álamo nego (MN 3700, 117)

Al pie de un álamo negro (MN 4256, 339v)

Al pie de un álamo seco (*RG* 1600, 134)

Al pie de un álamo solo (*Jacinto López*, 173)

Al pie de un álamo solo (*Jhoan López*, 17v)

Al pie de un álamo solo (MN 17.556, 63v)

Al pie de un álamo solo (MP 1587, 133v)

Al pie de un alto fresno fatigado (OA 189, 142)

Al pie de un arrayán que lo cubría (*Borges*, 88v)

Al pie de un duro roble lamentando (MP 973, 192)

Al pie de un hermoso sauce (*RH*, 193v)

Al pie de un hojoso roble (*RG* 1600, 46)

Al pie de un monte escabroso (*Cid*, 198v)

Al pie de un monte escabroso (MN 3806, 127v)

Al pie de un pino verde (*Cid*, 82)

Al pie de un pino verde (FN VII-353, 161)

Al pie de un pino verde (*Jhoan López*, 34)

Al pie de un pino verde (MN 3968, 183)

Al pie de un pino verde (*Morán*, 27)

Al pie de un pino verde (MP 973, 218v)

Al pie de un pino verde (*Rojas*, 165v)

Al pie de un roble escarchado (*RG* 1600, 154)

Al pie de un túmulo negro (*RG* 1600, 304)

Al pie de un verde pino (*Penagos*, 214v)

Al pie de un viejo olivo un diligente (FN VII-353, 282v)

Al pie de una clara fuente (*Elvas*, 13)

Al pie de una fuente fría (MP 2803, 1)

Al pie de una rica fuente (*RH*, 195v)

Al pie de una seca encina (FN VII-353, 95v)

Al pie de una seca encina (*Jhoan López*, 10v)

Al pie de una seca encina (*RG* 1600, 72v)

Al pie de una seca encina (*Rojas*, 170v)

Al pie de una sierra (PBM 56, 7)

Al pie de una verde haya (MP 1587, 35v)

Al pie de una verde haya (*Rosa de Amores*, Timoneda, 7v)

Al pie de una verde y alta encina (*Borges*, 61)

Al pie del sacro túmulo honoroso (PN 372, 131v)

Al pie está el fuerte Don Diego (*Jesuitas*, 473v)

Al preso de voluntad (CG 1511, 142v)

Al principio os mirarán (*Padilla*, 96)

Al punto que el gran don Diego (*RH*, 37)

Al punto que la luz del sol serena (MP 973, 185v)

Tabla   25

Al que adama a una (RV 1635, 101v), *ver* El que adama, El que ama

Al que amor le satisfaga (*Padilla*, 11v)

Al que celos no lastiman (MP 2803, 161)

Al que compite y se va (CG 1511, 123v)

Al que con el bien de veros (*Morán*, 94)

Al que de vos se partió (*Jhoan López*, 41v)

Al que de vos se partió (*Morán*, 11)

Al que de vos se partió (*Obras*, Silvestre, 110v)

Al que de vos se partió (*Sevillano*, 62)

Al que es tuyo si el perdido (MP 2805, 35v), ver El que es tuyo

Al que está con gran pasión (PN 314, 215v)

Al que fijó en su memoria (*Vergel*, Ubeda, 134v)

Al que habla de experiencia (*Peralta*, 3)

Al que le cansa servir (*Tesoro*, Padilla, 286)

Al que le parece poco (*Morán*, 102)

Al que no sabe qué cosa es amor (MN 3902, 37), ver El que no

Al que se quiere vengarts (PN 372, 197)

Al que tiene de morir (*Corte*, 148v)

Al que tuviere la cresta (MN 5602, 55v)

Al que vieres que gasta / con mucha regla (MN 3913, 48v)

Al que vos mi entendimiento (*Sevillano*, 43)

Al que ya resucitó (*Sevillano*, 151)

Al reclamo del deseo (*Jesuitas*, 232)

Al reclamo del deseo (MN 3691, 22v)

Al reclamo del deseo (*Romancero*, Padilla, 241v)

Al rededor de Zamora (*Jesuitas*, 474v)

Al rey chico de Granada (PN 373, 61)

Al rey soberano (*Sevillano*, 135v)

Al río bajan tres moras (PN 418, p. 433)

Al ruido de las voces (MiB AD.XI.57, 47v)

Al ruido de una fuente sonorosa (MP 1587, 41v)

Al ruido sonoroso (MP 996, 57)

Al sabio rey don Alfonso (*RG* 1600, 334)

Al sabor de la esperanza (*Jesuitas*, 188)

Al sacro asiento de la Cipria diosa (*Canc.*, Maldonado, iii v)

Al sato in sé di sé el Patre infinito (CG 1514, 16v)

Al seco pie de una amarilla gualda (SU 2755, 41v)

Al silencio más mudo (MN 3913, 131v)

Al sol con vanos antojos (MN 2856, 134v)

Al son cuerdo de las cuerdas (*Fuenmayor*, p. 25)

Al son de las castañas (MN 3724, 24v)

Al son de los marciales instrumentos (MN 3913, 153v)

Al son de los vientos que van murmurando (*Corte*, 59)

Al son de su albedrío (*Tesoro*, Padilla, 140v)

Al son de una clara fuente (MN 3700, 180v)

Al sonido de la fama (MN 3691, 15v)

Al soto del Manzanares (MN 3700, 12v, 175)

Al tiempo que amor dejaba (*Padilla*, 250)

Al tiempo que con curso acelerado (MN 17.951, 50)

Al tiempo que de toda el alma mía (*Canc.*, Maldonado, 72)

Al tiempo que el alba bella (*Jacinto López*, 79)

Al tiempo que el alba bella (*Jhoan López*, 29)

Al tiempo que el alba bella (MN 17.556, 50v)

Al tiempo que el alba bella (*Penagos*, 112v)

Al tiempo que el alba bella (*RG* 1600, 20v)

Al tiempo que el alba bella (*Rojas*, 17)

Al tiempo que el Amor de vos se arroja (SU 2755, 45)

Al tiempo que el cielo quiso (*Morán*, 62)

Al tiempo que el más alto bien gozaba (*Vergel*, Ubeda, 62v)

Al tiempo que el rojo Apolo (*Cid*, 213v)

Al tiempo que el rojo Apolo (MBM 23/4/1, 100v)

Al tiempo que el rojo Apolo (*Tesoro*, Padilla, 34)

Al tiempo que el rojo Febo (*Jacinto López*, 171)

Al tiempo que el sol esconde (*Jacinto López*, 204)

Al tiempo que el sol esconde (MP 996, 5v)

Al tiempo que el sol esconde (*RG* 1600, 6v)

Al tiempo que el sol salía (*Tesoro*, Padilla, 412)

Al tiempo que el verano es más caliente (*Lemos*, 10v)

Al tiempo que en mi porfía (*Gallardo*, 5)

Al tiempo que en mi porfía (*Heredia*, 209)

Al tiempo que en mi porfía (*Ixar*, 354)

Al tiempo que Gil miró (*Sevillano*, 236v)

Al tiempo que la aura bella (*Jacinto López*, 63)

Al tiempo que la Aurora (MBM 23/4/1, 241v)

Al tiempo que la Aurora (MP 2803, 234v)

Al tiempo que la noche se mediaba (MP 617, 182)

Al tiempo que Leandro vio la estrella (TP 506, 364v)

Al tiempo que mis ojos libres vieron (MP 973, 193)

Al tiempo que os formó naturaleza (*Obras*, Silvestre, 382)

Al tiempo que se levanta (CG 1511, 79)

Al tiempo que se ofrecía (*Canc.*, Ubeda, 53)

Al tiempo que se ofrecía (*Vergel*, Ubeda, 78v)

Al tiempo que sus alas desdoblaba (*Jacinto López*, 157v)

Al tiempo que ya el sol está templado (*Sevillano*, 226)

Al tiempo que ya fuera (MN 17.951, 63)

Al tiempo que ya la Aurora (MN 3913, 80)

Al tiempo que yo pensaba (MP 973, 95)

Al trasponer del sol divino estaba (MN 2973, p. 38)

Al triste que amor cautiva (OA 189, 369)

Al triste sin ventura desterrado (WHA 2067, 87v)

Al triste son de mis quejas (FN VII-353, 35)

Al tronco de la Cruz está arrimada (*Cid*, 193v)

Al tronco de la Cruz está arrimada (MP 644, 178v)

Al tu amor Juanica (*Cid*, 239v)

Al tuyo se prometió (MN 3700, 185)

Al uno le llaman Venus (RaC 263, 5)

Al valiente Abindarráez (MP 996, 13v)

Al valiente don Manuel (*Sevillano*, 59v)

Al valiente don Manuel (*Tesoro*, Padilla, 436), *ver* El valiente don Manuel

Al valiente moro Azarque (MN 17.556, 111v)

Al valiente moro Azarque (MP 996, 154v)

Al valiente Sebastiano (MP 2803, 154)

Al venturoso Zegrí (MN 3723, 208)

Al venturoso Zegrí (*RG* 1600, 324)

Al zagal recién nacido (*Jesuitas*, 488)

Alaba a Dios contino alma mía (MP 996, 274v)

Alaba a Dios contino oh alma mía (MN 3698, 224)

Alaba a Dios contino oh alma mía (MP 973, 15v)

Alaba oh alma a Dios Señor tu alteza (MN 3698, 221v)

Alaba oh alma mía a Dios del cielo (MP 973, 87)

Alabar lo que no entiendo (MiB AD.XI.57, 43)

Alabaros celestial (*CG* 1535, 191v)

Alabóse el conde Vélez (MN 1317, 454)

Alamos del prado (FN VII-353, 115v)

Alamos del soto adiós (*Sablonara*, 6)

Alarga el paso zagal (*Padilla*, 63)

Alargo enfermo el paso y vuelvo cuanto (FN VII-354, 398v)

Albaneses eran todos (MP 996, 103v)

Albanio el pastor de Tirsi (MN 17.557, 87)

Albanio un pastor de Tirse (*RG* 1600, 185v)

Albano un pastor de Betis (*RG* 1600, 260)

Albayaldos el de Olías (MN 3723, 270)

Albayaldos el de Olías (*RG* 1600, 241v)

Albornoces ni turbantes (MN 3723, 16)

Albornoces ni turbantes (MP 973, 386)

Albornoces ni turbantes (*RG* 1600, 193v)

Albricias os pido señores (*León/Serna*, 94v)

Albricias palacio ilustre (PN 418, p. 158)

Alburquerque Alburquerque (MN 1317, 444)

Alcaide moro Aliatar (MN 3723, 217)

Alcaide moro Aliatar (MP 973, 402)

Alcaide moro Aliatar (*RG* 1600, 182v)

Alcalde moro Aliatar (MP 996, 153)

Alcalde muy virtuoso (MP 617, 89)

Alcanzáis a gustar de la famosa (TP 506, 281)

Alcé a mirar vuestro aspecto (WHA 2067, 64v)

Alcé en tan alto vuelo mi sentido (*Lemos*, 130)

Alcé los ojos a veros (*Sevillano*, 290v), *ver* Alcé los ojos por

Alcé los ojos de llorar cansados (BeUC 75/116, 77v), *ver* Alzo los ojos, Alcé los ojos

Alcé los ojos de llorar cansados (MN 3968, 64)

Alcé los ojos de llorar cansados (MN 4262, 149v)

Alcé los ojos de llorar cansados (MP 1578, 8v)

Alcé los ojos de llorar cansados (MP 2805, 113v)

Alcé los ojos de llorar cansados (OA 189, 24v)

Alcé los ojos de llorar cansados (PhUP1, 82v), *ver* Alcé mis ojos

Alcé los ojos mirando (*Evora*, 7v, 9v)

Alcé los ojos mirando (*Padilla*, 180v)

Alcé los ojos por veros (OA 189, 326)

Alcé los ojos por veros (*Obras*, Silvestre, 78v)

Alcé los ojos por veros (*Padilla*, 86v)

Alcé los ojos por veros (RV 1635, 96)

Alcé los ojos por veros (*Vergel*, Ubeda, 108v)

Alcé los ojos por veros (WHA 2067, 64), *ver* Alcé los ojos a

Alcé mis ojos de llorar cansados (*Lemos*, 128v)

Alcé mis ojos miré a la mar (*Lemos*, 122)

Alcé mis ojos miré a la mar (*Toledano*, 90)

Alcé mis ojos y vi (*Flor de enamorados*, 73)

Alcélos de muy osado (OA 189, 326)

Alcélos por os mirar (*Sevillano*, 203v)

Alcida ves por dicha en la montaña (MN 3968, 102v, 170v)

Alcindo ya murió en tu desengaño (MN 4127, p. 257)

Alcino aunque entre aquella ilustre gente (MN 3968, 152)

Alegra la gesta dura (*Padilla*, 232)

Alegrad niña el corazón (TP 506, 290)

Alegraos ánima mía (*Sevillano*, 139v)

Alegraos Reina del cielo (*Sevillano*, 87)

Alegraos señora mía (*Sevillano*, 87v)

Alégrate Isabel que en esta villa (*Medinaceli*, 89v)

Alégrate Isabel que eres tan bella (MP 2803, 235v)

Alégrate Isabel que razón tienes (*Vergel*, Ubeda, 104)

Alegre está Manzanares (MN 3700, 77)

Alegre estaba Sirelio (*RG* 1600, 260v)

Alegre estoy carillo grandemente (*Cid*, 144v)

Alegre estoy carillo grandemente (*Padilla*, 183)

Alegre estoy carillo grandemente (TP 506, 319)

Alegre monte amada y fiel arena (MiT 63, 83v)

Alegre porque moría (MN 17.556, 40)

Alegre porque moría (MN 3724, 67v)

Alegre porque moría (*Penagos*, 81)

Alegre porque moría (RaC 263, 170)

Alegre porque moría (*RG* 1600, 115v)

Alegre primavera (PN 372, 51v)

Alegre ruiseñor que vas cantando (MiT 63, 90)

Alegre triste y confuso (*RG* 1600, 261)

Alegre vuelvo a gozarte (MN 3724, 108)

Alegre y dulce canto (*Canc.*, Ubeda, 2v)

Alegre y dulce canto (*Vergel*, Ubeda, 9v)

Alegre y dulce noche pues soñaba (*Penagos*, 7v)

Alegres arboledas valle umbroso (MP 2803, 170v)

Alegres campos verdes arvoredos (*Borges*, 18)

Tabla 27

Alegres están los campos (MN 3913, 79v)

Alegres están los ojos (*Jhoan López*, 5)

Alegres se desafían (PN 418, p. 539)

Alegrías alegrías (*Jesuitas*, 308)

Alegrías que en tardaros (*Corte*, 219v)

Alegrías que ha bajado (*Vergel*, Ubeda, 80v)

Alegrías que nace en nuestra aldea (*Jesuitas*, 286)

Alegrita me vino / la tarde madre (FN VII-353, 123)

Além de sempre sofrer (*Borges*, 7)

Alenso compra y Ruan / menjui filo portugues (FR 3358, 89v)

Alerta que está el mundo concertado (MN 17.951, 18v)

Alfeo nunca harto y muy gozoso (SU 2755, 10v)

Algún fronterizo Alarbe (MN 3723, 84)

Algún fronterizo Alarbe (*RG* 1600, 109v)

Algún tiempo canté con alegría (MN 3902, 20)

Alguna melancolía (*Tesoro*, Padilla, 175v)

Algunas hay hermosas (*Medinaceli*, 89v)

Alguno de tener guerra (MN 3724, 149)

Alguno pensará por aventura (MiT 63, 89v)

Alguno piensa que tiene amada (*Evora*, 21v)

Alguno piensa que tiene una amiga (MN 5602, 51)

Algunos tiempos pasados (*CG* 1511, 95)

Aliarda nel Castillo (*Elvas*, 7v)

Alienta la esperanza y loco intento (MN 3913, 132)

Alivio del padecer (MP 1587, 72v)

Aljofar fino piedras orientales (*Penagos*, 207)

Aljófar precioso (MN 3725-1, 25)

Allá en el cielo (*Sevillano*, 86v)

Allá en el cielo reinaba (*Sevillano*, 151v)

Allá en el cielo se vido (*Vergel*, Ubeda, 18v)

Allá en el hondo centro de la tierra (*Vergel*, Ubeda, 46v)

Allá en el monte Parnaso (*Rosa de Amores*, Timoneda, 26v)

Allá en el monte vedado (*Obras*, Silvestre, 293)

Allá en el monte vedado (*Sevillano*, 82)

Allá en el profundo centro (MN 17.951, 159v)

Allá en la carnicería (MP 617, 211v)

Allá en la carnicería (TP 506, 394)

Allá en la gran Babilonia (*Canc.*, Ubeda, 150v)

Allá en la gran Babilonia (*Vergel*, Ubeda, 207v)

Allá en la guerra Aníbal (*CG* 1511, 176)

Allá en la primera edad (*Jesuitas*, 447)

Allá en mi alma en la más alta parte (MP 1578, 116v)

Allá en san Julián (FN VII-353, 170v)

Allá irás doña vieja / en tu pelleja (*Colombina*, 100)

Allá irás el de cuarenta (MN 3691, 32v)

Allá miran ojos (*Toledano*, 32)

Allá verás mis sentidos (*CG* 1511, 92)

Allega morico allega (*Toledano*, 31v)

Allega morico allega (WHA 2067, 31)

Allega moro con tiento (*Toledano*, 31v)

Allégate Juana más (*León/Serna*, 94v), *ver* Abrázame Juana

Allégate ya amigo (WHA 2067, 31)

Allí está Dios poderoso (*Lemos*, 168)

Allí puedo adorarla como a diosa (MP 2459, 103)

Allí también su ninfa celebrada (*Obras*, Silvestre, 16)

Allí veré su verdura (PBM 56, 112)

Allí vivo yo contento (*Padilla*, 233)

Allí y aquí es eternal (*Sevillano*, 47v)

Alma bella conoscé (*Cid*, 96)

Alma bella retratada (MP 2803, 134v)

Alma busca adónde estar (*Rosal*, p. 6)

Alma cruel de angélica figura (*CG* 1554, 186)

Alma cruel de angélica figura (MBM 23/4/1, 92v)

Alma del alma mía ardor más vivo (MN 2973, p. 59)

Alma del alma mía ardor más vivo (TP 506, 120v)

Alma del alma mía ya es llegada (MBM 23/4/1, 127)

Alma del alma mía ya es llegada (MN 2973, p. 62)

Alma devota y fiel (*Obras*, Silvestre, 351v)

Alma dichosa que en la luz del cielo (*Rojas*, 69)

Alma dichosa y bella (*Morán*, 235)

Alma dichosa y bella (MP 617, 314v)

Alma dichosa y bella (MP 973, 217)

Alma Dios te quiso hacer (*Cid*, 104v)

Alma gentil que el miserable bando (TP 506, 207)

Alma hermosa que en el cielo (*Penagos*, 297v)

Alma llegad al convite (*Vergel*, Ubeda, 78v)

Alma llegad y ved que en esta mesa (FN VII-353, 77v)

Alma mi querida (*Sevillano*, 141)

Alma mía / acordaros que cada día (*Toledano*, 67v)

Alma mía / noche y día (*Ixar*, 293)

Alma mía / noche y día (MP 617, 173v)

Alma mía aquí va Dios (MN 17.951, 94v)

Alma mía entre quedo (*Rojas*, 90)

Alma mía nuestros duelos (*Fuenmayor*, p. 266)

Alma mía que estás desdeñada (MP 644, 190v)

Alma mía que estás desemejada (*Borges*, 82v)

Alma mía si queréis (*Jesuitas*, 300)

Alma mía si tú me dejas (*Lemos*, 121)

Alma mía y cuán desemejada (MP 644, 179)

Alma minha gentil que te partiste (*Borges*, 31)

Alma minha gentil que te partiste (EM Ç-III.22, 36v)

Alma mira que te aviso (*Peralta*, 81v)

Alma mirad quién es Dios (*Padilla*, 60)

Alma no temas al año (*Fuenmayor*, p. 268)

Alma pecadora (*Jesuitas*, 445v)

Alma pecadora (MP 644, 189v)

Alma perdida que tras la locura (SU 2755, 104v)

Alma pon en Dios los ojos (*Sevillano*, 45)

Alma pues hoy el que formó la vida (*Jesuitas*, 467)

Alma pues hoy el que formó la vida (MP 617, 188v)

Alma pues hoy el que formó la vida (PN 307, 67)

Alma que a mi vivir sola da vida (MN 2973, p. 383)

Alma que con ligero pensamiento (*Jesuitas*, 333)

Alma que de tus daños estás cierta (*Vergel*, Ubeda, 59v)

Alma que el mortal velo despidiendo (*Morán*, 215)

Alma que el mundo por tu Dios dejaste (*Fuenmayor*, p. 160)

Alma que en aflicción (*Vergel*, Ubeda, 110v)

Alma que en mi alma puedes tanto (*Padilla*, 181v)

Alma que estás esculpida (*Cid*, 162)

Alma qué quieres de mí (MN 17.951, 43)

Alma real milagro de natura (MN 2973, p. 232)

Alma real milagro de natura (MN 3968, 96v)

Alma real milagro de natura (MRAH 9-7069, 143)

Alma real milagro de natura (PN 314, 211)

Alma real milagro de natura (*RH*, 210)

Alma rebelde y dura (MN 2973, p. 35)

Alma región luciente (FN VII-354, 366v)

Alma región luciente (MN 3698, 180)

Alma sal hoy de sentido (*Vergel*, Ubeda, 58v)

Alma si mía en algún tiempo fuiste (*Morán*, 128v)

Alma tan sin asosiego (*Corte*, 51v)

Alma triste que eres mía (*Lemos*, 113)

Alma triste que eres mía (*Morán*, 85)

Alma triste que eres mía (MP 570, 111)

Alma triste que eres mía (MP 617, 287)

Alma triste que eres mía (PN 371, 75v)

Alma Venus dulce diosa (FN VII-353, 307)

Alma Venus dulce diosa (MP 973, 96)

Alma Venus dulce diosa (RaC 263, 134)

Alma Venus gentil que al niño arquero (*Penagos*, 2v)

Alma Venus madre y diosa (*Jacinto López*, 169)

Alma vida y libertad (*Morán*, 118v)

Alma y dorada Venus que en el cielo (MP 973, 273)

Alma y primero amor del alma mía (SU 2755, 178v)

Alma ya podéis dejar (MN 17.951, 108)

Almas bellas más que estrellas (*Vergel*, Ubeda, 144)

Almas benditas y tiernas (*Jesuitas*, 412v)

Almas hermosas donde Amor se anida (*Tesoro*, Padilla, 249v)

Almas llegad a gustar (*Lemos*, 168v)

Almas tiernas y devotas (*Vergel*, Ubeda, 25)

Almeida vos chamais senhora (*Evora*, 13v)

Almendro todo florido (*Peralta*, 180v)

Almirante mi señor (CG 1514, 211)

Almoneda se pregona (*Gallardo*, 40v)

Alojó su compañía (*Jacinto López*, 176)

Alojó su compañía (*Jhoan López*, 51)

Alojó su compañía (MN 17.556, 8)

Alojó su compañía (MP 996, 33)

Alojó su compañía (*Penagos*, 88)

Alojó su compañía (RG 1600, 10v)

Alora la bien cercada (MN 5602, 25)

Alora la bien cercada (*Rosa Española*, Timoneda, 61v)

Alpino buen pastor espera un poco (PN 373, 35)

Alpino mío en quien ingenio y arte (*Morán*, 220v)

Alpino mío en quien ingenio y arte (PN 373, 23)

Alpino quién tu caso vano y loco (PN 373, 41)

Alrededor de Zamora (*Morán*, 22v)

Alta consideración (PN 314, 197v)

Alta estaba la peña (*Uppsala*, n. 13)

Alta humildad estrecha vida canto (*Cid*, 258)

Alta humildad estrecha vida canto (MN 3968, 115v)

Alta humildad riquísima pobreza (*Jacinto López*, 274)

Alta humildad estrecha vida canto (*Jesuitas*, 441)

Alta imaginación (*Cid*, 219v)

Alta mar esquiva (*Toledano*, 31v)

Alta reina esclarecida (CG 1511, 112v)

Alta reina esclarecida (CG 1535, 191v)

Alta reina quien merece (CG 1514, 189)

Alta reina soberana (CG 1511, 75v)

Alta reina soberana (*Uppsala*, n. 37)

Alta sierra riscos encumbrados (*Faria*, 21)

Alta subió mi ventura (*Obras*, Silvestre, 91v)

Alta sublime y celebrada musa (MiT 63, 38)

Alta suprema y sacra providencia (*Vergel*, Ubeda, 1)

Alta y feliz del universo gloria (MN 3902, 117)

Altamente habéis feriado (*Vergel*, Ubeda, 170v)

Alterada está Castilla (*Rosa Gentil*, Timoneda, 53v)

Alterada está Zamora (MP 1587, 130v)

Alterado el sentimiento (CG 1511, 188v)

Altercaban Apolo y el dios Marte (TP 506, 54v)

Altísima beldad do se figura (MiT 63, 70v)

Altísima princesa en quien el cielo (PN 314, 98)

Alto rey esclarecido (MP 617, 27)

Alto silencio de la noche oscura (*Faria*, 30v)

Alza con vuelo eterno oh Musa el canto (MiT 63, 34v)

Alza España tu nombre a gran vuelo (MiT 63, 17)

Alza la niña los ojos (*Uppsala*, n. 15)

Alza la voz de su gloria (CG 1511, 132)

Alza la voz pregonero (CG 1511, 132)

Alza los ojos a mi voz turbada (MP 570, 288)

Alza los ojos bajo entendimiento (MN 17.951, 105)

Alza los ojos fija el pensamiento (FN VII-353, 18v)

Alza mira Damón verás el cielo (MP 570, 242)

Alzáisos a mayores cieguecito (TP 506, 378v)

Tabla 29

Alzando la vista miro (*Obras*, Silvestre, 105v)

Alzar los ojos de llorar cansados (MRAH 9-7069, 65v)

Alzárame mi faldeo (*Penagos*, 123)

Alzó el aire las faldas de mi vida (FN VII-354, 366v)

Alzó el aire las faldas de mi vida (*Jacinto López*, 1v)

Alzó el aire las faldas de mi vida (RaC 263, 118v)

Alzo los ojos de llorar cansados (*Evora*, 59)

Alzo los ojos de llorar cansados (FN VII-354, 32)

Alzo los ojos de llorar cansados (*Heredia*, 339v)

Alzo los ojos de llorar cansados (MBM 23/8/7, 246)

Alzo los ojos de llorar cansados (MN 2973, p. 361)

Alzólos ojos de llorar cansados (MN 4256, 114v)

Alzo los ojos de llorar cansados (MN 4268, 113v)

Alzo los ojos de llorar cansados (PN 258, 207v)

Alzo los ojos de llorar cansados (PN 311, 9v), ver Alcé los ojos

Alzo los ojos hacia el mediodía (*CG* 1557, 398v)

Alzo los ojos mirando (*Elvas*, 26)

Alzo los ojos y el temor detiene (FN VII-353, 11)

Alzólos por jubileo (*Uppsala*, n. 15)

Ama sin ser amada mi alma y pasa (MN 3902, 128)

Amaba oíd amantes la manera (TP 506, 311v)

Amaba San Francisco en tanto grado (*Canc.*, Ubeda, 128)

Amable soledad muda alegría (PN 418, p. 263)

Amada fue y amó ella (*Sevillano*, 267v)

Amada golondrina (MN 3724, 38v)

Amada palomilla (MN 3724, 28v)

Amada pastora mía (MN 17.556, 17)

Amada pastora mía (MN 17.557, 63)

Amada pastora mía (*Penagos*, 90)

Amada pastora mía (RaC 263, 48)

Amada pastora mía (*RG* 1600, 13v)

Amada prenda por meu mal perdida (*Faria*, 37)

Amada señora mía / prenda que en el alma adoro (MN 3700, 53)

Amada señora mía / si mi firmeza os agravia (MN 3700, 106v)

Amada señora mía / tus descuidos me maltratan (*Jhoan López*, 51v)

Amada tanto de mí (MP 617, 21v)

Amadas luces puras (MN 3913, 120)

Amado engaño de la fantasía (*Faria*, 5v)

Amado engaño de la fantasía (FR 3358, 189)

Amado monte do yo solía (MiT 63, 90v)

Amador estás en ti di por tu vida (FN VII-353, 58v)

Amador solía ser (PBM 56, 39)

Amaina amaina (*RG* 1600, 11v)

Amaina amor amaina (MN 3725-1, 17)

Amaina amor amaina (*RG* 1600, 236v)

Amais a quem vos não quer (NH B-2558, 59v)

Amáis una linda dama (MN 3806, 90)

Amáisos tanto los dos (*Fuenmayor*, p. 459)

Amalo que es Dios infinito (*Sevillano*, 144v)

Amanece el día (*RG* 1600, 67v)

Amanece y Apolo sale luego (MN 2856, 115v)

Amanecieron en el claro Oriente (*Penagos*, 11v)

Amaneció sereno y claro el cielo (*Morán*, 216)

Amansar debe su saña (MP 617, 214)

Amante a lo divino en ser humano (MiB AD.XI.57, 29v)

Amante ser solía ahora cautivo (MRAH 9-7069, 116)

Amante veis que no son (MN 3724, 187v)

Amar a Dios es gran sabiduría (FN VII-353, 59)

Amar donde se merece (MP 973, 104v)

Amar quiero sin premio y nunca puedo (PN 418, p. 264)

Amar stimol d'amor che ai l'alma acesa (*CG* 1514, 154)

Amar su excelencia (*Colombina*, 70)

Amar y a nadie decirlo (WHA 2067, 97v)

Amar y aborrescer en un momento (TP 506, 292v)

Amar y llorar me es contento (WHA 2067, 103v)

Amar y no padecer (*Jhoan López*, 145v)

Amar y querer Anarda (MN 3724, 202v)

Amar y servir / llorar y gemir (*Colombina*, 70)

Amara yo una señora (*CG* 1511, 138v)

Amara yo una señora (MN 3724, 160v)

Amarga de mí cuitada (*Toledano*, 69v)

Amargas horas de los dulces días (*Borges*, 81)

Amargas horas de los dulces días (FR 3358, 170)

Amargas horas de los dulces días (*Heredia*, 195)

Amargas horas de los dulces días (*Jesuitas*, 361v)

Amargas horas de los dulces días (*Medinaceli*, 10v)

Amargas horas de los dulces días (MN 2973, p. 34)

Amargas horas de los dulces días (MN 6001, 261)

Amargas horas de los dulces días (PN 307, 66)

Amargas horas de los dulces días (*Toledano*, 95)

Amargas horas de los dulces días (*Vergel*, Ubeda, 182v)

Amargas horas de los tristes días (*Cid*, 193)

Amargo canto de mi triste estilo (MBM 23/4/1, 251v)

Amarrado a un duro banco (MN 17.556, 75v)

Amarrado a un duro banco (*Penagos*, 87)

Amarrado a un duro banco (RaC 263, 173)

Amarrado a un duro banco (*RG* 1600, 10v)

Amarrado en un áspera columna (*Vergel*, Ubeda, 35v)

Ambrosio entre los santos escogido (*Vergel*, Ubeda, 150)

Amé como cuerdo y loco (*Faria*, 105)

Amé y aborrecí (*CG* 1554, 126v)

Amé y aborrecí (OA 189, 100)

Amedrentado Cupido (*RG* 1600, 18)

Amenísima ribera (MN 4127, p. 251)

Amete Alí Abencerraje (*RG* 1600, 96v)

Amete Alí Bencerraje (MN 3723, 182)

Amiga vete en buen hora (*Flor de enamorados*, 30)

Amiga vete en buen hora (*Heredia*, 190)

Amigo mesón y lecho (*CG* 1511, 230v)

Amigo si de estar muy descontento (*Morán*, 41v)

Amó Dios tanto a María (*Sevillano*, 189v)

Amo no quiero tomar (RaC 263, 170v)

Amó os el amor divino (*Canc.*, Ubeda, 140v)

Amón que para amor se diferencia (MN 3913, 141)

Amor a cosas altas nos inspira (SU 2755, 26v)

Amor absoluto rey (MiB AD.XI.57, 15)

Amor absoluto rey (MN 3700, 16)

Amor Amor me ha un hábito vestido (BeUC 75/116, 143)

Amor Amor me ha un hábito vestido (MBM 23/8/7, 253v)

Amor Amor me ha un hábito vestido (MN 2973, p. 368)

Amor Amor me ha un hábito vestido (RV 768, 261v), *ver* Amor Amor un hábito

Amor Amor que consientes (BeUC 75/116, 80v)

Amor Amor que consientes (FN VII-354, 43)

Amor Amor que consientes (MBM 23/4/1, 186v)

Amor Amor que consientes (MBM 23/8/7, 133v)

Amor Amor que consientes (MN 3670, 20)

Amor Amor que consientes (MN 3968, 66v)

Amor Amor que consientes (MN 4256, 204)

Amor Amor que consientes (MN 4262, 157)

Amor Amor que consientes (MN 4268, 128)

Amor Amor que consientes (MP 1578, 15)

Amor Amor que consientes (MP 2805, 27)

Amor Amor que consientes (MP 973, 345)

Amor Amor que consientes (MRAH 9-7069, 69)

Amor Amor que consientes (OA 189, 279)

Amor Amor que consientes (PhUP1, 87v)

Amor Amor que consientes (PN 258, 136)

Amor Amor que consientes (PN 307, 114v)

Amor Amor que consientes (RV 768, 134)

Amor Amor quien de tu gloria cura (BeUC 75/116, 141)

Amor Amor quien de tu gloria cura (FN VII-354, 222)

Amor Amor quien de tu gloria cura (MBM 23/8/7, 235)

Amor Amor quien de tu gloria cura (MN 3968, 34)

Amor Amor quien de tu gloria cura (MN 4256, 54)

Amor Amor quien de tu gloria cura (MN 4262, 124)

Amor Amor quien de tu gloria cura (MN 4268, 126v)

Amor Amor quien de tu gloria cura (MRAH 9-7069, 113)

Amor Amor quien de tu gloria cura (OA 189, 268v)

Amor Amor quien de tu gloria cura (PhUP1, 161v)

Amor Amor quien de tu gloria cura (PN 258, 27)

Amor Amor quien de tu gloria cura (RV 768, 267)

Amor Amor tu sosiego (MN 2856, 81)

Amor Amor un hábito he vestido (*CG* 1554, 185)

Amor Amor un hábito he vestido (MN 1132, 103)

Amor Amor un hábito he vestido (MN 4262, 153)

Amor Amor un hábito he vestido (MP 617, 234v)

Amor Amor un hábito he vestido (PhUP1, 87), *ver* Amor Amor me ha

Amor anda corrido y afrentado (TP 506, 259v)

Amor andaba triste y peregrino (*Medinaceli*, 15v)

Amor andaba triste y peregrino (MP 2803, 233)

Amor antiguo que del reino santo (MN 3902, 119)

Amor asestó el arco en hora fuerte (PN 372, 248)

Amor bastarte debría (*Gallardo*, 42)

Amor bravo está llorando (*Peralta*, 47)

Amor casi de un vuelo me ha encumbrado (FN VII-354, 398v)

Amor ciego y atrevido (*Medinaceli*, 18v)

Amor com a esperança já perdida (*Borges*, 62v)

Amor como es riguroso (*Morán*, 210)

Amor con amor / se suele pagar (PA 1506, p. 16)

Amor con ansias mortales (*CG* 1511, 126v)

Amor con Fortuna (*Padilla*, 236v)

Amor con Juana no quieras (MBM 23/4/1, 365)

Amor con los ojos mira (*León/Serna*, 113)

Amor con Luisa (*Morán*, 46)

Amor contento estarás (*Canc.*, Maldonado, 11)

Amor cría una carcoma (*Lemos*, 54v)

Amor cruel con mi dura suerte (*Corte*, 143v)

Amor cruel y brioso (*CG* 1511, 24)

Amor cuando ensangrienta sus hazañas (*Lemos*, 94v)

Amor cuerpo de dios con el merdoso (*Jacinto López*, 229)

Amor cuerpo de dios con el merdoso (MN 3968, 59)

Amor cuerpo de dios con el merdoso (MP 973, 69), *ver* Amor cuerpo de tal

Amor cuerpo de dios con quien os hizo (MP 617, 258v)

Amor cuerpo de dios con quien os hizo (MP 973, 69v)

Amor cuerpo de dios con quien os hizo (*Sevillano*, 76)

Amor cuerpo de tal con el merdoso (*Padilla*, 183v)

Amor de Dios al certero (*Vergel*, Ubeda, 139)

Amor de dónde nace un tan gran miedo (MN 2973, p. 384)

Amor de en cas de su madre (*Penagos*, 137v)

Amor de envidia de mi buena suerte (MN 2973, p. 129)

Amor de nieve helada (SU 2755, 163)

Amor de penada gloria (*Colombina*, 2)

Amor de qué te quejas qué te han hecho (*Penagos*, 14)

Amor de un fiero mal y temeroso (*CG* 1554, 167v)

Amor de un frío mal y temeroso (MN 1132, 201)

Amor decidme un lenguaje (*Sevillano*, 280v)

Amor del alma culpada (*Padilla*, 62)

Amor del bien que deseo (PN 307, 242)

Tabla 31

Amor deudo y voluntad buena (*Ixar*, 265)
Amor divino que a la indocta gente (*Vergel*, Ubeda, 55v)
Amor divino que de amor procede (*Jesuitas*, 248v)
Amor dó están los arcos encorvados (MP 570, 217v)
Amor dolor miseria y hambre canto (MP 973, 64)
Amor dulce y poderoso (MN 3691, 57v)
Amor dulce y poderoso (PN 372, 368)
Amor e Fortuna são (*Corte*, 60v)
Amor el arco y flechas ha dejado (*Jesuitas*, 272)
Amor el toro más bravo (MN 3700, 31)
Amor en amor consiente (*Corte*, 119v)
Amor en el corazón (*Morán*, 35v)
Amor en el corazón (*Padilla*, 54)
Amor en el corazón (*Vergel*, Ubeda, 78r
Amor en mi triste vida (TorN 1-14, 33)
Amor en mis desdichas presuroso (MN 3700, 43)
Amor en perfección examinado (*Morán*, 13v)
Amor en perfección examinado (MP 2803, 6)
Amor entre las rosas (MN 3724, 37v)
Amor es de condición (MN 3670, 25v, 57)
Amor es de condición (MN 4256, 225)
Amor es de condición (MN 4268, 163v)
Amor es de condición (MP 1578, 61v)
Amor es de condición (MP 2805, 63)
Amor es de condición (OA 189, 44)
Amor es de condición (PhUP1, 124v)
Amor es de condición (PN 258, 150)
Amor es de condición (PN 307, 321v)
Amor es de condición (RV 768, 154v)
Amor es el que el alma rige y muere (MN 17.951, 81)
Amor es fundamento (MN 2973, p. 57)
Amor es sólamente una locura (MN 3913, 150v)
Amor es un alterno beneficio (MN 2856, 133v)
Amor es un deseo congojoso (MN 3806, 60v)
Amor es un efecto del ocioso (OA 189, 126)
Amor es un fuego ardiente (*Vergel*, Ubeda, 132)
Amor es un misterio que se cría (MN 2856, 29)
Amor es un no sé qué (*Lemos*, 99)
Amor es un no sé qué (MP 1587, 140)
Amor es un no sé qué (MP 2803, 159)
Amor es un no sé qué (MP 570, 247)
Amor es una cosa inteligible (MN 3913, 123v, 132v)
Amor es una pena notoria (MN 2973, p. 54)
Amor es voluntad dulce sabrosa (MN 2973, p. 56)
Amor es y no es causa notoria (*Jacinto López*, 6v)
Amor falso (*Heredia*, 141)
Amor falso lisonjero (MP 2803, 169)
Amor fementido (*Lemos*, 121)
Amor Florisa y Diana (PN 372, 31)

Amor Fortuna e Inés (PN 314, 226
Amor Fortuna el Cielo y mi Ventura (MP 570, 249)
Amor Fortuna y Tiempo me han traído (*Jacinto López*, 21v)
Amor Fortuna y Tiempo me han traído (*Jhoan López*, 32)
Amor Fortuna y Tiempo me han traído (MN 17.557, 48v)
Amor Fortuna y Tiempo me han traído (MP 2803, 165)
Amor Fortuna y Tiempo me han traído (*Rojas*, 161v)
Amor fuera de sentido (*Cid*, 32v)
Amor ha puesto fin a sus amores (MP 617, 186v)
Amor huésped pesado (MP 1587, 129v)
Amor interesseiro vil mundano (*Faria*, 51v)
Amor las flechas con que me has herido (*Tesoro*, Padilla, 454)
Amor lazo en arena solapado (MN 4256, 51)
Amor lazo en la arena solapado (*Morán*, 9v)
Amor lazo encadenado solapado (FR 3358, 103)
Amor le hizo nacer (*Sevillano*, 42v)
Amor le puso cuitado (*Sevillano*, 42v)
Amor le quiso pagar (*Padilla*, 104v)
Amor loco / yo por vos y vos por otro (*Sevillano*, 293)
Amor loco amor loco / yo por vos y vos por otro (PBM 56, 37v-38)
Amor loco ay amor loco / yo por vos y vos por otro (PN 307, 238)
Amor loco ay amor loco / yo por vos y vos por otro (PN 373, 355v)
Amor loco ay amor loco / yo por vos y vos por otro (RaC 263, 64v)
Amor manda que calle Amor que hable (MBM 23/4/1, 169)
Amor manda que calle Amor que hable (Obras, Silvestre, 367)
Amor manda que calle Amor que hable (PN 372, 313v)
Amor más encendido que una brasa (*Morán*, 69v)
Amor me anima a lo que mi alma no osa (MN 3902, 105)
Amor me dé paciencia (RG 1600, 119)
Amor me dijo en mi primera edad (BeUC 75/116, 70)
Amor me dijo en mi primera edad (CG 1554, 185v)
Amor me dijo en mi primera edad (*Evora*, 58)
Amor me dijo en mi primera edad (FN VII-354, 34)
Amor me dijo en mi primera edad (*Heredia*, 335v)
Amor me dijo en mi primera edad (MBM 23/4/1, 176v)
Amor me dijo en mi primera edad (MBM 23/8/7, 250v)
Amor me dijo en mi primera edad (MN 1132, 103v)
Amor me dijo en mi primera edad (MN 3968, 55v)
Amor me dijo en mi primera edad (MN 4256, 112)
Amor me dijo en mi primera edad (MN 4262, 139v)
Amor me dijo en mi primera edad (MN 4268, 111)
Amor me dijo en mi primera edad (MP 1578, 9v)
Amor me dijo en mi primera edad (MP 2805, 108v)
Amor me dijo en mi primera edad (MP 617, 234)

Amor me dijo en mi primera edad (MRAH 9-7069, 63v)

Amor me dijo en mi primera edad (OA 189, 122v)

Amor me dijo en mi primera edad (PhUP1, 72v)

Amor me dijo en mi primera edad (PN 258, 193v)

Amor me dijo en mi primera edad (PN 311, 8)

Amor me dijo en mi primera edad (PN 371, 86v)

Amor me dijo en mi primera edad (PN 373, 324)

Amor me dijo en mi primera edad (RV 768, 258v)

Amor me fuerza escribir (MP 1578, 38), *ver* Amor me manda

Amor me fuerza y me prende (CG 1511, 126v)

Amor me guía y rige, Amor ordena (MP 1587, 44v)

Amor me ha puesto en lazos y en cadena (MiT 63, 26)

Amor me ha reducido a tanto estrecho (*Morán*, 126v)

Amor me ha reducido a tanto estrecho (MP 1587, 60v)

Amor me ha tenido (*Padilla*, 61v)

Amor me manda escribir (MN 3670, 24)

Amor me manda escribir (MN 4256, 238v)

Amor me manda escribir (MN 4268, 186v)

Amor me manda escribir (PN 258, 147v), ver Amor me fuerza

Amor me manda que diga (CG 1511, 122)

Amor me manda querer (*Cid*, 37v)

Amor me prometió perpetua gloria (*Morán*, 126)

Amor me prometió perpetua gloria (MP 1587, 132v)

Amor me tiene por su desenfado (*Peralta*, 28)

Amor me tiene puesto en tal estado (OA 189, 58)

Amor me tira y casi a vuelo lleva (MN 2973, p. 175)

Amor mejor pretende declararte (*Morán*, 260)

Amor mi pecho rompe abrasa y hiela (MN 17.556, 134v)

Amor mueve mi lengua y amor canta (*Jacinto López*, 129)

Amor muy dichoso (*Sevillano*, 89v)

Amor ninguno te vence (MN 4127, p. 186)

Amor niño ciego (*Jacinto López*, 72)

Amor no desordena el buen camino (FR 2864, 11v)

Amor no desordena el buen camino (MP 570, 220v)

Amor no es sino hombre (MP 2803, 159)

Amor no me engañarás (*Sablonara*, 78)

Amor no me pidas más (*Peralta*, 14)

Amor no me sigas más (FRG, p. 152)

Amor no quiero burlas ya contigo (*Cid*, 203)

Amor no ves aquella hermosa dama (MiT 63, 87v)

Amor nos pot clamar de mi en res (*Heredia*, 108v)

Amor nunca me da contentamiento (MN 2973, p. 152)

Amor ordena que mi bajo estado (*Jesuitas*, 356v)

Amor os dio la muerte tan querida (*Jesuitas*, 276)

Amor os trae amado y por amores (*Jesuitas*, 357v)

Amor para alguna mengua (OA 189, 48)

Amor poco ha aprovechado (FRG, p. 136)

Amor pois os efeitos vas perdendo (*Faria*, 51v)

Amor por me segurar (*Borges*, 59)

Amor por término extraño (MBM 23/4/1, 199v)

Amor por término extraño (*Padilla*, 120)

Amor por término extraño (*Tesoro*, Padilla, 275v)

Amor pregona y requiere (*Morán*, 37)

Amor presta a mi lengua aquel secreto (*Faria*, 78)

Amor pues que sois con reyes (*Peralta*, 12)

Amor puso corona en mi cabeza (CG 1557, 388v)

Amor puso este concierto (MP 644, 167)

Amor que a lo imposible me has llevado (CG 1554, 166)

Amor que a lo imposible me has llevado (MN 1132, 199)

Amor que a ninguno deja (*Padilla*, 128)

Amor que a ninguno deja (*Tesoro*, Padilla, 342)

Amor que al pobre al simple ganadero (*Rojas*, 101v)

Amor que con desamor (*Lemos*, 112v)

Amor que con desamor (MP 617, 152v)

Amor que con desamor (PN 307, 248)

Amor que con las armas poderosas (*Obras*, Silvestre, 370v)

Amor que destruirme (CG 1554, 131)

Amor que destruirme (MN 1132, 156)

Amor que em meu pensamento (*Borges*, 23)

Amor que en la serena vista ardiente (OA 189, 11v)

Amor que en mi pensamiento (CG 1514, 159)

Amor que en mi pensamiento vive y reina (*Lemos*, 94v)

Amor que es bien de las gentes (*Sevillano*, 231v)

Amor qué haré con un dolor tan fuerte (MiT 63, 80v)

Amor qué haré con un dolor tan fuerte (MiT 63, guarda)

Amor que me formó pudo hacerme (*Morán*, 139)

Amor que medroso llego (PN 418, p. 386)

Amor que nunca cansó (FRG, p. 248)

Amor que nunca diste (EM Ç-III.22, 94)

Amor que nunca diste (*León/Serna*, 99v)

Amor que nunca diste (*Morán*, 98v)

Amor que nunca diste (MP 1587, 57v)

Amor que nunca diste (PN 307, 93v)

Amor que pudo hacer (MN 17.951, 150)

Amor que saca de culpa (*Obras*, Silvestre, 44v)

Amor que siempre pretende (WHA 2067, 40)

Amor que siempre procura (*Morán*, 253v)

Amor que sufre mudanza (RV 1635, 107)

Amor que tanta fatiga (*Morán*, 31v)

Amor quien no te conoce (MN 3913, 80)

Amor quien no te conoce (RG 1600, 299v)

Amor quiero decir en qué manera (MiT 63, 7v)

Amor quise probar que no debiera (CG 1557, 357)

Amor quise probar que no debiera (FN VII-353, 96v)

Amor quiso que os quisiese (*Padilla*, 229)

Amor rapaz mocoso (PN 373, 258)

Tabla 33

Amor sacó jamás la alma natura (*Tesoro*, Padilla, 456v)

Amor se mete a pintor (*Jesuitas*, 294)

Amor se mueve en cualquier parte o caso (MN 2973, p. 182)

Amor se mueve en cualquier parte o caso (*RH*, 209)

Amor si bien quién eres conociese (MP 570, 247)

Amor si habéis de quedar (*Sevillano*, 296)

Amor si no os conociera (*Peralta*, 13)

Amor si no te hubiera conocido (*Morán*, 128)

Amor si por amar amor se aquista (MN 2973, p. 60)

Amor si quise darte (MN 3700, 82)

Amor tan a costa mía (MN 3968, 176v)

Amor te quiso mostrar (*Obras*, Silvestre, 123)

Amor temor e cuidado (NH B-2558, 40)

Amor terrible pasión (*Romancero*, Padilla, 321)

Amor tiene un pastor tan domellado (*Cid*, 195)

Amor tiene un pastor tan domeñado (MN 6001, 269v)

Amor trouxe a Iesus da gloria à Crus (*Faria*, 53v)

Amor tú que eres puerto y aun tormento (MN 3902, 116v)

Amor un blanco velo (MiT 63, 75v)

Amor verdadero (*Toledano*, 65v)

Amor virtud y nobles pensamientos (*Recopilación*, Vázquez, 4)

Amor y la Fortuna (OA 189, 350)

Amor y la Fortuna (PN 307, 134)

Amor y la majestad (*Toledano*, 5v)

Amor y muerte han querido (*Lemos*, 234v)

Amor y su contrario (*Jacinto López*, 163)

Amor y su contrario (MN 3968, 109v)

Amor y su contrario (*Morán*, 97v)

Amor y su contrario (MP 570, 260)

Amor y su contrario (PN 373, 261v)

Amor y una zagala me dan guerra (PN 314, 177v)

Amor y yo entramos en la cuenta (TP 506, 208)

Amor y yo habemos parecido (*Heredia*, 112v)

Amor yo juro a Dios que si os cogiese (FN VII-354, 259)

Amor yo juro a Dios que si os cogiese (TP 506, 387)

Amor yo juro a tal que si os cogiese (*Morán*, 19v)

Amor yo juro por la flecha de oro (MN 3968, 159)

Amor yo os juro a Dios que si estuviese (FN VII-353, 58)

Amor yo os juro a Dios que si os cogiese (MN 3968, 162v)

Amor yo te confieso que recibo (MBM 23/4/1, 323)

Amores amores / de la hermosa Doncella (*Sevillano*, 167v)

Amores amores / de la parida Doncella (*Sevillano*, 89v)

Amores de mis amores (*Toledano*, 41v)

Amores del niño (*Jesuitas*, 477)

Amores me han de matar (*Morán*, 59), *ver* Si amores me

Amores me han de matar (MP 617, 295)

Amores me han de matar (*Sevillano*, 277v)

Amores tengo y amores quiero (*Padilla*, 64)

Amores trata Rodrigo (*Flor de enamorados*, 50)

Amores trataba Albanio (*RH*, 92)

Amores tristes crueles (*CG* 1511, 149)

Amores tristes crueles (*Lemos*, 98)

Ana Ana más que humana (*CG* 1554, 99v)

Ana de mí tan amada (PN 314, 163)

Ana en cuya beldad [papel carcomido] esmera (*Peralta*, 27v)

Ana hermosa y cruel tus ojos quiero (SU 2755, 27)

Ana la divina alteza (*Vergel*, Ubeda, 167v)

Ana por mí muere (*Padilla*, 126v)

Ana qué dura estás qué porfiada (*Sevillano*, 220v)

Ana qué dura mudanza (*Canc.*, Maldonado, 39v)

Ana son tus ojos bellos (FN VII-353, 172v)

Ana son tus ojos bellos (*Jacinto López*, 67v)

Ana tus rubios cabellos (*Morán*, 15)

Ana vuestra perfección (*Jacinto López*, 153)

Anar sen vol lo meu señor (*Flor de enamorados*, 86v)

Anar-se'n vol lo meu señor (*Heredia*, 187v)

Ancora celestial y de consuelo (*Morán*, 159v)

Anda acá Blas al lugar (*Jacinto López*, 67)

Anda acá Gil al lugar (*Rojas*, 184)

Anda acá Gil compañero (*Vergel*, Ubeda, 6)

Anda acá verás (*Sevillano*, 41)

Anda aguija corre hermano (*Vergel*, Ubeda, 142)

Anda aguija de corrida (*Vergel*, Ubeda, 142)

Anda Córdoba y su tierra (*Jhoan López*, 14v)

Anda el niño peregrino (*Jesuitas*, 448)

Anda niño anda (MiB AD.XI.57, 12v)

Anda niño anda (MiT 1001, 11v)

Anda por hacerme afrenta (*CG* 1511, 123v)

Anda que allá os lo dirán (RaC 263, 187)

Anda sin mí la memoria (*Padilla*, 244)

Anda todo tan trocado (*Rojas*, 26)

Anda ve con diligencia (*CG* 1511, 83)

Anda ve triste figura (*CG* 1511, 190)

Andaba el pobre pastor (PN 373, 228v)

Andaba encarnizado Gil Vicente (MN 3968, 170)

Andaba encarnizado Gil Vicente (*Morán*, 8v)

Andaba por el monte congojoso (*Lemos*, 11)

Andábamos a la espera (MN 3700, 13v)

Andaban ya de manera (*Romancero*, Padilla, 11)

Andad con Dios (*Toledano*, 11)

Andad mis tristes suspiros (*Padilla*, 232v)

Andad mis versos a la piedra dura (*Jacinto López*, 33v)

Andad pasiones andad (*CG* 1511, 149)

Andad pasiones andad (*Colombina*, 53)

Andad pasiones andad (MN 3902, 101)

Andad pasiones andad (MP 617, 167v)

Andados veinte y cinco años (*Romancero*, Padilla, 78v)

Andáis acaso Convidando ando (FN VII-353, 27)
Andando a caza Acteón (MN 3968, 178)
Andando con el alma entristecida (*Cid*, 223)
Andando con el alma entristecida (*Heredia*, 252v)
Andando con el alma entristecida (MN 1132, 75v)
Andando con el alma entristecida (MP 617, 285v)
Andando con el calor (MP 2803, 217v)
Andando con el calor (MP 617, 294v)
Andando con el calor (PN 372, 66)
Andando con el calor (PN 373, 5v)
Andando con gran calor (*Cid*, 20v)
Andando con triste vida (CG 1511, 133)
Andando en hacerme guerra (*Rojas*, 164)
Andando en hacerme guerra (*Tesoro*, Padilla, 147)
Andando en tuas perfeiçoes todo enlevado (EM Ç-III.22, 38)
Andando enamorado (*Jacinto López*, 320)
Andando hoy en mis libros revolviendo (MP 570, 235)
Andando los años treinta (*Rosa Española*, Timoneda, 8)
Andandro soy a quien un mal poeta (MN 2856, 125v)
Andanse todos tras mí (PN 307, 242v)
Andaos a enamorar por vida mía (*Morán*, 24v)
Andarán siempre mis ojos (*Uppsala*, n. 4)
Andaréisos todo el año (*Padilla*, 175)
Andarte alabando (WHA 2067, 45)
Andeme yo caliente (*Penagos*, 116v)
Andense todos tras mí (*Sevillano*, 199v)
Andense todos tras mí (WHA 2067, 36)
Andese tras mí la gente (*Sevillano*, 199v)
Ando enamorado (FN VII-353, 234v), *ver* Soy enamorado
Ando perdido señora entre la gente (*Faria*, 16v), *ver* Perdido ando
Ando senhora minha ca temendo (EM Ç-III.22, 3v)
Ando sin ser creído (MN 3968, 187)
Ando tan apesarado (CG 1557, 390)
Ando ya tan declarado (CG 1557, 391v)
Ando ya tan declarado (*Cid*, 71)
Ando ya tan declarado (*Morán*, 130)
Andome en la villa (FN VII-353, 144v)
Andome en la villa (*Jacinto López*, 163v)
Andrada María (*Jesuitas*, 132)
Andrando soy a quien un mal poeta (MN 2856, 125v)
Andrés glorioso que estuviste aspado (*Vergel*, Ubeda, 117)
Andrómaca está llorando (*Cid*, 160v)
Andrómaca está llorando (PN 372, 208v)
Andrómeda está llorando (*Cid*, 206v)
Andrómeda está llorando (*Rosa de Amores*, Timoneda, 53v)
Anegado en desventura (*Peralta*, 10v)
Angel almacigado que al tudesco (MN 17.556, 131v)
Angel custodio sagrado (*Vergel*, Ubeda, 178v)

Angel di de dó partiste (*Sevillano*, 120v)
Angel hermoso que por guarda mía (*Vergel*, Ubeda, 178v)
Angel o ángela fuistes (*Penagos*, 43)
Angel profeta mártir virgen santo (*Canc.*, Ubeda, 115v)
Angel profeta mártir virgen santo (*Vergel*, Ubeda, 123v)
Angela no es maravilla (*Penagos*, 43)
Angeles de alto vicio (*Colombina*, 78v)
Angeles del cielo (*Padilla*, 193)
Angeles que nos lleváis (MP 2459, 115)
Angeles si al mundo ides (*Canc.*, Ubeda, 54v)
Angeles si vais al mundo (*Vergel*, Ubeda, 82v)
Angélica beldad cielo cifrado (FN VII-353, 277)
Angelica beldad rostro divino (TP 506, 265)
Angélica la bella despreciando (PN 373, 190)
Angélica le miraba (*Padilla*, 27v)
Angélica más hermosa (PN 307, 180)
Angélica más hermosa (PN 373, 117v)
Angélica y divina compañía (MP 570, 215v)
Angélico semblante imagen pura (PN 373, 81)
Angélico sujeto que bajaste (FR 3358, 101)
Angustiada está la reina (FRG, p. 131)
Angustiada está la reina (*Rosa Gentil*, Timoneda, 60)
Anibal gritaban todos (MN 3723, 318)
Anica en quien fundó Naturaleza (MP 2803, 234)
Anilla tiene en sí un brío (*Rojas*, 25v)
Anillo tan deseoso (CG 1514, 140v)
Anima electa en el superno coro (MiT 63, 82)
Anima si te inflamas contemplando (*Rosal*, p. 30)
Animal del cual nos canta (*Ixar*, 74v)
Anoche amor / os estuve aguardando (*Recopilación*, Vázquez, 27)
Anoche me despedí (CG 1511, 174)
Ans que el gran sol de resplandor eterna (CG 1514, 18)
Ansares y Menga (*Sablonara*, 27)
Ansias de mi pasión (PN 371, 24v)
Ansina cómo podemos (MN 5602, 58)
Antandra no es culpa leve (PN 418, p. 78)
Ante Dios gloria y gobierno (*Canc.*, Ubeda, 96v)
Ante el gran rey de afición (MP 973, 105)
Ante el noble rey Alfonso (RG 1600, 67)
Ante el rey Alfonso estaba (*Cid*, 192)
Ante la divina audiencia (MN 3691, 35)
Ante las puertas del templo (CG 1511, 91)
Ante los nobles y el vulgo (RG 1600, 238v)
Ante sécula creada (*Uppsala*, n. 37)
Ante todo lo criado (*Canc.*, Ubeda, 84v)
Ante todo lo criado (*Vergel*, Ubeda, 90)
Ante tu extraña belleza (*Morán*, 22)
Ante vuestras hermosuras (CG 1511, 177v)

Tabla 35

Anteo cuando caía (*CG* 1535, 195v)

Antes acaba la vida (*Padilla*, 14v)

Antes el fin que el comienzo (*CG* 1511, 142)

Antes el que era callado (*RaC* 263, 43v)

Antes el rodante cielo (*CG* 1511, 27v)

Antes el rodante cielo (*MP* 617, 143v)

Antes el rodante cielo (*Sevillano*, 37v)

Antes galán porfiado (*FN* VII-353, 242v)

Antes galán porfiado (*Jhoan López*, 140v)

Antes galán porfiado (*Penagos*, 212v)

Antes me beséis / que me destoquéis (*FN* VII-353, 242v)

Antes me beséis / que me destoquéis (*Jhoan López*, 140v)

Antes me beséis / que me destoquéis (*Penagos*, 121)

Antes mire con gran tiento (*Colombina*, 60v)

Antes puta que nacida (*Jacinto López*, 65)

Antes que alguna casa luterana (*Lemos*, 212)

Antes que barbas tuviese (*RG* 1600, 165)

Antes que el mal sea venido (*CG* 1514, 109)

Antes que el serafín tierno y dorado (*MN* 17.951, 126)

Antes que el serafín tierno y dorado (*Rojas*, 172v)

Antes que el sol divino apareciese (*MN* 2973, p. 38)

Antes que el sol su luz muestre (*MN* 3723, 250)

Antes que el sol su luz muestre (*RG* 1600, 156v)

Antes que fuese dada (*Ixar*, 348v)

Antes que la lisonja a los engaños (*Penagos*, 9v)

Antes que te cases (*Padilla*, 131v)

Antes revuelva el paso presuroso (*MN* 3968, 158)

Antes saldrá el Apolo de Occidente (*CG* 1554, 170v)

Antes saldrá el Apolo de Occidente (*MN* 1132, 170)

Antiguamente del suelo (*MP* 2459, 29)

Antiguos griegos te enseñorearon (*MN* 6001, 301)

Antojo de desdén preñado de ira (*SU* 2755, 26)

Antón a placer de Dios (*CG* 1511, 228)

Antón de Pero Crespo el de Cornejo (*Tesoro*, Padilla, 397v)

Antón dice que le vio (*Padilla*, 62v)

Antón labrador que rompe (*MN* 3700, 44v)

Antón parias sin arrisco (*CG* 1511, 227)

Antón que está bravamente (*MoE* Q 8-21, p. 153)

Antón que está fuertemente (*RaC* 263, 83)

Antón quiso bien a Menga (*PN* 418, p. 456)

Antón y Teresa (*Jhoan López*, 41)

Antonico mi Antonico (*PN* 418, p. 315)

Antonilla es desposada (*Elvas*, 48v)

Antonilla es desposada (*PBM* 56, 91v-92)

Antonio José y vos (*Penagos*, 290)

Antonio mejor sería (*Jesuitas*, 214v)

Antonio muy liberal (*PN* 418, p. 57)

Año de mil y quinientos (*FRG*, p. 50)

Año de mil y quinientos (*Rosa Real*, Timoneda, 52v)

Año de mil y quinientos / y treinta y cinco corría (*Rosa Real*, Timoneda, 23)

Año de noventa y dos (*Rosa Española*, Timoneda, 70v)

Año de noventa y seis (*Peralta*, 84v)

Año del Omnipotente (*MP* 617, 132v)

Ao longo do sereno (*Borges*, 27)

Ao longuo da ribeira mui amena (*EM* Ç-III.22, 58v)

Ao pé da santa Cruz quasi mortal (*Evora*, 42)

Ao pé dum fresco vale entristeçido (*Evora*, 40)

Ao tempo que tudo gasta (*PBM* 56, 117)

Aos nossos olhos devemos (*Borges*, 58v)

Aparejaos pensamiento (*MN* 3700, 177v)

Apariencias de blandura (*Romancero*, Padilla, 325)

Apart apart que no vull part (*Flor de enamorados*, 74)

Aparta amigo el disfrace (*MN* 17.951, 94v)

Apartábase Nise de Montano (*Borges*, 24v)

Apartada de placer (*Toledano*, 63v)

Apartado de tus ojos (*PN* 418, p. 359)

Apartado del camino (*Jesuitas*, 475v)

Apartado del camino (*RH*, 99v)

Apartado ya de amores (*CG* 1511, 164)

Apartándome voy con amargura (*Obras*, Silvestre, 360)

Apartaros de mi bien fortunados (*Flor de enamorados*, 63)

Apartaros de mí los bien fortunados (*Flor de enamorados*, 63)

Apartaros de mí los bien fortunados (*Toledano*, 89v)

Apartarse no le es dado (*WHA* 2067, 40v)

Apartaste ingrata Filis (*MN* 3724, 170v)

Apartaste ingrata Filis (*RG* 1600, 96v)

Apeles Fidias Paneo Metodoro (*MP* 570, 235v)

Apenas el aurora había mostrado (*Lemos*, 51)

Apenas hubo leído (*Cid*, 150)

Apenas por las puertas del Oriente (*MN* 3700, 67)

Apenas puse en el papel la mano (*MN* 17.556, ix)

Apenas se hubo vestido (*Jesuitas*, 478v)

Apeóse el caballero (*Lemos*, 216)

Apeóse el caballero (*MN* 3700, 6)

Aplica pues un rato los sentidos (*Tesoro*, Padilla, 148)

Apócase mi vivir (*Colombina*, 43v)

Apócase mi vivir (*MP* 617, 151)

Apolo con su laurel (*RG* 1600, 147v)

Apolo e as nove musas discantando (*Borges*, 60)

Apostémonos niña que acierto (*PN* 418, p. 324)

Apóstol del Maestro el más querido (*Jesuitas*, 257, 262)

Aprendido he con mi daño (*CG* 1557, 399)

Apresois de cada dia (*Corte*, 131v)

Apresta don Diego Ordóñez (*MP* 570, 170)

Apresura por verte el tardo vuelo (*Corte*, 123)

Aprisa males no ceséis un punto (*Jacinto López*, 178v)

Aprisa pasa el estrecho (*MN* 3724, 147)

Aprisa pasa el estrecho (*RG* 1600, 167v)

Aprisa viene la noche (*RG* 1600, 355)

Aprovechéme de olvido (MP 1587, 70v)

Aprovéchese de olvido (*Padilla*, 51v)

Aprovéchese de olvido (RaC 263, 84)

Aquejado del amor (*Vergel*, Ubeda, 14)

Aquel acogerla a oscuras a la dama (RaC 263, 120), *ver*
    Aquel coger a oscuras, Aquel correr

Aquel alto emperador (*RH*, 184)

Aquel bellón que Cholda todo entero (*Jhoan López*, 130v)

Aquel bellón que nunca se mojaba (*Vergel*, Ubeda, 88)

Aquel caballero (MN 3700, 187)

Aquel coger a oscuras a la dama (FN VII-354, 246v)

Aquel coger a oscuras a la dama (MP 973, 255v), *ver*
    Aquel acogerla, Aquel correr

Aquel correr a oscuras a la dama (*Jacinto López*, 1v), *ver*
    Aquel acogerla, Aquel coger

Aquel de quien amor tiene cuidado (*Padilla*, 182)

Aquel debe llorar que se ve siervo (PN 371, 142v)

Aquel deseo que vence (MP 617, 30v)

Aquel dios ciego y maligno (MN 3913, 163)

Aquel Dios de venganza y león bravo (*Vergel*, Ubeda, 41)

Aquel Dios poderoso y entendido (MN 17.951, 79)

Aquel divino rostro que solía (*CG* 1554, 192)

Aquel divino rostro tan hermoso (*CG* 1554, 169)

Aquel divino rostro tan hermoso (MN 1132, 161)

Aquel enriscado puerto (RaC 263, 147)

Aquel esforzado moro (MN 3723, 197)

Aquel esforzado moro (*RG* 1600, 89)

Aquel estar aguardando (*Rojas*, 24)

Aquel estar entre sí (*Jacinto López*, 301v)

Aquel estar esperando (*Morán*, 5)

Aquel estar suspirando (*Canc.*, Ubeda, 146)

Aquel estar suspirando (*Toledano*, 104v)

Aquel eterno río caudaloso (MN 17.951, 80)

Aquel firme y fuerte muro (*RG* 1600, 60v)

Aquel fraile madre / de los antojos (MN 3913, 47v)

Aquel fuego cruel que en Roma ardía (PN 371, 89)

Aquel fui señora siempre así ser quiero (*Toledano*, 75)

Aquel gentil Narciso que miraba (*Penagos*, 1)

Aquel gran Dios de Israel (*Sevillano*, 170v)

Aquel hablarle a la dama (*León/Serna*, 95v)

Aquel huelgo que arde quema inflama (TP 506, 211v)

Aquel juez superior (MP 570, 139)

Aquel licor precioso destilado (TP 506, 257)

Aquel llegar a prisa y abrazarla (*Jacinto López*, 4v)

Aquel llegar de presto y abrazarla (FN VII-353, 284)

Aquel llegar de presto y abrazarla (MP 973, 270)

Aquel llegar de presto y abrazarla (RaC 263, 122v)

Aquel magnánimo Febo (*RH*, 180v)

Aquel mayoral gallardo (*RG* 1600, 153)

Aquel monstruo humano y fiero (MN 3724, 20)

Aquel monstruo humano y fiero (*RG* 1600, 279v)

Aquel moro Abencerraje (*Romancero*, Padilla, 124)

Aquel moro Abindarráez (MBM 23/4/1, 225)

Aquel moro enamorado (MN 17.556, 95v)

Aquel moro enamorado (*Penagos*, 83)

Aquel moro enamorado (*RG* 1600, 22v)

Aquel pajecito de aquel plumaje (*RG* 1600, 300)

Aquel pastor de Lisarda (MN 17.556, 167v)

Aquel pastorcico madre (*Padilla*, 230)

Aquel pensar que es amado (*FRG*, p. 210)

Aquel puede llamarse (TP 506, 214)

Aquel puerto de la nieve (RaC 263, 147)

Aquél que de Dios Padre fue enviado (MP 3560, 44v)

Aquel que de Dios Padre fue enviado (*Sevillano*, 224)

Aquel que de verdad ama (*Morán*, 68v)

Aquel que del Céfiso fue engendrado (MBM 23/4/1, 16v)

Aquél que del Céfiso fue engendrado (MN 2973, p. 277)

Aquel que está de ti desamparado (*Morán*, 114)

Aquel que fue poderoso (*Morán*, 75)

Aquel que me mira y vase (*Morán*, 46v)

Aquel que pára es Amete (MN 17.557, 76v)

Aquel que pára es Amete (MP 996, 97v)

Aquel que pára es Amete (*RG* 1600, 51v)

Aquel que quisiere su vida gozar (*Peralta*, 81)

Aquel que se preciaba de vengarse (*Jesuitas*, 448v)

Aquel que sin moverse manda y mueve (*Jesuitas*, 465v)

Aquel que sin moverse manda y mueve (*Obras*, Silvestre,
    413)

Aquel que todo lo supo (*Cid*, 228)

Aquel que una vez os viere (*Padilla*, 46v)

Aquel que una vez os viere (*Tesoro*, Padilla, 334v)

Aquel que viene no viene (*León/Serna*, 95v), *ver* Aquel si sale

Aquel que ya su vida va cumpliendo (*Borges*, 33v)

Aquel rabioso mal que con su ardor (*Jesuitas*, 447)

Aquel rayo de la guerra (*Jacinto López*, 122)

Aquel rayo de la guerra (MN 17.556, 60)

Aquel rayo de la guerra (MN 3723, 99)

Aquel rayo de la guerra (MP 973, 394v)

Aquel rayo de la guerra (MP 996, 28v)

Aquel rayo de la guerra (*Penagos*, 86)

Aquel rayo de la guerra (*RG* 1600, 22)

Aquel sagrado hortelano (*CG* 1535, 199)

Aquel salir como sale (*Vergel*, Ubeda, 19v)

Aquel salir de mañana (*Sevillano*, 222v)

Aquel sé yo que entonces bien sabía (*Jesuitas*, 349v)

Aquel Séneca expiró (*CG* 1511, 36)

Tabla 37

Aquel Séneca expiró (MP 617, 104v)

Aquel señor divino (*Rosal*, p. 19)

Aquel si sale no sale / aquel si viene no viene / no hay misterio que se le iguale (*Vergel*, Ubeda, 19v)

Aquel si sale no sale / aquel si viene o no viene / no hay dolor que se le iguale (*Morán*, 5), *ver* Aquel que viene

Aquel si viene no viene (*Cid*, 191v)

Aquel si viene no viene (PN 373, 4v)

Aquel si viene no viene (*Sevillano*, 251v)

Aquel si viene no viene (*Vergel*, Ubeda, 30v)

Aquel si viene no viene / aquel si sale no sale / no hay dolor que se le iguale (*Toledano*, 104v), *ver* Aquel que sale, Aquel si sale

Aquel si viene o no viene (*Canc.*, Ubeda, 146)

Aquel si viene o no viene (*Enredo*, Timoneda, 8v)

Aquel si viene o no viene (*FRG*, p. 209)

Aquel si viene o no viene (*Jesuitas*, 485v)

Aquel si viene o no viene (*Rojas*, 24), *ver* Aquel si viene

Aquel sol resplandeciente (*RG* 1600, 61)

Aquel supremo señor (*Obras*, Silvestre, 198), *ver* El juez superior

Aquel tardar el galán (*Sevillano*, 251v)

Aquel traidor / aquel engañador (*Toledano*, 51)

Aquel traidor afamado (*RH*, 30)

Aquel traidor mi enemigo (*Toledano*, 28v)

Aquel valeroso moro (MN 3723, 194)

Aquel valeroso moro (*RG* 1600, 314)

Aquel vellón que nunca se mojaba (*Canc.*, Ubeda, 87v)

Aquel volver atrás la mano echada (*Jesuitas*, 218)

Aquel ya la muerte viene (*Jacinto López*, 301v)

Aquele a quem primeiro obedeceram (*Corte*, 175)

Aquella alma divina que apartada (*Vergel*, Ubeda, 47)

Aquella alma gentil que ho bello veo (EM Ç-III.22, 27v)

Aquella bella aldeana (MN 4127, p. 71)

Aquella bella aldeana (*RG* 1600, 340)

Aquella bella mano que solía (PN 373, 201v)

Aquella buena mujer (*Colombina*, 103)

Aquella cativa (*Borges*, 27)

Aquella de gracia llena (TP 506, 289)

Aquella fuerza grande que recibe (*Heredia*, 298v)

Aquella fuerza grande que recibe (*Medinaceli*, 59v)

Aquella fuerza grande que recibe (MN 1132, 35)

Aquella fuerza grande que recibe (MN 3902, 35v)

Aquella fuerza grande que recibe (MP 617, 274v)

Aquella fuerza grande que recibe (PN 314, 205v)

Aquella hermosa aldeana (*Sablonara*, 2)

Aquella linda pastora (*FRG*, p. 185)

Aquella linda zagala (RV 1635, 47v)

Aquella linda zagala / que a mí me dará la pena (*Sevillano*, 262v)

Aquella luna hermosa (FN VII-353, 101)

Aquella luna hermosa (MN 4127, p. 164)

Aquella luz que alumbra en toda parte (MP 617, 188)

Aquella morena (MN 3725-1, 27)

Aquella morena (*RG* 1600, 158)

Aquella morena (TorN 1-14, 26)

Aquella muerte y Pasión (*Sevillano*, 16v)

Aquella que en afeites (*Vergel*, Ubeda, 169v)

Aquella reina de Lidios (*Flor de enamorados*, 113)

Aquella reina de Lidios (*Rosa Gentil*, Timoneda, 21)

Aquella señal sin falta (MN 1317, 153)

Aquella serenísima victoria (EM Ç-III.22, 27)

Aquella tarde habló con el barbero (*Tesoro*, Padilla, 403v)

Aquella voluntad honesta y pura (PN 307, 51v)

Aquella voluntad que me mostraste (PN 373, 230)

Aquella voluntad que me mostrastes (*Cid*, 145v)

Aquella voluntad que se ha rendido (*Borges*, 35)

Aquella voluntad que se ha rendido (*Corte*, 107)

Aquella voluntad que se ha rendido (*Elvas*, 102v)

Aquella voz de Cristo tan sonora (*Medinaceli*, 56v)

Aquellas altas sierras (*Lemos*, 120v)

Aquéllas de quien nacemos (*FRG*, p. 225)

Aquellas noches penosas (*CG* 1511, 105)

Aquéllas que en la fértil Helicona (PN 373, 127v)

Aquellas sombras que a la tarde crecen (MP 3560, 65)

Aquello cantaban (*RG* 1600, 278)

Aquello traté Domingo (*Colombina*, 76v)

Aquellos dos verdugos (MN 3724, 23)

Aquellos once pilares (*Vergel*, Ubeda, 119)

Aquéllos qué cuerpos son (MP 644, 204)

Aquese luto señora (*Jacinto López*, 206v)

Aquese precioso lloro (*Sevillano*, 92v)

Aquese rey Alejandro (*Cid*, 153v)

Aquest jove que cantat / como es grosser (*Flor de enamorados*, 3v)

Aquest jove que ha cantat / es angel o enamorat (*Flor de enamorados*, 71v)

Aquesta cifra es la letra (*CG* 1554, 100v)

Aquesta dolencia amarga (*CG* 1511, 167)

Aquesta duda encubierta (PBM 56, 29)

Aquesta es la condición (PBM 56, 109)

Aquesta imagen es la dulce historia (*Obras*, Silvestre, 364)

Aquesta mañana (FN VII-353, 34)

Aquésta me da cuidado (MP 617, 153)

Aquesta noche pasada (*Cid*, 109)

Aquesta pluma célebre maestro (*Penagos*, 9v)

Aquesta sin ventura desdichada (*Heredia*, 300v)

Aquesta sin ventura desdichada (MN 1132, 37)

Aquesta sin ventura desdichada (MP 617, 275v)

Aquesta sin ventura y desdichada (MN 3902, 37v)
Aquesta tormenta fue (*CG* 1514, 15)
Aquesta vista primera (*Sevillano*, 204)
Aquestas aguas turbias (MN 3700, 10v)
Aquestas secretas selvas (*RG* 1600, 155)
Aquestas y otras razones (*Tesoro*, Padilla, 194)
Aqueste es el puro tiempo de emplearse (FN VII-354, 39v)
Aqueste niño al parecer sangriento (MN 2973, p. 54)
Aqueste pan que al alma se presenta (FN VII-353, 79)
Aqueste tuyo tan triste (MP 617, 28)
Aquestos vientos ásperos y helados (FN VII-354, 36)
Aquestos vientos ásperos y helados (PN 258, 207)
Aquestos vientos helados (*Penagos*, 48v)
Aquestos vientos rígidos y helados (SU 2755, 39)
Aquí al vivo se ve el sagrado coro (MN 2973, p. 106)
Aquí Bildad airado abrió la boca (MN 3698, 251)
Aquí cantaba Silvano (BeUC 75/116, 122v)
Aquí cantaba Silvano (*Cid*, 42)
Aquí cantaba Silvano (MBM 23/8/7, 211v)
Aquí cantaba Silvano (MN 3968, 86)
Aquí cantaba Silvano (MN 4256, 229v)
Aquí cantaba Silvano (MN 4268, 158)
Aquí cantaba Silvano (MP 1578, 53v)
Aquí cantaba Silvano (MP 2805, 68)
Aquí cantaba Silvano (RV 768, 236)
Aquí case un reino entero (MiB AD.XI.57, 10v)
Aquí de Dios que me casan (MN 2856, 104v, 128v)
Aquí de Dios que me matan (MN 3700, 65)
Aquí donde fue Sagunto (PN 418, p. 105)
Aquí donde la suerte de Pompeyo (*Rosal*, 116)
Aquí donde las huestes de Pompeyo (MN 2856, 9)
Aquí donde me ves tan pobre y roto (MN 17.556, 142v)
Aquí donde mi suerte venturosa (*Fuenmayor*, p. 153)
Aquí donde mi suerte venturosa (*Rosal*, p. 76)
Aquí donde mis suspiros (MN 3700, 106v, 174)
Aquí donde tus favores (MN 3700, 80, 104v)
Aquí donde tus peñascos (MN 3700, 127v)
Aquí Dórida yace Todo el coro (MN 2973, p. 251)
Aquí el valor la gracia y gentileza (MP 1587, 46)
Aquí entre la verde juncia (MN 17.556, 166)
Aquí entre la verde juncia (*RG* 1600, 40)
Aquí está aquel gran Dios disimulado (MN 17.951, 114)
Aquí está el gran tesoro y la riqueza (*Vergel*, Ubeda, 68v)
Aquí está sepultado vuelto en flores (TP 506, 365v) *ver* Aquí yace
Aquí Fortuna ordena (*Jhoan López*, 42)
Aquí gozaba Medoro (*RG* 1600, 341v)
Aquí la envidia y mentira (FN VII-353, 180)
Aquí la envidia y mentira (FN VII-354, 400v, 401)

Aquí la envidia y mentira (Jesuitas, 461v)
Aquí la envidia y mentira (MP 973, 46)
Aquí lloro sentado (MoE Q 8-21, p. 163)
Aquí me declaró su pensamiento (*Medinaceli*, 38v)
Aquí me mandan loaros (*CG* 1535, 189v)
Aquí me mandan que alabe (*CG* 1535, 194)
Aquí no hay (MP 617, 326)
Aquí no hay (PN 372, 145)
Aquí no hay que esperar (TorN 1-14, 9)
Aquí plantó la diosa (MP 2459, 83)
Aquí podréis llorar mis ojos tristes (*Lemos*, 154)
Aquí podréis llorar mis ojos tristes (*Penagos*, 195)
Aquí quiero contar el dolor mío (MN 2973, p. 142)
Aquí quiero llorar la suerte mía (OA 189, 18v)
Aquí quiero llorar la suerte mía (PN 314, 83v)
Aquí quiero llorar la suerte mía (WHA 2067, 91v)
Aquí se hace tierra una figura (*Lemos*, 94)
Aquí se hace tierra una figura (*Peralta*, 86)
Aquí se hace tierra una figura (*Toledano*, 81)
Aquí se vio la luz obscurecida (*Fuenmayor*, p. 248)
Aquí señora donde viéndoos pude (*Penagos*, 185v)
Aquí tiene poca tierra (*CG* 1514, 158v)
Aquí veréis que es forzado (*CG* 1511, 141v)
Aquí vive y aquí mora (*Jacinto López*, 318v)
Aquí yace en poca tierra (MN 1317, 54)
Aquí yace en poca tierra (MP 617, 208)
Aquí yace en poca tierra (*Toledano*, 101)
Aquí yace en poca tierra (TP 506, 392)
Aquí yace la corteza (PN 372, 104)
Aquí yace puercamente (FN VII-353, 250v, 253v)
Aquí yace sepultada / en aquesta piedra dura (*Peralta*, 86v)
Aquí yace sepultada / una parlera señora (*Peralta*, 87)
Aquí yace sepultada / una parlera señora (PN 373, 294)
Aquí yace sepultada / una parlera señora (*Sevillano*, 222, 223)
Aquí yace sepultado / quien su fe jamás faltó (PN 314, 229v)
Aquí yace sepultado / un conde digno de fama (MP 617, 214)
Aquí yace sepultado / un corazón desamado (*CG* 1511, 142)
Aquí yace sepultado / x que murió en la guerra (*Jesuitas*, 468v)
Aquí yace sepultado vuelto en flores (*Lemos*, 96v), *ver* Aquí está
Aquí yace Vasco Figueira (*Peralta*, 87)
Arbol fértil en cuyo eterno fruto (MN 3902, 112)
Arbol planeta raiz y rama fuerte (*Vergel*, Ubeda, 90v)
Arbol que en tus verdes años (MN 3913, 132v)
Arboles bosques riscos y collados (MP 973, 72)
Arboles de las montañas (*Flor de enamorados*, 60)

Tabla 39

Arboles que a la orilla del sabroso (MiT 63, 91v)

Arboles sombrosos (PN 371, 93)

Arbores montes riscos y collados (TP 506, 264v)

Arco celeste muestra de consuelo (*Canc.*, Ubeda, 99)

Arda pues tal ventura conseguiste (TP 506, 273v)

Ardan mis dulces membranzas (*Elvas*, 21v)

Ardan mis dulces membranzas (TP 506, 395)

Ardan mis tristes membranzas (WHA 2067, 36v)

Ardanse aquí mis membranzas (MN 3902, 58)

Arde Amor y contemplar no osa (MP 570, 247v)

Arde de amor y contemplar no osa (MP 973, 75), *ver* Ardo de amor

Arde de mí la más ilustre parte (MN 2973, p. 222)

Arde de mí la más ilustre parte (*Padilla*, 182)

Arde de mí la más ilustre parte (SU 2755, 126)

Arde y no sólamente la verdura (*Cid*, 53), *ver* Ardí

Arded corazón arded (MN 3700, 45)

Arden Tirse igualmente y Galatea (NH B-2558, 33v)

Ardese Troya y sube el humo oscuro (MN 2856, 97v)

Ardese Troya y sube el humo oscuro (*Penagos*, 9)

Ardí y no sólamente la verdura (MN 3698, 136v), *ver* Arde

Ardiendo en fervorosa llama llama (MN 17.951, 83)

Ardiendo en rabioso celo (*Jhoan López*, 1v)

Ardiéndose está Jarifa (MN 3723, 236)

Ardiéndose está Jarifa (*RG* 1600, 103v)

Ardiente fuego dardo largo estrecho (OA 189, 114v)

Ardiente fuego dardo o lazo estrecho (PN 314, 4v)

Ardo de amor y contemplar no osa (*Morán*, 18v), *ver* Arde de amor

Ardo en amor y por amores muero (*Faria*, 31)

Ardo en el hielo y hiélome en el fuego (MP 3560, 25)

Ardo en la más alta esfera (*CG* 1554, 37)

Ardo en la más alta esfera (*Ixar*, 335)

Ardo en la más alta esfera (MBM 23/4/1, 231)

Ardo en la más alta esfera (MP 617, 216)

Ardo en la más alta esfera (OA 189, 41)

Ardo en la más alta esfera (PN 307, 145)

Ardo en la más alta esfera (PN 371, 80)

Ardo en la más alta esfera (*Tesoro*, Padilla, 387)

Ardo muero y me abraso y me atormento (MiT 63, 18)

Ardo suspiro y vivo en triste llanto (MN 3968, 158)

Ardo suspiro y vivo en triste llanto (*Morán*, 186v)

Ardo yo en fuego eterno yelo en frío (MN 2973, p. 195)

Argia reina y mujer (*Rosa Gentil*, Timoneda, 15)

Argos quisiera ser para miraros (NH B-2558, 43v)

Arias qué decís (PN 418, p. 45)

Arma a Ildefonso y cíñele la espada (*Vergel*, Ubeda, 150v)

Armado el hombre de plumas (MN 3700, 215v)

Armado está Diego Ordóñez (FN VII-353, 132v)

Armado está Diego Ordóñez (*Jacinto López*, 74v)

Armado está Diego Ordóñez (*Jhoan López*, 45)

Armado se ha gran contienda (WHA 2067, 116)

Armale de constancia y de firmeza (*Jesuitas*, 189)

Arman una cruda guerra (*Jesuitas*, 303)

Armando están caballero (*Vergel*, Ubeda, 152)

Armas de Amor señora son tus ojos (MP 1587, 51v)

Armas de amor señora son tus ojos (*Sevillano*, 216)

Armas han ya los griegos recibido (FN VII-354, 309v)

Armas han ya los griegos recibido (*León/Serna*, 61v)

Armé una torre encima del agua (*Toledano*, 89)

Arranca Pablo de la lumbre ciego (*Vergel*, Ubeda, 115v)

Arrancando los cabellos (MN 3723, 21)

Arrancando los cabellos (*RG* 1600, 159v)

Arrebatada fábrica viviente (MiB AD.XI.57, 28)

Arreboles de la mañana (MN 3913, 70)

Arreboles tiene el cielo (*Jesuitas*, 128)

Arriba canes arriba (MN 3725-2, 7)

Arriba en aquella sierra (PN 373, 128v)

Arriba gritaban todos (MN 17.557, 61v)

Arriba gritaban todos (*Penagos*, 126)

Arriba gritaban todos (RaC 263, 169)

Arriba gritaban todos (*RG* 1600, 49)

Arribita compañeros (*Toledano*, 43)

Arrimada a una almena (MN 3700, 145v)

Arrimado a un olmo verde (MP 996, 202)

Arroja escarcha helada (MN 4127, p. 216)

Arrojóme las naranjas (MoE Q 8-21, p. 173)

Arrojóme las naranjicas (RC 625, 26)

Arrojóme las naranjillas (FN VII-353, 208v)

Arrojómelas arrojéselas (*Jacinto López*, 319v)

Arrojóse el mancebito (MN 3913, 163v)

Arrojóse el mancebito (*RG* 1600, 148v)

Arrojóse un mancebito (MN 4127, p. 111)

Arronjéle ciertas nuevas (*Sevillano*, 153v)

Arronjéle ser parida (*Sevillano*, 153v)

Arroyos cristalinos (MN 4127, p. 211)

Arrugada la corteza (*Jacinto López*, 192v)

Arsenio con el cuento del cayado (*Vergel*, Ubeda, 204)

As armas desta vossa sepultura (*Corte*, 187v)

As cousas que não têm cura (*Corte*, 127v)

As marítimas ninfas do occeano (*Corte*, 217v)

Asado habías de estar poeta crudo (MN 2856, 125)

Asaz de nieve ha enviado (*Morán*, 233v)

Asaz tenían guardada (MP 973, 42)

Asaz tenían guardada (*Rosal*, p. 16, 267)

Asense a brazo partido (*Vergel*, Ubeda, 132v)

Así cantaba Belardo (*Penagos*, 130)

Así como Niobe (MN 3724, 31v)

Así como por tener (*Morán*, 187v)

Así de mi esperanza el casto exceso (MN 3902, 104v)

Así Dios os aconsuele (*CG* 1554, 20)

Así está Amor su arco en hora fuerte (*Cid*, 2)

Así mi corazón queráis decía (*Padilla*, 30)

Así no marchita el tiempo (*RG* 1600, 46v)

Así no marchite el tiempo (MN 17.557, 36)

Así no marchite el tiempo (MN 3723, 11)

Así que aquella hermosura (*Corte*, 53v)

Así que en esta partida (*Morán*, 141v)

Así que soy yo el partido (*CG* 1511, 128v)

Así que vos pensamiento (*CG* 1511, 123v)

Así Riselo cantaba (MN 17.556, 28v)

Así Riselo cantaba (*RG* 1600, 113v)

Así se consuela (*Morán*, 11v)

Así se consuela (*Sevillano*, 63)

Así suelen decir los amadores (*Lemos*, 54)

Así te den los cielos (MN 3724, 25v)

Así vaya madre (*Recopilación*, Vázquez, 31)

Así yo viva Antonilla (MP 996, 184v)

Así yo viva Inés que no os entiendo (*Tesoro*, Padilla, 444)

Asida está del estribo (MN 2856, 73v)

Asida está del estribo (*RG* 1600, 361v)

Asienta Gil el pie llano / mira que vas de vencido (PN 372, 321v)

Asienta Gil el pie llano / que tu perdición me admira (*Sevillano*, 293v, 299v)

Asienta Gil el pie llano / tu gran placer me admira (*Sevillano*, 163v)

Asiéntate a mi ley mi Dios le dice (MN 3698, 230v)

Asno de muchos lobos se lo comen (FN VII-353, 349)

Asomáos humano engaño (*RG* 1600, 302v)

Asómate a esa ventana (*León/Serna*, 105v)

Asombraos mis cabellos (*Padilla*, 230v)

Aspero llanto hacía (MP 1587, 126v)

Assim como ave fénix que renova (*Corte*, 205)

Astrea diosa justa y la sincera (*Jesuitas*, 129)

Atájese esta cuestión (*CG* 1554, 113v)

Atán alto va la luna (MN 3725-2, 34)

Atandra bella enemiga (MN 3724, 186v)

Até certo tempo (PBM 56, 19)

Até quando me tereis (*Corte*, 49v)

Atenas más glorioso (*CG* 1511, 19)

Atenas más glorioso (*Ixar*, 73)

Atended por cortesía (*RG* 1600, 53v)

Atento consideraba (*Morán*, 36)

Atento escucha las quejas (*RG* 1600, 85)

Atina que dais en la manta (RC 625, 62)

Atine a su claridad (*CG* 1511, 142)

Atlante de los muros de Felipe (FR 3358, 267)

Atormenta un pensamiento (PN 372, 264)

Atrás vuelvan los ríos discurriendo (PN 373, 196)

Atrevido pensamiento (*Canc.*, Maldonado, 37v)

Atrevióse amor a Dios (*Vergel*, Ubeda, 63v)

Atrevióse el pensamiento (MN 3700, 51v)

Au camp d'amor Amor mêm me meine (PN 371, 241)

Audalla que un tiempo fuiste (*Penagos*, 113v)

Augusta insigne deja el triste llanto (MP 2459, 14)

Aún bien no fui salido de la cuna (*Peralta*, 28)

Aún la memoria es hoy viva (BeUC 75/116, 85)

Aún la memoria es hoy viva (MN 4262, 163)

Aún la memoria es hoy viva (MP 2805, 31)

Aún la memoria es hoy viva (PhUP1, 91v)

Aún no acabáis de venir (OA 189, 324v)

Aún no acabáis de venir (PN 307, 229v)

Aún no acabáis de venir (*Sevillano*, 291)

Aún no es bien amanecido (MP 1587, 38v)

Aún no es bien amanecido (*RH*, 36v)

Aún no ha bien amanecido (*Morán*, 2)

Aún no había amanecido (*Rojas*, 85)

Aún no hube bien mirado (*Morán*, 94)

Aun no sabía (MoE Q 8-21, p. 144)

Aun para suspirar (*Corte*, 201)

Aun vos acabéis tan ledo (PBM 56, 99v)

Aunque a la verdad mentira (FN VII-354, 433v)

Aunque a mi costa cómprese un espejo (*Morán*, 121)

Aunque a picarte no llega (PN 418, p. 382)

Aunque acá Señor te vemos (MN 17.951, 96v)

Aunque al templo os ofrezcáis (*Vergel*, Ubeda, 106)

Aunque amaros demasiado (*Morán*, 38)

Aunque amor al corazón (EM Ç-III.22, 97v)

Aunque amor no puede verla (*Romancero*, Padilla, 297v)

Aunque andéis más disfrazado (*Jesuitas*, 478)

Aunque aquel cuerpo sagrado (*CG* 1535, 200v)

Aunque así me veis pastora (PN 373, 112)

Aunque causa el suspirar (*Cid*, 180)

Aunque causa el suspirar (*Morán*, 35v)

Aunque causa el suspirar (*Sevillano*, 254)

Aunque con graves penas y tormento (*Vergel*, Ubeda, 34)

Aunque con más pesada (MP 973, 18v)

Aunque con más pesada (MP 996, 263)

Aunque con pena mortal (*CG* 1511, 96v)

Aunque con semblante airado (MN 3700, 26v)

Aunque de Escitia fueras (*Cid*, 50)

Aunque de Escitia fueras (FN VII-353, 192v)

Aunque de Escitia fueras (FR 3358, 212v)

Aunque de Escitia fueras (MN 3698, 20)

Aunque de Escitia fueras (*Morán*, 243)

Tabla 41

Aunque de Escitia fueras (MP 973, 43v)
Aunque de Escitia fueras (MP 996, 250)
Aunque de gallarda mora (*Jhoan López*, 17)
Aunque de marfil y oro (MP 973, 40v)
Aunque de mi sufrimiento (RaC 263, 170)
Aunque decir se provoca (MP 1587, 172v)
Aunque Dios está a la mira (MP 2459, 72)
Aunque el alma no consiente (*FRG*, p. 227)
Aunque el alma padezca noche y día (*Borges*, 37)
Aunque el apóstol desvía (MN 17.951, 98v)
Aunque el carro se vuelva (MN 3700, 59)
Aunque el carro se vuelva (MN 3913, 62v)
Aunque el humano saber (CG 1535, 200v)
Aunque el León se reboce (*Canc.*, Ubeda, 58)
Aunque el león se reboce (*Vergel*, Ubeda, 75v)
Aunque el mal en cantidad (*Lemos*, 139)
Aunque el marido celoso (*Colombina*, 100v)
Aunque en corazón de piedra (*Morán*, 139)
Aunque en espino sembrastes (*Jesuitas*, 461v)
Aunque en laberinto hallado (*Lemos*, 260v)
Aunque en mil partes se parte (*Fuenmayor*, p. 269)
Aunque en ricos montones (FN VII-354, 369v)
Aunque en ricos montones (MN 3698, 174)
Aunque en veros no se gane (CG 1514, 189)
Aunque es ajena pasión (RaC 263, 2)
Aunque es ancho el mar (MoE Q 8-21, p. 179)
Aunque es de gran padecer (CG 1511, 123)
Aunque es de sí tan hermosa (MP 2459, 92)
Aunque es larga la carrera (*Jesuitas*, 215)
Aunque es mi dolor cruel (*Padilla*, 105)
Aunque es mi ingenio tan bobo (*Lemos*, 253)
Aunque ese llorar os cuadre (*Vergel*, Ubeda, 17)
Aunque esperanzas suspenden (*Jhoan López*, 50v)
Aunque estáis vestido (*Sevillano*, 130v, 281v)
Aunque estoy sin mí y sin ti (*Medinaceli*, 2v)
Aunque eternos loores te ofrecemos, (MP 3560, 64v)
Aunque fuera otro Colón (CG 210v)
Aunque fuera otro Colón (MP 617, 210)
Aunque fueron al henchir (*FRG*, p. 149)
Aunque fuesen mil millares (CG 1511, 206)
Aunque ha que nació tan poco (FN VII-354, 433v)
Aunque hay mucha diferencia (PN 371, 23v)
Aunque hay mucho que hacer (*Heredia*, 194)
Aunque hay mucho que hacer (MN 5593, 73v)
Aunque hizo un golpe la rabiosa muerte (*Jesuitas*, 361)
Aunque imposible es ser manso y terrible (MP 2459, 2)
Aunque infinitas lenguas yo tuviese (*Canc.*, Ubeda, 41)
Aunque infinitas lenguas yo tuviese (*Vergel*, Ubeda, 68)
Aunque inocente en mi vida (*Padilla*, 211)

Aunque la desleal discordia intente (MN 3902, 129v)
Aunque la envidia y mentira (*Lemos*, 247, 248, 249, 255, 256, 260)
Aunque la envidia y mentira (MP 2459, 20, 24, 76, 78, 80, 87, 88, 89, 90)
Aunque la subida (*Lemos*, 120v)
Aunque le pese a tu madre (MN 3700, 71)
Aunque le veis desnudito (*Padilla*, 61)
Aunque lo veis ser mortal es infinito (PBM 56, 71v)
Aunque lo ves manso niño (*Sevillano*, 161)
Aunque más culpa os culpa (*Vergel*, Ubeda, 170v)
Aunque más disimulado (*Fuenmayor*, p. 262)
Aunque más mal me tratéis (PN 371, 5)
Aunque más marido mío (MN 17.557, 54v)
Aunque más no se cuente (PN 307, 183v)
Aunque más pretendas Ana (FN VII-353, 213v)
Aunque más se solemnice (PN 373, 45)
Aunque más seáis casada (*Heredia*, 140v)
Aunque me ande de tierra en tierra (*Lemos*, 123)
Aunque me importa la vida (*Romancero*, Padilla, 317v)
Aunque me niega ventura (*Morán*, 7, 65v)
Aunque me queréis así (*Sevillano*, 250)
Aunque me suelten a mí (*Padilla*, 251)
Aunque me tiene el amor (CG 1511, 152v)
Aunque me veáis en tierra ajena (*Evora*, 32)
Aunque me veis en tierra ajena (*Toledano*, 90v), *ver* Aunque me ande
Aunque me veis pastor (*Padilla*, 246v)
Aunque mi cuerpo pesado duerma (*Evora*, 33v)
Aunque mi dama huelgue de acabarme (*Tesoro*, Padilla, 433)
Aunque mi mal fuera (*Tesoro*, Padilla, 221v)
Aunque mi pena señora mía (*Toledano*, 63v)
Aunque mi seso se olvida (MP 617, 243v)
Aunque mi vida fenece (CG 1514, 100v)
Aunque mi voz levante más el tono (*Fuenmayor*, p. 439)
Aunque miran la verdad (RaC 263, 81)
Aunque miraros no oso (*León/Serna*, 114v)
Aunque muy gran exceso te parezca (*Tesoro*, Padilla, 172)
Aunque no acierte la dicha (PN 418, p. 467)
Aunque no me pidáis cuenta (CG 1511, 150)
Aunque no me pidáis cuenta (*Elvas*, 82v)
Aunque no os miro señora (*Sevillano*, 222)
Aunque no puede al artificio humano (PN 314, 20v)
Aunque no sea de mirarte (MN 3700, 137)
Aunque no sea muy sabio la experiencia (MP 973, 59v)
Aunque no sean muy bellas (*Rojas*, 143v)
Aunque no soy Amón Baco ni Apolo (FN VII-353, 295)
Aunque no soy Amón Baco ni Apolo (MP 973, 124v)
Aunque no soy Amor Baco ni Apolo (*Jhoan López*, 119v)

Aunque no soy muy sabio la experiencia (*Rojas*, 138v)

Aunque nuevas de pesar (CG 1554, 115v)

Aunque nunca el Amor entró en mi casa (MP 973, 344)

Aunque nunca habéis probado (*Toledano*, 69v)

Aunque os llaman el Menor (*Vergel*, Ubeda, 131)

Aunque os subís gobierno nuestro y llave (Vergel, Ubeda, 55v)

Aunque parece que son (*Morán*, 47)

Aunque parezca grande atrevimiento (*Tesoro*, Padilla, 238)

Aunque pase gran trecho del mar (*Lemos*, 122v)

Aunque pensáis que no os miro (MP 570, 162)

Aunque pensase perder (*Flor de enamorados*, 30v)

Aunque podía no amaros (*Peralta*, 180)

Aunque ser madre y virgen imposible (MP 2459, 2)

Aunque siglos hayan sido (PN 418, p. 394)

Aunque sigo la milicia (*RG* 1600, 199)

Aunque son las ramas dos (*Vergel*, Ubeda, 83)

Aunque soy garrida en todo (*Flor de enamorados*, 33v)

Aunque soy hombre extranjero (*Toledano*, 8v)

Aunque soy morena / blanca yo nací (*Jacinto López*, 320)

Aunque soy morena / no soy de olvidar (*Jacinto López*, 320v)

Aunque soy morenita un poco (*Jacinto López*, 318)

Aunque soy tan llano (FN VII-353, 168)

Aunque soy tan llano (MN 17.557, 48)

Aunque tan mal acogido (*Tesoro*, Padilla, 468v bis)

Aunque tan rústico soy (MN 4127, p. 194)

Aunque temo que estoy tan olvidado (*Tesoro*, Padilla, 323v)

Aunque tenga atrevimiento (TP 506, 166)

Aunque tengo chicos ojos (PN 307, 323)

Aunque todo el mundo aceche (MP 1587, 18v)

Aunque todo el mundo aceche (MP 2803, 156)

Aunque todo el mundo aceche (PN 372, 71v)

Aunque todos celebren (PN 418, p. 54)

Aunque tú quieras Amor (*Padilla*, 233)

Aunque tus amigos / te digan mil bienes (*Penagos*, 79v)

Aunque tus amigos / te digan mil bienes / y que por él tienes (*Jhoan López*, 144)

Aunque tus brazos temidos (MP 3560, 61v)

Aunque veis que muerto vengo (MP 1587, 132v)

Aunque venís disfrazado (*Jesuitas*, 305)

Aunque viva seré muerto (*Padilla*, 238v)

Aunque vivo de amor tan maltrado (*Morán*, 80)

Aunque vos misma os queráis (*Sevillano*, 276v)

Aunque vos no os acordéis (*Padilla*, 250v)

Aunque voy por el camino (*Sevillano*, 296)

Aunque vuestra condición (MoE Q 8-21, p. 72)

Aunque vuestro desamor (CG 1511, 144v)

Aunque vuestro desamor (*Gallardo*, 66v)

Aunque vuestro esposo amado (*Fuenmayor*, p. 263)

Aunque vuestro linaje tanto fuera (*Tesoro*, Padilla, 354)

Aunque ya más no se cuente (OA 189, 352)

Aunque ya sé por mi suerte (MP 617, 293v)

Aunque ya sé por mi suerte (PN 372, 86v)

Aunque yo en mis males veo (*Ixar*, 367v)

Aunque yo en mis males veo (MN 5602, 17v)

Aunque yo la pretenda un año entero (MN 3913, 47v)

Aunque yo la vi (*Toledano*, 24v)

Aunque yo quiero ser beata (RV 1635, 97v)

Aunque yo quiero ser beata (*Sevillano*, 229v)

Aunque yo triste me seco (CG 1511, 165v)

Aura templada y fresca de occidente (MN 2973, p. 187)

Ausencia de pensamientos (PN 373, 159)

Ausencia es para pocos por razón (CG 1554, 191)

Ausencia puede mudar (CG 1511, 122v)

Ausencia puede tanto (TP 506, 353)

Ausencia que de amor es enemiga (MN 3968, 161)

Ausencia tiene a Fileno (*Canc.*, Maldonado, 25)

Ausencia triste (*Lemos*, 126v)

Ausente de mi bien y de mi glori / sin consuelo remedio ni alegría (FN VII-353, 149)

Ausente de mi bien y de mi gloria (MP 1587, 173)

Ausente de mi bien y de mi gloria / condenado a morir en llanto eterno (MBM 23/4/1, 348)

Ausente de mi bien y de mi gloria / condenado a morir en llanto eterno (*Tesoro*, Padilla, 203), *ver* Ausente de su bien

Ausente de mi bien y de mi gloria / sin consuelo remedio ni alegría (*Cid*, 44v)

Ausente de mi bien y de mi gloria / sin consuelo remedio ni alegría (*Morán*, 191v)

Ausente de mi bien y de mi gloria / sin consuelo remedio ni alegría (MP 2803, 215)

Ausente de mi bien y de mi gloria / sin consuelo remedio y alegría (MBM 23/4/1, 347v)

Ausente de mi blanca Galatea (MP 570, 217v)

Ausente de su bien y de su gloria (*Jacinto López*, 161)

Ausente de su ganado (*RG* 1600, 64)

Ausente de vos bien mío (MP 1587, 77)

Ausente de vos bien mío (PN 373, 233)

Ausente del bien que adoro (*RG* 1600, 56)

Ausente el pastor Riselo (FN VII-353, 139)

Ausente estaba el sol de nuestro polo (*Jesuitas*, 135)

Ausente estaba el sol de nuestro polo (MN 17.951, 58v)

Ausente estaba un pastor (*RG* 1600, 135)

Ausente estoy de donde el alma tengo (MN 4127, p. 178)

Ausente estoy de tus divinos ojos (MN 4127, p. 188)

Ausente olvidado y solo (MN 17.556, 123)

Ausente olvidado y solo (MP 996, 158v)

Ausente vive Florino (*Penagos*, 153v)

Tabla 43

Ausente vivo Temo que olvidado (*Rojas*, 156v)
Ausente vivo y temo que olvidado (MP 1587, 113)
Ausente y desesperado (*Jhoan López*, 36v)
Ausente y desesperado (MN 3700, 20v)
Ausente y no bien seguro (*Canc.*, Maldonado, 19)
Ausente yo de vos los elementos (*Obras*, Silvestre, 360v)
Austrino infante de la palma hispana (*Jhoan López*, 127v)
Avati que matan (*Toledano*, 9)
Ave María (*Obras*, Silvestre, 345v)
Ave preciosa María (*CG 1511*, 11)
Ave preciosa María (*Ixar*, 83v)
Avecita mensajera (*Canc.*, Ubeda, 206v)
Averiguados recelos (MN 2856, 91)
Aves que dulcemente estáis cantando (*Morán*, 14)
Avisaron a los reyes (*Jacinto López*, 175v)
Avisaron a los reyes (*Jhoan López*, 36)
Avisaron a los reyes (MN 17.556, 7)
Avisaron a los reyes (MP 996, 11v)
Avisaron a los reyes (*Penagos*, 89v)
Avisaron a los reyes (*RG 1600*, 9v)
Aviso a los rendidos o enredados (MP 996, 199v)
Aviso hermosura gracia y gala (*Tesoro*, Padilla, 87)
Ay águila real que tras el vuelo (MP 2803, 113v)
Ay alma di quién soy que soy ya tanto (MN 3902, 126)
Ay alma triste de pesares llena (*Tesoro*, Padilla, 312)
Ay amargas soledades (*RG 1600*, 233)
Ay amargas soledades (TorN 1-14, 10)
Ay Amor (*Canc.*, Maldonado, 36v)
Ay amor amor / blando como Angeo (MP 996, 148)
Ay amor amor / blando como Angeo (*RG 1600*, 337v)
Ay amor amor / cuán mal me has tratado (MN 17.556, 99v)
Ay amor amor / cuán mal me has tratado (*Toledano*, 47v, 92)
Ay amor amor amor (*Ixar*, 346)
Ay amorosas cadenas (*Sevillano*, 272v)
Ay ausencia cruel ay trago fuerte (MN 17.556, 128)
Ay ausencia cruel ay trago fuerte (*RH*, 194v)
Ay Axa por qué te vi (*CG 1511*, 147v)
Ay Axa por qué te vi (*Heredia*, 182v)
Ay ay ay ay que rabio y muero (*Recopilación*, Vázquez, 17)
Ay ay qué dulce sabor (*Sevillano*, 44v)
Ay ay que se muere Antón (*FRG*, p. 158)
Ay bella Elena cuya belleza cara (*RG 1600*, 194v)
Ay bien cuán mal me trata ya tu gloria (MN 3806, 72)
Ay blanca nieve y cómo me has robado (MN 2973, p. 231)
Ay blando sueño Ay dulce pensamiento (*Lemos*, 4)
Ay Blas de risa me caigo (*Morán*, 46v)
Ay cadenas de amar (*Sevillano*, 272v)
Ay carillo si te fueres (*CG 1557*, 391)
Ay caro esposo espera (*RG 1600*, 132v)

Ay Celia mía cuánto he deseado (MBM 23/4/1, 141)
Ay ciegos ojos de tinieblas llenos (*Vergel*, Ubeda, 70v)
Ay cómo en estos árboles sombríos (MN 3700, 189)
Ay con la ganancia / de aquesta cama (*Jacinto López*, 318)
Ay con la ganancia / de aquesta partera (*Jacinto López*, 318)
Ay con la ganancia / de aqueste burdel (*Jacinto López*, 318)
Ay corazón marmóreo (PA 1506, p. 9)
Ay corazón que te mata (*Flor de enamorados*, 96)
Ay corazón si hablar pudieses (*Lemos*, 122)
Ay cuán dulce es la manzana (*Sevillano*, 159)
Ay cuán linda que eres Alba (*Flor de enamorados*, 48v)
Ay cuán por demás es bien quererte (MP 617, 260)
Ay de aquél que en sólo veros (*CG 1511*, 124)
Ay de cuán ricas esperanzas vengo (*Corte*, 156)
Ay de cuán ricas esperanzas vengo (MN 3968, 100)
Ay de cuán ricas esperanzas vengo (*Morán*, 197)
Ay de cuán ricas esperanzas vengo (MP 1587, 19)
Ay de cuán ricas esperanzas vengo (*RH*, 211)
Ay de mí / Por quién Por vos (*Toledano*, 35v)
Ay de mí / Qué ay es ése decí (*Toledano*, 64v)
Ay de mí / Qué ay es ése me decí (MN 5593, 90)
Ay de mí / que muero después que os vi (*Obras*, Silvestre, 107v)
Ay de mí / que muero después que os vi (PN 372, 297)
Ay de mí / que soy el que os ofendí (*Canc.*, Ubeda, 55v)
Ay de mí desventurada (*Toledano*, 63)
Ay de mí di qué haré (RaC 263, 150v)
Ay de mí las cien mil leyes (*Padilla*, 243v)
Ay de mí pastora mía (*Cid*, 35v, 254)
Ay de mí por quien por vos (MN 5593, 107v)
Ay de mí qué buen señor que perdí (*Vergel*, Ubeda, 54v)
Ay de mí que en tierra ajena (*Uppsala*, n. 16)
Ay de mí que en tierra ajena (WHA 2067, 39v)
Ay de mí que en un punto lloro y río (*Morán*, 127)
Ay de mí que han sido sueño (MN 3968, 141v)
Ay de mí que pudiendo (MN 3700, 8)
Ay de mí señora de mi vida (MP 570, 215v)
Ay de mí señora mía (*Morán*, 136)
Ay de mí señora que (*Morán*, 113, 255)
Ay de mí sin mí sin Dios (*Toledano*, 22)
Ay de mí sin ventura (*Medinaceli*, 43v, 152)
Ay de mí sin ventura (MP 2803, 232v)
Ay de mí sin ventura (RaC 263, 111v)
Ay de mí sin ventura (TP 506, 116)
Ay de mi triste ventura (*CG 1511*, 105v)
Ay de mis cabras (MN 3724, 61v)
Ay de mis cabras (MN 4127, p. 74)
Ay de mis cabras (*RG 1600*, 109)
Ay de quien con pena grave (*CG 1511*, 124)

Ay débil corazón Ay flaca mano (MBM 23/4/1, 234)

Ay débil corazón Ay flaca mano (*Morán*, 28)

Ay débil corazón Ay flaca mano (OA 189, 142v)

Ay del triste que se parte (WHA 2067, 69)

Ay del zagal que se vio (PN 307, 320)

Ay desabridas horas tristes días (MP 570, 242)

Ay desengaño venturoso y santo (*Penagos*, 25)

Ay Dios ay alma ay bien ay cruda suerte (*Rosal*, p. 221)

Ay Dios ay mi pastora (*Morán*, 53v)

Ay Dios ay mi pastora (MP 973, 94)

Ay Dios ay mi señora (PN 372, 194v)

Ay Dios de alta parte (CG 1557, 390)

Ay Dios de mi tierra (*CG 1557*, 390)

Ay Dios por qué decís de mi fautora (MiT 63, 45)

Ay Dios qué buen caballero (MN 5602, 23v)

Ay Dios qué buen caballero (*Rosa Española*, Timoneda, 62)

Ay Dios qué gran dolor ay Dios qué duelo (MiT 63, 46v)

Ay Dios qué mala vida (*Jacinto López*, 254)

Ay Dios qué nueva ley qué mando nuevo (*Obras*, Silvestre, 355v)

Ay Dios qué sueño es éste en que he vivido (MN 17.951, 68)

Ay Dios qué terrible mal (PN 372, 128)

Ay Dios qué triste vida (*Jesuitas*, 315)

Ay Dios qué triste vida (MN 3968, 113)

Ay Dios qué triste vida (*Morán*, 246v)

Ay Dios qué triste vida (MP 973, 50)

Ay Dios quién hincase un dardo (FN VII-353, 245)

Ay Dios quién hincase un dardo (*Jhoan López*, 140v)

Ay Dios quién hincase un dardo (MP 1587, 113v)

Ay Dios quién hincase un dardo (*Rojas*, 170)

Ay Dios quién la dormirá (Padilla, 242v)

Ay Dios quién me dio congoja (Toledano, 46)

Ay Dios si cegara antes que os viera (*Jacinto López*, 5)

Ay Dios si yo cegara antes que os viera (*Faria*, 20v)

Ay Dios si yo cegara antes que os viera (FR 3358, 116v, 177v)

Ay Dios si yo cegara antes que os viera (MN 17.556, 135)

Ay Dios si yo cegara antes que os viera (MN 3968, 155v, 166v)

Ay Dios si yo cegara antes que os viera (MRAH 9-7069, 132v)

Ay Dios si yo cegara antes que os viera (NH B-2558, 60)

Ay Dios si yo cegara antes que os viera (*Penagos*, 6)

Ay dolor ay dolor (PBM 56, 102v-103)

Ay don Gonzalo González (*Jesuitas*, 469)

Ay dulce libertad vida segura (OA 189, 15)

Ay dulce libertad vida segura (PN 314, 15v)

Ay dulce ninfa bien del alma mía (*Jacinto López*, 23v)

Ay dulce pensamiento mío (RG 1600, 56v)

Ay dulce sueño y dulce sentimiento (*Borges*, 83v)

Ay dulce sueño y dulce sentimiento (MN 17.556, 135v)

Ay dulce y blando amor   Ay ninfa mía (MP 570, 251)

Ay dulces ojuelos (*Cid*, 212v)

Ay dulces ojuelos (FN VII-353, 158v)

Ay dulces ojuelos (*Morán*, 105)

Ay dulces ojuelos (*Sevillano*, 236)

Ay dulces prendas Cuándo Dios querría (MP 1587, 30)

Ay dura ausencia (RG 1600, 80v)

Ay dura Galatea corre presta (MP 570, 209v)

Ay duro dueño más que no la muerte (MiT 63, 85v)

Ay enemigo amor enemigo (PA 1506, p. 5)

Ay falsos engañadores (OA 189, 53v)

Ay fiero avaro inexorable hado (PN 314, 8)

Ay Filis que no hay esfuerzo (FN VII-354, 90v)

Ay Filis que no hay esfuerzo (MP 1578, 49v)

Ay Filis que no hay esfuerzo (RV 768, 189v)

Ay fuerte Abdalla dulce esposo mío (Romancero, Padilla, 66v)

Ay gloria del cielo (*Padilla*, 61)

Ay hermosos ojos (WHA 2067, 41v)

Ay horas tristes / cuán diferente estoy del que me vistes (RG 1600, 233)

Ay horas tristes / cuán otras sois de las que un tiempo fuistes (RG 1600, 114)

Ay hurtos del amor dulces sabrosos (MN 3902, 21)

Ay hurtos del amor dulces sabrosos (*Morán*, 20)

Ay Jarifa hermana mía (Romancero, Padilla, 247v)

Ay Jesús qué mal fraile y qué importuno (*Medinaceli*, 199v)

Ay Jesús quién me ha engañado (Toledano, 24)

Ay larga esperanza cuándo (*Jhoan López*, 35)

Ay larga esperanza cuándo (MP 1587, 128v)

Ay larga esperanza cuándo (*Penagos*, 78v)

Ay libertad que en vano (RG 1600, 358v)

Ay lumbre de mis ojos do consiste (*Morán*, 106)

Ay luna que reluces (RG 1600, 327v)

Ay luna que reluces (*Uppsala*, n. 22)

Ay luna tan bella (Uppsala, n. 22)

Ay madre al amor (*Evora*, 18v)

Ay madre el amor (PN 373, 230)

Ay madre España ay patria venturosa (RG 1600, 69v)

Ay mal inhumano (*Romancero*, Padilla, 319)

Ay mal tirano (Padilla, 174)

Ay malogrados pensamientos míos (*Jhoan López*, 9)

Ay malogrados pensamientos míos (MP 1587, 131)

Ay malogrados pensamientos míos (*Rojas*, 153v)

Ay malogrados pensamientos míos (TorN 1-14, 2)

Ay más que piedra dura ay más altiva (FN VII-353, 237v)

Ay matadora y enemiga mía (MP 1587, 49)

Ay Menga de mí (WHA 2067, 100v)

Ay Menga Menga / cuál mal me has tratado (WHA 2067, 100v)

Tabla 45

Ay Menga Menga / cuán mal me has tratado (*Cid*, 175v)

Ay mezquina (*Toledano*, 56v, 92v)

Ay mi tiempo malogrado (MoE Q 8-21, p. 133)

Ay mis cuidados y males (*CG* 1511, 50v)

Ay mísera esperanza (TP 506, 113)

Ay moro venturoso (MN 4127, p. 85)

Ay moro venturoso (*RG* 1600, 249v)

Ay muerte dura ay dura y cruda muerte (*Obras*, Silvestre, 374)

Ay muerte qué amarga es tu memoria (MN 3806, 54v)

Ay mujer desdichada (*RG* 1600, 67)

Ay niña morena (MN 3725-1, 73)

Ay niña morena (*RG* 1600, 353)

Ay no te duelas tanto (MN 3698, 9v)

Ay no te duelas tanto (*Morán*, 244v)

Ay no te duelas tanto (MP 996, 245v)

Ay no tuviera el hombre un señalado (MN 3698, 249)

Ay ojos desesperados (*Sevillano*, 254)

Ay ojuelos engañosos (OA 189, 53v)

Ay ojuelos engañosos (PN 314, 175v)

Ay ojuelos engañosos (RaC 263, 72v)

Ay ojuelos verdes (*CG* 1557, 402)

Ay ojuelos verdes (*Sevillano*, 65)

Ay patria del cielo oh tierra (*RG* 1600, 245)

Ay pensamiento triste y afligido (*Padilla*, 26v)

Ay pensamiento triste y afligido (*Romancero*, Padilla, 153v)

Ay placeres ay pesares (*CG* 1511, 125v)

Ay prado y ribera amena (*RG* 1600, 141)

Ay punto deleitoso Ay sueño leve (TP 506, 313v)

Ay qué amarga en mi mal fiero se mira (SU 2755, 15v)

Ay que Amarilis me mata (*Peralta*, 181)

Ay que el alma se me parte (*Morán*, 113, 255)

Ay que el alma se me parte (*Obras*, Silvestre, 326)

Ay que el alma se me parte (PN 373, 149)

Ay que el alma se me parte (RV 1635, 16v)

Ay que el alma se me parte (*Sevillano*, 143v)

Ay que el alma se me parte (*Toledano*, 43)

Ay que el alma se me sale (*Corte*, 51v)

Ay que el alma se me sale (EM Ç-III.22, 74)

Ay que el alma se me sale (*Lemos*, 107)

Ay que el alma se me sale (MBM 23/4/1, 367v)

Ay que el alma se me sale (MN 5593, 75v)

Ay que el alma se me sale (*Morán*, 88, 115v)

Ay que el alma se me sale (MP 2803, 208v)

Ay que el alma se me sale (*Obras*, Silvestre, 96v, 335v)

Ay que el alma se me sale (PN 372, 284v)

Ay que el alma se me sale (*Toledano*, 86)

Ay que el alma se me va (MN 5593, 75v)

Ay que hay quien más no vive (*CG* 1511, 125v)

Ay que las piedras hacen sentimiento (*Cid*, 193)

Ay qué linda que eres Alba (*Rosa de Amores*, Timoneda, 24)

Ay que me muero de celos (*Sablonara*, 47)

Ay que me pierdo de amores (MN 3700, 184v)

Ay que me siento mortal (*Morán*, 113v)

Ay que me siento mortal (OA 189, 368)

Ay que me siento mortal (PN 307, 254v)

Ay que me van acabando (MiT 994, 16v)

Ay que me van acabando (PN 314, 196)

Ay que muero por un ay (PN 372, 142)

Ay que muero y no lo siento (*Toledano*, 53v)

Ay que no escuso el morir (FN VII-353, 55v)

Ay que no escuso el morir (MP 973, 202)

Ay que no escuso el morir (RaC 263, 2v)

Ay que no hay (*Lemos*, 99v)

Ay que no hay amor sin ay (*CG* 1511, 129)

Ay que no hay amor sin ay (MN 5593, 90v)

Ay que no oso (RC 625, 25)

Ay que no oso / miraros y no es de medroso (MoE Q 8-21, p. 105)

Ay que no oso / ni mirar ni hacer del ojo (*Flor de enamorados*, 37v)

Ay que no oso / ni miraros ni hacer un ceño (MN 5593, 97)

Ay que no sé remediarme (*Colombina*, 28v)

Ay que no sé remediarme (MP 617, 150v)

Ay que para mi dolor (*Toledano*, 30)

Ay qué plazo tan largo y tan extraño (TP 506, 127)

Ay que se van acabando (PN 314, 196)

Ay que si la mar (*Cid*, 240)

Ay que su ay (*Lemos*, 99v)

Ay que tocan al arma Juana (*Tesoro*, Padilla, 334), *ver* Que tocan al arma

Ay qué vida tan esquiva (*Corte*, 50)

Ay que viviendo no vivo (PBM 56, 1)

Ay que ya morir no puede (*Lemos*, 98)

Ay que ya morir no puedo (*CG* 1511, 148)

Ay querida Aliarda (*RG* 1600, 234v)

Ay quién pudiera hacer ay quién hiciese (*Tesoro*, Padilla, 431v), *ver* Oh quien pudiese

Ay regalada esposa (*Romancero*, Padilla, 73v)

Ay reina triste (MN 3700, 34)

Ay rico fundamento y amoroso (*Rojas*, 13)

Ay santa María / valedme Señora (*Colombina*, 91v)

Ay santa María / valgáisme Señora (PBM 56, 24v-25)

Ay señoras si se usase (*Heredia*, 90v)

Ay señoras si se usase (MN 5593, 82)

Ay si os miro (MN 5593, 97)

Ay sierra Bermeja (*Toledano*, 433v)

Ay Silvia si mi llanto (*Jacinto López*, 49)

Ay Silvia si mi llanto (PN 314, 168v)
Ay soledad amarga (*Cid*, 204v, 210)
Ay soledad amarga (FR 2864, 23v)
Ay soledad amarga (MBM 23/8/7, 262)
Ay soledad amarga (*Medinaceli*, 77v)
Ay soledad amarga (*Morán*, 22v)
Ay soledad amarga (MP 1578, 114v)
Ay soledad amarga (PN 307, 65)
Ay soledad amarga (PN 373, 151v)
Ay sombra alegre ay noche venturosa (*Penagos*, 23v)
Ay sombra alegre noche venturosa (MN 17.557, 20)
Ay suerte esquiva (MN 3724, 152)
Ay suerte esquiva (*RG* 1600, 170v)
Ay suspiros Ay lágrimas del fiero (OA 189, 9v)
Ay suspiros no os canséis (TorN 1-14, 8)
Ay tan gustosos engaños (MN 4127, p. 86)
Ay tiempo en vanidades malgastado (MN 17.951, 66v)
Ay tiempos pasados (*Lemos*, 121)
Ay tiempos pasados (*Penagos*, 84v)
Ay triste cuán poquitos sacan fruto (*Jesuitas*, 320v)
Ay triste de mí (*Lemos*, 121)
Ay triste de mí (*Penagos*, 84v)
Ay triste la que entendiere (*FRG*, p. 158)
Ay triste pastor perdido (*Morán*, 4)
Ay valle de frescura (*Jacinto López*, 209v)
Ay vanas confianzas (MN 2973, p. 203)
Ay vasas de marfil vivo edificio (MN 2973, p. 261)
Ay verdades en amor (MN 3700, 196)
Ay verdades que en Amor (MN 3670, 5v)

Ay verdades que en amores (*Corte*, 237)
Ay vida mía no más dulce engaño (*Morán*, 191v)
Ay vida que a la muerte te sujetas (MN 3806, 54v)
Ay vida vida no más desengaño (FN VII-353, 149)
Ay vida vida no más dulce engaño (MP 2803, 215)
Ay zagala no hay pastor (*Cid*, 23v)
Ayudadme a llorar ovejas mías (MBM 23/4/1, 243)
Ayudadme a llorar ovejas mías (OA 189, 59v)
Ayudadnos a cantar (*Fuenmayor*, p. 264)
Ayúdame a sembrar cuernos (*RG* 1600, 37)
Ayúdame señora a hacer venganza (*Corte*, 123v)
Ayuna el rey supremo de la altura (*Vergel*, Ubeda, 32)
Azarque ausente de Ocaña (MN 3723, 266)
Azarque ausente de Ocaña (*RG* 1600, 160)
Azarque bizarro moro (MN 3723, 261)
Azarque bizarro moro (*RG* 1600, 219v)
Azarque indignado y fiero (MN 17.556, 20v)
Azarque indignado y fiero (MP 973, 401)
Azarque indignado y fiero (*RG* 1600, 1v)
Azarque moro valiente (MN 3723, 219)
Azarque moro valiente (*RG* 1600, 73)
Azarque vive en Ocaña (*Jacinto López*, 194)
Azarque vive en Ocaña (MN 17.556, 22)
Azarque vive en Ocaña (MP 1587, 120v)
Azarque vive en Ocaña (MP 973, 392v)
Azarque vive en Ocaña (MP 996, 31)
Azarque vive en Ocaña (*RG* 1600, 1)
Azotaba la niña a la saya (FN VII-353, 128)
Azotado de las olas (MN 4127, p. 15)

Bachiller andáis muy flojo (MP 617, 87)
Baco dios de este licor (FN VII-353, 87)
Baco dios de este licor (MP 973, 61v)
Baco dios de este licor (*Penagos*, 205)
Baco dios de este licor (*Toledano*, 97v)
Bailaban negros y negras (MoE Q 8-21, p. 176)
Bailaron en la boda ese otro día (*Cid*, 123v)
Bailaron en la boda ese otro día (*Rojas*, 98)
Baja el amor por dar amor entero (*Vergel*, Ubeda, 56)
Baja Gila por Dios la faldilleja (MP 2803, 217)
Baja Rebeca a duplicar cristales (MiB AD.XI.57, 32v)
Bajaba mi señora ese otro día (MN 3913, 42v)
Bajaba mi señora este otro día (FN VII-354, 256)
Bajaba mi señora presurosa (*Jacinto López*, 3)
Bajábale su mes cada semana (MN 3913, 30)
Bajábale su mes cada semana (*Penagos*, 6v)
Bajad los claros ojos que quitando (PN 314, 29v)
Bajáis de Dios a ser hombre (*Sevillano*, 86)
Bajaron unas dos almas del cielo (TP 506, 312v)
Bajeza y majestad en un sujeto (MP 617, 181v)
Bajó del cielo el Verbo poderoso (*Canc.*, Ubeda, 67)
Bajó del cielo el Verbo poderoso (*Padilla*, 68)
Bajo las escasas sombras (RG 1600, 339)
Balad ovejuelas mías (MN 3724, 116v)
Banquete rico espléndida comida (*Borges*, 86)
Bañando está las prisiones (RG 1600, 46)
Bañándose está Erudice (PN 372, 150)
Bañarse quiere Susana (*León/Serna*, 97)
Bárbara yo soy tuyo (TP 506, 383)
Barbarismos malicias confusiones (FN VII-353, 316)
Barquilla pobre de remos (MN 3700, 35v)
Barquilla pobre de remos (*Sablonara*, 20)
Bartola la de Luis (MN 3913, 50)
Basta Amor el rigor con que me has muerto (MN 4127, p. 259)
Basta el desdén y bastan los rigores (MN 4127, p. 237)
Bastar debiera ay Dios bastar debiera (TP 506, 128)
Baste Amor (PBM 56, 36)
Batalla mi corazón (CG 1554 101)
Batalla traen muy grande dos contrarios (MN 3806, 111)
Bate Fama veloz las prestas alas (MN 2856, 20)

Bate las alas joven pensamiento (MN 17.557, 51)
Batido de aquestos aires (*Fuenmayor*, p. 524)
Batiendo el ala el joven con que al cielo (*RH*, iiij v)
Batiéndole las hijadas (MN 3723, 176)
Batiéndole las hijadas (RG 1600, 137)
Bautista santificado (*Jesuitas*, 445v)
Be diu veritat (*Flor de enamorados*, 19)
Beatriz cómo es posible (*Medinaceli*, 91v)
Beatriz cómo es posible (TP 506, 400)
Beatriz por qué te apresuras (*Jacinto López*, 67v)
Belardo aquel que otro tiempo (MN 17.556, 44v)
Belardo aquel que otro tiempo (MP 996, 131v)
Belerma entre sus manos delicadas (FR 3358, 101v)
Belerma entre sus manos lo tenía (PN 372, 217)
Belisa a su Manandro por quien viene (TP 506, 41)
Belisa a su Menandro por quien viene (FR 2864, 36)
Belisa a su Menandro por quien viene (*Jacinto López*, 29v)
Belisa a su Menandro por quien viene (MN 2973, p. 142)
Belisa a su Menandro por quien viene (MN 3968, 139)
Belisa a su Menandro por quien viene (MN 4256, 248v)
Belisa a su Menandro por quien viene (MP 1587, 52)
Belisa a su Menandro por quien viene (MP 570, 284v)
Belisa a su Menandro por quien viene (PN 372, 94)
Belisa a su Menandro por quien viene (RV 1635, 29)
Belisa aqueste monte y fresco valle (*Morán*, 140)
Belisa hermosa a quien el soberano (*Lemos*, 236)
Belisa hermosa un pleito os han movido (FN VII-354, 258)
Belisa mía mi consuelo y alegría (*Rojas*, 145v)
Belisa mira por ti (EM Ç-III.22, 104)
Belisa no contento con mirarte (RV 1635, 38v)
Belisa plega a Dios que si ha dejado (MP 973, 76)
Belisa ruego a Dios que si ha dejado (PN 372, 202v)
Bell papagay ab penes d'esperanza (CG 1514, 139)
Bella de vos so enamoros (*Flor de enamorados*, 104)
Bella de vos son amoros (*Uppsala*, n. 18)
Bella pastorcica (MN 17.557, 19)
Bella pastorcica (*Romancero*, Padilla, 296)
Bella pastorcica (TorN 1-14, 12, 56v)
Bella pastorcilla (MN 17.557, 19)
Bella pastorcilla (*Penagos*, 193v)

Bella zagaleja (MN 3725-1, 49)

Bellas Dios pudo criar (*Toledano*, 74v)

Belleza peregrina (MN 3700, 80v)

Bellísima doña Ana a cuyo puerto (*RH*, 207)

Bellísima Doña Aña puerto y carrera (*Corte*, 181)

Bellísima Galatea (*Tesoro*, Padilla, 25)

Bellísima Isabel cuya hermosura (NH B-2558, 49v)

Bellísima Napea (MN 3700, 187v)

Bellísima traidora rueda alada (MN 3913, 161v)

Bello rostro vestido de crueza (MN 2973, p. 346)

Bello serafín por Dios (MN 4127, p. 277)

Bellos ojuelos míos (RaC 263, 2)

Bem mi vedrai ben mio misero amante (PA 1506, p. 25)

Bem satisfeita ficades (NH B-2558, 41v)

Bem sei amor que é certo que arreceio (*Borges*, 66v)

Bem sei quanto me verão (PBM 56, 41)

Bem sei quanto no sofriendo (PBM 56, 41)

Bem sei que minha tristura (PBM 56, 103v-104)

Bendigo cien mil veces la herida (*Tesoro*, Padilla, 361v)

Bendita humildad la vuestra (*Obras*, Silvestre, 290v)

Bendita mi fe que crece (*Padilla*, 242)

Bendita que merecistes (*Sevillano*, 160v)

Bendita sea la hora y el momento (FR 3358, 116)

Bendita sea la hora y el momento (*Tesoro*, Padilla, 419)

Bendita Virgen María (*Sevillano*, 162)

Benditas son las señales (*Padilla*, 241v)

Bendito cuanto suspiro (*Padilla*, 242)

Bendito Dios de Israel (CG 1535, 206v)

Bendito el mal que poseo (*Padilla*, 241v)

Bendito es el contemplaros (*Padilla*, 242)

Bendito sea aquel día (*Elvas*, 49v)

Bendito sea aquel día (*Flor de enamorados*, 61v)

Bendito sea aquel día (*Padilla*, 241v)

Bendito sea Dios (MN 17.556, 154)

Bendito sea Dios (MP 996, 163)

Bendito sea el día el mes el año (MN 2973, p. 39)

Bendito sea el día punto y hora (*Recopilación*, Vázquez, 11v)

Bendito sea el olvido (*Padilla*, 241v)

Bendito seáis Amor (*Padilla*, 253)

Bendito seas Amor perpetuamente (*Morán*, 90v)

Benditos sean Amor perpetuamente (SU 2755, 37)

Benditos sean mis ojos (*Padilla*, 241v)

Benigno blando fuerte y riguroso (MN 3968, 160)

Benigno blando fuerte y riguroso (*Obras*, Silvestre, 416v)

Benigno el cielo a la nación Hispaña (FR 3358, 113v)

Benita hermana lumbre de mis ojos (*Padilla*, 130)

Benita no hay para qué (RV 1635, 127)

Benita no hay para qué (*Sevillano*, 245v)

Benita por muy mejor (RV 1635, 127)

Benita por muy mejor (*Sevillano*, 245v)

Bernabé apóstol que imitaste en vida (*Vergel*, Ubeda, 134)

Bes orada la doncella (*Flor de enamorados*, 13v)

Bésame espejo dulce ánima mía (MN 3913, 24)

Bésame moza (*Sevillano*, 194)

Bésame vida mía bésame ahora (MP 1578, 104)

Bésame y abrázame (*Uppsala*, n. 12), *ver* Abrázame y retózame

Besando siete cabezas (*RG* 1600, 303)

Beso las manos a vuestra merced (*Toledano*, 85)

Bésome el colmenero (*Heredia*, 184), *ver* Un beso

Bésome el colmeneruelo (*Padilla*, 57v)

Betis que al sacro océano extendido (MN 2973, p. 345)

Bien acertara Natura (*Cid*, 166)

Bien acertara Natura (*Peralta*, 22)

Bien amando sin mudanza (CG 1511, 140)

Bien cerca del nacimiento (*RG* 1600, 131v)

Bien conjuntas la esperanza (*Padilla*, 239)

Bien conocemos haber criatura (*Flor de enamorados*, 108)

Bien conoces Tirce una pastora (MP 617, 256v)

Bien conozco que estoy ciego (CG 1511, 130)

Bien conozco que me falta (*Lemos*, 57)

Bien conozco señora / que sois fingida (MN 3913, 47)

Bien contento puede estar (WHA 2067, 14v)

Bien debe Tirsi que anda con su coro (SU 2755, 67)

Bien dentro lo tiene / porque se brinca (MN 3913, 48v)

Bien descubren sus señales (PN 372, 105v)

Bien descubren tus señales (*Morán*, 90)

Bien donado sale al mundo (*Canc.*, Maldonado, iv)

Bien echo de ver en vos (*Vergel*, Ubeda, 143)

Bien entiendo que hay querer (PN 373, 137v)

Bien es que el perro provoque (*Penagos*, 160)

Bien es que más no desees (*Sevillano*, 177v)

Bien es tal zagal se nombre (*Sevillano*, 147)

Bien estaría por cierto (MP 570, 133)

Bien fiado errante peno (PN 418, p. 14)

Bien fue bien de mi ventura (CG 1511, 129)

Bien guardado está el real (CG 1511, 202v)

Bien guardado está el real (*Gallardo*, 67)

Bien haya la paz (MN 17.556, 170)

Bien haya la paz (MN 3725-1, 36)

Bien haya la paz (MP 996, 151)

Bien haya la paz (*RG* 1600, 300)

Bien haya quien hizo (*Lemos*, 126)

Bien haya quien hizo (*Tesoro*, Padilla, 403)

Bien le bastaba a Amor que llanamente (TP 506, 15v)

Bien me place que no di (CG 1511, 130)

Bien me pudo apartar ausencia dura (MP 3560, 34)

Bien merece la forma inmortal gloria (MiB AD.XI.57, 41)

Tabla 49

Bien merece ser punido (*Peralta*, 92v)

Bien mereces señora (MoE Q 8-21, p. 160)

Bien os mostró su amor Dios (*Canc.*, Ubeda, 140v)

Bien os mostró su amor Dios (*Vergel*, Ubeda, 131v)

Bien parece / cuán libres viven de amor (*Lemos*, 102v)

Bien parece padre Tajo (*RG 1600*, 173)

Bien parece que sois Dios (*Fuenmayor*, p. 272)

Bien parecéis de la altura (*Vergel*, Ubeda, 77)

Bien pensará quien me oyere (MN 2856, 114v)

Bien pensará quien me oyere (MP 996, 73v)

Bien podéis abrir que viene (*Vergel*, Ubeda, 47)

Bien podéis estar segura (*Penagos*, 128v)

Bien podéis no me querer (*Jhoan López*, 4v)

Bien podéis ojos cegar (*Obras*, Cepeda, 55)

Bien podéis ojos cegar (WHA 2067, 88v)

Bien podéis ojos llorar (MN 2856, 83)

Bien podéis ojos llorar (MN 3700, 206v)

Bien podéis quitarme el veros (PN 372, 324)

Bien podéis vos no quererme (*Jhoan López*, 5)

Bien podrá el Amor mudar (*Cid*, 72)

Bien podrá el Amor mudar (*Morán*, 129v)

Bien podrá mi desventura (*Morán*, 6, 61v, 69)

Bien podrá mi desventura (PBM 56, 2v-3)

Bien podrá si quiere Elvira (*Morán*, 209)

Bien presto helaste oh mi Fortuna fiera (MBM 23/4/1, 236v)

Bien publican vuestras coplas (*CG 1511*, 103)

Bien publican vuestras coplas (MP 617, 257v)

Bien pudo en ausencia darla (*Jacinto López*, 71)

Bien pudo oh gran Pescara atrás dejarte (MN 17.951, 85)

Bien puede Amor hacer lo que quisiere (*Faria*, 34v)

Bien puede Amor hacer lo que quisiere (OA 189, 160v), *ver* Bien puede hacer

Bien puede el sol traspasar (*Peralta*, 10)

Bien puede en cualquiera estado (*Penagos*, 156)

Bien puede estar confiado (MP 996, 199v)

Bien puede Fortuna esquiva (MBM 23/4/1, 398v)

Bien puede Fortuna esquiva (*Morán*, 54v)

Bien puede Fortuna esquiva (PN 372, 91v)

Bien puede hacer Amor lo que quisiere (*Morán*, 160v), *ver* Bien puede Amor

Bien puede la Fortuna brava esquiva (MN 3806, 173)

Bien puede la Fortuna de envidia (PN 307, 87v)

Bien puede la Fortuna de mi vida (*Corte*, 118)

Bien puede la Fortuna de mi vida (*Heredia*, 348)

Bien puede la montaña (*Corte*, 106)

Bien puede Muerte y Fortuna (*Obras*, Cepeda, 116v)

Bien puede revolver seguro el cielo (FR 3358, 95v)

Bien puede revolver seguro el cielo (MN 3968, 97)

Bien puede revolver seguro el cielo (*Morán*, 163)

Bien puede revolver seguro el cielo (MP 1578, 101v)

Bien puede revolver seguro el cielo (OA 189, 8v)

Bien pueden vuestros cabellos (RaC 263, 86)

Bien puedes ilustre Ana esclarecida (*Morán*, 215v)

Bien puedes tirano Amor (FN VII-353, 37v)

Bien pues que vos bien paristes (*Sevillano*, 90v)

Bien que acaba fácilmente (*Padilla*, 174v)

Bien que acaba fácilmente (*Tesoro*, Padilla, 282v)

Bien sabe la común que el que bien vive (*Morán*, 218)

Bien sabéis que desatina (MP 1587, 111v)

Bien sabéis que lo que digo (WHA 2067, 27)

Bien sé Amor lo que queréis (MiT 994, 4v)

Bien sé Amor lo que queréis (MP 1587, 101)

Bien sé Amor lo que queréis (*Peralta*, 13)

Bien sé Gila que aunque hubiera (*Peralta*, 10v)

Bien sé Isabel que a doquiera (*Morán*, 135)

Bien sé Juana que os burláis (*Romancero*, Padilla, 324v)

Bien sé Niño qué buscáis (*Jesuitas*, 487v)

Bien se parece que andáis inventando (PN 373, 264)

Bien se pasa cualquier daño (*Rojas*, 117v)

Bien sé Pastor qué queréis (*Vergel*, Ubeda, 143)

Bien sé que a la muerte vengo (*Canc.*, Ubeda, 100v)

Bien sé que estáis enojada (MN 3691, 59)

Bien sé que estáis enojada (MP 617, 239v)

Bien sé que estoy condenado (*Cid*, 41v)

Bien sé que me desamáis (PN 307, 311)

Bien sé que me desamáis (PN 373, 193)

Bien sé que me desamáis (WHA 2067, 14)

Bien sé que no me queréis (*Colombina*, 3)

Bien sé que no pido poco (MN 5593, 76v)

Bien sé que os puse en lugar (*Cid*, 24v)

Bien sé que os puse en lugar (*Jhoan López*, 23v)

Bien sé que sería ceguera (*Morán*, 193)

Bien sé que soy querida (*Cid*, 215)

Bien se ve que en vos Dios quiso (*Morán*, 228)

Bien sé yo Pascual a quién (*Morán*, 24v)

Bien sé yo que el mudar (MP 1587, 161)

Bien sé yo que sois graciosos (TP 506, 172)

Bien sé yo triste cuidado (*CG 1514*, 191v)

Bien sé yo triste cuitado (MN 3902, 51v)

Bien te acuerdas Aurelio me dijiste (PN 372, 41)

Bien te puedes descuidar (MN 5602, 28v)

Bien tomasteis Tomás los soberanos (*Fuenmayor*, p. 161)

Bien vengas Silvana hermosa (*RG 1600*, 281v)

Bien veo yo por dó camino (MN 5593, 100)

Bien vuestros hechos son eternizados (*Vergel*, Ubeda, 175)

Bien y mal obró Natura (TP 506, 397)

Bien y mal obró ventura (MP 617, 213)

Bien y mal obró ventura (OA 189, 358v)

Bien y mal obró ventura (PN 307, 262v)

Bien y mal y pena y gloria (*Morán*, 255v)

Bienaventurada culpa (*Sevillano*, 93)

Bienaventurado aquel (*Jesuitas*, 337v)

Bienes da Fortuna (*Jacinto López*, 183)

Bienes da Fortuna (*Jhoan López*, 44v)

Bireno aquel mi manso regalado (*Penagos*, 14v)

Blanca era y colorada (*Sevillano*, 58)

Blanca hermosa tortolilla (MN 3700, 96v)

Blanca no ser blanca no os dé pena (TP 506, 294v)

Blanca por ser blanca no os deis pena (MN 2973, p. 393)

Blanca sois señora mía (MN 3725-2, 27)

Blanca tengo la cara (FN VII-353, 233)

Blanca y bella niña (MN 3725-1, 75)

Blanca y bella niña (*RG* 1600, 239)

Blancas coge Lucinda / las azucenas (MN 3913, 47v)

Blancas y hermosas manos que colgado (*Morán*, 89)

Blanda la mano (*RG* 1600, 172)

Blanda la mano (TorN 1-14, 46)

Blandamente y con halago (MoE Q 8-21, p. 117)

Blandamente y con halagos (MP 1587, 23v)

Blandeando el asta enemiga (MP 973, 229v)

Blas dice Zagala mía / duélete de mí que muero (PN 373, 170)

Blas dice Zagala mía / quiéreme pues que te quiero (*Sevillano*, 268v)

Blas este tiempo que ahora (*FRG*, p. 231)

Blas muere de amores de Ana (PN 373, 170)

Blas muere de amores de Ana (*Sevillano*, 63v, 268v)

Blas por qué quieres a Olalla (*Guisadillo*, Timoneda, 2)

Blas que por Menga se muere (RV 1635, 95v)

Blas quiere como es razón (*Sevillano*, 218)

Blas quiere hacer (*Jhoan López*, 44v)

Blas vive ya sin cuidado (*Sevillano*, 275)

Blasfemando de sus dioses (RV 1635, 61v)

Boca y ojos y cabellos (*León/Serna*, 112)

Bodas hacían en Francia (MN 3725-2, 11)

Bodas se hacen en Francia (*Rosa de Amores*, Timoneda, 67v)

Bom vasco bom vas da Lobeira e do grão Sem (*Corte*, 127)

Bondad inmensa y sumo amor rompieron (*Vergel*, Ubeda, 74v)

Bonito pasito (*RG* 1600, 184v)

Boscán las armas y el furor de Marte (PN 373, 127)

Brama el mar de los nortes ofendido (PN 418, p. 265)

Bravo furibundo y fuerte (*Vergel*, Ubeda, 116)

Bravonel de Zaragoza / al rey Marsilio demanda (MP 996, 9v)

Bravonel de Zaragoza / al rey Marsilio demanda (RG 1600, 9v)

Bravonel de Zaragoza / al rey Marsillo demanda (Jacinto López, 73)

Bravonel de Zaragoza / al rey Marsillo demanda (Jhoan López, 35)

Bravonel de Zaragoza / al rey Marsillo demanda (MN 17.556, 6)

Bravonel de Zaragoza / al rey Marsillo demanda (MN 3723, 284)

Bravonel de Zaragoza / al rey Marsillo demanda (MP 1587, 134)

Bravonel de Zaragoza / al rey Marsillo demanda (*Penagos*, 88v)

Bravonel de Zaragoza / bravo va por la batalla (*Morán*, 99v)

Bravonel de Zaragoza / bravo va por la batalla (MP 1587, 60)

Bravonel de Zaragoza / y ese moro de Villalba (RG 1600, 77v)

Breve contento larga desventura (*Canc.*, Maldonado, 93)

Breves pasos que al pie flaco y cansado (OA 189, 9)

Brinquiño saludable olio precioso (*Obras*, Silvestre, 366v)

Bruja de mi vida / no chupes tanto (MN 3913, 72)

Buen conde Fernán González (MP 617, 331)

Buen conde Fernán González (PBM 56, 68v-69)

Buen conde Fernán González (*RG* 1600, 139v)

Buen cristiano buen cristiano (*Sevillano*, 163)

Buen Jesús por quien suspiro (*Vergel*, Ubeda, 16)

Buen reino de Granada qué has habido (*Obras*, Silvestre, 379)

Buen Tajo la gran mengua que en ti sientes (*Rojas*, 50v)

Buena cosa es estudiante (MP 1587, 183v)

Buena es la color morena (RC 625, 46)

Buena sangre os han sacado (*Jesuitas*, 480v)

Buenas esperanzas mías (*Morán*, 252v)

Buenas noches Pero Blas (*Jesuitas*, 464)

Buenas nuevas de alegría (*Colombina*, 84v)

Bueno el amo y gentil hombre (PN 418, p. 339)

Bueno está de apodos (*Toledano*, 95v)

Bujarrona Penélope qué puto (MN 3913, 26)

Bullicioso y claro arroyuelo (*Sablonara*, 67)

Burla bien con desamor (*Flor de enamorados*, 3v)

Burlando la fe le di (*Penagos*, 84)

Burléme con Amor Amor conmigo (RV 1635, 1)

Burlóme una vez (*Recopilación*, Vázquez, 26v)

Burlóse la niña (*Sablonara*, 26)

Busca a su hijo Venus fatigada (OA 189, 59)

Busca busca Marina quién te quiera (TP 506, 358v)

Busca señora tu igual (*CG* 1557, 395v)

Buscaba a Cupido / en cárcel de amor (MN 3913, 49)

Buscaba la bendita Magdalena (*Vergel*, Ubeda, 54)

Buscad algún remedio provechoso (MP 570, 250v)

Buscad buen Amor (*Recopilación*, Vázquez, 27)

Buscando Angélica la bella (*Rojas*, 6v)

Busco esfuerzo a mi desmayo (*CG* 1511, 20)

Busco lo que me hizo conocerte (*Gallardo*, 54v)

Tabla   51

Busco y procuro y creo que es en vano (*Canc.*, Maldonado, 178v)

Buscóme la muerte en vos (EM Ç-III.22, 101v)

Busque amor novas artes novo engenho (EM Ç-III.22, 19)

Busque o amor nova arte novo engenho (*Borges*, 64)

Busquemos algo que darle (*Colombina*, 79v)

Cabalga Diego Laínez (*Rosa Española*, Timoneda, 36v)
Caballero andá con Dios (*Flor de enamorados*, 74v)
Caballero andá con Dios (PN 314, 178v)
Caballero aventurero (*Recopilación*, Vázquez, 22v)
Caballero cómo es esto (*Toledano*, 33v)
Caballero de lejas tierras (MN 3725-2, 37)
Caballero de mesura (*Recopilación*, Vázquez, 30v)
Caballero enamorado (MN 5593, 74v)
Caballero muy en balde (*Flor de enamorados*, 5)
Caballero no diréis (*Flor de enamorados*, 22v)
Caballero qué miráis (*Flor de enamorados*, 18)
Caballero queráisme dejar (*Recopilación*, Vázquez, 8v)
Caballero si a Francia ides (*Cid*, 220)
Caballero si a Francia ides (*Elvas*, 6v)
Caballero si a Francia ides (FRG, p. 245)
Caballero si a Francia ides (*León/Serna*, 102v)
Caballero si a Francia ides (*Medinaceli*, 31v)
Caballero si a Francia ides (*Morán*, 48, 60v)
Caballero si a Francia ides (MP 1587, 56v)
Caballero si a Francia ides (*Peralta*, 32)
Caballero si a Francia ides (RH, 146)
Caballero si a Francia ides (*Rosa de Amores*, Timoneda, 26)
Caballero si a Francia ides (*Sevillano*, 79v)
Caballero si a Francia ides (*Tesoro*, Padilla, 17)
Caballeros de Moclín (*Obras*, Cepeda, 139)
Caballeros granadinos (*Morán*, 99v)
Caballeros granadinos (RH, 147)
Cabe en razón que porque el mundo entienda (OA 189, 126v)
Cabe la isla de Elba (CG 1511, 166v)
Cabe un monte muy fragoso (*Morán*, 35)
Cabellos crespos breves cristalinos (TP 506, 296v)
Cabellos cuánta mudanza (PN 307, 261v)
Cabellos cuyo poder (*Morán*, 104v)
Cabellos de aquesa suerte (*Jhoan López*, 5v)
Cabellos de fermosura (WHA 2067, 127v)
Cabellos de oro llenos de hermosura (*Penagos*, 2)
Cabellos de oro que en divina altura (MN 2973, p. 222)
Cabellos de oro que finos abrojos (*Jacinto López*, 258v)
Cabellos de oro vista enamorada (TP 506, 276v)
Cabellos no cabellos sino abrojos (*Jacinto López*, 226v)

Cabellos oh cabellos de oro fino (*Obras*, Silvestre, 382)
Cabellos que en color vencéis al oro (FR 3358, 180v)
Cabellos que en color vencéis al oro (*Lemos*, 242)
Cabellos que en la concha os engendrastes (*Jhoan López*, 39)
Cabellos que en lo puro os engendrastes (*León/Serna*, 115)
Cabellos que muy hermosa (*Morán*, 75)
Cabellos relucientes (*Jacinto López*, 59)
Cabellos rubios puros lazos bellos (MN 2973, p. 275)
Caber en mujer olvido (*Jhoan López*, 41)
Cabeza de los Ayalas (*Lemos*, 110)
Cabizbajo y pensativo (*Jacinto López*, 196v)
Cabizbajo y pensativo (MN 17.556, 114)
Cabizbajo y pensativo (MP 973, 410v)
Cabizbajo y pensativo (*Penagos*, 82)
Cabizbajo y pensativo (RG 1600, 42)
Cabras hay en el mal lugar (MN 17.557, 54v)
Cabrera y los demás que meten danza (MN 2856, 120v)
Cada cual hace su efecto (MN 3806, 120v)
Cada vez que mi memoria (CG 1514, 108v)
Caducas horas a tan vil contento (*Penagos*, 188)
Caduco bien oh sueño presuroso (CG 1554, 172)
Caduco bien oh sueño presuroso (MN 1132, 172v)
Caduco tiempo que la culpa tienes (MN 4127, p. 184)
Caduco tiempo que la culpa tienes (MP 1578, 284v)
Caduco tiempo que la culpa tienes (*Penagos*, 145)
Cae la sangre limpia del cordero (*Padilla*, 208)
Caíase de un espino (MN 3700, 121v)
Caíase de un espino (*Sablonara*, 9)
Caída ya naturaleza humana (*Vergel*, Ubeda, 2)
Cáigame tal maldición (*Cid*, 186v)
Cáigame tal maldición (PN 307, 316)
Cáigame tal maldición (*Sevillano*, 56v)
Caísteis por levantaros (MN 5602, 33v)
Caísteis por levantaros (*Morán*, 83)
Cajas roncas bajas plumas (MN 3724, 11)
Cajas roncas bajas plumas (RG 1600, 174)
Caldera adobar (MoE Q 8-21, p. 17)
Califican las acciones (MN 3700, 119)
Calíope se levanta (CG 1511, 23v)
Cáliz de licor sagrado (MN 17.951, 99v)

Calla la pluma y luce la espada (*Ixar*, 264v)

Calla mi lengua la mayor belleza (MP 2459, 16v)

Calla no hables traidor (MP 617, 28)

Calla no hables traidor (TP 506, 397)

Callada noche ya en el mar sagrado (*Rosal*, p. 199)

Callar la pena es morir (CG 1511, 130v)

Callar quisiera tanto si pudiera (WHA 2067, 94)

Callar sufrir y morir (*Morán*, 78)

Calle por mucho temor (CG 1511, 97v)

Camila porque se vea (MP 973, 262)

Camina acá y allá fuera de tino (*Morán*, 70v)

Camina Justo tras Pastor su hermano (*Vergel*, Ubeda, 142)

Camina tiempo y quítale a esta dama (MP 3560, 37)

Caminando en la espesura (CG 1554, 98)

Caminando en las honduras (CG 1511, 120)

Caminando iba Isabela (*Jhoan López*, 138v)

Caminando por mi vía (*Flor de enamorados*, 108)

Caminando por mis males (CG 1511, 137v)

Caminando sin placer (CG 1511, 138)

Caminando yo señor (CG 1511, 189)

Caminante ésta que ves (MiB AD.XI.57, 10v)

Caminará señora (MN 3913, 64v)

Camino de ser ángel no hallado (*Vergel*, Ubeda, 160)

Camino lleva María (*Canc.*, Maldonado, 27), *ver* Términos lleva

Camino lleva María (*Sevillano*, 246v), *ver* Términos

Campanario y campana (CG 1511, 140)

Campos de mi bien testigos (PN 418, p. 226)

Campos de plata bruñida (MN 3700, 19v)

Campos ya desiertos (MN 3700, 169)

Campos ya desiertos (MN 3700, 50)

Canción bien veo vas desesperada (MiT 994, 42)

Cándida paloma (*RG* 1600, 310)

Canónigo fisgador (MN 2856, 74v)

Cansada estaba la niña (MN 3724, 126)

Cansada estaba la niña (*RG* 1600, 273)

Cansada vida que en mi triste pecho (*Canc.*, Maldonado, 106)

Cansada vienes Muerte di qué ha sido (MP 2803, 1v)

Cansadas lágrimas mías (*RG* 1600, 136)

Cansado con la carga de una vida (*Romancero*, Padilla, 208v)

Cansado de atormentarme (EM Ç-III.22, 107)

Cansado de atormentarme (*Romancero*, Padilla, 234v)

Cansado de preguntar (*Tesoro*, Padilla, 187v)

Cansado de querer sin ser querido (*Romancero*, Padilla, 276v)

Cansado de tomar cuentas (*Fuenmayor*, p. 333)

Cansado de vivir quien ha vivido (*Canc.*, Maldonado, 73)

Cansado de vivir sin alegría (RaC 263, 45)

Cansado está de oirme el claro río (*Sevillano*, 76v)

Cansado estaba Lisandro (MP 973, 414)

Cansado estaba Lisandro (MP 996, 123)

Cansado estaba Tisandro (MN 17.556, 16v)

Cansado estoy de pensar (*Padilla*, 228v)

Cansado iba el buen Jesús (*Vergel*, Ubeda, 39)

Cansado vive Tirsandro (*Jhoan López*, 143)

Cansado vive Tisandro (*RG* 1600, 252v)

Cansado vivo señora (*Faria*, 106v)

Cansado y penoso día (*Jacinto López*, 176v)

Cansado y prolijo día (*Jacinto López*, 71)

Cansado y prolijo día (MN 17.556, 52)

Cansado y prolijo día (MP 996, 133v)

Cansado y prolijo día (*RG* 1600, 192)

Cansado ya de llorar (MN 3700, 30)

Cansados de combatir (*RG* 1600, 192)

Cansanme como escuchadas (MN 3700, 125v)

Canse a dureza já de vosa mão (EM Ç-III.22, 31)

Canse a dureza já de vossa mão (*Evora*, 40)

Canta Cristóbal y pasea Contreras (MN 2856, 116)

Canta Cristóbal y pasea Contreras (*Penagos*, 287)

Canta la gallina / responde el capón (*Jacinto López*, 320)

Canta lengua el misterio consagrado (*Vergel*, Ubeda, 57v)

Canta lengua el misterio glorioso (*Jesuitas*, 152)

Canta tú cristiana musa (*Ixar*, 97)

Canta tú cristiana musa (MP 617, 1)

Cantaba el ruiseñor su triste canto (FN VII-353, 136)

Cantaba muy triste (MN 17.556, 122)

Cantaba muy triste (MP 996, 158)

Cantad cantares santos (*Sevillano*, 178v)

Cantad cantares tantos (*Sevillano*, 178v)

Cantad todas avecillas (CG 1511, 138)

Cantad victoria libres pensamientos (*Morán*, 14v)

Cantando está Melibeo (PN 314, 200), *ver* Contando

Cantando mi madre con voz de tristura (*Toledano*, 89v), *ver* Muriendo mi madre

Cantando Orfeo con dorada lira (MN 2973, p. 66)

Cantando ya y llorando que aquesto hubo (MN 3806, 100v)

Cantar quiero con primor (*Rojas*, 63)

Cantar quiero el llorar enamorado (*Morán*, 151v)

Cantar quisiera en sonoroso canto (*Vergel*, Ubeda, 57v)

Cantar suele el cuidoso el caminante (*RG* 1600, 169v)

Cantaréis pajarillo nuevo (MN 3700, 182)

Cantaréis pajarillo nuevo (*Sablonara*, 76)

Cántase cuán bien pareces (MN 1317, 442v)

Cantava Alcido hum dia ao saõ das agoas (EM Ç-III.22, 47)

Cantava Alcido um dia ao som das agoas (*Borges*, 75)

Cante el mal (CG 1514, 189)

Tabla 55

Cante la tierra y cielo en dulce canto (*Jacinto López*, 298v)
Cante quien tiene por qué (MP 570, 134v)
Cante tristezas vanas quien quisiere (MN 4256, 304v)
Cante Valencia de alegre (*Rosa Real*, Timoneda, 39)
Cantemos civilidades (MN 3700, 101)
Cantemos juntamente (MN 3698, 197)
Cantemos los hechos y horrible figura (MN 1317, 439)
Cantemos señora musa (MN 3724, 292)
Cantemos señora musa (RG 1600, 143)
Canten todos voz en grito (*Colombina*, 5v)
Canteu señor si voleu (*Flor de enamorados*, 16)
Cantó aquel barbón famoso (MN 3724, 248)
Canto del casto pecho la herida (*Fuenmayor*, p. 168)
Canto las armas y el cristiano incendio (MP 1578, 297)
Cantuesos y tomillos (MN 3724, 57v)
Cantuesos y tomillos (MN 4127, p. 75)
Cantuesos y tomillos (RG 1600, 252)
Capitán excelente cuya fama (MN 17.951, 85v)
Capitán fuerte y adalid famoso (*Vergel*, Ubeda, 146v)
Capitán gentil señor (CG 1511, 175v)
Capitán rico de la pobre gente (*Vergel*, Ubeda, 155v)
Capua feroz que ardiendo en Marte ciego (MN 3902, 103)
Cara de clueca vieja desambrida (FN VII-354, 254), *ver* Gesto
Cara me cuesta la vida (*Padilla*, 94)
Caracol caracol caracol (MoE Q 8-21, p. 121)
Caracoles habéis comido (*Toledano*, 19)
Caracoles me pide la niña (*Sablonara*, 58)
Caracteres confusos cifra oscura (MiB AD.XI.57, 40v)
Carasa quejaos del hombre (*Gallardo*, 58v)
Carasa quejaos del hombre (*Heredia*, 176v)
Carbón si dar favor suele Fortuna (TP 506, 123)
Cárcel eres tú / dígote escuela (MN 17.556, 115v)
Cárcel eres tú / dígote escuela (MP 996, 155)
Cardenio pastor que un tiempo (*Penagos*, 185)
Cargado de pensamientos (CG 1511, 194v)
Caribde airada y desdeñosa Scila (FR 3358, 160)
Caridad entre ladrones (*Fuenmayor*, p. 230)
Carilla si del amor (*Sevillano*, 263)
Carillejo aguarda (*Padilla*, 129)
Carillejo aguarda (*Tesoro*, Padilla, 344)
Carillo buen amador (*Sevillano*, 283)
Carillo cómo te va (PN 314, 178v)
Carillo cuando te veas (MN 17.557, 60)
Carillo dame el cordero (*Flor de enamorados*, 123)
Carillo dame rehenes (*León/Serna*, 92v), *ver* Zagala dame
Carillo dame un consejo (MP 1587, 103)
Carillo di cómo estás (*Sevillano*, 200)
Carillo Dios es nacido (*Padilla*, 62v)
Carillo duerme a buen sueño (*Sevillano*, 289v)

Carillo el prado está entero (*León/Serna*, 92v)
Carillo llégate acá (*Sevillano*, 264v)
Carillo llégate acá (WHA 2067, 119v)
Carillo llégate acá / qué quieres di zagal (WHA 2067, 119v)
Carillo llégate aquí (*Sevillano*, 264v)
Carillo Llorente y Menga (*Sevillano*, 172)
Carillo lloroso estás (*FRG*, p. 141)
Carillo mira por ti (PN 371, 15)
Carillo no puede ser (*Lemos*, 108)
Carillo pena importuna (*Sevillano*, 219v)
Carillo pena recibo (*Sevillano*, 247)
Carillo por qué te vas (*Evora*, 26)
Carillo por qué te vas (*Flor de enamorados*, 122v)
Carillo por qué te vas (MN 5602, 26)
Carillo por qué te vas / de las tierras de donde eres (*Lemos*, 101)
Carillo por qué te vas / y me dejas tan penada (*Lemos*, 101v)
Carillo pues que te vas (*Enredo*, Timoneda, 1v)
Carillo pues que te vas (MP 617, 171v)
Carillo qué causa ha habido (MP 1587, 141)
Carillo que el Amor sirves (PN 314, 169v)
Carillo quieres bien a Juana (MN 3670, 25v, 57)
Carillo quiéresme bien (*Medinaceli*, 142v)
Carillo quiéresme bien (*Sevillano*, 290), *ver* Pastorcico quiéresme bien
Carillo quies bien a Joana (*Evora*, 13)
Carillo quies bien a Juana (BeUC 75/116, 117)
Carillo quies bien a Juana (MBM 23/8/7, 154)
Carillo quies bien a Juana (MN 4256, 225)
Carillo quies bien a Juana (MN 4268, 163)
Carillo quies bien a Juana (MP 1578, 61v)
Carillo quies bien a Juana (MP 2805, 63)
Carillo quies bien a Juana (OA 189, 44)
Carillo quies bien a Juana (PhUP1, 124v)
Carillo quies bien a Juana (PN 258, 150)
Carillo quies bien a Juana (PN 307, 321v)
Carillo quies bien a Juana (RV 768, 154v)
Carillo si Dios te vala (FN VII-353, 148v)
Carillo si has de querer (MP 1587, 137v)
Carillo si has de ser mío (*Morán*, 4, 5v)
Carillo si tú quisieres (*Medinaceli*, 16v)
Carillo temo en extremo (*Flor de enamorados*, 119)
Carillo toma placer (*Sevillano*, 298v)
Carillo vuelve hoy en ti (*Sevillano*, 158)
Carillo ya no hay contento (PN 314, 195)
Carillo ya no hay contento (*Sevillano*, 238v)
Carillos dejá el ejido (*Sevillano*, 42v)
Carillos dejá el ganado (*Sevillano*, 42)
Carlos quinto de este nombre (CG 1557, 399v)

Carlos y Enrico vivan no se acabe (MP 3560, 63v)

Caro felice dulce y sublimado (MBM 23/4/1, 255v)

Caro felice dulce y sublimado (PN 373, 171)

Carón Carón Quién llama tan penado (PN 314, 26v)

Carro triunfal al Mundo prodigioso (*Rosal*, p. 299)

Carta bienaventurada (*CG* 1511, 190)

Carta para Antón Sanz de Canaleja (*RH*, 257v)

Carta para Pascuala de Alcolea (*RH*, 250v)

Carta pues que vais a ver (*CG* 1511, 65)

Carta simple marinera (*Morán*, 72)

Carta simple marinera (MP 617, 286)

Carta triste marinera (*Jacinto López*, 219v)

Carta triste marinera (MP 1578, 126v)

Carta triste marinera (OA 189, 119)

Carta triste marinera (PN 371, 122v)

Cartas escribe la Cava (*Rosa Española*, Timoneda, 46v)

Cartuja ha sido mi lengua (MN 3700, 31v)

Casa una dama con un licenciado (RaC 263, 128v)

Casada dónde dormistes (WHA 2067, 46v), *ver* Serrana dónde

Casada hermosa (MP 996, 80v)

Casada hermosa (*Penagos*, 124v)

Casada la de lo verde (RaC 263, 179)

Casada ni por casar (MP 617, 172v)

Casada ni por casar (*Padilla*, 250v)

Casada y no arrepentida (*Padilla*, 250v)

Casadas tiene sus hijas (*Rosa Española*, Timoneda, 42)

Casadilla pues tanto me cuestas (*Jacinto López*, 82)

Casárame mi padre (*Sevillano*, 138)

Casaron a Benito con María (MBM 23/4/1, 72)

Casáronse en la villa de La Roda (*Tesoro*, Padilla, 389v)

Cásate o no te cases vergonsucia (FR 3358, 169v)

Casero de mi granja que aborreces (MP 973, 230)

Casi a la muerte cercano (MN 3968, 173v)

Casi en el medio de su vía serena (PN 372, 119)

Casi estoy desesperado (MN 3968, 175)

Casi estoy desesperado (PN 372, 175v)

Casi estoy maravillado (*Obras*, Silvestre, 147v)

Casó con una dama un licenciado (FN VII-354, 254)

Caso de tan gran grandeza (*Sevillano*, 146)

Casó la de Pantoja a Antón Vaquero (MP 973, 200)

Casó la de Pantoja Andrés Vaquero (*Cid*, 123)

Casó la de Pantoja Andrés Vaquero (MiT 994, 22v)

Casó por amores (RaC 263, 81v)

Casóme mi padre (*Recopilación*, Vázquez, 28)

Casóse Catalina con Mateo (FN VII-354, 258)

Casóse Catalina con Mateo (RaC 263, 125v)

Casóse cierta moza con un viejo (FN VII-354, 262)

Casóse cierta moza con un viejo (RaC 263, 121v)

Casóse en Villabarba (MN 17.556, 118)

Casóse en Villabarba (MP 996, 156v)

Casóse Toribio Bras (*Jhoan López*, 24)

Casóse una dama con un licenciado (*Jacinto López*, 224)

Castelhanos não chegueis (FR 3358, 87v)

Castigado me ha mi madre (*Toledano*, 18v)

Castigo castigo (MN 3725-2, 111)

Castilla en tus entrañas qué hado encierra (MN 3902, 130v)

Castillo dáteme date (*Flor de enamorados*, 83v)

Castillo de la Iberia celebrando (MN 6001, 40v)

Castillo de San Cervantes (FN VII-353, 272)

Cata el lobo dó va Juanilla (*Jhoan López*, 143v)

Cata el lobo Juana (*Jhoan López*, 143v)

Cata Francia Montesinos (*Obras*, Cepeda, 138v)

Cata que te perderás (*Flor de enamorados*, 85v)

Cata que te perderás (*FRG*, p. 182)

Catalina mi esperanza (PN 372, 181)

Catalina mientras merco (*CG* 1511, 234)

Catalina si sois vos (*Cid*, 70v)

Catalina si sois vos (*Morán*, 90)

Catalina si sois vos (*Peralta*, 4v)

Catalina si sois vos (PN 372, 105v)

Catalina si sois vos (*Sevillano*, 53v)

Catalina sin par de cuya vista (*Medinaceli*, 145v)

Cativo de aquel que pone firmeza (MP 617, 230)

Cativo no sé qué diga (*Colombina*, 69v)

Católica real majestad (PN 373, 225)

Católicos caballeros (MN 3723, 90)

Católicos caballeros (MP 996, 25v)

Católicos caballeros (*RG* 1600, 283)

Caudales ondas que con curso blando (*Lemos*, 154v, 197, 286, 290)

Caudaloso río (MN 3725-1, 58)

Causa de aquel cruel y triste efecto (MP 617, 270)

Causan las fuerzas de amor (*Toledano*, 64v)

Causó el dolor que sentía (*CG* 1511, 147)

Cautivó mi libertad (*Flor de enamorados*, 36v)

Cautivo soy pero el cuyo (MiT 994, 30v), *ver* Esclavo soy

Cautivo y enamorado (RaC 263, 50)

Cautivos están mis ojos (MN 3700, 142v)

Cayado y zurrón arroja (*RG* 1600, 64v)

Cayendo se alzaba Anteo (MN 5602, 33v)

Cayendo se alzaba Anteo (*Morán*, 84)

Cayó la torre que en el viento hacía (FN VII-353, 77)

Cayó un papel no sé si fue del cielo (MN 2973, p. 190)

Cayó un papel no sé si fue del cielo (SU 2755, 167)

Cazadora soberana (PN 418, p. 321)

Çe çe mire qué le digo (FN VII-353, 241v)

Çe çe mire qué le digo (MoE Q 8-21, p. 92)

Tabla 57

Çe çe mire qué le digo (MP 1587, 141v)

Çe señora (*Toledano*, 58)

Çe señora çe decí (*Toledano*, 11)

Çe señora no hariedes (*Toledano*, 29)

Cebrián Horcajo el mozo y Gil Bermejo (MN 3968, 170v)

Cebrián Horcajo el mozo y Gil Bermejo (*Morán*, 66v)

Cebrián Orcajo el mozo y Gil Bermejo (*Jesuitas*, 352v)

Cegasen mis ojos (*Toledano*, 67v)

Cego após meu pensamento (*Borges*, 59)

Cego deste meu desejo (*Corte*, 51)

Cego quasi em noite escura (NH B-2558, 40)

Cejas negras y ojos grandes (*Jhoan López*, 144)

Celalba mora que al mundo (MN 3723, 192)

Celalba mora que al mundo (*RG* 1600, 76v)

Celebra ilustre España (*Vergel*, Ubeda, 118)

Celenturas tengo / entre cuero y carne (MN 3913, 48v)

Celestina cuya fama (*Jhoan López*, 122)

Celestina cuya fama (MP 1587, 142v)

Celestina cuya fama (MP 996, 208v)

Celestina cuya fama (*Rojas*, 23v, 140v)

Celestina que Dios haya (*Jacinto López*, 48v)

Celestina que Dios haya (*Rojas*, 135)

Celia de los ojos (*RG* 1600, 333)

Celia si tu amor faltó (*Padilla*, 145v)

Celia triste y toda alegre (PN 418, p. 267)

Celín señor de Escariche (*RG* 1600, 261v)

Celos bastardos mal nacidos celos (FN VII-353, 292v)

Celos de amor terrible y duro freno (*CG* 1554, 186v)

Celos de amor terrible y duro freno (MN 2973, p. 205)

Celos son nuestros placeres (*Sevillano*, 235v)

Celosa andaba Jarifa (MP 1587, 110)

Celosa fantasía (*Jacinto López*, 208v)

Celoso vino Celín (MN 3723, 152)

Celoso vino Celín (*RG* 1600, 305v)

Celoso y enamorado (MN 3723, 93)

Celoso y enamorado (*RG* 1600, 231)

Cenando piñones / quién hay que duerma (MN 3913, 48v)

Ceniza espiritada vil mixtura (*Canc.*, Ubeda, 136)

Ceniza espiritada vil mixtura (*Vergel*, Ubeda, 179)

Cerbino dulce dulce compañía (MP 1587, 151v)

Cerca de aquella dulce y clara fuente (PN 371, 146v)

Cerca de un soto verde y muy florido (*Morán*, 20v)

Cercada de mil sospechas (MP 973, 390v)

Cercada de mil sospechas (*Rojas*, 21)

Cercada de pensamientos (MP 996, 203)

Cercada está Santa Fe (EM Ç-III.22, 88v)

Cercada esta Santa Fe (*Jesuitas*, 469v)

Cercada está Santa Fe (*RH* -ed. 1582-, 104)

Cercada estoy de esperanza (FRG, p. 157)

Cercada sube de un rayo (*Jesuitas*, 182)

Cercado de terror lleno de espanto (MN 2856, 68v)

Cercado el corazón de angustia y pena (FN VII-353, 7v)

Cercado estoy de pesares (MP 2803, 218)

Cercado estoy y oprimido (*Morán*, 109)

Cercana al claro día el alborada (MN 17.951, 75v)

Cercano al agua de una clara fuente (MBM 23/4/1, 164v)

Cercano el agua de una clara fuente (*Tesoro*, Padilla, 109v)

Cercara amor (*Lemos*, 102v)

Cercáronme alrededor (*Flor de enamorados*, 87v)

Cercáronme cuando os vi (*CG* 1511, 114v)

Cercáronme los pesares (*Padilla*, 245v)

Cerco de luna muy leda (*CG* 1511, 224)

Cerotico Amor tirano (MN 17.556, 149)

Cerotico Amor tirano (MP 996, 159v)

Cerra serpente os ouvidos (*Corte*, 49)

Cerrada estaba mi puerta (*CG* 1511, 72v)

Certa a vida pode ter (*Borges*, 58)

Cervatica que no me la vuelvas (MN 3913, 70)

Cesaron los continuos movimientos (MP 617, 186v)

Cese de hoy mas la larga tiranía (*Canc.*, Maldonado, 88v)

Cese del duro pecho el aspereza (WHA 2067, 4v)

Cese del duro pecho la aspereza (MBM 23/4/1, 272v)

Cese del duro pecho la aspereza (PN 314, 17v)

Cese el duro pecho la aspereza (OA 189, 10v)

Cese Virgen vuestro llanto (*Peralta*, 40)

Cese vuestro llanto esquivo (*Padilla*, 214)

Cese ya de apretar (*Morán*, 194)

Cese Zaida aquesa fuerza (*RG* 1600, 201)

Cese Zaide aquesa furia (MN 3723, 77)

Cesen las lamentaciones (PN 372, 293)

Cesen ya de ser loadas (*CG* 1511, 94)

Cesen ya mis alegrías (OA 189, 40)

Cetina a tan airado y crudo estrecho (SU 2755, 11)

Che cossa è Dio Egli è un summo bene (*CG* 1514, 16v)

Chegavos fidalgos (*Jesuitas*, 132)

Chel lasciar Durindana si gran fallo (MN 5602, 48)

Chi vuol udir do la beltà terrena (MN 3924, 121)

Ciego que apuntas y aciertas (MN 17.557, 15)

Ciego que apuntas y atinas (*RG* 1600, 101v)

Ciego rapaz Amor suspende el arco (MN 4127, p. 239)

Ciego soy donde yo quiero (*Flor de enamorados*, 106v)

Ciegos de polvo los ojos (*Jacinto López*, 202)

Ciegos de polvo los ojos (*Rojas*, 132v)

Cielo cruel airado e importuno (MiT 994, 7)

Cielo cruel airado importuno (RaC 263, 68)

Cielos estrellas cursos movimientos (*Vergel*, Ubeda, 72v)

Cierra tus alas (MN 3724, 238)

Cierta dama cortesana (MN 3724, 263)

Cierta dama cortesana (*RG* 1600, 314v)

Cierto dama en mi dolor (*CG* 1511, 117v)

Cierto es el sano al doliente (*Morán*, 65v)

Cierto es que moriré (MN 3725-1, 4)

Cierto es que Naturaleza (MN 17.557, 39v)

Cierto es que Naturaleza (*Penagos*, 119v)

Cierto está que es buena dita (*Toledano*, 104)

Cierto galán namorado (MP 973, 128)

Cierto gran pena es morir (*CG* 1511, 125)

Cierto poeta enfermo peregrina (MiB AD.XI.57, 13)

Cierto que es buen hombre el Almirante (MiB AD.XI.57, 9v)

Cierto que no tien zagala (*Sevillano*, 272)

Cierto tú me has alumbrado (OA 189, 372)

Cimiento de mi querer (*Flor de enamorados*, 131v)

Cinco hachas menores que pebetes (*Rojas*, 186v)

Cinco ríos corrientes (*Vergel*, Ubeda, 42)

Cinta hermosa que saliste (*Penagos*, 154)

Circuncisión primero laureado (MiB AD.XI.57, 29)

Çitado está Cipión (MN 5602, 29)

Citado está Escipión (*Flor de enamorados*, 109v)

Citado estaba Escipión (*Rosa Gentil*, Timoneda, 2)

Clamor de la doncella (FN VII-353, 243)

Clara divina luz resplandeciente (*Canc.*, Maldonado, 180)

Clara está mi desventura (*CG* 1511, 182)

Clara la claridad siempre abrazaste (*Vergel*, Ubeda, 176)

Clara lo que mereció (*Sevillano*, 185)

Clara luz lumbrosa estrella (*CG* 1535, 192)

Clara más que el espejo cristalino (*Vergel*, Ubeda, 175v)

Clara y fresca ribera (*CG* 1554, 147v)

Clara y fresca ribera (MN 1132, 173)

Clarísima doña Ana (MN 17.951, 86v)

Clarísima señora que la vida (*Jesuitas*, 444)

Claro es aquel amador (*Jacinto López*, 55)

Claro está mi mal y cierto (*CG* 1511, 117)

Claro está que está doliente (MP 1587, 79v)

Claro está que está doliente (*Tesoro*, Padilla, 170)

Claro ilustre Francisco de las nueve (PN 314, 120v)

Claro lucero virginal aurora (FN VII-353, 75v)

Claro muestra el porfiaros (*CG* 1511, 124v)

Claro parece zagal (*Lemos*, 65)

Claro señor que la una y la otra mano (*Rosal*, 258)

Claros olhos que ao céu que se mostraram (*Faria*, 38v)

Claros resplandecientes y hermosos (MBM 23/4/1, 45)

Claros y frescos ríos (*Jesuitas*, 118)

Claros y frescos ríos (*Medinaceli*, 4v)

Claros y frescos ríos (OA 189, 347)

Claros y frescos ríos (PN 307, 24)

Claros y verdes ojos (PN 373, 268v)

Clavar victorioso y fatigado (*Lemos*, 213v)

Clavellina se llama la perra (MN 3700, 209)

Clemente juraba a tal (*Medinaceli*, 19v)

Clemente y amadora de Justicia (Jesuitas, 381)

Cloridán si el ser fiel y amigo cierto (MP 996, 16v)

Cloris el más bello grano (*Lemos*, 202)

Cloris este rosal que libre o rudo (MN 3700, 139v)

Cobarde caballero (*Recopilación*, Vázquez, 25v)

Cobarde corazón quién te quebranta (MiT 1001, 2)

Cobarde escudero (*Toledano*, 32)

Cobarde pero no huye (PN 418, p. 438)

Cobra buena fama (*Lemos*, 171)

Cobrastes de conoceros (*Tesoro*, Padilla, 320)

Cogiendo de un panal el dios Cupido (PN 373, 187)

Cogiendo unos panales el Cupido (MN 2973, p. 315)

Colérico sale Muza (MN 3723, 3338)

Colérico sale Muza (*RG* 1600, 246v)

Columna de cristal dorado techo (MN 2973, p. 258)

Columna por Dios labrada (MN 17.951, 148v)

Com a sonora voz que a fama canta (*Borges*, 26)

Com isto sou mui contente (*Evora*, 4v)

Com los ull sien laugers (Flor de enamorados, 10v)

Com tal cuidado me vejo (WHA 2067, 129v)

Com ver-vos passava (*Corte*, 132)

Comadre la de Buendía (*Jhoan López*, 24v)

Comadre la de Tortuera (*Jhoan López*, 22)

Comadres las mis comadres (*RG* 1600, 273v)

Combatan a mi fe nuevos cuidados (*Penagos*, 19)

Come a Dios con discreción (*Canc.*, Ubeda, 42)

Come a Dios con discreción (*Vergel*, Ubeda, 77v)

Comencé a sentir el daño (MN 3902, 101)

Comencé a servir amor (WHA 2067, 102v)

Comencé a servir amor / pensando burlarme de él (WHA 2067, 102v)

Comendador cortesano (*Vergel*, Ubeda, 118v)

Comer salchichas y hallar sin gota (FR 3358, 167)

Comience el alma con amargo llanto (*Penagos*, 23v)

Comience la pluma mía (MP 1578, 136)

Comience otra vez mi triste llanto (MP 1587, 48)

Comiéncese otra vez mi triste llanto (MN 6001, 268v)

Comiendo Adán del árbol limitado (*Vergel*, Ubeda, 61v)

Comienzo a caminar tras mi deseo (*Canc.*, Maldonado, 83)

Comigo me desavim (*Corte*, 49v)

Como a firme enamorado (*Jacinto López*, 184v)

Como a tanto bien aspira (*Morán*, 122)

Cómo abrazáis el desierto (*Vergel*, Ubeda, 148)

Como Adán padre primero (*Sevillano*, 162)

Como al pastor en la ardiente hora estiva (MN 2973, p. 309)

Como al que grave mal tiene doliente (MN 2973, p. 208)

Como amigo verdadero (*CG* 1511, 223v)

Tabla 59

Como amor es unión alimentada (MN 2856, 29v)

Como amor nuestro enemigo (*CG* 1511, 158v)

Cómo andas alterado (*Lemos*, 106)

Como ante vuestra hermosura (*Morán*, 148)

Como aquel que a la muerte es condenado (*CG* 1554, 200)

Como aquel que a muerte es condenado (MN 1132, 33v)

Como aquella paloma que tornando (MN 6001, 40)

Como araña ponzoñosa (*Jesuitas*, 245)

Como burlando miré (MiT 994, 16v)

Cómo cantan las aves (*Padilla*, 192v)

Cómo cantaré cantigas del Señor (*Evora*, 32)

Cómo cantaré yo en tierra ajena (BeUC 75/116, 58v)

Cómo cantaré yo en tierra extraña (*CG* 1554, 177v)

Cómo cantaré yo en tierra extraña (FN VII-354, 184v)

Cómo cantaré yo en tierra extraña (MBM 23/8/7, 103)

Cómo cantaré yo en tierra extraña (MN 1132, 111)

Cómo cantaré yo en tierra extraña (MN 3670, 72)

Cómo cantaré yo en tierra extraña (MN 3968, 46)

Cómo cantaré yo en tierra extraña (MN 4256, 121v)

Cómo cantaré yo en tierra extraña (MN 4262, 80v)

Cómo cantaré yo en tierra extraña (MN 4268, 7)

Cómo cantaré yo en tierra extraña (MP 617, 232)

Cómo cantaré yo en tierra extraña (MRAH 9-7069, 1)

Cómo cantaré yo en tierra extraña (OA 189, 64)

Cómo cantaré yo en tierra extraña (PhUP1, 60)

Cómo cantaré yo en tierra extraña (PN 307, 90)

Cómo cantaré yo en tierra extraña (PN 311, 90)

Cómo cantaré yo en tierra extraña (RV 768, 99)

Cómo cogeré yo verbena (MP 996, 120v)

Como con tal coyuntura (MP 973, 107)

Como cuando cortan árbol (*CG* 1511, 224)

Como cuando cortan árbol (MP 617, 85v)

Como cuando el alma parte (*CG* 1511, 124)

Como cuando el sol asoma (*Gallardo*, 34v)

Como cuando el sol asoma (*Toledano*, 96v)

Como cuando el sol miramos (*Lemos*, 97v)

Como cuando las lozanas (MP 617, 93)

Cómo das tan presto vuelta (MP 1587, 138v)

Como de duro entalle una figura (MN 2856, 65v)

Como del huerto hermoso en primavera (*Jesuitas*, 264)

Cómo del seno del padre (Vergel, Ubeda, 13)

Como del sueño despierta (*Peralta*, 47)

Como después del día sosegado (MN 2973, p. 170)

Como diestro cosmógrafo que raya (MN 17.556, 170)

Cómo diré lo que sé (MP 1587, 137)

Cómo dormirán mis ojos (MP 1587, 138)

Como el agua de los ríos (MP 1587, 161v)

Como el alma es inmortal (*Jacinto López*, 61v)

Como el celeste sol su rayo extiende (FR 3358, 160v)

Como el cisne va sintiendo (*CG* 1511, 80v)

Como el hombre que huelga de soñar (BeUC 75/116, 73v)

Como el hombre que huelga de soñar (*Evora*, 55)

Como el hombre que huelga de soñar (FN VII-354, 37v)

Como el hombre que huelga de soñar (*Heredia*, 333v)

Como el hombre que huelga de soñar (MBM 23/8/7, 145v)

Como el hombre que huelga de soñar (MN 2973, p. 87)

Como el hombre que huelga de soñar (MN 3968, 61)

Como el hombre que huelga de soñar (MN 4256, 111)

Como el hombre que huelga de soñar (MN 4262, 144v)

Como el hombre que huelga de soñar (MN 4268, 109v)

Como el hombre que huelga de soñar (MP 2805, 111)

Como el hombre que huelga de soñar (MRAH 9-7069, 62v)

Como el hombre que huelga de soñar (PhUP1, 77v)

Como el hombre que huelga de soñar (PN 258, 209)

Como el hombre que huelga de soñar (PN 311, 4)

Como el hombre que huelga de soñar (RV 768, 254)

Como el hombre que huelga de soñar (TP 506, 30)

Como el niño [cortado] (*Lemos*, 135)

Como el pensamiento (FRG, p. 233)

Como el que busca la preciada margarita (*Morán*, 216)

Como el que duerme con la pesada (*CG* 1511, 28)

Como el que en hierros ha estado (*CG* 1514, 98v)

Como el que escucha el son de la cadena (MN 17.556, 129v)

Como el que escucha el son de la cadena (*Penagos*, 11v)

Como el que está a la muerte sentenciado (MN 1132, 171v)

Como el que está a la muerte sentenciado (MN 2973, p. 264)

Como el que está a muerte sentenciado (*CG* 1554, 171v)

Como el rey ha guerra (*Penagos*, 305v)

Como el sagaz ventor va presuroso (TP 506, 283v)

Como el sol por vidriera (*Sevillano*, 169)

Como el sol trayendo el día (MN 3902, 102)

Como el triste que a muerte es condenado (BeUC 75/116, 69v)

Como el triste que a muerte es condenado (*CG* 1554, 184v)

Como el triste que a muerte es condenado (*Evora*, 57)

Como el triste que a muerte es condenado (FN VII-354, 32v)

Como el triste que a muerte es condenado (*Heredia*, 331)

Como el triste que a muerte es condenado (MBM 23/8/7, 257v)

Como el triste que a muerte es condenado (MN 1132, 104)

Como el triste que a muerte es condenado (MN 2973, p. 263)

Como el triste que a muerte es condenado (MN 3968, 55)

Como el triste que a muerte es condenado (MN 4256, 109v)

Como el triste que a muerte es condenado (MN 4262, 138v)

Como el triste que a muerte es condenado (MN 4268, 108)

Como el triste que a muerte es condenado (MP 1578, 1v)

Como el triste que a muerte es condenado (MP 2805, 108)

Como el triste que a muerte es condenado (MP 617, 234)

Como el triste que a muerte es condenado (MRAH 9-7069, 61v)

Como el triste que a muerte es condenado (PhUP1, 71v)

Como el triste que a muerte es condenado (PN 258, 209v)

Como el triste que a muerte es condenado (PN 311, 7)

Como el triste que a muerte es condenado (RV 768, 265)

Como el triste que a muerte es condenado (TP 506, 29)

Como el veros fue ocasión (PN 307, 303)

Como ella yo imagino (Vergel, Ubeda, 4v)

Como en burlas comencé (Sevillano, 205)

Como en el toque se conoce el oro (FN VII-353, 292)

Como en tabla de cedro lisa y pura (*Cid*, 2)

Como en tabla de cedro lisa y pura (PN 372, 249)

Como en tu presencia (Jacinto López, 66)

Como en un claro espejo resplandece (*Canc.*, Ubeda, 127v)

Como en veros me perdí (*CG 1554*, 101)

Como era la vez primera (FN VII-353, 52)

Como era la vez primera (Jacinto López, 68v)

Cómo es aquel hermoso villano (MN 1317, 471)

Como es el amor (TorN 1-14, 25)

Cómo es eso Cómo diablos (Jhoan López, 33v)

Como es la razón humana (*Morán*, 225)

Cómo es ni puede serlo (Uppsala, n. 35)

Cómo es niño el amor cómo es locura (FN VII-353, 31, 280)

Cómo es niño el amor cómo es locura (MN 3700, 101)

Cómo es posible llevar (Canc., Ubeda, 83v)

Cómo es posible llevar (Vergel, Ubeda, 104v)

Cómo es posible oh corazón cuitado (MP 570, 217)

Cómo es posible poderse sufrir (MN 3902, 40v)

Cómo es posible poderse sufrir (MP 617, 202)

Cómo esperas de sanar (PN 371, 11)

Cómo estábades perdida (Padilla, 60)

Cómo estáis hermosa (Sevillano, 82v)

Como estais Luz sem luz Vida sem vida (*Faria*, 40)

Cómo estáis Virgen y Madre (PBM 56, 126v)

Cómo estás de amor zagal (*Obras*, Silvestre, 118v)

Cómo estás zagal así (PN 371, 11)

Como estoy alegre (MN 3725-1, 23)

Como fizeste Porcia tal ferida (*Borges*, 69)

Como fue un extremo (Sevillano, 185v)

Como fuesen los novicios (MP 617, 86v)

Como garza real alta en el cielo (TP 506, 121)

Cómo guardáis al capitán soldados (Vergel, Ubeda, 51)

Cómo habéis venido (Sevillano, 164v)

Como hay toque de oro (*CG 1514*, 158v)

Como hizo Bonifacio (*Ixar*, 79v)

Como hombre confiado (FRG, p. 157)

Como hombre experimentado (*Lemos*, 62)

Como Interés se moría (*Morán*, 52)

Como jamás el que reina (*Romancero*, Padilla, 96)

Como joya oriental rica y preciosa (TP 506, 125v)

Como la cierva brama (*Cid*, 58v)

Como la cierva brama (*Jacinto López*, 292)

Como la cierva brama (*Jesuitas*, 466v)

Como la cierva brama (MN 2973, p. 13)

Como la cierva brama (MN 3698, 212v)

Como la cierva brama (MP 3560, 41v)

Como la cierva brama (MP 973, 7)

Como la cierva busca congojosa (*Vergel*, Ubeda, 197v)

Como la fe no me daba (Jhoan López, 101v)

Como la roca que el viento (Cid, 72)

Como la roca que el viento (*Morán*, 129v)

Como la soledad suele ser muy común (*Lemos*, 127)

Como la tierna madre que el doliente (*Lemos*, 240v)

Como ladrón que desea (*Ixar*, 156v)

Como ladrón que desea (MP 617, 83v)

Como le llaman al Redentor (*Jesuitas*, 463v)

Cómo llaman al infante (*Vergel*, Ubeda, 3v)

Como llamase a Dios de mi justicia (*Toledano*, 76)

Cómo lo canta y mece (*Sevillano*, 170)

Cómo lo podré dejar (*Recopilación*, Vázquez, 24)

Cómo lo tuerce y lava (Jacinto López, 318v)

Como los descaminados (MP 617, 89v)

Como los ojos (MoE Q 8-21, p. 105)

Como los que van perdidos (*CG 1511*, 187)

Como lumbre de farón (*CG 1511*, 155)

Como luna entre estrellas te señalas (*Padilla*, 224v)

Cómo me sabré regir (MP 617, 212v)

Cómo me sabré regir (TP 506, 395v)

Como mis entrañas / no son de piedra (MP 3913, 48v)

Como não quereis que seja (*Corte*, 48v)

Cómo nada el cisne madre (MoE Q 8-21, p. 9)

Como ni transtornado (*Cid*, 59)

Como ni transtornado (MN 3698, 226v)

Como ni transtornado (MP 3560, 39v)

Como ni transtornado (MP 973, 8v)

Como ni transtornado (MP 996, 274v)

Como niño Adán vivía (Canc., Ubeda, 21v)

Como no es capaz sujeto (RaC 263, 185)

Como no fui maldiciente (*Heredia*, 145v)

Como no hay cosa criada (*Romancero*, Padilla, 100)

Como no he de estar (FN VII-353, 158v)

Cómo no le andaré yo (*Colombina*, 105v)

Como no llega a la boca (FN VII-353, 55)

Cómo no me ha de dar pena (*Elvas*, 36)

Cómo no me ha de dar pena (*Sevillano*, 57v)

Como no pidas dinero (RaC 263, 6)

Como no puede haberlo (MN 5593, 78v)

Tabla 61

Como no sale a la boca (MP 1587, 31v)

Como no sale a la boca (*Tesoro*, Padilla, 145)

Como no se desespera (*Corte*, 51v)

Como nunca fui pechero (*Rojas*, 113v)

Cómo olvidaste un dolor (*Obras*, Cepeda, 95)

Cómo os ven con tanta gala (*Sevillano*, 40)

Cómo partirá el que parte (*Padilla*, 232)

Cómo partirá sin queja (*Padilla*, 232v)

Cómo pasaré la sierra (PBM 56, 89v-90)

Cómo podéis sustentaros (*Sevillano*, 250)

Cómo podrán apartarse (*Padilla*, 231)

Cómo podrán los pinceles (*Heredia*, 358v)

Cómo podrán mis alas encerradas (SU 2755, 78)

Cómo podré cantar en tierra ajena (RG 1600, 169v)

Cómo podré lo que os quiero (MN 3700, 15)

Cómo podré prevenirme (MN 3700, 49)

Cómo podré sustentaros (*Elvas*, 31)

Cómo podré sustentaros (PN 314, 186)

Cómo podré yo de ti (*Jhoan López*, 50)

Cómo podré yo de ti (*Romancero*, Padilla, 320)

Cómo podré yo de ti (*Tesoro*, Padilla, 220v)

Cómo podré yo vivir (CG 1511, 150)

Cómo podré yo vivir (MN 5593, 70v, 78v)

Como por alto mar tempestuoso (*Medinaceli*, 34v)

Como por larga experiencia (PN 372, 67)

Como pudo Dios nacer (MN 3670, 11)

Cómo puede ser Andrés (MN 3670, 11)

Cómo puede ser cordero (*Vergel*, Ubeda, 81)

Cómo puede ser que cuadre (*Fuenmayor*, p. 404)

Cómo puede ser que cuadre (*Jesuitas*, 200)

Cómo puede ser que cuadre (MN 17.951, 44v)

Cómo puede temer daño (TorN 1-14, 13)

Cómo puedo yo vivir (*Uppsala*, n. 1)

Como que al mismo Dios como (*Lemos*, 172v)

Como que siendo yo el conde de Palma (*Penagos*, 5v)

Como que siendo yo el conde de Sarna (*Penagos*, 200)

Como que tales labios bese aquélla (MBM 23/4/1, 360)

Como que tanta gloria goce aquélla (*Padilla*, 32)

Como que tanta gloria goce aquélla (Romancero, Padilla, 171v)

Cómo queda con tristeza (*Jesuitas*, 470)

Como quedó con tristeza (*RH*, 53v)

Cómo queréis que llamemos (*Morán*, 221v)

Cómo queréis que llamemos (PN 373, 25)

Cómo queréis que yo diga (PN 371, 2)

Cómo queréis que yo diga (WHA 2067, 47)

Como quien no dice nada (TP 506, 398v)

Como quien sabe sufrir (CG 1554, 131)

Como quien sube trepando (CG 1511, 152v)

Como quien sube trepando (MP 617, 222v)

Como quiera que la fuerza (MP 2459, 90)

Cómo quieres Gil que vaya (PN 373, 148)

Cómo quisieras que yo nunca aprieto (MRAH 9-7069, 129v)

Como real pastor buscando ando (FN VII-353, 27v)

Cómo retumban los remos (TorN 1-14, 15)

Cómo satisfaré lo que habéis hecho (MP 644, 193)

Cómo se podrá partir (PBM 56, 36v-37), *ver* Cómo se puede

Cómo se podrán sufrir (*Sevillano*, 272)

Cómo se puede partir (CG 1511, 148)

Como se viese Amor desnudo y tierno (MN 2973, p. 231)

Como se viese Amor desnudo y tierno (*Morán*, 120)

Como se viese Amor desnudo y tierno (*Padilla*, 185v)

Como se viese Amor desnudo y tierno (*RH*, 208)

Como se vio en tal extremo (TP 506, 349)

Como sea vuestro querer (*Lemos*, 44v)

Como si en mi mano (RaC 263, 1)

Como siempre en penas velo (CG 1557, 352)

Como siempre me rendí (*Morán*, 76)

Cómo siendo yo el culpado (*Vergel*, Ubeda, 36)

Como sobra de querer (CG 1511, 194)

Como sois tan bonitiña (*Lemos*, 93)

Como su rey reverencia (*Penagos*, 112)

Como suele el que merece (*RH*, 144)

Cómo te hielas garzón (*Jhoan López*, 46v)

Cómo te llamas (FN VII-353, 235v)

Cómo te va con amores (*Sevillano*, 297)

Cómo te va con aquél (*Sevillano*, 297)

Cómo te va de gusto di Silvano (*Tesoro*, Padilla, 210v)

Cómo te va di carillo (*Cid*, 175)

Cómo te va di carillo (*Elvas*, 36)

Cómo te va di carillo (MP 570, 127)

Cómo te va di zagal (MP 1587, 141)

Cómo te va que te veo (*Elvas*, 36v)

Cómo te vas de esta tierra (*Lemos*, 106v)

Como tendidos quedaron (RaC 263, 2)

Cómo tengo de dormir (*Sevillano*, 150)

Como todo cuanto veis (*Canc.*, Maldonado, 50v)

Como trata outra vontade (*Corte*, 126v)

Como un tahur se emplease (*Peralta*, 82)

Cómo vas Antón ansí (*Flor de enamorados*, 125)

Como ventura concierta (CG 1514, 198v)

Como veo (*Toledano*, 19)

Como veo ser tramposas (*Jacinto López*, 82)

Cómo vives Juan me di (PN 371, 7v)

Cómo vivirá el cuitado (*Rojas*, 37v)

Cómo vivirá el cuitado (*Sevillano*, 227v)

Cómo vivirá un cuidado (RaC 263, 148)

Como vuestra luz crecía (*Sevillano*, 148)

Como vuestro corazón (Jhoan López, 33v)

Como ya mejor sabes (*CG* 1511, 157)

Como ya mi mal es viejo (*CG* 1511, 110)

Como yo libre estuviese (*Rojas*, 1)

Como yo señora mía (*Lemos*, 107v)

Como yo señora mía (*Morán*, 88)

Como yo triste aquejado (*CG* 1511, 130)

Compadre afirma el vulgo de envidioso (TP 506, 141v)

Compadre el que de cuerdo más se precia (TP 506, 133)

Compadre el que de sabio más se precia (MBM 23/4/1, 87)

Compadre el que de sabio más se precia (MP 1578, 147)

Compañero compañero (MN 3725-2, 29)

Competem em vós os dias (*Corte*, 126v)

Compitiendo con las selvas (PN 418, p. 189)

Compradme una saboyana (*Jacinto López*, 318v)

Compré caros pensamientos (*CG* 1511, 150)

Compúsola Dios tan bella (*Sevillano*, 262v)

Con admirable destreza (RV 1635, 108)

Con alas tan excelentes (*Vergel*, Ubeda, 84)

Con amarillas divisas (MN 3723, 275)

Con amarillas divisas (MP 973, 397)

Con amarillas divisas (*RG* 1600, 151v)

Con amor niño rapaz (*Morán*, 31)

Con amor que vuela (*Jhoan López*, 52)

Con amor que vuela (*Penagos*, 144)

Con amor que vuela (*RG* 1600, 302)

Con amor y caridad (*Colombina*, 36v)

Con amor y sin dinero / Jesús nace hoy en Belén (*Canc.*, Ubeda, 6v)

Con amor y sin dinero / Jesús nace hoy en Belén (*Vergel*, Ubeda, 20)

Con amor y sin dinero / mirá con quién y sin quién (PN 372, 155v)

Con amor y sin dinero / mirad con quién y sin quién (MiT 994, 5)

Con amor y sin dinero / mirad con quién y sin quién (*Morán*, 104)

Con amoroso mirar (*Padilla*, 99v)

Con angustia que el alma le arrancaba (*Cid*, 194v)

Con animoso deseo (*Jhoan López*, 12)

Con ansia extrema y lloroso (*RH*, 73v)

Con ansia que del alma le salía (MN 2973, p. 202)

Con aparenda engañosa (*Rojas*, 152v)

Con apariencia engañosa (*Jhoan López*, 7v)

Con aquel poco espíritu cansado (TP 506, 317v)

Con aquel recelar que amor nos muestra (MN 2973, p. 89)

Con aquel recelar que amor nos muestra (TP 506, 119)

Con aqueste memorial (MiB AD.XI.57, 44)

Con ardientes suspiros encendía (MN 1132, 53)

Con armas limpias y dobles (RaC 263, 49v)

Con arrojados pasos y ansia extraña (FN VII-353, 265)

Con blanca mano encubrió (PN 372, 215v)

Con cabello y barba crespa (MN 17.556, 59)

Con cabello y barba crespa (MP 996, 136v)

Con Celia no te entremetas (MBM 23/4/1, 242v)

Con ciertas desconfianzas (TorN 1-14, 14)

Con crecido regocijo (*RH*, 158)

Con cuál estilo yo diré cuán corta (MN 3902, 109)

Con dares y sin tomares (PN 418, p. 270)

Con descuido la miré (WHA 2067, 125)

Con descuido y libertad (*Jhoan López*, 39v)

Con desdén fiero y ira desdeñosa (SU 2755, 72)

Con dolorido cuidado (*CG* 1511, 185)

Con dos cuidados guerreo (*CG* 1511, 127)

Con dos cuidados guerreo (*Flor de enamorados*, 102)

Con dos extremos guerreo (*CG* 1511, 93)

Con dos extremos guerreo (MP 617, 37v)

Con dos extremos guerreo (TP 506, 398), ver Con tantos males

Con dos extremos se va (*Obras*, Cepeda, 86)

Con dos manos te sirvo por mostrarte (*Jacinto López*, 225v)

Con dos manos te sirvo por mostrarte (*Lemos*, 241v)

Con dos mil jinetes moros (*Jacinto López*, 199)

Con dos mil jinetes moros (MN 17.556, 48)

Con dos mil jinetes moros (MN 17.557, 56)

Con dos mil jinetes moros (*RG* 1600, 8v)

Con dos prisiones nos ata (PN 371, 24v)

Con dudoso atrevimiento (*CG* 1535, 193)

Con dura piedra helada firme y fuerte (*Vergel*, Ubeda, 50)

Con duro canto ablandáis (*Jhoan López*, 105v)

Con el aire de la sierra (*Padilla*, 93v)

Con el aire de la sierra (*Sevillano*, 58)

Con el alba buenas noches (PN 418, p. 247)

Con el alma entristecida (MBM 23/4/1, 318)

Con el alma entristecida (*Tesoro*, Padilla, 184)

Con el amor en que fío (*Padilla*, 218v)

Con el arado y bueyes a porfía (*Borges*, 87v)

Con el ardid que ha usado (*Canc.*, Ubeda, 33)

Con el cerebro reposo (FN VII-354, 405)

Con el corazón partido (*Padilla*, 250)

Con el cuerpo de su rey (*Romancero*, Padilla, 173)

Con el cuerpo que agoniza (*RG* 1600, 106v)

Con el dar se ablandarán (*Morán*, 30)

Con el gallardo Lautaro (*RG* 1600, 19)

Con el gran mal que me sobra (*CG* 1511, 96v)

Con el Interés luchó (*Morán*, 47v)

Con el mal de mis suspiros (*CG* 1511, 145)

Con el merecer se tasan (*Penagos*, 175)

Tabla 63

Con el rostro entristecido (*Jesuitas*, 472v)

Con el rostro entristecido (*León/Serna*, 93v)

Con el rostro entristecido (*Morán*, 2)

Con el rostro entristecido (RH, 143)

Con el rostro entristecido (*RH*, 33)

Con el rostro entristecido (*Sevillano*, 238)

Con el rostro muy airado (Rojas, 67)

Con el soberano Padre (Vergel, Ubeda, 109)

Con el son de la panza / que amor entona (MN 3913, 72v)

Con el tiempo el león aunque inhumano (*Jacinto López*, 11)

Con el tiempo se pasan meses días (MN 2973, p. 325)

Con el tiempo y la verdad (*Lemos*, 260)

Con el título de grande (MN 3723, 221)

Con el título de grande (*RG* 1600, 95)

Con el variable tiempo (*RG* 1600, 334)

Con el verano alegre (MN 3724, 40)

Con ella fue platicando (*Tesoro*, Padilla, 399v)

Con esa dulce figura (Jacinto López, 68)

Con esas leyes Silvero (*Sevillano*, 235v)

Con esfuerzo y valentía (Morán, 29)

Con esos arcos hermosos (Jacinto López, 67v)

Con esos arcos hermosos (MP 2803, 147v)

Con esperanza espero (MP 1587, 115v)

Con esperanzas de gloria (MN 3700, 111)

Con esperanzas espero (MoE Q 8-21, p. 50)

Con esta letra demás (*CG* 1511, 140)

Con esta oliva crecida (*Jesuitas*, 382)

Con este donaire y brío (*Tesoro*, Padilla, 451)

Con este mal que poseo (*CG* 1511, 126)

Con este poderoso brazo fuerte (Rojas, 14)

Con éste son respondidos (*CG* 1511, 141)

Con estilo inmortal voy escribiendo (MN 4256, 156v)

Con esto dejé el cantar (*Tesoro*, Padilla, 314)

Con esto puso fin al dulce canto (*Cid*, 216v)

Con esto puso fin al dulce canto (*Tesoro*, Padilla, 43)

Con extraño temporal (*RH*, 69v)

Con Fátima está Jarifa (*Cid*, 173)

Con Fátima está Jarifa (*Tesoro*, Padilla, 211v)

Con fe muy entera adoro (MP 644, 130)

Con fiesta y triunfo lleno de alegría (*Fuenmayor*, p. 81)

Con furia muy desmedida (*RH*, 173)

Con galanas intenciones (FN VII-353, 78v)

Con gemir y suspirar (PN 371, 57v)

Con gloria triunfó el amor (MN 17.951, 15)

Con gran curiosidad con gran cuidado (MN 2856, 68)

Con gran curiosidad con gran cuidado (MN 2973, p. 95)

Con gran descuido os miré (*Jhoan López*, 39v)

Con gran deseo y cuidado (*Jhoan López*, 8v)

Con gran determinación (Cid, 22)

Con gran determinación (PN 307, 279v)

Con gran dificultad ando encubriendo (*CG* 1554, 193)

Con gran dificultad ando encubriendo (MN 1132, 10)

Con gran dificultad ando encubriendo (MN 2973, p. 129)

Con gran dificultad ando encubriendo (PN 371, 86)

Con gran dolor y pena (*RH*, 154v)

Con gran fuerza el carajo merecía (*León/Serna*, 84)

Con gran razón podéis llamarme loco (MBM 23/4/1, 138)

Con gran razón vi pastora (*Morán*, 22)

Con gran vestido y ropaje (Canc., Ubeda, 91)

Con grande dolor y pena (*RH*, 154v)

Con grandes quejas quedé (*CG* 1514, 189)

Con hidalgos cumplimientos (MP 973, 385v)

Con hierro de pecado es Dios herido (*Jesuitas*, 448v)

Con honda de hilo de oro y con cayado (MBM 23/4/1, 196v)

Con honda de hilo de oro y con cayado (PN 373, 50v)

Con instrumentos de guerra (*RH*, 5)

Con justa causa y con razón muy justa (*Vergel,* Ubeda, 137)

Con justa causa y título os convino (*Vergel,* Ubeda, 162)

Con la casta virtud vide abrazado (MN 2973, p. 169)

Con la casta virtud vide abrazado (TP 506, 333v)

Con la congoja que amor (*CG* 1511, 152v)

Con la esperanza no espero (RaC 263, 65)

Con la fe de amante firme (MN 3700, 52v)

Con la fe y entendimiento (Sevillano, 87v)

Con la fuerza voy forzado (Padilla, 254)

Con la gloria que sentía (Sevillano, 249v)

Con la lanza puesta en puño (FN VII-353, 143v)

Con la luz del alba hermosa (*RG* 1600, 222v)

Con la mano en la mejilla (MN 17.556, 77)

Con la memoria acordarme (*Jesuitas*, 240v)

Con la mona en la cabeza (MP 617, 270)

Con la salud venturosa (PN 418, p. 134)

Con la sangre te quisiera (*Romancero*, Padilla, 290v)

Con la ventura el que pretende alcanza (MN 3700, 120)

Con la vida moriré (PN 307, 298v)

Con la vida moriré (PN 314, 184v)

Con lágrimas de amargura (FN VII-353, 108v)

Con lágrimas de sus ojos (*Cid*, 140)

Con lágrimas y suspiros (*Jacinto López*, 82v)

Con lamentables voces se afligía (PN 373, 309)

Con larga esperanza vana (*Jhoan López*, 2v)

Con las armas mujeriles (*Cid*, 208)

Con las armas mujeriles (*Rosa de Amores*, Timoneda, 58v)

Con le nove sorelle insieme assiso (*Tesoro*, Padilla, iii)

Con lengua y memoria ruda (MN 5602, 61v)

Con lentos pasos y el temor horrendo (*Rojas*, 162v)

Con lentos pasos y temor horrendo (MP 2803, 163)

Con llagas hicisteis vos (*Fuenmayor*, p. 488)

Con lo blanco se ha labrado (CG 1514, 189)

Con lo que Amor pretende regalarme (*Tesoro*, Padilla, 366v)

Con los divinos pies esta abrazada (*Fuenmayor*, 126)

Con los francos Bencerrajes (FN VII-353, 223)

Con los francos Bencerrajes (*Jesuitas*, 470

Con los francos Bencerrajes (*RH*, 126), *ver* Por los francos

Con los mejores de Asturias (MN 17.557, 82v)

Con los mejores de Asturias (*RG* 1600, 94v)

Con los ojos de Isabel (MN 3806, 133v)

Con los ojos de Isabel (*Morán*, 63, 255)

Con los ojos de Isabel (*Vergel*, Ubeda, 15v)

Con los primeros romanos (*Romancero*, Padilla, 108v)

Con los sospiros que daba (*Tesoro*, Padilla, 81)

Con los vientos el mar embravecido (*Jacinto López*, 81v)

Con luz blanca y rostro claro (MN 17.556, 72v)

Con luz blanca y rostro claro (MP 996, 139

Con majestad soberana (*Rojas*, 151v)

Con majestad y aparato (*Fuenmayor*, p. 111)

Con mal anda ya el Amor (MN 5602, 34v)

Con mal anda ya el Amor (*Morán*, 84)

Con mano mal piadosa (*CG* 1511, 105)

Con mayores deleites (MN 3724, 22v)

Con merecerlo se paga (*CG* 1511, 143v)

Con merecerlo se paga (*Obras*, Cepeda, 63v)

Con mi crecido cuidado (*CG* 1511, 229)

Con mi dolor y tormento (*Elvas*, 73v)

Con mi espada de rigor (MP 2459, 43)

Con mi ganado a dicha llegué un día (MBM 23/4/1, 204v)

Con mi ganado acaso llegué un día (*León/Serna*, 106)

Con mi ganado acaso llegué un día (MiT 994, 29)

Con mi ganado acaso llegué un día (MN 3968, 180v)

Con mi ganado acaso llegué un día (MP 1587, 41)

Con mi ganado acaso llegué un día (MP 2803, 132v), ver Con un

Con mi poca discreción (*CG* 1511, 155)

Con mi rabiosa pasión (*CG* 1511, 182v)

Con mi traje y con mi nombre (*Padilla*, 58)

Con mil dulces esperanzas (*Jacinto López*, 45v)

Con mil lazos de amor entretejía (*Cid*, 3)

Con mil maneras amor (*Sevillano*, 282)

Con mucha desesperanza (*CG* 1511, 134v)

Con mujeres no más fe (*Cid*, 116)

Con muy verdadero amor (Flor de enamorados, 10v)

Con olvido y con mudanza (*Cid*, 217)

Con olvido y con mudanza (*Tesoro*, Padilla, 44)

Con paso presuroso (*Cid*, 52)

Con paso presuroso (MN 3698, 13)

Con paso presuroso (MP 973, 45v)

Con paso presuroso (MP 996, 247)

Con pecho varonil determinaste (*Vergel*, Ubeda, 170)

Con pecho varonil determinastes (*Canc.*, Ubeda, 123v)

Con penas quiere amor que me contente (*Obras*, Silvestre, 354v)

Con pesadumbre rabiosa (*RH*, 170)

Con pluma universal hemos tocado (*Jacinto López*, 138)

Con plumas de juventud (MN 17.951, 31)

Con poderse recontar (MBM 23/4/1, 248v)

Con ponzoñosas fieras se ha criado (*Cid*, 114)

Con próspero viaje ha discurrido (MN 17.951, 184)

Con próspero viaje ha discurrido (*Rosal*, p. 32)

Con pulgas y con dolor (MP 617, 215v)

Con pura malenconía (*CG* 1511, 226)

Con qué cantar divino y alto vuelo (*Obras*, Cepeda, 100)

Con qué cara podrá la que me vende (MN 3902, 18)

Con qué la lavaré (*Recopilación*, Vázquez, 30v)

Con qué la lavaré (*Uppsala*, n. 24)

Con qué lástima os escribo (*Heredia*, 74v)

Con qué lástima os escribo (MN 5593, 68v)

Con qué me consolaré (*CG* 1514, 109)

Con qué ojos me miraste (*Sevillano*, 272)

Con qué podría yo satisfaceros (FN VII-353, 56v)

Con qué tristura diré (*CG* 1511, 68)

Con rayo tal os rayo (*Fuenmayor*, p. 474)

Con razón Alonso os dan (*Vergel*, Ubeda, 151v)

Con razón Pelayo estás (*FRG*, p. 195), *ver* Con razón tienes

Con razón tienes tú Blas (*Sevillano*, 275), *ver* Con razón Pelayo

Con razón Ursula os dan (*Vergel*, Ubeda, 175)

Con regalos señora / se conserva Amor (MN 3913, 49)

Con ronca y alta voz Dardanio llora (MiT 994, 25)

Con saber que a Pedro Antón (*Jhoan López*, 49v)

Con saber que a Per Antón (FN VII-353, 169)

Con saber que a Pero Antón (MoE Q 8-21, p. 112)

Con saber que por Antón (*Cid*, 216)

Con saber que por Antón (*Tesoro*, Padilla, 41v)

Con sed cansancio y hambriento (*Cid*, 106v)

Con semblante desdeñoso (MN 3723, 186)

Con semblante desdeñoso (*RG* 1600, 70)

Con ser los yerros mayores (*Heredia*, 68v)

Con ser los yerros mayores (MN 5593, 27)

Con ser sin par mi tormento (MP 617, 328)

Con soberbia muy crecida (*Jesuitas*, 469

Con soberbia muy crecida (*RH*, 106)

Con soberbia y gran orgullo (*Rosa Gentil*, Timoneda, 69)

Con soberbia y grande orgullo (*Cid*, 221v)

Con soberbia y grande orgullo (FN VII-353, 220v)

Con soberbia y grande orgullo (MBM 23/4/1, 72v)

Tabla 65

Con soberbia y grande orgullo (PN 373, 58v)

Con sola una vista (RaC 263, 78v)

Con sollozos profundos y gemidos (*Cid*, 10)

Con sollozos profundos y gemidos (*Padilla*, 183)

Con sólo el resplandor de vuestro gesto (Tesoro, Padilla, 160v)

Con solo el tiempo pierden su braveza (EM Ç-III.22 103)

Con sólo su querer Dios (*Vergel*, Ubeda, 98v)

Con solo un brazo y consigo (PN 418, p. 250)

Con solos diez de los suyos (*RG* 1600, 233v)

Con solos suspiros vanos (*Sevillano*, 234)

Con sospiros de fuego el niño tierno (TP 506, 382)

Con su gracioso mirar (MoE Q 8-21, p. 147)

Con su hecho de tres puntas (*Jacinto López*, 191v)

Con su Moreno reñía (*Cid*, 136v)

Con su mucho poder Dios (*Morán*, 19v)

Con su querido Bireno (*Padilla*, 34)

Con su querido Bireno (*Romancero*, Padilla, 160v)

Con su riqueza y tesoro (MN 3723, 230)

Con su riqueza y tesoro (*RG* 1600, 81v)

Con su riqueza y tesoros (MiT 994, 1)

Con su soberana alteza (*Jesuitas*, 142

Con su sombra me cubre la tristeza (MN 3902, 106v)

Con sumo amor del doncel (*Vergel*, Ubeda, 15v)

Con sus trapos Inesilla (MN 3700, 65v)

Con sus trapos Inesilla (PN 418, p. 86)

Con suspiros de cristal (MN 3724, 303)

Con suspiros de dolor (*Sevillano*, 151)

Con tal capitán Virgen y tal guía (*Vergel*, Ubeda, 175)

Con tal dulzura oh gran Ledesma cantas (MN 4127, p. 266)

Con tal fuerza y de tal arte (Canc., Maldonado, 35v)

Con tal guía y con tal cebo (*Vergel*, Ubeda, 84v)

Con tal ocasión padezco (*Jacinto López*, 185)

Con tal ocasión padezco (MP 1587, 124)

Con tales ojos miré (*Morán*, 109v)

Con tan alto poderío (*CG* 1511, 24v)

Con tan bello rostro y manos (*Morán*, 228)

Con tan extrema fatiga (*CG* 1511, 200v)

Con tan nuevo mal me tienta (*CG* 1554, 85)

Con tan sublime vuelo he levantado (PN 314, 79)

Con tanta crueldad tanta hermosura (FR 3358, 104)

Con tanta crueldad tanta hermosura (*Jacinto López*, 6v)

Con tanta fuerza y poder (*Cid*, 22v, 93v)

Con tanta fuerza y poder (*Morán*, 116)

Con tanta honestidad tanta belleza (*Corte*, 185)

Con tanta majestad Niño sagrado (*Jesuitas*, 271)

Con tanta pujanza hieren (*Peralta*, 10)

Con tanta satisfacción (*Romancero*, Padilla, 280v)

Con tanto aviso tanta hermosura (MBM 23/4/1, 85)

Con tanto aviso tanta hermosura (*Tesoro*, Padilla, 71)

Con tantos males guerreo (*CG* 1511, 122), *ver* Con dos

Con tantos tormentos fieros (*Jacinto López*, 68)

Con temor de la mudanza (*Colombina*, 62v)

Con temor señor pregunto (*CG* 1511, 158)

Con temor vivo ojos tristes (*Colombina*, 31v)

Con tiempo el año el día el mes la hora (*Jacinto López*, 8v)

Con tiempo pasa el año el mes la hora (MP 617, 260)

Con tiempo pasa el año el mes la hora (*Vergel*, Ubeda, 181)

Con tiempo pasa el año mes y hora (MN 2973, p. 325)

Con tiple contratenor (*Sevillano*, 172)

Con todas las entrañas de mi pecho (MN 3698, 201v)

Con tormento y mal esquivo (MBM 23/4/1, 40v)

Con torpe sentir turbado y muy rudo (*CG* 1511, 155v)

Con trabajo y ejercicio (RaC 263, 141)

Con trescientos caballeros (*Cid*, 172v)

Con trescientos caballeros (*Jesuitas*, 471)

Con triste llanto y tierno sentimiento (MN 3968, 96)

Con tristes congojas ni muero ni vivo (*CG* 1511, 213v)

Con tu carta satírica Belardo (FR 3358, 231)

Con tu carta satírica Belardo (MN 2856, 23)

Con tu carta satírica Belardo (MP 973, 422v)

Con tu carta satírica Belardo (*Penagos*, 35v)

Con tu favor divino soberano (*Tesoro*, Padilla, 247)

Con un ardiente suspiro (*Jhoan López*, 6v)

Con un aspecto galano (*Morán*, 33v)

Con un aspecto lozano (*Cid*, 110v)

Con un cabello de oro delicado (*Morán*, 256)

Con un cabello dorado (*Vergel*, Ubeda, 19)

Con un cuidado que estoy (*Obras*, Silvestre, 111v)

Con un duro cincel de piedra dura (*Jesuitas*, 291)

Con un engaño vivía (*Romancero*, Padilla, 341)

Con un ganado llegué acaso un día (PN 314, 214), *ver* Con mi ganado

Con un inmenso furor (RaC 263, 17v)

Con un lucido escuadrón (*RG* 1600, 207v)

Con un papel en la mano (FN VII-353, 314)

Con un pequeñuelo infante (MN 3724, 7)

Con un pequeñuelo infante (*RG* 1600, 328v)

Con una aguda hacha derribaba (*Morán*, 239v)

Con una aguda hacha derrocaba (MN 2973, p. 119)

Con una niña me casan (*Lemos*, 173)

Con unos zagales (*Sevillano*, 283)

Con valerosos despojos (MN 3723, 288)

Con valerosos despojos (RG 1600, 167)

Con vasallos te regalas (*RG* 1600, 299v)

Con velas de casto velo (MN 17.951, 9)

Con velas de casto velo (*Rosal*, p. 48)

Con ventaja conocida (*Penagos*, 299)

Con verdad dirán de vos (*Vergel*, Ubeda, 155)

Con vida fuerte y penada (*Colombina*, 14v)

Con vos callen las madres del famoso (*Jesuitas*, 174v)

Con voz devota y ceremonias pías (*Padilla*, 212v)

Con voz triste y congojosa (*RH*, 192v)

Con vuestra fuerza y mi grado (*CG* 1511, 146)

Con vuestra presencia (*Padilla*, 63v)

Concede al sacerdote el rey del cielo (*Vergel*, Ubeda, 204v)

Concédese al amador (RaC 263, 43v)

Concertados a porfía (*CG* 1511, 181v)

Conclusión es singular (*Jacinto López*, 55v)

Conde mi señor de Luna (MiB AD.XI.57, 46v)

Condestable muy amado (*CG* 1511, 230v)

Confesor virgen capitán y santo (*Vergel*, Ubeda, 158)

Confiado el gran turco en su fortuna (PN 372, 203v)

Confiesa claramente esta señora (TP 506, 388v)

Confieso hermosa Melisa (MN 3700, 136v)

Confieso que es ansí que nadie es parte (MN 3698, 254)

Confieso que os ofendí (MP 1587, 67)

Confieso que vuestra pena (*Jacinto López*, 70v)

Confiésome a vos señora (*Jacinto López*, 266)

Confusas sombras que cuando al medio día (*Faria*, 4v)

Confuso estaba Amor y muy airado (*Morán*, 128v)

Confuso triste y dudoso (*Rojas*, 48)

Confuso y falto de gloria (MN 17.556, 121v)

Confuso y falto de gloria (MP 996, 157v)

Confusos y asombrados (MN 3700, 41)

Congoja del mal presente (*Elvas*, 90v)

Congoja dolor tormento (MP 617, 155v)

Congoja pena y tristura (*CG* 1511, 130v)

Congoja por el temor (*CG* 1511, 130v)

Congojado estaba el *Cid* (*Jacinto López*, 172v)

Congojas lágrimas tristes (*RH*, 190v)

Congojas tristes cuidados (*Corte*, 57v)

Congojosa estaba (FN VII-353, 166v)

Conhecida de todos por formosa (NH B-2558, 59v)

Conmigo sea bien cumplido (*CG* 1554, 87)

Conoce desconocida (*CG* 1511, 93v)

Conoce desconocida (MP 617, 35v)

Conoce el sol la vena de la tierra (MiB AD.XI.57, 31)

Conocida causadora (*Penagos*, 51)

Conocido lo que dañas (*CG* 1511, 205v)

Conocíte desdichada (*Padilla*, 246)

Conozco de conoceros (*CG* 1511, 68)

Conozco no ser capaz (PN 372, 75)

Conseguir grande vitória (*Evora*, 45v)

Consejos de mi memoria (*Cid*, 188v)

Consejos de mi memoria (*FRG*, p. 256)

Consejos de mi memoria (*Rojas*, 47)

Consejos pues no alcanzáis (*Cid*, 76v)

Consejos pues no alcanzáis (MP 570, 166v)

Consejos pues no alcanzáis (PN 307, 272v)

Considerando Toledo (FN VII-353, 159v)

Considerando vuestra hermosura (MBM 23/4/1, 203v)

Considerando vuestra hermosura (PN 373, 281)

Consolando al noble viejo (*RG* 1600, 362)

Consolaos males esquivos (*CG* 1511, 135v)

Consolaos pues sois aquél (*CG* 1511, 135v)

Consolar dolor que os duele (*CG* 1511, 167)

Consuélame desconsuelo (*CG*,1511, 104)

Consuélense en el mundo los mundanos (*Cid*, 100)

Consuélense en tu presencia (MP 617, 238v)

Consuelo del mal humano (MN 3902, 79v)

Consuélome de ver a Dios nacido (*Cid*, 103v)

Contando está Melibeo (*Morán*, 13), *ver* Cantando

Contando está Melibeo (*Sevillano*, 197v)

Contando está sobre mesa (*Jacinto López*, 76v)

Contando está sobre mesa (*Jhoan López*, 51)

Contando está sobre mesa (MP 996, 43)

Contando está sobre mesa (*RG* 1600, 256)

Contándole estaba un día (*RG* 1600, 164v)

Contaros he en qué me vi (*CG* 1511, 133)

Contemos los hechos y horribles figuras (MN 1317, 439)

Contemplando aqueste día (*Vergel*, Ubeda, 108v)

Contemplañdo en su ganado (MN 1579, 7r bis)

Contemplando en un papel (*RG* 1600, 48)

Contemplando está Brasildo (*RG* 1600, 220v)

Contemplando está Sireno (MN 3724, 176v)

Contemplando está Sireno (*RG* 1600, 224)

Contemplando estaba en Ronda (*Jacinto López*, 79)

Contemplando estaba en Ronda (MP 1587, 136v)

Contemplando estaba en Ronda (*Penagos*, 79)

Contemplando estaba en Ronda (*RG* 1600, 23v)

Contemplando estaba Filis (*Jacinto López*, 125)

Contemplando estaba Filis (MN 17.556, 78)

Contemplando estaba Filis (*RG* 1600, 21v)

Contemplándoos no os mirando (*CG* 1511, 122v)

Contendiendo el Amor y el Tiempo un día (*Penagos*, 15)

Contenta estaba Menguilla (MN 3724, 132)

Contenta estaba Menguilla (*RG* 1600, 205)

Contenta estaba Minguilla (RaC 263, 180v)

Contenta estarás Belisa (MN 3700, 92)

Contentamiento a dó estás (*Jesuitas*, 240)

Contentamiento cuán bien suena (*Jacinto López*, 55v)

Contentamiento dó estás (*Faria*, 97)

Contentamiento dó estás (*Jacinto López*, 55v)

Contentamiento dó estás (MN 17.951, 162v)

Contentamiento dó estás (*Morán*, 23)

Tabla 67

Contentamiento dó estás (*Peralta*, 44v)

Contentamiento dó estás (*RH*, 204)

Contentamiento dó estás (*Toledano*, 103)

Contentamientos de amor (OA 189, 324v, 373)

Contentamientos de amor (PN 307, 229v, 287v)

Contentamientos de amor (*Sevillano*, 291)

Contentamientos que fuisteis (*Obras*, Silvestre, 103)

Contentamientos que fuisteis (PN 372, 280v)

Contentaos Francisco hermano (*Jesuitas*, 246)

Conténtate ahora amor engañoso (MN 3902, 50v)

Conténtate leona endurecida (MN 2973, p. 206)

Contento amor y paz gloria y consuelo (FR 3358, 115v)

Contento amor y paz gloria y consuelo (MN 17.951, 68v)

Contento amor y paz gloria y consuelo (*Obras*, Silvestre, 417v)

Contento con padecer (CG 1511, 146)

Contento estaba yo de haber domado (*Morán*, 17)

Contento gentileza y gloria humana (*Jesuitas*, 480)

Contento más que hombre humano he estado (*Jacinto López*, 9v)

Contento si tú te dieses (*Cid*, 201v)

Contento si tú te dieses (MN 17.951, 163v)

Contento si tú te dieses (*Morán*, 23)

Contento si tú te dieses (*Peralta*, 44v)

Contento si tu te dieses (*RH*, 204v)

Contento te veo Silvano (*Romancero*, Padilla, 262)

Contento viene Amor alegre ufano (MBM 23/4/1, 96v)

Contento viene Amor alegre ufano (PN 373, 79v)

Contento vivo Pelayo (*Morán*, 31)

Contento y quejoso estoy (*Sevillano*, 234v)

Contigo el cielo se arrea (*Vergel*, Ubeda, 109v)

Contigo tienes testigos (MN 4268, 153v)

Contigo tienes testigos (MP 1578, 49)

Contigo tienes testigos (MP 2805, 73v)

Contigo tienes testigos (PhUP1, 166)

Contigo tienes testigos (RV 768, 167v)

Contigo traes los testigos (PN 307, 302v)

Conto por atardade (PBM 56, 24)

Contra el alma hacen guerra (*Sevillano*, 43)

Contra el amor nada vale (MoE Q 8-21, p. 24)

Contra el blanco diamante tiene armado (*Jesuitas*, 256)

Contra el poder de Fortuna (*Morán*, 54v)

Contra la libertad mía (*Romancero*, Padilla, 242)

Contra la voluntad de un rey amante (RG 1600, 25)

Contra los ojos de Inés (*FRG*, p. 139)

Contra los ojos de Inés (*Morán*, 258v)

Contra mí fuimos los dos (*Obras*, Silvestre, 107v)

Contra mí os veo conjurados (CG 1557, 399)

Contra quien no se os defiende (*Morán*, 55v)

Contra sí mismo es enemigo (*Obras*, Silvestre, 110v)

Contra tu dueño te atreves (RG 1600, 172)

Contra tu dueño te atreves (TorN 1-14, 46)

Contra un alma libertada (*Tesoro*, Padilla, 143)

Contra un lobo carnicero (*Vergel*, Ubeda, 143v

Contra Zamora lidiando (*Cid*, 236)

Contra Zamora lidiando (*Jhoan López*, 10)

Contra Zamora lidiando (MP 1587, 135v)

Contrastando la fuerza de mi hado (*Obras*, Cepeda, 117)

Conversação doméstica afeiçoa (*Borges*, 66v)

Conviene hacerse (RaC 263, 76)

Conviene hacerse (*Rojas*, 110)

Conviéneme vivir en alegría (PN 372, 351)

Convite sacro y sumo do tenemos (*Jhoan López*, 101)

Convoca a ti tus ninfas y pastores (MBM 23/4/1, 203)

Convoca a ti tus ninfas y pastores (PN 373, 280v)

Coração onde gouuestes (*Corte*, 52v)

Coral perlas rubís sol lazos de oro (*Penagos*, 178)

Corazón apasionado (CG 1511, 146v)

Corazón bien he sabido (*Sevillano*, 295v)

Corazón del alma mía (MBM 23/4/1, 118v)

Corazón detente un poco (PN 373, 241)

Corazón dónde estuvistes (MN 3700, 178)

Corazón helado (MP 644, 199)

Corazón mío no tengáis pesar (*Toledo*, 90)

Corazón no desesperes (Flor de enamorados, 6v)

Corazón no desesperes (MP 617, 247)

Corazón no desesperes (MP 996, 218v)

Corazón no desesperes (RaC 263, 98)

Corazón no os déis pasión (CG 1511, 126)

Corazón no os esforcéis (*Canc.*, Maldonado, 21)

Corazón no suspiréis (*Morán*, 129v)

Corazón pago tenéis (EM Ç-III.22, 97)

Corazón pago tenéis (*Evora*, 24v)

Corazón pago tenéis (*FRG*, p. 253)

Corazón pago tenéis (*Morán*, 108)

Corazón pago tenéis (*Obras*, Cepeda, 87v)

Corazón por qué pasáis (MN 3700, 135)

Corazón procura vida (CG 1511, 138v)

Corazón pues que al principio (PN 373, 103)

Corazón pues que quisiste (*Evora*, 23)

Corazón pues que quisiste (*Lemos*, 45v)

Corazón pues que quisiste (*Toledano*, 92)

Corazón pues que quisiste (*Toledano*, 92)

Corazón que así sospecha (*Canc.*, Maldonado, 26v)

Corazón quiébrate quiebra (WHA 2067, 38v)

Corazón sigue tu vía (*Flor de enamorados*, 6)

Corazón triste reposa (CG 1535, 204v)

Corazón una pulga me come (MN 17.557, 95v)

Cordero manso de Dios (*Vergel*, Ubeda, 76v)

Corderos anglicanos desterrados (MN 6001, 40)

Cordón que tan anudado (*CG* 1514, 140v)

Corona da de flores mi pastora (MN 4127, p. 260)

Corona de espinas santa (*Fuenmayor*, p. 408)

Corona de las más dignas (*Fuenmayor*, p. 416)

Corona de las mejores / de quien el cielo se arrea (*CG* 1511, 20)

Corona de las mujeres (*CG* 1514, 14v)

Corona de virtud y hermosura (*Jacinto López*, 11)

Corona el tiempo de flores (MN 17.556, 101v)

Corona el tiempo de flores (MN 17.557, 44)

Corona el tiempo de flores (MP 996, 149)

Corona el tiempo de flores (*RG* 1600, 304)

Corona en justa y trofeo (*Fuenmayor*, p. 413)

Corona por tal compás (*Fuenmayor*, p. 410)

Corona tanto os corona (*Fuenmayor*, p. 419)

Coronadas de victorias (*RG* 1600, 179v)

Corre con tempestad furiosa y fuerte (MN 2973, p. 116)

Corre corre corre (MoE Q 8-21, p. 99)

Corre corre corre (RC 625, 16v)

Corre mi fe y mi tormento (TorN 1-14, 38)

Corre un poco de cortina (*Jesuitas*, 144)

Corred priesa carta mía (MN 3968, 179)

Corren mi fe y mi tormento (*Tesoro*, Padilla, 396)

Corresponde una corona (*Vergel*, Ubeda, 85)

Correte amanti amanti (RaC 263, 173v)

Corrido de su fortuna (*RG* 1600, 49)

Corrido estaba Amor y la Fortuna (*Obras*, Cepeda, 67)

Corrido va el abad (*Jacinto López*, 70v)

Corrido va el abad (*Penagos*, 116)

Corriendo lluvia el vestido (MN 4127, p. 94)

Corriendo por un lindero (*Obras*, Cepeda, 137v)

Corrientes aguas de Tormes (*RG* 1600, 155)

Corrientes aguas del Tormes (MN 3724, 54v)

Corrientes aguas puras cristalinas (*Rosal*, p. 35)

Corrió veloz el príncipe de Delo (SU 2755, 114v)

Cortada sea la mano que te diere (FN VII-354, 39v)

Cortada sea la mano que te diere (MBM 23/8/7, 244v)

Cortada sea la mano que te diere (MN 3968, 65r

Cortada sea la mano que te diere (MN 4256, 117v)

Cortada sea la mano que te diere (MN 4262, 151)

Cortada sea la mano que te diere (MN 4268, 210v)

Cortada sea la mano que te diere (MP 1578, 4)

Cortada sea la mano que te diere (MP 2805, 114v)

Cortada sea la mano que te diere (OA 189, 24)

Cortada sea la mano que te diere (RV 768, 253)

Cortada sea la mano que te diere (TP 506, 339v)

Cortado le han un girón (*Vergel*, Ubeda, 27)

Cortarme puede el hado (FN VII-353, 57)

Cortarme puede el hado (FN VII-354, 388v)

Corten espadas afiladas (*Medinaceli*, 73v)

Cortes arma el rey Alfonso (*Padilla*, 197)

Cortesanas de balcón (*Peralta*, 83v)

Cortesanas de balcón (*RG* 1600, 50v)

Cortesanos de mi alma (MN 2856, 89v)

Corteses más divinas que no humanas (PN 373, 198)

Cosa el alma te envía (FN VII-353, 259)

Cosa es cierta señora y muy sabida (MN 2856, 69v)

Cosa es cierta señora y muy sabida (MN 2973, p. 223)

Cosa es muy desigual (PBM 56, 87)

Cosa muy cierta es haber malicia (MP 570, 235)

Cosas Celaltra mía he visto extrañas (*Lemos*, 212v)

Cosas Celaura mía he visto extrañas (MN 2856, 45)

Cosas que no puedan ser (OA 189, 329v)

Cosas que no pueden ser (PN 307, 312)

Costumbre en los egipcios se tenía (*Morán*, 219)

Crece la ausencia y crece la memoria (*Canc.*, Maldonado, 82v)

Crece tanto la pasión (PN 373, 175v)

Crece tanto la pasión (*Rojas*, 39)

Crece tanto la tormenta (*CG* 1511, 146v)

Crecerá cada momento (PN 418, p. 430)

Crecido era mi tormento (*Sevillano*, 286)

Creciendo va el dolor y mi tormento (MN 4256, 51)

Creciendo va el dolor y mi tormento (*Morán*, 191)

Credevo mi amasti or col timor combato (MP 617, 245)

Credo in Deum (RaC 263, 193)

Creo que debo ser l'arca (*Flor de enamorados*, 21v)

Cresca siempre mi deseo (*Sevillano*, 52v)

Creyó en un momento (MP 1587, 166v)

Crezca con el licor del llanto mío (MBM 23/4/1, 215v)

Crezca con el licor del llanto mío (MN 2973, p. 75)

Crezca con el licor del llanto mío (OA 189, 113)

Crezca con el licor del llanto mío (PN 314, 87)

Crezca con el licor del llanto mío (PN 373, 190v)

Crezca siempre mi deseo (PN 373, 199v)

Crezcan con el licor del llanto mío (*Morán*, 91)

Criábase el albanés (MN 17.557, 92v)

Criábase el albanés (*Penagos*, 134v)

Criábase el albanés (*RG* 1600, 188v)

Criada fuistes señora (*Sevillano*, 173v)

Criay em mim sennor de piedade (EM Ç-III.22, 41)

Crió Dios inmenso y fuerte (*Fuenmayor*, p. 245)

Crió Dios para el hombre (*Fuenmayor*, p. 290)

Crió Naturaleza dos borricos (MP 973, 51v)

Crióla la eterna mano salutífera (*Lemos*, 172)

Crióme Natura pulida y hermosa (MN 1317, 469v)

Tabla 69

Crióse el Abindarráez (*Cid*, 227)

Crióse el Abindarráez (MP 1587, 36)

Crióse el Abindarráez (*RH*, 127v)

Cristal Apolo desata (MN 3700, 213v)

Cristales puros y claros (*RG* 1600, 119)

Cristalia una pastora enamorada (*Medinaceli*, 101v)

Cristalia una pastora enamorada (PN 373, 116v)

Cristalina mano delicada (*Padilla*, 181)

Cristiana me vuelvo Zaide (MP 996, 108v)

Cristiano si a Dios comieres (*Canc.*, Ubeda, 48v)

Cristiano si a Dios comieres (*Vergel*, Ubeda, 76v)

Cristianos e mouros (*Corte*, 78v)

Cristo a la orilla del mar (*Lemos*, 23/4/1)

Cristo de nuestra bajeza (*Canc.*, Ubeda, 59)

Cristo en Fénix de amor hecho (*Fuenmayor*, p. 57)

Cristo Jesús escudo a nuestra muerte (*Canc.*, Ubeda, 48)

Cristo Jesús escudo a nuestra muerte (*Vergel*, Ubeda, 67v)

Cristo pastor verdadero (*Sevillano*, 187v)

Cristo que desde el cielo mi pecado (MN 2973, p. 41)

Cristo ramo producido (MN 17.951, 155v)

Cristóbal de Antón Sánchez el de Hita (*Cid*, 123)

Cristóbal de Antón Sánchez el de Hita (MiT 994, 22)

Cristóbal de Antón Sánchez el de Hita (*Peralta*, 29)

Cristóbal de Antón Sánchez el de Hita (PN 373, 51v)

Cristóbal de Antón Sánchez el de Hita (*Sevillano*, 280)

Cristóbal su compañero (*Fuenmayor*, p. 104)

Cristobalillo qué tienes (PN 418, p. 36)

Crudeza vuestra mortal (MP 617, 152v)

Crudo dolor cómo has podido tanto (PN 373, 243v)

Cruel es quien persiguió (*Lemos*, 112v)

Cruel ilustre dama generosa (MN 3806, 66v)

Cruel Medusa yo sé bien a cuantos (OA 189, 126v)

Cruel pastora mía (*Sevillano*, 218v)

Cruel pastora que a tu fiel Pireno (MBM 23/4/1, 142)

Cruel pastora que a tu fiel Pireno (MP 1578, 116)

Cruel pastora que a tu fiel Pireno (PN 373, 279v)

Cruel señora de mi perdimiento (*Cid*, 4v)

Cruel señora de mi perdimiento (*Morán*, 134v)

Cruel verdugo de la humana vida (MP 2459, 32)

Cruel y crueldad más porfiada (MN 3968, 163v)

Cruel y venturosa celosía (MN 2973, p. 256)

Cruel y venturosa celosía (TP 506, 120)

Crueles penas (*Ixar*, xxv v)

Cruz como en la Redención (*Fuenmayor*, p. 233)

Cruz estáis con proporción (*Fuenmayor*, p. 239)

Cruz que sois divino escudo (*Fuenmayor*, p. 248)

Cruz remedio de mis males (*Fuenmayor*, p. 245)

Cruz santa que no podéis (*Jesuitas*, 194)

Cruzados hacen cruzados (*Corte*, 223)

Cual águila caudal que al sol mirando (*Rosal*, p. 86)

Cual águila caudal que al sol resiste (*Morán*, 49v)

Cual águila real que en alto vuelo (*Jesuitas*, 181)

Cual bajel fuerte a quien no presta el remo (MN 3902, 111)

Cual bravo toro vencido (MN 3723, 47)

Cual bravo toro vencido (*RG* 1600, 244v)

Cual cándida paloma reclinada (*Obras*, Cepeda, 110)

Cual de Alejandro Magno la partida (*Obras*, Cepeda, 65v)

Cuál de todos los mortales (*Sevillano*, 177)

Cual de villano suele el sazonado (*Cid*, 56v)

Cual del albergue dulce y amoroso (*Penagos*, 210)

Cuál dicha pudo ser mayor que veros (MP 570, 217)

Cual doncella hermosa y delicada (MN 2973, p. 132)

Cuál dura suerte o cuál fiero destino (TP 506, 301)

Cual el furioso león (*RG* 1600, 166)

Cual el reino del cielo comparando (*Vergel*, Ubeda, x)

Cual el roto capitán (*RG* 1600, 198)

Cual en alpina cumbre hermosa planta (MN 2973, p. 108)

Cual en la alpina cumbre hermosa planta (PN 373, 203v)

Cuál es aquel dolorido (MN 1317, 441)

Cuál es aquel espantajo (*Sevillano*, 280v)

Cuál es aquel galán fanfarrón (MN 1317, 471)

Cuál es aquel lisonjero (MN 1317, 441)

Cuál es aquel que por suerte (MN 1317, 440)

Cuál es aquel sin razón (MN 1317, 441)

Cuál es aquel sin ventura (CG 1514, 138v)

Cuál es aquel sin ventura (MN 1317, 439v)

Cuál es aquel tejado sin tejas (*Flor de enamorados*, 107v)

Cuál es aquella cosa deseada (MP 570, 218v)

Cuál es aquella cuitada (*Sevillano*, 215)

Cuál es aquella que siempre desmaya (*Lemos*, 19v)

Cuál es aquella traidora maligna (MN 1317, 440v)

Cual es el alto río que corriendo (*Jesuitas*, 131)

Cuál es el ancho río que corriendo (MN 17.951, 125v)

Cuál es el árbol de dos o tres ramos (*Flor de enamorados*, 107)

Cuál es el ave de tanto valor (*Flor de enamorados*, 44v)

Cuál es el ave de tanto valor (*Lemos*, 19)

Cuál es el ave de tanto volar (*Flor de enamorados*, 107v)

Cuál es el ave de tanto volar (*Lemos*, 18v)

Cuál es el bocado puesto en tal lugar (*Flor de enamorados*, 107v)

Cual es el sol cuando asoma (MN 4127, p. 172)

Cuál es entre las flores la azucena (*Jesuitas*, 355v)

Cuál es hoy el caballero (CG 1511, 226v)

Cuál es la cosa demás (MN 1317, 441v)

Cuál es la cosa más lisa que tabla (MN 1317, 441v)

Cuál es la cosa que hiere y no mata (MN 1317, 440v)

Cuál es la cosa que sale desnuda (*Lemos*, 19v)

Cuál es la cosa que siendo sin vida (CG 1511, 156v)

Cuál es la cosa que vida no tiene (MN 1317, 440v)

Cuál es la cosa sin vida (*Sevillano*, 215v)

Cuál es la cosa tan dura y tan fiera (MN 1317, 440)

Cuál es la esclava comprada (MP 644, 204v)

Cuál es la fruta que suele vendella (*Lemos*, 19v)

Cuál es su crianca Apelles De nobleza (TP 506, 213)

Cual estrella (Jesuitas, 300)

Cuál fiera tempestad cuál accidente (MN 2973, p. 182)

Cual fresca hermosa y verde maravilla (*Morán*, 220)

Cual fuego en agua o sombra al sol me siento (MN 3902, 106)

Cual fui señora siempre así ser quiero (MN 1132, 56v)

Cuál hijo puede nacer (MP 644, 204v)

Cuál hombre se pudo hallar (PBM 56, 110)

Cuál hombre sufrirá tus disfavores (*Morán*, 105)

Cual la leona suele congojosa (*Vergel*, Ubeda, 177)

Cual la que vino en la troyana armada (*Jacinto López*, 36v)

Cual mariposa torno a ti luz mía (MP 3560, 37v)

Cuál música en la oreja suena al hombre (*Canc.*, Ubeda, 112)

Cuál música en la oreja suena al hombre (*Vergel*, Ubeda, 26)

Cual niño tierno que por serlo mama (*Fuenmayor*, p. 158)

Cual niño tierno y cauto que contento (MN 17.556, 126)

Cuál nueva al preso llegó (CG 1511, 151v)

Cual pequeñuela nave combatida (MN 4256, 107)

Cual quando deja el rico y oloroso (*Rosal*, p. 40)

Cual queda el caminante sin consuelo (*Jesuitas*, 365v)

Cual quien en nave frágil navegando (*Morán*, 123)

Cual quien espiga espiga alguna busca (*Lemos*, 239v)

Cual sale alguna vez la rubia aurora (PN 314, 161)

Cual sale el alba aljófares se viendo (MN 4127, p. 254)

Cual sale por abril la blanca aurora (MN 2973, p.184)

Cual se mostraba la gentil Laviana (*Ixar*, 263)

Cuál será aquel caballero (*Obras*, Cepeda, 139)

Cuál será aquel caballero (*Obras*, Cepeda, 59v)

Cuál será aquella hermosa mujer (MN 1317, 470)

Cuál será el caballero (*Evora*, 50v)

Cual simple mariposa pequeñuela (TP 506, 49v)

Cual simple mariposa vuelvo al fuego (FN VII-354, 31v)

Cuál sois vos san Juan Apóstol (CG 1535, 199)

Cual suele al agua dulce el ciervo herido (*Canc.*, Ubeda, 122v)

Cual suele de Meandro en la ribera (*Borges*, 41v)

Cual suele de Meandro en la ribera (*Corte*, 134)

Cual suele de Meandro en la ribera (MN 2856, 98)

Cual suele de Meandro en la ribera (MN 2973, p. 370)

Cual suele de Meandro en la ribera (MP 570, 255)

Cual suele de Meandro en la ribera (MP 617, 262)

Cual suele de Meandro en la ribera (OA 189, 131v)

Cual suele de Menandro el la ribera (FR 2864, 40v)

Cual suele de Menandro en la ribera (*Heredia*, 197)

Cual suele de Menandro en la ribera (*Jacinto López*, 38)

Cual suele de Menandro en la ribera (MBM 23/4/1, 180v)

Cual suele de Menandro en la ribera (MN 4256, 241)

Cual suele de Menandro en la ribera (MP 973, 232v)

Cual suele de Menandro en la ribera (PN 307, 4)

Cual suele de Menandro en la ribera (PN 373, 317v)

Cual suele descubrirnos su belleza (*Fuenmayor*, p. 96)

Cual suele el capitán que victorioso (*Vergel*, Ubeda, 135)

Cual suele el diestro alcón sagaz y artero (MN 17.951, 73v)

Cual suele el leñador estar dudando (MP 570, 210)

Cual suele el marinero que surcando (FN VII-354, 104)

Cual suele el ruiseñor con triste canto (*Rosal*, p. 36)

Cual suele en la ribera (*Jacinto López*, 148)

Cual suele en su jardín la blanca rosa (*Jesuitas*, 446)

Cual suele Febo con sus manos de oro (*Rosal*, p. 296)

Cual suele la encarnada y fresca osa (MN 17.951, 65)

Cual suele parecer tras gran nublado (MN 2856, 67)

Cuál suerte España en ti con furia encierra (MN 3902, 131)

Cuál te fue mejor carillo (*Sevillano*, 197)

Cuál te pareció Minguillo (MP 644, 132v)

Cual temer suele el que llevar intenta (*Vergel*, Ubeda, 56v)

Cual tierna cervatilla que buscando (FR 3358, 215v)

Cual tigre de coraje emponzoñoso (FN VII-353, 165v)

Cual tú me viese yo libro dichoso (MP 570, 208)

Cual va del ancho puerto temeroso (*RH*, iv)

Cuáles son dos animales (MN 1317, 440)

Cuáles son dos que juntos nacieron (MN 1317, 440)

Cuáles son las dos hermanas (MN 1317, 441)

Cualquier día me parece (*Obras*, Silvestre, 95v)

Cualquier día me parece (PN 372, 287)

Cualquier discreto que este libro viere (*Penagos*, 5)

Cualquier dolor cualquier f. fuerte (*Padilla*, 2)

Cualquier esperanza vana (*Obras*, Cepeda, 86v)

Cualquier francés o gabacho (*Heredia*, 358v)

Cualquier pena por más gloria (CG 1511, 145)

Cualquier prisión y dolor (CG 1511, 140)

Cualquiera casa de monjas (*Morán*, 79v)

Cualquiera casa de monjas (*Toledano*, 101v)

Cualquiera mujer graciosa (*Morán*, 228v)

Cualquiera pasión mortal (*Obras*, Cepeda, 88)

Cualquiera pecador se mire y vea (*Borges*, 84v)

Cualquiera que amor siguiere (OA 189, 369)

Cualquiera que amor siguiere (PN 307, 246)

Cualquiera que en error se ve que ha dado (NH B-2558, 3)

Cualquiera que ha deseado (*Toledano*, 29v)

Cualquiera regocijado (*Lemos*, 119)

Cuán a vuestro placer me habíades dado (*Padilla*, 12)

Cuán alta que iba la luna (*Sevillano*, 163)

Tabla 71

Cuán amarga es tu memoria (MN 17.951, 157v)

Cuán bajo aposentas (PBM 56, 72v)

Cuán bien os dice Esteban el vestido (*Jesuitas*, 188v)

Cuán bien os dice tierno enamorado (*Jesuitas*, 359v)

Cuán bien parecéis María (*Sevillano*, 94v)

Cuán bien puede llamarse (*Obras*, Cepeda, 78v)

Cuán bien se puede decir (*Canc.*, Ubeda, 31)

Cuán bienaventurado / Amor puedo llamarme /viéndome ya contigo tan valido (*Tesoro*, Padilla, 51v)

Cuán bienaventurado / aquel puede llamarse / que con soberano pan es nutrido (*Cid*, 97)

Cuán bienaventurado / aquel puede llamarse / que con la dulce soledad se abraza (*Medinaceli*, 129v)

Cuán bienaventurado / aquel puede llamarse / que con la dulce soledad se abraza (*Rosal*, p. 36)

Cuán bienaventurado / Paulo puede llamarse / que con tan dulce soledad se abraza (*Vergel*, Ubeda, 159)

Cuán bienaventurado / puede con justa causa aquel llamarse / que vive vive descuidado (*Vergel*, Ubeda, 124v)

Cuán bravo va Bravonel (*Obras*, Cepeda, 139)

Cuán cierto es a un desdichado (PN 373, 276v)

Cuán claro cuán notorio y llano veo (*Jacinto López*, 226v)

Cuán claro de conocer (CG 1511, 159)

Cuán contraria del bien de mi provecho (*Heredia*, 105v)

Cuán de mal conocimiento (*Sevillano*, 240v)

Cuán discreto y desenvuelto (*Fuenmayor*, p. 54)

Cuán discreto y desenvuelto (MN 17.951, 42v)

Cuán diversas sendas (*Jacinto López*, 183)

Cuán diversas sendas (*Jhoan López*, 44v)

Cuán dulce son al buen enamorado (FN VII-353, 290)

Cuán grande es el mar y las arenas (*Lemos*, 121)

Cuán llenos de rocío (*Jacinto López*, 60v)

Cuán manifiesta y clara es la locura (OA 189, 11)

Cuán manifiesta y clara es la locura (PN 314, 5v)

Cuán manifiesta y clara es la locura (WHA 2067, 93v)

Cuán pobre por Filipo España queda (MP 2459, 109)

Cuán presto helaste oh mi fortuna fiera (MN 3968, 152v)

Cuán presto se pasaron muchos años (*Borges*, 73)

Cuán ricos nos hallamos los pastores (TP 506, 52)

Cuán traidor eres Marquillos (*Rosa de Amores*, Timoneda, 66v)

Cuán vanas y cuán breves son las glorias (FN VII-354, 389)

Cuán venerables que son (*Lemos*, 103)

Cuando a amar me sacó la mentirosa (TP 506, 212)

Cuando a escribir de vos el alma mía (MN 2973, p. 398)

Cuando a la dulce fruta le han comido (MN 17.951, 70)

Cuando a la dulce fruta le han comido (*Vergel*, Ubeda, 140v)

Cuando a placer te dabas (PBM 56, 21, 102)

Cuando acabé de cantar (*Tesoro*, Padilla, 338v)

Cuando acabó de cantar (*Tesoro*, Padilla, 475)

Cuando acierta el desear (CG 1511, 130)

Cuando acierta el desear (MP 617, 153)

Cuando al fin más cruda guerra (*Rosal*, p. 34)

Cuando al fresco verano (MN 17.951, 61v)

Cuando al hombre sin abrigo (BeUC 75/116, 93v)

Cuando al hombre sin abrigo (MN 3670, 36)

Cuando al hombre sin abrigo (MN 3968, 76v)

Cuando al hombre sin abrigo (MN 4256, 172)

Cuando al hombre sin abrigo (MN 4262, 176v)

Cuando al hombre sin abrigo (MN 4268, 180v)

Cuando al hombre sin abrigo (MRAH 9-7069, 89v)

Cuando al hombre sin abrigo (PN 307, 105v)

Cuando al hombre sin abrigo (RV 768, 160), *ver* Cuando el

Cuando al mundo en mis versos pareciere (*Canc.*, Maldonado, 59)

Cuando alegres hora (MN 3700, 185v)

Cuando algún bien esperamos (*Obras*, Silvestre, 87)

Cuando algún del cristianismo (*Lemos*, 168v)

Cuando alguno quiere entrar (CG 1511, 194)

Cuando allá en el santo suelo (*Sevillano*, 84v)

Cuando amor con grave salva (*Cid*, 73)

Cuando amor entró en mi pecho (PN 373, 286)

Cuando Amor me lastimaba (*Penagos*, 48v)

Cuando amor vence de grado (CG 1511, 122v)

Cuando Apolo del mar se levantaba (TP 506, 51)

Cuando aquel claro lucero (MN 3725-2, 149)

Cuando aquel sacro templo fabricaban (*Lemos*, 167v)

Cuando ardía en mí un juvenil brío (MN 2973, p. 158)

Cuando asomaba en el dorado oriente (MN 4127, p. 221)

Cuando ausente me hallo de mi gloria (MN 2973, p. 398)

Cuando Belén se nombró (*Sevillano*, 176v)

Cuando celosa pasión (MP 2803, 149)

Cuándo cesarán las iras (RG 1600, 228)

Cuando cesaron la iras (MP 996, 186)

Cuando con baja escalera (CG 1511, 188)

Cuando con fineza Amor (*Tesoro*, Padilla, 328v)

Cuando con gran dolencia (*Jacinto López*, 291v)

Cuando con gran dolencia (MP 973, 10)

Cuando con la privación (*Padilla*, 45v)

Cuando con largo vivir (*Romancero*, Padilla, 243)

Cuando con más dolor el alma hiere (MN 1132, 198v)

Cuando con más dolor el amor hiere (CG 1554, 173)

Cuando con más luz y fuego (*Jacinto López*, 199v)

Cuando con más reposo comúnmente (MN 1132, 152)

Cuando con mayor sosiego (*Tesoro*, Padilla, 407)

Cuando contemplo el cielo (FN VII-354, 360)

Cuando contemplo el cielo (*Jesuitas*, 319)

Cuando contemplo el cielo (MN 17.951, 39v)

Cuando contemplo el cielo (MN 3698, 167)

Cuando contemplo el cielo (*Rosal*, p. 13)

Cuando contemplo zagala (MN 4127, p. 253)

Cuándo cuándo (*Recopilación*, Vázquez, 16)

Cuando cuchillo no hubiera (*Vergel*, Ubeda, 174)

Cuando de cautividad (*Jesuitas*, 244)

Cuando de entrambos cielos el rocío (*Faria*, 16)

Cuando de Francia partimos (MN 17.556, 18v)

Cuando de Francia partimos (*RG* 1600, 105v, 167)

Cuando de los enemigos (MN 3723, 31)

Cuando de los enemigos (*RG* 1600, 92v)

Cuando de mi corazón (*CG* 1511, 141)

Cuando de muy confiada (*Rojas*, 144)

Cuando de pensar lo ha sido (MN 3902, 89)

Cuando de puro cansado (*MP* 1587, 181)

Cuando de reposo posa (*CG* 1511, 208v)

Cuando de ti señora más me aparto (MN 1132, 140v)

Cuando de ti y de la vida (*Morán*, 110)

Cuando de tus soles negros (*Sablonara*, 46)

Cuando de vos gentil señora mía (MN 2973, p. 357)

Cuando de vos me partía (*CG* 1511, 127v)

Cuando de vos me partiere (*CG* 1511, 117)

Cuando de vossa vista me apartaba (NH B-2558, 60v)

Cuando de vuestras manos mi esperanza (MN 3902, 126v)

Cuando dejare el curso luminoso (*MP* 973, 72v, 200)

Cuando dejé tu presencia (*RG* 1600, 271v)

Cuando del agua clara en la hermosura (*Jesuitas*, 389)

Cuando del caos confuso (*Peralta*, 50)

Cuando del grave golpe es ofendido (MN 2973, p. 367)

Cuando del signo casto y amoroso (*Jesuitas*, 275)

Cuando del tirano fuerte (*Vergel*, Ubeda, 174)

Cuando descansaba (*Morán*, 21)

Cuando desiguales son (*Lemos*, 285v, 289v)

Cuando despacio me miro (MN 3700, 205v)

Cuando Dios al hombre vio (*Jesuitas*, 148)

Cuando Dios determinó (*CG* 1535, 199v)

Cuando Dios es con el hombre (*Lemos*, 165v)

Cuando dormidos estamos (*Padilla*, 125v)

Cuando dormidos estamos (*Tesoro*, Padilla, 468v)

Cuando dormidos nos vemos (*Cid*, 135)

Cuando duermen en Zamora (*Cid*, 171v)

Cuando el alba con sus rayos (MN 2856, 131)

Cuando el alma se despide (*Morán*, 229)

Cuando el ama hiere Amor (*Tesoro*, Padilla, 326v)

Cuando el amor acierta a dar herida (WHA 2067, 10)

Cuando el amor corresponde (*MP* 2803, 156)

Cuando el amor entendí (*Morán*, 21v)

Cuando el ánima se inclina (*CG* 1511, 17)

Cuando el bien mayor se espera (*CG* 1511, 127)

Cuando el bien templar concierta (*CG* 1511, 100)

Cuando el cazador tiraba (*Jesuitas*, 448v)

Cuando el ciervo del cazador seguido (*Canc.*, Ubeda, 48)

Cuando el ciervo del hombre perseguido (*Jacinto López*, 273v, 299v)

Cuando el ciervo del hombre perseguido (*Vergel*, Ubeda, 66v)

Cuando el conde Alfonso Enríquez (*RG* 1600, 162)

Cuando el corriente Nilo celebrado (*Jesuitas*, 274)

Cuando el costado divino (*CG* 1535, 194v)

Cuando el costado divino (*Fuenmayor*, p. 608)

Cuando el divino sol de quien recibe (*Penagos*, 190)

Cuando el dorado Apolo en el oriente (*Jesuitas*, 294)

Cuando el ferviente Apolo se desvía (*MP* 617, 188v)

Cuando el fiero y bravo Ulises (*RH*, 9v)

Cuando el fuego de amor crece (*MP* 1587, 76v)

Cuando el gusano con labrar su seda (FR 3358, 100v)

Cuando el gusano en su labor de seda (*Jesuitas*, 357)

Cuando el gusano en su labor de seda (MN 17.951, 69)

Cuando el hermoso Apolo descubría (*Morán*, 44v)

Cuando el hermoso sol sale de Oriente (MN 17.951, 70)

Cuando el hombre sin abrigo (FN VII-354, 62v)

Cuando el hombre sin abrigo (MBM 23/8/7, 160)

Cuando el hombre sin abrigo (*MP* 2805, 40)

Cuando el hombre sin abrigo (OA 189, 296v)

Cuando el hombre sin abrigo (PhUP1, 100v), *ver* Cuando al

Cuando el lucido rayo de la luna (*MP* 1587, 54v)

Cuando el mal es espacioso (*Canc.*, Maldonado, 22)

Cuando el mal es sin remedio (*MP* 570, 109v)

Cuando el mal es sin remedio (OA 189, 376)

Cuando el mal es sin remedio (PN 307, 249v)

Cuando el mal es sin remedio (*Romancero*, Padilla, 287)

Cuando el mal fuere menguante (TP 506, 396)

Cuando el mal va de huida (*CG* 1514, 185v)

Cuando el mal viene sin cura (*MP* 2803, 172v)

Cuando el mayor planeta su jornada (*RH*, 227v)

Cuando el mundo Dios fundó (*CG* 1535, 201)

Cuando el natural amor (MBM 23/4/1, 317)

Cuando el natural amor (*Morán*, 37v)

Cuando el natural amor (*Padilla*, 86)

Cuando el noble está ofendido (MN 3723, 71)

Cuando el noble está ofendido (*RG* 1600, 259)

Cuando el padre de Faetón (*RH*, 56v)

Cuando el pájaro canta (MoE Q 8-21, p. 4)

Cuando el piadoso Eneas (*MP* 996, 42)

Cuando el piadoso Eneas (*RG* 1600, 261)

Cuando el planeta que las horas parte (*MP* 617, 188)

Cuando el radiante Febo es levantado (*MP* 617, 186)

Cuando el rey Chico tenía (*Cid*, 126v)

Tabla   73

Cuando el rey Fernando cuarto (*RG* 1600, 189v)
Cuando el riguroso invierno (MN 3724, 50v)
Cuando el risueño diente y labio miro (SU 2755, 41)
Cuando el rojo y claro Apolo (*RH*, 59v)
Cuando el rubicundo Febo (*RH*, 123v)
Cuando el sacro Verbo vino (*Canc.*, Ubeda, 140)
Cuando el sacro Verbo vino (*Vergel*, Ubeda, 131v)
Cuando el ser del rojo Apolo (*Padilla*, 164)
Cuando el sereno cielo relucía (TP 506, 50v)
Cuando el sol contrario al polo (*Gallardo*, 18v)
Cuando el sol contrario al polo (MP 617, 224)
Cuando el sol pasa dejando (*CG* 1535, 198v)
Cuando el sol sale de Oriente (*CG* 1535, 199)
Cuando el sueño a las mañanas (MoE Q 8-21, p. 12)
Cuando el sufrir no aprovecha (PN 373, 154)
Cuando el tal sin que se asombre (*CG* 1511, 141v)
Cuando el tiempo se nos troca (*Flor de enamorados*, 108)
Cuando el toro hiere o mata (FN VII-353, 225v)
Cuando el triste corazón (*Canc.*, Maldonado, 37)
Cuando el triste corazón (*Guisadillo*, Timoneda, 4v)
Cuando el triste corazón (MP 1587, 76, 97)
Cuando el triste corazón (*Padilla*, 145)
Cuando el valeroso Orlando (*Morán*, 99v)
Cuando el valeroso Orlando (MP 1587, 60)
Cuando en carne a Dios miré (*Jesuitas*, 141)
Cuando en Castilla y León (MN 5602, 22)
Cuando en este regocijo (*CG* 1535, 191)
Cuando en grave dolencia (*Cid*, 60)
Cuando en grave dolencia (*Jesuitas*, 328)
Cuando en grave dolencia (MP 3560, 38)
Cuando en Hircania el cazador famoso (MP 973, 68)
Cuando en la primavera mi árbol crece (MN 3902, 108)
Cuando en lazos de amor el sol reinaba (MiB AD.XI.57, 13v)
Cuando en más reposo comúnmente (*CG* 1554, 163v)
Cuando en más seguridad (*Canc.*, Maldonado, 26v)
Cuando en mi alma represento y miro (MN 2973, p. 298)
Cuando en mi mal empeoro (OA 189, 375v)
Cuando en mi mal empeoro (PN 371, 26)
Cuando en prosperidad gozoso estaba (FR 3358, 161)
Cuando en solitaria selva umbrosa (*Corte*, 119v)
Cuando en tus brazos Filis recogiéndome (FN VII-354, 266)
Cuando en tus brazos Filis recogiéndome (*Jacinto López*, 251)
Cuando en tus brazos Filis recogiéndome (RaC 263, 129)
Cuando en vos contemplo y miro (MP 1587, 93v)
Cuando entendí que tenía (MN 17.556, 101)
Cuando entendí que tenía (MN 17.557, 7)
Cuando entendí que tenía (*Penagos*, 74v)
Cuando entendí que tenía (*RG* 1600, 98)
Cuando entendí tener asegurado (*Tesoro*, Padilla, 239)

Cuando entrárades caballero (*Sevillano*, 249v), *ver* Cuando entrares
Cuando entráredes alma mía (*Canc.*, Ubeda, 53v)
Cuando entráredes alma mía (*Vergel*, Ubeda, 78v)
Cuando entrares caballero (*Morán*, 39v)
Cuando es el golpe pasado (FN VII-353, 50v)
Cuando es la nao combatida (*Fuenmayor*, p. 586)
Cuando es tanto el merecer (*CG* 1535, 199v)
Cuando esa grande Alemania (*Canc.*, Ubeda, 152v)
Cuando esa grande Alemania (*Vergel*, Ubeda, 165v)
Cuando está ausente de Marcia (MN 3700, 122)
Cuando está con la razón (MN 5593, 31)
Cuando está con más gusto / la mi morena (MN 3913, 72)
Cuando está mi pensamiento (*Elvas*, 26)
Cuándo estarán mis ojos contemplando (MN 2973, p. 117)
Cuando estás en el campo y la ribera (MP 3560, 27v)
Cuando estoy de vos ausente (MP 617, 151v)
Cuando estoy de vos ausente (PBM 56, 85)
Cuando Febo del Júcar coloraba (SU 2755, 20)
Cuando Febo dorado ((MBM 23/4/1, 85v)
Cuando formaros quiso la Natura (MP 973, 71v)
Cuando fueres a la villa (MN 3724, 139)
Cuando fueres a la villa (*RG* 1600, 131)
Cuando fui engendrado (*Toledano*, 89), *ver* Fui engendrado
Cuando fui querido amé (*Morán*, 125v)
Cuando fuiste señora retraída (MN 2973, p. 77)
Cuando fuistes señora retraída (*Heredia*, 342v)
Cuando fuistes señora retraída (MN 4256, 158)
Cuando fuistes señora retraída (MN 4268, 118)
Cuando fuistes señora retraída (PN 311, 12v)
Cuando fuistes señora retraída (TP 506, 357v)
Cuando fuistes señora tan retraída (*Evora*, 63v)
Cuando gime el pecador (*Lemos*, 165v)
Cuando gocé los favores (*Jhoan López*, 145v)
Cuándo ha de haber fin tan triste vida (MP 617, 202)
Cuando hiere algún sayón (*Lemos*, 63)
Cuando iban no iban tristes ni lloraban (*Vergel*, Ubeda, 144v)
Cuando Inés da en ser esquiva (*Rojas*, 144)
Cuando Isabel contemplo esa hermosura (*Morán*, 138v)
Cuando Juan salió (*León/Serna*, 96v)
Cuando juntos estuvieron (MN 3902, 64)
Cuando juntos me dolieron (*CG* 1514, 92)
Cuando juntos me dolieron (*Ixar*, 340)
Cuando la alba sale (MN 3913, 48v)
Cuando la alegre y dulce primavera (*Lemos*, 3v)
Cuando la alegre y dulce primavera (MN 3902, 17)
Cuando la alegre y dulce primavera (OA 189, 142v)
Cuando la blanca rosa ya encarnada (*Jesuitas*, 291)

Cuando la casta Diana (*Rojas*, 146v)

Cuando la causa busco del efecto (TP 506, 272)

Cuando la culpa procede (*Heredia*, 23)

Cuando la deseada primavera (PN 307, 63v)

Cuando la dulce y clara primavera (TP 506, 257v)

Cuando la edad con el trabajo inmenso (MP 2459, 48v)

Cuando la estéril arena (MN 3724, 92)

Cuando la estéril arena (*RG* 1600, 141)

Cuando la fértil Italia (*León/Serna*, 85v)

Cuando la fértil Italia (PN 372, 22), *ver* Cuando la fuerte

Cuando la Fortuna hizo su rueda (*Lemos*, 122)

Cuando la fuerte Italia (RaC 263, 40v), *ver* Cuando la fértil

Cuando la gloria busqué (PN 371, 55v)

Cuando la locura (*Tesoro*, Padilla, 313v)

Cuando la luz de Ero vio encendida (*Jhoan López*, 9v)

Cuando la luz de su cara (*Jhoan López*, 22v)

Cuando la luz de su cara (*Romancero*, Padilla, 325v)

Cuando la mar alterada (MN 3724, 75)

Cuando la mar alterada (*RG* 1600, 133)

Cuando la más preciosa (SU 2755, 156)

Cuando la muerte recelo (CG 1511, 144)

Cuando la noche en el partir del día (MN 3902, 30)

Cuando la noche oscura (*Rosal*, p. 68)

Cuando la noche tiende el triste manto (MN 2856, 118)

Cuando la pena es mortal (OA 189, 375)

Cuando la pena es mortal (PN 307, 243v)

Cuando la prueba es mortal (PN 371, 26v)

Cuando la quiero pasar (PBM 56, 90)

Cuando la sacra excelencia (CG 201)

Cuando la seca hierba reverdece (MN 17.556, 127)

Cuando la tierra seca reverdece (*Penagos*, 12)

Cuando la triste doña Alda (*RH*, 98v)

Cuando las aguas de Tajo (*RG* 1600, 79v)

Cuando las aguas del Tajo (MN 17.557, 61)

Cuando las aguas del Tajo (*Penagos*, 133)

Cuando las angustias mías (MN 3691, 26)

Cuando las desdichas mías (MN 3902, 68)

Cuando las desdichas mías (OA 189, 130)

Cuando las desdichas mías (PN 307, 246v)

Cuando las gentes todas van buscando (MP 617, 292)

Cuando las gentes van todas buscando (MN 1132, 28)

Cuando las gentes van todas buscando (MN 2973, p. 369)

Cuando las madejas de oro (MP 2803, 170)

Cuando las pintadas aves (MN 2856, 81v)

Cuando las pintadas aves (*Penagos*, 127)

Cuando las pintadas aves (*RG* 1600, 319)

Cuando las sagradas aguas (*RG* 1600, 330)

Cuando las tristes horas a una a una (*Jacinto López*, 23v)

Cuando las veloces yeguas (MN 3723, 121)

Cuando las veloces yeguas (*RG* 1600, 241)

Cuando le pintaron ciego (MP 2803, 114)

Cuando le veo (*Toledano*, 32v)

Cuando Lidia me alabas (*Morán*, 237v)

Cuando Lidia me alabas (MP 973, 35v)

Cuándo llegará aquel día (MN 4127, p. 187)

Cuando lo que he de ser me considero (MiB AD.XI.57, 27)

Cuando los campos se visten (MP 996, 113v)

Cuando los campos se visten (*RG* 1600, 125)

Cuando los cansados cuerpos (*RG* 1600, 170)

Cuando los daños del error pasado (PN 314, 36v)

Cuando los montes comienzan (MN 3700, 107)

Cuando los ojos del mejor sentido (*Morán*, 90)

Cuando los ojos ponéis (*Canc.*, Maldonado, 47)

Cuando los rayos del planeta ardiente (SU 2755, 70)

Cuando los rubios cabellos (*Jacinto López*, 80v)

Cuando María mía yo pensare (MP 1587, 42)

Cuando María saliere (*Jhoan López*, 22v)

Cuando más buscares (WHA 2067, 33)

Cuando más desnudos son de verdura (EM Ç-III.22 32v)

Cuando más embebecida (CG 1511, 136)

Cuando más favorecidos (*Morán*, 214v)

Cuando más llamas de amor (*Fuenmayor*, p. 55)

Cuando más más confiado (WHA 2067, 121)

Cuando más por más perdido (CG 1514, 139v)

Cuando más por más perdido (MP 617, 155v)

Cuando más por más perdido (OA 189, 333)

Cuando más por más perdido (PN 307, 219)

Cuando me acuerdo de mi desventura (*Lemos*, 153)

Cuando me acuerdo de mi desventura (*Penagos*, 188v, 195v)

Cuando me aprieta el tormento (PN 307, 244)

Cuando me aprieta el tormento (PN 371, 26)

Cuando me atreví a miraros (*Tesoro*, Padilla, 317)

Cuando me dice mi dama (MP 1587, 180v)

Cuando me hayan de casar (*Sevillano*, 261v)

Cuando me miraban (TorN 1-14, 43)

Cuando me paro a contemplar lo andado (FR 3358, 105v)

Cuando me paro a contemplar mi estado (*Gallardo*, 37)

Cuando me paro a contemplar mi estado (PN 307, 61v)

Cuando me paro a contemplar mi vida (FN VII-354, 398)

Cuando me paro a pensar (*RG* 1600, 130)

Cuando me pienso en puerto estoy en playa (MN 3902, 129)

Cuando me pongo a mirar (*Vergel*, Ubeda, 108)

Cuando me rindieron (MBM 23/4/1, 316)

Cuándo me vengaré de mi cuidado (MN 3902, 107)

Cuando me veo en lágrimas deshecho (MN 3902, 110v)

Cuando me vuelvo a mirar (PN 307, 198v)

Cuando me vuelvo a mirar (SU 2755, 234)

Cuando Menga a Gil amaba (*Sevillano*, 57)

Tabla 75

Cuando Menga quiere a Blas (*FRG*, p. 146)
Cuando Menga quiere a Blas (*Guisadillo*, Timoneda, 3)
Cuando Menga quiere a Blas (*Morán*, 186v)
Cuando Menga quiere a Blas (PN 307, 313)
Cuando Menga quiere a Blas (*Sevillano*, 72, 204)
Cuando Menga quiso a Blas (*Rojas*, 82v)
Cuando Menga ya quería (*Sevillano*, 204)
Cuando menos debiera alcé los ojos (*Canc.*, Maldonado, 86)
Cuando merecí veros (*Tesoro*, Padilla, 137)
Cuando mi alma se saca de sentido (*CG* 1554 189)
Cuando mi bien por mi mal (*Morán*, 108v)
Cuando mi ingenio a Inés concibe y ve (*Jhoan López*, 135)
Cuando mi madre cuitada (MN 3691, 81v)
Cuando mi mal más me acuerda (*Gallardo*, 47)
Cuando mi mal más me acuerda (MN 3902, 56v)
Cuando mi ser natural (*Obras*, Cepeda, 84v)
Cuando mi Silvia saliere (*Romancero*, Padilla, 325v)
Cuando mi suspiro va (*CG* 1511, 194)
Cuando miré vuestros ojos (*Padilla*, 234v)
Cuando mis ansias mortales (*Morán*, 5, 67)
Cuando mis ojos os vieron (PN 373, 210v)
Cuando murió el rey Saúl (*Cid*, 238v)
Cuando nací hurtó Naturaleza (*Cid*, 63v)
Cuando naciere el sol en el Poniente (MN 2973, p. 324)
Cuando natura os formó (*Gallardo*, 44)
Cuando Natura os hizo tan hermosa (*Jacinto López*, 7)
Cuando Natura os hizo tan hermosa (MBM 23/4/1, 210v)
Cuando Natura os hizo tan hermosa (*Morán*, 15v)
Cuando Natura os hizo tan hermosa (PN 373, 88v)
Cuando no es el amor muy confirmado (*Padilla*, 7v)
Cuando no es el amor tan confirmado (*Tesoro*, Padilla, 470)
Cuando no pude quejar (*CG* 1511, 193)
Cuando no puede el mal disimularse (*Padilla*, 77v)
Cuando no queda esperar (*CG* 1511, 134)
Cuando no tengo un real (*Padilla*, 53v)
Cuando nos quiso mostrar (*Lemos*, 109)
Cuando nos quiso mostrar (PN 373, 84)
Cuando nos quiso mostrar (*Toledano*, 74)
Cuando nuestro Dios vistió (*Borges*, 33v)
Cuando nuestro Dios vistió (*Fuenmayor*, p. 402)
Cuando ojos bellos lloráis (*Jhoan López*, 28)
Cuando os pretendo alabar (MN 17.951, 148v)
Cuando os quiso formar Naturaleza (MP 3560, 20)
Cuando os vi en mí sentí (*CG* 1514, 109v)
Cuando os vide y me vi preso (*Obras*, Silvestre, 66)
Cuando para aquí pasáis (MoE Q 8-21, p. 92)
Cuando para mi bien me representa (*Obras*, Cepeda, 99)
Cuando para partir se remueve (*CG* 1554, 198v)
Cuando para partir se remueve (MN 1132, 31v)

Cuando pastora mía yo pensare (MBM 23/4/1, 95v)
Cuando pensaba que Amor (*Padilla*, 83v)
Cuando perlas orientales (MN 3700, 5)
Cuando piensa el corazón (*Peralta*, 12v)
Cuando pienso que nací (*CG* 1527, 185v)
Cuando pintan la paciencia (*Morán*, 106v)
Cuándo podréis gozar mis ojos tristes (*Jacinto López*, 7v)
Cuándo podréis gozar mis ojos tristes (MN 3806, 71v)
Cuándo podréis gozar mis ojos tristes (*Obras*, Silvestre, 358)
Cuando por dar al hombre [ilegible] (*Peralta*, 53v)
Cuando por prados amenos (MN 3723, 37)
Cuando por prados amenos (*RG* 1600, 204v)
Cuando presos pasamos (*Cid*, 57)
Cuando presos pasamos (*Jacinto López*, 293v)
Cuando presos pasamos (*Morán*, 64v)
Cuando presos pasamos (MP 3560, 39)
Cuando presos pasamos (MP 973, 4v)
Cuando presos pasamos (MP 996, 266)
Cuando remedio se espera (*CG* 1554, 14)
Cuando remedio se espera (MN 1132, 142v)
Cuando riguroso invierno (*RG* 1600, 97v)
Cuando Roma conquistaba (*CG* 1511, 47v)
Cuando Roma conquistaba (*Corte*, 172)
Cuando Roma conquistaba (*Ixar*, 147)
Cuando Roma conquistaba (MP 617, 17v)
Cuándo saldréis alba galana (MN 3913, 50)
Cuándo saldréis alba galana (MP 996, 120v)
Cuándo saldréis alba galana (*RG* 1600, 327v)
Cuando sale el alba (*Sablonara*, 62)
Cuando sale el alba hermosa (MN 3700, 25)
Cuando sale el sol señora (MN 17.556, 122v)
Cuando sale el sol señora (MP 996, 158v)
Cuando sale mi niña (FN VII-353, 100v)
Cuando salen del alba (PA 1506, p. 18)
Cuando salió de cautivo (*Tesoro*, Padilla, 377)
Cuando salió desterrado (*Peralta*, 19)
Cuando señora entre nos (*CG* 1511, 114v)
Cuándo será aquel día venturoso (*CG* 1554, 191)
Cuándo será aquel día venturoso (MN 1132, 6v)
Cuándo será aquel día venturoso (MP 570, 252)
Cuándo será el día (FN VII-353, 173)
Cuándo será el día (*Jacinto López*, 184)
Cuándo será que pueda (FN VII-354, 363)
Cuándo será que pueda (MN 3698, 156)
Cuando siente la falta del sentido (*Canc.*, Ubeda, 137)
Cuando siente la falta del sentido (*Padilla*, 77)
Cuando siente la falta del sentido (*Vergel*, Ubeda, 197v)
Cuando sólo en el mundo se tratara (*Obras*, Cepeda, 11v)
Cuando soy de vos ausente (*Colombina*, 51v)

Cuando su blanca cara cristalina (TP 506, 56v)
Cuando su oscuro manto y tenebroso (MN 1132, 43)
Cuando su oscuro manto y tenebroso (PN 371, 102)
Cuando su oscuro manto y tenebroso (TP 506, 36v)
Cuando sus caballos Febo (TP 506, 70v)
Cuando sus cabellos Febo (Sevillano, 215v)
Cuando tanto alabas Clara (Corte, 36)
Cuando te tocares niña (*Jacinto López*, 205v, 207v)
Cuando terminaba (MP 996, 161)
Cuando Tirse siguiere otra pastora (MBM 23/4/1, 234)
Cuando Tirse siguiere otra pastora (MN 3968, 96v)
Cuando Tirsi siguiere otra pastora (MP 1578, 100)
Cuando Tirsi siguiere otra pastora (PN 371, 90)
Cuando un alma está metida (RH, 205v)
Cuando un amor a otro alcanza (PN 372, 71v)
Cuando un curioso pintor (Fuenmayor, p. 570)
Cuando un negocio está más alongado (MN 6001, 63v)
Cuando un triste corazón (*Padilla*, 84v)
Cuando un triste corazón (*Romancero*, Padilla, 294)
Cuando una baja doncella (CG 1535, 200)
Cuando una cosa es forzada (PN 307, 283)
Cuando una cosa es forzosa (MP 973, 106)
Cuando uno está más sobre la rueda (MN 6001, 59v)
Cuando variable Fortuna (*Morán*, 78)
Cuando veas que soy partido (León/Serna, 86v)
Cuando vengan mil muertes a matarme (MP 973, 72v)
Cuando vengan mil muertes a matarme (*Padilla*, 142v)
Cuando vengan mil muertes a matarme (*Tesoro*, Padilla, 295)
Cuando veo los lazos de oro sueltos (MN 2973, p. 383)
Cuando veros merecí (Cid, 187)
Cuando veros merecí (*Morán*, 47)
Cuando veros merecí (PN 373, 191), *ver* Desque veros
Cuando vi aquel cabello desparcido (CG 1554, 189v)
Cuando vido Montesinos (*Morán*, 96)
Cuando viene el mal sin cura (MP 2803, 172v)
Cuando viene tras el desaveniros (*Gallardo*, 54v)
Cuando Virgen os miré (*Jesuitas*, 476v)
Cuando vos el alma mía (CG 1511, 185)
Cuando voy allá al lugar (Sevillano, 260)
Cuando vuelve a buscar el dulce nido (MP 644, 191v)
Cuando vuelvo la cara a lo pasado (*Padilla*, 70)
Cuando ya el carro de Febo (FRG, p. 12)
Cuando ya el carro de Febo (*Rosa Real*, Timoneda, 6)
Cuando ya más floreciente (PN 418, p. 240)
Cuando ya Menga quería (Rojas, 82v)
Cuando ya peno de veras (RG 1600, 87v)
Cuando yo atentamente miro y veo (MN 3902, 124)
Cuando yo en mi aldea (Padilla, 93v)
Cuando yo fuere fraile madre (MP 1587, 149v)

Cuando yo fuere fraile madre (Rojas, 9v)
Cuando yo la cuenta haga (*Tesoro*, Padilla, 431)
Cuando yo la muerte llamo (CG 1511, 146v)
Cuando yo me enamoré (MoE Q 8-21, p. 78)
Cuando yo me vengo (Uppsala, n. 28)
Cuando yo nací (*Flor de enamorados*, 63)
Cuando yo nací (Toledano, 89v)
Cuando yo nacía (Toledano, 89v)
Cuando yo no os conocía (*Padilla*, 254v)
Cuando yo os merecí ver (MN 3806, 64)
Cuando yo os merecí ver (Obras, Silvestre, 71)
Cuando yo os quise querida (CG 1511, 132v)
Cuando yo os quise querida (MN 5593, 42)
Cuando yo peno de veras (*Jacinto López*, 210v)
Cuando yo peno de veras (MN 17.556, 27v)
Cuando yo peno de veras (*Penagos*, 138)
Cuando yo soy delante aquella dona (*Ixar*, 265)
Cuando yo triste mezquino (MN 3724, 190)
Cuando yo triste nací (MN 3724, 189v)
Cuando yo veo la gentil criatura (*Ixar*, 263)
Cuando yo vi vuestro gesto (CG 1514, 99v)
Cuant bien habéis entonado (*Flor de enamorados*, 23)
Cuánta envidia te tengo dura tierra (*Morán*, 215)
Cuanta fue nuestra caída (Sevillano, 191v)
Cuanta gloria me dio veros (*Colombina*, 67)
Cuantas bellezas compuso (*Morán*, 213v), *ver* Cuantas
    lindezas
Cuantas fueron serán y son ahora (*Faria*, 5)
Cuantas fueron serán y son ahora (MN 3700, 47v)
Cuantas gracias la natura (MP 1587, 65)
Cuantas lindezas compuso (Obras, Silvestre, 80), *ver* Cuantas
    bellezas
Cuantas más veces os veo (CG 1511, 129v)
Cuanto a cosa mortal darse podía (MN 2973, p. 33)
Cuanto con sus claros ojos descubría (*Borges*, 72)
Cuánto crecéis en desgrado (CG 1511, 128v)
Cuanto Dios en vos ha puesto (Obras, Cepeda, 49)
Cuanto duró la esperanza (CG 1511, 129v)
Cuanto el alma immortal divina excede (TP 506, 320)
Cuanto en mi pecho concibo (*Toledano*, 72v)
Cuanto es el golpe pasado (FN VII-353, 50v)
Cuanto espere de ventura (*Romancero*, Padilla, 341)
Cuanto formó la poderosa mano (*Tesoro*, Padilla, 235v)
Cuanto gallarda amarga y tan llorosa (*Jhoan López*, 133)
Cuanto hombre a cualquier defecto (FN VII-354, 402v)
Cuanto inhonesta honesta y vergonzosa (*Jhoan López*, 132v)
Cuanto la causa es mayor (MN 3902, 52)
Cuanto má fue libertado (Obras, Cepeda, 95v)
Cuanto magis magis (Jacinto López, 318v)

Tabla 77

Cuanto mal me era ordenado (*Corte*, 49)
Cuanto más arde mi llama (*Jacinto López*, 185)
Cuanto más arde mi llama (MP 1587, 124)
Cuanto más cerca de vos (MN 3700, 22v)
Cuanto más das en dejarme (*Jacinto López*, 71)
Cuanto más das en dejarme (*RG* 1600, 21)
Cuanto más en dejarme (*Jhoan López*, 39)
Cuanto más en tu pecho está escondido (MN 2973, p. 175)
Cuanto más le atormentaron (*Vergel*, Ubeda, 137v)
Cuanto más lejos de ti (*CG* 1511, 147v)
Cuanto más lejos de ti (*Jacinto López*, 63v, 71)
Cuanto más lejos de ti (*Jhoan López*, 39)
Cuanto más lejos de ti (*Lemos*, 98)
Cuánto más lejos de ti (*RG* 1600, 21)
Cuanto más pienso serviros (*CG* 1511, 130)
Cuanto más trato amor menos le entiendo (MBM 23/4/1, 121)
Cuanto más voy llegando al postrer día (MP 617, 257)
Cuanto me aprieta el tormento (OA 189, 375v)
Cuanto me mandáreis (*Jacinto López*, 318v)
Cuanto mi vida viviere (*Colombina*, 34v)
Cuanto podía dar vos tinha dado (EM Ç-III.22, 33v)
Cuanto puede me ofenda la Fortuna (*Tesoro*, Padilla, 76)
Cuánto tiempo traballei (PBM 56, 113v)
Cuanto un monte gime o brama (PN 418, p. 483)
Cuanto va de lo vivo a lo pintado (MP 2459, 53)
Cuanto viene y cuanto va (*Penagos*, 50)
Cuanto vos crecéis señora (*CG* 1511, 150)
Cuantos fuisteis y vinisteis (TP 506, 392v)
Cuantos fuistes y vinisteis (MP 617, 208v)
Cuántos hay don Luis que sobre nada (BeUC 75/116, 24)
Cuántos hay don Luis que sobre nada (FN VII-354, 118v)
Cuántos hay don Luis que sobre nada (MBM 23/8/7, 34v)
Cuántos hay don Luis que sobre nada (MN 3670, 81, 127v)
Cuántos hay don Luis que sobre nada (MN 3968, 11v)
Cuántos hay don Luis que sobre nada (MN 4256, 86v)
Cuántos hay don Luis que sobre nada (MN 4262, 25)
Cuántos hay don Luis que sobre nada (MN 4268, 20)
Cuantos hay don Luis que sobre nada (MP 1578, 68v, 190)
Cuantos hay don Luis que sobre nada (MP 2805, 99v)
Cuántos hay don Luis que sobre nada (MRAH 9-7069, 11)
Cuántos hay don Luis que sobre nada (OA 189, 193)
Cuántos hay don Luis que sobre nada (PhUP1, 24)
Cuántos hay don Luis que sobre nada (PN 258, 40)
Cuántos hay don Luis que sobre nada (PN 311, 60)
Cuántos hay don Luis que sobre nada (RV 768, 34v)
Cuantos triunfos adornaron (*CG* 1554 1v)
Cuatro cosas ha menester (*Rojas*, 143)
Cuatro cuartos tengo (MN 3913, 48v)
Cuatro enfermas del amor (PN 418, p. 138)

Cuatro leguas del villar (*Heredia*, 356)
Cuatro vasos Dios crió (*CG* 1535, 196v)
Cuatrocientos sois los míos (MN 1317, 444)
Cuatrocientos sois los míos (MN 1317, 444)
Cubierta de seda y oro (MN 3723, 315)
Cubierta de seda y oro (*RG* 1600, 175v)
Cubierta de trece en trece (*RG* 1600, 29v)
Cubiertas de trece en trece (MP 973, 427v)
Cubiertas de trece en trece (*Penagos*, 75v)
Cubierto de rojo Apolo (MN 2856, 132)
Cubierto de un blanco velo (*Fuenmayor*, p. 276)
Cubierto todo de luto (MN 1317, 438)
Cúbranse mis esperanzas (MN 17.557, 95v)
Cubre con sayal el oro (*Fuenmayor*, p. 582)
Cubren el airado cielo (*RG* 1600, 115)
Cubrió el sol un mortal velo (*Lemos*, 188, 268, 269, 273)
Cubrió el sol un mortal velo (MP 2459, 30, 31, 32, 41v, 44, 49, 105, 106)
Cubrió una oscura nube el día sereno (MN 2973, p. 68)
Cubrir los bellos ojos (MN 2973, p. 84)
Cuelgue ya Marte sus armas (*FRG*, p. 70)
Cuelgue ya Marte sus armas (*Rosa Real*, Timoneda, 40)
Cuenca que tienes el celeste coro (MP 3560, 30)
Cuentan las guerras civiles (*Rosa Gentil*, Timoneda, 24v)
Cuentan que por su mujer (MN 3700, 180)
Cuéntase mi pena (RaC 263, 97v)
Cuento un cuento do no hay cuento (*CG* 1535, 192v)
Cuento un cuento do no hay cuento (MN 17.951, 2)
Cuento un cuento que es sin cuento (*Jesuitas*, 201)
Cuera hecha para mal (*Heredia*, 151)
Cuerpo bestial do el alma esta metida (*Jesuitas*, 362v)
Cuerpo bestial do el alma está metida (MN 17.951, 66v)
Cuerpo bestial do el alma esta metida (*Rosal*, 23)
Cuerpo celestial do el alma está metida (FN VII-353, 8)
Cuerpo de tal Amor con quien os hizo (*Padilla*, 183v)
Cuerpo de tal señora doña Urraca (*Penagos*, 151v)
Cuerpo dénosle hoy hermana Juana (TP 506, 389)
Cuesta un hora de contento (*Padilla*, 6v)
Cuestión es entre damas disputada (FN VII-354, 262v)
Cuestión es entre damas disputada (*Jacinto López*, 250v)
Cuestión es entre damas disputada (RaC 263, 120v)
Cuestión es y buena (*Lemos*, 122)
Cuidado no me congojes (*CG* 1511, 138v)
Cuidado no me congojes (*Flor de enamorados*, 35v)
Cuidado no me congojes (MN 5602, 25v)
Cuidado nuevo venido (*CG* 1511, 196v)
Cuidado nuevo venido (MP 617, 34v)
Cuidados dejáme ahora (*Evora*, 10)
Cuidados desesperados (*Faria*, 100v)

Cuidados gran prisa os dais (*CG* 1557, 399)

Cuidados gran prisa os dais (*MP* 1587, 78),

Cuidados gran prisa os dais (*PN* 307, 235), ver Cuidados mal me

Cuidados mal me tratáis (*Sevillano*, 67v)

Cuidados meus tão cuidados (*Elvas*, 65)

Cuidados no me acabéis (*MN* 4256, 223)

Cuidados no me acabéis (*MN* 4268, 151v)

Cuidados no me acabéis (*OA* 189, 370v)

Cuidados no me acabéis (*PN* 307, 293

Cuidados no me matéis (*WHA* 2067, 122)

Cuidados para qué os vais (*PN* 307, 270)

Cuidados por qué no os vais (*PN* 307, 269)

Cuidados pues que tenéis (*BeUC* 75/116, 111, 145)

Cuidados pues que tenéis (*MBM* 23/8/7, 187)

Cuidados pues que tenéis (*MN* 3968, 84v, 203v)

Cuidados pues que tenéis (*MN* 4256, 214)

Cuidados pues que tenéis (*MN* 4262, 210)

Cuidados pues que tenéis (*MN* 4268, 146)

Cuidados pues que tenéis (*MP* 1578, 44)

Cuidados pues que tenéis (*MP* 2805, 58, 72v)

Cuidados pues que tenéis (*OA* 189, 50)

Cuidados pues que tenéis (*PN* 258, 180)

Cuidados pues que tenéis (*PN* 307, 288v)

Cuidados pues que tenéis (*RV* 768, 214)

Cuidados que en mi triste fantasía (*MN* 17.951, 185v)

Cuidados que me traéis (*BeUC* 75/116, 112)

Cuidados que me traéis (*MBM* 23/8/7, 188v)

Cuidados que me traéis (*MN* 3968, 85)

Cuidados que me traéis (*MN* 4256, 215)

Cuidados que me traéis (*MN* 4262, 204)

Cuidados que me traéis (*MN* 4268, 147)

Cuidados que me traéis (*MP* 1578, 45)

Cuidados que me traéis (*MP* 2805, 59)

Cuidados que me traéis (*OA* 189, 50v)

Cuidados que me traéis (*PhUP1*, 119v)

Cuidados que me traéis (*PN* 258, 181

Cuidados que me traéis (*PN* 307, 289v)

Cuidados que me traéis (*RV* 768, 215)

Cuidados tão sem medida (*Evora*, 5)

Cuidai no mal em que vivo (*EM Ç-III.22* 96v)

Cuidando Diego Laínez (*MP* 996, 191)

Cuidando Diego Laínez (*RG* 1600, 362)

Cuidar me hace cuidado (*CG* 1511, 33)

Cuidava eu que não devia (*Borges*, 59)

Cuidoso va Montesinos (*MP* 1587, 61v)

Cuidoso va Montesinos (*Sevillano*, 250v)

Cuitada navecilla (*Jesuitas*, 458v)

Cuitado de veros yo (*Cid*, 185v)

Cuitado del que llora (*MN* 3724, 192v)

Cuitado del que padece (*MP* 1587, 80)

Cuitado que en un punto lloro y río (*EM Ç-III.22*, 7v)

Cuitado que en un punto lloro y río (*FR* 2864, 6)

Cuitado que en un punto lloro y río (*FR* 3358, 172)

Cuitado que en un punto lloro y río (*Jacinto López*, 229v)

Cuitado que en un punto lloro y río (*MN* 17.951, 72v)

Cuitado que en un punto lloro y río (*MN* 2973, p. 343)

Cuitado que en un punto lloro y río (*OA* 189, 19v)

Culpa debe ser quereros (*OA* 189, 145)

Culpa fue querer miraros (*Morán*, 127v)

Cúlpame mezquina (*Colombina*, 100v)

Culpan todos mis cuidados (*FN* VII-353, 135v)

Culpen lo que es claridad (*Lemos*, 260)

Cúmplase la profecía (*MP* 570, 151v)

Cumplióse mi deseo (*FN* VII-353, 197v)

Cumplióse mi deseo (*MN* 3698, 27)

Cumplióse mi deseo (*MP* 996, 252v)

Cupidillo se arroja (*MoE Q* 8-21, p. 183)

Cupido enojado (*Flor de enamorados*, 63v)

Cupido indignado (*Toledano*, 89)

Cupido rey principal (*Peralta*, 5)

Cupido se ha repartido (*Jacinto López*, 319)

Cupido si te llaman dios de amores (*Morán*, 19v)

Cupo en vuestro merecer (*Sevillano*, 134v)

Cura que en la vecindad (*Sablonara*, 41)

Curaban cinco galenos (*PN* 418, p. 57)

Curiosa Dina por Siquén pasea (*MiB AD.XI.57*, 33)

Curo partida por medio (*CG* 1511, 141)

Cuya festividad la iglesia canta (*Canc.*, Ubeda, 132)

Cuya vista me repara (*MP* 617, 88)

Cúyo sois Niño chiquito (*Sevillano*, 90)

D'amarelo vai o infante (*Toledano*, 53)

D'amor escribo d'amor trato e vivo (*Borges*, 28v)

D'amor los conbats en calcen ma vida (*CG* 1514, 139)

D'honorata madre figlio (*MiT* 1001, 84v)

D'uns claros fios d'ouro em que cegava (*EM* Ç-III.22, 16v)

Da amor escribo d'amor trato e vivo (*Evora*, 39v)

Da amor mal quizá por bien (*OA* 189, 55v)

Da amor mal quizá por bien (*PN* 314, 59)

Da contento bien amar (*Obras*, Cepeda, 94)

Da formosura ia tudo sujeito (*Corte*, 123v)

Da lua é temerosa (*Evora*, 2v)

Da mor parte da dor qu'anda comigo (*Faria*, 44)

Da quest bon vellet nous rigau senyor (*Flor de enamorados*, 70)

Da Señor al rey tu vara (*Jesuitas*, 338)

Da tanto desosiego (*RaC* 263, 44)

Da voces corazón Por qué no llamas (*Jesuitas*, 480)

Da voces corazón Por qué no llamas (*Vergel*, Ubeda, 40v)

Daba sal Riselo un día (*MN* 17.556, 157v)

Daba sal Riselo un día (*MP* 996, 164v)

Daba sal Riselo un día (*RG* 1600, 325)

Daba sombra el alameda (*FN* VII-353, 273v)

Dad albricias corazón (*CG* 1511, 149v)

Dad el pecho sin pasión (*Peralta*, 40)

Dad para los cautivos (*Toledano*, 9v)

Dádiva señora es poca (*PN* 418 p. 313)

Dadme albricias Gil Pascual (*Sevillano*, 155)

Dadme albricias hijos de Eva (*Uppsala*, n. 40)

Dadme albricias que os las pido (*CG* 1514, 14v)

Dadme albricias si querés Blas (*FN* VII-353, 61), *ver* Dame albricias

Dadme alegría (*Toledano*, 73)

Dadme amor besos sin cuento (*MN* 3691, 34v)

Dadme Señora a entender (*MP* 644, 187)

Dádmelas y habed placer (*Uppsala*, n. 40)

Dadnos Señora a entender (*Canc.*, Ubeda, 86v)

Dadnos Señora a entender (*Sevillano*, 40v)

Dafne la linda doncella (*Peralta*, 17v)

Dafne si os miro dos contrarios luego (*SU* 2755, 179v)

Dais ventaja a conocer (*MN* 3806, 85)

Daisme divino Dios al pan del cielo (*FN* VII-353, 20, 20v)

Dallá d'encima del cielo es el chiquito (*PBM* 56, 71v)

Dama angélica y divina (*RC* 625, 15)

Dama cuya hermosura (*MP* 617, 217, 324v)

Dama cuya perfección (*CG* 1511, 182v)

Dama de cuantas yo vi (*Lemos*, 126v)

Dama de gentil mirar (*Flor de enamorados*, 24)

Dama de gran hermosura (*CG* 1511, 144)

Dama de gran hermosura (*Evora*, 43)

Dama de gran hermosura (*MP* 570, 110)

Dama de gran perfección (*Cid*, 88)

Dama de gran perfección (*FN* VII-353, 93)

Dama de gran perfección (*FN* VII-354, 87)

Dama de gran perfección (*Jesuitas*, 468v)

Dama de gran perfección (*MN* 3670, 46v)

Dama de gran perfección (*PN* 258, 121)

Dama de gran perfección (*RaC* 263, 10)

Dama de lindo mirar (*RaC* 263, 161)

Dama de lindo valor (*Flor de enamorados*, 45)

Dama de merecimiento (*Lemos*, 91v)

Dama de sumo valor (*MP* 2803, 204)

Dama generosa (*Sevillano*, 82v)

Dama graciosa y honesta (*Toledano*, 44v)

Dama hermosa (*MP* 2803, 114v)

Dama melindrosa estáis (*FRG* p. 138)

Dama melindrosa estáis (*Padilla*, 91v)

Dama mi gran querer (*Colombina*, 43v)

Dama mi muy gran querer (*MP* 617, 151)

Dama por vos estoy puesto en cuidados (*TP* 506, 391)

Dama preguntaros quiero (*Morán*, 5)

Dama que dinero pide / ni me quiera ni la quiero (*Padilla*, 50v)

Dama que dinero prende / ni me quiera ni la quiero (*FRG*, p. 235)

Dama que dinero prende / y en pedir no se refrena (*Morán*, 229v)

Dama que en dinero prende / ni me quiera ni la quiero (*FN* VII-353, 213v), *ver* La dama que

Dama que en dinero prende / y en pedir no se refrena (*MP* 973, 123)

Dama que interés pretende (*Peralta*, 4)

Dama que mi muerte guía (*CG* 1511, 114)

Dama sin comparación (*CG* 1511, 182v)

Dama sin par entre nos (PN 372, 11v)

Dama tan claro en vos Amor me muestra (MN 2973, p. 326)

Dama tan poco constante (*CG* 1511, 115)

Dama ventanera (FN VII-353, 53v)

Dama ventanera (*Jacinto López*, 66v)

Dama yo serviros quiero (*Penagos*, 83v)

Damas a quien el cielo (*Padilla*, 161)

Damas cortesanas (MN 3725-1, 128)

Damas de gran perfección (MiT 1001, 5)

Damas de la frente arriba (MP 996, 189v)

Damas de valor y rumbo (RaC 263, 14)

Damas las cortesanas y briosas (FN VII-353, 283v)

Damas las que aborrecéis (*Toledano*, 85v)

Damas las que aqueste nombre (*Obras*, Cepeda, 28)

Damas las que inventais por ser galantes (NH B-2558, 2)

Damas las que os quejáis de mal casadas (FN VII-354, 265v)

Damas las que os quejáis de mal casadas (FN VII-354, 265v)

Damas las que os quejáis de mal casadas (*Jacinto López*, 250v)

Damas las que os quejáis de mal casadas (RaC 263, 121)

Damas si por ventura habéis leído (MP 2803, 192v)

Damas si por ventura habéis leído (NH B-2558, 26)

Damas si queréis saber (*Sevillano*, 245)

Damas son las rigurosas (*Sevillano*, 288)

Damas talludas y secas (MN 17.557, 49)

Damas talludas y secas (*RG* 1600, 346v)

Dame acogida en tu hato (*Sevillano*, 297)

Dame acogida pastora (*Padilla*, 235v)

Dame albricias De qué Blas (*Sevillano*, 233v)

Dame albricias si quies Blas (*FRG* p. 150), *ver* Dadme albricias

Dame aquello que tú sabes (RaC 263, 162v)

Dame cuitada pastora (*Padilla*, 235v)

Dame Fili así dure en el pecho (MN 4256, 261)

Dame gran congoja (MoE Q 8-21, p. 122)

Dame nuevas de mi vida (*Elvas*, 94v)

Dame tal vida y tristura (*Colombina*, 40v)

Dame una saboyana (*Jacinto López*, 318v)

Dame vida un dulce engaño (PN 371, 16)

Dámelo Periquito perro (RaC 263, 162v)

Damón si esta presente desventura (PN 314, 80)

Dando a este canto fin llegó un correo (*Padilla*, 146)

Dando como diste el vuelo (*Vergel*, Ubeda, 136v)

Dando está cuenta Cipión (FN VII-353, 142)

Dando está cuenta Escipión (MP 973, 204v)

Dando suspiros al cielo (*Morán*, 100)

Dándose estaba Lucrecia (MN 17.557, 75)

Dándose estaba Lucrecia (MN 3724, 309)

Dándose estaba Lucrecia (*RG* 1600, 190)

Danle incienso como a Dios (*Sevillano*, 192v)

Daquele que não tinha ainda pisado (*Faria*, 45v)

Dar cana a quien tantas tiene (BeUC 75/116, 124)

Dar cana a quien tantas tiene (*Cid*, 74)

Dar cana a quien tantas tiene (FN VII, 354, 100v)

Dar cana a quien tantas tiene (MN 3670, 49v)

Dar cana a quien tantas tiene (MN 4256, 23/4/1v)

Dar cana a quien tantas tiene (MN 4268, 216)

Dar cana a quien tantas tiene (MP 2805, 69v)

Dar cana a quien tantas tiene (PN 258, 104v)

Dar cana a quien tiene tantas (PhUP1, 130)

Dar tiene amor por oficio (*Sevillano*, 234v)

Dar-vos quiçá natureza (NH B-2558, 59)

Dará lugar el cielo ay cruda suerte (MBM 23/4/1, 204)

Dará Silvano la vida (*Padilla*, 45)

Darca do Testamento vai tirando (NH B-2558, 39)

Dardanio amigo que en la hierba verde (SU 2755, 201)

Dardanio con el cuento de un cayado (FR 2864, 24)

Dardanio con el cuento de un cayado (MP 617, 245)

Dardanio con el cuento del cayado (FR 3358, 97)

Dardanio con el cuento del cayado (*Morán*, 17v)

Dardanio con el cuento del cayado (PN 371, 87v)

Dardanio con el cuento del cayado (TP 506, 259)

Dardanio con la punta del cayado (*Sevillano*, 270v)

Dardanio deja de llorar la ira (MN 3968, 99v)

Dardanio mío dulce y amoroso (*Morán*, 15v)

Dardanio sus ovejas repastaba (*Morán*, 17v)

Darinda a su Sireno por quien viene (MP 617, 266, 284v)

Darnos ha muy cierto (*Sevillano*, 174v)

Daros conveniente estado (MN 3968, 177v)

Daros conveniente estado (MP 570, 109v)

Das a todos los que siguen (PA 1506, p. 5)

Dase Dios Verbo encarnado (*Sevillano*, 45)

Dase vuestra majestad (*Sevillano*, 178v)

Date a prisión rey Francisco (*Penagos*, 299v)

De Abrahán Salón los hay (MiB AD.XI.57, 5)

De achaques anda desnudo (*Tesoro*, Padilla, 326v)

De Agustina y sus cabellos (*Jhoan López*, 3)

De algunos sabios fue opinión (MP 617, 112v)

De aljófar grande y cuajado (MN 3723, 112)

De aljófar grande y cuajado (*RG* 1600, 129)

De amargo luto con eterno llanto (MP 2459, 43v)

De amor con intercadencias (*RG* 1600, 336)

De Amor de inveja e de ira sou armado (*Faria*, 43v)

De amor en Dios abrasada (*Vergel*, Ubeda, 174v)

De Amor en el principio fui criada (MP 617, 186v)

De amor enfermó Amón con fe liviana (MiB AD.XI.57, 32)

De amor escribo de amor trato y vivo (EM Ç-III.22, 5v)

De amor mal herido y preso (*Jesuitas*, 479)

Tabla   81

De amor nacido fui en amor criado (*León/Serna*, 92)

De amor nacido fui en amor criado (MN 2856, 117v)

De Amor nunca ha gustado (*Obras*, Cepeda, 76)

De Amor para mi ventura (MP 1587, 68)

De Amor soy desdeñado (PN 373, 305)

De amor un pensamiento me ha quitado (*Obras*, Cepeda, 102)

De Amor va herido y preso (TP 506, 372)

De Amor viene vestido (*Sevillano*, 135v)

De amor y de dolor desfalleciera (*Jesuitas*, 265)

De Amor y de Fortuna despreciado (MN 2973, p. 185)

De amor y de su pena descuidado (*RH*, 192v)

De amor y miedo el alma combatida (MBM 23/4/1, 177v)

De amor y miedo el alma combatida (*Tesoro*, Padilla, 197v)

De amor y sus daños (MN 2856, 91v)

De amor yo Fenix mejor (PN 418 p. 481)

De amores a una moza requería (PN 373, 87v)

De amores está Fileno (*Cid*, 167v)

De amores está Fileno (FN VII-353, 224)

De amores está Fileno (*Heredia*, 205)

De amores está Fileno (*Morán*, 101)

De amores está Fileno (OA 189, 155v)

De amores está Fileno (*RH*, 200)

De amores está Fileno (*Rojas*, 27)

De amores está Fileno (*Rosa de Amores*, Timoneda, 18v)

De amores está Fileno (*Sevillano*, 252v)

De amores está Sireno (PN 314, 165)

De amores estaba Cristo (*Vergel*, Ubeda, 43v)

De amores herida y presa (*Vergel*, Ubeda, 172v)

De amores herido y preso (*Canc.*, Ubeda, 26v)

De amores herido y preso (*Cid*, 202v)

De amores me muero (*Jhoan López*, 14)

De amores muera yo si en esto miento (MBM 23/4/1, 38v)

De amores muera yo si en esto miento (*Tesoro*, Padilla, 117v)

De amores son / mis ojuelos madre (*Colombina*, 87)

De amores tengo pensado (*Flor de enamorados*, 117v)

De amores trata Rodrigo (*Rosa de Amores*, Timoneda, 15v)

De amores trata Rodrigo (*Rosa Española*, Timoneda, 46v)

De amorosos cuidados perseguido (MP 2803, 151v)

De Andronio el sarnoso gusto (MN 4127, p. 230)

De angustias rodeada (*Cid*, 227v)

De Antequera salió el moro (*Rosa Española*, Timoneda, 53v)

De aquel descanso y bien de aquella gloria (FN VII-353, 63)

De aquel engaño pasado (*Heredia*, 190v)

De aquel pastor de la sierra (*Recopilación*, Vázquez, 32)

De aquel pastor tan garrido (*Recopilación*, Vázquez, 32)

De aquel trono imperial del Padre eterno (*Vergel*, Ubeda, 21)

De aquella ciudad famosa (*RG* 1600, 216)

De aquella luz celestial (MP 644, 167v)

De aquella santa piedra a do fundada (*Vergel*, Ubeda, 176v)

De aquellas que tu ingenio siembra flores (MN 3913, 134)

De aquellos hermosos cielos (MN 3700, 150)

De aquesta obra soberana y rica (*Vergel*, Ubeda ix)

De aqueste pan de vida (*Sevillano*, 178)

De aquestos y los de ahora ha sido hecha (MP 2803, 225v)

De ausencia de su dama (MN 3968, 187v)

De ausencia de su dama (*Morán*, 97v)

De ausencia y recelo combatido (MP 1587, 113)

De ausencia y recelo combatido (*Rojas*, 145, 156v)

De bajos amores (PN 372, 300)

De bajos amores (PN 373, 108v)

De Beatriz sus ojos bellos (*Rojas*, 156v)

De Belén vengo pastores (*Sevillano*, 157v)

De belleza y trato (*Tesoro*, Padilla, 474v)

De Betis a la orilla (MRAH 9-7069, 133v)

De bien y mal que no dura (*Tesoro*, Padilla, 282)

De blanco viene vestido (*Canc.*, Ubeda, 52)

De blanco y menudo aljófar (MN 17.556, 100v)

De blanco y menudo aljófar (MP 996, 149)

De buen árbol buen fruto es esperado (MP 1578, 245v)

De Burgos sale Rodrigo (*Jesuitas*, 475)

De burlas de Amor cansado (PN 314, 191)

De burlas de Amor cansado (PN 372, 135v)

De Calvario sale el demonio (*León/Serna*, 97v)

De cansado descansara (*CG* 1511, 158)

De caricias y de fiestas (MP 1587, 192)

De castidad vestida al baño sale (MiB AD.XI.57, 33)

De celos el bien mayor (MP 2803, 149)

De celos mi fantasía (*Morán*, 105v)

De celos mi fantasía (*Peralta*, 9v)

De celos y de ausencia combatido (*RH*, 196v)

De ciencia y de santidad (*Fuenmayor*, p. 552)

De claros reyes claro descendiente (MN 3698, 3)

De claros reyes claro descendiente (*Morán*, 230v)

De claros reyes claro descendiente (MP 996, 242v)

De cómo vivo me admiro (*Padilla*, 9)

De concierto están los condes (*Rosa Española*, Timoneda, 42v)

De condición tan esquiva (*Morán*, 229v)

De contino os serviré (RaC 263, 47)

De Cristo crucificado (MN 17.951, 155v)

De cruel de mí conmigo (MN 3691, 33)

De cualquiera cosa mía (*Padilla*, 7)

De cualquiera cosa mía (*Romancero*, Padilla, 327v)

De cuándo acá soñó Diego de Vera (MN 2856, 121v)

De cuándo acá tantos fieros (MN 3723, 342)

De cuándo acá tantos fieros (*RG* 1600, 357v)

De cuantas coimas tuve toledanas (*CG* 1557, 398)

De cuántas veces vemos que ha dañado (MN 6001, 58v)

De dama que en discreción (FN VII-353, 52v)

De dama que en discreción (Jacinto López, 67)

De dama que en discreción (Jhoan López, 31v)

De darme mantenimiento (Morán, 50)

De desconfianzas (Rojas, 100)

De despecho (Gallardo, 48)

De Dios el eterno Hijo (Vergel, Ubeda, 14v)

De Dios el sumo poder (RG 1600, 57)

De Dios extremada pieza (Sevillano, 189)

De Dios temiendo el juicio soberano (MN 2856, 71)

De Dios tus amores (Sevillano, 171v)

Dé Dios vida al desengaño (Tesoro, Padilla, 216v)

De dó cortó a su placer (Heredia, 30)

De dó venís Cupido sollozando (MN 2973, p. 297)

De dó venís Dios alto Del altura (Faria, 18)

De dó venís Dios alto Del altura (Gallardo, 18), ver De
    dónde venís Alto

De doce que por la fe (MP 617, 125v)

De dolor en dolor de un mal en ciento (MN 4256, 254)

De doncella tan hermosa (PBM 56, 86)

De dónde ahora tan osados bríos (Corte, 180v)

De dónde ahora tan osados bríos (Morán, 256v)

De dónde bueno Juan con pedorreras (Lemos, 210v)

De dónde venís (Penagos, 226)

De dónde venís alto De altura (Canc., Ubeda, 1v)

De dónde venís Alto De la altura (FN VII-353, 17)

De dónde venís Alto De la altura (Jacinto López, 275v)

De dónde venís Alto De la altura (Vergel, Ubeda, 98), ver
    De dó venís Dios

De dónde venís Alto Del altura (MN 2973, p. 11)

De dónde venís alto Rey De la altura (Jesuitas, 357v)

De dónde venís amor (TP 506, 163v)

De dónde venís amores (Recopilación, Vázquez, 30v)

De dónde venís Antón (Corte, 200v)

De dónde venís Antón (MBM 23/4/1, 317)

De dónde venís Antón (Morán, 37v)

De dónde venís Antón (Obras, Silvestre, 114)

De dónde venís Antón (Padilla, 86)

De dónde venís Antón (Sevillano, 129v)

De dónde venís Antón (Tesoro, Padilla, 328v)

De dónde venís Juan con pedorreras (Lemos, 208v, 210v),
    ver De dónde bueno

De dónde viene la nave (Jesuitas, 143)

De dónde viene la nave (MN 17.951, 93)

De donde vos tenéis los pies (MP 1587, 65)

De dos contrarios que tengo (Morán, 109)

De dos contrarios que tengo (PN 371 4)

De dos cosas que me acuerdo (CG 1511, 226v)

De dos extremos el uno (Morán, 7, 65v)

De dos grandes cruces llevan (Jesuitas, 212)

De dos partes amor a voces llama (FN VII-353, 278v)

De dulce ociosidad dicen que es hecha (FN VII-353, 32v)

De dulce y amoroso pensamiento (WHA 2067, 5v)

De dulces muertes y de amargas vidas (Canc., Ubeda, 8)

De Eneas y de Amor la reina Dido (TP 506, 361)

De enojos de atrás (Peralta, 74)

De error en error de daño en daño (MN 2973, p. 94)

De esa condición esquiva (Jacinto López, 61v)

De esas luces bellas (Penagos, 119v)

De ese oro vuestro fino (Fuenmayor, p. 491)

De España infanta y del gran Chipre reina (MN 3670, 14)

De España parte el gran César (FRG, p. 3)

De España parte el gran César (Rosa Real, Timoneda, 2)

De esperanzas me entretengo (MoE Q 8-21, p. 51)

De esperanzas me entretengo (MP 1587, 115v)

De esperanzas vengo (Cid, 171v)

De esperanzas vengo (MP 1587, 102)

De esperanzas vengo (PN 372, 193v)

De esta cruel durísima sentencia (Canc., Maldonado, 188v)

De esta divina y frutuosa planta (Canc., Maldonado, 138v)

De esta lana los cojones la romana (Lemos, 20)

De esta nube que ha tanto ya que llueve (Canc.,
    Maldonado, 107)

De esta reliquia tan bella (Canc., Ubeda, 59)

De esta reliquia tan bella (Vergel, Ubeda, 75v)

De esta suerte se disfama (PN 372, 154)

De esta vida mortal que a mi despecho (Canc.,
    Maldonado, 92v)

De estas aves su nación (CG 1511, 125v)

De estas doradas hebras fue tejida (MN 2973, p. 157)

De estas matas la que sobra (CG 1511, 142)

De este celestial bocado (Vergel, Ubeda, 80v)

De este dolor inhumano (FRG p. 153)

De este dolor inhumano (MiT 994, 31v)

De este dolor inhumano (Morán, 208v)

De este dolor inhumano (Tesoro, Padilla, 69v)

De este mal tan inhumano (Peralta, 11v)

De este pan angelical (Jesuitas, 478)

De este pan angelical (Sevillano, 44)

De este pan gustad mortales (Sevillano, 43v)

De este profundo secreto (Vergel, Ubeda, 1)

De este solo pecado (CG 1511, 123v)

De experiencias que he probado (WHA 2067, 83v)

De Febo el pecho atrevido (MBM 23/4/1, 143)

De Febo el pecho atrevido (MP 617, 318v)

De Febo el pecho atrevido (Obras, Silvestre, 152)

De Febo el pecho atrevido (PN 307, 67v)

De flor el nombre con razón os dieron (Rosal, p. 84)

Tabla 83

De frágil tronco y de una aguda espina (*Vergel*, Ubeda, 191)
De Francia partió la niña (MN 3725-2, 3)
De Frigia viene Príamo casado (*Obras*, Cepeda, 21v)
De frío estáis temblando en pobre cama (*Canc.*, Ubeda, 30)
De frío estáis temblando en pobre cama (*Vergel*, Ubeda, 7)
De fuego nace mi llama (*FRG* p. 248)
De fuego se hace un cuerpo y de viento (MN 1317, 469v)
De gatilla tiene el lomo (MP 617, 215v)
De gatilla tiene el lomo (TP 506, 397v)
De generosa estirpe excelsa planta (MN 2856, 31)
De grado porque es razón (*CG* 1511, 129v)
De gran flaqueza ya no caminaba (MN 1132, 58)
De Granada parte el moro (MN 5602, 24v)
De Granada parte el moro (*Rosa Española*, Timoneda, 64v)
De Granada partió el moro (MP 996, 32)
De Granada se parte el moro (*Evora*, 47v)
De grave dolor cercado (MP 1587, 62)
De grave pena y tormento (*Jacinto López*, 47)
De grave pena y tormento (MP 973, 202)
De haber hecho tan gran callo (PN 373, 70)
De haberse Albano mudado (*RG* 1600, 172)
De hablarme prometistes (*Tesoro*, Padilla, 356), *ver* De hallarme
De hallarme prometistes (MP 1587, 101v)
De hambre muerto y de piedad vencido (*Toledano*, 100v)
De herirte laúd jamás me alejo (TP 506, 54)
De hielo nace mi llama (*Morán*, 125, 130v)
De hierba los altos montes (*RG* 1600, 248)
De hierbas los altos montes (MN 17.556, 74)
De hinojos puesto en el suelo (FN VII-353, 67v)
De hoy más las crespas sienes de olorosa (MN 2856, 96v)
De hoy más las crespas sienes de olorosa (*Penagos*, 14v)
De hoy más me vestiré un triste luto (RV 1635, 42), *ver* De hoy más quiero vestirme, Vestirme quiero ahora
De hoy más muerte no sois muerte (MN 17.951, 31v)
De hoy más quién dará crédito a favores (SU 2755, 195)
De hoy más quiero buscar nuevos amores (PN 373, 253)
De hoy más quiero cantarla hermosura (*Obras*, Cepeda, 107)
De hoy más quiero vestir un triste luto (*Corte*, 133v)
De hoy más quiero vestir un triste luto (EM Ç-III.22, 63v)
De hoy más quiero vestirme un triste luto (Jacinto López, 223)
De hoy más quiero vestirme un triste luto (PN 372, 24, 163), *ver* De hoy más me vestiré, Vestirme quiero ahora
De Ibero sagrado (MN 3725-1, 102)
De imposibles tan vario su cadena (*Corte*, 224v)
De innumerables soldados (*Fuenmayor*, p. 454)
De Isabel la perfección (*Penagos*, 119v)
De Isabel los ojos bellos (PN 418 p. 238)

De Japón la China y Goa (*Canc.*, Ubeda, 108)
De jerga está vestido el claro día (MN 17.951, 66)
De jerga está vestido el claro día (MN 2973, p. 29)
De Jerusalén la santa (*Jesuitas*, 199v)
De Jesús muerto nace nuestra vida (MN 17.951, 80)
De Juana la perfección (MN 17.557, 39v)
De la [   ] que me hicistes (TP 506, 348v)
De la Alhambra sale Muza (*Jacinto López*, 80)
De la Alhambra sale Muza (MP 973, 203)
De la Alhambra sale Muza (RaC 263, 67v)
De la Alhambra sale Muza (*Rojas*, 7v), *ver* Del Alhambra
De la armada de su rey (*Jacinto López*, 187v)
De la armada de su rey (*Jhoan López*, 138)
De la armada de su rey (MN 17.556, 10v)
De la armada de su rey (MP 996, 7v)
De la armada de su rey (*RG* 1600, 7v)
De la arrugada corteza (MN 3724, 48)
De la arrugada corteza (*RG* 1600, 92v)
De la batalla espantosa (*Padilla*, 26)
De la cama estoy cansada (*Sevillano*, 251)
De la cepa virginal (MP 3560, 45)
De la cintura arriba soy toda noble (FN VII-353, 30v, 257v)
De la copla que a mí toca (MP 617, 214v)
De la copla que me toca (*CG* 1554, 38v)
De la copla que me toca (*Ixar*, 354)
De la cruz va Dios cargado (*Vergel*, Ubeda, 39)
De la cueva sale Tisbe (MN 3806, 155v)
De la cumbre más subida (*Canc.*, Ubeda, 26v)
De la divina mano retratada (*Obras*, Cepeda, 100)
De la dorada gruta y caro lecho (*Obras*, Silvestre, 395v)
De la dulce mi enemiga (*Cid*, 18v, 188v)
De la dulce mi enemiga (*Flor de enamorados*, 37v)
De la dulce mi enemiga (MBM 23/4/1, 248v)
De la dulce mi enemiga (*Morán*, 131v)
De la dulce mi enemiga (OA 189, 129)
De la dulce mi enemiga (*Obras*, Silvestre, 93)
De la dulce mi enemiga (PBM 56, 48v-49)
De la dulce mi enemiga (*Toledano*, 53v)
De la espantosa batalla (*Romancero*, Padilla, 151v)
De la espumosa ribera (FN VII-353, 137)
De la espumosa ribera (*Jacinto López*, 171v)
De la famosa Lisboa (*Romancero*, Padilla, 63)
De la feriah abeis salido (*Fuenmayor*, p. 354)
De la fértil vega (MN 3725-1, 14)
De la flaca yo diría (*León/Serna*, 113)
De la Fortuna la rueda (*Lemos*, 255)
De la Fortuna ofendido (MBM 23/4/1, 311v)
De la Fortuna ofendido (*Padilla*, 176)
De la Fortuna ofendido (*Tesoro*, Padilla, 72)

De la Fortuna quejoso (MN 3806, 143v)

De la gente que aquí viene (Corte, 51v)

De la gloria de miraros (CG 1511, 128)

De la gran ciudad de Atenas (RH, 67v)

De la gruesa invención mía (Ixar, 85v)

De la haz y del envés (PN 372, 322v)

De la humana tierra y baja (Vergel, Ubeda, 122v)

De la incierta salud desconfiado (MN 2973, p. 381)

De la laguna turbia están bebiendo (MN 6001, 41v)

De la mar que quiero quejar (Lemos, 122)

De la más alta cumbre has derribado (PN 314, 91v)

De la más baja madre fue engendrado (Jesuitas, 449)

De la más rica vena el más preciado (SU 2755, 69v)

De la mayor verdad del más probado (Canc., Maldonado, 180v)

De la momera je n'estay (Colombina, 101v)

De la monja y sus amores (Morán, 254v)

De la montaña oscura de este suelo (MN 17.951, 83)

De la mucha altercación (CG 1514, 140)

De la muerte salió librado (León/Serna, 88v)

De la naval con quien fueron (MN 17.557, 97v)

De la naval con quien fueron (MN 3723, 215)

De la naval con quien fueron (RG 1600, 71v)

De la niña de amor tirana (PN 418 p. 231)

De la noche de san Juan (MN 3700, 61v)

De la palabra del Padre (CG 1535, 199)

De la partida en que muero (CG 1554, 76v)

De la pena de Sísifo se cuenta (MN 3968, 160v)

De la pena de Sísifo se cuenta (TP 506, 318v)

De la pena y el tormento (MP 2803, 158)

De la profana y peligrosa vida (Vergel, Ubeda, 133)

De la profunda y deleitosa vida (Canc., Ubeda, 122v)

De la provincia de Holanda (Romancero, Padilla, 38v)

De la sangrienta batalla (MP 1587, 148)

De la sangrienta batalla (Peralta, 15v)

De la sangrienta batalla / que en Rodas ha sucedido (MP 1587, 147)

De la sangrienta refriega (MP 973, 416v)

De la soberbia pompa de elocuencia (Fuenmayor, p. 577)

De la varia sutil red amorosa (Tesoro, Padilla, i)

De la vena del oro más cendrado (Peralta, 27v)

De la ventura quejoso (Jacinto López, 64), ver De mi ventura

De la vera me soy de la vera (Lemos, 93)

De la vida desespero (CG 1514, 130)

De la vida he gran temor (PN 371, 4)

De la vida que perdí (CG 1511, 140)

De la visita pasada (Obras, Silvestre, 225)

De la vistosa Granada (Jacinto López, 173v)

De la vistosa Granada (Jhoan López, 40)

De la vistosa Granada (MN 2856, 46v)

De la vistosa Granada (MP 1587, 155)

De la voluntad dejada (Rosal, p. 22)

De la voz de este animal (CG 1511, 143)

De la zagala Tomás (Vergel, Ubeda, 4v)

De lágrimas bañado el blanco pecho (RaC 263, 44v)

De las africanas playas (MN 3724, 155)

De las africanas playas (RG 1600, 230)

De las almas el vacío (Fuenmayor, p. 272)

De las altas galerías (MN 6001, 54)

De las armas los guerreros (MP 617, 142)

De las bajuras que hiciste (CG 1511, 15v)

De las batalla espantosa (Padilla, 26)

De las batallas cansado (FN VII-353, 221v)

De las batallas cansado (Morán, 99)

De las batallas cansado (MP 1587, 63v, 85)

De las batallas cansado (RaC 263, 74)

De las batallas cansado (RH, 144)

De las batallas cansado (Romancero, Padilla, 287v)

De las cadenas de amor (MN 3700, 97v)

De las cañadas del pino (RG 1600, 95v)

De las congojas de amor (OA 189, 351)

De las congojas de amor (PN 307, 245)

De las congojas de amor (RaC 263, 65)

De las cosas deseadas (Morán, 93)

De las cosas más terribles (Obras, Cepeda, 85)

De las damas para el gusto (Jacinto López, 125v)

De las damas para el gusto (MP 1587, 192)

De las damas para el gusto (Rojas, 163)

De las dos hermanas doce (Recopilación, Vázquez, 22)

De las Españas lucero (CG 1511, 18v)

De las Españas lucero (Ixar, 72v)

De las faldas del Atlante (Sablonara, 51)

De las galas de abril (PN 418 p. 12)

De las ganancias de amor (Romancero, Padilla, 136)

De las ganancias del Cid (FRG, p. 162)

De las ganancias del Cid (WHA 2067, 136)

De las largas no curamos (MiT 994, 43v)

De las locuras todas de la tierra (MBM 23/4/1, 243v)

De las locuras todas de la tierra (Padilla, 80v)

De las locuras todas de la tierra (Tesoro, Padilla, 327v)

De las mal casadas / yo soy la una (Jacinto López, 320)

De las nubes sacudidas (RG 1600, 107)

De las nueve que os dio en guarda el rubio hermano (Romancero, Padilla, 195)

De las ondas el sol resplandeciente (MBM 23/4/1, 266)

De las ondas el sol resplandeciente (Tesoro, Padilla, 201v)

De las penas que me vienen (CG 1511, 125)

De las playas madre (MN 3725-1, 11)

Tabla 85

De las riberas de Betis (*RG* 1600, 56v)

De las riberas famosas (*Jhoan López*, 52v)

De las riberas famosas (RaC 263, 100v)

De las sangrientas riberas (*RG* 1600, 318)

De las suaves flechas de tus ojos (MN 4127, p. 204)

De las tierras donde vengo (*Lemos*, 103)

De las tres personas (*Peralta*, 40)

De ledo que era triste (*CG* 1511, 24)

De lejas tierras a encender venimos (MN 6001, 42v)

De lejos mira a Jaén (MN 3723, 130)

De lejos mira a Jaén (*RG* 1600, 246)

De León sale Bernardo (FN VII-353, 95)

De León sale Bernardo (*Jhoan López*, 8)

De linda serrana (PBM 56, 6v-7)

De lo hondo de mi pecho (MP 973, 11)

De llorar continuamente (*Morán*, 56)

De llorar continuamente (WHA 2067, 27v)

De lo hondo del abismo (*Vergel*, Ubeda, 178)

De lo profundo del pecho (PN 372, 113)

De lo que la carne cría (*Vergel*, Ubeda, 55v)

De lo que os habéis quejado (*Gallardo*, 70)

De loca presunción acompañado (MP 2459, 103)

De loco me finjo cuerdo (*CG* 1554, 106v)

De los álamos de Sevilla (*Recopilación*, Vázquez, 20)

De los álamos vengo madre (*Recopilación*, Vázquez, 20)

De los álamos vengo madre (TorN 1-14, 19)

De los ángeles (*Sevillano*, 184)

De los azules ojos (SU 2755, 206)

De los cielos soy (*Sevillano*, 141v)

De los cuatro elementos soy formado (MN 2856, 28v)

De los disgustos y enojos (MN 17.557, 3)

De los dolores que siento (*Obras*, Silvestre, 83v)

De los dolores que siento (PN 307, 241v)

De los dolores que siento (PN 371, 23)

De los engaños de Lisi (PN 418 p. 458)

De los fértiles ramos de mi vida (SU 2755, 9)

De los fuegos encendidos (*CG* 1511, 142v)

De los males que por suerte (*Obras*, Cepeda, 89)

De los mártires de Dios (*Fuenmayor*, p. 563)

De los más altos favores (MBM 23/4/1, 167)

De los más el más perfecto (*CG* 1511, 45)

De los más el más perfecto (*Ixar*, 229v)

De los más el más perfecto (MP 617, 8)

De los montes de León (*Cid*, 204v)

De los montes de León (*Rosa de Amores*, Timoneda, 3)

De los muertos hacéis vivos (MP 617, 168)

De los mundanos despojos (*Fuenmayor*, p. 284)

De los muros de París (RH, 105)

De los nobles Froaes (*Corte*, 38)

De los nombres que encubrían (*CG* 1511, 167v)

De los sucesos de Amor (RaC 263, 46)

De los tormentos de amor (PN 258, 230)

De los toros de el aldea (MN 3700, 108)

De los trofeos de amor (MN 3723, 49)

De los trofeos de amor (*RG* 1600, 5)

De los tus amores (PN 307, 309)

De los tus amores (*Sevillano*, 262)

De luto vestida toda (MP 996, 66)

De Madrid la insigne plaza (*RG* 1600, 58)

De males me vi tan mal (*CG* 1511, 202)

De males me vi tan mal (*Gallardo*, 68)

De manera que alterados (*CG* 1511, 130v)

De Mantua salen apriesa (MN 3725-2, 94)

De Mantua salió el marqués (MN 3725-2, 77)

De más de ser acabada (MP 2803, 148)

De más virtud que grandía (MP 617, 93)

De Mérida sale el palmero (MN 3725-2, 12)

De Mérida sale el palmero (*Obras*, Cepeda, 139)

De meu olhar não se espera (OA 189, 331v)

De mi alma te dibujo (MN 3806, 116v)

De mi amor (*Canc.*, Maldonado, 16)

De mi amor querría saber (*Lemos*, 57)

De mi amor querría saber (*Morán*, 4v)

De mi amor querría saber (WHA 2067, 98v)

De mi amor señora mía (*RG* 1600, 348v)

De mi dama hice un día (*Morán*, 95)

De mi dama hice un día (MP 1587, 103)

De mi dicha no se espera (*CG* 1514, 129v)

De mi dicha no se espera (PN 307, 228v)

De mi dicha no se espera (WHA 2067, 18v)

De mi dolor inhumano (RaC 263, 185)

De mi firme esperar contrario efecto (OA 189, 12v)

De mi firme esperar contrario efecto (PN 314, 30)

De mi grado es consentida (*CG* 1511, 150)

De mi herida mortal (*Obras*, Silvestre, 122v)

De mí me debo quejar (MP 617, 167v)

De mí me olvidaré por no olvidaros (*Jhoan López*, 39)

De mí mismo descuidado (PN 372, 213)

De mí mismo huyendo voy (MN 3700, 17v)

De mi muerte estoy contento (*Sevillano*, 234v), *ver* De mi ventura quejoso

De mi natural tierra me sacaron (MN 17.951, 88v)

De mi padre prometida (*Jacinto López*, 201v)

De mi perdida esperanza (*Colombina*, 38v)

De mí puede despedirse (MN 17.951, 160v)

De mí se aparta el placer (RC 625, 1)

De mi Silena el ser la gallardía (MBM 23/4/1, 197)

De mi Silena el ser la gallardía (*Padilla*, 42)

De mí sois amada (*Padilla*, 138v)

De mí tanto bien amada (*CG* 1511, 51)

De mi tormento mortal (RC 625, 61)

De mi tormento y pasión (*Obras*, Cepeda, 92v)

De mi ventura estoy muy querelloso (*Lemos*, 9v)

De mi ventura quejoso (*Canc.*, Maldonado, 26)

De mi ventura quejoso (*Evora*, 10v)

De mi ventura quejoso (MBM 23/4/1, 268v)

De mi ventura quejoso (*Obras*, Silvestre, 76v)

De mi ventura quejoso (PBM 56, 81v-82)

De mi ventura quejoso (PN 307, 297)

De mi ventura quejoso (PN 373, 67), *ver* De mi muerte, De la ventura

De mi ventura quejosos (*Obras*, Cepeda, 83v)

De mí ya es cosa sabida (*CG* 1514, 109v)

De miedo muriendo estoy (*Rojas*, 90)

De miedo y de recelo (MN 2973, p. 388)

De mil ansias rodeado (*FRG* p. 239)

De mil gracias dotó Dios (MN 3902, 132)

De mil suspeitas vãs se me alevantam (EM Ç-III.22, 16)

De mil vanos pensamientos (*Canc.*, Maldonado, 52v)

De mim como de inimigo (*Faria*, 99)

De miraros ha nacido (*Morán*, 104v)

De mirto y de laurel y de mil flores (*Borges*, 87v)

De mirto y de verde yedra coronado (SU 2755, 13)

De mirtos y de laurel y de mil flores (*Sevillano*, 74, 226v)

De mis dolores dolor (*Padilla*, 243v)

De mis servicios no quiero (*Penagos*, 50v)

De mis tierras desterrado (*Cid*, 40)

De mis tormentos y enojos (PA 1506, p. 20)

De mis tormentos y enojos (RaC 263, 165)

De mortal codicia llena (*Vergel*, Ubeda, 67)

De muchas frescas y olorosas flores (*Cid*, 181v)

De nada no me contento (WHA 2067, 49v)

De nadie puedo quejarme (*Obras*, Cepeda, 63v)

De natural humilde soy nacida (MN 17.951, 88v)

De negro vestida toda (*Jhoan López*, 11)

De negro vestida toda (MP 2803, 172)

De negro vestida toda (*Rojas*, 154)

De nieve nieblea y agua se cubría (*Obras*, Cepeda, 74v)

De nieve sois mas no sois derretida (*Jacinto López*, 230)

De no tener sujeción (*Sevillano*, 294)

De nuestra España quiero el dulce canto (*Obras*, Cepeda, 4)

De nuestras culpas escudo (*Cid*, 199v)

De nuevo quiero afirmarme (OA 189, 332v)

De nuevo quiero afirmarme (PN 307, 237)

De nuevo quiero firmarme (*CG* 1511, 124)

De nuevo resplandor nueva figura (*Obras*, Cepeda, 108v)

De oliva y verde hiedra coronado (*Cid*, 11)

De oliva y verde hiedra coronado (*Lemos*, 131v)

De oliva y verde hiedra coronado (TP 506, 258)

De oliva y verde yedra coronado (MP 617, 291v)

De olorosas varias flores (*RH*, iii iv)

De olvido podrá valerse (*Padilla*, 51v)

De olvido puede valerse (MP 1587, 70v)

De olvido puede valerse (RaC 263, 84)

De oriente nacido habías (*Corte*, 126v)

De oro fino son vuestros cabellos (*Jacinto López*, 5v)

De otra arte me parecías (MN 4268, 172)

De otra cosa (*Tesoro*, Padilla, 308v)

De otras reinas diferente (*CG* 1511, 87v)

De otro os vea acordar de mí olvidaros (*Tesoro*, Padilla, 63)

De pajizo se viste / el bien de mi alma (MN 3913, 49)

De palabra verdadera (MP 617, 96)

De palacio sale el Cid (RG 1600, 84v)

De Paris Palamedes Sarpedon (*Obras*, Cepeda, 42v)

De Paris quitando el par (*Flor de enamorados*, 45v)

De parte del mundano y carnal vicio (*Penagos*, 2v)

De pasatiempo tratemos (*Toledano*, 25v)

De Pascuala soy amado (PN 314, 212v)

De Pascuala soy amado (*Sevillano*, 194)

De pechos en la ventana (RG 1600, 163)

De pechos sobre la vara (RG 1600, 30v)

De pechos sobre un cayado (*Peralta*, 10v)

De pechos sobre un cayado (RG 1600, 209v)

De pechos sobre una peña (*Fuenmayor*, p. 102)

De pechos sobre una torre (MN 17.556, 156)

De pechos sobre una torre (MP 996, 163v)

De pechos sobre una torre (*Penagos*, 132v)

De pechos sobre una torre (RG 1600, 161)

De pechos sobre una torre (TorN 1-14, 16)

De pena estaba tal que ponía espanto (TP 506, 283)

De pensamientos cercado (*RH*, 167v)

De pequeña tomé amor (*Corte*, 144)

De pesar vide a uno estar (*Flor de enamorados*, 107)

De piedra podrán decir (MN 3968, 176)

De piedra podrán decir (PN 372, 307v)

De piedra podrán decir (WHA 2067, 34v)

De piedra pueden decir (*Elvas*, 28v)

De piedra pueden decir (*Tesoro*, Padilla, 167v)

De piedra pueden decir (WHA 2067, 104v)

De piedra vengo a pensar (MN 5593, 38)

De Pirro por Aquiles Policena (*Obras*, Cepeda, 13)

De placer de haber llorado (*Canc.*, Ubeda, 53v)

De placer de haber llorado (*Vergel*, Ubeda, 78v)

De poca gente serás conocida (*Gallardo*, 32v)

De poco conocimiento (WHA 2067, 122v)

De poder de Satanás (*Canc.*, Ubeda, 22)

Tabla 87

De potencia absoluta Dios no puede (*Lemos*, 167v)

De prisa a la comida hay aquí truchas (FR 3358, 169v)

De profundis he llamado (*CG* 1511, 203v)

De prolijos cuidados (MP 2459, 90)

De puro amor abrasado (*RH*, 113v)

De puro amor estoy muy mal conmigo (*Faria*, 8v)

De qué ceguezuelo vano (PN 418 p. 116)

De qué estás Gil aburrido (MP 617, 171v)

De qué gran capitán es esta faz (MN 2856, 45v)

De qué le sirve el alma contemplaros (PN 373, 124v)

De qué me maravillo si muriendo (*Jacinto López*, 6)

De qué me sirve a mí dulce María (*Obras*, Silvestre, 359)

De qué me sirve mi estudio (MN 17.557, 90)

De qué me sirve mostrar (RaC 263, 85v)

De qué os reís (*Toledano*, 62v)

De que parís Ana al cabo (*Vergel*, Ubeda, 167v)

De qué pesado sueño he despertado (MN 2856, 87v)

De qué sirve aquella unión (MN 17.557, 55)

De qué sirve aventuraros (*Padilla*, 48v)

De qué sirve capón enamorado (FR 3358, 115)

De qué sirve capón enomoraros (*Jacinto López*, 8v)

De qué sirve crudo Amor (MN 17.557, 55)

De qué sirve esta nueva cortesía (*Padilla*, 13v)

De qué sirve hermosa Galatea (*Tesoro*, Padilla, 253v)

De qué sirve hermosa Lisis (*Penagos*, 74v)

De qué sirve mi Clara darme gloria (*Morán*, 88v)

De qué sirve mirarme blandamente (*Padilla*, 113v)

De qué sirve mostrar en un rendido (MBM 23/4/1, 372)

De qué sirve querer un imposible (MN 4127, p. 259)

De qué son vuestras congojas (*Flor de enamorados*, 87)

De que su querida Zara (*RG* 1600, 152)

De qué te afliges ninfa De que muerto (MN 2973, p. 170)

De qué te dueles carillo (OA 189, 52)

De qué te quejas carillo (*Obras*, Silvestre, 115v)

De qué te sirve alma andar buscando (*Jesuitas*, 118)

De qué tienes de flojar en mis amores (MN 3724, 227)

De quién dicen ay de mí debo quejarme (*Tesoro*, Padilla, 413v)

De quién es hecho el arco que amor flecha (*Cid*, 90)

De quién me quejo de tan grave extremo (*RG* 1600, 121v)

De quien me sepa ofender (*Tesoro*, Padilla, 350)

De quien tanto mal le hiciera (PN 307, 323v)

De quien tanto mal le hiciera (PN 371, 8v)

De quince años era el Cid (*Morán*, 28v)

De rabia y enojo ciego (MN 4127, p. 9)

De rara discreción y hermosura (*Romancero*, Padilla, 213v)

De recelo y ausencia combatido (*Tesoro*, Padilla, 417)

De recelo y de ausencia perseguido (*Cid*, 181v)

De recios golpes roto ya y deshecho (*Lemos*, 242v)

De relucientes armas la hermosa (MP 617, 257)

De relucientes armas la hermosa (NH B-2558, 49)

De relucientes armas la hermosa (PN 373, 228)

De relucientes armas la hermosura (MN 2973, p. 252)

De ricas crespinas (PBM 56, 51)

De risa muere Belisa (MP 2803, 158)

De rodillas en el suelo (MN 4127, p. 142)

De rodillas en el suelo (*RG* 1600, 16)

De rostro tan milagroso (*Romancero*, Padilla, 285v)

De sacro pan y celestial comida (*Vergel*, Ubeda, 62)

De Salamanca partía (MP 617, 341v)

De sentir mi mal sobrado (*CG* 1511, 217)

De ser cruel no cansado (MiT 994, 9v)

De ser firme la promesa (*Morán*, 125v)

De ser la gloria de mi vida ida (FN VII-353, 80v)

De ser mal casada / yo no lo dudo (*Jacinto López*, 318, 320)

De Sevilla partió Azarque (MN 3723, 23)

De Sevilla partió Azarque (*RG* 1600, 160)

De sí mismo amor no es (PN 372, 298v)

De sí mismo es enemigo (*Morán*, 11)

De sí mismo es enemigo (*Obras*, Silvestre, 110v)

De sí mismo es enemigo (*Sevillano*, 62)

De sí mismo sé que Juana (*Medinaceli*, 19v)

De sí mismo sea homicida (*CG* 1514, 109)

De soberano espíritu alumbrado (*Jesuitas*, 468)

De sola religión vana movido (MN 2973, p. 207)

De soledad y pena acompañado (*Morán*, 197v)

De sospechas ofendida (*Tesoro*, Padilla, 409v)

De su albedrío y sin culpa alguna (*Cid*, 15v)

De su carne y sangre pura (Vergel, Ubeda, 79v)

De su casa a la iglesia le llevaron (*Tesoro*, Padilla, 358v)

De su corte celestial (*Vergel*, Ubeda, 80v)

De su esposo Pingarrón (MP 996, 194)

De su fortuna agraviado (MN 17.557, 80)

De su fortuna agraviado (MN 3723, 5)

De su fortuna agraviado (*RG* 1600, 176v)

De su misma sange ungido (*Vergel*, Ubeda, 28)

De su mismo amor herido (*Vergel*, Ubeda, 28v)

De su patria se destierra (*RG* 1600, 164)

De su querida Amarilis (*RG* 1600, 119)

De su ventura quejoso (MN 1579, 7 bis), *ver* De mi ventura

De suerte que desbarata (MP 1587, 93)

De sus dioses blasfemando (PN 373, 187v)

De sus dioses blasfemando (PN 373, 187v)

De sus dioses blasfemando (*RH*, 107v)

De sus manos hizo un día (FN VII-353, 208v)

De sus manos hizo un día (MoE Q 8-21, p. 174)

De sus pastoras iba desterrado (*Cid*, 31v)

De sus tristezas Riselo (MN 3724, 68)

De tão áspero estreito apartamento (EM Ç-III.22, 5)

De tão divino acento em vox humana (*Borges*, 20)
De tal beldad Silvera sois dotada (FR 3358, 114v)
De tal cebo y tal anzuelo (*Vergel*, Ubeda, 83v)
De tal maneira me cansa (*Faria*, 100v)
De tal manera estoy que me conviene (*CG* 1554, 193v)
De tal manera estoy que me conviene (MN 1132, 9)
De tal manera estoy que me conviene (TP 506, 24v)
De tal manera reparte (MP 570, 166)
De tal manera reparte (PN 307, 298)
De tal suerte amor me inflama (*Jacinto López*, 67)
De tal suerte estoy rendido (*Jhoan López*, 5v)
De tal suerte me maltrata (MP 1587, 146v)
De tal suerte me prendí (*CG* 1511, 129v)
De tan alta claridad (*CG* 1514, 189)
De tan alta hermosura (PN 314, 58)
De tan alta hermosura (WHA 2067, 43v)
De tan peligroso estado (PN 373, 154v)
De tan sabrosa herida (*Canc.*, Maldonado, 26)
De tan súbita mudanza (PN 307, 307)
De tanta satisfacción (*Tesoro*, Padilla, 50v)
De tantas gracias quiso ennobleceros (MN 3700, 91v)
De tanto precio y valor (*Jhoan López*, 46v)
De tanto y tanto Amor has dado prueba (*Obras*, Silvestre, 415v)
De ti buen Cid Campeador (*Morán*, 101v)
De ti buen Cid Campeador (MP 1587, 64v, 86)
De ti hombre estoy llagado (*Rosal*, p. 51)
De ti mundo me despido (*CG* 1511, 204)
De ti se espera soberana estrella (*Vergel*, Ubeda, 88v)
De tierna edad os fuisteis al desierto (*Canc.*, Ubeda, 121)
De tierna edad os fuisteis al desierto (*Vergel*, Ubeda, 126)
De tierno amor el corazón tenía (*Obras*, Cepeda, 81)
De tierra soy y en tierra me resuelvo (EM Ç-III.22, 84)
De tierra soy y en tierra me resuelvo (MN 17.951, 119)
De tierra soy y en tierra me resuelvo (*Peralta*, 41)
De tierra soy y en tierra me resuelvo (PN 372, 152)
De tierra soy y en tierra me resuelvo (*Rosal*, 26)
De tierra y agua formado (MN 1317, 440)
De Tisbe y Píramo quiero (PN 307, 154v)
De Toledo parten / cincuenta monjas (MN 3913, 47v)
De Toledo sale el Jaque (*Rosa de Amores*, Timoneda, 68v)
De tres heridas herido (*León/Serna*, 102)
De trofeos y ornamentos (*Morán*, 103v)
De Troya sale Antenor (*Rosa Gentil*, Timoneda, 42v)
De tu beldad son primores (PN 418 p. 530)
De tu desdén zahareño (*Padilla*, 52)
De tu muerte que fue un breve suspiro (*Faria*, 11)
De tu prosopia clara satisfechos (*Canc.*, Ubeda, 161v)
De tu vista celoso (*Sablonara*, 8)

De tudo quanto fiz quis fazer conta (*Corte*, 207)
De tus cabellos de oro cual lucero (FR 3358, 108v)
De tus cabellos ingrata (*Jacinto López*, 206v)
De tus cabellos ingrata (MN 3724, 45)
De tus cabellos ingrata (*RG* 1600, 263)
De tus pasiones Alcino (MN 17.556, 162v)
De tus pasiones Alcino (MP 996, 167)
De tus tristezas Riselo (MN 3700, 49v)
De tus tristezas Riselo (*RG* 1600, 115)
De un ay en otro ay (*Corte*, 204)
De un dolor que Dios os guarde (*CG* 1511, 142v)
De un ébano sutil dos bellas piernas (FN VII-354, 258v)
De un ébano sutil dos bellas piernas (FR 3358, 180)
De un ébano sutil dos bellas piernas (*Penagos*, 17)
De un espinoso rosal (MN 17.951, 44)
De un espléndido banquete (*Romancero*, Padilla, 4v)
De un gracioso mirar honesto y pío (TP 506, 284)
De un gran mal (*CG* 1511, 143)
De un invencible español (MP 2459, 19)
De un monte en los senos donde (*Lemos*, 218)
De un obispo de cristal (PN 418 p. 78)
De un rey la mucha bondad (MiB AD.XI.57, 11)
De un rey la mucha bondad (MiT 1001, 11)
De una agena adulación (PN 418 p. 253)
De una alta torre al mar Hero miraba (*Corte*, 134)
De una alta torre miraba (*Morán*, 60v)
De una altísima peña está pendiendo (*RH*, 209v)
De una blanca clavellina (MN 17.951, 166v, 170)
De una cosa lo primero (*Rojas*, 163)
De una fragosa montaña (FN VII-353, 138v)
De una fragosa montaña (*Jacinto López*, 74)
De una fragosa montaña (MP 996, 67)
De una fuente que admiraba (MN 17.951, 97v)
De una guija en otra guija (MN 17.556, 45)
De una guija en otra guija (MN 3724, 84v)
De una guija en otra guija (*RG* 1600, 89)
De una herida mortal (MP 1578, 138)
De una herida mortal (MP 617, 328v)
De una herida mortal (PN 373, 224)
De una huerta de Cupido (MoE Q 8-21, p. 178)
De una melindrosa (*Rojas*, 4v) *ver* De una vieja
De una ñudosa haya endurecida (MP 570, 223v)
De una ñudosa haya endurecida (MP 617, 257)
De una ñudosa haya endurecida (*Sevillano*, 269v)
De una oscura nube eclipsado (*Corte*, 123)
De una recia calentura (*Jacinto López*, 200v)
De una recia calentura (MN 17.556, 18)
De una recia calentura (*RG* 1600, 14)

Tabla 89

De una vieja melindrosa (FN VII-353, 54) *ver* De una melindrosa

De una vieja melindrosa (*Penagos*, 79)

De una virgen no tocada (*Sevillano*, 165v)

De una zagala que vi (*Sevillano*, 41v)

De unas cañas que jugaron (MN 3723, 118)

De unas cañas que jugaron (*RG* 1600, 239v)

De unos días a esta parte (*RG* 1600, 353v)

De unos hechos Tomás (*Lemos*, 236v)

De unos ojos bellos (*León/Serna*, 112v)

De unos ojos bellos (MP 2803, 171v)

De unos ojos bellos (*RG* 1600, 172v)

De varias condiciones aunque unidos (*Jesuitas*, 444v)

De varios pensamientos acosado (*Jesuitas*, 323v)

De varios pensamientos y ocio es hecha (MN 17.951, 75)

De varios pensamientos y ocio es hecha (*Rosal*, p. 85)

De velar viene la niña (*Flor de enamorados*, 99)

De velar viene la niña (MN 3725-1, 8)

De ventura nos topamos (*Heredia*, 184)

De Venus madre de Amor (MP 973, 363v)

De ver la doncella (*Canc.*, Ubeda, 12)

De ver las facciones (FRG p. 160)

De ver mi firmeza (*Romancero*, Padilla, 322v)

De ver tan enriquecida (*Cid*, 169)

De ver un niño abrasado (*Jhoan López*, 46v)

De ver una oscura cueva (*Penagos*, 113)

De ver una oscura cueva (*RG* 1600, 28v)

De verde y color rosado (MN 3723, 183)

De verde y color rosado (*RG* 1600, 136)

De verdes mantos las cortezas cubre (FN VII-353, 289)

De verdes mantos las cortezas cubre (MN 2856, 119v)

De verdes mantos las cortezas cubre (*Penagos*, 13v)

De verdes y altos lauros coronada (SU 2755, 107)

De verme en tanto mal vivo me espanto (MN 1132, 1)

De verme perdido así (*Evora*, 22v)

De verme perdido así (*Toledano*, 64v)

De verme tan encerrada (*Rojas*, 32v)

De veros casada (WHA 2067, 44)

De vestido inmortal resplandeciente (MN 2973, p. 32)

De vida desamparado (*CG* 1514, 185)

De vida dulce y sabrosa (MN 3691, 79)

De vida que tanto enoja (*Colombina*, 56v)

De vida tan lastimada (*Canc.*, Maldonado, 13)

De vida triste siniestra (*CG* 1511, 105v)

De vida triste siniestra (MP 617, 102v)

De vivir buen caballero (*CG* 1514, 130)

De vivir vida segura (MP 617, 151)

De vivir ya desespero (*CG* 1511, 143v)

De vivir ya desespero (MiA S.P. II.100, 12v)

De vos de amor de ausencia y de fortuna (EM Ç-III.22, 114v)

De vos de amor de ausencia y de fortuna (*Romancero*, Padilla, 250)

De vos dirán cien mil cosas (*Sevillano*, 241v)

De vos dirán mi señora (*CG* 1557, 395v)

De vós e de mim naceo (*Elvas*, 71v)

De vos el primo segundo (*CG* 1535, 199)

De vos en aquesta ausencia (MN 3902, 86v)

De vos la hermosa Maruja (PN 418 p. 374)

De vos me parto quejando (*CG* 1511, 65v)

De vos me quiero quejar (MN 3968, 135v)

De vos mi señora (*Recopilación*, Vázquez, 25v)

De vos quiero ser amado (*Vergel*, Ubeda, 15v)

De vos se puede decir (*Lemos*, 171)

De vos y de mí quejoso (*Colombina*, 51v)

De vos y de mí quejoso (*Elvas*, 43v)

De vos y de mí quejoso (MN 3806, 94v)

De vos y de mí quejoso (MP 617, 151v)

De vos y de mí quejoso (*Obras*, Silvestre, 84v)

De vos y de mí quejoso (PBM 56, 84v-85)

De vos y de mí quejoso (*Tesoro*, Padilla, 225)

De vos, el duque de Arjona (*Obras*, Cepeda, 137v)

De vuestra adivinación (*Obras*, Cepeda, 57v)

De vuestra beldad forzado (*Obras*, Silvestre, 77v)

De vuestra gran beldad y hermosura (*Morán*, 198)

De vuestra grandeza digo (*Jesuitas*, 53, 202v)

De vuestra grandeza digo (*Sevillano*, 140v)

De vuestra memoria tanta (*CG* 1535, 197v)

De vuestra merced espero (*Ixar*, 334)

De vuestra prisión me vino (MN 5602, 19)

De vuestra suerte y ventura (*Flor de enamorados*, 66)

De vuestra torpe lira (MP 617, 267)

De vuestra torpe lira (OA 189, 305)

De vuestra torpe lira (*Penagos*, 157v, 197)

De vuestra torpe lira (PN 307, 41v)

De vuestra torpe lira (TP 506, 352)

De vuestra virtud gloriosa (*Fuenmayor*, p. 588)

De vuestra vista partido (*CG* 1511, 196v)

De vuestras gracias señora (*Morán*, 6)

De vuestro claro ingenio señor mío (PN 373, 46v)

De vuestro convite Adán (*Vergel*, Ubeda, 68v)

De vuestro desamor el alma mía (*Obras*, Cepeda, 99v)

De vuestro querer cautivo (*Peralta*, 31)

De vuestro valor y el mío (*Romancero*, Padilla, 257)

De vuestros ojos centellas (*Cid*, 133v)

De vuestros ojos centellas (FN VII-353, 331)

De vuestros ojos centellas (*Lemos*, 266)

De vuestros ojos centellas (*Morán*, 121v, 207)

De vuestros ojos centellas (*Tesoro*, Padilla, 15)

De yerbas los altos montes (MN 3724, 56v)
De yerbas los altos montes (MP 996, 139)
De Zaragoza traigo (FN VII-353, 268)
Debajo de dos cárceles cercada (MN 1317, 469)
Debajo de ellas cumple sus antojos (MP 2459, 16)
Debajo de esta piedra dura helada (*Penagos*, 178v)
Debajo de esta piedra dura y fría (PN 314, 98v)
Debajo de su lanza (PN 372, 2)
Debajo de un aliso recostado (*Sevillano*, 270v)
Debajo de un blanco velo (*León/Serna*, 107v)
Debajo de un pedazo de tejado (*Jesuitas*, 479v)
Debajo de un pie blanco y pequeñuelo (MN 2856, 69)
Debajo de un pino (*León/Serna*, 95v)
Debajo de un pino (MP 1587, 94)
Debajo de una antigua y dura encina (MP 570, 206)
Debajo de una verde higuera (MN 17.556, 73v)
Debajo del pensamiento (*Sevillano*, 262v)
Debajo del sayal hay al (*Obras*, Silvestre, 294)
Debajo la humanidad (*Canc.*, Ubeda, 20)
Debajo un alto aliso en la corteza (*Morán*, 20)
Debajo un arayán fresco y ameno (PN 371 91v)
Debajo un roble que movía el viento (FN VII-354, 426v)
Debajo un roble que movida al viento (*Rosal*, p. 332)
Debajo un roble que movido al viento (FR 3358, 139)
Debajo un roble que movido al viento (MN 3698, 59)
Debajo un roble que subido al viento (MP 996, 234)
Debajo un verde roble Aliso estaba (*Obras*, Cepeda, 103)
Debajo una verde haya (*León/Serna*, 102)
Debe ser sospecho (*Jhoan López*, 50v)
Debe ser sospecho (RaC 263, 108v)
Débese de remitir (CG 1535, 192)
Débese de remitir (*Sevillano*, 169v)
Dechado de perfección (MN 3806, 163)
Decí gentil aldeana (FRG p. 171)
Decí hermosa dama qué figura (MP 570, 243v)
Decí Ignacio si veláis (*Vergel*, Ubeda, 164v)
Decí quién es la dama generosa (MP 570, 218)
Decí serranas hermosas (*Toledano*, 31)
Decí serranicas (*Toledano*, 31)
Decí serranicas eh (*Toledano*, 31), *ver* Y decid serranicas
Decí si sabéis quién (*Flor de enamorados*, 44)
Decí si sois vos galán (*Flor de enamorados*, 15)
Decí triste pensamiento (*Padilla*, 140v)
Decía de cuando en cuando (RaC 263, 70v)
Decía la moza al cura (*Rojas*, 182v)
Decía un bachiller a un su criado (*Sevillano*, 75v)
Decid algo lengua mía (CG 1535, 197)
Decid amigo sois flor (CG 1511, 230v)
Decid caballero real de nación (CG 1511, 155)

Decid caballeros y damas hermosas (MN 1317, 470v)
Decid cómo puede ser (MoE Q 8-21, p. 83)
Decid cómo puede ser (PN 372, 36v)
Decid cómo puede ser (*Romancero*, Padilla, 284v)
Decid Dios pues abajáis (*Sevillano*, 176v)
Decid galán porque entienda (*Flor de enamorados*, 14v)
Decid gentil aldeana (*Flor de enamorados*, 97v)
Decid hermana mía qué figura (MP 973, 96)
Decid hermosa dama qué figura (*Jacinto López*, 9v)
Decid Juan de Mena y mostradme cuál (CG 1511, 151v)
Decid Juan de Mena y mostradme cuál (*Ixar*, 157)
Decid los que tratáis de agricultura (FN VII-353, 21)
Decid los que tratáis de agricultura (*Obras*, Silvestre, 415v)
Decid mi Dios verdadero (*Fuenmayor*, p. 266)
Decid muy gentil doncella (TP 506, 398)
Decid ociosos pensamientos vanos (*Borges*, 86)
Decid ociosos pensamientos vanos (MP 644, 197)
Decid ojos hermosos (RaC 263, 80)
Decid pescador del cielo (*Fuenmayor*, p. 270)
Decid qué es aquello tieso (*Penagos*, 121v)
Decid qué gloria hacéis (FN VII-353, 55v)
Decid que porque se humilla (*Sevillano*, 129)
Decid quién ha sido causa (*Flor de enamorados*, 88)
Decid quién os trae (*Sevillano*, 164v)
Decid quién pudo bajar (*Vergel*, Ubeda, 20)
Decid reyes sagrados (*Vergel*, Ubeda, 29v)
Decid santas qué hacéis (*Vergel*, Ubeda, 53)
Decid señor por qué con tal sentencia (*Cid*, 190v)
Decid Señor si no teniades ánimo (*Faria*, 18v) Decid señor
    si no teníades ánimo (MN 3700, 91v)
Decid si sabéis cuál es aquel sas [cortado] (*Lemos*, 19)
Decid si sabéis cuál es el molino (*Lemos*, 19v)
Decid si sabéis quién es la golosa (*Lemos*, 18v)
Decid Virgen madre (*Sevillano*, 187)
Decidle a la muerte madre (*Jacinto López*, 318v)
Decidle al caballero (*Uppsala*, n. 46)
Decidle que estoy cautivo (*Padilla*, 232v)
Decidle que me venga a ver (CG 1557, 393v)
Decidme cuál es aquel (*León/Serna*, 83v)
Decidme cuál es aquel animal (*Lemos*, 19v)
Decidme cuál es la cosa (CG 1511, 156)
Decidme dama graciosa (*Penagos*, 121v)
Decidme fuente clara (MP 2803, 232v)
Decidme gentes discretas (MN 1317, 439v)
Decidme juicios de fino cristal (MN 1317, 470v)
Decidme los leales amadores (PN 373, 222)
Decidme mi vida (MN 17.951, 30)
Decidme Niño tierno (MN 17.951, 51)
Decidme Niño tierno ese gemido (MN 17.951, 77v)

Tabla 91

Decidme prados bellos (MP 2803, 223v)

Decidme quién es aquel caballero (MN 1317, 469v)

Decidme quién son aquellos (MP 644, 205)

Decidme recién casada (MN 3724, 275)

Decidme señor si vos sois contento (MN 1317, 469)

Decidme señoras cómo puede ser (MN 1317, 471)

Decidme si sabéis por ventura (MN 1317, 469)

Decidme vos amadores (*CG* 1511, 155)

Decidnos Antonio cuándo (*Jhoan López*, 104)

Decidnos reina del cielo (*CG* 1511, 20v)

Decidnos Sant Ana vos (*Obras*, Silvestre, 349)

Decidnos Sant Ana vos (*Sevillano*, 145v, 183)

Decidnos Santa Ana vos (*Fuenmayor*, p. 406)

Decidnos Santa Ana vos (*Jesuitas*, 200)

Decidnos santa Ana vos (MN 17.951, 45v)

Decidnos Virgen gloriosa (MP 644, 187)

Decidnos Virgen preciosa (*Canc.*, Ubeda, 86v)

Decidnos Virgen preciosa (MiT 1001, 31)

Decidnos Virgen preciosa (*Sevillano*, 40v)

Decidnos Virgen preciosa (*Vergel*, Ubeda, 99v)

Decidnos Virgen sagrada (*Sevillano*, 159v)

Decíme vos pensamiento (*CG* 1511, 134)

Decimos los hombres (MN 4127, p. 72)

Decir que el Amor es ciego (*Cid*, 75)

Decir que son de oro esos cabellos (FN VII-354, 247)

Decir que son de oro esos cabellos (*Tesoro*, Padilla, 53v)

Decirme vos pensamiento (MN 3724, 157v)

Deciros mi pena ni oso ni sé (MN 5593, 96)

Decirte lo que claro mi alma siente (MP 570, 241v)

Decís que me queréis y que engañada (TP 506, 278), *ver* Dices que me quieres

Decís que no hay razón de no quererme (*Jacinto López*, 11v)

Decísme dama que mude el querer (*Lemos*, 122)

Declinando el lucero matizaba (SU 2755, 24)

Defendiérame del mal (*CG* 1511, 130v)

Defensora y patrona (*Ixar*, 75v)

Degüéllenla ya siquiera (*CG* 1511, 226)

Deixai-me a minha tristeza (*Corte*, 54)

Deixando o doce fato e a cabana (*Borges*, 26)

Deixar eu de vos querer (EM Ç-III.22, 69v)

Deixar quero lembranças (*Evora*, 10v)

Deja de amar a Silvero (MBM 23/4/11, 374)

Deja de estar modorido (*Padilla*, 232)

Deja el tiempo con paciencia (MP 617, 247)

Deja ese temor injusto (*Romancero*, Padilla, 306v)

Deja esos extremos (*Penagos*, 78v)

Deja la furia del sangriento Marte (MN 3670, 8)

Deja la imaginación (WHA 2067, 52v)

Deja la morenita (*Jacinto López*, 319v)

Deja las damas cuyo flaco yerro (*Lemos*, 212)

Deja Mateo el peligroso trato (*Vergel*, Ubeda, 133)

Deja mi corazón Amor tirano (TP 506, 383v)

Deja montes de imposibles (MoE Q 8-21, p. 167)

Dejá pastores la sierra (PN 372, 212v)

Deja pues ya es tiempo en su sosiego (*Canc.*, Maldonado, 180)

Deja señora deja de quejarte (*Morán*, 14)

Deja su corte y estado (*Vergel*, Ubeda, 14v

Deja tus amores (WHA 2067, 132)

Deja ya de mirarte en la agua clara (MBM 23/4/11, 141v)

Deja ya de mirarte en la agua clara (*Morán*, 18)

Deja ya de mirarte en la agua clara (PN 373, 229v)

Deja ya de procurar (*Morán*, 55v)

Deja ya el mandil (MN 3725-1, 111)

Deja ya tu soledad (*Recopilación*, Vázquez, 24)

Dejaba Ambroz en Plasencia (MN 1317, 103v)

Dejad cansados ojos (MN 4127, p. 189)

Dejad de ser crueles bellos ojos (MN 2973, p. 159)

Dejad el trato Mateo (*Vergel*, Ubeda, 133v)

Dejad la dulce acogida (*RG* 1600, 31v)

Dejad las hebras de oro ensortijado (MN 2973, p. 111)

Dejad los dulces regalos (*RG* 1600, 137)

Dejad los libros ahora (MP 996, 94)

Dejad los libros ahora (*Peralta*, 78v)

Dejad los libros un rato (MN 3724, 217)

Dejad pastores la sierra (PN 371 1)

Dejad pastores mi mal (OA 189, 373)

Dejad pastores mi mal (PN 307, 313)

Dejad pastores mi mal (PN 373, 134)

Dejad un rato los libros (*RG* 1600, 325v)

Dejad zagales mi mal (*Flor de enamorados*, 130)

Dejadlos mi madre (PBM 56, 53v-54)

Dejadlos mi madre (RaC 263, 36)

Dejadlos mis ojos (RaC 263, 36)

Dejadme cantinelas dulces mías (PN 373, 254v)

Dejadme el apellido verdadero (*Peralta*, 26v)

Dejadme en paz mortales pensamientos (*Morán*, 12v, 52v)

Dejadme estar oh falsas esperanzas (MBM 23/4/1, 398)

Dejadme llorar (*Jacinto López*, 184v)

Dejadme llorar (*Jhoan López*, 49)

Dejadme llorar (MN 17.556, 37v)

Dejadme llorar (MoE Q 8-21, p. 140)

Dejadme llorar (*RG* 1600, 35v)

Dejadme memorias tristes (FN VII-353, 65)

Dejadme suspirar desconfianza (OA 189, 11v)

Dejadme tristes cuidados (MP 2803, 166)

Dejadme ya vivir murmuradores (OA 189, 60v)

Dejado todo el bien un desdichado (MP 1587, 20v)

Dejáis con vuestra partida (*CG* 1511, 176v)

Déjalo ya que son torres de viento (MP 2459, 16v)

Déjalos aparte (WHA 2067, 132)

Déjame Amor en paz ya te di el fruto (MBM 23/4/1, 55)

Déjame Delia ver los lazos de oro (*Jacinto López*, 6v)

Déjame deseo (*Jacinto López*, 72)

Déjame dulce María (MBM 23/4/1, 37)

Déjame dulce María (*Obras*, Silvestre, 37)

Déjame en paz Amor ya te di el fruto (MN 3968, 95v)

Déjame en paz Amor ya te di el fruto (*Morán*, 138)

Déjame en paz Amor ya te di el fruto (MP 1578, 100v)

Déjame estar Ergasto que ni creo (MN 3670, 163)

Déjame estar oh tú que ya mal grado (MP 973, 128v)

Déjame linda María (*Morán*, 16)

Déjame siempre encerrada (Sevillano, 196v)

Dejamos desconsolado (*CG* 1511, 87)

Dejan todo su ganado (Sevillano, 188v)

Dejando ejemplos aparte (MP 2459, 62)

Dejando los ganados ruminando (*Corte*, 114)

Dejaos de eso caballero / que amor ya no es para vos (*Flor de enamorados*, 78)

Dejaos de eso caballero / sabed que soy como he sido (*Flor de enamorados*, 79)

Dejar de ser bien querida (*Morán*, 40)

Dejaréis Amor mis tierras (*Lemos*, 93v)

Dejaréis Amor mis tierras (MP 617, 169)

Dejaréis Amor mis tierras (*Padilla*, 231v)

Dejáronme ventura y alegría (*Morán*, 197v)

Dejaros señora quiero (MN 3700, 103)

Dejaste las hermanas y la fuente (*Corte*, 104)

Deje de ser amador (PBM 56, 38v-39)

Deje Iris mostrando sus colores (MN 3913, 139v)

Deje la mano No quiero (*León/Serna*, 112v)

Dejémonos ya de chufas (Rojas, 29)

Dejen llorar al chiquito (Peralta, 39v)

Déjenlo llorar al niño (Peralta, 39v)

Déjenme mis esperanzas (FN VII-353, 173v)

Déjenme mis esperanzas (*Jacinto López*, 69)

Déjenme sepa ofender (*Padilla*, 42v)

Déjenme un poco mis cabras (*RG* 1600, 141v)

Dejó Ambroz en Plasencia (MN 1317, 101v)

Dejó de Guadalquivir (MN 17.557, 75)

Dejo de suspirar porque recelo (*Tesoro*, Padilla, 109)

Dejó el suelo Belisa (*Padilla*, 226)

Dejó la venda el arco y el aljaba (*Medinaceli*, 139v)

Dejo subir tan alto mi deseo (MN 2973, p. 65)

Dejóme el Amor tirano (*Canc.*, Maldonado, 53v)

Dejóme mi tormento en tal estado (MBM 23/4/1, 236)

Dejóme por otra amiga (*Lemos*, 26v)

Dejóme preso el amor (FN VII-353, 148) *ver* Prendióme el amor

Del agua de la vida (*Vergel*, Ubeda, 198v)

Del Alhambra a media noche (*RG* 1600, 245)

Del Alhambra a media noche / sale gallardo Zulema (MN 3723, 200)

Del Alhambra sale Muza (FN VII-353, 141v), *ver* De la Alhambra

Del alma encendidos (Cid, 223v)

Del alma encendidos (*Morán*, 95v)

Del alma encendidos (MP 1587, 97v, 116)

Del alto alcázar troyano (*Jhoan López*, 6v)

Del alto trono de mis pensamientos (MN 2973, p. 183)

Del alto y duce seno (*Vergel*, Ubeda, 11v)

Del amador más constante (*CG* 1514, 186)

Del amor captivo y preso (*Jesuitas*, 160v)

Del amor divino preso (Fuenmayor, p. 46)

Del amor divino preso (Fuenmayor, p. 46)

Del amor lo más ardiente (PN 418 p. 251)

Del amor me río (MN 3700, 105v)

Del amor mil flechas (FN VII-353, 53)

Del amor mil flechas (*Jacinto López*, 67v)

Del amor no de la ciencia (PN 418 p. 204)

Del amor se va riendo (OA 189, 49)

Del amor se va riendo (Sevillano, 240v)

Del Amor tirano (Padilla, 128)

Del Amor tirano (*Tesoro*, Padilla, 342v)

Del amor voldría saber (*Flor de enamorados*, 82v)

Del Amor y la Fortuna (MN 3700, 134)

Del arco y aljaba (*Morán*, 46)

Del arte que desbarata (*Morán*, 25)

Del babilonio la mortal herida (MN 17.556, 124v)

Del Betis a la orilla (*Jacinto López*, 56)

Del Betis a la orilla (Penagos, 212v)

Del bien que tarde se alcanza (*Romancero*, Padilla, 316v)

Del campo francés vencido (MiT 994, 3v)

Del cargo que se le hace (*Vergel*, Ubeda, 70)

Del Carpio sale Bernardo (*Romancero*, Padilla, 143)

Del celos del rey su hermano (*RG* 1600, 19v)

Del cielo baja un estrella (Sevillano, 182v)

Del cielo bajó un pastor (*Obras*, Silvestre, 350v)

Del cielo bajó un pastor (Sevillano, 81v)

Del cielo descendió vuestra figura (MN 2973, p. 84)

Del cielo descendió vuestra figura (*Padilla*, 110v)

Del cielo le vienes (MN 17.557, 78)

Del cielo luciente estrella (*RG* 1600, 73)

Del cielo venís Dios mío (*Vergel*, Ubeda, 75v)

Del ciprés triste y de la verde hiedra (*Morán*, 56v)

Del ciprés triste y de la verde yedra (PN 373, 285)

Tabla 93

Del color noble que a la piel vellosa (*Lemos*, 211)

Del confesor se imagina (MiT 1001, 11)

Del coro de las doncellas (FR 3358, 90v)

Del cristal de Manzanares (MN 3700, 11v, 79)

Del cuerpo el alma triste se me aparta (CG 1557, 389)

Del daño la causa fuistes (*Rojas*, 81v)

Del daño que se me ordena (*Gallardo*, 58v)

Del daño que se me ordena (*Heredia*, 192v)

Del dicho de la gente temerosa (RaC 263, 127)

Del dolor que me he buscado (CG 1554 86)

Del duro pedernal quién ha sacado (FN VII-353, 12)

Del duro pedernal quién ha sacado (*Jesuitas*, 351)

Del duro pedernal quién ha sacado (MN 17.951, 65v)

Del duro pedernal quién ha sacado (*Vergel*, Ubeda, 171)

Del encendido fuego vivo ardiente (PN 314, 21v)

Del famoso Amadís la insigne historia (PN 314, 90)

Del fuego ardiente que en mi triste pecho (*Canc.*, Maldonado, 85v)

Del fuego primero (*Lemos*, 126)

Del gavilán condición (PN 373, 89)

Del Hijo que en su alto entendimiento (MN 17.951, 10v)

Del hondo de mi pecho (*Jacinto López*, 293)

Del hondo de mi pecho (*Jesuitas*, 329)

Del hondo de mi pecho (MP 3560, 38v)

Del hondo valle del tormento mío (NH B-2558, 42)

Del ítalo francés griego y troyano (MN 17.556, x)

Del llorar continuamente (PN 373, 249)

Del mal de no os ver mi vida (*Morán*, 25)

Del mal de no os ver mi vida (MP 1587, 93)

Del mal que Amor me ha dado (*Padilla*, 102v)

Del mal que Amor me ha dado (*Tesoro*, Padilla, 124)

Del mal que Amor quiso darme (*Padilla*, 49)

Del mal que Amor quiso darme (*Tesoro*, Padilla, 448v)

Del mar de amor aporto a la marina (MN 3700, 156v)

Del más supremo collado (*Sevillano*, 85v)

Del mi tormento vencido (*Corte*, 34)

Del monte el bosque y valle (*Morán*, 257v)

Del mundo ocho son ya las maravillas (MP 3560, 19)

Del mundo y sus flores (*León/Serna*, 99)

Del nom gentil de una gentil dama (CG 1514, 134)

Del nuevo efecto que siento (MN 3700, 111v)

Del oro fino son vuestros cabellos (MBM 23/4/1, 37v)

Del oro fino son vuestros cabellos (*Obras*, Silvestre, 361)

Del ostracismo de Atenas (MP 2459, 77)

Del perezoso Morfeo (MN 3723, 53)

Del perezoso Morfeo (RG 1600, 137v)

Del poeta es regla recta (*Ixar*, 157)

Del poeta es regla recta (MP 617, 37v)

Del privilegio rodado (CG 1511, 140v)

Del profundo de mi error (*Obras*, Silvestre, 284v)

Del que con armado pecho (MN 17.556, 1)

Del que huesped vuestro ha sido (*Fuenmayor*, p. 117)

Del que temblaba la tierra (*Peralta*, 47v)

Del rayo suele dar seña (*Obras*, Cepeda, 88)

Del rey Alfonso se queja (RG 1600, 178v)

Del rey moro de Granada (*Romancero*, Padilla, 92v)

Del riesgo de veros tal (MP 617, 269v, 239v)

Del rigor de mis desdenes (MP 996, 178v)

Del risco terrible la dureza (*Padilla*, 127)

Del rosal sale la rosa (*Recopilación*, Vázquez, 6v)

Del saber de Dios las minas (MiB AD.XI.57, 11v)

Del saber de Dios las minas (MiT 1001, 11v)

Del sabio amor se sufre el accidente (TP 506, 210v)

Del sacro paraíso de Maria (*Jesuitas*, 294)

Del semblante de Felipe (PN 418 p. 41)

Del seno del Padre (*Jesuitas*, 448)

Del seno del Padre amado (*Padilla*, 59)

Del seno del Padre eterno (MN 17.951, 22v)

Del sepulcro se salieron (*Vergel*, Ubeda, 54)

Del soberano coro acá en el suelo (MBM 23/4/1, 210v)

Del soberano coro acá en el suelo (PN 373, 88)

Del soberano Espíritu alumbrado (MP 3560, 44v)

Del sol que en el espejo reverbera (EM Ç-III.22, 82)

Del soldán de Babilonia (MN 3725-2, 8)

Del tálamo virginal (MN 17.951, 152)

Del temor de un mal que callo (PN 373, 158)

Del Tiempo Amor y la Fortuna he sido (*Morán*, 192)

Del tiempo el movimiento acelerado (*Tesoro*, Padilla, 56v)

Del tiempo infinito (MN 3725-1, 54)

Del tiempo infinito (RG 1600, 340v)

Del todo fuera de ti (*Padilla*, 52v)

Del todo fuera de ti (*Romancero*, Padilla, 329)

Del Tormes vine a cantar (MN 3700, 70)

Del uno haced dos (*Flor de enamorados*, 45)

Del vientre de su hija hoy ha salido (MN 17.951, 27)

Del vuestro llanto mana mi alegría (FN VII-353, 11v)

Déla Dios contento (*Jacinto López*, 43)

Delante de Alboacén (MN 17.556, 103v)

Delante de Alboacén (MP 996, 149v)

Delante de sí lleve el sufrimiento (*Obras*, Cepeda, 72)

Delante de tus pies señora mía (MP 570, 213v)

Delante el rey de León (RG 1600, 177v)

Deleites dónde estáis que ya no os veo (*Fuenmayor*, p. 76)

Deleites que pasados dais tormento (*Vergel*, Ubeda, 182)

Delgada sois Leonor si esto es ser dama (TP 506, 334)

Delia ingrata Delia bella (*Penagos*, 152)

Delia noble leal será que un hora (MN 3902, 112v)

Delicada soy delicada (*Jacinto López*, 71v)

Deme muerte el desengaño (*Jacinto López*, 262)

Deme ya favores / pues la pretendo (MN 3913, 47v)

Demócrates deléitate y bebamos (BeUC 75/116, 77)

Demócrates deléitate y bebamos (FN VII-354, 38v)

Demócrates deléitate y bebamos (MBM 23/8/7, 256)

Demócrates deléitate y bebamos (MN 4256, 159v)

Demócrates deléitate y bebamos (MN 4262, 149)

Demócrates deléitate y bebamos (MP 1578, 3v)

Demócrates deléitate y bebamos (MP 2805, 113v)

Demócrates deléitate y bebamos (PhUP1, 82)

Demócrates deléitate y bebamos (PN 258, 200)

Demócrates deléitate y bebamos (RV 768, 263)

Democrates deléitate y vivamos (*Heredia*, 339)

Demócrates deleitate y vivamos (MN 3968, 63v)

Demonios dadme venganza (MP 973, 121)

Dende el corazón al alma (MP 617, 318), *ver* Desde el corazón

Dende el corazón al alma (*Obras*, Silvestre, 112)

Dende la que menos vale (*Sevillano*, 62)

Denme el caballo de entrada (MN 3723, 223)

Denme el caballo de entrada (*RG* 1600, 350)

Dénos razón el hombre más prudente (*Jesuitas*, 457)

Dénos razón el hombre más prudente (MN 2973, p. 23)

Dentro de Constantinopla (*FRG* p. 122)

Dentro de Constantinopla (MiT 994, 37v)

Dentro de Constantinopla (*Rosa Real*, Timoneda, 70v)

Dentro de Generalife (*Cid*, 226v)

Dentro de la empalizada (RaC 263, 48v)

Dentro de la empalizada (*Rojas*, 104)

Dentro de un repertorio se juntaron (FN VII-353, 316v)

Dentro de un santo templo un hombre honrado (FN VII-354, 256v)

Dentro de un santo templo un hombre honrado (RaC 263, 125)

Dentro de un santo templo un hombre honrado (*Toledano*, 98v)

Dentro de una capilla un hombre honrado (FR 3358, 167v)

Dentro en el vergel (*Lemos*, 93)

Dentro en mi alma fue de mí engendrado (MP 1578, 118)

Dentro en mi alma tengo un aposento (MN 3968, 164v)

Dentro viene el buen don Juan (MiT 994, 39v)

Deo gracias devotos padres (*RG* 1600, 335)

Depertad marido mío (MBM 23/4/1, 171v)

Depois que a clara aurora a noute escura (EM Ç-III.22 23)

Depois que de ver deixei (*Borges*, 59v)

Depósito del culto soberano (MiB AD.XI.57, 30v)

Derramando voy lágrimas sin cuento (PN 314, 21)

Desabrimiento extraño es el que siento (*Morán*, 185)

Desabrimientos disgustos (*Padilla*, 6v)

Desacordado zagal (PN 372, 321v)

Desamada siempre seas (*Obras*, Cepeda, 139v)

Desamor es bien llamarte (PN 372, 355v)

Desamor que vida ordena (*CG* 1511, 145v)

Desata el negro velo de la frente (SU 2755, 112v)

Desata el pardo octubre (*Sablonara*, 21)

Desátanse de las cumbres (MN 3700, 191)

Desate mi torpe lengua (MP 1578, 310)

Desatinado animal (*CG* 1511, 140v)

Desbaratado el socorro (*Romancero*, Padilla, 31v)

Descansa bella Amarilis (MP 996, 180v)

Descanse nuestra lira y musa ahora (MP 617, 296v)

Descanso de mis ojos regalado (*Romancero*, Padilla, 89v)

Descanso del alma mía (*Toledano*, 31)

Descanso es el suspirar (*Morán*, 129v)

Descargando el fuerte acero (*RG* 1600, 8)

Descárgate lengua mía (*Obras*, Silvestre, 21)

Desce dos altos céus umo e trino (*Borges*, 11)

Descended rey de gloria soberano (*Vergel*, Ubeda, 48v)

Descendid al valle la niña (*Recopilación*, Vázquez, 19)

Descendid niña de amor (*Recopilación*, Vázquez, 19)

Desciende del Parnaso musa y canta (*Jesuitas*, 462v)

Desciende del Parnaso musa y canta (*Vergel*, Ubeda, 162v)

Desciende ya del cielo (FR 3358, 204v)

Desciende ya del cielo (MN 3698, 14)

Desciende ya del cielo (MP 973, 245)

Descobríme cada hora (*Corte*, 55v)

Descolorida zagala (MN 3724, 114)

Descolorida zagala (*RG* 1600, 284v)

Desconocida pastora (*Penagos*, 75)

Desconsolado de mí (*CG* 1511, 95v, 187v)

Descúbrase el pensamiento (*CG* 1511, 135)

Descúbrase en mis razones (*Tesoro*, Padilla, 5)

Descubre claro Sol tu lumbre hermosa (MN 17.951, 115)

Descubren con motivos diferentes (FR 3358, 88v)

Descubren con motivos diferentes (*Peralta*, 58v)

Descubridme esta pasión (*CG* 1511, 152v)

Descuidad ese cuidado (*CG* 1511, 146v)

Descuidada andáis vagando (*Sevillano*, 64v)

Descuidada y sin cuidado (*Toledano*, 46)

Descuidado aunque no libre (MN 4127, p. 140)

Descuidado aunque no libre (*RG* 1600, 15v)

Descuidado de cuidado (*Medinaceli*, 76v)

Descuidado de cuidado (*Sevillano*, 273)

Descuidado del cuidado (*Toledano*, 46, 65)

Descuidado y descuidado (PN 373, 57)

Descuidos ajenos (*Rojas*, 66)

Desde ahora me despido (FN VII-354, 82v)

Desde ahora me despido (MBM 23/4/1, 309)

Tabla 95

Desde ahora me despido (MBM 23/8/7, 229)

Desde ahora me despido (MN 2856, 61)

Desde ahora me despido (MN 3670, 44v)

Desde ahora me despido (MN 4262, 231)

Desde ahora me despido (MN 4268, 219v)

Desde ahora me despido (*Morán*, 10)

Desde ahora me despido (MP 2805, 85v)

Desde ahora me despido (MP 570, 164)

Desde ahora me despido (MRAH 9-7069, 123v)

Desde ahora me despido (PhUP1, 184v)

Desde ahora me despido (PN 258, 112

Desde ahora me despido (PN 307, 310)

Desde ahora me despido (PN 372, 345)

Desde ahora me despido (RV 768, 194)

Desde aquel mismo día punto y hora (MP 570, 275v)

Desde aquel punto dichoso (*Morán*, 71v)

Desde aquel triste día (PN 373, 213v)

Desde aquella antigua torre (MN 3700, 183v)

Desde aquella hora (*Toledano*, 20)

Desde aquí los miraremos (*Sevillano*, 170)

Desde el caudaloso río (*Jacinto López*, 191)

Desde el corazón al alma (*Cid*, 179v)

Desde el corazón al alma (*Enredo*, Timoneda, 5v)

Desde el corazón al alma (*FRG* p. 202)

Desde el corazón al alma (*Jacinto López*, 61v, 62)

Desde el corazón al alma (*Morán*, 122, 139, 208v)

Desde el corazón al alma (PN 372, 104v, 171)

Desde el corazón al alma (*Tesoro*, Padilla, 78)

Desde el día que nací (*Jacinto López*, 188v)

Desde el día que te vi (*Morán*, 89v)

Desde el punto en que nacemos (MP 617, 170v)

Desde el punto que le vi (*Padilla*, 64)

Desde el punto que os miré (MN 3700, 84)

Desde el solio soberano (MP 2459, 68)

Desde el vientre de su madre (*Jhoan López*, 104)

Desde el vientre de su madre (*Jhoan López*, 104)

Desde esta Sierra Morena (MN 3700, 213v)

Desde hoy más renuncio mora (MN 3723, 304)

Desde hoy más renuncio mora (*RG* 1600, 220v)

Desde la corte del cielo (*Fuenmayor*, p. 279)

Desde la eternidad antes que el cielo (MBM 23/4/1, 356)

Desde la famosa vega (*Rojas*, 12)

Desde la hora que os vi (MP 617, 28)

Desde la noche al alba (MN 3700, 107v, 173)

Desde la torre de Sesto (*RH*, 135v)

Desde las torres del alma (*Sablonara*, 32)

Desde lejos la cabaña (MN 17.557, 79)

Desde que de allá partí (*Lemos*, 103)

Desde que el zagal salió (*Sevillano*, 141v)

Desde que sale Cinthia blanca y fría (MN 2973, p. 358)

Desde Sansueña a París (*Lemos*, 204)

Desde Sansueña a París (MP 996, 175)

Desde tu silla fuiste tan famoso (MP 2459, 44v)

Desde un alcázar famoso (*Jhoan López*, 136v)

Desde un alto mirador (MN 3723, 298)

Desde un alto mirador (*RG* 1600, 182)

Desde un alto peñasco al fresco viento (MP 570, 211)

Desde una soberbia torre (*RG* 1600, 313)

Desde unas pizarras (MN 3913, 139)

Desde zagala de primer tijera (MN 3700, 162v)

Desdén injusto menosprecio airado (TP 506, 292)

Desdén y disfavor (*Toledano*, 32)

Desdeñado soy de amor (*Sevillano*, 281)

Desdeñado soy de amor (*Uppsala*, n. 10)

Desdeñado y mal querido (*Uppsala*, n. 10)

Desdeñaste a Pedro (MN 17.556, 151)

Desdeñaste a Pedro (MP 996, 161)

Desdicha hermosura y novia (PN 418 p. 276)

Desdicha si me acabáis (*Morán*, 141)

Desdicha si me acabáis (PN 258, 157)

Desdichada la dama cortesana (*RG* 1600, 255v)

Desdichada la dama cortesana (TorN 1-14, 18)

Desdichada miro y callo (*Toledano*, 27v)

Desdichado y sin ventura (*Flor de enamorados*, 34v)

Desdichas si me acabáis (BeUC 75/116, 109v)

Desdichas si me acabáis (FN VII-354, 187)

Desdichas si me acabáis (MBM 23/8/7, 198)

Desdichas si me acabáis (MN 3670, 30)

Desdichas si me acabáis (MN 3968, 83v)

Desdichas si me acabáis (MN 4256, 226v)

Desdichas si me acabáis (MN 4268, 152)

Desdichas si me acabáis (MP 2805, 56v)

Desdichas si me acabáis (PhUP1, 117)

Desdichas si me acabáis (PN 307, 223)

Desdichas si me acabáis (RV 768, 224)

Desea el alma gozar (MN 4127, p. 272)

Desean todos vivir (*CG* 1511, 96)

Desecha tantas tristezas (*RG* 1600, 92)

Desechas esperanzas que algún día (MN 3968, 159v)

Deseio falar-vos (*Uppsala*, n. 53)

Desenfadada y libre Galatea (*Cid*, 5)

Desenfádame una virgen muy perfecta (*Sevillano*, 152v)

Desenganado está meu pensamento (*Faria*, 56)

Desenganei um cuidado (*Corte*, 55v)

Desengañado Lucinio (*RG* 1600, 62v)

Desengáñame Pascuala (*Sevillano*, 292)

Desengañaos amor que más no puedo (*Tesoro*, Padilla, 15v)

Desengáñese mi suerte (*Morán*, 54)

Desengaño a quien bien mira (*Lemos*, 260)

Desengaño aunque tarde habéis venido (EM Ç-III.22, 31v)

Desengaño de un alma adormecida (MN 2856, 84v)

Desengaños dónde vais (*Jacinto López*, 236v)

Desengaños que soléis (MN 4127, p. 174)

Desengaños si os procuro (PN 307, 256)

Desengaños ya me ensaño (*Sevillano*, 221)

Desenlazado el yelmo Durandarte (*León/Serna*, 100v)

Desenlazando el yelmo a Durandarte (PN 372, 217v)

Desenlazando el yelmo Durandarte (FR 3358, 97v)

Desensíllenme la yegua (MP 973, 404v)

Deseo contar mi pena y no me atrevo (*Morán*, 259v)

Deseo mucho saber (WHA 2067, 84v)

Deséoos servir señor yo os prometo (*Canc.*, Maldonado, 133)

Deseos de un imposible (MN 3700, 82, 91)

Deservido de un ministro (MN 3913, 167v)

Desespera en ver mi muerte (CG 1511, 127)

Desesperación mortal (WHA 2067, 62)

Desesperada esperanza (*Corte*, 210v)

Desesperada vida (*Jesuitas*, 458)

Desesperado camina (MN 3723, 28)

Desesperado camina (RG 1600, 184)

Desesperado me tiene (*Heredia*, 80)

Desespere de alegría (CG 1514, 129v)

Desespero galardón (*Padilla*, 229v)

Desgradecida cruel (*Heredia*, 345v)

Deshaciendo en llanto eterno (RG 1600, 131)

Deshaz el padecer o mi querella (MN 3724, 82)

Deshechas esperanzas que algún día (*Jacinto López*, 228)

Deshechas esperanzas que algún día (*Morán*, 186v)

Desiertos campos árboles sombríos (*Sablonara*, 22)

Desiertos montes grutas espantosas (*Canc.*, Maldonado, 92v)

Desiertos montes peñas desiguales (MN 3700, 29v)

Desmayada y animosa (*Padilla*, 209)

Desmayarse atreverse estar furioso (*Faria*, 24v)

Desmayo humilde de esperanza pobre (*Penagos*, 190v)

Desmedido sonetero (*Obras*, Silvestre, 136v)

Desnuda la cruz a cuestas (MN 1317, 441)

Desnudando las memorias (MP 996, 180)

Desnudas la rodillas por el suelo (*Morán*, 90)

Desnudas las rodillas por el suelo (*Cid*, 193v)

Desnudas las rodillas por el suelo (MP 644, 179)

Desnudo y pobre llorando (*Sevillano*, 147v)

Desnudos árboles de hoja (RG 1600, 224)

Despedido de consuelo (CG 1514, 118v)

Despejo gala y donaire (MN 4127, p. 245)

Despertad con el flaco doloroso (*Ixar*, 264v)

Despertad del grave sueño (NH B-2558, 38)

Despertad hermosa Celia (MN 3724, 193v)

Despertad hermosa Celia (MP 996, 217v)

Despertad marido mío (PN 372, 16v), *ver* Levantaos marido

Despertad que yo os empeño (PN 372, 16v)

Despertad que yo os empeño (RV 1635, 52)

Despídase del favor (*Cid*, 189v)

Despídome de no veros (*Flor de enamorados*, 65)

Despierta Belisa hermosa (MN 3700, 58v)

Despierta Joan por tu fe (*Flor de enamorados*, 126)

Despierta Joan por tu fe (*Vergel*, Ubeda, 120)

Despierta Juan por tu fe (*Sevillano*, 282)

Despierta pecador mira mi pecho (*Vergel*, Ubeda, 40)

Despierta triste pastor (PBM 56, 10v-11)

Despierta y mueve y casi fuerza a amarse (*Canc.*, Ubeda, 102)

Despierta y mueve y casi fuerza a amarse (*Vergel*, Ubeda, 119v)

Despiértame la memoria (MN 3806, 87v)

Despierte ya mi seso descuidado (*Obras*, Cepeda, 106)

Despojos de mi gloria (*Rojas*, 156)

Desposaron a la niña (MN 3700, 25v)

Desposástesos Señora (*Uppsala*, n. 9)

Desposóse tu amiga (*Elvas*, 52v)

Desposóse tu amiga (*Evora*, 19v)

Desposósete tu amiga (MP 617, 172)

Después de aquel tan gran fíat (FN VII-353, 263)

Después de aquella justicia (*Romancero*, Padilla, 20)

Después de aquella revuelta (MiT 994, 1v)

Después de aquella sangrienta (MP 996, 70)

Después de aquella victoria (*Romancero*, Padilla, 48)

Después de Dios uno y trino (*Sevillano*, 136)

Después de Dios vos sois uno (*Sevillano*, 136)

Después de haber así cantado un rato (MN 3806, 102v)

Después de haber con brazo belicoso (*Vergel*, Ubeda, 164)

Después de haber Dios mirado (MN 17.951, 147v)

Después de haber escrito aquestos versos (MN 3806, 114v)

Después de haber ocupado (*Romancero*, Padilla, 50)

Después de haber vencido a Héctor Troyano (*Borges*, 80v)

Después de haberse el hombre transformado (MP 3560, 27)

Después de haberse humanado (*Morán*, 77v)

Después de haberte escrito dio la muerte (SU 2755, 93)

Después de haberte seguido (*Lemos*, 107v)

Después de la muerte de Héctor (RH, 19)

Después de los fieros golpes (MN 3723, 159)

Después de los fieros golpes (RG 1600, 215)

Después de males tan largos (FN VII-353, 98v)

Después de muerto y vencido (MP 1587, 151)

Tabla 97

Después de pasado el plazo (*Penagos*, 117v)

Después de preso y prendido (*CG* 1511, 142)

Después de seros ausente (*CG* 1511, 186v)

Después de tantos días (*Cid*, 51)

Después de tantos días (MN 3698, 23v)

Después de tantos días (MP 973, 93v)

Después de tantos días (MP 996, 252)

Después de un tiempo largo (*Vergel*, Ubeda, 97)

Después de ver tal figura (*CG* 1511, 193)

Después del gran Constantino (*Peralta*, 93v)

Después del suceso triste (*Jhoan López*, 113v)

Después del suceso triste (MP 1587, 149)

Después del suceso triste (MP 2803, 162)

Después el sacristán Pablo García (*Tesoro*, Padilla, 402v)

Después poco más que una hora (*Morán*, 34v)

Después que a Jesús oístes (*CG* 1535, 197v)

Después que a Rodrigo hubo (*RH*, 44)

Después que a vuestros ojos claros bellos (*Jhoan López*, 15v)

Después que acabó Belardo (*Jacinto López*, 189)

Después que acabó Belardo (*RG* 1600, 123)

Después que al rapaz Cupido (*Jhoan López*, 139v)

Después que al reino oscuro conducida (TP 506, 279)

Después que Amaranta supo (*RG* 1600, 187)

Después que Amor me hizo guerra (PN 373, 275)

Después que amor me venció (*Flor de enamorados*, 63v)

Después que amor me venció (*Toledano*, 79)

Después que aquella seña deseada (*Lemos*, 5)

Después que con alboroto (*RG* 1600, 26v)

Después que con pecho franco (MN 4127, p. 274)

Después que consintió mi dura suerte (*Tesoro*, Padilla, 230v)

Después que Cristo triunfó (*Obras*, Silvestre, 331)

Después que cumplió el destierro (*Penagos*, 142v)

Después que de amor cautivo (MP 1587, 150)

Después que de aquí partiere (*Evora*, 10)

Después que de aquí partiere (MP 617, 173)

Después que de aquí partiere (*Sevillano*, 298)

Después que de la muralla (*Jhoan López*, 13)

Después que de puro viejo (MN 3913, 78v)

Después que dejé de amar (*Morán*, 95v)

Después que del sol ardiente (MN 17.557, 10)

Después que del sol ardiente (*RG* 1600, 99)

Después que Dios retrató (MN 17.951, 146v)

Después que Dolfos Bellido (*RH*, 46v), *ver* Después que Bellido

Después que don Diego Ordóñez (*Sevillano*, 230)

Después que el desnudo otoño (*Penagos*, 118v)

Después que el duro hado (*Fuenmayor*, p. 134)

Después que el Emperador (*Romancero*, Padilla, 1)

Después que el formador de la natura (PN 373, 294v)

Después que el fuerte Ganzul (*RG* 1600, 5v)

Después que el martes triste (*RG* 1600, 10), *ver* Después que en el

Después que el muy esforzado (MN 3725-2, 43)

Después que el pintor del mundo (*Ixar*, 250)

Después que el rapaz Cupido (*Jhoan López*, 139v)

Después que el Redentor de lo criado (*Cid*, 194)

Después que el rey don Fernando (*RH*, 95)

Después que el rey don Rodrigo (*Rosa Española*, Timoneda, 50v)

Después que el Rubio mar fue repartido (MP 617, 185)

Después que el seso se esfuerza (*CG* 1511, 153v)

Después que el soberano rey del cielo (*Cid*, 194v)

Después que el sol de Justicia (*Fuenmayor*, p. 514)

Después que el sol se encerró (*Canc.*, Ubeda, 19)

Después que el sol se encerró (*Vergel*, Ubeda, 17v)

Después que en el martes triste (MN 4127, p. 134), *ver* Después que el

Después que en el martes triste (*Penagos*, 89)

Después que en el templo fue (*Obras*, Cepeda, 42v)

Después que en estos pasos vanos ando (MN 3902, 105v)

Después que en la batalla cruda (MiT 994, 8v)

Después que en varias partes largo tiempo (PN 314, 138v)

Después que estó en la prisión (*CG* 1511, 145v)

Después que Filena (*Jhoan López*, 5)

Después que fue de los nuestros (*Romancero*, Padilla, 42v)

Después que fueron amigos (*Peralta*, 30)

Después que Gonzalo Bustos (*Jhoan López*, 12)

Después que hubieron desposado (*Tesoro*, Padilla, 358v)

Después que la armada y flota (*RH*, 12)

Después que la clara aurora (*RH*, 121v)

Después que la mar pasé (*Toledano*, 31)

Después que las tinieblas del pecado (*Cid*, 101v)

Después que llegados fueron (FN VII-353, 97)

Después que mal me quisistes (*CG* 1557, 391v)

Después que mal me quisistes (*Cid*, 71)

Después que mal me quisistes (*Ixar*, 334)

Después que mal me quisistes (*Lemos*, 18, 44v)

Después que mal me quisistes (*Morán*, 108v, 130)

Después que mal me quisistes (MP 570, 110v)

Después que mal me quisistes (*Obras*, Silvestre, 81)

Después que mal me quisistes (PN 314, 179)

Después que mal me quisistes (*Sevillano*, 207)

Después que mal pestilente (MN 17.951, 141v)

Después que Marte en su batalla fiera (*Vergel*, Ubeda, 166)

Después que me enamoré (MN 3700, 27)

Después que me partí y estoy ausente (*Gallardo*, 53v)

Después que me partí y estoy ausente (MN 3902, 58v)

Después que mi bien perdí (PN 418 p. 390)

Después que mi pensamiento (*Morán*, 127v)

Después que mi vista os vido (*CG* 1514, 100)

Después que mi vista os vido (*Ixar*, 340v)

Después que mi vista os vido (MN 5602, 25v)

Después que mi vista os vido (PN 307, 222v)

Después que mis ojos vieron (*Morán*, 113v)

Después que mis ojos vieron (OA 189, 368)

Después que mis ojos vieron (PN 307, 254v)

Después que muero por vos (PN 418 p. 37)

Después que Muerte contra Dios flechaste (*Rosal*, 91)

Después que muerto al rey vieron (MP 617, 135)

Después que no descubren su lucero (FN VII-354, 400)

Después que os miré y me vistéis (*Ixar*, 347v)

Después que os miré y me vistes (*Cid*, 86v, 187)

Después que os miré y me vistes (EM Ç-III.22, 94v)

Después que os miré y me vistes (*Morán*, 47)

Después que os miré y me vistes (PN 373, 191), *ver* Desque os miré

Después que os venció amor con tal victoria (*Jesuitas*, 248)

Después que os vi entristecida (*CG* 1511, 66v)

Despues que partió Eneas de Cartago (TP 506, 361v)

Después que pasaste el río (PBM 56, 109v)

Después que pasó aquel siglo (MN 3700, 148)

Después que perdí mi gloria (*Gallardo*, 69)

Después que perdí mi gloria (MN 3902, 53)

Después que Pialí bajá (*FRG* p. 119)

Después que Pialí Bajá (*Rosa Real*, Timoneda, 69)

Después que por alta suerte (*Morán*, 75v)

Después que por este suelo (*CG* 1554, 68v)

Después que por la herida (MN 3968, 177v)

Después que por varios casos (MN 3724, 89)

Después que puse en vos el pensamiento (FR 3358, 163)

Después que reptó a Zamora (*RG* 1600, 108)

Después que Rodrigo Díaz (*León/Serna*, 100)

Después que Rodrigo Ordóñez (*Jesuitas*, 475)

Después que rompiste ingrata (MN 3724, 175v)

Después que rompiste ingrata (*RG* 1600, 216v)

Después que se vio Almanzor (MP 617, 333)

Después que sentí enfadarte (*Cid*, 210)

Después que señora os vi (MN 3806, 145)

Después que sobre Zamora (*Jesuitas*, 474v)

Después que sobre Zamora (*RH*, 49v)

Después que te andas Marica (*RG* 1600, 255)

Después que te andes Marica (MN 3724, 227)

Después que te conocí (*Jacinto López*, 218v)

Después que unos claros ojos bellos (PN 314, 227)

Después que Bellido Dolfos (*Rosa Española*, Timoneda, 28), *ver* Después que Dolfos

Después que vi la luz del claro día (MP 2803, 204)

Después que vuestra belleza (*Morán*, 42v)

Después que vuestra figura (*Cid*, 34, 252)

Después que vuestra figura (*Morán*, 141)

Después que vuestros claros ojos bellos (FR 2864, 13r)

Después que vuestros claros ojos bellos (*Morán*, 102v)

Después que vuestros claros ojos bellos (MP 973, 198)

Después que vuestros claros ojos bellos (RaC 263, 43)

Después que yo Dios y hombre (MN 2856, 109v)

Después que, señora, os vi (*Obras*, Cepeda, 85v)

Después señora que el pincel famoso (FR 3358, 159v)

Después un poco de un hora (*Cid*, 170v)

Después un poco de un hora (*RH*, 41)

Desque de vos fui partido (*CG* 1511, 72)

Desque estoy ya tras el seto (*CG* 1514, 138v)

Desque fui ausente (PBM 56, 45)

Desque houve de mim vitória (*Evora*, 10)

Desque me vi la mar afuera (*Lemos*, 122)

Desque os miré y me vistes (*Guisadillo*, Timoneda, 8v), *ver* Después que os

Desque os supe conocer (*Morán*, 59)

Desque una vez miré (*Corte*, 121v)

Desque veros merecí (EM Ç-III.22, 95), *ver* Cuando os merecí

Desque veros merecí (*Guisadillo*, Timoneda, 8v)

Desque vi la mar afuera (*Lemos*, 122)

Desque yo te vi Juanilla (PBM 56, 87v-88)

Desque yo te vi Juanilla (WHA 2067, 52v)

Desterraba al moro Muza (MN 17.556, 68)

Desterraba al moro Muza (*Rojas*, 22v)

Desterrado estaba el Cid (MP 570, 197)

Desterrado estaba el Cid (MP 996, 205v)

Desterrado y perseguido (*Canc.*, Maldonado, 23)

Desterrado y perseguido (MP 996, 196)

Desterró al moro Muza (*Jacinto López*, 74)

Desterró al moro Muza (*RG* 1600, 19v)

Desterró el rey Alfonso (*RG* 1600, 165v)

Destierran al moro Muza (*Jhoan López*, 11v)

Destierran al moro Muza (MP 2803, 174v)

Destroza hiende raja parte asuela (FN VII-353, 280, 290)

Destrúyame Dios del cielo (*Penagos*, 136v)

Destruye rompe raja parte asuela (*Corte*, 181v)

Desusastes vuestro amado (*Jesuitas*, 447v)

Desvelada anda la niña (*Sablonara*, 70)

Desvelada la noche / madre no duermo (MN 3913, 47)

Desventura en ti se esmalta (*Jhoan López*, 14)

Detén detén Amor la dura jara (*Jesuitas*, 138)

Detén el brazo no hagas tal hazaña (*Rosal*, p. 105)

Detén un poco el paso, caminante (*Obras*, Cepeda, 109v)

Deténgase a escuchar el triste canto (*Jacinto López*, 105)

Deténgase en la edad el que pudiese (WHA 2067, 70v)

Detente buen mensajero (*RG* 1600, 324v)

Determinado Amor a dar contento (*Recopilación*, Vázquez, 1)

Determinó de salir (*RH*, 39)

Deus in adjutorium (*Colombina*, 85v)

Devoción y virtud son (MP 2459, 59)

Dexaime adorar (*Vergel*, Ubeda, 14v)

Dexaulo señora (*Flor de enamorados*, 17)

Di alma olvidada (MP 644, 189v)

Di amante qué es amor (*Jesuitas*, 468v)

Di Ana eres Diana No es posible (MN 2856, 94v)

Di bellísima Virgen malograda (MP 3560, 36)

Di Blanca por qué quieres retratarte (MP 617, 257)

Di Blas de qué murió Juan (*Flor de enamorados*, 129)

Di Blas de qué murió Juan (PN 307, 323v)

Di Blas de qué murió Juan (PN 371, 8)

Di carillo qué se ha hecho (OA 189, 323)

Di carillo qué se ha hecho (PN 307, 305)

Di cómo es posible (*Sevillano*, 93v)

Di contento dónde estás (*Rosal*, p. 221)

Di Gil qué habrá mi alma que anda triste (*Jesuitas*, 234)

Di Gil qué piensas hacer (*Sevillano*, 243)

Di Gil qué siente Juan (*Medinaceli*, 96v)

Di Gil qué siente Juana que anda triste (MP 570)135)

Di Gil qué siente Juana que anda triste (OA 189, 106)

Di Gil qué siente Juana que anda triste (PN 371, 214), *ver* Di Gil qué tiene

Di Gil qué sientes de Bras (*Sevillano*, 201)

Di Gil qué suena en el hato (*Jesuitas*, 464)

Di Gil qué tiene Juana que anda triste (*Tesoro*, Padilla, 237v)

Di hidalgo que desmayo (*Evora*, 5v)

Di hija por qué te matas (RaC 263, 52)

Di Juan de qué murió Bras (*Sevillano*, 297v)

Di Lucrecia qué haces Qué es tu intento (*Morán*, 189)

Di Lucrecia qué haces Qué es tu intento (TP 506, 374v)

Di matadora (PBM 56, 33)

Di mi bien por qué te vas (*Evora*, 11v)

Di mi pobre pensamiento (*Jacinto López*, 54v)

Di Mingo por tu salud (*Cid*, 39)

Di Muerte que matabas a la vida (*Jesuitas*, 308)

Di mujer qué te ha faltado (*Vergel*, Ubeda, 54v)

Di pastor de qué has recelo (OA 189, 52)

Di pastor desconocido (*Obras*, Cepeda, 97)

Di pastor pues eran míos (*Obras*, Cepeda, 97)

Di pastor quién te ha mudado (*Corte*, 149)

Di pastor quiéresme bien (OA 189, 372)

Di Pelayo que desmayo (*Evora*, 5v)

Di perra mora (*Medinaceli*, 7v)

Di perra mora (RC 625, 43)

Di por qué andas tan perdido (*Morán*, 60)

Di por qué no quieres ver (*Peralta*, 11)

Di por qué no vas callando (FRG p. 169)

Dí por qué te vas garzón (*Lemos*, 101v)

Di pues eres avisado (*Sevillano*, 166)

Di pues vienes del aldea (PBM 56, 88v-89)

Di qué sientes zagaleja (*Penagos*, 80)

Di quieres otro pastor (*Sevillano*, 292v)

Di rigurosa Parca con qué celo (PN 372, 255v)

Di Sátira qué te he hecho (*Tesoro*, Padilla, 371)

Di triste por qué porfías (*Lemos*, 17v)

Di ventura qué te hecho (CG 1511, 199v)

Di Venus alcahueta hechizera (PN 314, 197), *ver* Oh Venus

Di Virgen que la gracia mereciste (MP 617, 181)

Di Virgen que la gracia mereciste (MP 644, 197v)

Di zagala qué harás (*Evora*, 9v)

Di zagala qué harás (RV 1635, 135) *ver* Zagala di

Di Zaida de qué me avisas (MN 17.557, 16v)

Di Zaida de qué me avisas (MN 3723, 67)

Di Zaida de qué me avisas (*Peralta*, 80v)

Di Zaida de qué me avisas (*RG* 1600, 74)

Día era de san Jorge (MN 3725-2, 141)

Día fue muy aciago (*Obras*, Cepeda, 139v)

Diamante falso y fingido (MN 3723, 128)

Diamante falso y fingido (*RG* 1600, 345v)

Diana bella que los rayos de oro (*Penagos*, 8v)

Diana de quien se escribe (PN 314, 52v)

Diana plateada esclarecida (*Borges*, 60v)

Días cansados duras horas tristes (BeUC 75/116, 69)

Días cansados duras horas tristes (CG 1554, 185)

Días cansados duras horas tristes (FN VII-354, 31)

Días cansados duras horas tristes (MBM 23/8/7, 257)

Días cansados duras horas tristes (MN 1132, 104v)

Días cansados duras horas tristes (MN 2973, p. 76)

Días cansados duras horas tristes (MN 4262, 138)

Días cansados duras horas tristes (MN 4268, 107v)

Días cansados duras horas tristes (MP 2805, 108)

Días cansados duras horas tristes (MP 617, 234v)

Días cansados duras horas tristes (MRAH 9-7069, 61)

Días cansados duras horas tristes (PhUP1, 71)

Días cansados duras horas tristes (PN 258, 206)

Días cansados duras horas tristes (PN 311, 2)

Días cansados duras horas tristes (RV 768, 265)

Días cansados duras horas tristes (TP 506, 32)

Días cansados duras noches tristes (MN 4256, 109)

Días cansados duros horas tristes (MN 3968, 55)

Días cansados duros horas tristes (MP 1578, 1)

Días cansados y duras horas tristes (*Evora*, 53)

Días cansados y duras horas tristes (*Heredia*, 330v)

Días ha que sufro el daño (PBM 56, 40)

Dibujó el sumo pintor (Vergel, Ubeda, 39v)

Dice Amor que ha menester (*Morán*, 37)

Dice mi madre que olvide el amor (RaC 263, 1)

Dice que no quiera (WHA 2067, 42v)

Díceme dama graciosa (*León/Serna*, 83v)

Díceme mi amor / jura ella y porfía (*Cid*, 38)

Díceme mi amor / si quiero apostar (*Padilla*, 21v)

Díceme mi dama (*Penagos*, 84v)

Díceme Minguilla (MP 2803, 161)

Dicen a mí por la villa (Recopilación, Vázquez, 14v)

Dicen a mí por la villa (Uppsala, n. 48)

Dicen a mí que los amores he (*Recopilación*, Vázquez, 14v)

Dicen a mí que los amores he (*Uppsala*, n. 48)

Dicen algunos que la ausencia cura (*Morán*, 127)

Dicen con mucha verdad (*Morán*, 109v)

Dicen ellas / que los amores no son penas (*Lemos*, 102v)

Dicen ellas / que los amores no son penas (*Rojas*, 112)

Dicen que dijo un sabio muy prudente (BeUC 75/116, 77v)

Dicen que dijo un sabio muy prudente (FN VII-354, 39)

Dicen que dijo un sabio muy prudente (MBM 23/8/7, 244)

Dicen que dijo un sabio muy prudente (MN 3968, 64v)

Dicen que dijo un sabio muy prudente (MN 4256, 117)

Dicen que dijo un sabio muy prudente (MN 4262, 150)

Dicen que dijo un sabio muy prudente (MN 4268, 83v)

Dicen que dijo un sabio muy prudente (MP 2805, 114)

Dicen que dijo un sabio muy prudente (PhUP1, 83)

Dicen que dijo un sabio muy prudente (PN 258, 200v)

Dicen que dijo un sabio muy prudente (RV 768, 252v)

Dicen que el alfiler (Jacinto López, 319)

Dicen que el Amor es ciego (*Jacinto López*, 127)

Dicen que el Amor es ciego (*Jhoan López*, 42)

Dicen que el Amor es ciego (PN 314, 176)

Dicen que el Amor es ciego (*Sevillano*, 244)

Dicen que el escabullir (*Jesuitas*, 468v)

Dicen que el sol quema las hierbas (*Lemos*, 121v)

Dicen que el sumo pintor (Sevillano, 53v)

Dicen que en cierto pueblo de esta tierra (NH B-2558, 7)

Dicen que es cruel (Evora, 18v), *ver* Si dicen que es

Dicen que es gran desventura (*Morán*, 78v)

Dicen que es muy cruel inicua y dura (PN 373, 223v)

Dicen que es muy de damas mal de madre (MP 973, 95v)

Dicen que mandáis matar (*Gallardo*, 34)

Dicen que mata y da vida (Jhoan López, 42)

Dicen que no puede ver (Sevillano, 244)

Dicen que quien se muda Dios le ayuda (*Padilla*, 148)

Dicen que un famosísimo poeta (NH B-2558, 3)

Dícenme Amor que has vencido (*Penagos*, 78)

Dices que me quieres y que engañada (MP 617, 290v), *ver* Decís que me queréis

Dichosa compañía (*Fuenmayor*, p. 202)

Dichosa el alma que por ti suspira (*Evora*, 32)

Dichosa el alma que por vos suspira (MN 2973, p. 344)

Dichosa fue mi sangría (PN 372, 271)

Dichosa fue nuestra culpa (*Obras*, Silvestre, 288v)

Dichosa prenda por mi mal hallada (*Obras*, Cepeda, 70)

Dichosa puede llamarse (Lemos, 268v)

Dichosa sois alma vos (*Fuenmayor*, p. 278)

Dichosa Virgen madre y muy dichosa (*Penagos*, 226v)

Dichosa y venturosa (*Vergel*, Ubeda, 201v)

Dichosas coplas que vais (CG 1554, 103v)

Dichosas muertes que tenéis colgadas (*Morán*, 91v)

Dichosas muertes que traéis colgadas (PN 372, 117v)

Dichoso aquel que libre de los tráfagos (*Rojas*, 179v)

Dichoso aquel que nunca desatina (*Vergel*, Ubeda, 148v)

Dichoso desear dichosa pena (MN 2973, p. 274)

Dichoso el pastor (RG 1600, 14)

Dichoso el que a do el bien reposa posa (MN 17.556, 137)

Dichoso el que a do el bien reposa posa (MN 2856, 28)

Dichoso el que come en vida (*Penagos*, 203)

Dichoso el que de pleitos alejado (FN VII-353, 199)

Dichoso el que de pleitos alejado (MN 3698, 25)

Dichoso el siervo y bienaventurado (*Vergel*, Ubeda, 158v)

Dichoso lance venturosa suerte (*Jesuitas*, 358v)

Dichoso tiempo de mi edad primera (MP 996, 197v)

Dichoso Tirse que a la sacra fuente (MN 3968, 151v)

Dichosos fueron bien los que nacieron (MN 6001, 59v)

Dichosos ojos que al semblante enjuto (*Vergel*, Ubeda, 173)

Diciendo cuán mal contento (Obras, Cepeda, 138v)

Diciendo está el amigo al dulce amado (*Canc.*, Ubeda, 67)

Diciendo está el amigo al dulce amado (*Vergel*, Ubeda, 37)

Diciendo qué es y de qué (CG 1511, 143)

Diciendo los míos moritos (Obras, Cepeda, 137v)

Dido mujer de Siqueo (BeUC 75/116, 147)

Dido mujer de Siqueo (MBM 23/8/7, 175)

Dido mujer de Siqueo (MN 3968, 36v)

Dido mujer de Siqueo (MN 4256, 215v)

Dido mujer de Siqueo (MN 4262, 137v, 212v)

Dido mujer de Siqueo (MN 4268, 171v)

Dido mujer de Siqueo (MP 2805, 74)

Dido mujer de Siqueo (OA 189, 176)

Dido mujer de Siqueo (PhUP1, 167)

Tabla 101

Dido mujer de Siqueo (RV 768, 174v)

Diego divino andaluz (*Fuenmayor*, p. 572)

Diego Moreno ha enviudado (*León/Serna*, 91v)

Diego Moreno qué habéis (*Cid*, 136)

Diego Moreno reñía (*Rojas*, 134)

Diéranme por hado (*Lemos*, 122), *ver* Quisieron mis

Diérasme hermana grande gusto (*Jacinto López*, 82v)

Diérasme hermana grande gusto (*Peralta*, 100v)

Diéronme cuando nací (MP 1587, 80v)

Diestro piloto que en bajel errante (MiB AD.XI.57, 28v)

Diez años vivió Belerma (*RG* 1600, 280)

Diez ovejas Dios crió (*Sevillano*, 176v)

Diez y séis años ha el Cid (*Jesuitas*, 474v)

Diez y seis años ha el Cid (*León/Serna*, 84)

Diferencia peligrosa (*CG* 1511, 114)

Diferentes llagas son (*RG* 1600, 354v)

Difícil fin pretender (*Morán*, 35v)

Difunto y vivo acá en mi pensamiento (*Rojas*, 146v)

Diga el dromedario (*Toledano*, 95v)

Diga el mundo tu rigor (MP 2459, 30)

Diga lo que dijere (WHA 2067, 42v), *ver* Dirá cuanto

Diga mi madre / mi madre (*Toledano*, 65v)

Diga quien dijere (*Toledano*, 37v)

Diga quien lo sabe de qué es hecha (FN VII-353, 31v)

Digádesme aleves condes (*RG* 1600, 235)

Dígame aunque está coleada (RaC 263, 96v)

Dígame galana hermosa (*Jacinto López*, 190)

Dígame hortelana hermosa (*Penagos*, 212)

Dígame mi madre esta novedad (MN 3670, 2)

Dígame por mi fe señor Alcino (FR 3358, 186)

Dígame por mi fe señor Alcino (MN 2856, 88)

Dígame por su fe señor Alcino (FN VII-353, 240, 317)

Dígame quien lo sabe cómo es hecha (*Jesuitas*, 361)

Dígame quien lo sabe cómo es hecha (PN 314, 166

Dígame quien lo sabe de qué es hecha (MN 17.951, 75)

Dígame quien lo sabe de qué es hecha (*Morán*, 80v)

Dígame quien lo sabe de qué es hecha (*Rosal*, p. 85)

Dígame un requiebro (MN 2856, 89)

Digamos un poco bien (MN 3700, 210v)

Digamos un poco bien (*Sablonara*, 5)

Díganme los amadores (*Rojas*, 55)

Digas el entender mío (*CG* 1511, 140v)

Digas el pastorcico (*Recopilación*, Vázquez, 14)

Digas moza de los calzones (*Colombina*, 87)

Digas tú el ermitaño (MN 3725-1, 8)

Dígase en mi sentenciar (*CG* 1511, 140v)

Dígase ya triste ya (*Lemos*, 21)

Dígasme el barquero (*Medinaceli*, 5v)

Dígasme marinero (PBM 56, 35)

Dígasme tú el pensamiento (*CG* 1511, 140)

Dígasme tú la más bella (PN 418 p. 346)

Dígasme tú la serrana (MN 17.556, 51)

Dígasme tú la serrana (MN 4127, p. 146)

Dígasme tú la serrana (*RG* 1600, 355)

Digno de todo loor (*CG* 1511, 154v)

Digno eres del lauro de poetas (*Penagos*, 199v)

Digno es de ser estimado (*Obras*, Cepeda, 65)

Digo que me has alumbrado (PN 307, 307v)

Dije sobre mi boca (*León/Serna*, 6)

Dije sobre mi boca (MN 3698, 210)

Dije sobre mi boca (MP 996, 260v)

Dijeron mis hados cuando fui nacido (*Flor de enamorados*, 63), *ver* Quisieron mis hados

Dijiste que al gallo primo (MN 3913, 50v)

Dijiste que al gallo primo (MP 996, 121)

Dijísteme antier que se os figura (TP 506, 53)

Dijístesme que os dijese (*Lemos*, 48v)

Dijo la niña al pastor (*Colombina*, 105v)

Dijo un portero al papa aquí ha llegado (FN VII-353, 9)

Díjome que mi cuidado (*Padilla*, 83v)

Díjose en la aldea que a Soldada (*Cid*, 124)

Dile Gil a mi señora (*Sevillano*, 268)

Dile hermana a tu sentido (RaC 263, 180)

Dile más que le suplico (*Colombina*, 71)

Dile mi bien (MN 3700, 133v)

Dile que he sabido (MP 1587, 35)

Diles alma y vida (*Jhoan López*, 11v)

Diles alma y vida (MP 1587, 133v)

Dime a dó tienes las mientes (*Lemos*, 65v)

Dime Bencerraje amigo (*RG* 1600, 72)

Dime Berino qué has (PN 373, 241v)

Dime Bras quién la vio ayer (MP 570, 128)

Dime carillo (PN 373, 54v)

Dime carillo qué has (*Lemos*, 105)

Dime carillo qué has (PN 371, 19)

Dime cómo puede ser (MP 644, 190)

Dime cómo seré tenido (MP 1587, 103)

Dime de qué andas mustio (*Penagos*, 217)

Dime dónde estás no calles (MP 617, 167v)

Dime dónde estás no calles (WHA 2067, 101v)

Dime en un mal penetras (*Corte*, 204)

Dime es de Melibeo este ganado (FN VII-354, 39)

Dime es de Melibeo este ganado (FR 3358, 124)

Dime es de Melibeo este ganado (MN 3698, 41v)

Dime es de Melibeo este ganado (MP 996, 225)

Dime es de Melibeo este ganado (*Rosal*, p. 307)

Dime Fenis cruel pues se ha acabado (SU 2755, 12)

Dime Fili, así amor dure en el pecho (MN 3968, 94v)

Dime hermanica (*Toledano*, 49, 60)
Dime Juan por tu salud (*Flor de enamorados*, 131)
Dime lloroso pastor (MN 3700, 44)
Dime manso viento (*Medinaceli*, 135v)
Dime manso viento (TP 506, 384v)
Dime pues Fortuna ordena (MN 5602, 26, 30v)
Dime pues Fortuna ordena (PN 371, 6)
Dime qué es tu intento Gila (*Sevillano*, 233)
Dime qué haré sin ti (*Padilla*, 139)
Dime qué ley o qué fuero (FN VII-353, 61)
Dime qué ley o qué fuero (FRG, p. 151)
Dime qué tienes Berino (PN 373, 241v)
Dime quién nació Pascual (*Sevillano*, 149)
Dime quién tal prenda dio (*Sevillano*, 129v)
Dime robadora (*Uppsala*, n. 2, 14)
Dime señora de mí (PN 373, 236)
Dime si amor favorece (*Padilla*, 123v)
Dime si pierdes amiga (*Evora*, 19v)
Dime triste corazón (*Colombina*, 69v)
Dime tú señora (PBM 56, 32v-33)
Dímelo por entero por tu vida (*Rosal*, p. 38)
Dimos al hijo de Dios (CG 1511, 128v)
Dineros son calidad (*Corte*, 223)
Dineros son calidad (FN VII-354, 435v)
Dineros son calidad (*Lemos*, 214v)
Dinguilidín dinguilindaina (PA 1506, p. 29)
Dinos a dó vas Pascual (*Sevillano*, 172v)
Dinos doncella tú que pariste (*Colombina*, 103v)
Dinos el cuándo fuiste oh Apóstol santo (MN 17.951, 118)
Dinos madre del doncel (*Colombina*, 103v)
Dins lo meu cor a fulles d'or escrita (CG 1514, 139)
Dio lugar a que yo os viese (CG 1511, 128)
Diola por donaire (MP 1587, 102)
Diola por donaire (*Romancero*, Padilla, 313)
Diome Amor tan a medida (*Obras*, Cepeda, 117)
Diome Dios todo mi ser (WHA 2067, 22)
Diome tanta pena el mal (*Morán*, 119)
Diómedes fue desterrado (*Obras*, Cepeda, 45)
Dionos en la tierra un Ave (*Obras*, Silvestre, 345)
Diónos en la tierra un Ave (*Penagos*, 228v)
Dionos en la tierra un Ave (*Vergel*, Ubeda, 102v)
Dios a Filipo ha mostrado (MP 2459, 46)
Dios ab eterno engendrado (MP 617, 238v)
Dios al hombre a combidado (*Fuenmayor*, p. 271)
Dios amor la muerte el hombre (*Canc.*, Ubeda, 50v)
Dios amor la muerte el hombre (*Vergel*, Ubeda, 78v)
Dios como pastor (*Sevillano*, 130v, 281v)
Dios conserve a vuestra majestad (PN 418 p. 166)
Dios cuando os quiso elegir (*Fuenmayor*, p. 441)

Dios de amor llagado (*Vergel*, Ubeda, 81)
Dios de mi luz y vida (MP 996, 258)
Dios de vos y vos de Dios (*Sevillano*, 46v)
Dios descubrió el fuego helado (*Jesuitas*, 244v)
Dios divino mayoral (*Vergel*, Ubeda, 14)
Dios en el mundo es venido (CG 1535, 191)
Dios es mi luz y vida (MN 3698, 207v)
Dios es mi luz y vida (MP 973, 21)
Dios es nacido (*Padilla*, 61)
Dios es pelícano hecho (*Lemos*, 55)
Dios está en todo lugar (*Fuenmayor*, p. 265)
Dios gustó leche del pecho (*Vergel*, Ubeda, 155)
Dios hay en la tierra y cielo (*Lemos*, 168)
Dios lo sabe yo lo siento (CG 1511, 145)
Dios lo sabe yo lo siento (*Evora*, 43v)
Dios me deje ver logrado (*Sevillano*, 196)
Dios me dio esto por ser (*Gallardo*, 56v)
Dios me dio esto por ser (MN 5593, 49)
Dios me guarde Dios me guarde (RC 625, 48v)
Dios me lo guarde mi Diego Moreno (*Rojas*, 30v)
Dios me lo guarde mi Diego Moreno (*Sevillano*, 196), *ver* Dios que me
Dios mío creéis de mí (*Jesuitas*, 303)
Dios mío hasta cuándo (MN 3698, 200v)
Dios mío qué tengo yo (*Jesuitas*, 241v)
Dios no gobierna este mundo (*Fuenmayor*, p. 35)
Dios no permita, antes muera triste (MN 5602, 27)
Dios os dé contento (MP 644, 198v)
Dios os guarde hermana mía (PN 373, 109)
Dios os guarde hermana mía (*Toledano*, 80)
Dios os libre de tratar (*Morán*, 254v)
Dios Padre ha el camino abierto (*Vergel*, Ubeda, 28)
Dios padre me dijo cierto (*Canc.*, Ubeda, 59v)
Dios Pedro tanto os amó (*Fuenmayor*, p. 606)
Dios por el hombre encarnó (*Vergel*, Ubeda, 80)
Dios porque puede sabello (*Evora*, 25)
Dios promete a cualquier hombre (*Lemos*, 165)
Dios pues pudo creed que quiso (*Heredia*, 30)
Dios puso en hombre su nombre (*Cid*, 105v)
Dios puso en hombre su nombre / y aunque el vaso quebradizo (*Vergel*, Ubeda, 162v)
Dios puso en hombre su nombre / y en la cruz puso hombre y Dios (*Vergel*, Ubeda, 39v)
Dios que amó su Iglesia cara (*Fuenmayor*, p. 392)
Dios que crió el cielo (*Sevillano*, 178v)
Dios que cuando quiere puede (*Fuenmayor*, p. 278)
Dios que es rey del cielo (*Sevillano*, 178)
Dios que me guarde (*El Truhanesco*, Timoneda, 4), *ver* Dios me lo guarde

Tabla 103

Dios que os hizo tan privado (*Sevillano*, 154)
Dios sabe pelota mía (MP 1587, 85)
Dios siervo el hombre señor (*Jesuitas*, 477v)
Dios soberana potencia (*Sevillano*, 146v)
Dios tan grande es el amor (*Lemos*, 266)
Dios tan liberal está (*Fuenmayor*, p. 263)
Dios te dé ventura España (*Vergel*, Ubeda, 119)
Dios te guarde Reina mía (*Jesuitas*, 291)
Dios te salve Cerión (*Gallardo*, 34v)
Dios te salve María (MN 6001, i)
Dios te salve María sola aquella (*Padilla*, 191)
Dios te salve norte (*Jhoan López*, 103)
Dios te salve reina y madre (*CG* 1511, 17v)
Dios un bien se halla en vos (*Sevillano*, 84v)
Dios vive por fe en aquel (*Sevillano*, 181)
Dios y hombre hombre y Dios (*Peralta*, 39)
Diosa de cuyo ser pende mi gloria (*Jhoan López*, 13, 17v)
Diosa de inmensa y soberana alteza (MP 973, 409v)
Diosa de la hermosura (*Jacinto López*, 62)
Diosa de la hermosura (*Morán*, 122)
Diosa de la hermosura (*Tesoro*, Padilla, 78)
Diosa Febea que tu rayo puro (SU 2755, 57v)
Diosa mortal divina hermosura (*Tesoro*, Padilla, 132)
Dirá cuando dijere (*CG* 1557, 393v), *ver* Diga lo que
Discretas damas graciosas (*CG* 1511, 88)
Discretas musas entonad un canto (MN 17.951, 127)
Discreto fraile señor (*CG* 1511, 170v)
Discreto prudente en metros y prosa (*CG* 1511, 160v)
Discreto sabio Ropero (MP 617, 98v)
Discreto varón polido (MP 617, 85v)
Disculpa hubiera tenido (PN 418 p. 68)
Disculpa yo no la sé (*Jhoan López*, 24)
Disculpa yo no lo sé (*Cid*, 115)
Discurriendo en la batalla (MN 17.556, 70)
Discurriendo en la batalla (MP 996, 137v)
Discurriendo en la batalla (*RG* 1600, 73v)
Disfrutados pretendientes (MiB AD.XI.57, 11), *ver* Disputados
Disimulando Danae (*Rosa de Amores*, Timoneda, 52v)
Disputados pretendientes (MiT 1001, 11), *ver* Disfrutados
Disto vivo em Belém (*Corte*, 68)
Ditoso seja aquele que somente (*Borges*, 65)
Diversament un nom se recita (*CG* 1514, 139)
Divina Belisa (MN 3913, 72v)
Divina Galatea en quien cifrado (MBM 23/4/1, 406v)
Divina Galatea si me diere (MP 570, 214v)
Divina imagen do naturaleza (PN 372, 216v)
Divina Isabel mía (*Cid*, 250v)
Divina luz que el alma enamorada (*Jacinto López*, 274v)

Divina Magdalena (MP 973, 76)
Divina ninfa mía (*Cid*, 29)
Divina ninfa mía (*Medinaceli*, 152v)
Divina ninfa mía (TP 506, 384)
Divina ninfa mía tus cabellos (MN 2973, p. 313)
Divina rosa tal olor sacamos (*Fuenmayor*, p. 186)
Divina Silvia si de mis enojos (MP 2803, 222v)
Divina y hermosísima María (*Cid*, 212v)
Divina zagala en quien (*Morán*, 62v, 65)
Divinal crisol (*Sevillano*, 174)
Divinas musas si del bajo suelo (SU 2755, 56v)
Divino Alcides que immortal memoria (*Jesuitas*, 226v)
Divino Antonio que el desierto suelo (MP 2459, 55)
Divino Ausías libre del recelo (PN 314, 121)
Divino Diego si mi ronco acento (*Lemos*, 158)
Divino Infante en el divino pecho (*Jesuitas*, 264)
Divino Infante que del alto cielo (*Jesuitas*, 465)
Divino ingenio lengua casi muda (MP 617, 330)
Divino Orfeo, cuya suave lira (*Obras*, Cepeda, 71)
Divino pan del corazón firmeza (*Vergel*, Ubeda, 70v)
Divino Redentor en quien espero (*Jesuitas*, 480)
Divino resplandor del claro día (*Jesuitas*, 182)
Divino rostro corazón de fiera (*Cid*, 4)
Divino rostro corazón de fiera (*Morán*, 134v)
Divino sembrador entra en mi pecho (*Obras*, Silvestre, 420)
Divino sol hermoso (*Penagos*, 294v)
Divino y levantado entendimiento (*Canc.*, Maldonado, 137v)
Divino y sacro Bautista (*Vergel*, Ubeda, 129)
Divinos ojos cuyo ser nos muestra (NH B-2558, 55)
Divinos ojos donde el alto cielo (*Jacinto López*, 167v)
Divinos ojos que habéis sido (MP 2803, 226v)
Divinos ojos serenos (TP 506, 389v)
Díxome que a Dios mirase (*Romancero*, Padilla, 259v)
Dizei cavaleiro (*Elvas*, 32v)
Dizei meus pensamentos que esperais (EM Ç-III.22, 15v)
Dó caminas amigo A las montañas (*Morán*, 259)
Dó está vuestra hermosura mi consuelo (MN 17.951, 68v)
Dó están ahora aquellos claros ojos (*Rosal*, p. 35)
Dó están los claros ojos que colgada (*Cid*, 146)
Dó están los claros ojos que colgada (*Morán*, 19)
Dó están los claros ojos que colgada (MP 2803, 2v)
Dó estás cuerpo mortal Alma qué quieres (MP 2803, 3v)
Dó estás cuerpo mortal Alma qué quieres (*Sevillano*, 224v)
Dó estás hermosa Ninfa Qué paciencia (*Morán*, 190v)
Do grande macedónio venturoso (*Corte*, 190)
Do la libertad perdí (*CG* 1511, 143)
Dó la mía ventura (PN 307, 281v)

Dó las cabras Placidillo (MP 644, 198v)
Dó los mis amores dólos (*Lemos*, 64)
Dó los mis amores dólos (MP 617, 167v)
Dó los mis amores dólos (WHA 2067, 101v)
Do nadie mereció tocar de vuelo (*Penagos*, 8v)
Do no hay desamor (*Morán*, 55v)
Do no hay desamor (*Sevillano*, 64)
Do passado arrependido (*Corte*, 48v)
Dó queda la libertad (CG 1511, 165)
Dó se fueron di zagal (WHA 2067, 15v)
Do sobra amor y falta la esperanza (MN 3806, 10v)
Do sobra la perfección (*Padilla*, 244)
Do sufren servicios pena (MP 617, 153v)
Dó te me escondiste (*Corte*, 53)
Do tiene Amor su dulce paraíso (MP 2803, 133v)
Do victoria es tan incierta (CG 1511, 127)
Do-vos o bem querer señora (PBM 56, 115v-116)
Doce alma amorosa doce espírito (*Borges*, 74)
Doce alma amorosa doce espírito (*Corte*, 89)
Doce despojo do meu bem passado (*Faria*, 60)
Doces despojos da passada vida (*Evora*, 40v)
Doces lembranças da passada glória (FR 3358, 91v)
Doctor que en doctrina y letras (*Lemos*, 256)
Doctor sagrado claro norte y guía (*Vergel*, Ubeda, 147)
Doctor santo Agustino (*Vergel*, Ubeda, 149v)
Dolce et amar desire che al cuor dicese (CG 1514, 153)
Dolce mal dolce guerra y dolce inganno (CG 1514, 154)
Doledvos de mis dolores (CG 1511, 31)
Dolencia del corazón (MP 1587, 79v)
Doleros de mi pasión (CG 1511, 128v)
Doles disculpa a los tristes (CG 1511, 126)
Doliente estaba don Bueso (MN 17.557, 74)
Doliente estaba don Bueso (MN 3724, 279)
Doliente estaba don Bueso (RG 1600, 256v)
Dolor del tiempo perdido (CG 1511, 137)
Dolor del tiempo perdido (MP 617, 206v)
Dolor del tiempo perdido (*Padilla*, 244v)
Dolor que en el alma de lleno me toca (CG 1511, 166)
Dolor temor pobreza ausencia engaño (FR 3358, 89)
Dolor tristeza cuidado (WHA 2067, 86v)
Dolores le van detrás (CG 1511, 140)
Doloroso pensamiento (*Jacinto López*, 162v, 185)
Doloroso y triste caso (*Jesuitas*, 253v)
Dolors y treballos sospirs foramida (CG 1514, 133, 139)
Doma un monarca dos fieros leones (MN 1317, 470)
Domado ya el Oriente del Saladino (*Evora*, 61)
Domado ya el Oriente Saladino (FN VII-354, 40)
Domado ya el Oriente Saladino (MBM 23/4/1, 11v)
Domado ya el Oriente Saladino (MBM 23/8/7, 256v)

Domado ya el Oriente Saladino (MN 3968, 65v
Domado ya el Oriente Saladino (MN 4256, 262v)
Domado ya el Oriente Saladino (MN 4262, 151v)
Domado ya el Oriente Saladino (MN 4268, 114)
Domado ya el Oriente Saladino (MP 1578, 4v)
Domado ya el Oriente Saladino (MP 2805, 114v)
Domado ya el Oriente Saladino (MRAH 9-7069, 66)
Domado ya el Oriente Saladino (PhUP1, 84)
Domado ya el Oriente Saladino (PN 258, 201)
Domado ya el Oriente Saladino (PN 311, 11)
Domado ya el Oriente Saladino (RV 768, 263v), *ver* Tomado
Domina mea di quare (*Jacinto López*, 318v)
Domina mea di quare (RaC 263, 8)
Domine labia mea (*Toledano*, 63v)
Dominga de Andrés Luis (RG 1600, 327)
Domingo era de Ramos (MN 3725-2, 140)
Domingo era de Ramos (*Padilla*, 240v)
Domingo Gil el nieto del gaitero (*Tesoro*, Padilla, 435)
Domingo la suma cumbre (*Fuenmayor*, p. 465)
Domingo por la mañana (RG 1600, 231v)
Domingo si bien miramos (*Fuenmayor*, p. 462)
Domingo si bien miramos (*Lemos*, 160v)
Domingo vuestra memoria (*Fuenmayor*, p. 468)
Don de belleza raro y peregrino (*Padilla*, 111)
Don Diego ilustre de tu gran nobleza (*Penagos*, 201)
Don Fadrique de Toledo (*Romancero*, Padilla, 30)
Don Favila Don Favila (MP 617, 252)
Don García de Padilla (*Rosa Española*, Timoneda, 83)
Don Jerónimo perdido (CG 1511, 88v)
Don Juan se quiere embarcar (*Jacinto López*, 319)
Don Marte capitán y crespa Aurora (MN 4262, 156v)
Don Pedro vi que ay que vos tenéis (*Jhoan López*, 146v)
Don pintado a la ventana (PA 1506, p. 17)
Don Ramiro de Aragón (*Rosa Española*, Timoneda, 77v)
Don Repollo y doña Berza (*Lemos*, 183v)
Don Repollo y doña Berza (MN 3700, 126)
Don Rodrigo de Vivar (MN 17.556, 53v)
Don Rodrigo de Vivar (MP 996, 134v)
Don Rodrigo de Vivar (MP 996, 52v)
Don Rodrigo de Vivar (RG 1600, 178v)
Don Rodrigo rey de España (*Rosa Española*, Timoneda, 45v)
Don Sancho rey de Aragón (MP 973, 204)
Don sou que tan alt veniu (*Flor de enamorados*, 76v)
Donaire discreción y hermosura (*Penagos*, 22v)
Doncella a Dios agradáis (*Sevillano*, 132v)
Doncella cuya belleza (CG 1511, 50v)
Doncella de aquel Dios mío (CG 1511, 177)
Doncella desconocida (MP 617, 26v)

Tabla   105

Doncella dos mil enojos (MP 617, 26)

Doncella por cuyo amor (*Colombina*, 14v)

Doncella y Madre de Dios (*Sevillano*, 40)

Doncellas acicaladas (*RG* 1600, 323)

Donde achastes senhora esse ouro fino (NH B-2558, 1v)

Donde amor hiere cruel (*CG* 1511, 130v)

Donde amor su nombre escribe (*CG* 1511, 123)

Donde Amor su nombre escribe (MiA II.100, 11v)

Dónde bueno a tal hora (*Toledano*, 35v)

Donde de flores variedad no poca (*Canc.*, Maldonado, iv v)

Dónde dejaste señor (*Sevillano*, 128)

Donde descansa amor quando mais cansa (*Corte*, 207v)

Donde dolores crecidos (*Ixar*, 349)

Donde el Cid veló las armas (*Faria*, 103v)

Donde enciende el pensamiento (*CG* 1511, 172v)

Dónde es vuestra ida (*Sevillano*, 179v)

Dónde está el contentamiento (*Padilla*, 95v)

Donde está mi libertad (PN 314, 60)

Dónde está tu gallardía (PBM 56, 20v-21, 101v-102)

Dónde estáis dulce Jesús (*Fuenmayor*, p. 49)

Dónde están tus gallardías (*Corte*, 149)

Dónde están tus gallardías (*Sevillano*, 202v)

Dónde estás mi libertad (OA 189, 34)

Dónde estás que no me atrevo (PN 372, 287)

Dónde estás que no te veo (CG 1511, 95v)

Dónde estás que no te veo (*Colombina*, 17v)

Dónde estás que no te veo (*Lemos*, 122)

Dónde estás que no te veo (MN 3902, 92)

Dónde estás que no te veo (MP 617, 150)

Dónde estás que no te veo (*Obras*, Silvestre, 95v)

Dónde estás que no te veo / zagala de mi querer (*Sevillano*, 285v)

Dónde estás señor del cielo (*Sevillano*, 146)

Dónde estás señora mía (*Jhoan López*, 142)

Dónde estás señora mía (MN 17.556, 19v)

Dónde estás señora mía (MN 3700, 93)

Dónde estás señora mía (*RG* 1600, 34)

Dónde estás señora mía (TorN 1-14, 17)

Dónde fuistes corazón (MN 3700, 178)

Dónde hallaré consuelo (*Canc.*, Maldonado, 55)

Donde hay afición (*Toledano*, 32)

Donde hay contento o provecho (*Morán*, 43)

Donde hay damas hay amores (MiT 994, 12)

Donde hay poco merecer (MoE Q 8-21, p. 26)

Dónde huyes cruel Ay que huyendo (FR 3358, 160)

Dónde irá tu servidor (OA 189, 166v)

Donde le coronan selvas (PN 418 p. 498)

Dónde me lleváis oh pies cansados (*Canc.*, Maldonado, 147)

Donde mi esperanza vive (*RG* 1600, 69v)

Dónde por estas montañas (*Canc.*, Ubeda, 83v)

Dónde por estas montañas (*Vergel*, Ubeda, 104v)

Donde se acaba la tierra (*Jacinto López*, 79v)

Donde se acaba la tierra (MN 17.556, 13)

Donde se acaba la tierra (*Penagos*, 90v)

Donde se acaba la tierra (*RG* 1600, 11)

Donde se juntan en uno (*RG* 1600, 62)

Dónde se podrá hallar mujer que sea (*Vergel*, Ubeda, 171v)

Donde se sufre Joana (TP 506, 389v)

Dónde se sufre Juana (*Medinaceli*, 153v)

Dónde se van los ojos que traían (CG 1554, 199)

Dónde se van los ojos que traían (MN 1132, 32)

Dónde se van los ojos que traían (MN 2973, p. 128)

Dónde se van los ojos que traían (MN 3968, 164r)

Dónde se van los ojos que traían (MP 570, 252)

Donde sobra el merecer (CG 1514, 189)

Donde sobra el merecer (*Cid*, 213v)

Donde sobra el merecer (*Padilla*, 230v)

Donde son tan debidos los suspiros (*Corte*, 214)

Dónde vais apresurado (*Vergel*, Ubeda, 27v)

Dónde vais con tal socorro (*Vergel*, Ubeda, 27v)

Dónde vais decidnos vos (*Vergel*, Ubeda, 116)

Dónde vais Pablo A destruir furioso (*Vergel*, Ubeda, 115v)

Dónde vais Pablo furioso (*Vergel*, Ubeda, 116)

Dónde vais suspiros (*Cid*, 170, 223v)

Dónde vais suspiros (*Morán*, 95v)

Dónde vais suspiros (MP 1587, 97, 116)

Dónde vais suspiros (*Rojas*, 43v)

Dónde vais Virgen señora del cielo (*Sevillano*, 179)

Dónde vas con tanta pena (*Sevillano*, 288)

Dónde vas de madrugada (*Sevillano*, 288)

Donde ve hermosas damas (*RG* 1600, 58v)

Donde vem Rodrigo (*Elvas*, 33)

Donde vemos maravilla (CG 1535, 193)

Donde vos tenéis los pies (*Cid*, 199)

Donde vos tenéis los pies (*Peralta*, 72)

Dónde vos tenéis los pies (*Vergel*, Ubeda, 101v), *ver* De donde vos

Donna gentil che in negra umida venda (FN VII-353, 337v, 347v)

Donoso señor tenemos (MP 617, 210)

Donoso señor tenemos (TP 506, 394)

Donoso trueque me ha dado (PN 307, 295v)

Donoso trueque me ha dado (PN 371, 18)

Doña Ana bella que los rayos de oro (MN 17.556, 133v)

Doña bella mal maridada (*Corte*, 53v)

Doña Blanca está en Sidonia (MN 17.556, 14v)

Doña Blanca está en Sidonia (*Penagos*, 131)

Doña Blanca está en Sidonia (*RG* 1600, 34)

Doña Elvira la corona (MP 617, 209)
Doña Guiomar Enríquez sea loada (FN VII-354, 174
Doña Guiomar Enríquez sea loada (MBM 23/8/7, 85v)
Doña Guiomar Enríquez sea loada (MN 2973, p. 265)
Doña Guiomar Enríquez sea loada (MN 4256, 81)
Doña Guiomar Enríquez sea loada (MN 4262, 85)
Doña Guiomar Enríquez sea loada (MN 4268, 61)
Doña Guiomar Enríquez sea loada (MRAH 9-7069, 27)
Doña Guiomar Enríquez sea loada (OA 189, 252v)
Doña Guiomar Enríquez sea loada (PhUP1, 148)
Doña Guiomar Enríquez sea loada (PN 372, 356)
Doña Guiomar Enríquez sea loada (RV 768, 82), *ver* Doña
   Juana
Doña Isabel de Borja adónde es ida (PN 373, 48)
Doña Isabel de Borja dónde es ida (MP 570, 238)
Doña Isabel de Borja dónde es ida (TP 506, 350)
Doña Juana Enríquez sea loada (BeUC 75/116, 126), *ver*
   Doña Guiomar
Doña Leonora parió (FN VII-353, 239v)
Doña María de Padilla (MN 1317, 453)
Doña María de Padilla (*Rosa Española*, Timoneda, 82)
Doña Marina fui mi sangre ha sido (PN 373, 234v)
Doña Marina fui mi sangre ha sido (TP 506, 266v)
Doña Marina yace aquí metida (CG 1557, 399)
Doña Mencía los nombres (MP 617, 209)
Doña por cuya virtud (MP 617, 30v)
Dorar el oro a mi ver (CG 1514, 186v)
Dorida hermosísima pastora (MN 2856, 64)
Dormí cuando amor quería (RaC 263, 180v)
Dormid Apostol muy en hora buena (*Fuenmayor*, p. 614)
Dos animales groseros (*Sevillano*, 141v)
Dos caudalosas vertientes (*Fuenmayor*, p. 1)
Dos contrarios fuego y hielo (*Jhoan López*, 3v)
Dos contrarios me dan guerra (*Tesoro*, Padilla, 204)
Dos corazones conformes (*Obras*, Cepeda, 65)
Dos corazones conformes (*Padilla*, 231)
Dos cosas le pido a Dios (*Flor de enamorados*, 95)
Dos cosas naturaleza (*Obras*, Cepeda, 62v)
Dos cosas no alcanzo yo (CG 1511, 117)
Dos cosas que son temidas (MN 3902, 138v)
Dos cosas tengo de rey (PN 418 p. 472)
Dos cosas vide en la villa (*Cid*, 168v)
Dos crueles animales (MP 2803, 169)
Dos crueles animales (RaC 263, 5)
Dos damas de beldad maravillosa (FN VII-354, 249)
Dos damas de beldad maravillosa (MN 17.951, 189v)
Dos damas hermosas bellas (MoE Q 8-21, p. 146)
Dos damas vi tan hermosas (*Fuenmayor*, p. 291)
Dos ejemplos de Fortuna (RG 1600, 45)

Dos enemigos hallaron (CG 1511, 129)
Dos estrellas le siguen (*Sablonara*, 7)
Dos fieros animales (FN VII-353, 139v)
Dos firmezas que sostiene (CG 1511, 104v)
Dos fuegos a fuerza queman (*Jesuitas*, 191)
Dos fuegos con furia queman (MN 17.951, 104v)
Dos fuegos hoy a porfía (*Canc.*, Ubeda, 128v)
Dos fuegos hoy a porfía (*Vergel*, Ubeda, 138v)
Dos fuentes de un puro amor (*Jhoan López*, 105)
Dos galanes tengo / de una condición (MP 3913, 47)
Dos hermanas diligentes (*Lemos*, 18)
Dos hombres han los dioses castigado (TP 506, 55)
Dos mancebos de España muy pacientes (NH B-2558, 17v)
Dos mártires divinos representan (*Vergel*, Ubeda, 146v)
Dos mil contrarios persigues (MP 2459, 86)
Dos mil dolores de muerte (CG 1511, 128)
Dos mil sabios ayuntados (CG 1511, 226v)
Dos negros quiero vender (*Peralta*, 180v)
Dos ojos sin segundo dos estrellas (MP 570, 250)
Dos ojos vinieron (MN 5593, 72)
Dos pastores señor hacen ausencia (MP 570, 240v)
Dos pastores sobre apuesta (*Morán*, 134v)
Dos pastores sobre apuesta (MP 973, 92v)
Dos peligros hay en veros (MP 617, 213v)
Dos peligros hay en veros (TP 506, 396v)
Dos poetas disputaban (MP 2459, 20)
Dos terribles pensamientos (*Flor de enamorados*, 20v)
Dos veces ocho son que van siguiendo (*Obras*, Silvestre, 365)
Dos verdades se muestran principales (*Canc.*,
   Maldonado, 187)
Dou-me a demo que não posso (*Lemos*, 93v)
Dourava o sol a nuvem que o cobria (*Faria*, 36v)
Dous dias não dão sinais (*Corte*, 126)
Dove con le sue fresche e lucid'onde (FN VII-353, 340, 348)
Doy al diablo (*El Truhanesco*, Timoneda, 7v)
Doy muestras de placer cuando más peno (MN 2973, p. 67)
Doyme con que muera luego (CG 1511, 143)
Doyme tan poco a regalo (*Jhoan López*, 44)
Dudando no estés (*Vergel*, Ubeda, 143v)
Dudo buen amigo bastar entender (CG 1511, 151)
Dudo todo el bien que espero (CG 1514, 109)
Duélate ver que me voy (RG 1600, 241)
Duele tanto el mal que espero (CG 1511, 147)
Duéleme el tiempo pasado (CG 1554, 49)
Duéleme el tiempo pasado (*Gallardo*, 59)
Duéleme el tiempo pasado (*Heredia*, 8v)
Duéleme el tiempo pasado (MN 5593, 22)
Duélenme los ojos (MN 3700, 30v)
Duélense las duras piedras (*Padilla*, 231)

Tabla 107

Duélete de esa puente Manzanares (*Lemos*, 219)

Duélete Señor de mí (*CG* 1535, 206v)

Duelos os dé Dios Cupido (*Obras*, Silvestre, 130)

Dueña si habedes honor (MN 3724, 273)

Dueña si habedes honor (*RG* 1600, 102)

Dueñas vengado estáis a costa nuestra (FR 3358, 85)

Duerman los cuatro sentidos (*Vergel*, Ubeda, 85)

Duerme carillo a buen sueño (MN 3806, 92v)

Duerme carillo a buen sueño (*Sevillano*, 157)

Duerme con pesado sueño (*Canc.*, Ubeda, 24)

Duerme con pesado sueño (*Vergel*, Ubeda, 20)

Duerme y vive descuidado (*Sevillano*, 289v)

Dulce al bueno al malo amarga (MP 2459, 43)

Dulce Bernardo tierno y amoroso (*Vergel*, Ubeda, 155v)

Dulce clavel de mano tan divina (*León/Serna*, 92)

Dulce contemplación del pensamiento (MN 2856, 55)

Dulce cosa es contemplar (*Sevillano*, 262)

Dulce cosa es ser querido (*Recopilación*, Vázquez, 17v)

Dulce dura cruel pero sabrosa (*Lemos*, 3)

Dulce enemiga mía por quien muero (*Tesoro*, Padilla, 66v)

Dulce enemiga mía que moviendo (SU 2755, 178)

Dulce esperanza cuando Dios quería (MN 3902, 127v)

Dulce Felicia mía (PN 373, 260v)

Dulce Filis si me esperas (MiT 1001, 4v)

Dulce Filis si me esperas (*RG* 1600, 154), *ver* Dulce Nicis

Dulce Francisca mía esos tus ojos (*Rojas*, 44)

Dulce gallarda y soberana diosa (*Tesoro*, Padilla, 329v)

Dulce Henares de dos mil colores (*Borges*, 92v)

Dulce Jesús dónde vais (*Canc.*, Ubeda, 44)

Dulce Jesús dónde vais (*Vergel*, Ubeda, 78)

Dulce Jesús dulce nombre (*Penagos*, 227)

Dulce Jesús que en dulce convertiste (MN 17.951, 67v)

Dulce loable figura (*Flor de enamorados*, 131v)

Dulce María mía (*Jacinto López*, 235v)

Dulce mira a ninguno (*Sablonara*, 56)

Dulce Nicis si me esperas (MP 1587, 146), *ver* Dulce Filis

Dulce panal de miel fuistes señora (PN 372, 250)

Dulce pastora mía Quién me llama (PN 372, 123v, 250)

Dulce pensamiento mío (*Cid*, 24v)

Dulce pensamiento mío (FN VII-353, 61)

Dulce pensamiento mío (*Jhoan López*, 23v)

Dulce pensamiento mío (MN 17.557, 82)

Dulce pensamiento mío (OA 189, 29v)

Dulce placer que al alma rica ha hecho (*Jacinto López*, 260v)

Dulce puro inmortal, alto y hermoso (*Vergel*, Ubeda, 197)

Dulce Redentor mío que mi muerte (*Canc.*, Ubeda, 95v)

Dulce Redentor mío que mi muerte (FN VII-353, 78)

Dulce redentor mío que mi muerte (MN 17.951, 65)

Dulce Redentor mío que mi muerte (*Vergel*, Ubeda, 47v)

Dulce retrato de aquella (*RG* 1600, 352)

Dulce sabrosa cristalina fuente (MN 2973, p. 368)

Dulce sabrosa y cristalina fuente (*Jacinto López*, 227v)

Dulce sabrosa y cristalina fuente (MN 2856, 56)

Dulce sabrosa y cristalina fuente (*Morán*, 147)

Dulce Safira si a mi voz cansada (SU 2755, 160)

Dulce señora mía (TP 506, 368)

Dulce señora mía a quien ofrezco (*Jacinto López*, 23)

Dulce señora mía en el momento (*Morán*, 79)

Dulce sierva no dirás (*Padilla*, 67v)

Dulce Sirena como el sol hermosa (*Padilla*, 38v)

Dulce soñar y dulce congojarme (*Morán*, 89)

Dulce soñar y dulce congojarme (*Toledano*, 81)

Dulce y bello despojo de la boca (MBM 23/4/1, 177)

Dulce y bello despojo de la boca (PN 373, 126v)

Dulce y fuerte prisión de mi alegría (OA 189, 14v)

Dulce y fuerte prisión de mi alegría (PN 314, 6)

Dulce y vano atrevimiento (*Heredia*, 208v)

Dulce zagaleja (MP 1587, 35v)

Dulces engaños de mis esperanzas (*Corte*, 236)

Dulces esperanzas mías (*Cid*, 41)

Dulces esperanzas mías (MP 1587, 33v)

Dulces labios hermosos (MP 2803, 226)

Dulces ojos que dais vida (*Padilla*, 88)

Dulces regalos de la pena mía (MN 2973, p. 189)

Dulces vitorias presumen (PN 418, p. 540)

Dulces y alegres porfías (*Toledano*, 10)

Dulcísima María (*Medinaceli*, 75v)

Dulcísimo Dios mío (*Jacinto López*, 279)

Dulcísimo Dios mío (*León/Serna*, 8)

Dulcísimo Dios mío (MP 973, 428)

Dulcísimo Jesús mi amor festina (*Canc.*, Ubeda, 95)

Dulcísimo Jesús mi amor festina (*Vergel*, Ubeda, 196v)

Duque de virtud minero (MP 617, 92)

Dura crueldad que con tirano imperio (MN 3913, 127v)

Dura imaginación que entre memorias (*Canc.*, Maldonado, 94)

Dura obediencia te doy (*Jacinto López*, 53v)

Dura pensamiento (PA 1506, p. 7)

Durandarte Durandarte (*CG* 1511, 137)

Durandarte Durandarte (*CG* 1554, 114v)

Durandarte Durandarte (*Padilla*, 244v)

Durantearte Durantearte (MP 617, 206v), *ver* Duro en l'arte

Duras muertes niños fuertes (*Vergel*, Ubeda, 144)

Duras muertes os daremos (*Vergel*, Ubeda, 144)

Durases noche no viese yo el día (MN 3902, 27v)

Durases noche y no viniese el día (*Sevillano*, 271v)

Durmiendo anoche soñaba (PN 373, 192)

Durmiendo estaba el cuidado (*CG* 1511, 134)

Durmiendo estaba en los brazos (MN 3700, 26)

Durmiendo estaba Lautaro (FN VII-353, 93)

Durmiendo estaba Lautaro (MP 2803, 153)

Durmiendo estaba Lautaro (*RG* 1600, 19)

Durmiendo iba el señor (*CG* 1514, 15)

Durmiendo una mañana con contento (MN 17.556, 141)

Durmiendo una mañana con contento (MP 1587, 147)

Duro en l'arte duro en l'arte (Heredia, 156v), *ver Durandarte*

Duro ferro cruel lança homicida (*Faria*, 40v)

Duro mal terrible llanto (*Medinaceli*, 134v)

E

E for con fama certa (*Cid*, 171)

E la don don Verges Maria (*Uppsala*, n. 42)

E mui velha adore magoa (*Penagos*, 306v)

E nao le parem alguém (PBM 56, 107)

E tempo ja que vanas confianzas (*Corte*, 229)

E-me tão contrário o tempo (*Corte*, 126v)

Ea cruel desengaño (*Elvas*, 21v)

Ea pues hermano Rojas (*Ixar*, xxv v)

Ea señoras hermosas (MoE Q 8-21, p. 54)

Ea señoras hermosas (PA 1506, 38)

Ebro caudaloso (MN 3725-1, 25)

Ecce homo ascenso nel empireo cielo (*CG* 1514, 16)

Ecce homo eterno su nel transcendente (*CG* 1514, 16)

Ecce homo in croce fin de lege scripta (*CG* 1514, 16)

Ecce homo inducto nel virgineo claustro (*CG* 1514, 16)

Ecce homo preso da judei ligato (*CG* 1514, 16)

Echá acá la barca hao (*Jacinto López*, 190v)

Echá acá la barca hao (MN 17.556, 70v)

Echá acá la barca hao (PA 1506, p. 22)

Echá acá la barca hao (*Penagos*, 80)

Echá acá la barca hao (RaC 263, 103v)

Echa en olvido el ganado (MP 644, 198v)

Echá fuera al enemigo (*Fuenmayor*, p. 275)

Echad ya Virgen soberana y pura (*Vergel*, Ubeda, 105)

Echada está por el suelo (*Penagos*, 120v)

Echada está por el suelo / Alcalá de los Gazules (MN 3723, 228)

Echada está por el suelo / Alcalá de los Gazules (*RG* 1600, 183v)

Echado está Montesinos (*Cid*, 170)

Echado está Montesinos (*RH*, 103)

Echale la capa a la vaca / el mocito enamorado (*Jacinto López*, 320)

Echando estaba plumas a un virote (FR 3358, 166v)

Echando estaba plumas a un virote (*Penagos*, 7)

Echate mozo / que te mira el toro (MN 3700, 31)

Eche las gotas fuera / no caigan dentro (MN 3913, 48)

Echó el poder de Dios por un camino (MN 17.951, 111)

Eco che cosa è il fin d'amore amore (*Rojas*, 44v)

Edades verdes juveniles años (MiB AD.XI.57, 27v)

Efecto de novedad (*Tesoro*, Padilla, 441)

Eje perro no me encandiles (*Toledano*, 15v)

Ejemplo de valor el Almirante (MiB AD.XI.57, 10)

Ejemplo de valor mártir sagrado (*Canc.*, Ubeda, 97)

Ejemplo de valor mártir sagrado (*Vergel*, Ubeda, 145)

Ejemplo soberano de obediencia (MiB AD.XI.57, 29v)

Ejemplo vivo de la excelsa gloria (*Penagos*, 161)

Ejemplo y gran dechado Magdalena (MP 644, 196v)

Ejércitos sin cuento (*Jesuitas*, 467)

El abad de Oriejo (*Jacinto López*, 70v)

El abad que se enamora (MP 1587, 190v)

El abad Vallejo (*Penagos*, 116)

El abad y su manceba / dicen que quieren beber (*Jacinto López*, 320)

El abad y su manceba / el herreo y su mujer (*Jacinto López*, 320)

El abeja es la doncella (*Jesuitas*, 302)

El acierto de perderme (PN 418, p. 466)

El acuerdo sea tal (*Padilla*, 232v)

El afición y tormento (PN 372, 353)

El agravio que recibo (*Corte*, 50v)

El agro tomara yo (*CG* 1511, 122v)

El agua blanda en la pena dura (*Ixar*, 263v)

El agua es bien precioso (MN 3698, 129)

El agua es bien precioso (MP 996, 254)

El agua viva de la eterna fuente (MN 3902, 132v)

El águila caudal ya deseosa (*Vergel*, Ubeda, 132)

El águila imperial el dechado (*Corte*, 156)

El águila real os da licencia (MN 6001, 44)

El aguja del cuadrante (*CG* 1514, 186)

El aire se serena (FN VII-354, 254)

El aire se serena (MN 3698, 150v)

El aire se serena (MP 973, 212)

El aire siguió los vientos (*CG* 1511, 195v)

El alabastro blanco bien labrado (*Morán*, 12)

El alba de Titón ya se partía (MP 617, 183)

El alba herida ya salida (MP 617, 334v)

El alba Marica (PN 418, p. 288)

El alba se levantaba (*RG* 1600, 269)

El alba se venía (MN 5593, 71)

El alcaide de Antequera (MBM 23/4/1, 220v)

El alcaide de Florencia (MN 3723, 309)

El alcaide de Florencia (*RG* 1600, 249)

El alcaide de Molina (MN 3723, 178)

El alcaide de Molina (*RG* 1600, 140)

El alcalde de Antequera (*Romancero*, Padilla, 120)

El alegría y contento (*Jesuitas*, 411)

El alma de Dios esposa (*Jesuitas*, 446v)

El alma de Dios esposa (*Rosal*, p. 42)

El alma de miedos llena (*Elvas*, 27v)

El alma me traspasaste (*CG* 1511, 117)

El alma necesitada (*Padilla*, 66v)

El alma pierda quien ganarla quiera (*Cid*, 265)

El alma pierda quien ganarla quiera (MN 3968, 123v)

El alma por quien vivo es de Silena (MBM 23/4/1, 197v)

El alma por quien vivo es de Silena (*Padilla*, 40)

El alma por quien vivo es de Silena (*Tesoro*, Padilla, 302)

El alma por quien yo vivo (*Romancero*, Padilla, 285)

El alma que ha de ser de Dios esposa (*Jesuitas*, 266)

El alma que os contempla y mover quiere (*Morán*, 259)

El alma que para el cielo (MP 570,110v)

El alma que supiere conoceros (*Tesoro*, Padilla, 368)

El alma que ver quisiere (*Fuenmayor*, p. 281)

El alma tiene aunque indigna (*Obras*, Silvestre, 112)

El alma triste el corazón doliente (*Obras*, Silvestre, 377v)

El alma triste el corazón doliente (*Penagos*, 177)

El alma y cuerpo han llegado (*Fuenmayor*, p. 395)

El alma y el corazón (*Sevillano*, 296)

El alto rey a quien la tierra y cielo (*Rosal*, p. 107)

El amador desdichado (*Morán*, 107v)

El amo noble sufriente (*Ixar*, 228v)

El amo noble sufriente (MP 617, 84)

El amor a la cabal (*CG* 1511, 157)

El Amor armó una armada (PN 371, 22)

El Amor bien podrá hacerme guerra (*Tesoro*, Padilla, 113v)

El amor con que os amó (*Sevillano*, 190)

El amor de Dios eterno (*Sevillano*, 45v)

El amor de la casada (*Jhoan López*, 140v)

El amor de la doncella (MP 1587, 113v)

El amor de la doncella (*Rojas*, 170)

El amor de Minguilla huy ha (*Sevillano*, 201v)

El amor de un rostro feo (*Jhoan López*, 24)

El amor desnudo (MN 3700, 182)

El amor es un cuidado (PN 372, 142)

El amor es un gusano (*CG* 1511, 185v)

El amor gobierna el cielo (FN VII-354, 407)

El amor ha de ser uno (*Jacinto López*, 184)

El amor ha de ser uno (*Morán*, 229v)

El amor ha de ser uno (*Peralta*, 73)

El amor ha tales mañas (*CG* 1511, 185v)

El Amor hizo a Silvano (*Tesoro*, Padilla, 173)

El amor lo que procura (*CG* 1514, 108v)

El amor manda que muera (WHA 2067, 74v)

El amor me ha de turar (*CG* 1511, 72v)

El amor me tiene tal (MBM 23/4/1, 94v)

El amor me tiene tal (*Padilla*, 143v)

El amor me tiene tal (*Tesoro*, Padilla, 83)

El amor muy atrevido (MP 3560, 45v)

El Amor nos ha cegado (*Obras*, Cepeda, 133r)

El amor os hizo ser (*Sevillano*, 161)

El amor piensa que duermo (*Sevillano*, 248), *ver* Todos dicen que, Todos piensan que

El amor que en el alma me ha esculpido (*Tesoro*, Padilla, 408)

El amor que era firme madre (RaC 263, 180v)

El amor que es firme madre (*RG* 1600, 206)

El amor que es verdadero (MP 1587, 58v)

El amor que me forzaba (*Tesoro*, Padilla, 45v)

El amor que me obligaba (*Cid*, 217v)

El amor que no se cura (*Ixar*, 340v)

El amor sale a pescar (*Lemos*, 93)

El amor suele causar (*Sevillano*, 140v)

El amor tal me dejó (*Gallardo*, 44v)

El amor tiene de suerte (*Romancero*, Padilla, 312)

El amor tierno paternal olvida (*Padilla*, 200)

El amor verdadero / que nace una vez (MN 3700, 13v)

El amor viene encendido (MoE Q 8-21, p. 94)

El amor y el apetito (MN 3724, 201v)

El amor y honestidad (MN 3806, 120)

El amor ya muerto es (MBM 23/4/1, 323v)

El amorosa pasión (*Tesoro*, Padilla, 170)

El amoroso cuidado (MBM 23/4/1, 348v)

El amoroso cuidado (*Morán*, 17v)

El amoroso cuidado (*Obras*, Silvestre, 28v)

El amoroso y dulce pensamiento (MBM 23/4/1, 216)

El andar desvanecido (*Canc.*, Maldonado, 31)

El ánima se me parte (*Fuenmayor*, p. 284)

El ánimo invencible y generoso (MP 973, 370)

El animoso Celín (MN 3723, 150)

El animoso Celín (*RG* 1600, 193)

El ansia de tu ausencia tal me tiene (*Gallardo*, 51v)

El Antipablo a mi ver (MiB AD.XI.57, 11)

El Antipablo a mi ver (MiT 1001, 11)

El año fértil de la ochenta (*Rojas*, 159v)

El árbol dilatado (MN 3913, 166)

El árbol que ahorcó a Judas (MN 3724, 246)

El árbol que ahorcó a Judas (*RG* 1600, 262)

El árbol que se ha secado (MN 5602, 34v)

El árbol que se ha secado (*Morán*, 84)

El arco y alas bate con presteza (MN 3724, 112)

El ardiente pecho hiere (*Jhoan López*, 105)

Tabla 111

El asesor del contento (*Jhoan López*, 40v)
El Asia y la Europa encierra (MN 4268, 172v)
El aspereza de mis males quiero (*Canc.*, Maldonado, 180v)
El áspero león ya se embravece (MN 17.951, 126v)
El áspero rigor con que desvía (MP 617, 292)
El ausencia es temerosa (MP 617, 167)
El autor de la vida nos convida (*Jesuitas*, 156)
El avariento guarda su riqueza (MBM 23/4/1, 142)
El avariento guarda su riqueza (PN 373, 251)
El ave que me mostraste (CG 1511, 88)
El ay que de amor no viene (CG 1511, 129)
El bello rostro en lágrimas bañado (*León/Serna*, 103v)
El bello rostro en lágrimas bañado (*Tesoro*, Padilla, 20)
El Bencerraje que a Zaida (MN 3723, 82)
El Bencerraje que a Zaida (MP 973, 393v)
El Bencerraje que a Zaida (RG 1600, 338v)
El bien de mi entendimiento (*Sevillano*, 242v)
El bien de su natural (PN 372, 276v)
El bien de una perfecta hermosura (MBM 23/4/1, 248)
El bien del bien que viéndote gozaba (PN 372, 189)
El bien dudoso el mal seguro y cierto (MP 1587, 48)
El bien dudoso el mal seguro y cierto (*Tesoro*, Padilla, 366v)
El bien más calificado (*Romancero*, Padilla, 347)
El bien que Amor me dio bien me mostraba (CG 1554, 166v)
El bien que Amor me dio bien me mostraba (MN 1132, 199v)
El bien que escogí (*Toledano*, 90v)
El bien que más deseamos (*Cid*, 36v)
El bien que más deseamos (*Morán*, 131)
El bien que mi mal alcanza (CG 1514, 109v)
El bien tiene condición (*Uppsala*, n. 51)
El bien ya no te lo pido / que no me lo puedes dar (*Morán*, 61v)
El bien yo no te lo pido (*Lemos*, 103v)
El bien yo no te lo pido (*Sevillano*, 263v)
El bilforato gárgaro entonando (FR 3358, 92)
El bizarro Almoralife (RG 1600, 75)
El blanco del amor y ardiente celo (*Rosal*, p. 29)
El blanco velo de tu hermosura (MP 1578, 135)
El bombodombón (BeUC 75/116, 119v)
El bombodombón (FN VII-354, 102v)
El bombodombón (MBM 23/8/7, 156)
El bombodombón (MN 3670, 50v)
El bombodombón (MN 4256, 221)
El bombodombón (MN 4268, 197)
El bombodombón (MP 1578, 57)
El bombodombón (MP 2805, 64v)
El bombodombón (PhUP1, 168)

El bombodombón (RV 768, 156)
El bravo alcaide de Ronda (MP 1587, 25)
El bravo alcaide de Ronda (*Cid*, 226)
El bravo león de España (RaC 263, 163v)
El bravo moro de Ronda (*Morán*, 96v)
El brío gloria y contento (*Morán*, 63v)
El brío gloria y contento (MP 973, 107)
El bruto buey sin razón (MN 3268, 46v)
El burgalés y el buldero (MiT 1001, 11v)
El caballero que ama (*Fuenmayor*, p. 500)
El caballo azafranado (*Rojas*, 114v)
El cabello de oro fino (*FRG*, p. 173)
El cabello de oro puro (RG 1600, 20)
El canto de las aves en la sierra (*Faria*, 20)
El capitán don Marte y crespa Aurora (FR 3358, 168v)
El carro donde Apolo rutilando (PN 373, 252v)
El castillo rodeado (MP 1587, 24)
El casto ardor de una amorosa llama (*Canc.*, Maldonado, i)
El celestial hortelano (MN 17.951, 170)
El celestial Pastor en su ganado (*Jesuitas*, 381v)
El celo que es de afición (EM Ç-III.22, 123v)
El celo que es de afición (*Romancero*, Padilla, 307v)
El celo santo en el piadoso oficio (*Lemos*, 281)
El ciego desea ver (*Borges*, 97v)
El ciego que nunca vio (CG 1511, 151v)
El cielo a voces hiriendo (MP 1587, 21v)
El cielo a voces rompiendo (*RH*, 142)
El Cielo Amor y Fortuna (RaC 263, 7)
El cielo Beatriz divina y pura (TP 506, 377v)
El cielo cristalino y estrellado (*Vergel*, Ubeda, 141)
El cielo desciende (*Sevillano*, 92)
El cielo en la mañana arrebolado (*Jesuitas*, 264)
El cielo está cansado de sufrirme (MN 2973, p. 40)
El cielo está cansado de sufrirme (*Obras*, Silvestre, 413v)
El cielo está sereno (MP 570, 219)
El cielo lloverá pantuflos viejos (FN VII-353, 15v)
El cielo lo que es suyo se ha llevado (*Rojas*, 51)
El cielo me condene a eterno lloro (RG 1600, 47)
El cielo niega el rocío (*Corte*, 56)
El cielo quiere y no acierta (PN 418, p. 339)
El ciervo viene herido (*Obras*, Silvestre, 293)
El ciervo viene herido (*Sevillano*, 82)
El claro cielo estrellado (MN 3968, 176v)
El claro rayo de la blanca luna (EM Ç-III.22, 77)
El claro sol declinaba (*Canc.*, Ubeda, 71)
El claro sol declinaba (*Jesuitas*, 482v)
El claro sol sus rayos oscurece (MN 2973, p. 53)
El cocodrilo aunque es brava serpiente (TP 506, 357v)
El color con que a vistas ha salido (*Jesuitas*, 359)

El comendador mayor (*Romancero*, Padilla, 45v)

El cómo no puede haberlo (*Uppsala*, n. 1)

El comparar es medir (*CG* 1511, 111)

El concebir sin varón (*Canc.*, Ubeda, 23)

El concebir sin varón (*Vergel*, Ubeda, 18)

El conde Fernán González (MP 617, 333v)

El conde Fernán González (*RG* 1600, 230v)

El conde Garci Fernández (MP 617, 337v)

El conde mi señor se fue a Napoles (*Lemos*, 208)

El conde Partinuples (*Ixar*, 338v)

El confesor se imagina (MiB AD.XI.57, 11)

El congojoso llanto el temerario (*Corte*, 9)

El consejo justicia y regimiento (*Tesoro*, Padilla, 430)

El consejo que me diste (MP 617, 269v, 317v)

El consejo que me diste (PBM 56, 6)

El consistorio divino (MN 3700, 56)

El consuelo de amadores (*Morán*, 66v)

El consuelo de amadores (*Obras*, Silvestre, 101v)

El consuelo de amadores (PN 372, 275v)

El contento de tu carta (MN 3723, 302)

El contento de tu carta (*RG* 1600, 259v)

El coral más acendrado (MP 2803, 157v)

El corazón cercado (*Jesuitas*, 444)

El corazón femenil (*Toledano*, 18v)

El corazón libertado (*CG* 1511, 127)

El corazón no vencido (*RG* 1600, 163v)

El corazón que llamamos (*CG* 1511, 11v)

El corazón vos envío (*CG* 1511, 198v)

El cristalino pecho do el tesoro (MN 3902, 93)

El cuchillo y amor fuerte (*Jesuitas*, 265)

El cuerpo bañado en sangre (RaC 263, 49)

El cuerpo del bravo Héctor (*Cid*, 153)

El cuerpo del fuerte Héctor (*Peralta*, 47v)

El cuerpo en el duro suelo (*Morán*, 42)

El cuerpo en manos de ausencia (*Faria*, 105v)

El cuerpo preso en Sansueña (MN 17.556, 75)

El cuerpo preso en Sansueña (MP 996, 45, 140)

El cuerpo preso en Sansueña (*RG* 1600, 41v)

El cuerpo real estaba (MP 2459, 32)

El curvo pico de vejez rompía (*Corte*, 183)

El darle que le darás (PN 418, p. 387)

El de Bosu junto a Brila (*Romancero*, Padilla, 28)

El deleite que se hace (*Colombina*, 7v)

El delicado brazo sostenía (PN 372, 25)

El desastrado suceso (MBM 23/4/1, 228)

El desastrado suceso (*Romancero*, Padilla, 126)

El descanso con quien quito (*CG* 1514, 129v)

El desconcierto pasado (*CG* 1554, 80)

El descuido que tenía (*Sevillano*, 273)

El desdén y el aspereza (*Padilla*, 3v)

El desdichado fin y lastimoso (*Obras*, Cepeda, 39v)

El desdichado Lidano (MP 1587, 152)

El deseo de mandar (*Obras*, Cepeda, 16v)

El deseo dificultoso (*CG* 1511, 165)

El deseo muy cansado (*Toledano*, 31)

El deseo que a más siempre se esfuerza (*Borges*, 40)

El desgraciado entre todos (MN 3724, 143)

El desgraciado entre todos (*RG* 1600, 228v)

El despreciar con valor (FN VII-353, 152v)

El día de la alegría (*CG* 1511, 134)

El día de Navidad (*Colombina*, 88v)

El día era amanecido (*Jesuitas*, 445)

El día hermoso del ángel (PN 418, p. 428)

El día infeliz nocturno (*CG* 1511, 121v)

El día que el nuevo Adán (*Obras*, Silvestre, 287)

El día que Febo y los otros planetas (*CG* 1511, 204)

El día que yo nací (*Flor de enamorados*, 32v)

El día que yo vi vuestra hermosura (MP 570, 250)

El diablo sois que no zorra (RaC 263, 162)

El diablo sois vos que no zorra (*Tesoro*, Padilla, 356)

El dice Pastora mía (*Morán*, 13)

El dice Pastora mía (*Sevillano*, 197v)

El dice Si yo me enojo (*Rojas*, 134)

El difunto ya pasado (*Cid*, 175)

El diligente deseo (*Rojas*, 55v)

El dios de amor enojado (*Morán*, 211)

El Dios de nuestro consuelo (*Vergel*, Ubeda, 80)

El disanto en la tarde salió al prado (*Tesoro*, Padilla, 399)

El disanto fue Belilla (FN VII-353, 172)

El disanto fue Belilla (MN 17.556, 61v)

El disanto fue Belilla (MN 3724, 122)

El disanto fue Belilla (*RG* 1600, 111v)

El divino sembrador (*Sevillano*, 129v)

El doctor de la gran risa (PN 372, 290)

El dolor con que parte (*CG* 1514, 130)

El dolor de lo que siento (*Gallardo*, 45v)

El dolor de lo que siento (MN 3902, 53v)

El dolor de un pie quebrado (MN 5602, 33v)

El dolor de un pie quebrado (*Morán*, 84)

El dolor de vuestra culpa (*Obras*, Cepeda, 87v)

El dolor del corazón (*CG* 1511, 208)

El dolor grave de tu acerba muerte (PN 314, 162)

El dolor más crece (*Rojas*, 100)

El dolor que es tan secreto (PBM 56, 27v-28)

El dolor que me destierra (RaC 263, 148)

El dolor que me destierra (*Rojas*, 37v)

El dolor que me destierra (*Sevillano*, 227v)

El dolor que sentir suele (*CG* 1514, 108v)

Tabla 113

El gran Felipe segundo (*Peralta*, 91v)

El gran fruto que ha salido (*Lemos*, 249)

El gran hijo de Trebacio (*RH*, 149)

El gran Júpiter fue de amor vencido (TP 506, 381v)

El gran monarca del mundo (*Romancero*, Padilla, 82)

El gran neblí que en el suelo (*Fuenmayor*, p. 378)

El gran señor de Occidente (*Peralta*, 85)

El grande capitán Cristo (MN 17.951, 40v)

El grave dolor extraño (*CG* 1511, 121v)

El grave dolor extraño (MN 5602, 32v)

El grave dolor extraño (MP 617, 27v)

El grave mal cuando viene (*Canc.*, Maldonado, 22)

El grave mal cuando viene (MP 1578, 136)

El grave mal que el pecho tierno (MN 3968, 155)

El grave mal que poseo (MP 1587, 66v)

El grave mal que poseo (*Romancero*, Padilla, 302v)

El gusto de contemplaros (*Jacinto López*, 12)

El gusto de contemplaros (MN 4256, 238)

El gusto de contemplaros (*Morán*, 30v)

El gusto de contemplaros (PN 314, 49v)

El hábito perverso de ofenderte (FR 3358, 114)

El hacedor de la ley (*Jesuitas*, 253)

El héroe famoso justo y santo (*Penagos*, 290v)

El hidalgo castellano (*León/Serna*, 111v)

El hijo de Arias Gonzalo (*RG* 1600, 248v)

El hijo de Dios eterno / desde la cruz do moría (*Vergel*, Ubeda, 45)

El hijo de Dios eterno / que de amor niño nacía (*Vergel*, Ubeda, 25)

El hijo de Dios Padre poderoso (MN 2973, p. 45)

El hijo del castellano (*Jhoan López*, 38v)

El hijo del castellano (*Penagos*, 76v)

El Hijo eterno es río que encendido (MN 17.951, 125v)

El hilo que en este día (*CG* 1511, 115)

El hombre a quien Dios combida (*Fuenmayor*, p. 277)

El hombre cuando siente está de muerte (MN 3968, 63)

El hombre justo y bueno (*Cid*, 49v)

El hombre justo y bueno (FN VII-353, 195)

El hombre justo y bueno (FR 3358, 214v)

El hombre justo y bueno (MN 3698, 7v)

El hombre justo y bueno (*Morán*, 245)

El hombre que anda desterrado errado (*Lemos*, 269v, 270)

El hombre que doliente está de muerte (BeUC 75/116, 76)

El hombre que doliente está de muerte (*Evora*, 62)

El hombre que doliente está de muerte (FN VII-354, 31)

El hombre que doliente está de muerte (*Heredia*, 336v)

El hombre que doliente está de muerte (MBM 23/4/1, 11)

El hombre que doliente está de muerte (MBM 23/8/7, 251v)

El hombre que doliente está de muerte (MN 2973, p. 341)

El hombre que doliente está de muerte (MN 4256, 112v)

El hombre que doliente está de muerte (MN 4262, 148)

El hombre que doliente está de muerte (MN 4268, 111v)

El hombre que doliente está de muerte (MP 2805, 113)

El hombre que doliente está de muerte (MRAH 9-7069, 64)

El hombre que doliente está de muerte (PhUP1, 81)

El hombre que doliente está de muerte (PN 258, 205v)

El hombre que doliente está de muerte (PN 311, 5)

El hombre que doliente está de muerte (RV 768, 259v)

El hombre quiso entonar (MN 17.951, 151v)

El hombre siendo enfermo del pecado (FN VII-353, 19)

El hombre y Dios hoy andan al trocado (MN 17.951, 73v)

El hoy me mata en el mañana espero (MN 17.556, 125)

El hoy me mata y en el mañana espero (FR 3358, 155)

El humano linaje (MN 3913, 176v)

El ídolo bello (MN 3725-1, 79)

El ídolo bello (*RG* 1600, 225v)

El ídolo de mi alma (*RG* 1600, 195v)

El ímpetu del viento riguroso (*Morán*, 124)

El infante don Fernando (*Rosa Española*, Timoneda, 2)

El interés ha llegado (*FRG*, p. 147)

El invencible francés (*RG* 1600, 348v)

El joyel de la casada (MN 3724, 135)

El joyel de la casada (*RG* 1600, 349v)

El juez superior (*Sevillano*, 208v), *ver* Aquel superior

El largo curso que descubre y pasa (*RH*, 213v)

El león esforzado en su braveza (MP 644, 181v)

El leve y grave elemento (*Jhoan López*, 134v)

El libertad a mí el crudo señora (MP 570, 233)

El libre corazón precio no tiene (RaC 263, 83v)

El licenciado tontico (FN VII-353, 239)

El linaje y hermosura (*Lemos*, 109v)

El linaje y hermosura (*Sevillano*, 96)

El llanto que de amor enternecida (FR 2864, 28v)

El llanto que de amor enternecida (MBM 23/4/1, 297)

El llanto que de amor enternecida (MP 1578, 104v)

El llanto que de amor enternecida (PN 373, 288)

El llanto que de amor enternecida (SU 2755, 170)

El luego se hizo semana (*Corte*, 184v)

El lugar tiempo y ventura (*FRG*, p. 184)

El Macedonio Filipo (*RG* 1600, 363v)

El maestre de Dragut (*RG* 1600, 126v)

El magnánimo Alexandre (*Rosa de Amores*, Timoneda, 8)

El mal consejo siempre se ha tornado (MP 2803, 176)

El mal consejo siempre se ha tornado (NH B-2558, 17)

El mal de amor compañero (*Sevillano*, 221v)

El mal de veros partir (*CG* 1554, 22v)

El mal de veros partir (MP 617, 158v)

El mal de vuestra partida (*CG* 1511, 164v)

Tabla 115

El mal que con furia viene (OA 189, 371v)
El mal que con furia viene (PN 307, 240)
El mal que con furia viene (RaC 263, 65)
El mal que de vos recibo (CG 1511, 71v)
El mal que del cuerpo es (CG 1511, 157)
El mal que no tiene medio (PN 373, 113)
El mal que por vos padezco (*Morán*, 39v, 93v)
El mal que se causa en veros (*Morán*, 77)
El mal que siento es tan bueno (*Morán*, 69)
El mal que viendo os encubro (*Padilla*, 236v)
El manjar blanco y suave (*Jesuitas*, 487v)
El manjar del que convida (*Obras*, Silvestre, 291v)
El mar con bravas ondas temerosas (SU 2755, 121)
El mar con bravas ondas temeroso (MN 4256, 251)
El mar con bravas ondas temeroso (MRAH 9-7069, 117v)
El mar con bravas ondas temeroso (*Rosal*, p. 65)
El mar con bravas ondas temeroso (TP 506, 337)
El mar sereno que con manso viento (MN 3902, 116)
El marido de Venus (MN 3724, 35v)
El martes casó Antón con Catalina (*Rojas*, 68)
El más bello Infante (*Jesuitas*, 267)
El más claro entender (*Jesuitas*, 231v)
El más desastrado día (*Cid*, 157)
El más desastrado día (*Morán*, 41)
El más dulce amor es lleno (MBM 23/4/1, 264)
El más gallardo jinete (MN 3723, 212)
El más gallardo jinete (RG 1600, 119)
El más pecador hombre que ha nacido (*Vergel*, Ubeda, 190)
El más peligroso mal (MN 5593, 69)
El más penado más penado (FN VII-353, 30v)
El más subido contento (*Canc.*, Ubeda, 6v)
El más subido contento (*Vergel*, Ubeda, 20v)
El mayor Almoralife (*Jacinto López*, 195v)
El mayor Almoralife (RG 1600, 7)
El mayor bien de quereros (CG 1511, 124v)
El mayor contento y gloria (*Jacinto López*, 56)
El mayor loor que veo (CG 1535, 189v)
El mayor mal de los males (PN 314, 225v)
El mayor mal del que ama (*Padilla*, 246)
El mayor mal por la mayor belleza (*Tesoro*, Padilla, 97)
El mayor mal que atormenta (*Morán*, 76v)
El médico al hueso llega (*Jacinto López*, 82v)
El médico perezoso (*Jacinto López*, 236v)
El medio más conveniente (*Padilla*, 62)
El mejor Almoradife (MP 973, 399)
El mejor Almoralife (*Jhoan López*, 137v)
El mejor Almoralife (MN 17.556, 9)
El menor mal muestra el gesto (CG 1511, 138)
El mi Antonio y el mi Antonio (PN 418, p. 112)

El mi corazón madre (FN VII-353, 172)
El mi corazón madre (*Heredia*, 187)
El mi corazón madre (MN 17.556, 61)
El mi corazón madre (MN 5593, 71, 72)
El mi corazón madre (RG 1600, 112)
El mi corazón madre (*Toledano*, 32)
El miedo de la Fortuna (PN 373, 157)
El milagro mayor que Amor ha hecho (*Tesoro*, Padilla, 123)
El mismo amor cruel la causa ha sido (MN 3968, 95v)
El mismo amor que me forzó a quereros (MP 973, 122v)
El mismo amor que me forzó a quereros (*Tesoro*, Padilla, 156)
El mismo Dios verdadero (*Sevillano*, 86v)
El mismo que al cielo da (*Fuenmayor*, p. 273)
El morir no es cosa fuerte (*Morán*, 55v)
El morir por estos ojos (*Jhoan López*, 4)
El moro alcaide de Ronda (*RH*, 82)
El mucho ignorar y poco saber (CG 1511, 157v)
El mundo a mi llanto acuda (RG 1600, 80v)
El mundo anda al revés muy trastocado (MP 570, 210v)
El mundo está en el punto más subido (FR 3358, 96v)
El mundo le viene estrecho (FN VII-353, 66v)
El mundo Lucifer la carne osada (*Penagos*, 145v)
El mundo pide y desea (MP 617, 208)
El mundo pide y desea (TP 506, 392)
El mundo se espante (*Sevillano*, 52, 133)
El mundo triste en este santo día (*Vergel*, Ubeda, 51)
El mundo viendo afrentado (*Fuenmayor*, p. 422)
El mundo viendo afrentado (*Jesuitas*, 461)
El mundo ya de soñoliento lento (FN VII-353, 73)
El necio que dos pies busca (TP 506, 349v)
El nevado pecho (*Tesoro*, Padilla, 8v)
El niño Dios el Febo intenso crece (FN VII-353, 75)
El niño que está en Belén (*Sevillano*, 39v)
El niño recién nacido (*Sevillano*, 92v)
El niño soberano concebido (*Vergel*, Ubeda, 103v)
El no dama gentil que respondiste (*Jacinto López*, 227)
El no maravillarse hombre de nada (BeUC 75/116, 18)
El no maravillarse hombre de nada (FN VII-354, 147v)
El no maravillarse hombre de nada (MBM 23/8/7, 26v)
El no maravillarse hombre de nada (MN 3670, 101)
El no maravillarse hombre de nada (MN 3670, 76)
El no maravillarse hombre de nada (MN 4256, 133)
El no maravillarse hombre de nada (MN 4262, 18v)
El no maravillarse hombre de nada (MN 4268, 12)
El no maravillarse hombre de nada (MP 1578, 182)
El no maravillarse hombre de nada (MP 2805, 95)
El no maravillarse hombre de nada (MRAH 9-7069, 5v)
El no maravillarse hombre de nada (OA 189, 185v)
El no maravillarse hombre de nada (PhUP1, 18v)

El no maravillarse hombre de nada (RV 768, 26v)

El no no el sí por sí (*CG* 1554, 103)

El nombre sólo bastara (*Vergel*, Ubeda, 176v)

El nudo estrecho con que yo fui atado (Tesoro, Padilla, 7v)

El nuevo grande Filipo (PN 418, p. 537)

El oro con tus cabellos (*Morán*, 207v)

El oro crespo al aura desparcido (MN 2973, p. 169)

El otro disanto (*Sevillano*, 201v)

El padre dice Yo os quiero (*Canc.*, Ubeda, 89)

El padre dice Yo os quiero (*Vergel*, Ubeda, 99v)

El pan del cielo la inmortal comida (FN VII-353, 25v)

El pan del cielo venido (*Sevillano*, 183v)

El papa por la gota (FN VII-353, 190v)

El papa yo soy sólo uno-uno (RaC 263, 116)

El papel muy bien batido (MN 3902, 88)

El papel que os envié (PN 418, p. 454)

El partir para partir (*CG* 1511, 173v)

El parto le tomó a Antona García (MP 1587, 45)

El parto le tomó a Antona García (*Rojas*, 73)

El pastor divino (*Sevillano*, 157)

El pastor enamorado (MN 17.951, 8v)

El pastor enamorado (MP 644, 198v)

El pastor enamorado (PN 371, 28)

El pastor enamorado (PN 371, 28)

El pastor más humilde de este valle (MN 2856, 85)

El pastor más humilde de la tierra (FR 3358, 49)

El pastor más triste (MN 3725-1, 51)

El pastor que de Pisuerga (MN 3724, 106)

El pastor que tiene amores (*Flor de enamorados*, 123v)

El pastor Riselo un día (*Jacinto López*, 77v)

El pastor Riselo un día (*Jhoan López*, 136)

El pastor Riselo un día (MN 3724, 70v)

El pastor Riselo un día (*RG* 1600, 206v)

El pastor viejo y cansado (MiT 1001, 30v)

El pecado original (*Rosal*, p. 89)

El pecho fatigado (*Cid*, 61v)

El pecho fatigado (*Jacinto López*, 288)

El pecho fatigado (MP 3560, 42)

El pecho fatigado (MP 973, 12)

El pecho fatigado (MP 996, 262)

El peligro de la vida (MN 3691, 78)

El pensamiento encumbre (*Jesuitas*, 150v)

El pimpollo mejor y más crecido (SU 2755, 199v)

El pobre de descanso y sin ventura (PN 373, 182)

El pobre peregrino cuando viene (BeUC 75/116, 37)

El pobre peregrino cuando viene (FN VII-354, 130)

El pobre peregrino cuando viene (MBM 23/8/7, 53v)

El pobre peregrino cuando viene (MN 3670, 92, 135)

El pobre peregrino cuando viene (MN 3968, 23v)

El pobre peregrino cuando viene (MN 4256, 66v)

El pobre peregrino cuando viene (MN 4262, 45v)

El pobre peregrino cuando viene (MN 4268, 39)

El pobre peregrino cuando viene (MP 1578, 85v, 207)

El pobre peregrino cuando viene (MP 2805, 122)

El pobre peregrino cuando viene (OA 189, 211v)

El pobre peregrino cuando viene (PhUP1, 37)

El pobre peregrino cuando viene (PN 258, 92v)

El pobre peregrino cuando viene (PN 311, 74v)

El pobre peregrino cuando viene (RV 768, 53)

El ponerse en arrebol (FN VII-353, 160v)

El postrer Abencerraje (MP 973, 390), *ver* El postrero

El postrer alcaide moro (MP 973, 384v)

El postrer godo de España (*Cid*, 110)

El postrer godo de España (*Morán*, 99)

El postrer godo de España (MP 1587, 63v, 85)

El postrer godo de España (MP 2803, 155)

El postrer godo de España (MP 973, 91v)

El postrero Abencerraje (*Rojas*, 20), *ver* El postrer

El precio que recibistes (*Cid*, 199)

El primer amor que sella (MP 617, 153)

El primer día que vayas (*Jacinto López*, 190v)

El primer don que se reza (*CG* 1535, 198)

El primo hermano de Cristo (*Fuenmayor*, p. 58)

El príncipe de los cielos (*Jesuitas*, 133)

El principio de gozar (*Flor de enamorados*, 101)

El principio de mi mal (*Evora*, 7)

El principio del gozar (*CG* 1514, 130v)

El principio fue muy bueno (MN 5602, 33v)

El principio fue muy bueno (*Morán*, 84)

El Provincial es venido (*Corte*, 79)

El punto más subido con voz pura (*Jesuitas*, 360)

El puso en ti su afición (*Sevillano*, 58)

El que a Celia no ha mirado (MBM 23/4/1, 83v)

El que a los fines toma da medida (*Vergel*, Ubeda, 59v)

El que a los reyes del suelo (*Padilla*, 60v)

El que a Silvano ha mirado (*Romancero*, Padilla, 297v)

El que a vuestras manos muere (*Morán*, 104)

El que abrasó tu pecho helado y frío (*Canc.*, Ubeda, 121v)

El que abrasó tu pecho helado y frío (*Vergel*, Ubeda, 169)

El que acaso se asegura (*FRG*, p. 221)

El que adama a una (MP 973, 173v), *ver* Al que adama, El que ama

El que alguna esperanza acá en el suelo (*Corte*, 179v)

El que altivos imposibles (*Sablonara*, 63)

El que ama a una (RaC 263, 65), *ver* Al que adama, El que adama

El que ama no descansa (*Elvas*, 66)

El que amando desespera (*Padilla*, 51v)

Tabla   117

El que bien espera alcanza (MP 2459, 83)
El que bien pierde la vida (*Morán*, 107)
El que bien sabe comer (Fuenmayor, p. 266)
El que celos no tuviere (MP 2803, 160v)
El que celos no tuviere (*Rojas*, 72)
El que celos no tuviere (*Tesoro*, Padilla, 418v)
El que compra y miente (*Jacinto López*, 183)
El que con amor se atreve (RaC 263, 65v)
El que con amor se atreve (RV 1635, 101v)
El que con fuego amoroso (Rojas, 72v)
El que con fuego amoroso (Tesoro, Padilla, 418v)
El que con pecho honrado (*Lemos*, 261)
El que con tanta verdad (*Tesoro*, Padilla, 396v)
El que concertó (WHA 2067, 44)
El que da si luego olvida (MP 617, 113)
El que de fea discreta es bien tratado (*Tesoro*, Padilla, 158r)
El que de hidropesía está doliente (*Morán*, 55)
El que de la violencia (MP 2803, 208v)
El que de vos se partiere (*Flor de enamorados*, 86)
El que del amor se arrea (*Obras*, Cepeda, 64r)
El que demanda favores (Tesoro, Padilla, 482v)
El que dice que es (Jacinto López, 183)
El que diere en ser celoso (EM Ç-III.22, 123v)
El que diere en ser celoso (MBM 23/4/1, 372v)
El que diere en ser celoso (*Romancero*, Padilla, 307)
El que dijo mujer dijo mudanza (*Padilla*, 158)
El que en ausencia estuviere (*Morán*, 74v)
El que en el cielo no cabe (*Sevillano*, 164v)
El que en la corte amando estar contento (*Tesoro*, Padilla, 322)
El que en nueva galera está forzado (CG 1557, 392v)
El que en peligro se halla (Morán, 66v)
El que en profundo sueño está soñando (*Borges*, 85v)
El que en una no pusiere (Romancero, Padilla, 342v)
El que en vos perdió contento (Jhoan López, 42)
El que en vuestro vientre cupo (*Vergel*, Ubeda, 99)
El que entender desea (MP 3560, 21)
El que entra a navegar (*Lemos*, 257)
El que es crisol de firmeza (*Penagos*, 136)
El que es de algún peligro escarmentado (MN 2973, p. 343)
El que es de Dios más llegado (*Fuenmayor*, p. 556)
El que es tuyo si el perdido (BeUC 75/116, 89)
El que es tuyo si el perdido (FN VII-354, 74v)
El que es tuyo si el perdido (MBM 23/4/1, 49v)
El que es tuyo si el perdido (MBM 23/8/7, 145v)
El que es tuyo si el perdido (MN 3670, 42)
El que es tuyo si el perdido (MN 4262, 169v)
El que es tuyo si el perdido (MN 4268, 165v)
El que es tuyo si el perdido (MP 1578, 24v)
El que es tuyo si el perdido (MP 617, 234v)

El que es tuyo si el perdido (OA 189, 270)
El que es tuyo si el perdido (PhUP1, 96)
El que es tuyo si el perdido (PN 258, 128v)
El que es tuyo si el perdido (PN 307, 97)
El que es tuyo si el perdido (RV 768, 146)
El que es tuyo si perdido (MN 3968, 70)
El que espera de alcanzar (Sevillano, 277v)
El que espera galardón (*Rojas*, 46v)
El que está apartado (*Cid*, 114v)
El que está apartado (Cid, 192)
El que está apartado (MiT 994, 14v)
El que está apartado (MP 1587, 98)
El que está asentado (*Sevillano*, 178v)
El que está bien empleado (*Padilla*, 230v)
El que estuviere en pecado (Canc., Ubeda, 56v)
El que estuviere en pecado (Vergel, Ubeda, 76)
El que fue con tu licencia (MBM 23/8/7, 176)
El que fue con tu licencia (MN 4256, 215v)
El que fuere amado / por ser gastador (*Padilla*, 10v)
El que fuere dichoso será amado (*Corte*, 213v)
El que fuere dichoso será amado (*Faria*, 26)
El que fuerza su paciencia (PN 373, 156v)
El que goza de miraros (Romancero, Padilla, 303v)
El que jugar jamás ya no querría (*Lemos*, 58)
El que la fuerza del amor sostiene (*Evora*, 30v)
El que más a la fuente insigne debe (PN 314, 121v)
El que más amaba (*Penagos*, 132v)
El que más confía (Cid, 215v)
El que más confía (*Tesoro*, Padilla, 39)
El que más dama ganó (CG 1511, 126v)
El que más piensa alabar (*Fuenmayor*, p. 122)
El que más seguro viva (*Cid*, 108v)
El que mata ha de morir (*Morán*, 255v)
El que muere queda vivo (CG 1511, 149)
El que muere queda vivo (*Lemos*, 98)
El que muriendo venció (MP 2459, 43)
El que no cabe en el cielo (Vergel, Ubeda, 104v)
El que no es determinado (Padilla, 19v)
El que no es determinado (*Tesoro*, Padilla, 293)
El que no llega a saber (PN 418, p. 275)
El que no mantiene ley (*Sevillano*, 280v)
El que no quiso sembrar (MN 17.951, 144v)
El que no sabe de gloria (Lemos, 64)
El que no sabe qué cosa es amor (Gallardo, 55v), ver Al
    que no
El que no te vio bailar (Cid, 33, 244v)
El que no te vio bailar (Peralta, 72v)
El que no vido y creyó (*Sevillano*, 232)
El que nunca tendrá ya de alegría (MN 1132, 49v)

El que otro Dios no conoce (MP 973, 109v)

El que partió de do Pisuerga viene (*Morán*, 110v)

El que perdiendo ganó (*Sevillano*, 298)

El que piensa mereceros (*Tesoro*, Padilla, 349)

El que por amar muriese (*Padilla*, 110)

El que por ti no es ya suyo (*Tesoro*, Padilla, 98)

El que por vos pierde el seso (*Morán*, 51v)

El que pretende loar (MP 973, 298v)

El que pretende regalos (*Morán*, 102)

El que pudiere alcanzar (*FRG*, p. 203)

El que quisiera extremarse (PN 372, 93)

El que quisiere loar (*Penagos*, 208)

El que quisiere saber (MN 3700, 157v)

El que rema forzado de afligido (*Lemos*, 132)

El que sanarlos procura (*Romancero*, Padilla, 314)

El que se ha de enamorar (MP 1587, 84)

El que se muere por ver (*Romancero*, Padilla, 301v)

El que se quiere vengar (*Morán*, 97)

El que se ve sin culpa desamado (*Padilla*, 137)

El que se ve sin culpa desamado (*Tesoro*, Padilla, 284v)

El que se vio algún tiempo favorido (*Lemos*, 11)

El que sin saña no es esforzado (MP 617, 113)

El que sin ti vivir ya no querría (*Recopilación*, Vázquez, 10)

El que sin ti vivir ya no querría (*Tesoro*, Padilla, 101v)

El que sirve más que a una (*Romancero*, Padilla, 342v)

El que sólo un beso os diere (*Jacinto López*, 125v)

El que sólo un beso os diere (*Jhoan López*, 40v)

El que su alma entregó (*Obras*, Silvestre, 115)

El que suelta la rienda a su cuidado (*Tesoro*, Padilla, 217v)

El que supiera querer (*Rojas*, 116)

El que supiere querer (*Tesoro*, Padilla, 417v)

El que teniendo presente (*Romancero*, Padilla, 303v)

El que tiene amor constante (PN 372, 167v)

El que tiene amores (*Sevillano*, 175)

El que tiene mujer moza y hermosa (FN VII-354, 248)

El que tiene mujer moza y hermosa (RaC 263, 120v)

El que turbaba el sosiego (*Penagos*, 132v)

El que tuviere afición (*Padilla*, 11, 46)

El que veros mereció (*Morán*, 118)

El que vio vuestra figura (*Evora*, 18)

El que vive libertado (CG 1511, 146)

El que vos señora hubiere (WHA 2067, 14v)

El que vuestras culpas mira (*Sevillano*, 39)

El que yo más quiero (*Sevillano*, 203v)

El querer de mi querer (*Jacinto López*, 318v)

El querer de mi querer (*Padilla*, 66v)

El querer que yo encubría (CG 1511, 209v)

El quereros como os quiero (*Sevillano*, 57v)

El quinto rey de Navarra (*Romancero*, Padilla, 115)

El rayo de piadosa hermosura (MBM 23/4/1, 368v)

El rayo y resplandor del sol divino (MN 17.951, 79)

El recelo de ver en lo que andas (MP 617, 238)

El recelo de ver en lo que andas (OA 189, 153)

El recelo de ver en lo que andas (PN 314, 207v)

El regalado del cielo (*Penagos*, 174v)

El regalo bien se nota (MiB AD.XI.57, 45v)

El remedio de otra pena (*Sevillano*, 264)

El remedio para el fuego (WHA 2067, 105)

El resplandor celeste se querella (MP 3560, 45)

El resplandor de rostro de la Aurora (PN 371, 108v)

El resplandor del rostro de la Aurora (*Heredia*, 294)

El resplandor del rostro de la Aurora (TP 506, 6v)

El resplandor del rostro del aurora (PN 314, 201)

El rey de la majestad (*Fuenmayor*, p. 267)

El rey don Sancho Ordóñez (*Cid*, 235)

El rey manda que no jueguen (MP 617, 210v)

El rey Marruecos un día (MN 3723, 258)

El rey Marruecos un día (*RG* 1600, 116)

El rey moro de Granada (*Rosa Española*, Timoneda, 56)

El rico de oro esparcido (*Penagos*, 143v)

El rojo Febo que en aquella gloria (SU 2755, 75)

El rosado color de sangre y nieve (*Morán*, 91)

El rostro flaco y muy descolorido (TP 506, 293)

El rostro triste que en presencia vuestra (SU 2755, 181)

El rústico en trabajar (*Borges*, 97v)

El sabio que jamás el tiempo pierde (*Vergel*, Ubeda, 208v)

El sabio Salomón aquí pusiera (MN 3698, 233)

El sacre bajó a prender (*Canc.*, Ubeda, 27v)

El sacro Betis soy hermoso río (*Fuenmayor*, p. 92)

El sacro Enemergildo está cercado (MN 17.951, 77)

El sacro verbo encarnado (*Sevillano*, 144v)

El Santo Oficio a una parte (FN VII-354, 401)

El santo puro religioso celo (*Padilla*, 200v)

El segundo rey don Juan (FN VII-353, 104v)

El sentimiento desparta (CG 1511, 124v)

El Señor de tierra y cielo (*Sevillano*, 44)

El Señor del cielo (*Sevillano*, 88, 171)

El señor muy poderoso (*Sevillano*, 141)

El señor que a sus súbditos reparte (PN 307, 89)

El ser del hombre es ya Dios (*Jesuitas*, 478v)

El ser divino a la amorosa mano (MP 570, 288v)

El ser hombre cruel con otro alguno (MN 3806, 147)

El ser natural que puso (MN 3968, 177)

El ser vuestro es mi renombre (MN 3806, 94)

El seso turbio pensando (CG 1511, 102)

El sí sí el cómo no sé / desta tan árdua cuestión (CG 1514, 15)

El sí sí el cómo no sé / estos dos síes aquí (CG 1514, 15v)

Tabla   119

El siervo sin provecho te presenta (*Obras*, Silvestre, 416)

El simulacro de amor (*RG* 1600, 354v)

El sin salud Meliso a su Libea (*Heredia*, 286)

El sin ventura mancebo (*León/Serna*, 100)

El sin ventura mancebo (*Rojas*, 69v)

El sino que te faltó (PN 373, 218)

El sino que te faltó (TP 506, 289)

El soberano autor de nuestra vida (*Obras*, Silvestre, 417v)

El soberano maestro (MN 17.951, 1)

El soberano niño concebido (*Vergel*, Ubeda, 103)

El soberano pintor (MP 1587, 81v)

El soberbio Rodamonte (*Padilla*, 25)

El soberbio Rodamonte (*Romancero*, Padilla, 157v)

El sobrino de Neptuno (MN 17.557, 92)

El sol aclaraba los montes Acayos (*CG* 1511, 29)

El sol al descubrir sus rayos bellos (MP 2803, 152)

El sol claro al mundo viene (*Vergel*, Ubeda, 105v)

El sol con ardientes rayos (*Jacinto López*, 198)

El sol con ardientes rayos (MN 17.556, 155)

El sol con ardientes rayos (MN 17.557, 43)

El sol con ardientes rayos (MP 973, 410)

El sol con ardientes rayos (*Penagos*, 138v)

El sol con ardientes rayos (*RG* 1600, 12v)

El sol de esa hermosura (*Romancero*, Padilla, 277v)

El sol de mis ojos (MN 3725-1, 23)

El sol en medio del cielo (MP 1587, 129)

El sol ha estado escondido (*Jesuitas*, 447v)

El sol había subido a la alta cumbre (*Cid*, 253)

El sol había subido la alta cumbre (PN 372, 51v)

El sol la guirnalda bella (MN 3723, 306)

El sol la guirnalda bella (*RG* 1600, 70)

El sol podrás ver helado (*Cid*, 201)

El sol que *ab eterno* fue (MN 17.951, 9)

El sol que alumbraba el suelo (*Canc.*, Ubeda, 19)

El sol que alumbraba el suelo (*Vergel*, Ubeda, 17v)

El sol su roja frente ya mostraba (*Morán*, 16)

El sol ya descubría sus rayos bellos (*Morán*, 103)

El soldado y estudiante (*Peralta*, 74v)

El suelto cabello al viento (MN 17.556, 26)

El suelto cabello al viento (MN 4127, p. 86)

El suelto cabello al viento (MP 996, 124)

El suelto cabello al viento (RaC 263, 186v)

El sueño fácil engaño (MP 996, 183v)

El sumo emperador de lo criado (*Canc.*, Ubeda, 6v)

El suspirar tiene cierto (MBM 23/4/1, 264v)

El suspirar tiene cierto (*Tesoro*, Padilla, 308)

El suspiro enamorado (MP 2803, 214)

El tema de mi musa está turbado (*Morán*, 218)

El temor de no enojaros (MP 570, 151v)

El Tiempo Amor y Fortuna (*Obras*, Cepeda, 63r)

El tiempo el duro mármol va ablandando (MN 3968, 167v)

El tiempo en que todo mi sentido (*Morán*, 83v)

El tiempo en toda cosa puede tanto (MP 617, 259)

El tiempo es viejo ligero (*CG* 1511, 154)

El tiempo es vuestro e si de él usades (*Ixar*, 265)

El tiempo está vengado a costa mía (*Corte*, 213v)

El tiempo está vengado a costa mía (FR 3358, 108v)

El tiempo está vengado a costa mía (FR 3358, 156v)

El tiempo está vengado a costa mía (*Jhoan López*, 32)

El tiempo está vengado a costa mía (MN 17.556, 147)

El tiempo está vengando a costa mía (FN VII-353, 7)

El tiempo mal gastado contemplando (*Vergel*, Ubeda, 183)

El tiempo pasa y la muerte espero (*Jesuitas*, 480)

El tiempo santo es venido (*Obras*, Silvestre, 277v)

El tiempo y la ocasión Amor Ventura (*Obras*, Cepeda, 108r)

El tiempo y viejas pasiones (*Obras*, Cepeda, 51r)

El tierno pecho de cruel herida (BUB 75/116, 1)

El tierno pecho de cruel herida (FN VII-354, 200v)

El tierno pecho de cruel herida (*Heredia*, 304)

El tierno pecho de cruel herida (MBM 23/8/7, 1)

El tierno pecho de cruel herida (MN 1132, 114v)

El tierno pecho de cruel herida (MN 3968, 3)

El tierno pecho de cruel herida (MN 4256, 138)

El tierno pecho de cruel herida (MN 4262, 1)

El tierno pecho de cruel herida (MN 4268, 85)

El tierno pecho de cruel herida (MP 1578, 158)

El tierno pecho de cruel herida (MP 2805, 1)

El tierno pecho de cruel herida (MRAH 9-7069, 43)

El tierno pecho de cruel herida (OA 189, 223v)

El tierno pecho de cruel herida (PhUP1, 1)

El tierno pecho de cruel herida (PN 258, 1)

El tierno pecho de cruel herida (PN 311, 20)

El tierno pecho de cruel herida (RV 768, 1)

El toque de la paciencia (*Tesoro*, Padilla, 119v)

El torrezno del monje de leche es madre (MN 3913, 72v)

El trato discreto es (*Padilla*, 50)

El triste que desconfiado (*Gallardo*, 28v)

El triste que más morir (*CG* 1511, 93)

El triste que más morir (*Gallardo*, 26v)

El triste que más morir (MN 3902, 74)

El triste que más morir (MP 617, 31v)

El triste que nunca os vido (*Padilla*, 232)

El triste que os quiere (OA 189, 329)

El triste que quiere (*CG* 1511, 147v)

El triste que recibió (*CG* 1511, 190)

El triste que se partió (*CG* 1511, 135v)

El triste sentenciado a muerte dura (*Cid*, 270v

El triste Silvano muere (*Sevillano*, 61v)

El tronco de hojas vestido (MP 996, 40v)

El tronco de ovas vestido (*Jacinto López*, 81v)

El tronco de ovas vestido (*Jhoan López*, 26v)

El tronco de ovas vestido (MN 17.556, 57)

El tronco de ovas vestido (*RG* 1600, 31v)

El tronco de ovas vestido (*Rojas*, 182v)

El tu amor Señora (*Sevillano*, 131v)

El último día (*CG* 1557, 402)

El universal imperio (MP 3560, 61)

El uno en buena cuenta no hace cuento (FN VII-354, 259v)

El uno y otro pulso le han tomado (FN VII-353, 21v)

El valiente Abindarráez (MP 1587, 34v), *ver* Al valiente

El valiente don Manuel (MP 1587, 24v)

El valiente don Manuel (*RH*, 77), *ver* El valiente

El valiente don Rodrigo (*Rosa de Amores*, Timoneda, 33v)

El valiente don Roldán (RaC 263, 163v)

El valiente moro Azarque (MN 3723, 272)

El valiente moro Azarque (*RG* 1600, 83)

El valor gloria y contento (*FRG*, p. 251)

El vano apetito mío (EM Ç-III.22, 112)

El vano apetito mío (MBM 23/4/1, 356)

El vano apetito mío (*Romancero*, Padilla, 240v)

El vasallo desleal (*RG* 1600, 363)

El vencedor de la guerra (Vergel, Ubeda, 63, 63v, 64)

El venir Dios como viene (*Canc.*, Ubeda, 23)

El venir Dios como viene (*Vergel*, Ubeda, 18)

El Verbo cuando crió (MN 17.951, 38)

El Verbo del alto Padre (*Sevillano*, 48v)

El Verbo del padre eterno (*Jesuitas*, 268)

El verde prado y río (*Obras*, Cepeda, 75r)

El victorioso Medoro (MN 3700, 192)

El viejo Adán habiéndose dolido (MN 2973, p. 5)

El viento fresco sopla dulcemente (PN 373, 220)

El vivir desesperado (*CG* 1511, 124v)

El vulgo comúnmente se aficiona (FN VII-354, 247v)

El vulgo comúnmente se aficiona (*Jacinto López*, 251)

El vulgo comúnmente se aficiona (RaC 263, 117)

El yerro tengo por cierto (PN 418, p. 286)

El zagal es nuestro Dios (*Sevillano*, 81v)

Ela que a culpa eminga (PBM 56, 78)

Elena en un espejo contemplaba (*Rojas*, 117)

Elicio un pobre pastor (MN 17.556, 48v)

Elicio un pobre pastor (MN 17.557, 41v)

Elicio un pobre pastor (MN 4127, p. 31)

Elicio un pobre pastor (*RG* 1600, 14v, 74)

Elifaz de aqueste fin mal ofendido (MN 3698, 240v)

Elisa dichosa (MN 3725-1, 93)

Elisa ya el preciado (FN VII-354, 357)

Elisa ya el preciado (*Jesuitas*, 317)

Elisa ya el preciado (MN 3698, 161)

Elisa ya el preciado (MRAH 9-7069, 138v)

Ella con gran lozanía (*Tesoro*, Padilla, 311v)

Ella corre por el suelo (FN VII-354, 403v)

Ella dijo a mí (*Vergel*, Ubeda, 15)

Ella es blanca como pez (FN VII-353, 38v)

Ella es en se requebrar (León/Serna, 86v)

Ella la bien casada y mal contenta (FN VII-354, 266)

Ella poniendo cara de hornera (*Tesoro*, Padilla, 398)

Ellas buscan al Señor (*Vergel*, Ubeda, 54)

Ellas lloran que se vieron (*CG* 1511, 125v)

Ellos fueron la ocasión (PN 372, 196v)

Ellos fueron ocasión (*Tesoro*, Padilla, 166)

Ellos me hicieron (PBM 56, 54)

Elvira el nombre le dio (MN 1317, 227v)

Elvira el ser tan libre y zahareña (MBM 23/4/1, 233)

Elvira pese a mal grado (*Medinaceli*, 39v)

Elvira tus castañetas (*Cid*, 33, 244v)

Elvira tus castañetas (*Morán*, 89v)

Elvira tus catañetas (*Peralta*, 72v)

Em balde logo me calo (*Borges*, 22)

Em calma estar contra tormenta armar-me (NH B-2558, 42v)

Em formosa Letea se confia (*Borges*, 68)

Em ha fresca ribeira suas maguoas (EM Ç-III.22, 53v)

Em pago de tanta dor (*Corte*, 54)

Em peito leal de comcepto puro (*Evora*, 41v)

Em prisões baixas fui já tempo atado (*Borges*, 70)

Em quanto Fevo os montes ascendia (*Borges*, 68v)

Em quanto quis Fortuna que tivese (*Borges*, 1v)

Em um deleitoso vale junto ao mar (*Corte*, 78)

Em vão senhora minha trabalhais (*Evora*, 14)

Em vi velha a dor e magoa (*Penagos*, 306v)

Embainada en falso hielo (PN 418, p. 358)

Emilia noble romana (*Rosa Gentil*, Timoneda, 12)

Empecé a fantasear (*Cid*, 21)

Empieza musa mía No sé dónde (*Canc.*, Ubeda, 79)

Empieza musa mía No sé dónde (*Vergel*, Ubeda, 92)

Empieza ya lengua aunque captiva (PN 373, 244)

Emprende mi deseo en alabaros (*Cid*, 144)

Empréndeme un deseo que es loaros (*Morán*, 9)

Emprender vuestra alabanza (*Fuenmayor*, p. 42)

Empreñóse Ginebra la mañana (MN 4256, 118)

Empreñóse Ginebra la mañana (MN 4268, 212)

Empreñóse Ginebra la mañana (MP 1578, 5)

Empreñóse Ginebra la mañana (RaC 263, 130)

Empreñóse Ginebra la mañana (*Rojas*, 179v)

Empreñóse Ginebra la mañana (TP 506, 368)

Empresa dulce donde la esperanza (*Obras*, Cepeda, 70v)

Empuja Pedro empuja (*León/Serna*, 83v)

Tabla   121

Empuja que no hay celada (León/Serna, 83v)
En abrazar el vicio comúnmente (NH B-2558, 21)
En Africa siempre ha sido (*Fuenmayor*, p. 518)
En alterado golfo en mar sangriento (*Rosal*, p. 107)
En alto mirador un rey estaba (MN 17.951, 88v)
En amar y padecer (*Padilla*, 55)
En amar y padecer (*Tesoro*, Padilla, 64v)
En amor es cosa cierta (*Morán*, 209v)
En amor no hay cosa cierta (MN 3806, 62v)
En aquel portal (*Sevillano*, 91v)
En aquel punto que os vi (CG 1514, 186v)
En aquel punto que os vi (CG 1554, 22v)
En aquel siglo dorado (MN 3724, 297)
En aquel tiempo bogaba (MP 617, 18v)
En aquel tiempo dorado (MN 3725-1, 9)
En aquel tiempo en que yo pensé hallar (EM Ç-III.22, 32)
En aquel tiempo que a Roma (*Canc.*, Ubeda, 97v)
En aquel tiempo que a Roma (*Vergel*, Ubeda, 145v)
En aquel tiempo que Roma (*Rosa Gentil*, Timoneda, 17v)
En aquella eternidad (CG 1535, 195v)
En aquella sacra noche (MN 17.951, 103v)
En aquella sierra erguida (*Recopilación*, Vázquez, 28v)
En aquellas profecías (*Vergel*, Ubeda, 30)
En aquest carrer mayor (*Ixar*, 347)
En aquestas cosas dos (*Obras*, Silvestre, 81v)
En aquestas paredes derribadas (MN 6001, 54v)
En aquestas profecías (*Canc.*, Ubeda, 62)
En aquesto gran Señor (MP 644, 199)
En aquestos tiempos tales (*Cid*, 161v)
En aquestos tiempos tales (MBM 23/4/1, 69v)
En arena de la gorda (RG 1600, 180)
En áspera prisión esquiva y dura (*Corte*, 205v)
En ásperas montañas encerrado (*Cid*, 194)
En ásperas montañas encerrado (*Jesuitas*, 353)
En ásperas montañas encerrado (MN 17.951, 70v)
En ásperas montañas encerrado (MP 644, 28v)
En ausencia que es último tormento (*Faria*, 32v)
En ausensia estoy templando (*Evora*, 13)
En Babilonia junto a las corrientes (*Vergel*, Ubeda, 206v)
En Babilonia tristes desterrados (MP 973, 89)
En Barcelona carnero (MiT 1001, 30v)
En Belén nació esta noche (*Sevillano*, 162v)
En Belén señor nacistes (*Sevillano*, 150v)
En Belén tocan a fuego (*Jesuitas*, 244)
En blanca roja batalla (PN 418, p. 69)
En brazos de otro dueño mi querida (*Faria*, 27v)
En brazos de un sátiro cornudo (MP 570, 265)
En brazos de una doncella / un infante se adormía (*Canc.*, Ubeda, 27)

En brazos de una doncella / un infante se adormía (*Vergel*, Ubeda, 18)
En brazos de una doncella / vi un zagal (*Sevillano*, 81v)
En buen hora seáis parida (*Sevillano*, 81)
En buena fue juro a Dios (MP 570, 161v)
En Burgos está el buen rey (*Rosa Española*, Timoneda, 30v)
En campo seco espinoso (*Vergel*, Ubeda, 172v)
En Cártama me he criado (*Romancero*, Padilla, 118)
En Cártama se hace un almoneda (FN VII-353, 274)
En cas de un fariseo está manando (*Vergel*, Ubeda, 168)
En casamiento soltero (León/Serna, 114)
En Castilla está un castillo (MN 3725-2, 139)
En Castilla está un catillo (*Obras*, Cepeda, 138r)
En celestiales vergeles (MN 17.951, 30)
En celestiales vergeles (*Rosal*, p. 28)
En Ceuta está Julián (*Rosa Española*, Timoneda, 47v)
En Ceuta estaba el buen rey (*Rosa Española*, Timoneda, 74v)
En cielo y tierra no vi (*Jacinto López*, 185v)
En clavell si [   ] ajut den (*Ixar*, 346v)
En confusión me ponía (*Lemos*, 63v)
En consulta estaba un día (RG 1600, 315v)
En conversación (*Morán*, 97v)
En corte gran Febo en campo Anibal (*Ixar*, 157)
En corte gran Febo y en campo Anibal (CG 1511, 151v)
En cortes del Casto Alfonso (MP 617, 339v)
En cortes entra Bernardo (*Rojas*, 13v)
En cortes se ha proveído (*Toledano*, 40v)
En Cristo miró aquel helado lado (FN VII-353, 26v)
En cuál pestilencia nació tal nacida (*Flor de enamorados*, 44v)
En cuál región en cuál parte del suelo (MN 2973, p. 202)
En cualquier hechizo o arte (RaC 263, 141v)
En cuantas mercedes pido (CG 1511, 192v)
En cuantas mil y mil cosas natura (MN 6001, 57v)
En cuanto ciñe el mar y el sol rodea (*Padilla*, 117v)
En cuanto yo en las aguas voy pasando (*Borges*, 73v)
En cuerpo a punto y ceñidos (*Vergel*, Ubeda, 132)
En desdichado ajedrez (MN 17.951, 21)
En Dios su amor Bernardo transformado (Vergel, Ubeda, 154v)
En dolor tan dolorida (*Heredia*, 187v)
En dos cosas da que reír (FN VII-353, 246v)
En dos partes del cielo (MN 3700, 30v)
En dos prisiones estoy (CG 1514, 108v)
En dos yeguas muy ligeras (RG 1600, 59v)
En duda de mi estado lloro y canto (CG 1554, 192v)
En dulce mocedad embebecido (BeUC 75/116, 72v)
En dulce mocedad embebecido (FN VII-354, 36)
En dulce mocedad embebecido (MN 3968, 59v)
En dulce mocedad embebecido (MN 4262, 142v)

En dulce mocedad embebecido (MN 4268, 117)

En dulce mocedad embebecido (MP 1578, 12)

En dulce mocedad embebecido (MP 2805, 110)

En dulce mocedad embebecido (MRAH 9-7069, 68v)

En dulce mocedad embebecido (PhUP1, 76)

En dulce mocedad embebecido (PN 258, 202), ver Ahora en la

En dulce primavera (MN 17.951, 53)

En edad tan simple y tierna (*Vergel*, Ubeda, 141)

En el abismo metido (PN 373, 169)

En el abismo profundo (*Canc.*, Ubeda, 118v)

En el abismo profundo (*Vergel*, Ubeda, 130)

En el aceruelo Arlaja (*RG* 1600, 55)

En el acuerdo divino (*Sevillano*, 94)

En el agua sosegada (*Fuenmayor*, p. 54)

En el Alhambra de Granada (*Rojas*, 106)

En el Alhambra en Granada (*Cid*, 244)

En el Alhambra en Granada (*Lemos*, 175v)

En el amor de Cupido (MN 3806, 166)

En el amor no hay poder (*Morán*, 128v)

En el año de quinientos (MN 17.951, 182v)

En el año que de mil (*Rosa Real*, Timoneda, 36)

En el árbol de la cruz (*Peralta*, 54v)

En el arena sentada (MP 2803, 228)

En el baile del ejido (MN 3700, 207v)

En el banquete real (*Vergel*, Ubeda, 76v)

En el barco le vi andar (*Lemos*, 93)

En el bien de desearos (*Morán*, 56v)

En el bien de desearos (PN 372, 108)

En el callado manto (MN 3700, 79v)

En el campo de Tablada (*Jesuitas*, 476)

En el campo florido (TorN 1-14, 26v)

En el campo la galana (*Gallardo*, 36v)

En el campo me metí (EM Ç-III.22, 112)

En el campo me metí (*Jesuitas*, 234)

En el campo me metí (MBM 23/4/1, 356)

En el campo me metí (*Medinaceli*, 68v)

En el campo me metí (MN 17.951, 159v)

En el campo me metí (*Romancero*, Padilla, 240v)

En el campo romano (*Fuenmayor*, p. 68)

En el campo se han topado (*Sevillano*, 204)

En el castillo de Luna (*Obras*, Cepeda, 139v)

En el castillo de Roda (*Romancero*, Padilla, 112)

En el caudaloso río (*RG* 1600, 301v, 339v)

En el celestial maná (*Penagos*, 203)

En el Cenith de Amón el sol salía (*Jhoan López*, 130)

En el cerco de Zamora (MN 1317, 453)

En el cerco de Zamora (WHA 2067, 116)

En el cerralle está el turco (*FRG*, p. 97)

En el cielo dos estrellas (*Cid*, 210v)

En el cielo está ordenado (*Jacinto López*, 237)

En el consejo supremo (FN VII-353, 103v)

En el consistorio eterno (*Canc.*, Ubeda, 145)

En el consistorio eterno (*Vergel*, Ubeda, 22v)

En el corazón metida (PN 372, 171)

En el espejo los ojos (*Jacinto López*, 128)

En el espejo los ojos (MN 17.556, 2v)

En el espejo los ojos (*RG* 1600, 11v)

En el esperar lo veo (*CG* 1511, 129v)

En el extremo amoroso (*Peralta*, 9v)

En el fuego alegre ufano (*Obras*, Silvestre, 34)

En el fuego alegre ufano (PN 372, 325)

En el golfo de este mundo (MN 17.951, 46v)

En el hondo de mi pecho (*Cid*, 60v)

En el infierno los dos (FN VII-354, 434)

En el infierno los dos (MN 3700, 84)

En el jardín de las damas (*Jacinto López*, 193v)

En el jardín de las damas (*RG* 1600, 213)

En el lago cruel Daniel metido (MN 6001, 42)

En el mar comenzó mi vida (*Lemos*, 84)

En el mar de mi tristeza (*Corte*, 221)

En el mar do no hay bonanza (*CG* 1514, 189)

En el mar que veo (MN 2856, 230)

En el más esbelto monte (MP 996, 170)

En el más soberbio monte (*RG* 1600, 48v)

En el más soberbio monte (TorN 1-14, 48)

En el medio de la noche (*Canc.*, Ubeda, 3v)

En el medio de la noche (*Vergel*, Ubeda, 22v)

En el medio está la pena (*Jesuitas*, 468v)

En el mes era de abril (MN 3725-2, 9)

En el mes que el rojo Apolo (*RG* 1600, 76)

En el momento que os vi (*Gallardo*, 24v)

En el momento que os vi (MP 617, 227)

En el monte más famoso (*Padilla*, 210)

En el mundo cansado (*Jesuitas*, 311)

En el mundo y fuera de él (MP 1578, 135)

En el nombre de Jesús (MN 3725-2, 105)

En el Pardo el día claro (PN 418, p. 71)

En el pecho sosegado (*Obras*, Silvestre, 119v)

En el pecho sosegado (*Sevillano*, 66)

En el portal claro oriente (*Vergel*, Ubeda, 105v)

En el portal de Belén (*Canc.*, Ubeda, 8v)

En el portal de Belén (*Jesuitas*, 299, 484)

En el Prado de Madrid (MN 3700, 10)

En el primer cielo está (*Morán*, 75)

En el primer siglo de oro (*Jacinto López*, 163)

En el profundo del abismo estaba (*Jesuitas*, 320r bis)

En el profundo del abismo estaba (*Jesuitas*, 462v)

Tabla 123

En el punto que Celinda (*Jacinto López*, 195)
En el punto que confío desconfío (*Corte*, 208)
En el punto que la Aurora (*Morán*, 103)
En el real de Agramante (*RH*, 109)
En el Real de Manzanares (MN 3700, 34v)
En el ser glorificado (RaC 263, 90v)
En el ser glorificado (*Sevillano*, 207v)
En el ser que acá padezco (CG 1511, 122)
En el ser que es natural (*Obras*, Cepeda, 53v, 85v)
En el Serralle está el turco (*Rosa Real*, Timoneda, 59v)
En el silencio de la noche oscura (*Canc.*, Maldonado, 161)
En el silencio de la noche oscura (MN 17.556, 132)
En el soberano alcázar (*Vergel*, Ubeda, 22)
En el soberbio mar se había metido (MN 1132, 159v)
En el soberbio mar se había metido (MN 2973, p. 88)
En el soberbio mar se vio metido (CG 1554, 168)
En el soberbio mar se vio metido (PN 373, 180v)
En el solemne convite (*Romancero*, Padilla, 179v)
En el solenme convite (*Padilla*, 35)
En el suelo alumbra (RC 625, 11v)
En el templo estaba el turco (*FRG*, p. 29)
En el templo estaba el turco (*Rosa Real*, Timoneda, 13v)
En el terreno saber (MP 644, 189)
En el tiempo de los godos (*Jesuitas*, 469)
En el tiempo de los godos (PN 373, 53)
En el tiempo de los godos (*Rosa Gentil*, Timoneda, 57)
En el tiempo de Mastrique (*Romancero*, Padilla, 56v)
En el tiempo de Mercurio (*Flor de enamorados*, 53v), *ver* En el tiempo que
En el tiempo que Celinda (*RG* 1600, 4v)
En el tiempo que Mercurio (*Cid*, 202)
En el tiempo que Mercurio (*Peralta*, 18v)
En el tiempo que Mercurio (*Rosa de Amores*, Timoneda, 11), *ver* En el tiempo de
En el tiempo que reinaba (MBM 23/4/1, 218)
En el tiempo que reinaba (*Romancero*, Padilla, 117)
En el tiempo que reinaba (*Rosa Gentil*, Timoneda, 68)
En el tiempo que su gloria (MP 996, 176v)
En el tiempo que yo estaba (MP 617, 209v)
En el tiempo venturoso (*Romancero*, Padilla, 75v)
En el troque que te piso (MN 3691, 51v)
En el valle a Inés (*FRG*, p. 160)
En el valle a Inés (*Jhoan López*, 105)
En el valle a Inés (*León/Serna*, 95v)
En el valle a Inés (MP 1587, 94)
En el valle ameno de mi linda aurora (MN 3913, 72)
En el valle de Pisuerga (*RG* 1600, 187v)
En el valle del ejido (*Sablonara*, 43)
En el valle está un torillo (MN 3700, 182)

En ellos reina y preside (MP 1587, 156v)
En esa ciudad de Roma (*Rosa Gentil*, Timoneda, 26)
En esa gran Palestina (*Cid*, 211v)
En esa gran Palestina (*Vergel*, Ubeda, 129v)
En esa Torre de Sesto (*Morán*, 21v)
En esa villa de Bamba (*Peralta*, 29v)
En esa villa de Bamba (*Rojas*, 61)
En esa villa de Bamba (*Tesoro*, Padilla, 350v)
En ese lugar garsón (*Obras*, Silvestre, 123)
En ese monte de Albernia (MN 17.951, 41v)
En ese monte de Armenia (*Jesuitas*, 448v)
En ese monte Tabor (*Vergel*, Ubeda, 33v)
En ese portal do estáis (*Sevillano*, 89v)
En ese su querer señora Juana (*Romancero*, Padilla, 215v)
En esos montes de Albernia (*Jacinto López*, 296v)
En esperanza tan buena (*Obras*, Cepeda, 62r)
En esta Babilonia estoy desterrado (*Evora*, 32)
En esta breve cifra está encerrada (*Cid*, 11v)
En esta calle mora (*Jacinto López*, 319)
En esta cárcel que veis (CG 1511, 141)
En esta cárcel tenebrosa (MN 17.556, 163v)
En esta cárcel tenebrosa (MP 996, 167v)
En esta ciudad ha llegado (FN VII-353, 254v)
En esta estampa en tres diferenciada (*Obras*, Silvestre, 362v)
En esta fresca arena (MP 996, 217v)
En esta fuente Tirsi acostumbraba (SU 2755, 177v)
En esta guerra de amor (*Lemos*, 97v)
En esta jornada guío (CG 1511, 215)
En esta larga ausencia (RC 625, 27v)
En esta larga ausencia (TorN 1-14, 20)
En ésta ni en mi querer (CG 1511, 140v)
En esta noche preciosa (*Sevillano*, 41v)
En esta pasión de amor (*Obras*, Cepeda, 94r)
En esta prisión oscura (CG 1511, 208)
En esta prueba quiero ser primera (MN 1132, 61)
En esta puerta de esta cueva oscura (MN 17.951, 87)
En esta seca y solitaria arena (*Canc.*, Maldonado, 92)
En esta sierra estéril y desierta (*Cid*, 10v)
En esta sierra estéril y desierta (*Morán*, 89v)
En esta sierra estéril y desierta (WHA 2067, 1)
En esta tierra estéril y desierta (MN 3968, 97)
En esta tierra estéril y desierta (MN 4256, 262)
En esta tierra estéril y desierta (MP 1578, 99v)
En esta torre de Sesto (*Cid*, 127v)
En esta vida prestada (MP 570, 132v)
En estas santas ceremonias pías (*Rosal*, p. 251)
En estas solas paredes (*RG* 1600, 191)
En éstas y en las más cosas (MP 617, 211)

En este amor verdadero (MN 3806, 94v)
En este amor verdadero (*Obras*, Silvestre, 85)
En este breve túmulo se encierra (MP 2456, 12v)
En este invierno frío (*Sablonara*, 36)
En este mal que poseo (*Canc.*, Maldonado, 20)
En este mar de cuidados (*RG* 1600, 146v)
En este mundo disforme (MP 617, 144v)
En este mundo fragoso (*Lemos*, 84)
En este sacrificio se concede (*Vergel*, Ubeda, 58)
En este sepulcro triste (*RG* 1600, 105)
En este siglo mundano (*CG* 1535, 205)
En este solo pesar (WHA 2067, 101)
En este su querer señora Juana (*Padilla*, 55v)
En éxtasis de amor de amor herida (MN 3700, 158v)
En extrema pasión vivía contento (PN 307, 36)
En extremo sois graciosa (MN 3902, 132)
En fe de mi subido pensamiento (*Faria*, 30)
En figura de romeros (*Obras*, Cepeda, 138r)
En fin a vuestras manos he venido (*Toledano*, 81v)
En fin el fin del fin es ya llegado (FR 3358, 161v)
En forma de pan y vino (MN 17.951, 155)
En fuego Coridón pastor ardía (FN VII-354, 413)
En fuego Coridón pastor ardía (FR 3358, 121)
En fuego Coridón pastor ardía (MN 3698, 37v)
En fuego Coridón pastor ardía (MP 973, 251v)
En fuego Coridón pastor ardía (MP 996, 223)
En fuego de amor deshecho (*Vergel*, Ubeda, 148v)
En fuego de amor me quemo (*Uppsala*, n. 25)
En Fuenmayor esa villa (MN 2856, 105v)
En Fuenmayor esa villa (MP 996, 174)
En fuerte punto nací (*Flor de enamorados*, 32)
En fuerte punto nací (*Morán*, 55)
En Getsemaní está Cristo (MP 617, 248)
En gozar tu hermosura (MP 973, 123v)
En gran gracia me cayó (*Morán*, 19)
En gran peligro me veo (*CG* 1511, 122v)
En gran peligro me veo (WHA 2067, 57)
En gran pesar y tristeza (MP 617, 340)
En Granada está el rey moro (*Morán*, 29)
En Granada está el rey moro (WHA 2067, 114)
En grande estrecho está Roma (MP 996, 68)
En Grecia el padre de Alejandro Magno (Vergel, Ubeda, 208v)
En hora buena os vea yo (RaC 263, 55)
En hora buena vengáis tío (*Elvas*, 14v)
En humildad fue el primero (*Jesuitas*, 187)
En invierno baja (*Fuenmayor*, p. 345)
En invierno un galán al orilla de un río (RaC 263, 129v)
En justa injusta expuesto a la sentencia (MN 3913, 159)

En la abundosa ribera (*Romancero*, Padilla, 137v)
En la aldea se han casado (*Lemos*, 156v)
En la antecámara solo (*RG* 1600, 82)
En la batalla revuelta (*Vergel*, Ubeda, 64)
En la batalla sangrienta (*Morán*, 32v)
En la blancura se muestra (*Vergel*, Ubeda, 79v)
En la carne Dios naciendo (*Sevillano*, 142)
En la casa de Isabel (*Vergel*, Ubeda, 104v)
En la celestial región (*Fuenmayor*, p. 274)
En la cena del cordero (*Canc.*, Ubeda, 46v)
En la cena del cordero (*Vergel*, Ubeda, 81v)
En la cena que cenó (*Fuenmayor*, p. 37)
En la cesta que colabas (FN VII-353, 156)
En la ciudad de Antequera (MP 1587, 39)
En la ciudad de Colonia (*Vergel*, Ubeda, 175v)
En la ciudad de Toledo (MP 570, 114v)
En la ciudad de Toledo (*Toledano*, 23v)
En la ciudad granadina (*RG* 1600, 57v)
En la corte sin afanes (*Sevillano*, 1)
En la corte soberana (*Canc.*, Ubeda, 144v)
En la costa del pecado (MN 17.951, 92)
En la cruz Dios quien es mejor se prueba (*Fuenmayor*, p. 243)
En la cruz que sí que no (*Penagos*, 202)
En la cruz rasgó su pecho (*Vergel*, Ubeda, 69)
En la cueva del cuerpo cueva oscura (MN 17.951, 87v)
En la cumbre de un monte que vertía (*Vergel*, Ubeda, 160v)
En la cumbre de un olmo (MN 3700, 167v)
En la cumbre veo (*RG* 1600, 172)
En la dulce primavera (*Toledano*, 18)
En la escuela a do Amor es presidente (NH B-2558, 16)
En la escuela de Venus / aprendí a amaros (MN 3913, 47)
En la esperanza perdida (RaC 263, 148)
En la falda de un monte que cubría (PN 373, 213)
En la falda de un monte que cubría (TP 506, 387v)
En la falda de una sierra (WHA 2067, 53v)
En la falda del monte que cubría (*Lemos*, 131v)
En la feliz salida (*Jacinto López*, 290v)
En la feliz salida (MP 3560, 40v)
En la feliz salida (MP 973, 14)
En la feliz salida (MP 996, 259)
En la fértil sazón que el cortés cielo (PN 314, 9)
En la fértil sazón que el cortés cielo (WHA 2067, 81)
En la fiesta está Leonor (MN 3700, 205)
En la florida ribera (*Jhoan López*, 9)
En la fuente de agua clara (*Recopilación*, Vázquez, 32v)
En la fuente del rosel (*Recopilación*, Vázquez, 32v)
En la fuente está Leonor (*Faria*, 98)
En la fuente está Leonor (MN 3913, 73)
En la fuente más clara y apartada (BeUC 75/116, 73)

Tabla 125

En la fuente más clara y apartada (*Evora*, 56)
En la fuente más clara y apartada (FN VII-354, 37)
En la fuente más clara y apartada (*Heredia*, 332v)
En la fuente más clara y apartada (MBM 23/8/7, 249)
En la fuente más clara y apartada (MN 2973, p. 83)
En la fuente más clara y apartada (MN 3968, 60v)
En la fuente más clara y apartada (MN 4256, 110)
En la fuente más clara y apartada (MN 4262, 143v)
En la fuente más clara y apartada (MN 4268, 108v)
En la fuente más clara y apartada (MP 2805, 110v)
En la fuente más clara y apartada (MRAH 9-7069, 62)
En la fuente más clara y apartada (PhUP1, 76v)
En la fuente más clara y apartada (PN 258, 202v)
En la fuente más clara y apartada (PN 311, 6)
En la fuente más clara y apartada (PN 373, 325v)
En la fuente más clara y apartada (RV 768, 257)
En la fuerza de Galera (MN 3723, 24)
En la fuerza de Galera (*RG* 1600, 358v)
En la gloria que yo acierto (*Ixar*, 334v)
En la gran ciudad de Burgos (*Peralta*, 15)
En la gran Jerusalén (*Canc.*, Ubeda, 47)
En la gran Jerusalén (*Vergel*, Ubeda, 82)
En la gran torre de Sesto (*Tesoro*, Padilla, 267v)
En la gran villa de Gante (*Romancero*, Padilla, 52)
En la guerra y tornar a la posada (TP 506, 355v)
En la ley que Amor ha dado (*Morán*, 106)
En la máquina del mundo (*Vergel*, Ubeda, 25v)
En la más seca inhabitable tierra (*Canc.*, Maldonado, 181v)
En la más suprema alteza (*Canc.*, Ubeda, 104v)
En la más terrible noche (MN 3723, 253)
En la más terrible noche (*RG* 1600, 210)
En la mudanza de Gila (PN 418, p. 292)
En la muerte está la vida (*CG* 1511, 144)
En la muestra de mi mal (*Obras*, Cepeda, 64v)
En la noche más oscura (MN 4127, p. 39)
En la noche más terrible (MP 996, 86)
En la orilla de Genil (*Tesoro*, Padilla, 392v)
En la orilla de Pisuerga (MP 1587, 29v)
En la orilla de Pisuerga (*RG* 1600, 101v)
En la orilla de Pisuerga (*Tesoro*, Padilla, 241)
En la pared de cierto templo viejo (FN VII-354, 32)
En la pared de cierto templo viejo (MN 4256, 156v)
En la pared de cierto templo viejo (*Toledano*, 99)
En la pared de cierto templo viejo (TP 506, 365)
En la pared de un cierto templo viejo (MN 3968, 58v)
En la pared de un cierto templo viejo (MP 1578, 118v)
En la pared de un cierto templo viejo (PN 372, 251)
En la pascua del nacer (*CG* 1511, 69v)
En la pedregosa orilla (*RG* 1600, 351v)

En la peña junto a la peña (RV 1635, 126v)
En la peña sobre la peña (OA 189, 359v)
En la peña y sobre la peña (PN 307, 263v)
En la prisión está Adulce (MN 3723, 172)
En la prisión está Adulce (*RG* 1600, 29)
En la provincia de Holanda (*Romancero*, Padilla, 8)
En la Puerta de la Vega (MN 3700, 94)
En la región del aire vi que había (MN 17.951, 88)
En la región más áspera y desierta (MBM 23/4/1, 267v)
En la región mas áspera y desierta (PN 373, 177v)
En la reja de la torre (MN 3723, 136)
En la reja de la torre (*RG* 1600, 128)
En la ribera de Ibero (*RG* 1600, 21)
En la ribera de la mar estaba (*CG* 1557, 378)
En la ribera de la mar sentada (MN 4256, 113v), *ver* A la ribera
En la ribera de un río / a la falda de un collado (*Tesoro*, Padilla, 12)
En la ribera de un río / que mansamente corría (*Tesoro*, Padilla, 79)
En la ribéra del dorado Tajo (BeUC 75/116, 53)
En la ribera del dorado Tajo (*CG* 1554, 179v)
En la ribera del dorado Tajo (FN VII-354, 192v)
En la ribera del dorado Tajo (MBM 23/8/7, 109v)
En la ribera del dorado Tajo (MN 1132, 96)
En la ribera del dorado Tajo (MN 3670, 67v, 117)
En la ribera del dorado Tajo (MN 3968, 42)
En la ribera del dorado Tajo (MN 4256, 102)
En la ribera del dorado Tajo (MN 4262, 74)
En la ribera del dorado Tajo (MN 4268, 1)
En la ribera del dorado Tajo (MP 617, 230)
En la ribera del dorado Tajo (OA 189, 177)
En la ribera del dorado Tajo (PhUPa1, 55)
En la ribera del dorado Tajo (PN 258, 222v)
En la ribera del dorado Tajo (PN 307, 46v)
En la ribera del dorado Tajo (PN 311, 53)
En la ribera del dorado Tajo (RV 768, 108v)
En la ribera fresca y deleitosa (*Penagos*, 19v)
En la ribera más florida y llana (MP 2803, 173)
En la sacra eternidad (*Sevillano*, 90)
En la sangrienta batalla (*Cid*, 218)
En la sangrienta batalla (*RG* 1600, 161v)
En la selva está Amadís (MN 3725-2, 42)
En la selva está Amadís (*Rosa de Amores*, Timoneda, 67v)
En la sombría ribera (MN 4256, 161)
En la torre de Galera (*Penagos*, 176)
En la torre de homenaje (*Sevillano*, 158)
En la vega está el jarife (MN 3723, 240)
En la vega está el jarife (*RG* 1600, 234v)

En la vega este verano (*Rojas*, 30v)

En la vida la busqué (*CG* 1511, 141v)

En la villa de Alcalá (*Cid*, 229)

En la villa de Antequera (*Cid*, 147)

En la villa de Antequera (*Peralta*, 19v)

En la villa de Antequera (*Rojas*, 57)

En la villa de Antequera (*Tesoro*, Padilla, 29)

En la villa de Madrid (*Peralta*, 91)

En las aldeas se han casado (FN VII-353, 38v)

En las almenas de Toro (*Rosa Española*, Timoneda, 40)

En las almenas del muro (*Penagos*, 72)

En las cortes está el rey (*Ixar*, 335v)

En las cortes está el rey (MP 617, 251v)

En las cosas que hacemos (*Peralta*, 25)

En las damas me agradaba (*Tesoro*, Padilla, 452)

En las frescas riberas y espaciosas (MN 17.951, 138)

En las frescas riveras (*Jesuitas*, 331v)

En las historia verdadera (*Fuenmayor*, p. 269)

En las honras de Diego y de Marina (*Jesuitas*, 352)

En las más altas confines (*CG* 1511, 5)

En las obsequias de Antonio (*Sevillano*, 215v)

En las obsequias de Héctor (*Rosa Gentil*, Timoneda, 44)

En las ondas que navego (*CG* 1514, 125v)

En las ondas que navego (*Evora*, 43v)

En las orillas de Tajo (MN 17.556, 76)

En las potencias del alma (*Toledano*, 43v)

En las riberas de Sesto (FN VII-353, 62v)

En las riberas de Tajo (MP 973, 205v)

En las riberas de Tajo (PN 373, 189v)

En las salas de París (MN 3725-2, 167)

En las secretas ondas de Neptuno (FN VII-354, 198)

En las secretas ondas de Neptuno (MP 2803, 201v)

En las secretas ondas de Neptuno (MP 973, 209v)

En las secretas ondas de Neptuno (PhUP1, 145)

En las secretas ondas de Neptuno (PN 258, 117v)

En las secretas ondas de Neptuno (RaC 263, 110)

En las tierras bajas (*Jesuitas*, 477v)

En las tierras donde vine (*Corte*, 55)

En lenguas bajas de fuego (*Vergel*, Ubeda, 56v)

En ley de buena razón (*Morán*, 238)

En llamas de amor deshecho (*Cid*, 151v)

En llamas de amor deshecho (*RH*, 51v)

En llamas de honor deshecho (*Jesuitas*, 470)

En llegando a Santorcaz (MiT 1001, 12)

En llegando a veros (*Romancero*, Padilla, 296)

En lo bello y lo garboso (PN 418, p. 386)

En lo más mayor ventura (*Lemos*, 97v)

En lo más menos ventura (*Morán*, 35v)

En lo más menos ventura (PN 314, 222)

En lo mejor de la feliz España (SU 2755, 129)

En lo mejor de tus floridos años (MP 2459, 58)

En lo menos se asegura (*Obras*, Cepeda, 64v)

En lo que os puedo loar (*CG* 1535, 191v)

En lo secreto del eterno seno (MN 17.951, 82)

En los años que sin ellos (PN 418, p. 83)

En los bailes de esta casa (MN 3700, 211v)

En los bien enamorados (*Obras*, Cepeda, 63r)

En los carillos las palmas (*RG* 1600, 306v)

En los casos de afición (MN 3806, 90v)

En los casos de ventura (*Padilla*, 231v)

En los fríos del invierno (*Canc.*, Ubeda, 16v)

En los fríos del invierno (*Sevillano*, 129v)

En los fríos del invierno (*Vergel*, Ubeda, 16v)

En los fríos y en la helada (*Canc.*, Ubeda, 16v)

En los fríos y en la helada (*Vergel*, Ubeda, 16v)

En los más bellos confines (*Jacinto López*, 151)

En los milagros de amor (*Tesoro*, Padilla, 430v)

En los muros de Tarifa (*Jesuitas*, 471v)

En los ojos escondido (*Jhoan López*, 4)

En los olivares de junto a Osuna (RC 625, 57v)

En los pinares de Cibar (*Lemos*, 208v)

En los solares de Burgos (MP 996, 187v)

En los solares de Burgos (*RG* 1600, 197v, 219)

En los sombríos valles temerosos (*Borges*, 88v)

En los tormentos de amor (PN 314, 172v)

En los tus amores (*Flor de enamorados*, 125v)

En los umbrosos valles palestinos (*Fuenmayor*, p. 12)

En los villares dicen se han juntado (FN VII-353, 280v)

En lugar de altivos montes (MN 3700, 23)

En lugar de socorrerme (PN 372, 322v)

En lugar pajizo fuego (*Jesuitas*, 287)

En malos infiernos arda (*Toledano*, 24)

En medio aquesta fuente clara y pura (*Rosal*, p. 38)

En medio de dos guerreros (*Rosal*, p. 226)

En medio de la Esperia al medio día (MN 1317, 103v)

En medio de mi destierro (MN 17.557, 69)

En medio de mi pecho una figura (*Obras*, Cepeda, 72v)

En medio de un campo solo (MN 17.556, 54)

En medio de un campo solo (MP 996, 135)

En medio de un campo solo (*Penagos*, 80v)

En medio de un deseo presuroso (*Lemos*, 156)

En medio de un verde prado (*Cid*, 158)

En medio de un verde prado (*Obras*, Cepeda, 130r)

En medio del deseo y la esperanza (MN 17.951, 33)

En medio del estío a la corriente (TP 506, 192)

En medio del furor terrible insano (MP 570, 214)

En medio del invierno (*Jesuitas*, 468)

En medio del invierno riguroso (*CG* 1554, 170)

Tabla 127

En su aldea una serrana (*RG* 1600, 119v)

En su balcón una dama (MN 17.556, 70v)

En su balcón una dama (PA 1506, p. 22), ver Enseñando estaba

En su balcón una dama (*Penagos*, 79v)

En su balcón una Olimpia (*Jacinto López*, 190v)

En su cena postrera el Redentor (*Jesuitas*, 276)

En su más alta cumbre (MP 973, 293v)

En su más alto secreto (*CG* 1535, 196)

En su ninfa el pensamiento (MP 996, 184)

En su obra yo barrunto (*CG* 1511, 158)

En sus licenciadas manos (PN 418, p. 302)

En sus obras hace Dios memoria (*Cid*, 99v)

En tal confusión me veo (*Rosal*, p. 139)

En tal estrecho mi vida (*Obras*, Cepeda, 89r)

En tal noche oh gran princesa (*Sevillano*, 148v)

En tal perseverar de pensamiento (*Corte*, 235v)

En tal perseverar de pensamiento (*Faria*, 15)

En tal sino estrella (*Elvas*, 35)

En tales extremos me tiene el Amor (PN 373, 207)

En tan conforme igualdad (*Penagos*, 290)

En tan gran pobreza (*Sevillano*, 91v)

En tan hermoso mar (MN 2856, 23v)

En tan infeliz bien (MP 1587, 146v)

En tan peligroso trago (PN 307, 289)

En tan triste partida (WHA 2067, 20)

En tanta disformidad (MN 3968, 174v)

En tanta disformidad (*Obras*, Silvestre, 72)

En tanto amar y temer (PN 418, p. 22)

En tanto estrecho me veo (*Tesoro*, Padilla, 116v)

En tanto pues que el amor (*RG* 1600, 265v)

En tanto que de rosa y de azucena (*Rosal*, p. 34)

En tanto que el hijuelo soberano (MN 2973, p. 394)

En tanto que el hijuelo soberano (MP 2803, 192)

En tanto que está aflojando (*Sevillano*, 63)

En tanto que esto cantaba (*Tesoro*, Padilla, 343)

En tanto que la tormenta (MN 3724, 118)

En tanto que la tormenta (*RG* 1600, 278v)

En tanto que los árabes (MP 973, 181)

En tanto que los árabes (*Penagos*, 27)

En tanto que los árabes (*Peralta*, 45)

En tanto que los árabes (*Rojas*, 174v)

En tanto que mis ojos la luz pura (*Tesoro*, Padilla, 97)

En tanto que mis vacas (MN 3700, 208)

En tanto que tú cubriste (MP 1587, 127)

En tardar es enemiga (*CG* 1511, 198)

En tenebrosa noche en mar airado (MN 3913, 158v)

En términos me tiene el mal que siento (MN 3968, 104)

En términos me tiene el mal que siento (*Morán*, 147v)

En términos me tiene el mal que siento (OA 189, 12)

En términos me tiene el mal que siento (PN 307, 92v)

En términos me tiene el mal que siento (PN 314, 39)

En términos me tiene el mal que siento (WHA 2067, 8v)

En términos me tiene mi tormento (MN 3968, 104)

En terrenales amores (*Jacinto López*, 296)

En ti queda el alegría (*CG* 1511, 147v)

En ti se ocupe ya mi lengua y pluma (*Obras*, Cepeda, 101r)

En tiempo de agravios (MN 17.556, 148)

En tiempo de agravios (MP 996, 159)

En tiempo me vi yo que me burlé (MN 3902, 59)

En tiempo que don Fernando (*Morán*, 33v)

En tierna zarza verde y espinosa (*Cid*, 11v)

En tierra está convertido (*Rojas*, 113)

En tiniebla oscura (*Sevillano*, 232v)

En toda la noche y día (MP 1587, 162v)

En toda la tramontana (PBM 56, 26v-27)

En toda la tramontaña (*Corte*, 52v)

En todo a aquel divino pregonero (*Vergel*, Ubeda, x v)

En todo cuanto cerca el sol lucido (MP 617, 183)

En todo quisistes vos (*Vergel*, Ubeda, 145v)

En todo sois hermosa amiga mía (MP 644, 194)

En todo sois hermosa reina mía (*Vergel*, Ubeda, 90v)

En todo sois hermosa vida mía (*Jesuitas*, 444v)

En todo sois sin segundo (*Morán*, 78)

En Toledo está Rodrigo (*Lemos*, 92)

En trasponiendo tus ojos (*Corte*, 125v)

En tres blancas está la poesía (MBM 23/4/1, 99)

En triste hora me partí (MP 2803, 213v)

En tu nombre nos declaras (*CG* 1511, 182)

En tu saña no me aflijas (*CG* 1511, 13v)

En tus bellos ojos vi (MoE Q 8-21, p. 21)

En tus brazos una noche (*Sablonara*, 14)

En tus manos la mi vida (MP 617, 150)

En tus ojos Amarilis (MN 3700, 170)

En uma fresca ribeira mui amena (EM Ç-III.22, 53v)

En un alegre jardín (MN 3723, 256)

En un alegre jardín (*RG* 1600, 90)

En un alto cadalso (FN VII-353, 102v)

En un antiguo muro destrozado (*Romancero*, Padilla, 203)

En un aposento oscuro (MN 3723, 205)

En un aposento oscuro (*RG* 1600, 254)

En un arroyo arenoso (*Jacinto López*, 81)

En un balcón de su casa (MN 3723, 19)

En un balcón de su casa (*RG* 1600, 135v)

En un bastón de acebo en quien solía (*Morán*, 17v)

En un bastón de acebo en quien solía (*Sevillano*, 226v, 271)

En un bastón de acebo en quien solía (TP 506, 258v)

En un bastón de acebo que traía (MN 2856, 67v)

Tabla 129

En un caballo ruano (*RG* 1600, 80v)

En un camino llano y espacioso (MN 3968, 165v)

En un camino tan largo (MN 5602, 16v)

En un campo de mármol cristalino (MN 2856, 116v)

En un campo de verdura (MN 1317, 440)

En un campo que las flores (MN 4127, p. 89)

En un castillo estoy subida (MN 17.951, 87v)

En un castillo muy fuerte (*Cid*, 169v)

En un castillo muy fuerte (PN 373, 129)

En un cierto hospedaje do posaba (MN 2973, p. 399)

En un cierto hospedaje do posaba (MN 4256, 50v)

En un cierto hospedaje do posaba (TP 506, 295)

En un conjunto ayuntado (*CG* 1514, 138)

En un conjunto ayuntado (MN 1317, 439v)

En un Cristo que adoramos (*Lemos*, 169)

En un desierto áspero y fragoso (*Vergel*, Ubeda, 32v)

En un dorado balcón (MN 3723, 279)

En un dorado balcón (MP 973, 394)

En un dorado balcón (*RG* 1600, 338)

En un estéril desierto (*Jacinto López*, 59v)

En un estrado de damas (MiB AD.XI.57, 26)

En un extremo soy Dios (*Canc.*, Ubeda, 17)

En un extremo soy Dios (*Vergel*, Ubeda, 16v)

En un florido campo está tendido (MN 2973, p. 383)

En un fragoso desierto (*Canc.*, Maldonado, 25)

En un fresco abundoso y verde prado (*Padilla*, 133)

En un fresco abundoso y verde prado (*Tesoro*, Padilla, 283)

En un furioso caballo (MP 996, 56)

En un hermoso campo de un florido (MBM 23/4/1, 204v)

En un hermoso campo de un florido (PN 373, 256)

En un hermoso llano estando un día (TP 506, 334v)

En un hermoso valle de alegría (*Obras*, Cepeda, 102v)

En un hilo está la vida (*CG* 1511, 142)

En un jardín donde la diosa Flora (MN 4127, p. 198)

En un laurel retrataba (MN 3806, 15)

En un lugar do habitaba (*Flor de enamorados*, 107)

En un lugar donde había (*Tesoro*, Padilla, 352)

En un lugar sombrío (PN 373, 8)

En un lugar sonoroso (*Cid*, 198v)

En un lugar sonoroso (*FRG*, p. 175)

En un lugar sonoroso (*Guisadillo*, Timoneda, 6v)

En un lugar sonoroso (MBM 23/4/1, 63)

En un lugar sonoroso (*Rojas*, 38)

En un lugar sonoroso (RV 1635, 49v)

En un lugar sonoroso (*Sevillano*, 254v)

En un mármol duro y frío (*Vergel*, Ubeda, 36)

En un mirar tierno (*Morán*, 19)

En un mirar tierno (*Sevillano*, 236)

En un monte alto y fragoso (*Canc.*, Ubeda, 73)

En un monte alto y fragoso (*Vergel*, Ubeda, 48v)

En un monte junto a Burgos (MP 1587, 36v)

En un monte junto a Burgos (RaC 263, 68v)

En un olmo escribí un día (*FRG*, p. 142)

En un olmo escribí un día (*Morán*, 36)

En un olmo escribí un día (MP 1587, 82)

En un olmo escribí un día (*Padilla*, 144)

En un olmo escribí un día (*Tesoro*, Padilla, 273v)

En un olmo retrataba (*Padilla*, 97)

En un oscuro aposento (*Penagos*, 77)

En un pastoral albergue (*Lemos*, 206v)

En un pastoral albergue (MN 3700, 5v)

En un pequeño compás (MN 1317, 440v)

En un pesebre llorando (*Sevillano*, 85v)

En un pie solo velo noche y día (MP 3560, 34v)

En un pobre portal recién nacido (*Vergel*, Ubeda, 6v)

En un portal derribado (*Canc.*, Ubeda, 28v)

En un portal derribado (*Vergel*, Ubeda, 24)

En un portal he hallado (*Sevillano*, 133v)

En un prado coronado (*RG* 1600, 223v)

En un prado en el cual ni de pie humano (FN VII-354, 235, 263)

En un prado vicioso y verde soto (PN 373, 270v)

En un profundo sueño suspirando (FR 3358, 96v)

En un retrete que apenas (FN VII-353, 70v)

En un río está una fuente (FN VII-353, 158)

En un secreto aposento (*Cid*, 148v)

En un sereno día (*Jacinto López*, 59v)

En un sueño más entero (MP 570, 117)

En un tronco de un ciprés (*Jacinto López*, 176)

En un tronco de un ciprés (*RG* 1600, 13)

En un vajel de mimbres pasajero (MiB AD.XI.57, 33v)

En un valle deleitoso (MN 3806, 128v)

En un valle en el cual de pie humano (FR 3358, 182)

En un valle verde umbroso (*RH*, 198)

En un valle verde umbroso (*Tesoro*, Padilla, 473)

En un verde prado sin miedo segura (*Ixar*, 270)

En un vicioso prado y verde seto (MBM 23/4/1, 290)

En una aldea de corte (*RG* 1600, 37)

En una amorosa presa (*Jhoan López*, 21v)

En una barca metida (MN 3724, 194)

En una cabaña pobre (*RG* 1600, 95)

En una cárcel me echaron (MN 1317, 470v)

En una casa vi estar (*Sevillano*, 215v)

En una concha que en la mar se cría (MN 2973, p. 27)

En una desierta isla (*RG* 1600, 194)

En una dura corteza (*Heredia*, 206v)

En una dura señora (*RG* 1600, 285)

En una famosa playa (MN 3724, 51)

En una famosa playa (*RG* 1600, 100)
En una fértil tierra fue plantada (MN 17.951, 82v)
En una fiesta famosa (*Morán*, 99v)
En una fiesta que hizo (*Cid*, 146)
En una florida tierra (MN 4127, p. 102)
En una fresca floresta (*Sevillano*, 264)
En una fresca vega (*RH*, 228v)
En una hermosa ribera (*Morán*, 167v)
En una huerta deleitosa andaba (*Evora*, 29v)
En una isla adornada (FN VII-353, 90)
En una justa justa la sentencia (MN 3913, 159)
En una ligera yegua (*Jhoan López*, 10v)
En una ligera yegua (*Rojas*, 19)
En una llaga mortal (*CG* 1511, 99v)
En una playa amena (*Sablonara*, 64)
En una pobre cabaña (*RG* 1600, 77)
En una ribera umbrosa (*RG* 1600, 229v)
En una selva al parecer del día (*Jacinto López*, 228)
En una selva al parecer del día (*Lemos*, 3v)
En una selva al parecer del día (MN 3968, 98v)
En una selva al parecer del día (NH B-2558, 47v)
En una selva al parecer del día (PN 373, 170v)
En una selva oscura (PN 373, 311)
En una selva umbrosa al pie de un monte (NH B-2558, 50)
En una soledad de gente llena (*Jesuitas*, 351v)
En una vaina vivía (MiT 1001, 71)
En una vega fértil y abundosa (*Tesoro*, Padilla, 188v)
En una verde ribera (MP 2803, 228)
En una vieja zampoña (*RG* 1600, 218)
En unos cabellos (*Rojas*, 96)
En unos cebadales cierto día (FN VII-354, 250v)
En vão levantei os olhos (*Corte*, 125v)
En valde me avisas mora (MN 4127, p. 4)
En vanas esperanzas veo mi vida (MP 644, 191)
En vano divinos ojos (PN 418, p. 247)
En vano el mar fatiga (FN VII-354, 356v)
En vano el mar fatiga (*Jesuitas*, 466v)
En vano el mar fatiga (MN 3698, 155v)
En vano el mar fatiga (MP 973, 26v)
En vano la mujer fea (MBM 23/4/1, 300v)
En vano se procura (MBM 23/4/1, 362)
En vano y contra el viento (*Obras*, Cepeda, 77v)
En varias cosas la naturaleza (*Tesoro*, Padilla, 101)
En ver que venía (*Sevillano*, 160)
En ver tus dulces ojuelos (*Morán*, 126v)
En verme mortal (*Lemos*, 121v)
En veros más desearos (*CG* 1511, 125v)
En veros quise miraros (*CG* 1511, 193)
En vez de acero bruñido (*Lemos*, 217v)

En vida de tantos daños (PBM 56, 98v-99)
En vida de tantos males (WHA 2067, 76v)
En viendo el nombre de la blanca Elisa (MP 973, 183)
En viéndola que la vi (*FRG*, p. 185)
En vivas llamas ardiendo (*Jesuitas*, 461v)
En vivo llanto de Jesús (*Jesuitas*, 480)
En vos sola está el contento (PN 314,196v)
En vos vaso cristalino (*CG* 1535, 191v)
En vosotras contemplo (MN 4127, p. 278)
En vuestra presencia hallo (*CG* 1554, 70v)
En yelo nace mi llama (*Cid*, 63)
En Zamora está Rodrigo (*RG* 1600, 177v)
Enamoradas aves claras fuentes (*Jacinto López*, 8)
Enantes que culpa fuese causada (*CG* 1511, 1)
Encerró el eterno Padre (*Vergel*, Ubeda, 167v)
Enciende nuevo Amor el frío pecho (SU 2755, 71v)
Encima de un pardo escollo (MP 996, 89v)
Encima de un pardo escollo (*Penagos*, 142)
Encima de una alta roca (*Jesuitas*, 193v)
Encima del duro suelo (MN 1317, 442v)
Encima del duro suelo (WHA 2067, 117v)
Encontrándose dos arroyuelos (MN 3700, 9)
Encontráronme en los ojos (*Flor de enamorados*, 67v)
Encontré a Cupido un día (*Morán*, 59v)
Encontróme el Amor acaso un día (*Cid*, 43, 200)
Encontróme el Amor acaso un día (MP 2803, 205)
Encontróme el error acaso un día (*Vergel*, Ubeda, 71v)
Encubre la deidad (*Fuenmayor*, p. 279)
Encubre Minguilla (*Jhoan López*, 4v)
Encúbroos el mal que siento (*CG* 1511, 148)
Encumbrada está el alma hasta el cielo (*Penagos*, 178v)
Endeble estaba Simocho (MN 3724, 305)
Endeble estaba Simoco (*RG* 1600, 214v)
Eneas gran señor fue (*Obras*, Cepeda, 45r)
Eneas ves aquí a Dido (PN 307, 150v)
Enemiga de mi alma (*Padilla*, 206)
Enemiga le soy madre (*Flor de enamorados*, 99v)
Enemiga le soy madre (MN 3902, 55v)
Enemiga le soy madre (MN 5593, 74)
Enemigo lastimero (*CG* 1511, 96)
Enemigos vos causastes (*CG* 1511, 86v)
Enfádame decir lo que me enfada (*Canc.*, Ubeda, 110v)
Enfádame decir lo que me enfada (*Jesuitas*, 486v)
Enfádame la doncella (MN 3700, 126v)
Enfádame vivir en este mundo (*Canc.*, Ubeda, 100)
Enfádanme las estrellas (MN 3913, 81)
Enferma Clori de tus ojos bellos (MN 3700, 74)
Enferma y bella zagala (MN 3700, 9v)
Enfermo está el Amor malo se siente (MBM 23/4/1, 196)

Tabla   131

Enfermo está el Amor malo se siente (MP 570, 290)

Enfermo está el rey del cielo (*Vergel*, Ubeda, 44)

Enfermo está nuestro niño (*Jesuitas*, 267)

Enfermó Miguel Durán (*CG* 1511, 232)

Enganos de hum pensamento (*Faria*, 101v)

Engañada está Jarifa (MN 4127, p. 77)

Engañada mi señora (*RG* 1600, 270)

Engañado andáis (*Penagos*, 77v)

Engañado está el Amor (PN 371, 27)

Engañado me has Amor (MP 617, 172v)

Engañástesme señora (*Heredia*, 190v)

Engáñese quien porfía (MN 3700, 45v)

Engañó al mezquino (FN VII-354, 89)

Engañó al mezquino (*Jhoan López*, 33)

Engañó al mezquino (MN 4268, 162)

Engañó al mezquino (MP 1578, 59)

Engañó al mezquino (MP 2805, 64)

Engañó al mezquino (PhUP1, 126)

Engañó al mezquino (RV 768, 220)

Engaños tenedes engaños (PBM 56, 99)

Engañosas esperanzas (MN 17.557, 55v)

Engañosas fantasías (MN 3700, 188v)

Enhoramala me perderéis mozas (FN VII.353, 51)

Enjuga Fausta los ojos (*RG* 1600, 331v)

Enjuga los bellos ojos (*Sablonara*, 74)

Enjuga zagal tus ojos (*Morán*, 65v)

Enlazados los cabellos (*Jacinto López*, 193v, 206v)

Enlazados los cabellos (MN 17.556, 30v)

Enlazados los cabellos (MN 996, 125)

Enlazados los cabellos (*RG* 1600, 347v)

Enojada esperanza e importuna (*Obras*, Cepeda, 74r)

Enojada está Minguilla (*Obras*, Silvestre, 121)

Enojada está Minguilla (*Rojas*, 4)

Enojada está Minguilla (*Sevillano*, 198)

Enojada estaba Roma (*Rosa Gentil*, Timoneda, 16)

Enojado está don Sancho (*León/Serna*, 94)

Enojado está don Sancho (WHA 2067, 114v)

Enojado está el cruel (*Vergel*, Ubeda, 142v)

Enojado está el Gran Turco (*FRG*, p. 78)

Enojado está el Gran Turco (*Rosa Real*, Timoneda, 49)

Enojado está Luzbel (*Vergel*, Ubeda, 13v)

Enojaros no es razón (*CG* 1511, 128)

Enojásteos, señora (MP 570, 109)

Enojásteos, señora (TP 506, 298)

Enojóse Pascual con Catalina (*Tesoro*, Padilla, 357)

Ensayo ha sido que el Amor ha hecho (*Tesoro*, Padilla, 319)

Enseña la madrina (RaC 263, 53v)

Enseñando está a hablar (RaC 263, 103v), *ver* En su balcón una

Enseñando estaba hablar (*Jacinto López*, 191)

Ensíllame el potro rucio (*Jacinto López*, 194v)

Ensíllame el potro rucio (MP 996, 1)

Ensíllenme el asno rucio (*RG* 1600, 2v)

Ensíllenme el potro rucio (MN 17.556, 4)

Ensíllenme el potro rucio (MP 973, 403v)

Ensíllenme el potro rucio (*RG* 1600, 2), *ver* Jeríngueme

Entenderéis que tengo de ahorcarme (MBM 23/4/1, 316)

Entenderéis que tengo de ahorcarme (*Padilla*, 13)

Entendimiento dó estás (MP 973, 107v)

Entienda el que no supiere (*Padilla*, 42v)

Entienda que ha de gozar (*Rojas*, 97v)

Entona la voz diciendo (FN VII-353, 169)

Entona la voz diciendo (*Jhoan López*, 49v)

Entona la voz diciendo (MoE Q 8-21, p. 113)

Entonces mi Jacinto amor me tiene (*RG* 1600, 330v)

Entra con sol soledad (MP 1578, 269)

Entra en casa Gil García (*El Truhanesco*, Timoneda, 10)

Entra en cuenta Blas contigo (*FRG*, p. 223, 226, 228, 230, 232)

Entra en cuenta Blas contigo (MP 570, 128)

Entra en el jardín (RaC 263, 163)

Entrad despojos donde estaréis ciertos (*RG* 1600, 354v)

Entrado han en estacada (MP 2459, 63, 69)

Entrambas cosas deseo (OA 189, 99)

Entran en Troya los griegos (*Rosa Gentil*, Timoneda, 39)

Entrando a ver una dama (MP 973, 123)

Entrando en casa de una dama (*Cid*, 213v)

Entrando por una huerta (MN 1317, 440v)

Entraña de mis entrañas (*Padilla*, 243)

Entraron en una suerte (*Vergel*, Ubeda, 141v)

Entrastes mi señora (*Recopilación*, Vázquez, 31v)

Entre aquestas columnas derribadas (MN 2856, 97)

Entre arena de la gorda (MN 17.557, 78v)

Entre armas guerra fuego ira y furores (MN 2973, p. 165)

Entre as nuvens se esconde o pensamento (*Corte*, 215)

Entre as nuvens se esconde o pensamento (*Faria*, 61)

Entre as nuvens se esconde o pensamento (NH B-2558, 36v)

Entre ásperas montañas encerrado (*Borges*, 82)

Entre ásperas montañas encerrado (*Fuenmayor*, p. 398)

Entre ásperas montañas encerrado (*Jacinto López*, 274)

Entré ayer a visitar (*Romancero*, Padilla, 288)

Entre bien y mal doblada (*CG* 1511, 153)

Entre breñas y quejigos (*RG* 1600, 340)

Entre consuelo y tristeza (*RG* 1600, 168)

Entre delgada y gruesa es la figura (*Jacinto López*, 1)

Entre delgada y gruesa es la figura (MP 973, 124v)

Entre doradas flores (NH B-2558, 47v)

Entre dos álamos verdes (*Sablonara*, 16)

Entre dos arroyos mansos (MN 3700, 206)

Entre dos extemos ando (MN 3806, 80v)
Entre dos fuegos lanzado (*CG* 1511, 153)
Entre dos fuegos me quemo (*CG* 1511, 159)
Entre dos mansos arroyos (MN 3700, 189v)
Entre dos mansos arroyos (*Sablonara*, 4)
Entre dos montes soberbios (MN 3724, 200v)
Entre el alma y el sentido (PN 371, 59)
Entre el gigante y David (MN 17.951, 23v)
Entre el Mundo y el Amor (MN 17.951, 166)
Entre en esta floresta soberana (*Vergel*, Ubeda, ix v)
Entre esfuerzo y temor y entre esperanza (MN 3902, 28v)
Entre estas solas paredes (MN 3724, 250)
Entre estas solas paredes (*RG* 1600, 100v)
Entre estos peñascos tristes (*RG* 1600, 91v)
Entre flamas de amor fostes criados (*Faria*, 35)
Entre fragosas breñas emboscado (*Vergel*, Ubeda, 147v)
Entre la gente se dice (MP 617, 252v)
Entre la tierra y el cielo (*Jesuitas*, 480v)
Entre la una y los dos (*Fuenmayor*, p. 569)
Entre las aguas de Adria y cana frente (MN 3968, 116)
Entre las armas del conde (EM Ç-III.22, 98)
Entre las duras breñas de este suelo (*Jesuitas*, 98)
Entre las furiosas olas (*Rojas*, 2)
Entre las gentes se dice (MN 1317, 452)
Entre las grecias y turcas (RaC 263, 102v)
Entre las hierbas más sanas (FN VII-353, 181v)
Entre las olas y el cielo (*RG* 1600, 256)
Entre las penas de amor (MP 996, 173v)
Entre las penas de amor (*RG* 1600, 304v)
Entre leonados rubíes (MN 3723, 7)
Entre leonados rubíes (*RG* 1600, 221v)
Entre lirios pace el mi amigo caro (*Evora*, 33)
Entre los de amor vencidos (*Rojas*, 28v)
Entre los doce ministros (*Canc.*, Ubeda, 142)
Entre los dulces brazos que apetece (*Jhoan López*, 133v)
Entre los dulces testigos (*Jacinto López*, 171v)
Entre los dulces testigos (*Jhoan López*, 9v)
Entre los dulces testigos (MP 2803, 171)
Entre los largos dones que del cielo (*Canc.*, Maldonado, 131)
Entre los males míos (SU 2755, 203)
Entre los moros guerreros (*RH*, 147)
Entre los necios Amor (MP 973, 282)
Entre los ojos traigo (MP 996, 107)
Entre los ojos traigo (*RG* 1600, 221)
Entre los otros remedios (*Morán*, 107v)
Entre los raros dones que contino (PN 314, 3v)
Entre los reyes cristianos (*Romancero*, Padilla, 110v)
Entre los sueltos caballos (MN 3700, 62)
Entre los verdes sauces escondido (SU 2755, 102)

Entre manzanas y agua está el cuitado (MP 3560, 29v)
Entre Marruecos y Fez (*Romancero*, Padilla, 129v)
Entre mi claro sol y mí está puesto (*Cid*, 31)
Entre mi claro sol y mí está puesto (*Morán*, 135)
Entre mi fe y esperanza (MN 3806, 130)
Entre mil loores que la fama canta (MP 2456, 12)
Entre monjas de valor (FN VII-354, 407v)
Entre monjas de valor (*Jacinto López*, 262v, 266v)
Entre moradas violetas (*Jacinto López*, 77)
Entre moradas violetas (*Jesuitas*, 215v)
Entre mortales suspiros (*RG* 1600, 209v)
Entre muchos reyes sabios (*Rosa de Amores*, Timoneda, 16)
Entre muy frescas y olorosas flores (FN VII-354, 266v)
Entre muy frescas y olorosas flores (FR 3358, 182v)
Entre muy verdes y olorosas flores (FN VII-353, 283v)
Entre olas de congoja he navegado (MN 2856, 71v)
Entre penado y contento (*CG* 1511, 67v)
Entre peñas y robles habitando (MP 617, 260v)
Entre peñascos mudos (MN 3700, 14)
Entre Sesto y Abido en mar estrecho (*Borges*, 5v
Entre sí me respondió (MN 3806, 135)
Entre sospechas y celos (PN 373, 248v)
Entre tales extremos me tiene Amor (MP 617, 202v)
Entre tales extremos me tiene el Amor (*Gallardo*, 33)
Entre tanto que el triste pensamiento (*Morán*, 164)
Entre temor y deseo (*Corte*, 50)
Entre temor y esperanza (*Rosal*, p. 282)
Entre todos los tormentos (MiT 994, 5)
Entre todos los tormentos (PN 372, 155v)
Entre unas centellas yo vi un día (RaC 263, 128)
Entre unos altos cipreses (*Fuenmayor*, p. 603)
Entre unos centenales yo vi un día (*Jacinto López*, 2)
Entre unos juncares secos (*RG* 1600, 156)
Entre unos pastores (*Canc.*, Ubeda, 33v)
Entre unos sagrados mirtos (*Jacinto López*, 192v)
Entre unos sagrados mirtos (MN 2856, 60)
Entre unos tajados riscos (*RG* 1600, 215v)
Entre unos verdes mirtos reclinada (TP 506, 282v)
Entre Valencia y Alcázar (*CG* 1511, 209v)
Entre vos damas hay una (*Corte*, 157)
Entré yo muy descuidado (MN 5593, 80)
Entregue estais já de meu querer (EM Ç-III.22, 35)
Entreguéme a buena guerra (MN 17.557, 72v)
Entréguese la vida al sufrimiento (*Corte*, 218)
Entremetido es Amor (*Cid*, 240v)
Entremetido es Amor (*RG* 1600, 274v)
Entró Blas en la boda de Serrano (MN 3968, 168v)
Entró por los ojos míos (*León/Serna*, 111v)
Entró por los ojos míos (PN 372, 35, 196v)

Tabla 133

Entró por los ojos míos (*Tesoro*, Padilla, 166, 299)
Entró Zoraide a deshora (MN 3723, 300)
Entró Zoraide a deshora (*RG* 1600, 242)
Enviárame mi madre (*Evora*, 23v)
Envidia y fuerza hace esa hermosura (MBM 23/4/1, 233v)
Envidiosa cruel varia importuna (SU 2755, 15)
Envidiosa falsa avara (MiT 994, 17v)
Envidiosos de mi estado (MoE Q 8-21, p. 79)
Envió Lope de Vega (FN VII-353, 238v)
Envióme mi madre (MN 17.557, 81v)
Envíoos las doblas quebradas (*CG* 1554, 77)
Envuelto en su roja sangre (*RG* 1600, 86v)
Era de vidrio y quebróse (MN 3913, 54)
Era el faisán regalado (*Jhoan López*, 105v)
Era infeliz el ingenio (MN 3913, 165)
Era la noche en vez de manto oscuro (MN 3700, 132)
Era la noche más fría (MN 17.556, 160v)
Era la noche más fría (MP 996, 88v, 165v)
Era la noche más fría (*RG* 1600, 31)
Era la noche más fría (TorN 1-14, 45)
Era ya el día que se muestra en tierra (MP 617, 292v)
Eran dos pastores (MN 3725-1, 91)
Eran plantas muy diversas (*Vergel*, Ubeda, 85v)
Erase que se era (FN VII-353, 117v)
Erase que se era (León/Serna, 87)
Erase que se era (MN 3700, 194v)
Erase que se era (*Toledano*, 26)
Erase una moza (León/Serna, 87)
Erase una niña (MN 2856, 89v)
Erase una señorita (PN 418, p. 62)
Erase una vida (*Toledano*, 26)
Eres niña y has amor (RaC 263, 150)
Eres un contento vano (MN 3913, 80v)
Ergasto que fue un tiempo regalado (*Morán*, 8v)
Erguíos no estéis postrado (*RG* 1600, 221v)
Ero de la alta torre do miraba (*Lemos*, 118v)
Ero de una alta torre do miraba (NH B-2558, 49)
Erráis ceguezuelo el tiro (*Jhoan López*, 144)
Es a mí tan cruda guerra (*CG* 1511, 149)
Es águila que voló (*Obras*, Silvestre, 345v)
Es aire la hermosura (*Padilla*, 141)
Es almoneda el amor (*Romancero*, Padilla, 296v)
Es amor donde se esfuerza (*CG* 1511, 88)
Es amor fuerza tan fuerte (*CG* 1511, 98)
Es amor fuerza tan fuerte (OA 189, 72v)
Es amor fuerza tan fuerte (PN 307, 216)
Es amor o no es amor (*Toledano*, 72v)
Es amor tan poderoso (MoE Q 8-21, p. 65)
Es amor un no sé qué (*Morán*, 35v)

Es amor un no sé qué (MP 1587, 140), *ver* Amor es un no
Es amor un vivo fuego (MP 1587, 140)
Es amor una quietud (*Morán*, 187)
Es amor una visión (*CG* 1511, 174)
Es amor una visión (MiA S.P. II.100, 11v)
Es aqueste amor (*Toledano*, 37v)
Es bienaventurado (*Cid*, 61)
Es bienaventurado (*Jacinto López*, 287v)
Es bienaventurado (MP 3560, 44)
Es bienaventurado (MP 973, 11v)
Es bienaventurado (MP 996, 261v)
Es blanco la castísima pureza (*Padilla*, 183), *ver* Es lo blanco
Es burla tener amores (*Morán*, 21v)
Es cautiverio gozoso (*Morán*, 112v)
Es chico y bien encarnado (MN 17.557, 66v)
Es chico y bien encorado (*RG* 1600, 62v)
Es claridad y evidencia (MP 2459, 88)
Es como cosa el amar (*Romancero*, Padilla, 296v)
Es condición de Amor que a damas pone (*Morán*, 104)
Es condición de esta gente (*Evora*, 22)
Es contigo la querella (*Obras*, Silvestre, 115v)
Es cosa bien tal (*Toledano*, 55v)
Es cosa donosa (*Cid*, 111)
Es cosa infalible y clara (*Fuenmayor*, p. 119)
Es Cristo el vivir y el ser (*Vergel*, Ubeda, 53)
Es cualquier cosa de monjas (MN 17.951, 183v)
Es de saber si consiste (*CG* 1554, 23v)
Es de tal suerte mi amor (*Jhoan López*, 5v)
Es de tan divina mano (MN 3700, 105)
Es de vidrio la mujer (MN 17.951, 190)
Es del risco terrible la dureza (*Tesoro*, Padilla, 467v bis)
Es Dios sustancia infalible (*Fuenmayor*, p. 287)
Es Dios un mar de toda hermosura (*Vergel*, Ubeda, 196v)
Es divina compostura (*RG* 1600, 57)
Es dolor tan sin medida (*CG* 1511, 147v)
Es el agua que demando (MoE Q 8-21, p. 69)
Es el amor halagüeño (PN 372, 312)
Es el caudaloso río (*Jacinto López*, 122v)
Es el gozado bien en agua escrito (*Faria*, 24)
Es el mal mal empleado (*CG* 1514, 158v)
Es el molino (*Tesoro*, Padilla, 469)
Es el que en Dios confía (*Jacinto López*, 294v)
Es el que nace de carne sudosa (*CG* 1511, 140v)
Es el seso una potencia (*Morán*, 51v)
Es el triste de Montoro (MP 617, 90)
Es en mi naturaleza (MoE Q 8-21, p. 7)
Es esta duda muy cierta (PBM 56, 82)
Es esta sombra de las hebras de oro (*Obras*, Silvestre, 362v)
Es evidente señal (MN 17.557, 65)

Es experiencia vulgar (FN VII-353, 160)
Es experiencia vulgar (*Sevillano*, 231)
Es falta de entendimiento (*Padilla*, 11v)
Es flor tan maravillosa (*Canc.*, Ubeda, 18)
Es flor tan maravillosa (*Sevillano*, 42)
Es flor tan maravillosa (*Vergel*, Ubeda, 17)
Es Fortuna tan varia y tan sin tiento (*Cid*, 10)
Es fuerza que por fuerza (*Romancero*, Padilla, 166v)
Es ganar por vos perder (*CG* 1511, 128)
Es gastar tiempo perdido (MP 1587, 189)
Es gloria la pena (*Toledano*, 90v)
Es gloria volverme loco (*Morán*, 24v)
Es gloria y contra (*Lemos*, 122)
Es imposible do se esmeró el cielo (MN 2973, p. 276)
Es imposible pasarlos (*Uppsala*, n. 4)
Es imposible sufrirse (*CG* 1511, 146)
Es imposible y forzado (*CG* 1511, 145)
Es imposible y forzoso (*Rojas*, 45, 172)
Es Juana tan bella (*Jhoan López*, 4)
Es la condición de amor (MN 3806, 63)
Es la gloria de los bienes (MN 3700, 18v)
Es la hermosura (MBM 23/4/1, 265)
Es la hermosura (RaC 263, 5v)
Es la liberalidad (MP 617, 113v)
Es la memoria enemiga (*Corte*, 237v)
Es la mujer del hombre lo más bueno (FN VII-353, 203v)
Es la mujer del hombre lo más bueno (MiB AD.XI.57, 40)
Es la puerta del cielo bien mirado (MBM 23/4/1, 272v)
Es la rama la esperanza (*CG* 1511, 141)
Es la reina en hermosura (WHA 2067, 31v)
Es la salsa tanto fina (*CG* 1514, 210v)
Es la varia Fortuna tan sin tiento (MN 3968, 167)
Es la varia Fortuna tan sin tiento (*Morán*, 189)
Es la verdad cual el grano (MP 2459, 81)
Es la vida que cobré (*Colombina*, 73v)
Es la vida sospechosa (*CG* 1511, 130)
Es la voz de mi canción (*CG* 1511, 126v)
Es ley verdadera (*Lemos*, 121)
Es lo blanco castísima pureza (FR 3358, 113)
Es lo blanco castísima pureza (MP 973, 122)
Es lo blanco castísima pureza (NH B-2558, 43)
Es lo blanco castísima pureza (*Penagos*, 4v)
Es lo blanco castísima pureza (RaC 263, 109v)
Es lo blanco castísima pureza (TP 506, 317), *ver* Es blanco
Es mandarme que no os quiera (*Morán*, 94)
Es mandarme que no os quiera (PN 372, 206)
Es mandarme que no os quiera (*Tesoro*, Padilla, 332)
Es María la zagala (*Sevillano*, 82)
Es María tan cruel (*Sevillano*, 69)

Es mayor consuelo y gloria (*Jacinto López*, 217)
Es mi alma ya perdida (*CG* 1511, 206)
Es mi amor tan verdadero (*Jhoan López*, 14)
Es mi amor tan verdadero (MBM 23/4/1, 138v)
Es mi amor tan verdadero (PN 372, 205v)
Es mi mal como sensal (*CG* 1511, 143v)
Es mi mal muy sin medida (*CG* 1511, 148)
Es mi mal no merecer (*Morán*, 43v)
Es mi mal no merecerle (*Morán*, 43v)
Es mi mal tan grave y fuerte (PN 371, 42)
Es mi mal un mal tan fuerte (PN 373, 134v)
Es mi memoria mi amiga (*Gallardo*, 47)
Es mi memoria mi amiga (MN 3902, 56v)
Es mi pena sin par (WHA 2067, 47)
Es mi pena tan crecida (*Rojas*, 45)
Es mi pena tan sin par (PN 371, 2v)
Es mi querer de manera (MBM 23/4/1, 271v)
Es mi señora quien veo (*Toledano*, 47)
Es mi seso tan extraño (*Jesuitas*, 298)
Es mi triste pensamiento (PN 371, 56)
Es mujer y eso le basta (*Jhoan López*, 6)
Es muy agraciada (*Jhoan López*, 14)
Es muy bonito el perrillo (MP 973, 405v)
Es muy gran trabajo vivo (*Fuenmayor*, p. 456)
Es nacido Dios pastores (PBM 56, 124v-125)
Es natural del amor (*CG* 1554 92)
Es para mí gran espanto (*Padilla*, 9)
Es pena grave el tormento (*CG* 1511, 127v)
Es posible que por vos (MP 570, 165v)
Es privación del ser la triste muerte (MN 17.951, 76)
Es privilegio y favor (*Cid*, 211)
Es privilegio y favor (MBM 23/4/1, 32)
Es privilegio y favor (*Rojas*, 78v)
Es privilegio y favor (*Romancero*, Padilla, 311)
Es pues la cuestión pastor (*RH*, 235)
Es que una dama preciosa (*Toledano*, 25)
Es regla muy singular (TP 506, 290)
Es regla y averiguada (*FRG*, p. 241), *ver* Regla es ésta
Es seguro y perdurable (*CG* 1511, 17v)
Es sin mancilla su madre (*CG* 1514, 14v)
Es tal la gloria de veros (PN 372, 62v)
Es tal que no tiene igual (*CG* 1511, 127v)
Es tal su belleza (*Jhoan López*, 4v)
Es tan alta la gloria de mi pena (FR 3358, 105v, 176v)
Es tan alta la gloria de mi pena (*Jacinto López*, 229v)
Es tan alto el favor y bien que siento (*Corte*, 133), *ver* Tan alto es
Es tan alto mi tormento (*Lemos*, 98)
Es tan corto su placer (*CG* 1514, 130v)

Tabla 135

Es tan dulce lo que siento (Padilla, 234)
Es tan falsa la victoria (*CG* 1511, 126)
Es tan falsa la victoria (PN 307, 231v)
Es tan grande el bien (MoE Q 8-21, p. 149)
Es tan grande la excelencia (*Lemos*, 250)
Es tan grande tu pobreza (*Sevillano*, 146)
Es tan grave el sentimiento (*Morán*, 88)
Es tan grave mi tormento (*Heredia*, 179v)
Es tan grave mi tormento (WHA 2067, 118v)
Es tan húmeda y caliente (*Heredia*, 185)
Es tan lozana y hermosa (*Medinaceli*, 21v)
Es tan lozana y tan bella (*Jhoan López*, 23)
Es tan secreta la guerra (MP 617, 318v)
Es tan secreta la guerra (OA 189, 375)
Es tan secreta la guerra (PN 371, 26v)
Es tanta la cantidad (PN 373, 166v)
Es tanta mi desventura (*Morán*, 75v)
Es tanta mi perdición (MP 2803, 212v)
Es tanta mi perdición (Padilla, 94v)
Es tanta mi sujeción (WHA 2067, 18)
Es tanta Niño la luz (*Jesuitas*, 302)
Es tanta señora mía (*Romancero*, Padilla, 279)
Es tanta vuestra beldad (*FRG*, p. 171)
Es tanto el gusto que tiene (*Jhoan López*, 33v)
Es tanto el mal de no verte (*Sevillano*, 242v)
Es tanto el mal de no verte (TP 506, 390v)
Es tanto lo que él os ama (*Vergel*, Ubeda, 121)
Es tanto ya el mujeriego (*Rojas*, 11v)
Es Teresa muy trigueña (*Peralta*, 23)
Es un caso que me embarga (*CG* 1511, 234)
Es un dolor tan mortal (*Toledano*, 72v)
Es un peligro tan fuerte (*CG* 1511, 144)
Es un redondo dedil de metal (MN 1317, 441)
Es un triunfo tan glorioso (*Rosal*, p. 25)
Es una cosa amor señora mía (*Morán*, 16)
Es una esencia (RV 1635, 98v)
Es una gracia muy conocida (*CG* 1511, 156v)
Es una leona cruda (WHA 2067, 34v bis)
Es una muerte escondida (*CG* 1511, 130)
Es una muy linda torre (*CG* 1511, 206v)
Es vanidad el gozo de este suelo (*Jesuitas*, 465)
Es ventura ser amado (*Sevillano*, 279)
Es ventura sin ventura (*Sevillano*, 279)
Es ventura y no razón (MN 3902, 138v)
Es verdad que si lo uno (MP 617, 87v)
Es victoria conocida (*CG* 1511, 125)
Es victoria conocida (*Corte*, 137)
Es victoria conocida (MP 617, 150v)
Es vida perdida (RaC 263, 84v)

Esa buena confianza (PN 372, 9v)
Esa graça esa brandura (EM Ç-III.22 18v)
Esa zagala siquiera (*Sevillano*, 57v)
Escapé de las prisiones (MN 3913, 77)
Esclarecida Juana el que se atreve (*Medinaceli*, 189v)
Esclarecidos olhos em que quis natura (*Borges*, 67)
Esclavo soy pero cúyo (*Jacinto López*, 53v)
Esclavo soy pero cúyo (*Jhoan López*, 21)
Esclavo soy pero cúyo (MN 17.951, 4)
Esclavo soy pero cúyo (*Peralta*, 77, 182)
Esclavo soy pero cúyo (RaC 263, 148v)
Esclavo soy pero cúyo (RC 625, 4v)
Esclavo soy pero cúyo (*Sevillano*, 255v), *ver* Cautivo soy
Esclavo soy pero cúyo / eso no negaré (*Vergel*, Ubeda, 27)
Escogido entre mil es mi amado (*Evora*, 33v)
Escollo armado de hiedra (MN 3700, 95)
Esconde por varios modos (PN 418, p. 455)
Escóndete en tu cabaña (MN 3724, 112)
Escóndete en tu cabaña (*RG* 1600, 224v)
Escondida por la hermosa (PN 418, p. 373)
Escondido entre unas matas (*Medinaceli*, 17v)
Escondido yace el conde (MP 617, 336)
Escríbese de Aquiles el greciano (TP 506, 335v)
Escribiendo está Lucrecia (MN 3700, 207v)
Escribiré o no Pero aunque huya (TP 506, 242)
Escribo burlas de veras (*CG* 1554, 111v)
Escrito está *ab eterno* vuestro gesto (FN VII-353, 74)
Escrito está en mi alma vuestro gesto (*Corte*, 206)
Escrito está en mi alma vuestro gesto (MP 570, 237v)
Escrito está en mi alma vuestro gesto (PN 307, 61)
Escrito está en mi alma vuestro gesto (*Rosal*, p. 278)
Escucha musa mía (*Rosal*, p. 269)
Escucha oh claro Henares (*Sablonara*, 48)
Escuchad dueño del alma (MN 3700, 35)
Escuchad las que de amor (MN 3724, 302v)
Escúchame claro Tormes (FN VII-353, 81)
Escuchando estaba el moro (MBM 23/4/1, 222v)
Escuchando estuvo el moro (*Romancero*, Padilla, 122)
Escúcheme reina mía (MN 3724, 226v)
Escuela esclarescida (MP 973, 215)
Ese abrazar tan despacio (*Morán*, 39)
Ese buen Cid Campeador (MN 17.556, 182)
Ese buen Cid Campeador (MP 996, 83)
Ese buen Cid Campeador (*RG* 1600, 360)
Ese buen Diego Laínez (*Cid*, 209)
Ese buen Diego Laínez (*Flor de enamorados*, 57)
Ese buen Diego Laínez (MN 2856, 112)
Ese buen Diego Laínez (*Rosa Española*, Timoneda, 34)
Ese caballo maestre (*Cid*, 236v)

Ese conde cabreruelo (MN 2856, 82v)

Ese conde cabreruelo (MN 3725-2, 40)

Ese conde cabreruelo (PN 373, 48v)

Ese conde don Manuel (*Rosa Gentil*, Timoneda, 55v)

Ese desdén zahareño (*Morán*, 126v)

Ese desdén zahareño (*Padilla*, 9v)

Ese divino color (*Canc.*, Maldonado, 49)

Ese doliente morado (MP 617, 211v)

Ese doliente morado (TP 506, 394v)

Ese gran rey de Israel (*Cid*, 238)

Ese listón que ciñe vuestra frente (*Faria*, 15v)

Ese moro ganapán (MN 3723, 330)

Ese moro ganapán (RG 1600, 210v)

Ese Nerón cruel tirano (*Vergel*, Ubeda, 116)

Ese no es querer (*Padilla*, 10v)

Ese príncipe del cielo (MN 17.951, 56)

Ese sacerdote grande (*Vergel*, Ubeda, 81v)

Ese tu pedo mujer (*Lemos*, 20)

Ese tu querer (*Padilla*, 97v)

Esforço grande igual ao pensamento (*Borges*, 69v)

Esforzad vuestra firmeza (CG 1511, 126v)

Esforzaos a padecer (MN 3902, 62)

Esfuerce Dios el sufrir (CG 1511, 143v)

Esfuerce Dios el sufrir (PN 307, 298v, 299v)

Esfuerce Dios el sufrir (*Tesoro*, Padilla, 119)

Esfuércense en tu presencia (CG 1514, 15)

Esfuerza el amor y fuerza (CG 1511, 131)

Esfuerza el pecho al mozo confiado (*Canc.*, Maldonado, 85v)

Esfuerza voz temerosa (*Heredia*, 46)

Esfuerza voz temerosa (MN 5593, 109)

Esfuerza y sirve Pascual (BeUC 75/116, 147v)

Esfuerza y sirve Pascual (FN VII-354, 90v)

Esfuerza y sirve Pascual (MBM 23/8/7, 224)

Esfuerza y sirve Pascual (MN 3670, 52)

Esfuerza y sirve Pascual (MN 4256, 231v)

Esfuerza y sirve Pascual (MN 4262, 213)

Esfuerza y sirve Pascual (MN 4268, 154v)

Esfuerza y sirve Pascual (MP 1578, 49v)

Esfuerza y sirve Pascual (MP 2805, 74v)

Esfuerza y sirve Pascual (PhUP1, 169v)

Esfuerza y sirve Pascual (RV 768, 189v)

Esfuerza y ten confianza (*Sevillano*, 284)

Esfuérzate corazón (*Flor de enamorados*, 35)

Esme tan crudo el amor (*Sevillano*, 208)

Esos ojos me adornaron (MP 570, 128v)

Esos ojos tan graciosos (*Toledano*, 62v)

Esos rubios cabellos donde veo (FR 3358, 112v)

Esos tus claros ojos (*Medinaceli*, 93v)

Espada virgen vírgines conceptos (FR 3358, 174)

Espantado enmudecido (CG 1554, 89v)

Espantado estoy carillo (*Sevillano*, 179v)

España España pierde la altiveza (*Jesuitas*, 365)

España la noblecida (*Peralta*, 90v)

España triunfadora (*Morán*, 216v)

Españoles fortísimos soldados (*Romancero*, Padilla, i)

Esparto habéis de majar (*Jhoan López*, 3)

Espejo claro do reverberaron (*Jesuitas*, 448v)

Espejo claro limpio hermoso y puro (*Vergel*, Ubeda, 124)

Espejo de Jacob maravilloso (MiB AD.XI.57, 32)

Espejo y lumbre de la iglesia santa (*Canc.*, Ubeda, 133)

Espejo y lumbre de la Iglesia santa (*Vergel*, Ubeda, 150)

Espejo y luz de España patrón santo (*Vergel*, Ubeda, 118)

Espera el avecica el ballestero (CG 1557, 389)

Espera que desespera (*Sevillano*, 272)

Espera tiempo que te vas volando (*Jesuitas*, 480)

Esperaba su venida (*Lemos*, 118)

Esperança res no dona (CG 1511, 198)

Esperando desespero (RG 1600, 66)

Esperando está el cuitado (CG 1511, 147)

Esperando están la rosa (MN 3700, 196v)

Esperando remediar (PN 371, 55v)

Esperanza desabrida (*Corte*, 202v)

Esperanza entretenida (MP 1587, 112v)

Esperanza entretenida(EM Ç-III.22 100v)

Esperanza entristecida (MP 617, 152v)

Esperanza me consuela (CG 1511, 144v)

Esperanza me consuela (*Gallardo*, 66v)

Esperanza me despide (CG 1511, 134v)

Esperanza me despide (*Rosa de Amores*, Timoneda, 61v)

Esperanza mía por quien (CG 1511, 113)

Esperanza mía por quien (PN 307, 207)

Esperanza se me es ida (CG 1511, 150)

Esperanza tardía (MN 2856, 58v)

Esperanzas de mi vida (RG 1600, 322v)

Esperanzas de mis daños (MN 17.557, 55v)

Esperanzas lisonjeras (*Jacinto López*, 66)

Esperanzas lisonjeras (*Jhoan López*, 35)

Esperanzas lisonjeras (*Tesoro*, Padilla, 116v)

Esperanzas mal cumplidas (FN VII-353, 173v)

Esperanzas mal cumplidas (*Jacinto López*, 69)

Esperanzas mal cumplidas (*Jhoan López*, 50v)

Esperanzas mal cumplidas (*Penagos*, 77v)

Esperanzas mal fundadas (*Canc.*, Maldonado, 21v)

Esperanzas mal tomadas (*Corte*, 54)

Esperanzas mal tomadas (WHA 2067, 1v)

Esperanzas venturosas (*Jhoan López*, 101v)

Esperar es mi deseo (*Obras*, Cepeda, 63r)

Espero de ver los bienes del Señor (*Evora*, 32v)

Tabla 137

Espero sin esperanza (*Obras*, Cepeda, 62v)

Espero y sé que me engaño (*Corte*, 198v)

Espesas nubes cubrían (*RG* 1600, 149v)

Espina cuando os fijastes (*Vergel*, Ubeda, 37)

Espinas para mí flores divinas (*Jacinto López*, 297)

Espíritu de fuego que derrites (SU 2755, 151)

Espíritu del cielo (MN 2973, p. 259)

Espíritu divino que enriqueces (*Canc.*, Ubeda, 41v)

Espíritu divino que enriqueces (*Vergel*, Ubeda, 57)

Espíritu gentil alma graciosa (TP 506, 265v)

Espíritu inconstante estás contento (*Obras*, Silvestre, 414v)

Espíritu sutil dulce y ardiente (MP 1578, 103)

Espíritus divinos (*Canc.*, Ubeda, 80)

Espíritus divinos (*Vergel*, Ubeda, 88v)

Espíritus que estáis a la corriente (*Jesuitas*, 235)

Esposo y Redentor del alma mía (*Canc.*, Ubeda, 136v)

Esposo y Redentor del alma mía (*Jesuitas*, 354)

Esposo y Redentor del alma mía (*Obras*, Silvestre, 419v)

Esposo y Redentor del alma mía (*Vergel*, Ubeda, 197)

Espurio topo bárbaro insolente (MN 17.557, 2)

Essa graça essa brandura (EM Ç-III.22, 18v)

Esses cabelos louros escolhidos (EM Ç-III.22, 4)

Esses olhos señora onde descansa (NH B-2558, 1v)

Est jove que balla y canta (*Flor de enamorados*, 19)

Está Blas escarmentado (PN 307, 313v)

Esta carta de su dama (*Tesoro*, Padilla, 31v)

Esta carta se ha de dar (MiT 1001, 73v)

Esta carta sea dada (*Heredia*, 113)

Esta cometa promete (*Rojas*, 114v)

Esta de fuertes peñas adornada (MP 2803, 235)

Está de querubines coronado (EM Ç-III.22, 85v)

Está de suerte cansado (EM Ç-III.22, 42)

Esta de verdes pinos coronado (EM Ç-III.22, 79v)

Esta de verdes pinos coronado (MP 2803, 235v)

Esta de verdes pinos coronado (MP 973, 187)

Está Dios tan satisfecho (Fuenmayor, p. 70)

Esta dorada y penetrante flecha (*Tesoro*, Padilla, 179)

Esta duda es muy cierta (Evora, 10v)

Esta es boda y esta es boda (MP 973, 175)

Esta es forma eminente oh peregrino (*Lemos*, 203v)

Esta es la condición (PBM 56, 62)

Esta es la cosa más cierta (MP 1587, 154v)

Esta es la flor de todas más graciosa (MP 973, 268)

Esta es la flor de todas más hermosa (FN VII-354, 264v)

Esta es la justa justicia (FN VII-353, 137v)

Esta es la justicia (BeUC 75/116, 118v)

Esta es la justicia (FN VII-354, 89)

Esta es la justicia (*Jhoan López*, 33)

Esta es la justicia (MBM 23/8/7, 193v)

Esta es la justicia (MN 3670, 29v)

Esta es la justicia (MN 3968, 74)

Esta es la justicia (MN 4256, 223v)

Esta es la justicia (MN 4268, 162)

Esta es la justicia (MP 1578, 59)

Esta es la justicia (MP 2805, 64)

Esta es la justicia (PhUP1, 126)

Esta es la justicia (RV 768, 220)

Esta es la justicia (*Toledano*, 80v)

Esta es la que el fuerte Alcides (*Peralta*, 84)

Esta es mi condición (*Toledano*, 19v)

Esta espina ya no es pina (*Vergel*, Ubeda, 37v)

Esta faja que me diste (CG 1514, 51)

Esta Fortuna de los necios diosa (*Penagos*, 17v)

Esta fue reina hermosa (FN VII-354, 47v)

Esta hermosa Aurora que (MN 3913, 169v)

Esta hierba que me viste (CG 1511, 125)

Esta imaginación con osadía (*Faria*, 9v)

Esta ley tiene lugar (*Morán*, 255v)

Esta mañanica (MN 3700, 26v)

Esta mata estando llena (CG 1511, 141)

Esta me fiqua da vida (PBM 56, 119)

Esta me tendrá forzado (MP 617, 149v)

Esta merced cerradura (CG 1511, 65v)

Esta mi vida (*Recopilación*, Vázquez, 16)

Está mirando por tierra (*RG* 1600, 161v)

Esta noche caballeros (MN 1317, 443)

Esta noche caballeros (*Rosa de Amores*, Timoneda, 66)

Esta noche esclarecida (*Jesuitas*, 126)

Esta noche ha Dios nacido (MP 644, 198v)

Esta noche le dan de mano (*Sevillano*, 41v)

Esta pena que me diste (CG 1511, 72v)

Esta piedra gentil que adoro y amo (MN 2856, 54v)

Esta piedra puñal derrama seso (BeUC 75/116, 80)

Esta piedra puñal derrama seso (FN VII-354, 42)

Esta piedra puñal derrama seso (MBM 23/8/7, 243)

Esta piedra puñal derrama seso (MN 4256, 116v)

Esta piedra puñal derrama seso (MN 4262, 155)

Esta piedra puñal derrama seso (MN 4268, 211v)

Esta piedra puñal derrama seso (MP 1578, 6v)

Esta piedra puñal derrama seso (MP 2805, 116)

Esta piedra puñal derrama seso (*Padilla*, 181)

Esta piedra puñal derrama seso (PhUP1, 86)

Esta piedra puñal derrama seso (PN 258, 195)

Esta piedra puñal derrama seso (RV 768, 251v)

Esta piedra puñal derrama seso (TP 506, 367)

Esta piedra y puñal derrama seso (MN 3968, 57v)

Esta puerta del cielo bien mirado (MBM 23/4/1, 272r bis)

Está puesta mi vida en sólo verte (MN 3968, 108v)

Esta que chaman ventura (*Elvas*, 32)
Esta que queréis saber (*CG* 1511, 85v)
Esta que veis que padece (*CG* 1511, 141)
Esta resplandeciente y viva llama (*Canc.*, Maldonado, 187v)
Esta resplandeciente y viva llama (*Tesoro*, Padilla, iiv)
Esta revolución de pensamientos (*Canc.*, Maldonado, 62v)
Esta tal vida señora (*CG* 1511, 147)
Esta tan larga vida y enojosa (*MP* 1578, 114)
Esta te escribe oh reina poderosa (*Tesoro*, Padilla, 193v)
Esta trabajosa vida (*PBM* 56, 77v-78)
Esta vida que vivo es propia muerte (*MBM* 23/4/1, 232v)
Esta vida tan larga y enojosa (*MBM* 23/4/1, 135v)
Esta vida tan larga y enojosa (*MP* 570, 252v)
Está ya en tal extremo el dios Cupido (*MBM* 23/4/1, 246)
Está ya en tal extremo el dios Cupido (*PN* 373, 124)
Esta zagala siquiera (*Elvas*, 36)
Estaba Amarilis (*MN* 3725-1, 97)
Estaba Amor deseoso (*Morán*, 6v)
Estaba Catalina transformada (*Jesuitas*, 479v)
Estaba descuidado (*Medinaceli*, 76v)
Estaba el buen Torino en un desierto (*Lemos*, 10v)
Estaba el doncel (*Peralta*, 39v)
Estaba el Padre eterno contemplando (*Padilla*, 65)
Estaba el pensamiento desmayado (*PN* 371, 242v)
Estaba el rey Rodrigo (*Rosal*, p. 227)
Estaba el santo Antonio atormentado (*MP* 2459, 72)
Estaba en los desiertos de Judea (*Vergel*, Ubeda, 160v)
Estaba escrita al través (*Lemos*, 20)
Estaba Filis un día (*MN* 17.556, 167)
Estaba Filis un día (*MP* 996, 168v)
Estaba la cantidad (*PN* 373, 166v)
Estaba la linda infanta (*MN* 3725-2, 6)
Estaba la triste dama (*Tesoro*, Padilla, 415v)
Estaba loco pensando (*PBM* 56, 61)
Estaba Lusitano repastando (*Lemos*, 9)
Estaba Lusitano repastando (*Sevillano*, 74)
Estaba Magdalena contemplando (*Fuenmayor*, p. 11)
Estaba Magdalena contemplando (*Jesuitas*, 479v)
Estaba mi confianza (*FRG*, p. 188)
Estaba mi confianza (*Medinaceli*, 72v)
Estaba muerta en pecado (*Vergel*, Ubeda, 50)
Estaba profetizado (*Sevillano*, 165v)
Estaba tan ofendida (*Romancero*, Padilla, 310)
Estaba un maestresala enamorado (*MN* 3968, 156v)
Estaba un mayordomo enamorado (*FN* VII-354, 257)
Estaba un mayordomo enamorado (*Jacinto López*, 5)
Estaba un mayordomo enamorado (*MP* 973, 71)
Estaba un mayordomo enamorado (*RaC* 263, 117v)
Estaba yo contento y descansado (*MN* 3902, 88v)

Estaba yo muy herido (*Fuenmayor*, p. 522)
Estaba yo transportado (*CG* 1511, 196)
Estábame yo mezquina (*MP* 1587, 141v)
Estaban en el vago movimiento (*SU* 2755, 43v)
Estábase Anaxárate mirando (*CG* 1554, 167v)
Estábase Anaxárete mirando (*MBM* 23/4/1, 126v)
Estábase Anaxárete mirando (*MN* 1132, 159)
Estábase don Reinaldos (*MN* 3725-2, 159)
Estábase el aldeana (*Sablonara*, 11)
Estábase el conde D'Irlos (*MN* 3725-2, 48)
Estábase el rey Ramiro (*CG* 1511, 134)
Estábase en la mente soberana (*Canc.*, Ubeda, 137v)
Estábase en la mente soberana (*MN* 2973, p. 10)
Estábase en la mente soberana (*MP* 644, 195v)
Estábase en la mente soberana (*Vergel*, Ubeda, 2)
Estábase la Virgen contemplando (*MN* 2973, p. 21)
Estábase Marfida contemplando (*Jacinto López*, 25v)
Estábase Marfida contemplando (*Medinaceli*, 106v)
Estábase Marfida contemplando (*MP* 617, 245v)
Estábase Marfida contemplando (*Obras*, Cepeda, 81r)
Estábase Marfida contemplando (*Sevillano*, 269v)
Estábase Marfira contemplando (*CG* 1557, 356v)
Estábase Marfira contemplando (*MBM* 23/4/1, 80)
Estábase Marfira contemplando (*MN* 2973, p. 171)
Estábase Marfira contemplando (*Morán*, 60)
Estábase Marfira contemplando (*PN* 307, 96)
Estábase Marfira contemplando (*RV* 1635, 90)
Estábase mi cuidado (*CG* 1511, 134)
Estábase Nerdano querellando (*Penagos*, 4v)
Estábase Ricarda acaso un día (*Obras*, Cepeda, 103r)
Estábase Sireno imaginando (*PN* 372, 315v)
Estábase un galán aficionado (*MP* 973, 200)
Estad atentos todos los mortales (*Cid*, 102v)
Estad vos con vuestra madre (*Sevillano*, 147)
Estáis Dios en el cielo (*Sevillano*, 151v)
Estáis do quiera que estoy (*Obras*, Cepeda, 53v, 85v)
Estamos entre cristianos (*MN* 3700, 209v)
Estampa propia pura matizada (*Canc.*, Ubeda, 127v)
Están en tanta cuestión (*CG* 1511, 151v)
Están los hombres tales que a Occidente (*Vergel*, Ubeda, 190v)
Están todas las cosas naturales (*MN* 3913, 142)
Estando acaso un día (*Cid*, 87)
Estando cerca de un río (*MiT* 994, 42v)
Estando cerca de un río (*MN* 2856, 1v)
Estando cerca de un río (*PN* 373, 10)
Estando cerca de un río (*SU* 2755, 208)
Estando como estáis Cristo enclavado (*Vergel*, Ubeda, 40)
Estando conmigo a solas (*MN* 3691, 58)

Tabla 139

Este es el día glorioso (*Vergel*, Ubeda, 53)

Este es el mayor señor (MP 3560, 63v)

Este es el propio tiempo de emplearse (MBM 23/8/7, 245)

Este es el propio tiempo de emplearse (RV 768, 253v)

Este es el propio tiempo de mudarse (MN 4256, 117v)

Este es el propio tiempo de mudarse (MP 973, 70v)

Este es el puro tiempo de emplearse (BeUC 75/116, 78)

Este es el puro tiempo de emplearse (MBM 23/4/1, 31v)

Este es el puro tiempo de emplearse (MN 3968, 64v)

Este es el puro tiempo de emplearse (MN 4262, 150v)

Este es el puro tiempo de emplearse (MN 4268, 210)

Este es el puro tiempo de emplearse (MP 2805, 114)

Este es el puro tiempo de emplearse (OA 189, 170v)

Este es el puro tiempo de emplearse (PhUP1, 83v)

Este es el puro tiempo de emplearse (PN 258, 201v)

Este es el puro tiempo de mudarse (TP 506, 358)

Este es el triunfo y victoria (FN VII-353, 138)

Este es pan que sabe a Dios (*Jesuitas*, 156)

Este favor de ti que es ya el postrero (FR 3358, 150v)

Este favor de ti que es ya el postrero (MP 996, 240v)

Este favor de ti que es ya el postrero (*Rosal*, p. 342)

Este favor de ti que es ya postrero (MN 3698, 72v)

Este fue el justo Abel (MN 1317, 471v)

Este fuego desigual (MN 3700, 45)

Este grande este hermoso este escondido (PN 418, p. 266)

Este hambriento animal (CG 1511, 140v)

Este juez que veis tan soberano (MN 2973, p. 18)

Este largo martirio de la vida (*Faria*, 12)

Este licor que brotando (*Jacinto López*, 183)

Este mal que ahora siento (*Corte*, 55v)

Este manjar a no ser (MN 2856, 79v)

Este mi dolor mortal (MP 617, 269, 317v, 328)

Este mi libro en ventura (CG 1511, 143)

Este mi mal tan extraño (*Faria*, 93)

Este mi regalado pensamiento (*Canc.*, Maldonado, 179)

Este negro de hojaldre (*Toledano*, 60v)

Este niño que tenemos (*Jesuitas*, 463v)

Este pan a la razón (*Vergel*, Ubeda, 78)

Este pan angelical (*Vergel*, Ubeda, 76)

Este pan de trabajados (*Fuenmayor*, p. 348)

Este pan según razón (*Canc.*, Ubeda, 49)

Este pan tiene un primor (*Canc.*, Ubeda, 49)

Este pan tiene un primor (*Vergel*, Ubeda, 78)

Este pradico es verde (*Toledano*, 21)

Este que en blanco decía (CG 1511, 140)

Este que en la fortuna más subida (MN 3913, 157)

Este que siento amargo y espantoso (Canc., Maldonado, 137v)

Este que ves y cubre blanca casa (MN 4127, p. 247)

Este quien se pagare poderoso (*Cid*, 51v)

Este quien se pagare poderoso (MP 973, 33v)

Este sagrario que el ilustre ha hecho (MN 3700, 213v)

Este santo sacramento (*Vergel*, Ubeda, 75)

Este sayo vos envío (CG 1511, 234)

Este servidor cortés (*Heredia*, 149)

Este tiempo breve / esta vida escasa (MN 2856, 91v)

Este tiempo ha sucedido (*Morán*, 84v)

Este traidor instrumento (*RG* 1600, 44)

Este vivir muriendo noche y día (MN 3698, 257v)

Este vivir muriendo noche y día (MP 973, 23)

Este y yo nos contentamos (CG 1511, 142)

Esteban capitán mártir glorioso (*Vergel*, Ubeda, 136v)

Estemos ahora a cuenta mal de males (TP 506, 310v)

Estén atentos los hombres (*Rosa Gentil*, Timoneda, 54v)

Estes meus olhos que assim (*Corte*, 54v)

Estése Apolo en la materna Delo (*Canc.*, Maldonado, iii)

Estimaos ojos serenos (*Jacinto López*, 46)

Estimaos ojos serenos (MP 973, 110v)

Estimaros ojos serenos (*Romancero*, Padilla, 347)

Esto alcanza sólo el seso (CG 1554, 113)

Esto causó hermosura (*Colombina*, 53v)

Esto es muy de espantar entre la gente (MN 6001, 62)

Esto que me abrasa el pecho (FN VII-353, 127v)

Esto que me abrasa el pecho (RC 625, 3)

Esto que traigo en el pecho (*Corte*, 174)

Estos celos y esta ausencia (MN 2856, 80v)

Estos de tantos enojos (PN 418, p. 77)

Estos días ha acontecido (MN 5602, 34v)

Estos dos enamorados (*Padilla*, 245v)

Estos dos vivos soles son aquellos (SU 2755, 12v)

Estos hijos de Abrahán (*Lemos*, 92v)

Estos hijos de Abrahán (MP 996, 218v), *ver* Estos nietos

Estos los salces son y ésta la fuente (*Penagos*, 14v)

Estos mis cabellos madre (*Jacinto López*, 69v)

Estos nietos de Abrahán (*Cid*, 233v)

Estos nietos de Abrahán (MP 570, 125)

Estos nietos de Abrahán (RaC 263, 193), *ver* Estos hijos

Estos ojos son de suerte (MP 2803, 160v)

Estos sólos son quedados (CG 1511, 149v)

Estos son mora ingrata los despojos (*Jacinto López*, 175)

Estos suspiros que son (CG 1514, 129v)

Estos viven engañados (CG 1511, 142)

Estos y bien serán pasos contados (MP 1578, 102v)

Estos y bien serán pasos contados (OA 189, 169)

Estos y bien serán pasos contados (*RH*, 210)

Estos y mis enojos (CG 1511, 141)

Estoy cautivado (*Padilla*, 246)

Estoy contino en lágrimas bañado (OA 189, 58v)

Tabla 141

Estoy contino en lágrimas bañado (PN 371, 88)

Estoy continuo en lágrimas bañado (*Lemos*, 8v)

Estoy continuo en lágrimas bañado (MN 3902, 19v)

Estoy continuo en lágrimas bañado (MN 4256, 256v)

Estoy continuo en lágrimas bañado (*Morán*, 183)

Estoy de mí tan medroso (OA 189, 160)

Estoy de mí tan medroso (WHA 2067, 76 bis)

Estoy de mil angustias rodeado (*Rosal*, p. 223)

Estoy en tanto estrecho (*Tesoro*, Padilla, 47)

Estoy gozando de ver (*Tesoro*, Padilla, 424)

Estoy imaginando la tristeza (*Medinaceli*, 96v)

Estoy mala y tengo mal (FN VII-353, 37)

Estoy mortal (*Lemos*, 103)

Estoy muy desconfiado (CG 1557, 393)

Estoy muy maravillado (*Lemos*, 247)

Estoy para contentarme (MBM 23/4/1, 33)

Estoy para contentarme (*Sevillano*, 69v)

Estoy pensando y no sé (CG 1554, 32v)

Estoy preso y con razón (MP 2803, 148v)

Estoy puesto en tal estado (MP 2803, 230)

Estoy señoras damas muy contento (MN 3700, 157)

Estoy tal que ya no oso (*Morán*, 117v)

Estoy tal que ya no oso (MP 1587, 23v, 92v)

Estoy tan acostumbrado (MP 617, 168)

Estoy tan acostumbrado (PN 373, 138v)

Estoy tan escarmentado (*Sevillano*, 247)

Estoy tan necesitado (*Padilla*, 49)

Estoy tan necesitado (*Tesoro*, Padilla, 448v)

Estranho amor estranha gentileza (EM Ç-III.22, 30v)

Estrecha cuenta le toman (*RG* 1600, 248)

Estrella de la mar flor sin espina (*Canc.*, Ubeda, 88v)

Estrella de la mar flor sin espina (*Vergel*, Ubeda, 93)

Estrella lucidísima del cielo (MP 617, 187)

Estrella que envió el cielo a maravilla (MP 2803, 111, 236v)

Estribando en la clemencia (*Jesuitas*, 382)

Eterna suma bondad (MN 3902, 139)

Eterna suma bondad (MP 617, 188v)

Eterno poderoso padre mío (*Padilla*, 69v)

Eterno rey señor sin semejante (*Vergel*, Ubeda, 205v)

Eu cantarei do amor tam docemente (*Borges*, 60)

Eu m'estando en Coimbra (PBM 56, 70)

Eu me parto de vós campos do Tejo (EM Ç-III.22, 17)

Eu não sei para que vos quero (WHA 2067, 126v)

Eu não sei que é o bem querer (*Faria*, 37v)

Eu quería ja sabeis (FR 3358, 94)

Eu sao miña nana (*León/Serna*, 84v)

Eu so qui oura dizer (PBM 56, 18)

Eu sou mihna nena do Sandoval (*León/Serna*, 84v)

Eva con su mal aviso (*Vergel*, Ubeda, 4v)

Evangelista sagrado (*Fuenmayor*, p. 51)

Excelsa gloria luz resplandeciente (*Fuenmayor*, p. 97)

Excelsas torres y famosos muros (MN 2856, 119)

Excelso monte do el romano estrago (MBM 23/4/1, 118)

Excelso monte do el romano estrago (MN 2856, 70v)

Excelso monte do el romano estrago (MN 4256, 50)

Excelso monte do el romano estrago (TP 506, 166v)

Excelso monte que con fuego y hielo (FR 3358, 162), *ver* Excelsos

Excelso rey así como hermosa (MN 6001, 60)

Excelsos montes do el romano estrago (MP 1587, 19v), *ver* Excelso

Excusado es desear (*Morán*, 54)

Experiencia muy penada (*Padilla*, 131)

Extranjero soy no lo quiero negar (*Evora*, 32)

Extraño humor tiene Juana (*RG* 1600, 57v)

Extremo de pint *[ilegible]* mplea (MN 2973, p. 230)

Extremos hace grandes de alegría (MN 2856, 57)

Extremos hace grandes de alegría (SU 2755, 123v)

Fabio las esperanzas cortesanas (*Lemos*, 228)
Facciami quanto vuol fortuna mia (PN 314, 225)
Fácil corazón no aumentes (*RG* 1600, 114)
Fácilmente Mingo hermano (MP 617, 228)
Faetón le ruega a Febo (*Rosa de Amores*, Timoneda, 55v)
Faja que tienes atados (Jesuitas, 450)
Falai meus olhos si me quereis beñi (*Uppsala*, n. 53)
Falalalán falalalán falalalera (*Uppsala*, n. 28)
Fallecísteme señora (*Heredia*, 141)
Falso Amor (*Toledano*, 44)
Falso Amor es devaneo (*Morán*, 123v)
Falso Amor pues me prendiste (*Cid*, 73v)
Falso Amor pues me prendiste (*Morán*, 214)
Falso Amor pues me prendiste (MP 617, 160)
Falso Amor pues me prendiste (*Padilla*, 236)
Falso Amor pues me prendiste (*Sevillano*, 247v)
Falsos loores os dan (FN VII-353, 331)
Falta debió de ser de suerte o hado (*Obras*, Silvestre, 358)
Falta el remedio en la vida (*Padilla*, 234)
Falta la fuerza acábase el aliento (*Romancero*, Padilla, 205v)
Fáltale lo mejor que es la ventura (PN 371, 214)
Fáltame dinero (*Padilla*, 16)
Fáltame dinero (*Romancero*, Padilla, 272)
Fáltame el entendimiento (*Lemos*, 25)
Fáltame el entendimiento (*Morán*, 67)
Faltó el sufrimiento (*Padilla*, 236v)
Fama sube hasta el cielo (*Obras*, Silvestre, 5)
Famosa y leal Lisboa (*RG* 1600, 162v)
Famoso capitán que has defendido (*Canc.*, Ubeda, 132v)
Famoso capitán que has defendido (*Vergel*, Ubeda, 158)
Famoso rey que ya la tierra fría (*RG* 1600, 106v)
Farfán no es poco haber visto (*Morán*, 257)
Fatigada navecilla (*Sablonara*, 34)
Fátima la reina mora (PN 372, 32, 148)
Fátima y Abindarráez (MN 3723, 95)
Fátima y Abindarráez (*RG* 1600, 71v)
Favor no os pido ni buena obra (*Lemos*, 121)
Favor privanza imperio grande asiento (*Jacinto López*, 297)
Favor privanza imperio y gran asiento (*Corte*, 144v)
Favor privanza imperio y gran asiento (*Heredia*, 196v)

Favor privanza imperio y gran asiento (MP 1578, 113v)
Favor privanza imperio y grande asiento (*Jesuitas*, 350)
Favor privanza y grande asiento (*Borges*, 83)
Favorece a un rendido (RaC 263, 66v)
Fe pura grande amor y alto deseo (MN 3902, 115)
Fe y razón diversos dos (*Obras*, Silvestre, 289)
Feas pudo Dios criar (*Romancero*, Padilla, 245v)
Feas señoras a quien (RaC 263, 154v)
Febo claro y luciente (MP 2459, 117)
Febo con alaridos rompe el cielo (PN 373, 243)
Febo cubre tus luces claras puras (SU 2755, 63)
Febo hacia Occidente declinaba (PN 371, 91)
Fecundo ingenio fértil y abundoso (*Obras*, Silvestre, 389)
Fedra dio regla y manda que Amor (*Ixar*, 264)
Felice alma que tan dulcemente (MN 1132, 8v)
Felice aurora del nostro dí eterno (*CG* 1514, 16v)
Felice fue aquel día (SU 2755, 58)
Felice quella destra che si ardita (*Corte*, 174v)
Felipe Dios eterno ha levantado (*Vergel*, Ubeda, 131)
Feliz alma que tan dulcemente (*CG* 1554, 192v)
Fementida humanidad (*CG* 1511, 226)
Fenecidas ya las bodas (*Rosa Española*, Timoneda, 13v)
Fenezcan ya mis años malgastados (MN 2973, p. 118)
Fenisa bella pastora (*Tesoro*, Padilla, 75)
Fenisa y Albanio han hecho (RC 625, 21)
Ferido e sem ter cura perecia (*Borges*, 16v)
Fernán Gómez y Ruy López (MP 617, 89v)
Fernando de amables partes (PN 418, p. 383)
Feroz sin consuelo y sañuda dama (*CG* 1511, 167v)
Fértil Sarmiento que a la cuna regia (*Lemos*, 151)
Fertiliza tu vega (MN 3725-1, 14)
Festejen suelo y cielo (MN 2973, p. 2)
Festiva tierna amorosa (PN 418, p. 297)
Fez Deus um mistério (*Sevillano*, 172v)
Fez-vos Deus de tão clara formosura (*Evora*, 37)
Fiar de ninguna puta (RV 1635, 58v)
Ficade-vos vós embora (NH B-2558, 41)
Fiel secretario Lisaro (MN 3723, 244)
Fiel secretario Lisaro (*RG* 1600, 329v)
Fieras horribles me mueven al canto (MN 1317, 439)

Fiero dolor pues tan profunda vena (MBM 23/4/1, 247)
Fiero dolor pues tan profunda vena (MN 17.951, 187)
Fiero dolor pues tan profunda vena (PN 314, 85v)
Fiero planeta y duro nacimiento (MBM 23/4/1, 271)
Fiero planeta y duro nacimiento (MN 3968, 97v)
Figura que en mirarte das tormento (MP 2459, 99)
Fijó pues Zaide los ojos (MN 3723, 61)
Fijó pues Zaide los ojos (*RG* 1600, 202v)
Filena sin duda alguna (MP 973, 122v)
Filena tus ojos bellos (*Jhoan López*, 16)
Fileno tú acostado a dulce sombra (TP 506, 216)
Filho de Deus que en Belém (*Sevillano*, 150v)
Fili pues que el dolor ni la flaqueza (SU 2755, 177v)
Fili que siempre matáis (PN 314, 49)
Fili siempre mudable y siempre ingrata (MN 4127, p. 172)
Fili tu gran hermosura (*Canc.*, Maldonado, 8v)
Fílida pastora mía (*Sevillano*, 275v)
Filide mia se di beltà sei vaga (PA 1506, p. 36)
Filio he de eterno padre (*Vergel*, Ubeda, 15)
Filipo a tus pies rendida (*Lemos*, 279v)
Filis con quién te aconsejas (MBM 23/4/1, 94)
Filis con quién te aconsejas (*Padilla*, 143v)
Filis con quién te aconsejas (*Romancero*, Padilla, 239)
Filis con quién te aconsejas (*Tesoro*, Padilla, 83)
Filis de Tracia a Demofón de Atenas (TP 506, 85)
Filis del alma mía (*Sablonara*, 33)
Filis desde aquella hora (*Romancero*, Padilla, 239v)
Filis las desdichas mías (*RG* 1600, 53)
Filis mal hayan (*RG* 1600, 96v)
Filis me ha muerto (*RG* 1600, 14v)
Filis por qué te apresuras (MP 996, 73)
Filis primero has de ver (MiT 1001, 73v), *ver* Silvia primero
Filis si nunca pude Filis mía (MP 570, 283)
Filomena entre pastores (*Cid*, 208v)
Filomena entre pastores (*Rosa de Amores*, Timoneda, 60)
Fin al cielo tierra y mar (*Vergel*, Ubeda, 141)
Fin de todo bien que espero (FR 3358, 56v)
Fino alabastro en jaspe sustentado (*Canc.*, Ubeda, 135v)
Fino alabastro en jaspe sustentado (*Vergel*, Ubeda, 35v)
Fino cristal de roca eternamente (FN VII-353, 17v)
Fiou-se o coração de muito exempto (*Borges*, 17)
Firmástesos mi enemiga (*Tesoro*, Padilla, 121)
Firmio amigo no te espante (*Rosal*, p. 220)
Flérida cuyo valor (MN 4127, p. 179)
Flérida para mí dulce y sabrosa (*Morán*, 121)
Flerino el más leal de los pastores (PN 373, 194)
Flor de Lis con gran pena está labrando (*Jhoan López*, 20v)
Flor divina milagrosa (*Vergel*, Ubeda, 98)
Flor que flor de las damas escogida (FR 3358, 109)

Floreció de mi gloria la esperanza (MRAH 9-7069, 142v)
Flores que más floreciente (PN 418, p. 197)
Flores silvestres floridos prados (TP 506, 399)
Florescicas coge la niña /la mañana al albor (*Jacinto López*, 44)
Floridas flores que en la edad florida (MN 17.951, 82v)
Florido espino que a laurel más verde (FR 3358, 179v)
Flujo tienes de lengua poeta crudo (MN 2856, 124)
Foge-me diante os olhos a esperança (*Corte*, 216)
Foi-se gastando a esperança (*Evora*, 7v)
Foi-se gastando a esperança (PBM 56, 118v-119)
Fonte frida fonte frida (MN 3724, 158v)
Fonte frida fonte frida (CG 1511, 133)
Fora ela rezão igual (*Corte*, 56)
Fora-me melhor o mal (PBM 56, 116)
Formando quejas al viento (MP 996, 65)
Formando quejas al viento (*Rojas*, 155v)
Formar quiso el Artífice dichoso (MBM 23/4/1, 177)
Formar quiso el Artífice dichoso (PN 373, 126)
Formó la mano eternal (*Cid*, 36, 252)
Formó la mano eternal (*Jacinto López*, 46v)
Formó la mano eternal (MBM 23/4/1, 404)
Formó la mano eternal (*Morán*, 131)
Formó la mano eternal (RV 1635, 8v)
Formó la mano eternal (*Toledano*, 99)
Formó la naturaleza (RaC 263, 102)
Formó naturaleza dos borricos (MN 3968, 157)
Formó naturaleza una doncella (MN 2973, p. 29)
Formosa Caterina que dominas (NH B-2558, 2v)
Formosa desumana crua e forte (NH B-2558, 60)
Formosos olhos que de luz vestidos (*Faria*, 50)
Fortuna con envidia aunque secreta (RV 1635, 77)
Fortuna en cuyas mudanzas (*Lemos*, 222v)
Fortuna libre y exenta (*Obras*, Silvestre, 52)
Fortuna me ha de acabar (FN VII-353, 54v)
Fortuna me ha de acabar (*Morán*, 213v)
Fortuna me ha de acabar (*Obras*, Silvestre, 99v)
Fortuna me ha de acabar (PN 372, 322v)
Fortuna me ha de acabar (RV 1635, 106)
Fortuna me quita el veros (*Morán*, 5v)
Fortuna no me amenaces (CG 1511, 100v)
Fortuna no me desprecies (MN 17.557, 42)
Fortuna poderosa (*Tesoro*, Padilla, 466v)
Fortuna que en perseguirme (MP 617, 268v)
Fortuna que siempre muda (MN 3700, 142)
Fortuna quiso que os viese (PN 372, 162)
Fortuna y esperanza que a un rendido (*Obras*, Cepeda, 72)
Fortuna y mi mal andanza (WHA 2067, 100)
Fortuna ya es menester (MN 3913, 124)
Forzada de amoroso sentimiento (MBM 23/4/1, 80)

Tabla 145

Forzada de amoroso sentimiento (RV 1635, 90)
Forzado de ajeno gusto (RG 1600, 65)
Forzado de mi mal temblando ando (*Penagos*, 18v)
Forzado de mi mal temblando blando (MN 2856, 28)
Forzado de su deseo (*Cid*, 18)
Forzado de su deseo (PN 373, 122)
Forzado de un ardor y un deseo (OA 189, 56)
Forzado del deseo y combatido (*Tesoro*, Padilla, 265)
Frágil caduco bien vana esperanza (MN 17.951, 68)
Frailes en vuestra casa / vos ausente (*Morán*, 188v)
Frailes en vuestra casa / vos ausente (MP 2803, 227v)
Frailes en vuestra casa / vos ausente (TP 506, 372v)
Francisca puede llevar (PN 307, 258v)
Francisca si os da pasión (*Sevillano*, 241)
Francisca tus ojos bellos (MiT 994, 21v)
Francisco contemplo yo (*Fuenmayor*, p. 485)
Francisco dulce amoroso (*Vergel*, Ubeda, 157v)
Francisco premiado estáis (*Jacinto López*, 263v)
Francisco tan justa orden (*Fuenmayor*, p. 479)
Francisco tanto subió (*Canc.*, Ubeda, 126v)
Francisquilla la donosa (MN 3913, 73)
Francisquita la donosa (MN 3700, 116)
Fregonas llorad apriesa (*Jhoan López*, 3)
Frescas aguas transparentes (MN 3724, 81v)
Frescas aguas transparentes (RG 1600, 332v)
Frescas alamedas (FN VII-353, 115v), *ver* Verdes alamedas
Frescas y olorosas flores (*Vergel*, Ubeda, 144)
Fresco y claro arroyuelo (*Medinaceli*, 11v)
Frescos airecillos (*Lemos*, 205v)
Frescos airecitos (MN 3913, 65)
Frescura soberana (*Medinaceli*, 149v)
Frío calor sol yelo nieve y fuego (FR 3358, 157v)
Frío y fuego se han juntado (*Canc.*, Ubeda, 22v)
Frontero de la que sirve (RG 1600, 102v)
Fruito que aves não puderam (NH B-2558, 34)
Fue a cobrar la limosna del convento (MP 973, 52)
Fue a coger la limosna del convento (MN 3913, 33)
Fue al habar Marica (*Jhoan López*, 140)
Fue Amor malo el cimiento (*Fuenmayor*, p. 4)
Fue Amor malo el cimiento (MN 17.951, 13)
Fue de tal contentamiento (*Evora*, 7v)
Fue de veros inmortal (CG 1511, 145v)
Fue el amor tal contrapeso (*Vergel*, Ubeda, 84v)
Fue en la fértil provincia alejandrina (*Vergel*, Ubeda, 172)
Fue entendido mi querer (CG 1511, 140v)
Fue este bienaventurado (*Sevillano*, 177v)
Fue la caza de este día (CG 1514, 185v)
Fue la vida darme gloria (*Colombina*, 73v)
Fue mi lecho y cuna (*Toledano*, 90)

Fue mi lecho y mi cuna (*Flor de enamorados*, 63)
Fue muñidor del caso un alcahuete (MN 3700, 133)
Fue muy desdichada (*Sevillano*, 290)
Fue necesario que Dios (*Vergel*, Ubeda, 128v)
Fue Pedro Crespo con el tamborino (*Tesoro*, Padilla, 401v)
Fue plaga grande esta de la gente (MN 6001, 59)
Fue tan bueno este pastor (*Vergel*, Ubeda, 27)
Fue tan grande el sentimiento (*Padilla*, 72)
Fue tan grande gloria el veros (PN 307, 297)
Fue tan grande gloria veros (PN 373, 67)
Fue tan grande la humildad (*Sevillano*, 137v)
Fue tan grande la victoria (*Morán*, 255v)
Fue tanto mi atrevimiento (*Jhoan López*, 15v)
Fue un casado a comprar pan a la plaza (FN VII-354, 256)
Fue un casado a comprar pan a la plaza (RaC 263, 130)
Fue un emperador a Roma (*Flor de enamorados*, 111)
Fue un emperador a Roma (*Rosa Gentil*, Timoneda, 19)
Fuego de Dios en el bien querer (MN 3725-1, 42)
Fuego de Dios en el bien querer (*RG 1600*, 185)
Fuego de Dios en el querer bien (MN 3725-1, 9)
Fuego de Dios en el querer bien (RaC 263, 167v)
Fuego de Dios en el querer bien (TorN 1-14, 21)
Fuego del divino rayo (*CG 1511*, 17)
Fuego echando por los ojos (*RG 1600*, 74v)
Fuego que se abrasan fuego (*Vergel*, Ubeda, 142)
Fuego suspiro en fuego me sustento (*Tesoro*, Padilla, 57)
Fuego y hielo al niño tierno (Jesuitas, 244, 246)
Fueme tan grave y tan fuerte (PN 373, 274)
Fueme tanto de placer (*Corte*, 220)
Fuente abundante y clara de consuelo (*Vergel*, Ubeda, 151v)
Fuente cristalina y pura (MN 4127, p. 201)
Fuente de contentamiento (CG 1535, 191v)
Fuente de santa doctrina (CG 1535, 192v)
Fuente do mana la gala (*Morán*, 19v)
Fuente pura y cristalina (Jesuitas, 476v)
Fuentecillas con labios de plata (MN 3700, 211v)
Fuera de los altos muros (MN 3724, 154)
Fuera de los altos muros (*RG 1600*, 218)
Fuera el morir acertado (*Obras*, Cepeda, 51v)
Fuera piedad rigurosa (PN 418, p. 124)
Fuera yo buen pagador (*Sevillano*, 71v)
Fuérame yo al campo (*Toledano*, 87)
Fueron a visitar a la parida (*Tesoro*, Padilla, 428v)
Fueron ambas a dos vidas (*Vergel*, Ubeda, 128v)
Fueron presos en una hora (*Sevillano*, 236v)
Fueron ricas esmeraldas (*Vergel*, Ubeda, 136v)
Fueron tan de gracia llenos (*Fuenmayor*, p. 10)
Fueron tan de gracia llenos (MN 3968, 178)
Fueron todos los favores (*Tesoro*, Padilla, 245)

Fuerte galán y brioso (MN 3723, 9)
Fuerte galán y brioso (*RG* 1600, 262v)
Fuerte para defenderme (*Fuenmayor*, p. 274)
Fuerte y cruda es la porfía (MP 570, 132v)
Fuerza a fuerza corazón (*CG* 1511, 145)
Fuerza en esta a la fe mía (*Corte*, 34v)
Fuese a la viña Cebriana un día (FN VII-353, 278v)
Fuese a la viña Cebriana un día (FR 3358, 186v)
Fuese a la viña Cebriana un día (MN 2856, 88v)
Fuese a la viña Cebriana un día (*Penagos*, 16)
Fuese Blas de la cabaña (*Sablonara*, 68)
Fuese la vieja al molino (RaC 263, 172)
Fuese mi marido (*Colombina*, 86ter v)
Fuese nuestro Dios (*Sevillano*, 181v)
Fuese Quiteria a vendimiar un día (*Jhoan López*, 19)
Fui buscando amores (*Enredo*, Timoneda, 11)
Fui buscando amores (*FRG*, p. 216)
Fui continuo aficionado (*Tesoro*, Padilla, 452)
Fui de impúdica madre (MiT 1001, 83v)

Fui de impúdica y deshonesta madre (MiT 1001, 84)
Fui engendrado (*Flor de enamorados*, 63), *ver* Cuando fui
Fui muy desdichada (*Sevillano*, 290)
Fui por agua a tal sazón (*Evora*, 23v)
Fui por mi mal al aldea (MP 617, 326v)
Fuiste bueno fuiste santo (*CG* 1535, 199)
Fuistes de Dios tan amado (*Vergel*, Ubeda, 157)
Fuistes Juan tan extremado (*Jesuitas*, 445)
Fuistes tan grande en amar (*Canc.*, Ubeda, 139)
Fundada en natural filosofía (FN VII-353, 281)
Fundada en su gentil aire (*Sevillano*, 240v)
Fundada está Santa Fe (*Cid*, 237)
Fundado tengo el bien de mi esperanza (*Padilla*, 222)
Funestos y altos cipreses (MN 3724, 3)
Funestos y altos cipreses (*RG* 1600, 94v)
Furioso va don Roldán (*Rojas*, 147)
Furioso y desesperado (*Jhoan López*, 137)
Furor que me viene pensando en las fieras (MN 1317, 439)

Gaiferos no le responde (*León/Serna*, 104v)
Gaiferos no le responde (*Tesoro*, Padilla, 22v)
Galán de dónde venís (*CG* 1514, 145)
Galán y qué gesto es ese (*Flor de enamorados*, 67)
Galana cara de rosa (*Flor de enamorados*, 104v)
Galanes damas gomeles (MN 3723, 162)
Galanes damas gomeles (*RG* 1600, 272v)
Galanes de España (MN 3725-1, 47)
Galanes de Meliona (MN 3913, 65v)
Galanes de Meliona (MP 1587, 32)
Galanes los de esta corte (RaC 263, 13)
Galanes los de la corte / del rey Chico de Granada (MN 17.556, 98)
Galanes los de la corte / del rey Chico de Granada (MP 973, 396)
Galanes los de la corte / del rey Chico de Granada (MP 996, 3)
Galanes los de la corte / del rey Chico de Granada (*RG* 1600, 24)
Galanes los de la corte / que fuistes a la jornada (*Jhoan López*, 54)
Galanes los de la corte / que fuistes a la jornada (*Peralta*, 36v)
Galanes los de la corte corte / que fuistes a la jornada (*RG* 1600, 43v)
Galanes los que tenéis (FN VII-353, 204v)
Galanes los que tenéis (MN 3724, 240)
Galanes y caballeros (*Romancero*, Padilla, 141v)
Galano namoradico (*Flor de enamorados*, 41)
Galatea cruel qué pago has dado (MN 3968, 104)
Galatea gloria y honra (MN 17.556, 49v)
Galatea gloria y honra (*RG* 1600, 15)
Galera que me fuiste (*Cid*, 54v)
Galera que me fuiste (*Morán*, 240v)
Galera que me fuiste (MP 973, 242v)
Galeritas de España (FN VII-353, 121)
Galeritas de España (MN 3725-1, 20)
Galeritas de España (MN 6001, i)
Galeritas nuevas (FN VII-353, 121)
Galeritas nuevas (MN 3725-1, 20)
Galiana está en Toledo (MN 17.556, 91)
Galiana está en Toledo (MN 3723, 277)

Galiana está en Toledo (*Penagos*, 77)
Galiana está en Toledo (*RG* 1600, 9)
Galiana está en Toledo / labrando una rica manga (MN 17.556, 35)
Galiana está en Toledo / labrando una verde manga (MP 973, 402v)
Galiana está en Toledo / labrando una verde manga (MP 996, 24v)
Galiana está en Toledo / señalando con el dedo (MP 996, 145v)
Galiarda Galiarda (MN 1317, 443)
Gallarda Celia cuya hermosura (*Padilla*, 23v)
Gallarda Celia cuya hermosura (*Tesoro*, Padilla, 82)
Gallarda ninfa que es como el sol claro (*Romancero*, Padilla, 218)
Gallarda pastora mía (*Romancero*, Padilla, 267v)
Gallarda Silvia quién imaginara (*Romancero*, Padilla, 223v)
Gallardo con armas y trajes (MP 973, 398)
Gallardo en armas y trajes (MN 3723, 108)
Gallardo en armas y trajes (*RG* 1600, 107v)
Gallardo entra un caballero (*FRG*, p. 127)
Gallardo entra un caballero (*Rosa Real*, Timoneda, 72)
Gallardo moro a quien Mahoma ha dado (*Romancero*, Padilla, 71)
Gallardo pasea Zaide (MN 3723, 79)
Gallardo pasea Zaide (*RG* 1600, 213)
Gana gloria quien os mira (*Enredo*, Timoneda, 6)
Gana gloria quien os mira (*FRG*, p. 203)
Ganada estaba Cartago (*Rosa Gentil*, Timoneda, 13)
Ganado mío que ya de la pastura (FN VII-354, 140v)
Ganado mío que ya de la pastura (MN 3670, 148)
Ganado mío que ya de la pastura (PN 258, 28v)
Ganan todos en querer (WHA 2067, 97v)
Ganar a un hijo perdido (*Vergel*, Ubeda, 177v)
Ganhei senhora tanto em querer-vos (EM Ç-III.22, 10)
Garcilaso y Boscán siendo llegados (*Heredia*, 351)
Garcilaso y Boscán siendo llegados (MN 3691, 67v)
Garcilaso y Boscán siendo llegados (MP 617, 295v)
Gasajoso está carillo (*Medinaceli*, 17v)
Gasta y consume el tiempo toda cosa (FR 3358, 103v)
Gasto en males la vida y amor crece (FN VII-354, 37)
Gasto en males la vida y amor crece (MBM 23/8/7, 258v)

Gasto en males la vida y amor crece (MN 2973, p. 83)

Gasto en males la vida y amor crece (MN 3968, 60v)

Gasto en males la vida y amor crece (MN 4256, 110v)

Gasto en males la vida y amor crece (MN 4262, 144)

Gasto en males la vida y amor crece (MN 4268, 109)

Gasto en males la vida y amor crece (MRAH 9-7069, 62)

Gasto en males la vida y amor crece (PhUP1, 77)

Gasto en males la vida y amor crece (RV 768, 266)

Gasto en males la vida y como crece (BeUC 75/116, 73v)

Gasto en males la vida y como crece (MP 2805, 111)

Gasto en males mi vida y amor crece (*Evora*, 57v)

Gasto en males mi vida y amor crece (PN 311, 7v)

Gasto la vida en males y amor crece (*Heredia*, 333)

Gasto la vida gimiendo (PA 1506, p. 14)

Gasto suspiros en vano (OA 189, 350v)

Gasto suspiros en vano (PN 307, 306)

Gavilão gavilão bramco (PBM 56, 49v-50)

Gavilán que andáis de noche (TorN 1-14, 22)

General del ejercito lucido (*Rosal*, p. 291)

Género femenil quién nunca amase (*Obras*, Cepeda, 102)

Genil quién te tiene (*Penagos*, 128)

Gente liviana la que pone amores (*Cid*, 99, 190v)

Gente liviana la que pone amores (*Morán*, 89v)

Gente pasa por la calle (MN 3724, 179v)

Gente pasa por la calle (RG 1600, 364v)

Gentil dama cuyo nombre (CG 1511, 27)

Gentil dama del que os ama (*Toledano*, 91v)

Gentil dama muy hermosa (CG 1511, 175v)

Gentil dama no se gana (*Colombina*, 7v)

Gentil dama pues tenéis (CG 1511, 125)

Gentil dama singular (CG 1511, 228v)

Gentil hom dons guieus deu (*Flor de enamorados*, 76)

Gentil hombre diréis no (CG 1511, 127)

Gentil señora em cuja formosura (*Borges*, 71v)

Gentil señora en quien naturaleza (MP 570, 260v)

Gentil señora mía (*Recopilación*, Vázquez, 1v)

Gentil señora mía en quien natura (MP 570, 249v)

Gentilhombre de quien soy (MP 617, 99)

George que fui ladron hasta una paja (TP 506, 366v), ver
    Jorge

Gerarda muy más hermosa (MP 570, 136)

Gesto de chueca vieja desabrida (*Cid*, 112v)

Gesto de chueca vieja desabrida (MP 973, 68)

Gesto de clueca vieja desambrida (*Morán*, 9v)

Gesto de clueca vieja desambrida (*Rojas*, 98v)

Gesto de vieja clueca desambrida (*Padilla*, 181)

Gesto de vieja clueca desambrida (*Sevillano*, 75), ver Cara

Gesto que san Antón vido en el yermo (*Penagos*, 4)

Gesto que santo Antón vido en el yermo (FR 3358, 168)

Gil Chapado y Luis Garrido (*Jesuitas*, 142)

Gil cómo te fue en la guerra (*Padilla*, 95v)

Gil de las doblas el viejo (*Tesoro*, Padilla, 357v)

Gil el ángel me dio nueva (*Sevillano*, 155)

Gil no fíes en pastora (*FRG*, p. 191)

Gil no te fíes de pastora (RaC 263, 73), *ver* No fíes Gil

Gil por qué olvidaste a Juana (*Padilla*, 85)

Gil pues no hay tan firme estado (*Sevillano*, 243)

Gil qué haré que estoy enamorado (RV 1635, 130v)

Gil si fueres al aldea (*Sevillano*, 268)

Gil y Antón y Baltasar (*Padilla*, 98v)

Gil y Juan traen diferencia (MN 3806, 2)

Gila conmigo no andéis (MP 1587, 154v)

Gila di qué es tu intención (*Sevillano*, 233)

Gila lumbre de mis ojos (*Peralta*, 10v)

Gila mía dame un beso (*Padilla*, 119v)

Gila sin duda tú me das (RaC 263, 141v)

Gila y Venus competían (*Sevillano*, 274)

Gileta celosa (*Romancero*, Padilla, 313)

Gileta como es graciosa (*Sevillano*, 229)

Gileta Juana ni Anilla (RV 1635, 46v)

Gileta ni Giromilla (*Rojas*, 25v)

Gileta se enamoró (*Sevillano*, 229)

Gileta si al monte fueres (OA 189, 319)

Gileta si al monte fueres (PN 307, 304)

Gileta si al monte fueres (*Sevillano*, 240)

Gileta sin duda alguna (RaC 263, 6)

Gileta y Juanilla (*Tesoro*, Padilla, 474v)

Gilguerillo mío (*Jhoan López*, 145)

Gilguerillo mío (MN 17.557, 66)

Gitanos de corte (*Lemos*, 215)

Gloria de mi pensamiento (PN 373, 316)

Gloria de mis pensamientos (CG 1514, 185v)

Gloria del entendimiento (*Morán*, 129)

Gloria no ha de pretender (RV 1635, 26)

Gloria tão merecida (*Faria*, 88v)

Gloria tão merecida (NH B-2558, 46v)

Gloria y bien del alma mía (*Romancero*, Padilla, 265v)

Gloria y descanso perdido (BeUC 75/116, 98v)

Gloria y descanso perdido (FN VII-354, 57v)

Gloria y descanso perdido (MBM 23/8/7, 177v)

Gloria y descanso perdido (MN 3670, 33)

Gloria y descanso perdido (MN 3968, 79r)

Gloria y descanso perdido (MN 4256, 166)

Gloria y descanso perdido (MN 4262, 184v)

Gloria y descanso perdido (MN 4268, 172v)

Gloria y descanso perdido (MP 1578, 39v)

Gloria y descanso perdido (MP 2805, 45v)

Gloria y descanso perdido (PhUP1, 106)

Tabla 149

Gran señor muy más real (*CG* 1511, 19v)

Gran señora gran señora (*Sevillano*, 160v)

Gran señora sois Fortuna (MN 3691, 80)

Gran suavidad y harmonía (*Sevillano*, 184)

Gran temor tiene mi vida (*CG* 1511, 125)

Gran tiempo debe haber señora mía (MP 973, 388)

Gran tiempo he procurado (TP 506, 341)

Gran tiempo me he escusado (MRAH 9-7069, 116)

Gran trabajo es desear (PN 307, 236)

Gran trabajo es esperar (MP 617, 228v)

Gran trabajo es esperar (PN 307, 314v)

Gran trueco hizo el pecado (*Vergel*, Ubeda, 18v)

Granate puesto de oro en fino engaste (*Vergel*, Ubeda, 147)

Grande agravio se le ha hecho (*Tesoro*, Padilla, 31v)

Grande amor tuvo a los dos (*Vergel*, Ubeda, 142v)

Grande aviso es menester (*Romancero*, Padilla, 311)

Grande bien nos es venido (*Sevillano*, 85)

Grande es tu potencia Amor (*Obras*, Cepeda, 59)

Grande estruendo de campanas (*Ixar*, xxv)

Grande estruendo de campanas (MN 3725-2, 112)

Grande fazenda é o sizo (*Corte*, 65)

Grande mal cobre en mi pena (PN 373, 138)

Grande mal hay en la villa (*FRG*, p. 149)

Grande male es la dolencia (*Toledano*, 36)

Grande os llaman con razón (*Jesuitas*, 253v)

Grande señor mi señor (*Heredia*, 149v)

Grandes albricias te pido (*CG* 1511, 126v)

Grandes como elefantes y abadas (MN 17.557, 63v), *ver* Grandes como

Grandes cosas he pasado (*CG* 1514, 187v)

Grandes cosas nos ha la industria humana (MN 6001, 57)

Grandes gracias señor Peña (*CG* 1511, 178)

Grandes más que elefantes ni abadas (FN VII-353, 6)

Grandes más que elefantes y abadas (*Corte*, 182)

Grandes más que elefantes y que abadas (FR 3358, 185v)

Grandes más que elefantes y que abadas (*Lemos*, 233)

Grandes muy grandes Amor (MN 3691, 73v)

Grandes muy grandes Amor (MN 5602, 10)

Grandes muy grandes Amor (MP 2803, 135v)

Grandes muy grandes Amor (PN 371, 218)

Grandes pruebas hace amor (*Obras*, Silvestre, 88v)

Grave mal es el amar (*Lemos*, 285, 289)

Gritando va el caballero (*CG* 1511, 135)

Gritando va el caballero (MN 3725-2, 25)

Gritando va un caballero (*Obras*, Cepeda, 137v)

Gritos se dan en Tarpeya (*Vergel*, Ubeda, 174v)

Guantes así me dejáis (*CG* 1514, 140v)

Guantes viéndoos tan ufanos (*CG* 1514, 140v)

Guardaba una pastora congojosa (MN 2973, p. 78)

Guardad mis mandamientos hijo mío (MP 644, 192)

Guardado le tuve (MN 17.556, 61)

Guardado le tuve (*RG* 1600, 112)

Guárdame las vacas (MN 3691, 51v)

Guardando su ganado (MN 2973, p. 159)

Guardaos pastores afuera (*León/Serna*, 96)

Guardás puestas por concejo (*CG* 1511, 232)

Guarde de veros quien guardar quisiere (*Canc.*, Maldonado, 83)

Guay de aquel hombre que mira (*CG* 1511, 31v)

Guay de aquél que nunca tiende (*CG* 1511, 98v)

Guay en mim senhor de piedade (EM Ç-III.22, 41)

Guayaco si tú me sanas (MN 3691, 61v)

Guerra es nuestra vida y veo (MP 644, 1)

Guerra guerra (*RG* 1600, 207)

Guerreros valerosos cuya muerte (SU 2755, 193)

Guiado o Padre Santo do alto lume (*Corte*, 186v)

Guilindín guilindaina (*Jhoan López*, 144v)

Guilindín guilindín guilindaña (*Jacinto López*, 126)

Guisábalo para el malogrado (*Sevillano*, 57)

Gusta del panal de miel (*Jesuitas*, 144)

Gusto muy más delicado (*Jhoan López*, 105v)

Gusto que me desterredes (*Penagos*, 302v)

H

Ha dado Amor en gustar (*Tesoro*, Padilla, 369)

Ha de alumbrarme el sol aunque no quiera (*Fuenmayor*, p. 290)

Ha de entrar paso y quieto (FN VII-353, 244v)

Ha de ser al amador (PN 372, 1)

Ha de ser el amador (*Jacinto López*, 164)

Ha de ser el amador (MN 3968, 179v)

Ha de ser el amador (*Padilla*, 187)

Ha de ser o no ha de ser (*Sevillano*, 54)

Ha de ser una de dos (*Morán*, 116v)

Ha de ser una de dos (PN 314, 196v)

Ha de ser una de dos (RV 1635, 19, 73)

Ha de ser una de tres (*Cid*, 132)

Ha hecho Dios en el suelo (*Fuenmayor*, p. 281)

Ha hecho mi vida llena (CG 1511, 152)

Ha llegado a tanto extremo (*Morán*, 105v)

Ha parecido un zagal (*Sevillano*, 191v)

Ha podido el dolor tanto (*Rojas*, 111v)

Ha puesto a su rostro un velo (*Sevillano*, 43)

Ha puesto el deseo (RaC 263, 71)

Ha querido Fortuna poderosa (MBM 23/4/1, 197v)

Ha querido Fortuna poderosa (*Padilla*, 40)

Ha querido Fortuna poderosa (*Tesoro*, Padilla, 302)

Ha querido mi ventura (*Jacinto López*, 217)

Ha querido mi ventura (MP 1587, 71)

Ha querido mi ventura (MP 973, 201)

Ha querido mi ventura (RV 1635, 18)

Ha querido mi ventura (*Tesoro*, Padilla, 363v)

Ha sentido el dolor tanto (RV 1635, 99v)

Ha sido vuestra física (*Jacinto López*, 62)

Ha sido vuestra física (MN 17.951, 180)

Ha sido vuestra física (MP 973, 182)

Ha sido vuestra física (*Penagos*, 28v)

Ha sido vuestra física (*Peralta*, 46)

Ha sido vuestra física (*Rojas*, 177

Ha tres días que murió (*Heredia*, 96v)

Ha tres días que murió (MN 5593, 48v)

Ha venido a rescatar (*Jesuitas*, 128)

Ha venido del Oriente (*Vergel*, Ubeda, 30)

Ha volado mi ventura (CG 1514, 189)

Habed compasión de mis dolores (*Evora*, 33)

Habéis dado en hacerme disfavores (*Tesoro*, Padilla, 361v)

Habéis de saber señores (MiT 994, 41)

Habéis perdido la fama (*Gallardo*, 51)

Haberos de abastecer (CG 1511, 230v)

Haberos visto y dejado (MP 617, 169)

Haberos visto y dejado (PN 372, 64)

Habeu me posat en punt (*Flor de enamorados*, 9)

Había recogido sus crines doradas (*Ixar*, 211v)

Habiendo alzado de obra (MN 3700, 89v)

Habiendo aquel viejo Adán (*Vergel*, Ubeda, 25v)

Habiendo crucificado (*Penagos*, 160v, 202)

Habiendo de cantar del duro Marte (*Canc.*, Maldonado, 188)

Habiendo de cantar del duro Marte (*Romancero*, Padilla, ii)

Habiendo de partirse (*Cid*, 210v)

Habiendo de partirse (FN VII-353, 154v)

Habiendo de partirse (*FRG*, p. 261)

Habiendo de partirse (*Jacinto López*, 233)

Habiendo de partirse (MN 3968, 188)

Habiendo de partirse (*Morán*, 115)

Habiendo de partirse (PN 373, 6v)

Habiendo de partirse (RV 1635, 86)

Habiendo de ser morada (MP 617, 166v)

Habiendo el claro sol con su corrida (PN 373, 242v)

Habiendo el gran duque de Alba (*Romancero*, Padilla, 17)

Habiendo Pedro tres veces negado (*Morán*, 142)

Habiendo Pedro tres veces negado (MP 570, 171)

Habiendo Pedro tres veces negado (*Vergel*, Ubeda, 114v)

Habiendo por los ojos recibido (*Corte*, 199)

Habiendo sido ya más combatida (*Obras*, Silvestre, 363v)

Habiendo ya navegado (*Padilla*, 43)

Habiendo ya san Alejo (*Canc.*, Ubeda, 174v)

Habiéndose disculpado (*Tesoro*, Padilla, 42)

Habita n'alma Deus se nela habita (*Faria*, 39)

Habla mis ojos mirando (*Obras*, Cepeda, 97v)

Háblame señora (*Toledano*, 55)

Hablar del rosario y vos (*Fuenmayor*, p. 194)

Hablar quiere y no se atreve (*Fuenmayor*, p. 324)

Hablemos en puridad (*Jesuitas*, 409)

Habrá quién compre un don de un escudero (MN 17.556, 129)

Hace amar el dios Cupido (*Lemos*, 99)

Hace amar el dios Cupido (PBM 56, 57)
Hace amar el dios Cupido (Toledano, 91)
Hace amar y no es amor (*Lemos*, 99)
Hace amar y no es amor (PBM 56, 57)
Hace amar y no es amor (PN 372, 298v)
Hace amar y no es amor (*Toledano*, 91)
Hace bien quien mal me hace (CG 1511, 146)
Hace con su alma cuenta (Obras, Silvestre, 121)
Hace con su alma cuenta (Rojas, 4)
Hace Dios a los humanos (*Vergel*, Ubeda, 79v)
Hace el Amor lo que quiere (*Tesoro*, Padilla, 369)
Hace milagros amor (*Tesoro*, Padilla, 166)
Hace montes llanos (RG 1600, 300)
Hace sierpes de cristal (MN 3700, 3v)
Hace una grande batería (PN 418, p. 251)
Haced Amor que el mar jamás se mueva (TP 506, 355)
Haced caminos y vías (WHA 2067, 57v)
Haced señora mía sentimiento (MP 2803, 151v)
Haced señora Venus de manera (MN 3913, 37)
Haced señora Venus de manera (MP 617, 258v)
Haced señora Venus de manera (MP 973, 70)
Hacéis llorar y reir (Medinaceli, 18v)
Hacéis tal vida Pablo en el desierto (*Vergel*, Ubeda, 159)
Hacéisos hombre mortal (Vergel, Ubeda, 17v)
Háceme cosquillas un ratonzuelo (MN 3913, 72)
Hacen al fuerte Aliatar (MN 4127, p. 47)
Hacen señal las trompetas (MN 3723, 123)
Hacen señal las trompetas (RG 1600, 242v)
Hacen tan poca impresión (Romancero, Padilla, 344v)
Hácenme andar mis amigos (FN VII-353, 135v)
Hacerme andar mis amigos (Jacinto López, 71)
Hacerme estar al sereno (*Padilla*, 140)
Hácese este concilio en un gracioso (*Jesuitas*, 421)
Hácese hombre el Redentor (Canc., Ubeda, 12v)
Hácese hombre el Redentor (Vergel, Ubeda, 13v)
Hácese niño el eterno (Vergel, Ubeda, 15v)
Hacía calor y en punto al mediodía (FN VII-353, 319)
Hacía calor y en punto al mediodía (MP 973, 272)
Hacia la isla de Tracia (RV 1635, 122v)
Haciendo está sacrificio (MP 996, 207)
Haciendo está una hoguera (RG 1600, 308v)
Haciendo oficio de juez severo (*Rosal*, p. 285)
Haga lo que quisiere / señor Estrella (MN 3913, 48)
Hagádesme hagádesme (CG 1514, 118v)
Hagame el tiempo cuanto mal quisiere (*Corte*, 184v)
Hagamos paces Cupido (FN VII-353, 91)
Hagan todos alegría (Colombina, 5v)
Háganme vuestras mercedes (*Peralta*, 87v)
Háganos saber (Toledano, 95v)

Hago de lo flaco fuerte (CG 1511, 188)
Hágoos saber gentil dama (MP 617, 213)
Hágote saber hermano (PN 314, 169v)
Hala mozos Ah señor (*Toledano*, 72v)
Halagándole Papirio (*Flor de enamorados*, 115v)
Halagándole Papirio (*Rosa Gentil*, Timoneda, 3)
Halagóle y pellizcóle (CG 1554, 66v)
Halcón flacazo matado (*Jesuitas*, 366)
Halla a el sol la regia estrella (*Jhoan López*, 46v)
Halla la pena por gloria (CG 1511, 144v)
Hallábase el alto Apolo (RH, 177v)
Hallándose dos damas en faldeta (FN VII-354, 267)
Hallándose dos damas en faldetas (*Jacinto López*, 225)
Hallándose dos damas en faldetas (RaC 263, 125v)
Halláronse al entierro de Lucía (*Cid*, 124v)
Hallas Juan esta ganancia (*Jesuitas*, 209v)
Hallé tanto bien en veros (*Tesoro*, Padilla, 229v)
Hallé tras largo tiempo menos dura (MN 2973, p. 153)
Hallé tras largo tiempo menos dura (SU 2755, 119)
Halló con su vista entrada (*Morán*, 124)
Hallo que ningún poder (CG 1511, 97v)
Hallo tan diferentes los efectos (MBM 23/4/1, 121)
Hallo tan diferentes los efectos (*Tesoro*, Padilla, 65v)
Hallóme humilde aquel soberbio un día (*Rosal*, p. 286)
Hallóme sin mí conmigo (*Tesoro*, Padilla, 166v)
Hállome sin padecer (*León/Serna*, 111v)
Hállome sin pensarlo oh caso fuerte (*Rosal*, p. 289)
Hállome tan pobre y corto (MP 3560, 1)
Hallóse allá en la guerra de Granada (*Morán*, 242v)
Hallóse Dios tan contento (Sevillano, 142)
Hallóse en su juventud (Sevillano, 80)
Halo parido en Belén (Sevillano, 162v)
Ham ham huid que rabio (CG 1511, 92)
Hambrienta rota inquieta y desgustada (*Faria*, 3)
Hame jurado Domenga (PN 372, 352)
Hame mandado Amor que no lo diga (*Jhoan López*, 31v)
Hame mandado Amor que no lo diga (MP 1587, 47)
Hame mandado Amor que no lo diga (*Padilla*, 5)
Hame mandado Amor que no lo diga (Tesoro, Padilla, 186v)
Hame puesto en tal estado (Padilla, 104)
Hame tan bien defendido (CG 1511, 99)
Hame tenido engañado (Padilla, 6)
Hame tenido engañado (*Tesoro*, Padilla, 447v)
Hame traído Amor a tal partido (BeUC 75/116, 72v)
Hame traído Amor a tal partido (FN VII-354, 36v)
Hame traido Amor a tal partido (MBM 23/8/7, 247v)
Hame traído Amor a tal partido (MN 2973, p. 75)
Hame traído Amor a tal partido (MN 3968, 59v)
Hame traído Amor a tal partido (MN 4256, 115)

Tabla 153

Hame traído Amor a tal partido (MN 4262, 143)

Hame traído Amor a tal partido (MN 4268, 115)

Hame traído Amor a tal partido (MP 1578, 12v)

Hame traído Amor a tal partido (MP 2805, 110v)

Hame traído Amor a tal partido (MRAH 9-7069, 67)

Hame traído Amor a tal partido (OA 189, 23v)

Hame traído Amor a tal partido (PhUP1, 75v)

Hame traído Amor a tal partido (PN 258, 208)

Hame traído Amor a tal partido (RV 768, 256)

Hame traído Amor a tal partido (TP 506, 357)

Hame venido a las mientes (MP 2459, 63v

Hámela pisado (MP 1587, 168)

Han acordado mis ojos (MN 3691, 52v)

Han derrocado la puente (*Obras*, Cepeda, 138v)

Han parido tantas penas (MP 1587, 59)

Han venido y hemos visto (FN VII-354, 434v)

Han visto los que viven en la tierra (MN 2973, p. 183)

Hanle dicho que tus ojos (RG 1600, 69)

Hanme contado señor (PN 373, 145v)

Hanme dejado pasiones (CG 1511, 82v)

Hanme dicho hermanas (*Peralta*, 101)

Hanme dicho hermosas (RG 1600, 342)

Hanme dicho Juan de Mena (MP 617, 139v)

Hanme dicho que se atreve (CG 1511, 233v)

Hanme dicho señora que os ha dado (TP 506, 295v)

Hanos encendido Dios (*Vergel*, Ubeda, 142)

Hanse en mi favor mostrado (*Morán*, 77)

Hanse en mi favor mostrado (PN 373, 85)

Hanse en mi favor mostrado (RV 1635, 5)

Hartaos ojos de llorar (*Uppsala*, n. 52)

Hártase el presto azor de corazones (MP 3560, 24)

Harto de tanta porfía (CG 1514, 190v)

Harto de tanta porfía (CG 1514, 191)

Harto de tanta porfía (MP 617, 150)

Harto estoy desventurado (CG 1511, 138v)

Harto estoy ya de lamentar mi historia (*Canc.*,
　Maldonado, 84)

Harto quitado estaba yo de galas (FN VII-353, 282v)

Has la guerra a tu pecado (*Fuenmayor*, p. 275)

Has la tu tierra asolada (*Corte*, 56)

Has visto qué linda cara (*Jesuitas*, 302)

Has ya sufrido tanto (PBM 56, 79v)

Hase burlado conmigo (RaC 263, 149v)

Hase de entender así (CG 1554, 126v)

Hase de entender así (MP 617, 214v)

Hase de entender así (OA 189, 100)

Hase en mi favor mostrado (*Peralta*, 21v)

Hase movido dama una cuestión (*Borges*, 89v)

Hase movido dama una cuestión (*Corte*, 217)

Hase movido dama una cuestión (FR 3358, 100, 175v)

Hase movido dama una cuestión (MBM 23/4/1, 196v)

Hase movido dama una cuestión (OA 189, 70)

Hase movido dama una cuestión (PN 373, 123v)

Háseme dado tan poco (PN 373, 278v)

Hasme costado tan cara (*Sevillano*, 221)

Hasta aquí con la envidia y su querella (FN VII-354, 339)

Hasta aquí con la envidia y su querella (*León/Serna*, 76v)

Hasta aquí he estado encerrada (*Toledano*, 23v)

Hasta aquí pase Fortuna (MP 617, 221)

Hasta aquí por senderos pedregosos (*Jacinto López*, 142v)

Hasta aquí pudo subir (*Sevillano*, 146)

Hasta cuándo Dios bueno (MP 996, 274)

Hasta cuándo ha de durar (WHA 2067, 103v, 120v)

Hasta cuándo mi Dios quieres que muera (*Jesuitas*, 480v)

Hasta cuándo mi señora (*FRG*, p. 153)

Hasta cuándo mi señora (*Morán*, 208v)

Hasta cuándo mi señora (*Tesoro*, Padilla, 69v)

Hasta el morir contentamiento (*Corte*, 214v)

Hasta fenecer la vida (MoE Q 8-21, p. 72)

Hasta la esfera más alta (MN 4127, p. 269)

Hasta mirarte no hay vida (FN VII-353, 55v)

Hasta mirarte no hay vida (RaC 263, 2v)

Hasta que os vi jamás hallé ventura (MBM 23/4/1, 38v)

Hasta que os vi jamás hallé ventura (*Tesoro*, Padilla, 117v)

Haste casado Anilla (*Medinaceli*, 35v)

Haste casado Anilla (TP 506, 385)

Haste casado Anilla Ay mentirosa (WHA 2067, 70)

Haste casado Anilla Oh mentirosa (PN 307, 309v)

Hay animales de alto sufrimiento (MP 973, 238v)

Hay damas de tal metal (FN VII-353, 52v)

Hay damas de tal metal (*Jacinto López*, 67)

Hay gentes tan maliciosas (*Rojas*, 52)

Hay particular razón (MP 2459, 90)

Hay quien dé posada al Niño (*Sevillano*, 39v)

Hay quien me compre un juguete (*Penagos*, 141v)

Hay quien me despique / de un jugador necio (MN 3913, 49)

Hay quien me quiera comprar (RC 625, 29)

Hay quien quiera aposentar (*Sevillano*, 39v)

Hay quien quiera comprar nueve doncellas (MBM
　23/4/1, 55)

Hay quien quiera comprar nueve doncellas (MN 3968, 94)

Hay quien quiera comprar nueve doncellas (MP 1578, 103v)

Hay quien quiera comprar nueve doncellas (*Penagos*, 1)

Hay quien sepa del Amor (MN 17.557, 86)

Hay tanta negociación (MP 2459, 54)

Hay tanto que temer do no hay ventura (FR 3358, 111v)

Hay tanto que temer do no hay ventura (MN 3968, 156)

Hay tanto que temer do no hay ventura (MP 1587, 20)

Hay tanto que temer do no hay ventura (OA 189, 113v)
Hay una quien quisiere saber de ella (MBM 23/8/7, 69v)
Hay una quien quisiere saber de ella (MN 4256, 123v)
Hay una quien quisiere saber de ella (MN 4262, 103)
Hay una quien quisiere saber de ella (MP 1578, 222)
Hay una quien quisiere saber de ella (PhUP1, 132v)
Hay una quien quisiere saber de ella (PN 258, 55)
Hay una quien quisiere saber de ella (RV 768, 66)
Hazme ahora un bien Amor (WHA 2067, 50v)
Hazme Amor el mal que puedes (*Elvas*, 57v)
Hazme Amor el mal que puedes (*Lemos*, 103v)
Hazme Amor el mal que puedes (*Morán*, 61v, 75v)
Hazme Amor el mal que puedes (PN 307, 256)
Hazme Amor el mal que puedes (*Sevillano*, 263v)
Hazme niña un ramillete (MN 17.556, 46v)
Hazme niña un ramillete (MP 996, 132v)
He aprendido con mi daño (PN 307, 225)
He dado en dárseme poco (*Morán*, 59v, 148v)
He dado en dárseme poco (MP 570, 123)
He dado en dárseme poco (*Padilla*, 103v)
He dado en dárseme poco (PN 307, 241, 275)
He dado en dárseme poco (RV 1635, 72v)
He dado en dárseme poco (*Sevillano*, 244)
He de entrar señor Granados (PN 418, p. 24)
He de verte gran dolor (*Sevillano*, 294)
He dejado de ser vuestro (CG 1511, 143)
He hallado por mi cuenta (WHA 2067, 34v)
He oso un portugués (*Sevillano*, 169v)
He perdido la paciencia (OA 189, 41v)
He probado cuantas son (CG 1511, 143v)
He quedado tal de veros (PN 307, 284)
He quedado tan rendido (*Penagos*, 117)
He sabido (*Gallardo*, 43v)
He visto los ojos (MP 1587, 102v)
Hecho de lágrimas tristes (RG 1600, 284)
Hecho del cielo gigante (MN 3700, 141v)
Hecho el tiempo su mudanza (*Cid*, 37v, 254v)
Hecho ha el tiempo su mudanza (PN 307, 244v)
Hechos dos fuentes mis ojos (RG 1600, 64v)
Hechos gloriosos pues el alto cielo (PN 258, 203v)
Hechura mal pareciente (CG 1511, 226)
Héctor ilustre que viviendo fuiste (PN 372, 119v)
Héctor que a todos vencía (MP 617, 21v)
Helaba Marica (MN 3700, 130v)
Helas helas por dó vienen (MN 3700, 144)
Hele allí que sale huyendo (*Jacinto López*, 196)
Helena a Grecia ha tornado (*Obras*, Cepeda, 45v)
Helo helo por dó viene (MN 3725-2, 17)
Helo helo por dó viene (*Obras*, Cepeda, 139v)

Helo helo por dó viene (*Rosa Española*, Timoneda, 44)
Heme puesto a imaginar (*Padilla*, 50)
Heredastes el estado (*Sevillano*, 137v)
Heredero principal (MP 617, 325v)
Heredero principal (PN 372, 143)
Hería el sol a las cumbres (RG 1600, 120v)
Herida bella y cruel (MN 3700, 7v)
Herida estaba Lucrecia (*Rosa Gentil*, Timoneda, 5)
Herida para mí dulce y sabrosa (PN 373, 63v)
Herido de amor mi lindo amado (*Vergel*, Ubeda, 63)
Herido de mi amor mi lindo amado (*Jesuitas*, 467)
Herido de mi amor mi lindo amado (MP 644, 193)
Herido está de amor el fuerte pecho (*Jesuitas*, 356v, 479v)
Herido está de amor el furte pecho (MN 17.951, 71v)
Herido está de amor el tierno pecho (*Cid*, 133v)
Herido está de amor el tierno pecho (*Jesuitas*, 153)
Herido está don Luis Ponce (*León/Serna*, 89v)
Herido está Marco Antonio (*Flor de enamorados*, 117)
Herido está Marco Antonio (*Rosa de Amores*, Timoneda, 63v)
Herido estoy de tan mortal herida (FR 3358, 158v)
Herido vengo de amores (*Sevillano*, 173v)
Hermana Juanilla (*Jhoan López*, 144v)
Hermana Juanilla (MN 3725-1, 118)
Hermana Marica (FN VII-353, 169v)
Hermana Marica (*Jacinto López*, 73v)
Hermana Marica (*Jhoan López*, 37v)
Hermana Marica (*Jhoan López*, 38)
Hermana y señora mía (MN 6001, 26v)
Hermano Lope bórreme el soné (MN 3700, 190)
Hermano Perico (MN 17.556, 165)
Hermano Perico (MN 3725-1, 106)
Hermano Perico (MP 973, 407v)
Hermano Perico (MP 996, 152)
Hermano Perico (RG 1600, 34v)
Hermano Perico / baste ya la fiesta (MN 17.556, 108)
Hermione a Pirro fue dada (*Obras*, Cepeda, 45v)
Hermosa bella y cristalina mano (SU 2755, 124)
Hermosa Catalina (*Medinaceli*, 12v, 202v)
Hermosa Celia ya ha querido el cielo (MN 2973, p. 206)
Hermosa Clara mía (*Morán*, 98)
Hermosa Dafne tú que convertida (BeUC 75/116, 150v)
Hermosa Dafne tú que convertida (*Heredia*, 340)
Hermosa Dafne tú que convertida (MBM 23/8/7, 228v)
Hermosa Dafne tú que convertida (MN 4256, 50)
Hermosa Dafne tú que convertida (MN 4262, 218)
Hermosa Dafne tú que convertida (MN 4268, 117v)
Hermosa Dafne tú que convertida (MP 2805, 77v)
Hermosa Dafne tú que convertida (OA 189, 171)
Hermosa Dafne tú que convertida (PhUP1, 173v)

Tabla 155

Hermosa Dafne tú que convertida (PN 258, 63)

Hermosa Dafne tú que convertida (PN 311, 13)

Hermosa Dafne tú que convertida (TP 506, 356)

Hermosa Dafnes tú que convertida (*Evora*, 63v)

Hermosa Dafnes tú que convertida (MN 2973, p. 370)

Hermosa Dafnes tú que convertida (RV 768, 264)

Hermosa dama que nueva figura (FN VII-354, 254v)

Hermosa dama si saber deseas (*Jacinto López*, 104v)

Hermosa Fili ven a ver con cuanto (*Canc.*, Maldonado, 104)

Hermosa ilustre y generosa dama (*Morán*, 92)

Hermosa Juana bien de mi ventura (MP 2803, 110)

Hermosa la del sombrero (MN 5593, 92)

Hermosa Lucida mía (*Tesoro*, Padilla, 88)

Hermosa madre dime yo qué he hecho (MP 570, 249v)

Hermosa madre selva entretejida (*Vergel*, Ubeda, 166v)

Hermosa Magdalena (*Medinaceli*, 200v)

Hermosa Mencía (MN 17.557, 73v)

Hermosa ninfa mía (*Cid*, 95v)

Hermosa ninfa mía donde el cielo (*Obras*, Silvestre, 396)

Hermosa niña que el cielo (PN 418, p. 147)

Hermosa pastora mía (*Tesoro*, Padilla, 106v)

Hermosa pastorcilla que huyendo (*Medinaceli*, 148v)

Hermosa pastorcilla que huyendo (TP 506, 385)

Hermosa playa que al viento (RG 1600, 73)

Hermosa Silvia en quien con larga mano (MP 2803, 222)

Hermosa Silvia si saber deseas (*Sevillano*, 256)

Hermosa sobre todas eres Clara (*Morán*, 105v)

Hermosa sois señora y sóislo tanto (MP 570, 254v)

Hermosa Venus y tú Marte airado (SU 2755, 71)

Hermosa y arrebozada (*Toledano*, 59)

Hermosa y discretísima marquesa (*Obras*, Silvestre, 381v)

Hermosa zagala (PN 418, p. 33)

Hermosa zagala / ninfa en quien nació (MN 3670, 5)

Hermosas depositarias (MP 996, 172)

Hermosas ninfas que en el fresco y frío (TP 506, 57)

Hermosas ninfas que quedáis metidas (MBM 23/8/7, 261v)

Hermosas ninfas que quedáis metidas (PN 373, 150v)

Hermosas plantas y olorosas flores (MP 570, 283v)

Hermosas son las estrellas (*Sevillano*, 154v)

Hermosas y enojadas (*Sablonara*, 54)

Hermosísima Antonina cuyos ojos (MN 3913, 81v)

Hermosísima doncella (*Peralta*, 182)

Hermosísima Fili en quien florece (PN 314, 30v)

Hermosísima María (*Recopilación*, Vázquez, 4v)

Hermosísima María (*Tesoro*, Padilla, 231)

Hermosísima Ninfa a quien el cielo (TP 506, 319v)

Hermosísima ninfa más que el sol hermosa (*Obras*, Silvestre, 395)

Hermosísima pastora (MN 4127, p. 241)

Hermosísima pastora (*Tesoro*, Padilla, 226)

Hermosísima planta (*Penagos*, 295)

Hermosísima Valencia (PN 418, p. 102)

Hermoso cuerpo que estás (*Penagos*, 46)

Hermoso y florido prado (MP 1587, 153)

Hermosos ojos cuya luz tan clara (MN 2973, p. 251)

Hermosos ojos donde Amor se anida (MN 4256, 261v)

Hermosos ojos donde Amor se anida (*Morán*, 89v)

Hermosos ojos donde Amor se anida (OA 189, 16)

Hermosos y enojados (MN 3700, 171)

Hermosura tan hermosa (CG 1511, 174v)

Hernandarias Hernandarias (*Obras*, Cepeda, 139v)

Hero con alaridos rompe el cielo (MP 973, 75v)

Hero de la alta torre do miraba (*Corte*, 157v)

Hero del alta torre do miraba (CG 1557, 400v)

Hero del alta torre do miraba (*Flor de enamorados*, 64v)

Héroes gloriosos pues el cielo (MBM 23/4/1, 10v)

Herrera celestial sin fragua ardiente (*Borges*, 92)

Hice ausencia confiado (*Morán*, 95)

Hice ausencia confiado (MP 1587, 103)

Hícele la cama (*Sevillano*, 48)

Hícete bien del alma mía (FN VII-353, 174)

Hicieron a amor piadoso (*Jhoan López*, 4)

Hicieron cuenta los dos (MBM 23/4/1, 371)

Hidalgo según se suena (TP 506, 398)

Hidalgos hay que a los reyes (FN VII-353, 261)

Hiera Castino con aguda lanza (*Ixar*, 264v)

Hierbas floridas verdes deleitosas (*Morán*, 197)

Hiere el puerco montés cerdoso y fiero (MN 2973, p. 255)

Hija con dos yernas (MP 973, 174)

Hija con quién te aconsejas (*Jhoan López*, 2)

Hija de Dios poderoso (CG 1514, 15)

Hija Marigüela (MN 3725-1, 114)

Hija mira si quisieres (*Toledano*, 27v)

Hija quiéreste casar (*Colombina*, 85v)

Hijo de mi vida (*Sevillano*, 92)

Hijo de puta nací (MiT 1001, 83v)

Hijo mío mucho amado (MP 617, 192)

Hijo mío muy amado (*Ixar*, 218)

Hijo mío muy amado (OA 189, 376v)

Hijo mío muy amado (PN 373, 161)

Hijo mío no te engañes seme esento (FN VII-354, 226v)

Hijo mío no te engañes seme esento (PN 258, 220)

Hijo no te me engañen seme esento (MP 1587, 43)

Hincado está de rodillas (MP 1587, 115)

Hincado está de rodillas (RaC 263, 19)

Hipo dueña mujer griega (*Rosa Gentil*, Timoneda, 22v)

Hipócritas deben ser (*Evora*, 42v)

Hipomenes un varón (*Flor de enamorados*, 113v)

Hipomenes un varón (*Rosa Gentil*, Timoneda, 21v)

Hirió amor divino a un hombre (*Vergel*, Ubeda, 165)

Hirió Señor mi oído (MP 973, 79v)

Hizo almenaras el seso (*CG* 1511, 140v)

Hizo calor una noche (MN 17.557, 94)

Hizo calor una noche (*RG* 1600, 253v)

Hizo Dios el cielo y suelo (*Lemos*, 164)

Hizo el divino pintor (MN 17.951, 145)

Hizo fiesta aquel cordero (*Sevillano*, 145)

Hizo una monja un largo testamento (*Cid*, 143v)

Hízome mi madre (*Jhoan López*, 52)

Hízoos de tan alto ser (*CG* 1554, 15)

Hízoos de tan alto ser (MN 1132, 144)

Hízoos Dios de tal manera (MP 1587, 81v)

Hízoos Dios en este suelo (*CG* 1514, 109v)

Hízoos Dios merecedora (*CG* 1511, 126)

Hízoos Dios merecedora (*Heredia*, 188v)

Hízoos Lucinda sin par (*Tesoro*, Padilla, 131)

Hízose pescador el dios Cupido (MBM 23/4/1, 368)

Hízose pescador el dios Cupido (*Morán*, 159), *ver* Vuelto se

Hízote caballerosa (*CG* 1511, 139v)

Hola carillo no es cosa (*FRG*, p. 242)

Hola carillo no es cosa (MP 2803, 204v)

Hola Gil Qué queréis Antón (*Jesuitas*, 141)

Hola Gil Qué quies Antón (MP 1587, 103v)

Hola Gil Qué quies Antón (*Tesoro*, Padilla, 391v)

Hola hao qué me darés (*Jhoan López*, 105)

Hola hola Mira Bras (*Jesuitas*, 144)

Hola hola (*Toledano*, 35)

Hola hola que se trastorna (*RG* 1600, 154v)

Hola Joan Qué queréis Dios (*Vergel*, Ubeda, 129)

Hola que me lleva la ola (*Sevillano*, 45v)

Holgaba el rey Rodrigo (FN VII-354, 358v)

Holgaba el rey Rodrigo (MN 3698, 164)

Holgámonos tanto de ello (MP 996, 136v)

Holgándose está con Jarifa (RaC 263, 50v)

Holgarme sólo quiero (MN 3913, 23)

Hombre bienaventurado (*Gallardo*, 29v)

Hombre cuando a Dios dejastes (*Vergel*, Ubeda, 65)

Hombre de muy buen consejo (*CG* 1511, 226v)

Hombre de poco saber (*Obras*, Silvestre, 336)

Hombre decid si ofendistes (*Vergel*, Ubeda, 65v)

Hombre es Dios tan de veras (*Cid*, 97)

Hombre es Dios tan liberal (*Canc.*, Ubeda, 51)

Hombre es Dios tan liberal (*Jesuitas*, 484v)

Hombre es Dios tan liberal (*Vergel*, Ubeda, 67)

Hombre levanta el pensamiento al cielo (*Jesuitas*, 480)

Hombre mortal si fueses convidado (MN 2973, p. 17)

Hombre porque sanéis vos (*Canc.*, Ubeda, 51)

Hombre porque sanéis vos (*Cid*, 97)

Hombre porque sanéis vos (*Jesuitas*, 484v)

Hombre porque sanéis vos (*Vergel*, Ubeda, 66v)

Hombre que está sin amores (RC 625, 7)

Hombre que presumes hoy (*Jesuitas*, 232)

Hombre qué quieres de mí (*Canc.*, Ubeda, 149)

Hombre qué quieres de mí (*Vergel*, Ubeda, 203v)

Hombre que te precias (*León/Serna*, 99)

Hombre que ves la muerte entronizada (MP 2456, 9)

Hombre si os destruyó Adán (*Vergel*, Ubeda, 69v, 70)

Hombre si quieres gozar (MN 17.951, 114)

Hombre soltero (*Sevillano*, 244v)

Hombre y Dios manjares dos (*Obras*, Silvestre, 352)

Hombres de este pan comed (*Fuenmayor*, p. 267)

Honestísimo galán (MP 617, 98v)

Honremos pues tan alto sacramento (*Vergel*, Ubeda, 59v)

Honró su cruz la suma omnipotencia (*Obras*, Silvestre, 420)

Hora es ya de despertar (MP 617, 170v)

Hora mala me perderéis mozas (FN VII-353, 51), *ver* En hora mala

Hora sus Amor (WHA 2067, 27)

Hora sus soneto ve en buena hora (FN VII-354, 264)

Horas alegres que pasáis volando (MN 3902, 23)

Horas alegres que pasáis volando (*Morán*, 88)

Horas breves de meu contentamento (FR 3358, 93v)

Horas breves de meu contentamento (*Vergel*, Ubeda, 182v)

Horas menguadas fueron aquellas (MP 617, 202v)

Horas tristes y amargas (TorN 1-14, 35)

Hortelano era Belardo (MN 17.556, 80v)

Hortelano era Belardo (MN 4127, p. 27)

Hortelano era Belardo (*Penagos*, 140)

Hortelano era Belardo (RaC 263, 151)

Hortelano era Belardo (*RG* 1600, 153v)

Hortelano me hicieron (*RG* 1600, 69v)

Hostias pudiera enviar (MP 617, 211v)

Hostias pudiera enviar (TP 506, 394)

Hoy a la flor de las flores (MN 17.951, 164)

Hoy al pecador llamáis (*Canc.*, Ubeda, 23v

Hoy al pecador llamáis (*Vergel*, Ubeda, 20)

Hoy al salir del palacio (MN 4268, 221v)

Hoy alcanza justamente (MP 2459, 42)

Hoy baja Dios hasta el infierno oscuro (*Vergel*, Ubeda, 46v)

Hoy con su divina llama (*Vergel*, Ubeda, 56)

Hoy con trabajo ha nacido (MN 17.951, 151v)

Hoy Cristo da por señal (*Jhoan López*, 46v)

Hoy cuerpo de Dios os dan (*Jesuitas*, 145)

Hoy dais al dolor tributo (*Lemos*, 276)

Hoy de gloria es coronado (*Jesuitas*, 462v)

Hoy de gloria es coronado (*Vergel*, Ubeda, 165)

Tabla 157

Hoy de los suelos llevó (MN 17.951, 6v)
Hoy deja todo el bien a un desdichado (BeUC 75/116, 71v)
Hoy deja todo el bien a un desdichado (FN VII-354, 35)
Hoy deja todo el bien a un desdichado (MN 4256, 157v)
Hoy deja todo el bien a un desdichado (MP 2805, 109v)
Hoy deja todo el bien a un desdichado (PhUP1, 74v)
Hoy deja todo el bien a un desdichado (PN 258, 196v)
Hoy deja todo el bien a un desdichado (RV 768, 249v)
Hoy deja todo el bien un desdichado (MBM 23/8/7, 241)
Hoy deja todo el bien un desdichado (MN 3968, 59)
Hoy deja todo el bien un desdichado (MN 4262, 141v)
Hoy deja todo el bien un desdichado (MN 4268, 117)
Hoy deja todo el bien un desdichado (MP 1578, 11v)
Hoy deja todo el bien un desdichado (MRAH 9-7069, 68v)
Hoy deja todo el bien un desdichado (OA 189, 57v)
Hoy deja todo el bien un desdichado (TP 506, 362)
Hoy dejas pastor santo (FN VII-354, 370)
Hoy del suelo nos llevó (*Fuenmayor*, p. 161)
Hoy Dios con el hombre canta (*Jesuitas*, 273)
Hoy Dios niño chiquito (MP 644, 198v)
Hoy Dios pone la mesa al pecador (*Penagos*, 226v)
Hoy echa el agua aquesta nave nueva (*Fuenmayor*, p. 82)
Hoy el esclarecido sol de Oriente (*Vergel*, Ubeda, 50v)
Hoy el Espíritu Santo (*Vergel*, Ubeda, 56)
Hoy el lado que el tormento (*Canc.*, Ubeda, 128v)
Hoy el lado que el tormento (*Vergel*, Ubeda, 138v)
Hoy el mundo es rescatado (*Vergel*, Ubeda, 42v)
Hoy el que tiene poder (*Sevillano*, 44)
Hoy el Rector de Rectores (*Fuenmayor*, p. 330)
Hoy el rutilante Febo (*Penagos*, 204)
Hoy el Verbo consagrado (*Vergel*, Ubeda, 2)
Hoy es día de alegría (*Jesuitas*, 128)
Hoy firma con sangre el nombre (*Jesuitas*, 445v)
Hoy gana Dios un amigo (*Jesuitas*, 181)
Hoy ha firmado Jesús (MN 17.951, 17)
Hoy ha nacido en el suelo (RV 1635, 71)
Hoy habemos de probar (*Jesuitas*, 289)
Hoy hace prueba de amor (RG 1600, 30v)
Hoy Jacinto habéis oído (*Lemos*, 266v)
Hoy la mañera Isabel (*Vergel*, Ubeda, 129)
Hoy la muerte cruel cuya guadaña (MP 2459, 97v)
Hoy la tierra nos ha dado (*Canc.*, Ubeda, 82v)
Hoy la tierra nos ha dado (*Vergel*, Ubeda, 91)
Hoy la tierra ya cansada (*Vergel*, Ubeda, 128v)
Hoy las caudalosas venas (*Penagos*, 211v)
Hoy las esferas se alegran (MN 17.951, 203)
Hoy muestra Dios el secreto (*Lemos*, 97v)
Hoy muestra Dios el secreto (*Sevillano*, 90)
Hoy nace Dios en el mundo (*Sevillano*, 156)

Hoy nace Dios porque la gente muerta (*Vergel*, Ubeda, 3)
Hoy nace tiritando y con pobreza (*Canc.*, Ubeda, 34)
Hoy nace tiritando y con pobreza (*Vergel*, Ubeda, 9)
Hoy nace una esmeralda refulgente (MN 17.951, 78v)
Hoy nací hecho hombre (*Jesuitas*, 477)
Hoy nos ensalza y sublima (*Fuenmayor*, p. 228)
Hoy os miráis a un espejo (*Rosal*, p. 16)
Hoy pierde todo el bien un desdichado (Obras, Silvestre, 359v)
Hoy ponen al amor fuego (*Sevillano*, 140v)
Hoy por su gran fe y valor (*Sevillano*, 140v)
Hoy pregona la fe vino (*Vergel*, Ubeda, 84v)
Hoy produce la tierra ya cansada (*Vergel*, Ubeda, 123)
Hoy publica amor su suerte (MN 17.951, 150)
Hoy rojos, ayer pálidos (*Rosal*, p. 34)
Hoy sale a caza el señor (*Fuenmayor*, p. 276)
Hoy sale el soberano sol de Oriente (*Vergel*, Ubeda, 7)
Hoy sangran a nuestro niño (*Jesuitas*, 463v)
Hoy se concibe de pecado ajena (*Vergel*, Ubeda, 88)
Hoy se edifica el templo do se inclina (*Lemos*, 233v)
Hoy se parte la caravela (*Toledano*, 89)
Hoy se parte la caravela (*Toledano*, 90)
Hoy se parte Sebastián (*Fuenmayor*, p. 540)
Hoy se parte Sebastián (MN 17.951, 26v)
Hoy se recoge amor a vida estrecha (OA 189, 125v)
Hoy sube al cielo la bella (MN 17.951, 164)
Hoy sube al cielo María (*Canc.*, Ubeda, 85v)
Hoy sube Filipo al cielo (*Rosal*, p. 89)
Hoy una tierna y generosa planta (*Jesuitas*, 227)
Hoy una tierna y generosa planta (MN 17.951, 79v)
Hoy una vieja encontré (MN 17.557, 53)
Hoy venturoso Fénix te renuevas (MP 2459, 27v, 40)
Hoy viene con brazo fuerte (*Vergel*, Ubeda, 42v)
Hubiera ablandado (*Romancero*, Padilla, 322v)
Hubo un cierto mercader (RG 1600, 344)
Hubo una junta de atunes (MN 17.557, 62v)
Huelga España madre nuestra (*Rosa Real*, Timoneda, 44)
Huelgo señora de os ver (*Heredia*, 179)
Huélguese toda criatura (*Vergel*, Ubeda, 53)
Huérfanas las de la corte (*Jacinto López*, 182)
Huérfanas las de la corte (RG 1600, 43v)
Huérfanas las de Madrid (*Jhoan López*, 54)
Huérfanas las de Madrid (*Peralta*, 37v)
Hueso que te cupo en parte (MP 617, 214)
Huésped sacro señor no peregrino (FR 3358, 189v)
Hueste saca el rey Orés (*Rosa Española*, Timoneda, 8v)
Huid contentos de mi triste pecho (FN VII-354, 381)
Huid contentos de mi triste pecho (MN 3698, 175)
Huid contentos de mi triste pecho (*Rosal*, p. 233)

Huid huid oh ciegos amadores (*Medinaceli*, 130v)
Huido está don Tristán (MN 3725-2, 46)
Huís de conversación (MN 3806, 14)
Humana trae la librea (*Sevillano*, 161)
Humanado serafín (MN 3913, 130)
Humedad y calor dan siempre vida (*Jesuitas*, 254v)
Humilde alférez y fiel soldado (*Vergel*, Ubeda, 116v)
Humillado / y en un pesebre nacido (*Sevillano*, 84)
Hurtó Interés las armas a Cupido (*Morán*, 54)
Hurtóle una toca a Elvira (RV 1635, 49v)
Huya de mí el contento y alegría (PN 373, 206)
Huye el dulce Jesús rey infinito (*Vergel*, Ubeda, 31)
Huye el poblado apártase al desierto (*Vergel*, Ubeda, 147v)
Huye el tiempo hasta el mal quedo (*Corte*, 51)
Huye zagal el vivir (*Morán*, 55v)
Huye zagal el vivir (RV 1635, 25v)
Huye zagal el vivir (WHA 2067, 119)
Huyen siempre la ocasión (*Sevillano*, 242)
Huyendo de las estrellas (PN 418, p. 221)

Huyendo el sol de un caloroso día (PN 372, 59v)
Huyendo las contingencias (*Faria*, 96)
Huyendo va Belisarda (MN 17.557, 38)
Huyendo va de amor la zagaleja (RaC 263, 186v)
Huyendo va el cruel Eneas (*Cid*, 169)
Huyendo va el cruel Eneas (MP 1587, 30)
Huyendo va el cruel Eneas (RaC 263, 90)
Huyendo va el rey Rodrigo (MP 973, 382)
Huyendo va el rey Rodrigo (MP 996, 55)
Huyendo va la poesía (MN 3724, 283)
Huyendo va la trabajosa vida (MN 2973, p. 359)
Huyendo vengo la escarchada nieve (MN 17.556, 127v)
Huyendo vengo la escarchada nieve (MN 2856, 118v)
Huyendo voy de ti por no ofenderte (*Penagos*, 13)
Huyes de mí como de monstruo o fiera (MN 3968, 152)
Huyes mi compañía (FR 2864, 28)
Huyo de mi pensamiento (PN 373, 154v)
Huyo de veros triste y enojada (MN 2973, p. 66)
Huyó pastores el mal (*Sevillano*, 83v)

Iba encendida en amoroso celo (*Morán*, 197v)
Iba encendida en amoroso celo (MP 1578, 98v)
Iba encendiendo en amoroso fuego (PN 371, 89v)
Iba Jesús por el real camino (*Vergel*, Ubeda, 54v)
Iba mirando la hierba (MiT 994, 27)
Iba nuestro capitán (*Lemos*, 112)
Ibame yo mi madre (*Recopilación*, Vázquez, 7v)
Ibamos aquel vergel (*Toledano*, 7v)
Ibase la niña (*Jhoan López*, 146v)
Ibase la niña (MP 996, 160)
Ibase la vieja honrada (RaC 263, 172)
Iberia nombre le dio (MP 617, 135)
Id mis coplas desdichadas (CG 1511, 174v)
Id mis coplas venturosas (CG 1514, 100v)
Id suspiros do soléis (*Rojas*, 111v)
Id últimos suspiros (MBM 23/4/1, 240)
Idolo del gusto (MN 3725-1, 56)
Idos falsos pensamientos (MP 1587, 182)
Idos mis versos a la piedra fría (*Morán*, 111)
Igualar otros a estos (CG 1511, 142)
Il primo che in capo di lista (FN VII-353, 322)
Ildefonso a Dios y a vos (*Jesuitas*, 194)
Ildefonso por ser vos (*Lemos*, 238)
Ilustre capitán victorioso (BeUC 75/116, 43)
Ilustre capitán victorioso (FN VII-354, 137)
Ilustre capitán victorioso (MBM 23/8/7, 62)
Ilustre capitán victorioso (MN 3670, 96, 140v)
Ilustre capitán victorioso (MN 3968, 29)
Ilustre capitán victorioso (MN 4256, 72v)
Ilustre capitán victorioso (MN 4262, 55)
Ilustre capitán victorioso (MN 4268, 57v)
Ilustre capitán victorioso (MP 1578, 74v)
Ilustre capitán victorioso (MP 2805, 126v)
Ilustre capitán victorioso (MRAH 9-7069, 24)
Ilustre capitán victorioso (OA 189, 219v)
Ilustre capitán victorioso (PhUP1, 43)
Ilustre capitán victorioso (RV 768, 61v)
Ilustre capitán y victorioso (MP 1578, 215)
Ilustre capitán y victorioso (PN 258, 51)
Ilustre ciudad famosa (RG 1600, 311v)

Ilustre coro cuya heróica fama (MP 570, 243)
Ilustre dama cuya alta ventura (EM Ç-III.22, 22)
Ilustre dama en quien el cielo afina (MN 3902, 125)
Ilustre descendiente (MN 3698, 4)
Ilustre descendiente (*Morán*, 231v)
Ilustre descendiente (MP 973, 34)
Ilustre descendiente (MP 996, 243v)
Ilustre gloria de la tierra y cielo (*Fuenmayor*, p. 82)
Ilustre honor del nombre de Cardona (*Penagos*, 177)
Ilustre selva fértil y abundante (*Medinaceli*, 196v)
Ilustre y hermosísima Graciana (*Jacinto López*, 11v)
Ilustre y hermosísima María (*Canc.*, Maldonado, 80)
Ilustre y valeroso caballero (*Obras*, Silvestre, 380)
Ilustrísimo señor (*Obras*, Silvestre, 4v)
Imagen celestial rostro divino (MN 2973, p. 196)
Imagen de hermosura (CG 1511, 119v)
Imagen de mi consuelo (*Jacinto López*, 63v)
Imagen del que hizo el cielo (MP 617, 293)
Imagen divina celestial resplandor (MP 617, 203)
Imagen divina celestial resplandor (*Gallardo*, 33)
Imagen do se muestra lo que el cielo (CG 1554, 172v)
Imagen do se muestra lo que el cielo (MN 1132, 198)
Imagen ilustre y pura (*Obras*, Silvestre, 26)
Imagen soberana (PN 372, 272)
Imagen sobre natura (MBM 23/4/1, 77)
Imagen sobre natura (MN 3806, 83v)
Imagen toda hermosa (MN 6001, 267v)
Imagina que si eres (FRG, 191)
Imagina que si eres (RaC 263, 73)
Imitando al Redentor (*Lemos*, 110)
Importunos amantes de convento (*Corte*, 217)
Importunos amantes de conventos (NH B-2558, 2v)
Importunos amantes de um convento (*Faria*, 47v)
Imposible es la partida (*Obras*, Cepeda, 65, 94v)
Imposible es mal tan grave (PN 371, 14)
In Dei nomine por cuanto (*Ixar*, 150, 268v)
Incesable es el consuelo (*Cid*, 199)
Inclita geração do almirante Gama (*Corte*, 194)
Inda que pera estimar (*Borges*, 57v)
Inda que vos nao coñeça (*Lemos*, 63v)

Indo o triste pastor todo embebido (*Borges*, 26v)
Inés de mí tan amada (*Sevillano*, 237)
Inés pues hizo Dios que la azucena (TP 506, 378)
Inés Vuestra soy mi Dios (*Vergel*, Ubeda, 173v)
Infante nos es nacido (*Colombina*, 36v)
Infante tierno si la suma alteza (MN 17.951, 77)
Infelices pensamientos (MN 3700, 167)
Infelicísimo estado (*Obras*, Cepeda, 113)
Infernal y celestial (CG 1511, 87v)
Infierno en vida a mi cuidado dado (NH B-2558, 43v)
Infinito fue el pecado (MN 17.951, 154)
Infinito fue el pecado (*Vergel*, Ubeda, 66)
Infinito resplandor (CG 1511, 14v)
Inflamado de gloria un caballero (*Jesuitas*, 254v)
Ingenio fértil rico peregrino (*Tesoro*, Padilla, 369v)
Ingenio levantado alto profundo (*Borges*, 90v)
Ingenio raro extraño y peregrino (*Obras*, Silvestre, 379v)
Ingrata dama y este bien me has dado (RG 1600, 194v)
Ingrata desleal desamadora (*Cid*, 145)
Ingrata desleal desamadora (MP 617, 290v)
Ingrata desleal desamorada (PN 373, 181)
Ingrata desleal desamorada (TP 506, 264)
Ingrata desleal falsa perjura (MP 2803, 119v)
Ingrata Fili ay cruel maligna (*Morán*, 196v)
Ingrata Fili en cuyo pecho había (*Morán*, 116v)
Ingrata Fili en cuyo pecho había (MP 973, 180v)
Ingrata Filis en cuyo pecho había (MN 3968, 99)
Ingrata Galatea cruel maligna (MP 570, 207v)
Ingrata hermana y enemiga mía (*Jhoan López*, 8)
Ingrata hermana y enemiga mía (*Rojas*, 153v)
Ingrata Liria pues para ablandarte (MN 3968, 151)
Ingrata Lisis tanto como hermosa (MN 17.556, 143)
Ingrata Merisa mía (MN 17.556, 100)
Ingrata Merisa mía (MN 17.557, 6)
Ingrata Merisa mía (MP 996, 148v)
Ingrata y cruel Silena (*Cid*, 42v)
Ingrata y cruel Sirena (*Penagos*, 51v)
Ingrata y cruel Sirena (RaC 263, 185)
Ingrata y desconocida (*Obras*, Cepeda, 140)
Ingrato amor que en mano de la fiera (*Jacinto López*, 37v)
Ingrato amor que ordena (NH B-2558, 59v)
Ingrato moro que tan mal merece (MN 2856, 47)
Ingrato moro que tan mal merece (MP 1587, 156)
Ingrato moro que tan mal mereces (*Jacinto López*, 174)
Ingrato sol que grave y enojoso (OA 189, 10)
Inhumano durísimo adversario (*Canc.*, Maldonado, 104v)
Injusta a mi parecer (MN 17.557, 3)
Injusta ley es la tuya (MP 1587, 123)

Injustísimo Amor bien te bastaba (MN 1132, 30)
Injustísimo Amor bien te bastaba (MN 2973, p. 128)
Inmenso Dios perdurable (CG 1511, 3)
Inmenso Dios qué motivo (*Jesuitas*, 460)
Inmenso Padre eternal (*Obras*, Silvestre, 338v)
Inmenso Padre eternal (*Vergel*, Ubeda, 209)
Inmenso poderoso rey benigno (MP 644, 195v)
Inocente cordero (MN 2856, 107v)
Inocente cordero (*Rosal*, p. 10)
Inspira nuevo canto (*Cid*, 48v)
Inspira nuevo canto (FN VII-354, 354v)
Inspira nuevo canto (MN 3698, 152v)
Inspira nuevo canto (MP 973, 212v)
Intenta la natura en ti quererse (MP 644, 192v)
Intenté que no debiera (PN 314, 222)
Interés rey absoluto (*Jacinto López*, 171v)
Interés y Amor un día (*Peralta*, 10)
Interese y el Amor (*Cid*, 177)
Intolerable rayo. Oh luz hermosa (*Medinaceli*, 132v)
Invictísimo Augusto (*Penagos*, 293v)
Invictísimo Cesar si pudieron (*Rosal*, p. 31)
Invictísimo príncipe famoso (MBM 23/4/1, 351v)
Invicto Carlos que de uno y otro mundo (MP 3560, 64)
Invicto César Hércules famoso (FR 3358, 245)
Invicto César que el supremo coro (MP 2456, 7v)
Invidia dice el Píndaro famoso (CG 1554, 200v)
Iñigo no Mariscal (MP 617, 139v)
Ir con una coyunda (MP 3560, 62)
Ir y quedar y con quedar partirme (FN VII-353, 2v)
Ir y quedar y con quedar partirse (NH B-2558, 42v)
Ira tengo de mí porque a despecho (MN 2973, p. 262)
Ira vergüenza dolor (*Vergel*, Ubeda, 142v)
Irán a ti mis lastimosas quejas (*Rosal*, p. 218)
Irás a dó no te vean (RG 1600, 327v)
Iré a cumplir la sentencia (MP 996, 80v)
Iré a cumplir la sentencia (*Penagos*, 124v)
Irme quiero madre (MoE Q 8-21, p. 108)
Irme quiero madre (PA 1506, p. 3), *ver* Quiérome ir
Iros a cazar no es iros (PN 418, p. 321)
Isabel no seas loca (MP 1587, 39v)
Isabel soy al tronco generoso (PN 372, 120v)
Isabel tus ojos bellos (*FRG*, 45)
Isabel y más María (PBM 56, 64v)
Isto acho em Belém (*Evora*, 1)
Isto não é vida (*Corte*, 132)
Isto vos posso allegar (*Borges*, 58v)
Iza boga leva salla (RG 1600, 169v)

Já a saudosa aurora destoucava (*Borges*, 10v, 18v)
Já dei fim a meus cuidados (*Elvas*, 81v)
Já inclinava o sol deixando a terra (*Evora*, 39)
Já me agora pesaría (PBN 56, 110v-111)
Já não podeis ser contentos (*Elvas*, 68v)
Já não posso ser contento (*Evora*, 8)
Já não posso ser contento (PBM 56, 104v-105)
Já non vull amar (*Flor de enamorados*, 20)
Já que viveis tão ausentes (*Elvas*, 76v)
Já se me vai chegando esta partida (EM Ç-III.22, 9v)
Já vos dei tudo o que tinha (*Faria*, 100)
Jacinta de los cielos (MN 3700, 40v, 173v)
Jacinta de los cielos (*Sablonara*, 306)
Jacinto gloria del valiente sarmata (*Fuenmayor*, p. 93)
Jacinto un pastor mancebo (RG 1600, 187)
Jacobo aunque menor grande soldado (*Vergel*, Ubeda, 130v)
Jamás cosa de mi parte (EM Ç-III.22, 125)
Jamás cosa de mi parte (*Romancero*, Padilla, 315)
Jamás de amor me vi tan favorido (*Morán*, 80)
Jamás de flor de esperanza (*Morán*, 106)
Jamás de vos ha de haber (MP 1587, 66)
Jamás de vos ha de ver (*Padilla*, 110)
Jamás de vos ha de ver (*Tesoro*, Padilla, 349)
Jamás hombre se vio de amor herido (MBM 23/4/1, 216v)
Jamás hombre se vio de amor herido (*Tesoro*, Padilla, 200v)
Jamás hubo buen amor (PN 373, 4v)
Jamás las gentes dirán (*Morán*, 252v)
Jamás me diste Amor ningún concierto (*Obras*, Cepeda, 68v)
Jamás merecí Amor ser maltratado (MP 2803, 5)
Jamás mi corazón fue temeroso (MN 2973, p. 176)
Jamás mis ojos no vieron (CG 1511, 42)
Jamás pienses que tendré (*Lemos*, 109)
Jamás pude yo sufrir (MP 973, 113v)
Jamás reciba pastora (FRG, p. 196)
Jamás saludes enteras (MN 3700, 86)
Jamás se ha hallado (*Sevillano*, 92)
Jamás supe qué era amor (MN 3700, 203)
Jamás veo veloz mi débil pluma (SU 2755, 66)
Jardín hermoso albergue de la muerte (*Vergel*, Ubeda, 191)
Jarifa se lamenta gravemente (*Cid*, 182v)

Jasón hijo de Acsón ha navegado (*Obras*, Cepeda, 16)
Je palissoi tout auprés de me dame (PN 371, 242)
Jerez aquella nombrada (*Obras*, Cepeda, 139v)
Jerínjgueme el potro sucio (RaC 263, 159), *ver* Ensílleme
Jerónima gentil divina y pura (MP 2803, 110)
Jerónimo lucero esclarecido (MN 17.951, 64v)
Jerusalén gloriosa (*Cid*, 57v)
Jerusalén gloriosa (MP 3560, 39v)
Jerusalén gloriosa (MP 996, 267)
Jerusalén glosiosa (MP 973, 6)
Jesús bendigo yo tu santo nombre (*Canc.*, Ubeda, 61v)
Jesús bendigo yo tu santo nombre (MN 2973, p. 45)
Jesús bendigo yo tu santo nombre (*Vergel*, Ubeda, 28v)
Jesús circunciadado Dios herido (*Jesuitas*, 355v)
Jesús es dulce en cuya oreja suena (*Canc.*, Ubeda, 94v)
Jesús Jesús Valladolid es muerta (FN VII-353, 240v)
Jesús mi redentor y mi alegría (*Vergel*, Ubeda, 26v)
Jesús no me lo mentés (*Toledano*, 28v)
Jesús no quererte (*Fuenmayor*, p. 22)
Jesús nombre que al muerto le da vida (*Vergel*, Ubeda, 26v)
Jesús por ti moriré (*Rosal*, p. 51)
Jesús que a la bondad sagrada (FN VII-353, 79v)
Jesús qué divinos ojos (MN 4127, p. 102)
Jesús que es la verdad camino y vida (*Vergel*, Ubeda, 55)
Jilguerillo mudo (*Jhoan López*, 145)
Jilguerito mío (*Jacinto López*, 197)
Joancho y Jona Gaycoa (*Vergel*, Ubeda, 15)
Jorge de mi vida no chupes tanto (MN 3913, 72)
Jorge que fui ladrón hasta una paja (BeUC 75/116, 80v)
Jorge que fui ladrón hasta una paja (FN VII-354, 42v)
Jorge que fui ladrón hasta una paja (MBM 23/8/7, 242v)
Jorge que fui ladrón hasta una paja (MN 4256, 116)
Jorge que fui ladrón hasta una paja (MN 4268, 211v)
Jorge que fui ladrón hasta una paja (MP 1578, 7v)
Jorge que fui ladrón hasta una paja (MP 2805, 116v)
Jorge que fui ladrón hasta una paja (MP 973, 70v)
Jorge que fui ladrón hasta una paja (PhUP1, 86v)
Jorge que fui ladrón hasta una paja (PN 258, 203)
Jorge que fui ladrón hasta una paja (RV 768, 251)
Jorge que sois ladrón hasta una paja (MN 3968, 56v), *ver* George

José la amistad gloriosa (*Jhoan López*, 104v)
José vais creciendo tanto (*Fuenmayor*, p. 599)
Juan Agraz huir os valga (*CG 1511*, 228v)
Juan amador por sobrenombre amado (*Jesuitas*, 203)
Juan amigo no os quejéis (*CG 1511*, 229v)
Juan de Mena como oyó (*Obras*, Silvestre, 10)
Juan de Mena me le dio (*CG 1511*, 226v)
Juan el discípulo amado (*Vergel*, Ubeda, 120)
Juan en naciendo vos nació el consuelo (MN 2973, p. 32)
Juan en un pesebre estrecho (*Vergel*, Ubeda, 121)
Juan estoy maravillado (*Heredia*, 303)
Juan estoy maravillado (PN 371, 43v)
Juan García venís loco (PN 372, 19v)
Juan García venís loco (RV 1635, 53)
Juan historiador divino (*Sevillano*, 137v)
Juan pastor a quien las damas (*Sevillano*, 233v)
Juan Poeta en vos venir (*CG 1511*, 222v)
Juan Poeta en vos venir (*Ixar*, 338)
Juan señor y grande amigo (MP 617, 85v)
Juan ten de mí confianza (*Sevillano*, 246)
Juana a mi fe a lo que siento (*Sevillano*, 58)
Juana aprende de la yedra (FN VII-353, 159)
Juana mía por te ver (FN VII-353, 157v)
Juana pues has comenzado (*León / Serna*, 94v)
Juana quiéresme abrazar (*Morán*, 102v)
Juana se decía por nombre (*Flor de enamorados*, 110v)
Juana van y más Francisca (PN 307, 258v)
Juana y Francisca con Paula (*RG 1600*, 299v)
Juana yo juro a fe que si os cogiese (*Medinaceli*, 133v)
Juancho y Juan Gaicoa (*Jesuitas*, 211v)
Juego con mi pensamiento (PN 314, 198v)
Jugaban al más certero (RV 1635, 19v, 47), *ver* Tiraban
Jugaban al palmo / María y Pedro (MN 3913, 49)
Jugando está a las tablas don Gaiferos (MP 1587, 37)
Jugando está a las tablas Don Gaiferos (*Peralta*, 32v)
Jugando está a las tablas don Gaiferos (PN 372, 211v)
Jugando está al ajedrez (*Rosa Española*, Timoneda, 59)
Jugando está las tablas don Gaiferos (*León/Serna*, 82v)
Jugué con Fortuna (*Toledano*, 90)
Juguemos al ajedrez (*Toledano*, 25v)
Juicio fuerte será dado (*Colombina*, 88, 104v)
Juliana di si quieres (*Sevillano*, 292v)
Juno que en Samo tuvo la corona (MN 3913, 45)
Juntado ha en vos sus gracias Dios del cielo (*Lemos*, 55v)
Juntaron su ganado en la ribera (SU 2755, 47)
Júntaronse al entierro de Lucía (*Jesuitas*, 351v)
Juntáronse al entierro de Lucía (MN 3968, 169v)
Juntáronse al entierro de Lucía (*Morán*, 66v)
Juntáronse en una venta (MN 17.556, 40v)

Juntáronse en una venta (MN 17.557, 45)
Junto a esta laguna (MN 3725-1, 69)
Junto a esta laguna (*RG 1600*, 205)
Junto a Genil y sus olas (*RG 1600*, 194)
Junto a Guadalquivir estaba un día (PN 373, 204)
Junto a la cruz de do el Señor pendía (*Vergel*, Ubeda, 47v)
Junto a la cruz de donde el señor pendía (*Canc.*, Ubeda, 75)
Junto a la enemiga Argel (*RG 1600*, 169v)
Junto a un tronco de un espino (*RG 1600*, 188v)
Junto a una clara fuente (*Morán*, 37)
Junto a una clara fuente (MP 1587, 193v)
Junto a una clara fuente (*RH*, 195)
Junto a una fuente en un florido prado (MN 3968, 157)
Junto a una fuente nacida (MN 4127, p. 116)
Junto a una selva al parecer del día (*Corte*, 133)
Junto al cuerpo desangrado (*Jesuitas*, 475v)
Junto al vado del Genil (*León/Serna*, 89v)
Junto al vado del Genil (*Rosa Española*, Timoneda, 67v)
Junto de una clara fuente (*Cid*, 180v)
Junto de una clara fuente (MBM 23/4/1, 205v)
Junto de una clara fuente (PN 373, 1)
Junto de una clara fuente (*Tesoro*, Padilla, 470v)
Juntó naturaleza dos borricos (*Morán*, 189v)
Junto todo Dios lo ha dado (*Sevillano*, 46)
Juntó un concilio Cupido (PN 372, 156v)
Juntó un concilio Cupido (RaC 263, 131)
Juntos jugaban al triunfo (MN 17.951, 20)
Juntos son los castellanos (MP 617, 337)
Juntóse de vecinos gran cuadrilla (FN VII-353, 274)
Júpiter como se viese (*Cid*, 205v)
Júpiter como se viese (*Rosa de Amores*, Timoneda, 13)
Jura ella y porfía (*Cid*, 38)
Jura por flecha y aljaba (*Jhoan López*, 42v)
Jurado tiene Simoco (MN 17.556, 153)
Jurado tiene Simoco (MP 973, 411v)
Jurado tiene Simoco (MP 996, 162)
Juramento llevan hecho (MN 17.556, 152)
Juramento llevan hecho (MP 996, 161v)
Juramento llevan hecho (*RG 1600*, 97v)
Juramentos por amores (*Flor de enamorados*, 3)
Juraré que os amé todos los días (MN 3700, 160)
Juraré que os amé todos mis días (*Faria*, 14)
Jurat ha de nunca amar (*Flor de enamorados*, 2)
Juro a Dios que es verdad que más quería (MN 3913, 43)
Juro a mí que me holgo (*RG 1600*, 316v)
Juró Amor el otro día (MN 17.557, 62)
Juró Amor este otro día (*Penagos*, 119)
Justa cosa es no quereros (*Morán*, 114v)
Justa cosa es que dé pena (MN 3902, 52)

Tabla 163

L'amor con ansias mortales (*FRG*, p. 182)
L'amore è fatto a guisa dell'inferno (*RaC* 263, 164v)
L'olvido de tal victoria (*Padilla*, 5)
L'ome qui viu namorat (*Flor de enamorados*, 2)
La acordada armonía y consonancia (*Rosal*, p. 279)
La adoración a un solo Dios debida (MiB AD.XI.57, 41)
La alegre nueva del alba (*Jhoan López*, 1)
La alegre nueva del alba (MP 2803, 167)
La alegre primavera (MBM 23/4/1, 114)
La alegre primavera (PN 314, 18)
La alma Venus sus flores esparciendo (*Romancero*, Padilla, 195v)
La amena soledad ni el sitio umbroso (*Lemos*, 10)
La amorosa lealtad (*Morán*, 25)
La ánima de Agripina ya en reposo (FN VII-354, 221)
La animosa Agripina ya en reposo (MN 4256, 157)
La animosa Agripina ya en reposo (PN 258, 63v)
La animosa Agripina ya en reposo (TP 506, 356)
La antigua Fénix que la Arabia cría (MP 2459, 107, 108)
La antigua grave y casta poesía (TP 506, 183)
La antigua Valladolid (FN VII-353, 68)
La artificiosa tela variada (*Canc.*, Maldonado, vi)
La Asia y la Europa encierra (MBM 23/4/1, 30v)
La Asia y la Europa encierra (MN 3968, 37v)
La Asia y la Europa encierra (MN 4256, 235v)
La Asia y la Europa encierra (PN 311, 93v)
La Asia y la Europa encierran (OA 189, 171v)
La aspereza que el rigor del cielo (EM Ç-III.22, 106v)
La Aurora clara y bella (FN VII-353, 143)
La Aurora con sus perlas (MN 3913, 14v)
La Aurora cuando viene más hermosa (MP 617, 187)
La Aurora por Oriente se mostraba (MP 617, 181v)
La barca de lo mio amore (*Toledano*, 91v)
La bella Celia que adora (*Corte*, 222)
La bella malmaridada (*CG* 1554, 15)
La bella malmaridada (*CG* 1557, 391v)
La bella malmaridada (*Cid*, 166, 170v)
La bella malmaridada (EM Ç-III.22, 113v)
La bella malmaridada (*Gallardo*, 44)
La bella malmaridada (*Lemos*, 20v, 109)
La bella malmaridada (MN 1132, 144)

La bella malmaridada (MN 3724, 163)
La bella malmaridada (MN 3806, 151v, 153v)
La bella malmaridada (MN 3902, 59v)
La bella malmaridada (MN 3968, 175, 175v)
La bella malmaridada (MN 6001, 267v)
La bella malmaridada (*Morán*, 62, 77, 134)
La bella malmaridada (MP 617, 165v)
La bella malmaridada (*Obras*, Cepeda, 139)
La bella malmaridada (*Obras*, Silvestre, 144v, 145v, 146v, 147v, 148v, 328)
La bella malmaridada (*Peralta*, 21v, 22)
La bella malmaridada (PN 372, 177, 178v, 277, 278v)
La bella malmaridada (PN 373, 71, 84, 92v, 135v, 192v)
La bella malmaridada (*Romancero*, Padilla, 244v, 246, 247)
La bella malmaridada (RV 1635, 4v)
La bella malmaridada (*Sevillano*, 220, 223)
La bella malmaridada (*Toledano*, 74)
La bella mora Jarifa (MP 973, 390)
La bella que Dios crió (PN 373, 135v)
La bella Zaida y Cegrí (*Jacinto López*, 187)
La bella Zaida Zegrí (MN 3723, 40)
La bella Zaida Zegrí (*RG* 1600, 3v), *ver* La hermosa Zara
La bellísima Ricarda (*Jacinto López*, 45)
La bellísima Ricarda (*Jesuitas*, 476)
La bellísima Ricarda (*Morán*, 257v)
La bellísima Ricarda (MP 973, 111v)
La blanca de natural (*Sevillano*, 59)
La blanca y tierna mano sacudiendo (MP 570, 254)
La bolsa mientras que trepan (*Lemos*, 215)
La bondad de que estás llena (*CG* 1511, 209v)
La buena fortuna mía (MN 3902, 141v)
La cabeza destroncada (FN VII-353, 132)
La cabeza destroncada (*Jacinto López*, 163v)
La calentura no me da licencia (*Rojas*, 51v)
La calle de los Gomeles (MN 3723, 106)
La calle de los Gomeles (*RG* 1600, 88v)
La cana y alta cumbre (FN VII-354, 370v)
La cana y alta cumbre (MN 3698, 146)
La casa con los candados (*CG* 1511, 140)
La casa de mi consuelo (*Canc.*, Maldonado, 52v)
La casa que en Nazarén (RV 1635, 70)

La casa sin fuego y sin llama (RaC 263, 82v)

La casada y la doncella (*Obras*, Silvestre, 124v)

La casada y la soltera (FN VII-353, 243v)

La causa de mi dolor (*CG* 1511, 150)

La causa de mi pasión (*CG* 1511, 182v)

La causa de mi penar (*Sevillano*, 279v)

La causa del amor no es la hermosura (MN 3913, 36v)

La causa que le mueve a estimar tanto (*Lemos*, 2v)

La cautiva desdichada (*Peralta*, 19v)

La cautiva desdichada (*Rojas*, 58)

La cautiva desdichada (*Tesoro*, Padilla, 29v)

La celestial y cortadora espada (MN 17.951, 74)

La clara Aurora ya desamparaba (*Cid*, 7)

La clara aurora ya el oscuro manto (*Morán*, 149)

La clara fuente de quien maná llueve (MP 973, 55)

La clara luz del sol resplandesciente (*RH*, 211)

La codicia y el amor (*Morán*, 22)

La color más celebrada (*Sevillano*, 241v)

La confusión de lenguas que el camino (*Canc.*, Ubeda, 131v)

La confusión de lenguas que el camino (*Vergel*, Ubeda, 134v)

La corona usurpar quiere sangriento (MiB AD.XI.57, 40v)

La corte está en el aldea (*Padilla*, 60v)

La cosa más estimada (*Fuenmayor*, p. 327)

La crueldad de Ecta que reinaba (*Obras*, Cepeda,19)

La cruz en los pechos (RaC 263, 82v)

La cruz los estandartes resplandecen (*Jesuitas*, 330)

La culpa de haber partido (*Morán*, 72v)

La culpa no alcanzo yo (*Obras*, Silvestre, 117)

La culpa vos la tenéis (*Jesuitas*, 441v)

La dama cual ha de ser (*CG* 1511, 171v)

La dama fea y odiosa (PN 372, 154)

La dama que a dos amare (*Cid*, 176)

La dama que a dos amare (*Morán*, 43v)

La dama que a dos amare (*Sevillano*, 198v)

La dama que dinero prende (RaC 263, 80v), *ver* Dama que
    dinero prende, La dama que pretende

La dama que en el hablar (*Jacinto López*, 184)

La dama que en el hablar (MP 973, 112)

La dama que en hermosura (*Peralta*, 8)

La dama que está en mi pecho (*Sevillano*, 216)

La dama que fuere fea (TP 506, 398)

La dama que no es briosa (FN VII-353, 49)

La dama que pretende dinero (RaC 263, 80v), *ver* Dama que
    dinero prende, La dama que dinero

La dama que quiere a tantos (MN 17.557, 65)

La dama que sirvo y quiero (*León/Serna*, 95)

La dama que tiene amor (*Morán*, 43v)

La dama que ve en su casa (*Peralta*, 74v)

La dama siendo perdida (*CG* 1535, 191)

La definición de amor (*Canc.*, Maldonado, 1)

La del escribano (MN 17.556, 5)

La del escribano (MN 3725-1, 108)

La del escribano (MP 973, 407)

La del escribano (MP 996, 122)

La del escribano (RaC 263, 183)

La del escribano (*RG* 1600, 287v)

La desastrada caída (*CG* 1511, 131)

La desesperada Dido (MP 996, 44v)

La desesperada Dido (*RG* 1600, 93)

La desgracia del forzado (*Penagos*, 87)

La desgracia del forzado (*RG* 1600, 121)

La dilación y el olvido (*Rosal*, p. 225)

La dios a quien sacrifica (RaC 263, 93)

La diosa a quien sacrifica (*Jacinto López*, 126v)

La diosa a quien sacrifica (MN 17.556, 19v)

La diosa a quien sacrifica (MP 996, 59)

La diosa de los Partos envidiosa (MN 2856, 66v)

La diosa que fue en Francia celebrada (TP 506, 273)

La diosa Venus azotar quería (*Peralta*, 38v)

La divina Galatea (MN 3700, 146v)

La divina grandeza (*Jacinto López*, 284)

La divina Providencia (*Cid*, 23v)

La dona que dona fe (*Flor de enamorados*, 72v)

La doncella y el garzón (*Sevillano*, 176), *ver* La zagala

La duda que está puesta es harto grave (*RH*, 237v)

La dulce libertad es bien tan alto (*Padilla*, 154)

La dulce lucha de la blanda cama (FN VII-353, 286v)

La dulcísima harpa que sonaba (*Faria*, 22)

La dulzura que gustamos (*Padilla*, 235v)

La empresa que me pusistes (*Jhoan López*, 144)

La envidia no tuvo tiempo (MP 2459, 87)

La ese traigo y el clavo (*Sevillano*, 255v)

La espada sois de Aquiles el valiente (MP 1587, 46v)

La esperanza es evidencia (*Lemos*, 251)

La esperanza es un rabioso (*Sevillano*, 232v)

La esperanza perdida (*CG* 1511, 202)

La esperanza que tengo me consuela (*Morán*, 80)

La esposa de Héctor lloraba (*Jacinto López*, 63)

La esposa del dios Cupido (*Padilla*, 254)

La estampa de hermosura es ya rota (*Morán*, 92)

La estrella de Citarea (*Gallardo*, 17v)

La estrella de Citarea (MP 617, 227)

La estrellas con la luna (*Morán*, 75)

La extremada perfección (*CG* 1535, 198v)

La falsa gloria del mundo (*CG* 1511, 16v)

La falta del amor es tanto daño (FR 2864, 18)

La falta del amor es tanto daño (MP 570, 220v)

La falta que padece (*Jacinto López*, 54v)

Tabla 167

La fama de la gran reina del mundo (PN 372, 253)

La fama que esparciendo por el viento (SU 2755, 113v)

La fama que procura engrandeceros (*Morán*, 160)

La fama que procura engrandeceros (MP 973, 73)

La fama que procura engrandeceros (RV 1635, 78)

La fama soy a quien se dio el cuidado (*Fuenmayor*, p. 91)

La fe de amor encendida (*CG* 1511, 145v)

La fe la religión y ánimo fuerte (MP 2459, 47)

La fe nos abre la puerta (*Sevillano*, 47)

La fe se me despidió (*CG* 1511, 193)

La fe sin despojos (MoE Q 8-21, p. 109)

La fe sin despojos (PA 1506, p. 3)

La fiesta regocijada (*Toledano*, 60)

La finísima joya que tenía (FR 3358, 106)

La flecha con que amor el alma hiere (*Tesoro*, Padilla, 169)

La flor de eterna laude (*Ixar*, 68v)

La flor del sol que nuevamente vino (*Vergel*, Ubeda, 159)

La flota greciana parte (*Rosa Gentil*, Timoneda, 38)

La Fortuna que no cesa (*Ixar*, 265v)

La fragua del amor embravecida (MN 17.951, 74v)

La fruta que se os dará (*CG* 1514, 185v)

La fuente de mis enojos (*Morán*, 48v)

La fuerte nave en el mar tempestuoso (*Borges*, 91)

La fuerte nave en mar tempestuoso (MP 617, 260v)

La fuerza de tu flecha enarbolada (*Morán*, 165v)

La fuerza de tu hermosura (PN 372, 192v)

La fuerza del amor como solía (*Lemos*, 94)

La fuerza del amor fue tan extraña (MN 2973, p. 10)

La fuerza del fuego que alumbra que ciega (*CG* 1511, 84, 213v)

La fuerza del pensamiento (*Tesoro*, Padilla, 339v)

La fuerza fácilmente desbarata (PN 373, 257)

La fuerza que puso Amor (*Lemos*, 18)

La fuerza terrible fiera (*CG* 1511, 154v)

La furia del más áspero elemento (FN VII-353, 215v)

La ganada y la perdida (*CG* 1514, 189)

La ganancia de verme bien perdido (*Tesoro*, Padilla, 306)

La gañosa piltraca disoluta (MP 973, 68v)

La gata de Antón pintado (*Penagos*, 123v)

La gente que el cadahalso (*RH*, 7v)

La gentil pastora (*Sevillano*, 128v)

La gloria canto de este niño infante (*Vergel*, Ubeda, 3)

La gloria cuento de este niño infante (*Canc.*, Ubeda, 2)

La gloria el alegría el triunfo quiero (*Obras*, Silvestre, 421)

La gloria está más segura (*CG* 1514, 189)

La gloria que a los mortales (MP 3560, 63)

La gloria que Leandro pretendía (*Cid*, 91)

La gloria que puso en vos (*Jacinto López*, 48v)

La gloria que puso en vos (MP 973, 109)

La gota solemos ver (MN 3902, 83)

La gota solemos ver (MP 617, 168v)

La gota solemos ver (OA 189, 346)

La gota solemos ver (PN 307, 271v)

La gota solemos ver (PN 372, 85)

La gracia perdí (*Sevillano*, 88v)

La gracia que Eva cuitada (*Sevillano*, 166)

La gracia y el amor que en ti revierte (MN 2973, p. 46)

La gran dea de los partos envidiosa (TP 506, 123v)

La gran profecía (*Sevillano*, 166v)

La gran silla que perdió (*Fuenmayor*, p. 496)

La gran silla que perdió (MP 973, 77v)

La grandeza de mi mal (*Obras*, Cepeda, 90)

La grandeza de mis males (*CG* 1511, 78)

La grave pena que siento (*Morán*, 77v)

La guarda muy diestra con sus valedores (*CG* 1511, 160)

La guirnalda de ciprés (*RG* 1600, 277v)

La hacha que con fuego abrasaría (*Obras*, Cepeda, 24)

La harpa sois de Orfeo y sois tocada (TP 506, 266)

La hazaña es señalada (*Corte*, 179)

La hermana de Titán corrido había (*Fuenmayor*, p. 294)

La hermosa Agripina ya en reposo (MN 4268, 118)

La hermosa Bradamante / celosa y desesperada (MBM 23/4/1, 357)

La hermosa Bradamante / celosa y desesperada (*Padilla*, 31)

La hermosa Bradamante / en Montalván atendía (*Padilla*, 38)

La hermosa Bradamante / celosa y desesperada (*Romancero*, Padilla, 168v)

La hermosa Bradamante / del mal de amores herida (RV 1635, 61)

La hermosa Bradamante / en Montalván atendía (*Romancero*, Padilla, 165v)

La hermosa Bradamante / muy descontenta vivía (*RH*, 133)

La hermosa compañera (*CG* 1511, 24v)

La hermosa por cara que sea (MP 1587, 157v)

La hermosa y agraciada (*Sevillano*, 188v)

La hermosa y bella Celinda (*Penagos*, 122)

La hermosa Zara Zegrí (MN 3723, 146)

La hermosa Zara Zegrí (*RG* 1600, 177), *ver* La bella Zara

La hermosura acabada (*CG* 1514, 100)

La hermosura que el bravo accidente (*CG* 1554, 188v)

La hermosura y discreción (RaC 263, 45v)

La hija de Antón Gil quedó por nuera (MP 973, 200)

La hora que Leandro pretendía (*CG* 1557, 401)

La hora que Leandro pretendía (*Corte*, 157v)

La huestes de don Rodrigo (*Obras*, Cepeda, 138)

La humana naturaleza (*Obras*, Cepeda, 39v)

La humanidad de Dios triste afligida (*Canc.*, Ubeda, 137v)

La humanidad de Dios triste afligida (*Vergel*, Ubeda, 34)

La humilde sor Quiteria ya profesa (MN 3913, 32v)

La imagen de belleza clara y pura (SU 2755, 93)

La imagen vuestra que dejó esculpida (SU 2755, 42v)

La infeliz muerte espantosa (MN 3700, 34)

La injusta y grave pasión (MP 973, 416)

La inmensa majestad que aquí se encierra (MP 617, 188)

La inmensa turbación (MP 617, 24v)

La inmortal fama y eternal trofeo (*Rojas*, 41v)

La inquisición fue trazada (FN VII-353, 181v)

La insigne reina Cleopatra (*Cid*, 120)

La jabonada ribera (MN 3913, 69v)

La Jerusalén triunfante (MN 3913, 173v)

La justicia que huyó (MP 3560, 62v)

La justicia se despierta (*Heredia*, 178)

La justicia verdadera (*Lemos*, 166v)

La lanza tiene en el pecho (*Obras*, Cepeda, 139)

La lealtad sin mudanza (CG 1511, 130)

La letra que del nombre en que me fundo (*Morán*, 19)

La letra que del nombre en que me fundo (PN 373, 254)

La ley de la afición (Padilla, 229)

La ley que se promulgó (*Vergel*, Ubeda, 106v)

La libertad de nuestra España canto (*Penagos*, 231)

La libertad de razón (*Obras*, Cepeda, 96)

La libre Zara que un tiempo (MN 3723, 134)

La libre Zara que un tiempo (*RG* 1600, 127v)

La llaga con que me muero (MP 1587, 111v)

La lumbre se recogía (CG 1511, 33v)

La luna menguante del todo crecida (*Flor de enamorados*, 45)

La luna tenía (*Toledano*, 89)

La luna y planetas su luz encubrieron (*Toledo*, 90)

La luz crecida muy clara (CG 1511, 135v)

La luz de la mañana resplandece (MP 617, 183)

La luz de tu claridad (*Sevillano*, 143v)

La luz es nacida (*Sevillano*, 147v)

La luz más que la vida deseada (*Padilla*, 224)

La m. madre te muestra (CG 1511, 8)

La madre de amor cruda (MN 3698, 7)

La madre de amor cruda (MP 996, 245)

La madre de Cupido rigurosa (*Morán*, 251v)

La madre del amor entristecida (MP 973, 75)

La madre lleva al niño recostado (*Vergel*, Ubeda, 31v)

La madre rigurosa (*Morán*, 242v)

La madre rigurosa (MP 973, 37)

La Magdalena santa hoy desafía (*Jesuitas*, 226v)

La mala cuando ha de errar (CG 1514, 210v)

La mano diestra y muy artificiosa (MN 3968, 159v)

La mano diestra y muy artificiosa (PN 372, 202)

La mano en la mejilla revolvía (MP 570, 233v)

La mano en la mejilla y recostado (MN 3806, 96)

La mano por almohada (*Jacinto López*, 205v)

La mano que os dejó de una sangría (TP 506, 272v)

La mañana de la luz (*Cid*, 182)

La mañana de san Juan (*Cid*, 126v)

La mañana de san Juan (MN 3723, 139)

La mañana de san Juan (MN 3913, 50)

La mañana de san Juan (MP 996, 120)

La mañana de san Juan (*Rosa Española*, Timoneda, 52v)

La mañana de san Juan / al punto que alboreaba / gran fiesta hacen pastores (*Canc.*, Ubeda, 5), ver Mañana de Navidad

La mañana de san Juan / salen a coger guirnaldas (*RG* 1600, 203)

La más áspera mancilla (*Toledano*, 86)

La más bella casadilla (MN 3700, 154v)

La más bella la más linda y más hermosa (PBM 56, 66)

La más bella niña (FN VII-353, 172)

La más bella niña (*Jacinto López*, 184v)

La más bella niña (MN 17.556, 37v)

La más bella niña (*RG* 1600, 35v), *ver* La más linda

La más durable conquista (CG 1511, 127)

La más hermosa ninfa que se baña (PN 314, 193)

La más hermosa que Dios (FR 3358, 90v)

La más hermosa que Dios (*Fuenmayor*, p. 291)

La más hermosa que Dios (*Jacinto López*, 237)

La más hermosa que Dios (*Morán*, 114v, 167v)

La más hermosa que Dios (*Toledano*, 100v)

La más hermosa señora (MN 3913, 123)

La más hermosa sois Virgen (*Vergel*, Ubeda, 102)

La más linda dama (*Jhoan López*, 49)

La más linda niña (MoE Q 8-21, p. 140), *ver* La más bella

La más nueva cosa (*Cid*, 227)

La más nueva cosa (MBM 23/4/1, 68v)

La más nueva cosa (MP 1587, 102)

La más santa de las santas (*Sevillano*, 80v)

La mayor admiración (*Jacinto López*, 55)

La mayor admiración (RV 1635, 44)

La mayor merced crecida (CG 1511, 126v)

La mayor parte del reino (*Jhoan López*, 120v)

La mayor parte del reino (*Romancero*, Padilla, 181v)

La mayor pena / es la que razón condena (CG 1514, 189)

La mayor pena que siento (CG 1511, 129)

La mayor pena que siento (*Flor de enamorados*, 89v)

La mayor soledad que se padece (*Heredia*, 296v)

La mayor soledad que se padece (*Lemos*, 95v)

La mayor soledad que se padece (MBM 23/4/1, 99)

La mayor soledad que se padece (MN 1132, 1)

La mayor soledad que se padece (MP 617, 273v)

La mayor soledad que se padece (*Obras*, Cepeda, 137)

Tabla 169

La mayor soledad que se padece (PN 314, 203v)

La medalla de rubíes (MN 4127, p. 24)

La media noche es pasada (Uppsala, n. 8)

La media noche sería (Sevillano, 159v)

La mejor mujer mujer (Cid, 36, 252)

La mejor mujer mujer (Jacinto López, 46v)

La mejor mujer mujer (MBM 23/4/1, 404)

La mejor mujer mujer *(Morán*, 130v)

La mejor mujer mujer (MP 973, 107v)

La mejor mujer mujer (RaC 263, 102)

La mejor mujer mujer (RV 1635, 8)

La mejor mujer mujer *(Toledano*, 99)

La mejor vida es aquella *(CG* 1511, 141)

La menor es más galana *(Recopilación*, Vázquez 22)

La mi ánima engrandece *(CG* 1535, 207)

La mi greña madre mía (MN 3913, 71)

La mi señora (Toledano, 20v)

La misericordia inmensa *(Sevillano*, 136)

La mora que me enamora (MN 3902, 63v)

La morena enamorada (MN 17.556, 115v)

La morena enamorada (MN 3724, 128)

La morena enamorada *(RG* 1600, 120)

La morena graciosa (TorN 1-14, 26)

La morena que yo adoro *(Sablonara*, 35)

La moza engañóme *(Toledano*, 24v)

La moza gallega *(Jhoan López*, 141v)

La moza gallega (MN 3725-1, 38)

La moza gallega *(RG* 1600, 35v)

La moza que las cabras cría *(Colombina*, 87)

La mucha furia que llevó el caballo (MN 1132, 66v)

La mucha tristeza mía *(CG* 1511, 119v)

La mucha tristeza mía (OA 189, 30v)

La mucha tristeza mía (PN 307, 259v)

La muerte a voces me llama *(Obras*, Silvestre, 33)

La muerte acabará (PBM 56, 81)

La muerte de una herida (RV 1635, 111)

La muerte dura que en su edad más tierna (FR 3358, 218)

La muerte es dulce a quien la vida amarga (Jhoan López, 32)

La muerte es dulce a quien la vida amarga *(Rojas*, 161v)

La muerte me dejó vivo (PN 371, 4v)

La muerte no la querría (CG 1514, 109v)

La muerte que es natural *(Obras*, Cepeda, 94v)

La muerte que tira con tiros de piedra *(CG* 1511, 198)

La muerte que yo causare *(Lemos*, 112v)

La muerte que yo muriere (PN 372, 297v)

La muerte veo que furiosa asoma *(Morán*, 90v)

La muerte veo que furiosa asoma *(Obras*, Silvestre, 376)

La muerte veo que furiosa asoma (SU 2755, 40)

La Muerte y el Amor acaso un día *(Rosal*, 24)

La mujer necia y hermosa *(Padilla*, 175v)

La mujer primera (Sevillano, 167v)

La mujer que a dos quiere bien (FN VII-353, 241)

La mujer que a dos quiere bien (RaC 263, 8v)

La mujer que es desmandada (MN 17.557, 65)

La mujer que tal sueño sueña *(RG* 1600, 66v)

La Musa de Pandaro y de Fineo (TP 506, 184)

La muy prudente natura *(Ixar*, 368)

La muy sobrada razón (MN 3691, 55)

La muy sobrada razón (MN 3968, 92v)

La muy sobrada razón (OA 189, 31v)

La niña de amor herida (RV 1635, 126v)

La niña imagen de amor (MN 3724, 177)

La niña imagen de amor *(RG* 1600, 308v)

La niña me da contento (MoE Q 8-21, p. 76)

La niña morena (MN 17.556, 13v)

La niña morena (MN 3725-1, 21)

La niña morena *(Penagos*, 87v)

La niña morena *(RG* 1600, 35)

La niña que a amor había (OA 189, 359v)

La niña que allá en la fuente (RaC 263, 179v)

La niña que allá en la fuente / perdió sus zarcillos de oro (MP 996, 146v)

La niña que allí en la fuente / perdió sus zarcillos de oro (MN 17.556, 92v)

La niña que allí en la fuente / perdió sus zarcillos de oro (MP 996, 146v)

La niña que amor había (PN 307, 263v)

La niña santa es la luz (Sevillano, 145v, 183)

La niña se duerme (MN 3725-1, 15)

La no numerable grey *(Lemos*, 72)

La noble Gimena Gómez *(Jhoan López*, 25)

La noble Gimena Gómez (MN 17.556, 36v)

La noble Gimena Gómez (MP 996, 130)

La noble Gimena Gómez *(RG* 1600, 255v)

La noche comenzaba *(León/Serna*, 107)

La noche comenzaba (PN 372, 39)

La noche de Navidad *(Canc.*, Ubeda, 4v)

La noche de Navidad (Cid, 237)

La noche de Navidad *(Vergel*, Ubeda, 24)

La noche es madre de los pensamientos *(Penagos*, 8)

La noche estaba esperando *(RG* 1600, 28v)

La noche que de María *(Romancero*, Padilla, 132)

La noche que siguió aquel caso horrible *(CG* 1554, 199)

La noche que siguió aquel caso horrible (MN 1132, 32v)

La noche viene descosiendo el velo *(Penagos*, 9)

La nube que está enfrente el sol dorado (MN 17.951, 90v)

La nuova vita dolce a l'alma cara (SU 2755, 74)

La ocasión del mal (TorN 1-14, 24)

La ofensa es grande séalo el tormento (*Toledano*, 95)

La palma victoriosa se ha quejado (*Morán*, 128)

La pasión que mi alma siente (PN 373, 129v)

La pasión que se consiente (*CG 1511*, 208v)

La paz de las estrellas bien unida (MN 3902, 109v)

La pena cuando es mortal (MP 617, 318v)

La pena que es dura y brava (*Toledano*, 87v)

La pena yo la consiento (MN 3902, 95)

La perla de la concha está cubierta (*Morán*, 19v)

La persona que es llagada (*CG 1554*, 89)

La perversa ingratitud (*CG 1511*, 159v)

La piedra que mucho rueda (*Jacinto López*, 318)

La planta veloz del Tajo (MN 3700, 87)

La plaza un jardín fresco los tablados (*Lemos*, 208)

La pluma con que escribistes (*Vergel*, Ubeda, 122)

La pluma toma Jarifa (MiT 994, 18v)

La pompa el fausto el grande y alto estado (*Canc.*, Ubeda, 97)

La pompa el fausto el grande y alto estado (*Vergel*, Ubeda, 145v)

La preñadilla de Antón (MN 3700, 100)

La primer piedra de allí (*Jhoan López*, 104)

La primer vez que la viste (570, 127)

La primera de este nombre (*CG 1511*, 143)

La primera hora pasada (*CG 1511*, 92)

La prisión que es consentida (*CG 1511*, 138)

La que a dos haciendo cara (FN VII-353, 241)

La que a nadie no perdona (*Lemos*, 262)

La que bien quiero (*Toledano*, 60)

La que causa mis pasiones (*Padilla*, 139v)

La que considerada tu osadía (MN 3902, 57)

La que considerada tu osadía (TP 506, 359)

La que de gracia es dotada (*Sevillano*, 189v)

La que desdeñaba (MP 1587, 102)

La que el mundo ha despreciado (*Padilla*, 114v)

La que en hermosura (*Peralta*, 6)

La que es amiga de trucha (FN VII-353, 201)

La que es blanca natural (*Toledano*, 88)

La que es más sorda a las quejas (*Morán*, 209v)

La que es muy hermosa en todo (MP 1587, 158)

La que es necia y lerda (MP 1587, 157v)

La que fue dichosa (MP 996, 111v)

La que ha parido este día (*Sevillano*, 189v)

La que hace buen hilado (*Sevillano*, 145)

La que hace desvelar (RaC 263, 8v)

La que hizo Amor tan tuya (*Tesoro*, Padilla, 382)

La que jamás hizo cuenta (*FRG*, p. 164)

La que jamás hizo cuenta (MP 1587, 67v)

La que jamás hizo cuenta (PN 314, 176v)

La que me entretiene (*Padilla*, 21v)

La que me entretiene (*Penagos*, 84v)

La que me hace morir (WHA 2067, 34v bis)

La que mi muerte pretende (*Tesoro*, Padilla, 450v)

La que nunca a nadie amó (*Cid*, 189)

La que nunca a nadie amó (*FRG*, p. 164)

La que nunca a nadie amó (MBM 23/4/1, 346)

La que nunca a nadie amó (MP 1587, 67v)

La que nunca a nadie amó (*Padilla*, 118v)

La que nunca a nadie amó (PN 314, 176v)

La que nunca a nadie amó (*Tesoro*, Padilla, 196)

La que pensara quererme (*FRG*, p. 235), *ver* La que pretende, La que quisiere

La que pensara quererme (*Padilla*, 50v)

La que pone el pensamiento (*Morán*, 126v)

La que por correr la posta (*Morán*, 229v)

La que pretende quererme (*Peralta*, 4), *ver* La que pensara, La que quisiere

La que puso su cuidado (MP 1587, 188v)

La que puso su cuidado (*Rojas*, 65v)

La que quiero no me quiere (*Tesoro*, Padilla, 347v)

La que quiero y no me quiere (*Padilla*, 73v, 118v)

La que quisiere quererme (FN VII-353, 213v), *ver* La que pensara, La que pretende

La que robó mi fe (MN 3700, 80)

La que su fuego amoroso (RG 1600, 66v)

La que tengo no es prisión (*CG 1511*, 211)

La que tengo no es prisión (*Corte*, 51v)

La que tengo no es prisión (*Morán*, 42v, 193)

La que tengo no es prisión (MP 617, 149v)

La que tiene el marido pastor (MP 1587, 188v)

La que tiene el marido pastor (*Rojas*, 65v)

La que tiene un servidor (*Evora*, 25v)

La que tiene un servidor (*Heredia*, 191v)

La que tuvo suerte (MP 1587, 131v)

La que vive en mi alma y la que viva (*Penagos*, 14)

La razón ha concertado (*CG 1511*, 150)

La razón me dice ve (*Sevillano*, 134)

La red de amor es de ocasiones hecha (*Cid*, 90)

La red de cárcel primera (*CG 1511*, 140)

La red que tiende Amor de amor es hecha (FN VII-353, 32)

La red que tiende Amor de amor es hecha (*Morán*, 80v)

La red que tiende Amor de amor es hecha (PN 314, 168v)

La regla muy general (RaC 263, 52)

La reina celestial (*Vergel*, Ubeda, 110)

La reina del cielo (*Sevillano*, 135)

La respuesta que os escribo (MP 617, 215v)

La romana es de tal arte (MN 5602, 34v)

La ronda de este lugar (*RG 1600*, 249)

La ronda deste lugar (MN 3724, 289)

Tabla 171

La rosa de Cupido (MN 3724, 27)
La rota de los franceses (FN VII-353, 129v)
La rota de los franceses (MP 1587, 160)
La rubia cumbre del cabello de oro (FN VII-353, 3)
La rubia pastorcica de ojos bellos (*Medinaceli*, 92v)
La sacra deidad inmensa (*Vergel*, Ubeda, 66)
La sacra voz y el císneo canto canto (*Vergel*, Ubeda, 72)
La salud y la fe debe estimarse (*Lemos*, 283v)
La santa madre iglesia determina (*Padilla*, 172)
La santa niña es la luz (*Fuenmayor*, p. 406)
La señora cuyo soy (*CG* 1511, 141v)
La señora Urganda (*Toledano*, 95v)
La sierra es alta (*Tesoro*, Padilla, 402)
La soberana largueza (*Jesuitas*, 447)
La soberbia y humildad (*Morán*, 114v)
La soledad siguiendo (OA 189, 83v)
La soledad siguiendo (PN 307, 34v)
La sombra tiniebla espanto (*Corte*, 125v)
La sorda inexorable y cruda muerte (PN 372, 223)
La Suerte la Fortuna el Tiempo el Hado (*Jhoan López*, 133v)
La suma bondad inmensa (*Jesuitas*, 462)
La suma bondad inmensa (MN 17.951, 139v)
La suma del sumo amor (*Vergel*, Ubeda, 64v)
La temeraria muerte que causaron (*Romancero*, Padilla, 193v)
La tempestad de tus males (MP 2803, 159v)
La terra sopra vasi ancor no era (*CG* 1514, 17)
La terrible pena mía (MP 617, 154)
La terrible pena mía (PBM 56, 51v-52)
La tierra a tu pisar se vuelve amena (MP 3560, 20v)
La tierra el monte el valle (*RG* 1600, 352)
La tierra está cansada de sufrirme (MP 973, 73v)
La tierra estéril y dura (*Vergel*, Ubeda, 91v)
La tierra mar y cielo está espantada (MP 644, 194v)
La tierra sacerdotal (*Jesuitas*, 247v)
La tierra se ha vuelto cielo (*Fuenmayor*, p. 273)
La tierra Virgen ha dado (*Jesuitas*, 247v)
La trabajosa vida (*Morán*, 158)
La trabajosa vida (PN 307, 23)
La tragedia lastimosa (FN VII-353, 103)
La triste imaginación (MN 3700, 15v)
La triste licencia pido (*Gallardo*, 26)
La triste licencia pido (MN 3902, 72v)
La triste licencia pido (MP 617, 36v)
La triste Mirra siendo inviolada (*CG* 1557, 388v)
La triste Muerte y el Amor salieron (MN 3968, 168)
La triste Muerte y el Amor salieron (RV 1635, 119v)
La triste soledad me da sosiego (PN 314, 169)
La triste vida de males (PN 371, 57)
La tristeza ni el contento (MN 3968, 180v)

La tristeza que en vos veo (*Flor de enamorados*, 106v)
La trulla la canalla el barbarismo (FN VII-353, 24)
La trulla la canalla el barbarismo (*Jesuitas*, 362)
La vanidad en el suelo (FN VII-354, 403v)
La vara de Jesé que fue plantada (*Jesuitas*, 291)
La vara de Jesé que fue plantada (MN 17.951, 78)
La vela tocan de Abido (*Cid*, 227v)
La vela tocan de Abido (*Rojas*, 17v)
La veloz nave que las aguas doma (*Padilla*, 198)
La vena se me ha secado (*Jesuitas*, 257v)
La venda el arco y venenosa aljaba (*Cid*, 7)
La venenosa víbora ocultada (MiB AD.XI.57, 31)
La ventura es el juez (*CG* 1511, 145)
La ventura es el juez (*Evora*, 43v)
La ventura y la razón (*CG* 1511, 129v)
La verdad bien puede ser (MP 2459, 93)
La verde primavera (*RG* 1600, 225)
La vergüenza y la honra (RaC 263, 82v)
La víbora cruel según se escribe (MN 2973, p. 392)
La victoria dignísima que veo (*Obras*, Silvestre, 380v)
La vida aunque da pasión (*CG* 1511, 123)
La vida aunque da pasión (*Obras*, Silvestre, 94)
La vida contemplativa (*CG* 1511, 159)
La vida corta y la esperanza larga (*Jhoan López*, 103v)
La vida de la vida nos dio vida (*Vergel*, Ubeda, 41v)
La vida del amor es trabajosa (*Corte*, 224v)
La vida desesperada (*CG* 1511, 125)
La vida es una barca quebrantada (*Jacinto López*, 297)
La Vida ha sido muerte de la Muerte (MP 617, 185v)
La vida humana es peligrosa guerra (*León/Serna*, 3)
La vida huye y no puede enfrenarse (MP 973, 239)
La vida me causa enfado (*Morán*, 48v)
La vida no la apetezco (*Penagos*, 46v)
La vida nos cuesta veros (*CG* 1511, 148v)
La vida que jamás deja (*CG* 1511, 130)
La vida que vive oscura (*CG* 1514, 189)
La vida que yo paso es propia muerte (PN 314, 22v)
La vida que yo paso es propia muerte (WHA 2067, 13v)
La vida se nos pasa el tiempo vuela (FR 3358, 115, 171v)
La vida se nos pasa el tiempo vuela (*Jesuitas*, 359v)
La vida se nos pasa el tiempo vuela (MN 17.951, 67)
La vida se nos pasa el tiempo vuela (MN 2856, 117)
La vida se nos pasa el tiempo vuela (MN 2973, p. 8)
La vida se nos pasa el tiempo vuela (*Obras*, Silvestre, 414)
La vida señor pasa el tiempo vuela (FN VII-353, 10)
La vida tan mal me trata (*Padilla*, 53v)
La vida vide cómo es corta corta (FR 3358, 115v)
La vida y la muerte juntas (*Elvas*, 87v)
La vieja ley atán gemida ida (MP 2459, 53)

La vieja que amor tuviere (*Jhoan López*, 23)
La vieja que de sesenta (*Jhoan López*, 23v)
La villana de las borlas (MP 973, 383v)
La villana de las borlas (RaC 263, 88)
La villana de las borlas (*RG* 1600, 37v)
La Virgen a solas piensa (*Uppsala*, n. 34)
La Virgen lo halaga (*Sevillano*, 186)
La Virgen que entiende y sabe (*Sevillano*, 84v)
La virtud bien podrá ser (*Lemos*, 253)
La virtud bien podrá ser (MP 2459, 63, 69)
La virtud bien puede ser (*Lemos*, 243, 250)
La virtud bien puede ser (MP 2459, 29, 45, 54, 55, 57, 9, 60, 61, 62, 63, 65, 66, 67, 68, 69, 72, 73v, 74, 92, 93)
La visera toda alzada (*Jhoan López*, 28)
La vista el gran concierto la belleza (*Jesuitas*, 336)
La vista para perderme (*Rojas*, 83v)
La voluntad me condena (*CG* 1511, 188)
La vuestra dulce membranza (MP 617, 153)
La vuestra pregunta con suma prudencia (*CG* 1511, 159)
La zaga[la] y el garzón (*Tesoro*, Padilla, 359), *ver* La doncella
La zagala del vecino (*Tesoro*, Padilla, 359)
La zarabanda está presa (RaC 263, 94)
La zarza de Moisés no se quemaba (MP 617, 182)
La zarza que ardía (*Sevillano*, 93v)
La zarzuela madre (*Lemos*, 93)
La zorilla con el gallo (PBM 56, 42v-43)
Labrador me hice (MN 3700, 12v)
Labradora tan lozana (*Tesoro*, Padilla, 344)
Lactancia vida mía (MN 3806, 51v)
Ladrona no me atormente (MP 973, 292)
Lágrimas de aljófar / llora mi Pedro (MN 3913, 47v)
Lágrimas de mi consuelo (*Lemos*, 110v)
Lágrimas de mi consuelo (*Medinaceli*, 3v)
Lágrimas de mi consuelo (*Recopilación*, Vázquez, 10v)
Lágrimas de mi consuelo (*Sevillano*, 182)
Lágrimas de saudade (PBM 56, 23v-24)
Lágrimas del corazón (*Jhoan López*, 5)
Lágrimas dulces que con dolor vierto (MN 17.951, 80v)
Lágrimas que mis ojos vais bañando (MN 2973, p. 397)
Lágrimas que mis ojos vais bañando (PN 373, 128)
Lágrimas que mis ojos vais bañando (*RH*, 191v)
Lágrimas que mis ojos vais bañando (RV 1635, 40)
Lágrimas que no pudieron (MN 3913, 76)
Lágrimas que no pudieron (*RG* 1600, 197)
Lágrimas que salís regando el seno (OA 189, 10)
Lágrimas tristes de mi corazón (*Evora*, 32)
Lágrimas tristes de salir cansadas (*Cid*, 10v)
Lágrimas vierte el corazón que en ellas (*Padilla*, 225)
Lagrimosa Agripina y en reposo (OA 189, 171)

Laida mujer muy lascida (*Lemos*, 260)
Lais que ya fui hermosa (BeUC 75/116, 147)
Lais que ya fui hermosa (FN VII-354, 80v)
Lais que ya fui hermosa (MBM 23/4/1, 55v)
Lais que ya fui hermosa (MBM 23/8/7, 170v, 213)
Lais que ya fui hermosa (MN 4268, 172)
Lais que ya fui hermosa (MP 2805, 74v)
Lais que ya fui hermosa (PhUP1, 167v)
Lais que ya fui hermosa (PN 311, 94)
Lais que ya fui hermosa (RV 768, 170v, 211)
Lais que ya fuiste hermosa (OA 189, 351v)
Lamentad ánima mía (EM Ç-III.22, 72v)
Lamentad ánima mía (MN 3902, 64v)
Lanza ferro (*RG* 1600, 207)
Lanzadas tenéis amigo (*Toledano*, 72v)
Larache aquel africano (*Lemos*, 217)
Larga cuenta que dar de tiempo largo (*Corte*, 200v)
Larga cuenta que dar de tiempo largo (MN 17.557, 90)
Larga cuenta que dar de tiempo largo (NH B-2558, 37)
Largo camino áspero y fragoso (MN 3670, 12)
Largos años gocé de amor esento (*Morán*, 256v)
Largos sutiles lazos esparcidos (MN 2973, p. 150)
Las aguas de Marath que no podían (MP 617, 185v)
Las aguas del diluvio iban creciendo (*Vergel*, Ubeda, 205v)
Las aguas terribles y nieblas oscuras (*CG* 1511, 198)
Las aguas tienen su curso (*RG* 1600, 212)
Las almenas (*Lemos*, 102v)
Las ansias enamoradas (*CG* 1511, 174)
Las ansias y penas mías (*Tesoro*, Padilla, 258)
Las armas ricas y dobles (*Jacinto López*, 63v)
Las armas y el valor ilustre canto (*Jesuitas*, 409)
Las aves andan volando (*CG* 1511, 104)
Las bodas en que Himeneo (MN 3913, 140v)
Las bravas fieras sosiegan (MN 4127, p. 91)
Las cáscaras aquí traigo (PN 372, 370)
Las coplas han allegado (*CG* 1554, 61v)
Las cosas de admiración (*CG* 1535, 195v)
Las cosas de menos pruebas (*CG* 1514, 158v)
Las cosas del amor van de tal suerte (*Penagos*, 22)
Las cosas menos tratadas (*CG* 1554, 15v)
Las cosas menos tratadas (MN 1132, 145v)
Las cosas que nos pueden dar la vida (*Cid*, 68)
Las cosas que nos pueden dar la vida (FR 3358, 217)
Las cosas que nos pueden dar la vida (MP 973, 389v)
Las cosas que nos pueden dar la vida (*Rosal*, p. 231)
Las cristalinas aguas murmurando (*Tesoro*, Padilla, 148)
Las cuerdas de mi instrumento (RC 625, 59)
Las damas que a monte fuisteis (*CG* 1514, 185v)
Las damas que condenáis (*CG* 1511, 81v)

Tabla 173

Las flechas con que Amor el alma hiere (MP 1587, 27v)
Las flechas con que Amor el alma hiere (*Tesoro*, Padilla, 169)
Las flores que han nacido (*Uppsala*, n. 6)
Las frías nieves y vientos (*RG* 1600, 32)
Las fuerzas mira de Troya (MP 1587, 104v)
Las gracias del consejo que procuras (*Cid*, 16)
Las grandes pasiones mías (*Flor de enamorados*, 27)
Las heridas del Amor (*Lemos*, 93)
Las heridas que a Medoro (*RG* 1600, 354)
Las horas que son pasadas (*CG* 1514, 50v)
Las horas y puntos se muestran sin alma (*CG* 1511, 158)
Las lágrimas hermosas de Marfira (TP 506, 256)
Las lágrimas que lloráis (*Morán*, 252)
Las leyes todas de Amor (*Tesoro*, Padilla, 446v)
Las lindas razones que dais a menudo (*CG* 1511, 155v)
Las llagas cruz pasión y dolor fuerte (*Canc.*, Ubeda, 126)
Las llagas cruz pasión y dolor fuerte (*Vergel*, Ubeda, 156)
Las llagas y la pasión (PN 307, 239v)
Las luminarias del cielo (*Jacinto López*, 186)
Las manos a quien la muerte a tantos dieron (MP 3560, 44v)
Las manos que la muerte a tantos dieron (*Jesuitas*, 349)
Las manos que la muerte a tantos dieron (MN 17.951, 65v)
Las manos y pies besemos (*Heredia*, 122)
Las más hermosas serranas (FN VII-353, 121v)
Las mis siete condiciones (*Sevillano*, 245)
Las mujeres amorosas (MBM 23/4/1, 70v)
Las mujeres muy hermosas (*Tesoro*, Padilla, 149v)
Las negras horas de los tristes días (MRAH 9-7069, 143)
Las no piadosas martas ya te pones (FR 3358, 181v)
Las no piadosas martas ya te pones (MN 3913, 27v)
Las no piadosas martas ya te pones (*Penagos*, 5v)
Las noches paso gimiendo (*Cid*, 201v)
Las nueve hermanas con amargo llanto (*Tesoro*, Padilla, iv)
Las nueve que habitáis en el Parnaso (*Jacinto López*, 302)
Las nueve que habitáis en el Parnaso (MP 973, 357)
Las nueve que moráis allá en Parnaso (*Jhoan López*, 106)
Las ondas de furia y saña (*Jesuitas*, 193v)
Las palabras de mi sermón (*Jacinto López*, 233)
Las palabras son dolores (*CG* 1511, 126v)
Las parcas chillaban (*Toledano*, 89v)
Las pasiones ayuntadas (*Flor de enamorados*, 58)
Las penas y desconciertos (PN 307, 275)
Las peñas un pastor enternecía (MP 973, 187)
Las pequeñas niñas / de tus ojos grandes (MN 3913, 48v)
Las peregrinas armas y el despojo (*Obras*, Cepeda, 114)
Las pidoreras al sesgo (FN VII-353, 34v)
Las piedras no os harán mal (*Jesuitas*, 208v)
Las plumas del amor nos desengañan (*Rojas*, 120v)
Las puertas del galardón (MP 617, 151)

Las que más de amor suspiran (*FRG*, p. 221)
Las que más de amor suspiran (*Padilla*, 6, 57v)
Las que más de amor suspiran (*Tesoro*, Padilla, 447v)
Las que otro tiempo pasaba (MP 617, 170)
Las que Venus linda (FN VII-353, 25)
Las quejas de la Fortuna (*Obras*, Cepeda, 83v)
Las ramas de una encina (*Jhoan López*, 138v)
Las redes sobre la arena (*RG* 1600, 32v)
Las reliquias de la noche (MN 3700, 42v)
Las riberas de Genil (*RG* 1600, 346)
Las riberas del Genil (MN 3723, 125)
Las sábanas sacudí (MN 17.557, 95v)
Las saetas Amor arco y aljaba (*Obras*, Cepeda, 71v)
Las selvas conmoviera (FN VII-354, 374)
Las selvas conmoviera (MN 3698, 189v)
Las soberbias torres mira (MN 3723, 145)
Las soberbias torres mira (*RG* 1600, 241, 245)
Las soberbias torres mira / y de lejos las almenas (*RG* 1600, 73)
Las sospechas nunca mienten (PN 373, 155)
Las tardes casi todas acaece (MN 2973, p. 15)
Las telas eran hechas y tejidas (*Rosal*, p. 39)
Las tierras corrí (PN 307, 281v)
Las tierras costantinoplas (*CG* 1511, 103v)
Las tres Gracias que tienen el poder (*Morán*, 164v)
Las tristes lágrimas mías (*Canc.*, Ubeda, 96)
Las tristes lágrimas mías (*CG* 1554, 14)
Las tristes lágrimas mías (*CG* 1557, 390)
Las tristes lágrimas mías (*Cid*, 63v, 75)
Las tristes lágrimas mías (*Elvas*, 23, 63v)
Las tristes lágrimas mías (*FRG*, p. 136)
Las tristes lágrimas mías (*Fuenmayor*, p. 291)
Las tristes lágrimas mías (*Jacinto López*, 262)
Las tristes lágrimas mías (*Jesuitas*, 234, 441v)
Las tristes lágrimas mías (MN 1132, 143)
Las tristes lágrimas mías (MN 3902, 83)
Las tristes lágrimas mías (*Morán*, 56)
Las tristes lágrimas mías (MP 570, 110v)
Las tristes lágrimas mías (MP 617, 168v)
Las tristes lágrimas mías (MP 644, 160)
Las tristes lágrimas mías (OA 189, 346)
Las tristes lágrimas mías (*Obras*, Cepeda, 87v)
Las tristes lágrimas mías (*Obras*, Silvestre, 327)
Las tristes lágrimas mías (*Padilla*, 96v)
Las tristes lágrimas mías (PN 307, 271)
Las tristes lágrimas mías (PN 372, 85)
Las tristes lagrimas mias (PN 373, 169, 249)
Las tristes lágrimas mías (RV 1635, 110)
Las tristes lágrimas mías (*Sevillano*, 208)

Las tristes lágrimas mías (*Tesoro*, Padilla, 289)

Las tristezas no os espanten (*Padilla*, 231v)

Las trompas roncas los atambores destemplados (MN 3723, 225)

Las veces que he pretendido (*Romancero*, Padilla, 320)

Las veces que yo estoy considerando (*Jesuitas*, 326)

Las vivas son las ofertas (*CG* 1511, 141v)

Las vueltas de los cielos (MN 3724, 44v)

Lástima es de las mirar (MP 1587, 100)

Lástima es de ver a Blas (*Obras*, Cepeda, 97v)

Lástima es de ver a Blas (*Obras*, Silvestre, 126)

Lástima es de ver a Blas (*Sevillano*, 67, 278v)

Lastimóme el cielo en vos (*Penagos*, 47)

Laurencio en cuyo amor Dios dio la muestra (*Fuenmayor*, p. 558)

Laurencio si os martiriza (*Fuenmayor*, p. 566)

Lavando está en lágrimas Belerma (*Jacinto López*, 23)

Lávanse las casadas (*Uppsala*, n. 24)

Lávanse las galanas (*Recopilación*, Vázquez 30v)

Le povre amant qui est (Colombina, 106v)

Leandro con el gran desasosiego (MP 973, 237v)

Leandro de las ondas fatigado (*Lemos*, 12)

Leandro em o mar passando (*Corte*, 157v)

Leandro en amoroso fuego ardía (*Sevillano*, 73v)

Leandro hacia Ero navegaba (MP 973, 75v)

Leandro no te muestres atrevido (MP 973, 75v)

Leandro que de amor en fuego ardía (*CG* 1557, 356v)

Leandro que de amor en fuego ardía (MN 2973, p. 88)

Leandro que de amor en fuego ardía (TP 506, 118v)

Leandro que Ero hermosa dama adama (FR 3358, 109v)

Ledo rosto me verão (PBM 56, 41)

Lee Delio estos renglones (*RG* 1600, 316)

Lembranças saudosas se cuidais (*Borges*, 63)

Lembre-vos o que padeço (EM Ç-III.22, 96)

Lenguaje de un amador (MN 2856, 92)

Lenguas extrañas y diversa gente (BeUC 75/116, 76)

Lenguas extrañas y diversa gente (*Evora*, 56v)

Lenguas extrañas y diversa gente (FN VII-354, 38v)

Lenguas extrañas y diversa gente (*Gallardo*, 55)

Lenguas extrañas y diversa gente (*Heredia*, 334v)

Lenguas extrañas y diversa gente (MN 3902, 29v)

Lenguas extrañas y diversa gente (MN 3968, 62v)

Lenguas extrañas y diversa gente (MN 4256, 111v)

Lenguas extrañas y diversa gente (MN 4262, 147v)

Lenguas extrañas y diversa gente (MN 4268, 110)

Lenguas extrañas y diversa gente (MP 1578, 8)

Lenguas extrañas y diversa gente (MP 2805, 112v)

Lenguas extrañas y diversa gente (MRAH 9-7069, 63)

Lenguas extrañas y diversa gente (PhUP1, 80v)

Lenguas extrañas y diversa gente (PN 258, 204)

Lenguas extrañas y diversa gente (PN 311, 6v)

Lenguas extrañas y diversa gente (RV 768, 257v)

Lenguas extrañas y diversa gente (TP 506, 32v)

Lenguas extrañas y diversas gentes (MBM 23/4/1, 54v)

Lenguas extrañas y diversas gentes (MBM 23/8/7, 249v)

Leonor / ha herido a Gil de amor (*Cid*, 190)

Leonor a su amor buscando (MN 3913, 73)

Leonor enferma estabas y llorosa (*Medinaceli*, 144v)

Leonor por acá viniendo (*Faria*, 98)

Lesbia yo te aborrezco arrepentido (MiB AD.XI.57, 42v)

Letras del nombre de una (*CG* 1511, 142v)

Leva leva (MN 3724, 149)

Levão mas el mar (PBM 56, 26)

Levanta alma mía del pecado (MP 644, 191v)

Levanta Apolo el flaco entendimiento (PN 371, 127)

Levanta el entendimiento (*Canc.*, Ubeda, 30v)

Levanta el ruiseñor su triste canto (*Penagos*, 19v)

Levanta España tu gloriosa diestra (*Rosal*, p. 254)

Levanta hombre mortal Está despierto (MN 2973, p. 31)

Levanta levanta Blas (*Canc.*, Ubeda, 30v)

Levanta musa el flaco entendimiento (*CG* 1554, 137)

Levanta musa el flaco entendimiento (MN 1132, 201v)

Levanta oh musa el soñoliento estilo (MN 2973, p.)

Levanta oh musa el soñoliento estilo (TP 506, 101)

Levanta pastor levanta (*Peralta*, 39)

Levanta tu sentido oh confiado (TP 506, 326v)

Levanta ya levanta (MN 17.951, 58)

Levantado vuelo distes (*Vergel*, Ubeda, 151v)

Levantádome había mi fortuna (*Corte*, 211v)

Levantando blanca espuma (*RG* 1600, 171)

Levantaos marido mío (RV 1635, 52), *ver* Despertad marido

Levántate y despierta hombre abatido (MN 2973, p. 52)

Levántate y despierta hombre dormido (*Obras*, Silvestre, 418)

Levante Apolo el flaco entendimiento (PN 314, 92v)

Levantéme madre (MP 1587, 105v)

Levantéme madre (PBM 56, 23)

Levantéme oh madre (Colombina, 72v)

Levantéme y hice colada (*Penagos*, 123)

Levántese el ingenio mal usado (MN 3968, 154v)

Levántese el pensamiento (PBM 56, 117v-118)

Levántese mi canto y con sonido (*Jesuitas*, 249)

Levántese mi voz y suele en canto (*Obras*, Cepeda, 100v)

Levanto al cielo el pensamiento herido (MN 3700, 122v)

Levantó su fantasia (*Corte*, 120)

Levantóse de punto mi pensamiento (MN 3700, 80v)

Levantóse el alma mía (*Sevillano*, 143v)

Levantóse un vento (*Sevillano*, 40)

Leve viento que volando (*Penagos*, 181)

Tabla 175

Leyes hace Amor burlando (*Cid*, 228)
Leyes hace Amor burlando (*Morán*, 35v)
Leyó Amor el título y notado (*León/Serna*, 72)
Leyó el Amor el título y notado (FN VII-354, 330)
Lhove a menudo (PBM 56, 34v-35)
Libertad andá con Dios (MiT 1001, 73v)
Libertad andá con Dios (PN 372, 140)
Libertad andá con Dios (PN 373, 114)
Libertad andad con Dios (*Jesuitas*, 319, 446, 457)
Libertad andad con Dios (*Morán*, 39v, 93v)
Libertad es el tesoro (*Obras*, Cepeda, 96)
Libertad no solicito (*Padilla*, 95)
Libertad pensé tenía (*Jesuitas*, 457)
Libre de las saetas rigurosas (MN 2856, 72v)
Libre de mi cuidado (MN 2973, p. 348)
Libre del fuego de amor (MN 3724, 210)
Libre del fuego de amor (RG 1600, 195)
Libre del mar en la desierta arena (MN 2856, 55v)
Libre libertad sostuve (RG 1600, 168v)
Libre suelto seguro y sin cuidados (MN 3968, 154v)
Libre va la triste vida (*CG* 1511, 192v)
Líbreme Dios del amor (MN 3700, 90)
Libres alcé mis ojos (*Sevillano*, 203v), *ver* Si libres
Libres miré vuestros serenos ojos (SU 2755, 111)
Libres rayos del sol sueltos o en velo (PN 314, 120)
Libro pues que vas ante quien puede (PN 311, 1)
Libro pues vas ante quien puede (*Evora*, 52v)
Libro pues vas tan bienaventurado (*Lemos*, 95)
Libro si tan bien librara (*Peralta*, 76)
Libro yo sé muy bien cuán preguntado (MP 570, 208v)
Licencia pide Cupido (MN 17.557, 91)
Licencia pide Cupido (MN 3724, 18)
Licencia pide Cupido (RG 1600, 96)
Licenciado doctor oh Caçalegas (*Penagos*, 15v)
Lícidas un pescador (RG 1600, 30)
Lieti fior verdi fronde che solete (MP 617, 244v)
Ligado en el duro yugo (RG 1600, 82v)
Ligero tiempo a mí solo espacioso (PN 314, 38v)
Ligurino cruel con la belleza (*Morán*, 236)
Límpiame la jacerina (MN 3723, 33)
Límpiame la jacerina (RG 1600, 204)
Lindas son rosas y flores (*Sevillano*, 154v)
Lindo e sotil trançado que ficaste (EM Ç-III.22, 20)
Lindo e subtil trançado que ficaste (*Borges*, 27)
Lindo es el doncel (*Sevillano*, 130v)
Lindos ojos habéis señora (*Recopilación*, Vázquez 21v)
Linisa si yo tengo gusto en cosa (FN VII-353, 280v)
Liñán el pecho noble sólo estima (MN 17.556, 130)
Liñán el pecho noble sólo estima (*Penagos*, 10v)

Lisardo en sus sotos mira (MN 17.556, 55)
Lisardo en sus sotos mira (MP 996, 135v)
Lisardo que fue en Granada (MP 996, 50)
Lisardo querido amigo (RG 1600, 131v)
Lisardo sale del soto (MP 1587, 160)
Lisaro que fue en Granada (*Jhoan López*, 139)
Lisaro que fue en Granada (MN 17.556, 120v)
Lisaro que fue en Granada (MN 3723, 248)
Lisaro que fue en Granada (RG 1600, 276v)
Lisis en trance tan fuerte (*Padilla*, 217r
Lisis ingrata ya veo (*Padilla*, 219v)
Lisonjas son señora lisonjera (TP 506, 277v)
Lisonjeras / las mujeres suelen ser (*Rojas*, 112)
Lo bien hecho no se acaba (*CG* 1511, 143)
Lo de ayer ya se pasó (RG 1600, 335v)
Lo del cielo es lo seguro (*CG* 1511, 17v)
Lo dulce es amargo (*Obras*, Cepeda, 95v)
Lo fácilmente ganado (*Romancero*, Padilla, 316v)
Lo más cierto que en mí veo (*Lemos*, 98)
Lo menos por quien murió (*CG* 1511, 141)
Lo menos priva a lo más (*Obras*, Silvestre, 88v, 129)
Lo menos que hay en vos es ser hermosa (*Tesoro*, Padilla, 157)
Lo moreno bien mirado (*Uppsala*, n. 41)
Lo mucho que os quiero (*Padilla*, 138v)
Lo ofes afranqueir la cara (*CG* 1511, 198)
Lo que de amor yo barato (MP 1578, 132)
Lo que Dios saber no puede (FR 3358, 90)
Lo que en amor de doncella (*Flor de enamorados*, 13)
Lo que en el alma se sella (MP 2803, 149v)
Lo que fecunda el campo el conveniente (MN 3698, 77)
Lo que hace causa veros (*CG* 1511, 142v)
Lo que hay del nectar sacro al vil mondongo (FN VII-353, 76)
Lo que la pastora ha hecho (*FRG*, p. 211)
Lo que la pastora ha hecho (*Rojas*, 25)
Lo que la ventura quiere (*CG* 1511, 134v)
Lo que más señora siento (*Padilla*, 232v)
Lo que más suele robar (*Vergel*, Ubeda, 12v)
Lo que me quise me quise me tengo (MN 3725-1, 44)
Lo que me quise me quise me tengo (PA 1506 p. 11)
Lo que me quise me quise me tengo (RG 1600, 331v)
Lo que memoria posee (*CG* 1511, 141v)
Lo que merece nombre de esperanza (*Faria*, 32)
Lo que os hace hacer hazaña (*CG* 1514, 210v)
Lo que padece el cuerpo cuando el alma (FR 3358, 106v)
Lo que padece el cuerpo cuando el alma (*Jacinto López*, 227)
Lo que por ti he padecido (PN 373, 101)
Lo que puede aborrecida (MN 3723, 203)
Lo que puede aborrecida (MN 4127, p. 34)

Lo que puede aborrecida (*RG* 1600, 287)

Lo que puede en la más segura vida (MN 3968, 149v)

Lo que queda es lo dudoso (*Padilla*, 241)

Lo que queda es lo seguro (*CG* 1511, 17v, 148v)

Lo que queda es lo seguro (*Elvas*, 47v)

Lo que queda es lo seguro (PBM 56, 19v-20)

Lo que quise quiero y tengo (OA 189, 53)

Lo que quise quiero y tengo (PN 373, 104)

Lo que se debe entender (*Faria*, 97)

Lo que se deja entender (*Jesuitas*, 240)

Lo que se deja entender (*Rosal*, p. 221)

Lo que se niega al deseo (*CG* 1514, 129v)

Lo que se puede decir (*CG* 1535, 191)

Lo que se puede entender (*Morán*, 91)

Lo que sobra es lo que falta (*Obras*, Cepeda, 63)

Lo que temí llegó siendo llegado (*Penagos*, 14v)

Lo que temo es ser tan alta (*Morán*, 77v)

Lo que tiene algún defecto (*Jacinto López*, 55)

Lo que un zagal valiente (MP 996, 267v)

Lo que ventura adolece (*CG* 1511, 150v)

Lo que ventura concierta (*CG* 1511, 134v)

Lo que yo en tal caso siento (*CG* 1511, 152v)

Lo uno es cierto dudoso (WHA 2067, 50)

Lo ve a menudo (PBM 56, 35)

Lo verde me dio esperanza (*CG* 1511, 124v)

Lo verde que da el abril (MN 17.556, 38v)

Lo verde que da el abril (MP 996, 130v)

Lo ya pasado me duele (*CG* 1511, 129v)

Loado sejas Amor (MP 617, 221)

Loan los favores (*Sevillano*, 185v)

Loándoos con escriptura (MP 617, 95)

Loar con lengua mortal (*Morán*, 132v)

Loar mi lengua mortal (*Canc.*, Ubeda, 112v)

Loaron la virtud y el ser entero (FN VII-354, 127v)

Loaron la virtud y el ser entero (MBM 23/4/1, 116)

Loaron la virtud y el ser entero (MBM 23/8/7, 76)

Loaron la virtud y el ser entero (MN 3670, 99, 161)

Loaron la virtud y el ser entero (MN 4127, p. 158)

Loaron la virtud y el ser entero (MN 4256, 55)

Loaron la virtud y el ser entero (MN 4262, 63)

Loaron la virtud y el ser entero (MN 4268, 213)

Loaron la virtud y el ser entero (MP 1578, 153v, 228)

Loaron la virtud y el ser entero (MP 2805, 131v)

Loaron la virtud y el ser entero (MP 570, 236)

Loaron la virtud y el ser entero (PhUP1, 48v)

Loaron la virtud y el ser entero (PN 258, 89v)

Loaron la virtud y el ser entero (RV 768, 72v)

Loca presunción sería (*Padilla*, 114v)

Loco de mí que pensaba (*Corte*, 52)

Loco pensamiento mío (*Peralta*, 180v)

Locura es en esta vida (*Jesuitas*, 320v)

Locura fue del deseo (*Jacinto López*, 152v)

Locura llamo atreverme (*Jacinto López*, 153)

Lope de Rueda dó vais (PN 373, 74)

Los aires que son corruptos (*CG* 1511, 155v)

Los aires serenando descendía (*Cid*, 30v, 249)

Los altos hombres del reino (MP 617, 341)

Los ángeles los hombres tierra y cielo (*Penagos*, 289v)

Los ángeles que enviáis (MN 17.951, 165)

Los ángeles te alaban rey eterno (*Canc.*, Ubeda, 161v)Los ángeles te alaben Dios eterno (*Cid*, 98v)

Los años y meses semanas y días (*CG* 1511, 214v)

Los árboles amenos y las flores (*Morán*, 199)

Los átomos del sol coge en redoma (MN 3913, 117v)

Los brazos traigo cansados (PBM 56, 66v)

Los brazos traigo cansados (*Recopilación*, Vázquez 27v)

Los brazos traigo cansados (*Toledano*, 53v)

Los caballos con su bermejo pelo (TP 506, 309v)

Los cabellos de mi amiga (*CG* 1514, 130)

Los cabellos de oro son (*Jhoan López*, 5)

Los cabellos qué cabellos (RV 1635, 44)

Los cabellos que por ellos (*Jesuitas*, 213v)

Los cabellos son (*Rojas*, 96v)

Los campos del Manzanares (MN 3700, 57v)

Los casos cuando acaecen (*CG* 1511, 132)

Los casos dificultosos (*Corte*, 203v)

Los celos desengañados (MN 3700, 111)

Los celos es un tormento (*Morán*, 94v)

Los ciegos codician ver (MN 1317, 441v)

Los ciegos querrían ver (*Ixar*, 335)

Los cielos dan pregones de su gloria (MP 996, 265v)

Los cielos dan pregones de tu gloria (MN 3698, 206v)

Los cielos dan pregones de tu gloria (MP 973, 22)

Los cielos interrumpía (*Jacinto López*, 173v)

Los cielos interrumpía (*Jhoan López*, 15)

Los cielos interrumpía (MP 1587, 109v)

Los cielos interrumpía (MP 2803, 167v)

Los cielos interrumpían (*Rojas*, 155)

Los cielos se despojan de su gente (MP 617, 182)

Los cielos y la tierra (*León/Serna*, 99)

Los cielos y la tierra en este día (MP 617, 181v)

Los claros rayos de la blanca luna (RV 1635, 121)

Los cofrades del vino guantes se tornan (MN 3913, 72)

Los comendadores (MP 570, 159)

Los comienzos una vez (*CG* 1511, 145)

Los comienzos una vez (*Evora*, 43v)

Los corazones conformes (*Obras*, Cepeda, 94v)

Los del bando de Cupido (*Toledano*, 10v)

Tabla 177

Los desmayos de mi gloria (*Padilla*, 244)

Los desposados acá (*Fuenmayor*, p. 240)

Los dineros del sacristán (*Lemos*, 172v)

Los dioses a su mesa y compañía (*Jesuitas*, 382v)

Los dioses consultó qué pariría (*Morán*, 9v)

Los discordes elementos (*Rojas*, 164)

Los doce electos por correr primeros (*Vergel*, Ubeda, 130v)

Los dos ojos de Isabel (*Morán*, 63)

Los dos y una a uno invocan siendo (MiB AD.XI.57, 42)

Los extremos de mi vida (PN 314, 171)

Los fieros cuerpos revueltos (*RG* 1600, 250)

Los fuegos que en mí encendieron (*CG* 1511, 100)

Los galanes de la corte (*Jacinto López*, 181v)

Los galanes de la corte (*RG* 1600, 200)

Los gitanos truanes perfumeros (*Rojas*, 127)

Los grados y el galardón (*CG* 1514, 108v)

Los grados y galardón (MP 617, 154)

Los grandes merecimientos (*CG* 1514, 158v)

Los hombres con gran placer (*Colombina*, 78v)

Los hombres que amar quisieren (MP 973, 112v)

Los huesos de mi cuerpo desdichado (MN 2856, 54)

Los huesos de sus santos de lo alto (MN 17.951, 118v)

Los ilustres triunfadores (*Jesuitas*, 444v)

Los ilustres triunfadores (MN 17.951, 153)

Los jaques en la boda no bailaron (*Romancero*, Padilla, 292v)

Los labios de Ana son (MP 2803, 157v)

Los labios de Juana son (*FRG*, p. 144)

Los lazos de oro fino y red de amores (MN 2973, p. 177)

Los lazos de oro sueltos (MN 2973, p. 276)

Los lazos que con hebras de oro fino (PN 314, 16)

Los llenos de dolor (*Jesuitas*, 468v)

Los llenos de males míos (*CG* 1511, 141)

Los males que son menores (*CG* 1511, 154)

Los más bellos ojos negros (MN 3700, 165v)

Los más hermosos ojos dulces nidos (MN 3968, 150)

Los más sutiles varones (*Vergel*, Ubeda, 122)

Los misterios de Dios están cerrados (*Cid*, 99)

Los misterios escondidos (MN 3691, 32v)

Los montes que la Bética departen (*CG* 1554, 191v)

Los montes que la Bética departen (MN 1132, 7)

Los nudos de la pasión (*CG* 1511, 178v)

Los ojos apasionados (*Corte*, 204v)

Los ojos con que os miré (*Cid*, 33v, 252)

Los ojos con que os miré (*FRG*, p. 237)

Los ojos con que os miré (*Jacinto López*, 53v)

Los ojos con que os miré (*Morán*, 30v, 94, 140v, 253)

Los ojos con que os miré (*Rojas*, 83v)

Los ojos con que os miré (RV 1635, 48)

Los ojos de Ana María (*Rojas*, 1)

Los ojos de la niña (*Heredia*, 99)

Los ojos de Marfira hechos fuentes (*Cid*, 176v)

Los ojos de Marfira hechos fuentes (*Recopilación*, Vázquez 3)

Los ojos del Niño son (*Vergel*, Ubeda, 12v)

Los ojos del suelo (*Padilla*, 64v)

Los ojos dulces de Menga (*Sevillano*, 53)

Los ojos el alma encienden (RaC 263, 47v)

Los ojos en el cielo (*Jacinto López*, 49v)

Los ojos en el cielo (PN 372, 4)

Los ojos en el cielo levantados (*Canc.*, Ubeda, 131v)

Los ojos en el cielo levantados (MP 644, 198)

Los ojos en el cielo levantados (*Vergel*, Ubeda, 147v)

Los ojos en Lifaz como enclavados (MN 3698, 246)

Los ojos en los hermosos (*RG* 1600, 146)

Los ojos en un papel (*RG* 1600, 103)

Los ojos hacen oficio (*Flor de enamorados*, 83)

Los ojos hacen su oficio (*FRG*, p. 183)

Los ojos los que una vez pudieron veros (*Corte*, 199)

Los ojos por quien suspiro (MN 3700, 111)

Los ojos puestos al agua (*Cid*, 169)

Los ojos puestos en el alto cielo (*Medinaceli*, 137v)

Los ojos puestos en el alto cielo (*Morán*, 206v)

Los ojos puestos en el alto cielo (*Peralta*, 28v)

Los ojos que con blando movimento (*Corte*, 122v, 179v)

Los ojos que con lágrimas bañaron (SU 2755, 14)

Los ojos que dan enojos (MBM 23/4/1, 138)

Los ojos que dan enojos (*Sevillano*, 254)

Los ojos que de rondón (FN VII-353, 160)

Los ojos que de rondón (*Sevillano*, 229v, 231)

Los ojos que en un tiempo te miraban (MN 3724, *170v*)

Los ojos que Isabel tiene (RV 1635, 25)

Los ojos que pecaron en miraros (*Lemos*, 33)

Los ojos que pecaron en miraros (MN 3902, 22v)

Los ojos que pecaron en miraros (PN 307, 95v)

Los ojos que una vez pudieron veros (*Jacinto López*, 28v)

Los ojos que una vez pudieron veros (MBM 23/4/1, 14v)

Los ojos que una vez pudieron veros (MP 1587, 161v)

Los ojos que una vez pudieron veros (*Obras*, Silvestre, 368v)

Los ojos que una vez pudieron veros (RV 1635, 76)

Los ojos tengo cansados (WHA 2067, 33v)

Los ojos tengo cansados / de lágrimas derramar (WHA 2067, 33v)

Los ojos tristes llorosos (*Cid*, 203, 239)

Los ojos tristes llorosos (FN VII-353, 57v)

Los ojos tristes llorosos (MBM 23/4/1, 311v)

Los ojos tristes llorosos (*Padilla*, 59v)

Los ojos tristes llorosos (*Tesoro*, Padilla, 71)

Los ojos vueltos al cielo (*RG* 1600, 184)

Los ojos vueltos en blanco (*Jhoan López*, 6)

Los ojos vueltos que del negro de ellos (FN VII-354, 244v)
Los ojos vueltos que del negro de ellos (*Jhoan López*, 18v)
Los ojos vueltos que del negro de ellos (MP 973, 270, 271v)
Los ojos vueltos que del negro de ellos (*Penagos*, 3v)
Los ojos vueltos que del negro de ellos (RaC 263, 118v, 119)
Los ojos vuelve a Granada (MN 3723, 120)
Los ojos vuelve a Granada (*RG* 1600, 240v)
Los otros por vencedores (*CG* 1511, 141v)
Los padrinos lo primero (MP 1587, 138v)
Los pámpanos en sarmiento (MN 17.556, 22v)
Los pámpanos en sarmientos (FN VII-353, 96)
Los pámpanos en sarmientos (*Jhoan López*, 27)
Los pámpanos en sarmientos (MP 1587, 158v)
Los pámpanos en sarmientos (MP 996, 48)
Los pámpanos en sarmientos (*Penagos*, 83v)
Los pámpanos en sarmientos (*RG* 1600, 32)
Los pastores cuando vieron (*Tesoro*, Padilla, 46)
Los pesares me secaron (*CG* 1511, 148v)
Los pesares me secaron (OA 189, 330v)
Los pesares me secaron (*Padilla*, 245v)
Los pesares me secaron (PN 307, 232v)
Los placeres que aumentaban (*Padilla*, 229)
Los presentes y pagados (MN 1317, 417v)
Los primeros señores que os ganaron (*Penagos*, 177v)
Los prodigios que hasta ahora han venido (MiT 1001, 9v)
Los que a la vida hacemos más contenta (*Obras*, Cepeda, 46)
Los que a tan glorioso fin (*Fuenmayor*, p. 446)
Los que algún tiempo tuvisteis (MN 17.556, 96v)
Los que algún tiempo tuvisteis (MP 996, 147v)
Los que amor disimuláis (*Morán*, 21)
Los que amor tiene discordes (*Obras*, Cepeda, 131)
Los que amores constantes (FR 2864, 27v)
Los que amores constantes (MP 2803, 215v)
Los que amores constantes (MP 973, 193v)
Los que antiguos poetas revolviendo (*Vergel*, Ubeda, x)
Los que buscades endechas (*Cid*, 218v)
Los que camináis penando (MN 17.951, 62)
Los que dan consejos ciertos (FN VII-353, 237)
Los que dan consejos ciertos (FN VII-354, 434v)
Los que de amor estáis tan lastimados (*Morán*, 17)
Los que de amor seguís las vanidades (FN VII-353, 16)
Los que de amor seguís las vanidades (MN 3913, 1)
Los que el pan de la gracia desdichados (MN 17.951, 110v)
Los que en amores se inflaman (*Obras*, Silvestre, 101v)
Los que en amores se inflaman (PN 372, 275v)
Los que estáis bien perdidos (RH, 201v)
Los que estáis en la aldea (*Sevillano*, 129)
Los que fuistes pecadores (*Obras*, Silvestre, 286)
Los que hablan en amor (*Morán*, 59)

Los que juzgáis en la tierra (MP 2459, 43)
Los que la edad antigua vida amada (TP 506, 237)
Los que más de amor suspiran (*Padilla*, 87)
Los que me quieren matar (FN VII-353, 135v, 171v)
Los que me quieren matar (*Jacinto López*, 71)
Los que mis culpas oísteis (MP 996, 90v)
Los que mis culpas oístes (FN VII-353, 105)
Los que mis culpas oístes (*RG* 1600, 117v)
Los que no saben qué cosa es amor (MP 617, 223)
Los que os quejáis amantes de la ausencia (*Morán*, 90v)
Los que priváis con Cupido (*Padilla*, 180v)
Los que priváis con las damas (PN 314, 189)
Los que sabéis qué es amor (*Lemos*, 112v)
Los que saben que os amé (MN 3968, 176)
Los que saben que os amé (RV 1635, 127)
Los que servís a Cupido (*Rosa de Amores*, Timoneda, 20)
Los que son tan desdichados (PN 373, 154)
Los que tenéis en tanto (FN VII-354, 377)
Los que tenéis en tanto (*Morán*, 248)
Los que tenéis en tanto (MP 973, 27v)
Los que tenéis en tanto (*Rosal*, p. 54)
Los que vivís con engaño (MN 17.951, 169)
Los que vivís sujetos a la estrella (*Cid*, 144v)
Los que vivís sujetos a la estrella (PN 373, 250v)
Los rayos del sol impiden (FN VII-353, 113)
Los rayos represados se tendieron (MP 617, 186)
Los regalos y el contento (*Sevillano*, 216)
Los reinos de cielo y suelo (*Rosal*, p. 97)
Los reyes adversos echando (MP 617, 135)
Los reyes siguen la estrella (MN 17.951, 3)
Los ríos hacia atrás podrán volverse (*Morán*, 14)
Los santos gloriosos (*Sevillano*, 185v)
Los santos que loamos (*CG* 1535, 194)
Los sensibles espíritus que somos (*Corte*, 119)
Los servicios recibidos (*Corte*, 140)
Los tiernos miembros con la escarcha helados (MN 17.951, 125)
Los tiernos pajaricos que del nido (*CG* 1557, 388)
Los tristes ojos llorosos (MBM 23/4/1, 311v)
Los tus hermosos tabernáculos (*Evora*, 32v)
Los varones antiguos que mostraron (MN 6001, 134)
Los vientos eran contrarios (*Rosa Española*, Timoneda, 48)
Los vll son para mirar (*Flor de enamorados*, 18v)
Los yerros por amores (MN 3913, 50v)
Los Zimbros van contra Mario (*Elvas*, 11)
Losaña Beleta hase conservado (RaC 263, 81v)
Lucas muy bien empleastes (*Vergel*, Ubeda, 136)
Luce eterna in cui s'alegia e s'aduna (*CG* 1514, 17)
Lucero ardiente digno mensajero (*Canc.*, Ubeda, 120v)

Tabla   179

Lucero ardiente digno mensajero (*Vergel*, Ubeda, 123)
Lucero hermoso donde resplandecen (*Vergel*, Ubeda, 133v)
Lucero nuevo que das luz al día (*Vergel*, Ubeda, 157v)
Lucero replandeciente (*Lemos*, 20v)
Lucero resplandeciente (MN 3902, 59v)
Lucero resplandeciente (MP 617, 166)
Luceros del suelo son (*Jacinto López*, 185v)
Luchali sale huyendo (MN 17.556, 59v)
Luchan Amor e Interés (*Obras*, Cepeda, 96)
Luchan Amor e Interés (RV 1635, 51)
Luchan en mi pensamiento (MN 3691, 54v)
Luchan Interés y Amor (RV 1635, 51)
Luchan mi muerte y mi vida (CG 1511, 141v)
Lucía oh luz que desde el alto cielo (MP 2459, 71)
Lucida hermosa en quien mostrarse quiso (*Tesoro*, Padilla, 255v)
Lucida qué sirvió quererte tanto (*Tesoro*, Padilla, 109)
Lucifer cierre la puerte (*Vergel*, Ubeda, 4v)
Lucifer desconocido (*Sevillano*, 86v)
Lucinda tus cabellos (*Sablonara*, 10)
Lucrecia al mundo asombre (MN 3913, 112)
Lucrecia que se vido entretenida (*Penagos*, 20v)
Luego como supe amar (*Obras*, Cepeda, 83v)
Luego fuera yo pastor (*Sevillano*, 70v)
Luego pues que el venticuatro (*RG* 1600, 267v)
Luego que acometió el asalto horrendo (MP 2803, 173v)
Luego que al corazón helado toca (*Jesuitas*, 248v)
Luego que al furioso Turno (MN 17.556, 106)
Luego que al furioso Turno (MP 996, 150v)
Luego que al furioso Turno (*RG* 1600, 279)

Luego que el agua encarcelada (FN VII-353, 71v)
Luego que el ser me fue dado (*Cid*, 70v)
Luego que fuiste dama concebida (TP 506, 320v)
Luego que mi vista os vido (*Obras*, Silvestre, 23v)
Luego que propuse veros (PN 373, 133v)
Luego que tuve razón (*Morán*, 208v)
Luego que tuvo el buen conocimiento (*Faria*, 10)
Luego que vi los cabellos (MP 2803, 158v)
Lugar para aprovecharse (*FRG*, p. 184)
Lugar tiempo y ventura (FN VII-353, 214v)
Lugar y tiempo y ventura (*Cid*, 219v)
Lugar y tiempo y ventura (MP 617, 294v)
Lugar y tiempo y ventura (PN 307, 280v)
Luis y Mingo pretenden (*Morán*, 134)
Luis y Mingo pretenden (MP 973, 92)
Luisa de mi alma a quién digo Luisa (*Medinaceli*, 138v)
Lumbre de los ojos míos (*Jesuitas*, 307)
Lumbre de mi entendimiento (*Padilla*, 243)
Lumbre que puesta encima el candelero (*Vergel*, Ubeda, 134v)
Luna que reluces (*RG* 1600, 327v)
Lunes se decía lunes (*Flor de enamorados*, 50v)
Lunes se decía lunes (*Rosa Española*, Timoneda, 75v)
Lureña el hablador lanzón de viña (*Penagos*, 15v)
Lustre del cielo cuyo nombre y fama (*Vergel*, Ubeda, 135v)
Lustre y honra del pueblo florentino (*Canc.*, Ubeda, 134v)
Lustre y honra del pueblo florentino (*Vergel*, Ubeda, 152)
Luz clara y noche oscura establo y cielo (*Jesuitas*, 263)
Luz de estos ojos tristes que solía (MN 2973, p. 344)
Luz que me alumbra y me guía (RV 1635, 104)

LL

Llaga santa llaga santa (MP 644, 34v)

Llamaban los pajarillos (*Sablonara*, 40)

Llamáisme villana / yo no lo soy (*Recopilación*, Vázquez 28)

Llámala su madre y ella calla (*Medinaceli*, 9v)

Llámame que aquí espero (MoE Q 8-21, p. 17)

Llaman a la puerta (MN 17.557, 63v)

Llaman a la puerta (*Sevillano*, 158v)

Llaman a la puerta (*Vergel*, Ubeda, 19v)

Llaman a Teresica y no viene (*Medinaceli*, 9v)

Llaman a Teresica y no viene (*Uppsala*, n. 36)

Llaman a tu puerta (*Canc.*, Ubeda, 10)

Llámanme dichoso (MN 3700, 13)

Llámanme doña Ana (*Cid*, 239v)

Llámante dios y amor (MP 2803, 169)

Llamar a la ventura acostumbrada (RaC 263, 112)

Llamo a la muerte siempre que me lleve (*Morán*, 55)

Llamo con suspiros (MN 3725-1, 11)

Llamo la muerte y con razón la llamo (*Medinaceli*, 74v)

Llano es Amor el atrevido arquero (FN VII-353, 289v)

Llanto hace Doradice (*Cid*, 199)

Llanto hace Doralice (*Jesuitas*, 469v)

Llanto hacía Doralice (*RH*, 112v)

Llavat y ben escutat (*Heredia*, 109v)

Llega a punto mi dolor (*Rojas*, 172)

Llega a tanto el no moveros (PN 372, 107)

Llega con paso ligero (*Vergel*, Ubeda, 37v)

Llega llega muy bien llega señora (MP 3560, 28)

Llega los rayos con abierta mano (*Cid*, 269)

Llegad con la fe despierta (*Sevillano*, 43v)

Llegado ha a lo imposible mi tormento (*Obras*, Silvestre, 355)

Llegado he a saber más con mi daño (RV 1635, 4v)

Llegado me ha el amor a do no hallo (MBM 23/4/1, 126v)

Llegado ya el dichoso (*Rosal*, p. 279)

Llegamos a ver tal dama (PN 307, 264)

Llegando Amor a do Sirena estaba (FR 3358, 95)

Llegando Amor a do Sirena estaba (*Padilla*, 185v)

Llegando Amor a do Sirena estaba (PN 373, 51)

Llegaréis alma a gustar (*Vergel*, Ubeda, 79)

Llegaste al cabo tus victorias Muerte (*Canc.*, Maldonado, 100)

Llego a Guadalajara en este punto (MN 3913, 160)

Llegó a una venta Cupido (MN 3724, 14)

Llegó a una venta Cupido (*Penagos*, 112)

Llegó a una venta Cupido (*Peralta*, 75v)

Llegó a una venta Cupido (*RG* 1600, 17v)

Llegó el amor al estremo (MN 3724, 152)

Llegó el amor al extremo (*RG* 1600, 170v)

Llegó el pincel y mano do podía (MBM 23/4/1, 142v)

Llegó el pincel y mano do podía (PN 373, 237)

Llegó en el mar al extremo (MN 17.557, 81)

Llegó en el mar al extremo (MP 996, 100)

Llegó la nueva cómo daba asalto (*Jacinto López*, 159v)

Llegó señor Morales vuestra epístola (MP 973, 378v)

Llegué a Valladolid registré luego (FN VII-353, 313)

Llegué al descuido a mirar (*Rojas*, 60)

Llegue mi llanto y clamor (*Toledano*, 38)

Lléguese al alma afligida (*Sevillano*, 44)

Llena de angustia y pesar (*Cid*, 108)

Llena de contemplación (*Obras*, Silvestre, 351v)

Llena de desconsuelo y amargura (*Vergel*, Ubeda, 181v)

Llena va de flores (MN 3913, 50v)

Llenas de gozo y llenas de alegría (*Vergel*, Ubeda, 53v)

Lleno andaba el universo (FN VII-353, 163v)

Lleno de coraje el pecho (*Morán*, 28v)

Lleno de lágrimas tristes (*Flor de enamorados*, 40v)

Lleno de lágrimas tristes (MN 17.556, 41v)

Llenos de alegría santa (*Obras*, Silvestre, 349v)

Llenos de alegría santa (*Sevillano*, 182v)

Llenos de lágrimas tristes (*Canc.*, Maldonado, 28v)

Llenos de lágrimas tristes (*Elvas*, 97v)

Llenos de lágrimas tristes (MN 17.557, 3v)

Llenos de lágrimas tristes (*Padilla*, 229v)

Llenos de lágrimas tristes (*RG* 1600, 47)

Llenos de polvos los ojos (MP 973, 205)

Lleva de gente en gente Amor mi canto (MN 2973, p. 107)

Lleva la cruz grave a cuestas (*Vergel*, Ubeda, 39)

Lleva os amor de vencida (*Jesuitas*, 116v)

Lleva un pastor por Duero su ganado (RV 1635, 121)

Lleva un pastorcico (*Elvas*, 36v)

Llevaban su ganado repastando (*RH*, 216)

Llevadnos adonde vais (*Sevillano*, 179)

Llévame mi deseo a aquella parte (MN 2973, p. 298)

Llévame tras sí un deseo (*Borges*, 93v)

Llévame tras sí un deseo (*Cid*, 41v)

Llévame tras sí un deseo (MP 1587, 33, 75)

Llévame tras sí un deseo (PN 307, 268)

Lleve el diablo al potro rucio (MN 3723, 336)

Lleve el diablo el potro rucio (*RG* 1600, 251)

Lléveme Amor por su región hirviente (SU 2755, 19)

Llevo de mi amor la palma (TorN 1-14, 41)

Llevó quien hubo ventura (*CG* 1511, 141v)

Llevó quien tuvo ventura (*Jesuitas*, 468v)

Llevó tras sí los pámpanos octubre (MN 3913, 160v)

Llevo un mal que está sin medio (*CG* 1511, 124v)

Llevó ya la alteza suma (*Fuenmayor*, p. 162)

Llevóme en parte Amor do estaba junto (MN 3968, 150)

Llora Dios el mal del hombre (*Sevillano*, 80)

Lloraba aljófar el alba (MN 3700, 28)

Lloraba el alegría (*Sevillano*, 186)

Lloraba Gonzalo Bustos (*Sevillano*, 250v)

Lloraba Pedro al Redentor con pena (*Vergel*, Ubeda, 114v)

Llorad conmigo pastores (*Medinaceli*, 22v)

Llorad damas sin cesar (*Sevillano*, 199v)

Llorad llorad corazón (*CG* 1511, 124v)

Llorad llorad no ceséis (*Padilla*, 239v)

Llorad mi mal y tristura (*CG* 1511, 149v)

Llorad mis llantos llorad (*CG* 1511, 50)

Llorad mis ojos llorad (*Cid*, 38v)

Llorad mis ojos llorad (*Padilla*, 239v)

Llorad mis tristes ojos vuestro daño (RaC 263, 42)

Llorad ojos a porfía (*Jesuitas*, 468)

Llorad ojos ausentes llorad tanto (MN 2973, p. 223)

Llorad ojos ausentes llorad tanto (SU 2755, 124v)

Llorad ojos noche y día (*CG* 1511, 149v)

Llorad pastores mi mal (*Morán*, 38)

Llorad sin descansar ojos cansados (*Corte*, 183v)

Llorad sin descansar ojos cansados (FN VII-353, 183)

Llorad sin descansar ojos cansados (*Morán*, 53, 69v)

Lloran vuestros ojos bellos (*Vergel*, Ubeda, 170v)

Llorando desconsolada (*Padilla*, 36)

Llorando desconsolada (*Romancero*, Padilla, 177)

Llorando el cuerpo difunto (*Rojas*, 149)

Llorando está doña Labra (*Rosa Española*, Timoneda, 14v)

Llorando está Julio César (*Rojas*, 150)

Llorando está una pastora (*RH*, 202)

Llorando estaba desdichas (*Faria*, 102v)

Llorando estaba la Cava (*Sevillano*, 278v)

Llorando lágrimas vivas (*Sablonara*, 28)

Llorando memorias tristes (*Jacinto López*, 201)

Llorando memorias tristes (*Jhoan López*, 52v)

Llorando memorias tristes (MN 4127, p. 82)

Llorando memorias tristes (*RG* 1600, 224v)

Llorando mi redentor (*Sevillano*, 186v)

Llorando muy agramente (*Vergel*, Ubeda, 170)

Llorando penas injustas (*RG* 1600, 196v)

Llorando va una zagala (*Morán*, 7v)

Llorando vivo y si en el fiero pecho (MN 2973, p. 347)

Llorastes lágrimas tristes (PN 371, 35v)

Lloré con llanto amargo en noche oscura (OA 189, 128)

Llore quien nunca me vio (*CG* 1511, 110)

Lloró la hermana maguer que enemiga (*Ixar*, 263)

Lloro la vida pasada (FN VII-354, 435)

Lloro mi mal y canto tu hermosura (MBM 23/4/1, 120v)

Lloro mi mal y canto tu hermosura (PN 372, 127v)

Lloro señora y no entiendo (MN 3700, 69v)

Lloro y bien debe el llanto eterno y grave (MN 3968, 94v)

Lloroso estaba el mísero Cupido (*Cid*, 45)

Llueven amargas lágrimas mis ojos (PN 373, 281v)

Ma come Pasquino non si sa se è donna o uomo (FN VII-353, 327)

Ma senyora ma dexat (*Flor de enamorados*, 75)

Macho falso gruñidor (MN 3691, 30v)

Madeja de oro fino marañada (*Jacinto López*, 5v)

Madeja de oro fino marañada (MBM 23/4/1, 43v)

Madeja de oro fino marañada (MN 2973, p. 87)

Madeja de oro fino marañada (*Obras*, Silvestre, 363)

Madeja de oro fino marañada (SU 2755, 44)

Madejas de oro suave por cabello (FN VII-353, 4v)

Madejas de seda fina (*Vergel*, Ubeda, 19)

Madre aquel ingrato (MN 17.557, 71)

Madre aquel mozuelo (*Sevillano*, 150v)

Madre de amor gentil que con tu llama (PN 373, 199v)

Madre de aquestos señores (CG 1511, 178v)

Madre de Dios qué buen principio tomó (MP 1578, 255v)

Madre de gran merecer (MP 617, 177)

Madre de la mañana (*Jhoan López*, 132)

Madre de los valientes de la guerra (MN 2856, 21v)

Madre de qué se alborota (MoE Q 8-21, p. 63, p. 141)

Madre el caballero (MP 996, 126v)

Madre el caballero (RaC 263, 143)

Madre gloriosa y pura (*Vergel*, Ubeda, 89v)

Madre la mi madre (MN 3725-1, 19)

Madre la mi madre / el amor esquivo (MN 17.557, 72)

Madre la mi madre / guardas me ponéis (TorN 1-14, 23v)

Madre la mi madre / que me come el quiquiriquí (*Jhoan López*, 27v)

Madre mía de mi vida (*Fuenmayor*, p. 282)

Madre mía dulce amada (*Jesuitas*, 296)

Madre mía el ciego (MP 973, 174)

Madre mía un zagalillo (MoE Q 8-21, p. 32)

Madre no sé qué me ha dado (*Jhoan López*, 28)

Madre por el caballero (*Flor de enamorados*, 26v)

Madre que me muero (RaC 263, 97v)

Madre si algún día (WHA 2067, 2)

Madre tres mozuelas (*Uppsala*, n. 23)

Madre un caballero (MN 17.556, 35v)

Madre un caballero (*Recopilación*, Vázquez, 29)

Madre un caballero (RG 1600, 159)

Madre un escudero (PN 372, 145)

Madre un pajarillo (MoE Q 8-21, p. 5)

Madre un parajillo (MN 3700, 182)

Madre un pastorcico (*Sevillano*, 292)

Madre y Virgen quién sabrá (CG 1535, 190)

Madruga este día (*Sevillano*, 147v)

Madrugastes vecina mía (*RG* 1600, 253v)

Maestro de desengaños (*Lemos*, 181v)

Maestro era de esgrima Campuzano (MN 3913, 25)

Maestro era de esgrima Campuzano (*Morán*, 29v)

Magdalena de amor toda roubada (*Faria*, 55)

Magdalena quiéresme bien (*Padilla*, 67v)

Magdalena quiéresme bien (RV 1635, 69)

Magdalena vos y Dios (*Vergel*, Ubeda, 170v)

Magnánimo señor Marte fiero (MP 1587, 117v)

Magnífico Juan de Haro (*Gallardo*, 41)

Magnífico señor yo no defiendo (PN 373, 47)

Mais se deve de culpar (*Borges*, 59v)

Majadero descosido (MN 3968, 180)

Majadero descosido (*Obras*, Silvestre, 132v)

Majadero descosido (PN 372, 302v)

Mal año para mi esperanza (MN 3725-1, 32)

Mal año para mi esperanza (*RG* 1600, 173)

Mal atina mal acode (*Borges*, 57v)

Mal compuesto su pellico (*RG* 1600, 196)

Mal consejo me parece (*Morán*, 60)

Mal contento y bien dudoso (MN 3700, 46)

Mal desdén a mí me mate (*Cid*, 186v)

Mal desdén a mí me mate (PN 307, 316)

Mal desdén a mí me mate (*Sevillano*, 56v)

Mal empleada Elisa qué ventura (SU 2755, 194v)

Mal es el bien que no dura (CG 1514, 187v)

Mal haya aquel confiado (TorN 1-14, 29)

Mal haya dueña o doncella (MN 3724, 166v)

Mal haya dueña o doncella (*RG* 1600, 334v)

Mal haya el fingido amado (*RG* 1600, 47)

Mal haya el primero (CG 1557, 393)

Mal haya el primero (MN 5602, 27v)

Mal haya el que en señores idolatra (*Lemos*, 225v)

Mal haya el que en señores idolatra (MN 4256, 264)

Mal haya la barca (*Cid*, 239v)

Mal haya la torre (*Jacinto López*, 318)

Mal haya quien a vos casó (*Heredia*, 93)

Mal haya quien a vos casó (MN 5593, 83v), ver Mal haya quien os

Mal haya quien fía (MN 3725-1, 38)

Mal haya quien fía (RG 1600, 35v)

Mal haya quien mal os quiere (*Sevillano*, 240v)

Mal haya quien os casó (*Flor de enamorados*, 79v), *ver* Mal haya quien a vos

Mal haya quien os parió (*Jacinto López*, 82v)

Mal haya quien se enamora (TorN 1-14, 29)

Mal hayan mis ojos (MN 3725-1, 87)

Mal hayan mis ojos (RG 1600, 171v)

Mal hayas mal de mal conocimiento (TP 506, 293v)

Mal herido Abindarráez (*Cid*, 236)

Mal herido Abindarráez (MiT 994, 19v)

Mal herido Abindarráez (PN 372, 26v)

Mal herido Durandarte (MiT 994, 26v)

Mal herido Durandarte (*Morán*, 41)

Mal herido Jesucristo (*Canc.*, Ubeda, 69)

Mal herido Jesucristo (*Jesuitas*, 481)

Mal herido Jesucristo (*Vergel*, Ubeda, 44)

Mal herido sale Adán (*Vergel*, Ubeda, 21v)

Mal herido sale el hombre (*León/Serna*, 98)

Mal herido viene Amor (*Morán*, 47v)

Mal hubiese el caballero (*Cid*, 136v)

Mal hubiese el caballero (*Morán*, 239)

Mal hubiese el caballero (MP 973, 114)

Mal hubiese el caballero (*Penagos*, 72v)

Mal hubiese el caballero (RG 1600, 33)

Mal logradas esperanzas (MN 3700, 124)

Mal me compadece amor (*Obras*, Cepeda, 130v)

Mal me lo demande Dios (*Flor de enamorados*, 8v)

Mal me lo demande Dios (*Heredia*, 142, 186)

Mal me va hermana María (*Obras*, Silvestre, 116v)

Mal mis servicios pagaste (RG 1600, 165)

Mal os quieren caballeros (MN 3723, 191)

Mal os quieren caballeros (MP 973, 409)

Mal os quieren caballeros (RG 1600, 347)

Mal piensa el que nunca paga (*Padilla*, 50)

Mal podrá tener cuidado (RV 1635, 68v)

Mal podrán hacer buen son (MiB AD.XI.57, 14)

Mal pueden desenlazarse (EM Ç-III.22, 97v)

Mal pueden desenlazarse (*Morán*, 193v)

Mal pueden desenlazarse (MP 2803, 149v)

Mal pueden desenlazarse (*Peralta*, 39)

Mal pueden desenlazarse (*Romancero*, Padilla, 288)

Mal pueden dos amadores (*Peralta*, 73)

Mal que espera melhoria (*Corte*, 150v)

Mal que no puede sufrirse (*Flor de enamorados*, 37v)

Mal que no puede sufrirse (PBM 56, 49)

Mal que va tan adelante (MN 3902, 67)

Mal quiere Blas escapar (*Cid*, 168v)

Mal se cura muy tal (*Uppsala*, n. 5)

Mal se disimula el fuego (MBM 23/4/1, 46)

Mal se disimula el fuego (*Morán*, 21)

Mal se disimula el fuego (*Peralta*, 14v)

Mal se querella Cleopatra (*Rosa de Amores*, Timoneda, 64v)

Mal segura zagaleja (MN 3700, 1)

Mal tengo de que me queje (CG 1511, 128v)

Mal viento atrevido (RaC 263, 89)

Mala fruta ha producido (FN VII-353, 293)

Mala la hubistes franceses (*Obras*, Cepeda, 137v)

Mala noche me diste casada (MN 3913, 50)

Mala noche me diste la casada (MP 996, 121)

Mala noche te dé Dios casada (MN 3913, 50v)

Mala nueva de la tierra (CG 1511, 232)

Mala Pascua te dé Dios (MN 3913, 50v)

Mala Pascua te dé Dios (MP 996, 121v)

Mala Pascua te dé Dios (RG 1600, 327v)

Málaga está muy estrecha (CG 1554, 201)

Malas mañas habéis tío (MN 3725-2, 30)

Malas nuevas suenen (CG 1557, 393v)

Maldita seas señora (*Flor de enamorados*, 62v)

Maldita seas ventura (CG 1511, 133v)

Maldito sea de todos vuestro gesto (MP 570, 237v)

Maldito seas Amor perpetuamente (*Morán*, 90v)

Males no os partáis de mí (MN 3700, 21)

Males que contra mim vós conjurastes (EM Ç-III.22, 2)

Malicias mal entendidas (*Corte*, 68v)

Malo me siento (MN 3724, 67v)

Maná destila estrellas nuevas cría (MP 3560, 32)

Maná sabroso dulce pan de vida (*Vergel*, Ubeda, 82v)

Mancebetes de mi pueblo (RG 1600, 147)

Mancebo era el noble Cid (MN 3700, 202)

Manda amor que calle y muera (*Tesoro*, Padilla, 53v)

Manda el rey nuestro señor (*Jesuitas*, 478)

Mandáisme dama danzar (CG 1511, 96v)

Mandáisme que os vaya a ver (*Gallardo*, 49v)

Mandáisme señora (*Padilla*, 241)

Mandar per tais calmas luvas (*Corte*, 53v)

Mandarme así declarar (*Tesoro*, Padilla, 477v)

Mándasme amigo carísimo (MN 3725-1, 2)

Mandásteisme saya de grana (*Jacinto López*, 319v)

Mandastes-me pedir novas (*Corte*, 142)

Mandó a su hijo Venus de envidiosa (*Morán*, 191)

Mandó el rey prender Vergilios (MN 3725-2, 1)

Mando que en mi sepultura (*Ixar*, 334)

Tabla 185

Mandóle Dios al hombre que guardase (MN 17.951, 51v)

Manida trujabante lapidaria (MN 3913, 46v)

Manjar divino celestial sabroso (FN VII-353, 24v)

Manjar divino pan que en ti contienes (*Vergel*, Ubeda, 61v)

Manjar do la Trinidad (*Canc.*, Ubeda, 58)

Manjar do la Trinidad (*Vergel*, Ubeda, 74v)

Manojitos de hinojo (MN 3913, 63)

Manos ojos cabellos (MN 3968, 105)

Manos ojos cabellos (*Morán*, 23)

Manso dulce benigno y amoroso (*Jesuitas*, 203)

Manso rio de pura e fina prata (EM Ç-III.22, 28)

Manso viento do suenan y enamoran (*Morán*, 45)

Manso viento do suenan y enamoran (SU 2755, 149)

Manso viento que con dulce ruido (*Medinaceli*, 194v)

Manso y apacible (*Penagos*, 128)

Mantillas por qué encubrís (*Jesuitas*, 450)

Mañana de Navidad (*Vergel*, Ubeda, 23v)

Mañana de san Francisco (*Medinaceli*, 73v)

Mañana domingo (MN 3725-1, 113)

Mañana domingo (*RG* 1600, 184v)

Mañana voy al valle ser abarca (FN VII-353, 278)

Mañanica era mañana (*Flor de enamorados*, 55)

Mañanica era mañana (*Rosa de Amores*, Timoneda, 25v)

Maravíllome de él (*Colombina*, 86bis v)

Marchitas las amapolas (MP 973, 384)

Marcos honor del asturiano Oviedo (MN 3700, 160v)

Marfira escucha un poco por tu vida (MP 617, 269)

Marfira hermosa esta mortal ausencia (*Jacinto López*, 165)

Marfira hermosa si como he llegado (*Jacinto López*, 167)

Marfira me dio una rosa (*Morán*, 40)

Marfira me dio una rosa (RV 1635, 24v)

Marfira por vos muero (*Medinaceli*, 131v)

Marfira por vos muero (TP 506, 384v)

Marfira que te partes y me dejas (PN 311, 49)

Marfira sus ovejas repastaba (*Peralta*, 28v)

Marfodio tutto vengo spaventato (*Rojas*, 187)

María aunque habéis cumplido (*Vergel*, Ubeda, 106v)

María bella quiéreme si quieres (*Jacinto López*, 260)

María cuya gracia y hermosura (*Rojas*, 5v)

María de las vírgenes dechado (*Vergel*, Ubeda, 105)

María de tal manera (*Fuenmayor*, p. 129)

María di qué harás (*Sevillano*, 186v)

María divina esposa (*Canc.*, Ubeda, 81)

María divina esposa (*Jesuitas*, 176, 476v)

María divina esposa (MN 17.951, 4v)

María divina esposa (*Morán*, 132)

María divina esposa (*Vergel*, Ubeda, 100v)

María dulce esposa del muy alto (*Sevillano*, 142v)

Maria è il nome ch'al mar s'asomigla (*CG* 1514, 17)

Maria è nome fabbricato in cielo (*CG* 1514, 17v)

María Magdalena contemplando (*Jesuitas*, 467)

María Magdalena lo miraba (*Fuenmayor*, p. 24)

María Magdalena lo miraba (*Jesuitas*, 467)

María Magdalena que en pie estaba (*Borges*, 81v)

María más que el cedro levantada (*Jesuitas*, 468)

María mata a Silvano (PN 372, 330)

María mata a Silvano (*Sevillano*, 61v)

María parió un zagal (*Sevillano*, 85)

María pues tal beldad te dio natura (*Morán*, 27)

María y dudosa mía (PN 418, p. 463)

María y Rodrigo (*Recopilación*, Vázquez, 33)

Mariana en un castillo (MN 3725-2, 19)

Marías muchas ha habido (*Lemos*, 164v)

Marica a lavar sus paños (MN 2856, 133)

Marica jugaba (*Jhoan López*, 140)

Marica tus ojos (*Jhoan López*, 39v)

Marica tus ojos (MP 1587, 123v)

Marica yo confieso (MN 3913, 16)

Marido dadme una saya (*Rojas*, 29)

Marido de mi contento (*Toledano*, 52)

Marido después que os trato (*Sevillano*, 243v)

Marido Domingo brincho (FN VII-353, 209)

Marido si queréis algo (*Sevillano*, 243v), *ver* Mirad marido, Pues con vos

Marido tan bien mandado (*El Truhanesco*, Timoneda, 9)

Marlotas de dos colores (MP 973, 398v)

Marlotas de dos colores (*Penagos*, 88)

Marlotas de dos colores (*RG* 1600, 25v)

Marquesa valerosa doña Juana (*Obras*, Silvestre, 381)

Marte esforzado fuerte belicoso (*Vergel*, Ubeda, 153v)

Marte rey de las batallas (*Cid*, 235)

Martes de carnestolendas (MN 3724, 311)

Martín de vos no se escapa (*Fuenmayor*, p. 436)

Martín Lutero viste este otro día (*Rojas*, 108)

Martín tanto estima Dios (*Penagos*, 187v)

Mártires gloriosos (*Vergel*, Ubeda, 144)

Mas así como me tiene (*CG* 1511, 129v)

Más clara que la aurora (*Jesuitas*, 174)

Mas como con la privanza (FN VII-353, 68)

Más de cinco mil años escondido (MN 17.951, 71)

Mas debéis a quien os sirve (*Elvas*, 53v)

Más deja el que deja a sí (*Jesuitas*, 242)

Mas el mal que mucho dura (OA 189, 371v)

Mas el mal que mucho dura (PN 371, 22v)

Mas el mal que mucho dura (RaC 263, 65)

Más envidia he de vos conde (*CG* 1511, 131v, 132)

Más envidia he de vos conde (MN 3725-2, 124)

Más envidia he de vos conde (MN 5602, 19)

Más espesas que granizo (*RG* 1600, 350v)

Más hago en escribir mi grave daño (*Cid*, 139v)

Más hago en escribir mi grave daño (MP 1587, 22v)

Más hermosa que cortés (*CG* 1511, 226v)

Más humilde pues soy vuestro (*CG* 1511, 157)

Más linda que no el sol eres mi diosa (*Lemos*, 2)

Más mal hay en el aldehuela (MN 3700, 36v)

Más mal hay en este bien (MN 3700, 36v)

Más mancilla os he señor (MP 617, 213)

Más mancilla os he señor (TP 506, 396v)

Más necesidad señora (*CG* 1511, 202v)

Más necesidad señora (*Gallardo*, 67v)

Más os quiero que me quiero (FN VII-353, 220)

Más penado y más perdido (*CG* 1511, 143)

Más penado y más perdido (*CG* 1554, 125v)

Más penado y más perdido (FN VII-353, 30v)

Más penado y más perdido (*Jesuitas*, 468v)

Más penado y más perdido (*León/Serna*, 100)

Más penado y más perdido (*Rojas*, 28v, 69v)

Más penado y más perdido (*Romancero*, Padilla, 281)

Más pierde de lo que piensa (*CG* 1511, 146v)

Más pierde de lo que piensa (*Obras*, Cepeda, 51v)

Más poderoso que Dios (*Jacinto López*, 237)

Más poderoso que Dios (*Jesuitas*, 154v)

Más poderoso que Dios (*Toledano*, 100)

Más prende amor que la zarza (*RG* 1600, 300)

Más presumen que de estrellas (PN 418, p. 337)

Más que a la vida y el alma (*Morán*, 76v)

Más que a mí te quiero Ana (MP 570, 132v)

Más que el pan era gustoso (*Jhoan López*, 105v)

Más que la plata fina (PN 373, 195v)

Más que mayor mal excusa (*CG* 1511, 193v)

Más que una ninfa (*Rojas*, 113v)

Mas quién tendrá las riendas al deseo (Tesoro, Padilla, 75, 165)

Más quiero buitre volando (*CG* 1511, 140v)

Más quisiera ser soltero (*Sevillano*, 286)

Mas si el pensamiento va (*Borges*, 25)

Mas si me decís de sí (MP 617, 154v)

Mas si puso amor firmeza (*CG* 1511, 157)

Mas si vuestro merecer (*CG* 1511, 123)

Mas si yo cierto no fuera (*CG* 1511, 125v)

Mas sólo porque me quiera (*CG* 1511, 130)

Mas tal es tu hermosura (*CG* 1511, 95v)

Mas tal es tu hermosura (*Colombina*, 17v)

Mas tal es tu hermosura (MP 617, 150)

Más vale muerte y pasión (*Morán*, 24v)

Más vale trocar (RV 1635, 130)

Más valen pena y pasión (*Cid*, 220v)

Más valen pena y pasión (MN 3913, 140)

Más valen pena y pasión (*Padilla*, 119)

Más valiera no miraros (*Sevillano*, 205)

Mas vuelve pensamiento que no quiero (MN 4127, p. 81)

Mas vuestra merced es tal (*CG* 1511, 127v)

Mas vuestro valer ser tal (MP 617, 164v)

Más y más se acerca a la vela (MN 3700, 87v)

Mástil de perlas preciosas (MP 617, 88)

Mata el amor porque la muerte airada (MN 2973, p. 112)

Mata el amor porque la muerte airada (*RH*, 208v)

Maté a Pitón y Amor a mí ha herido (*Cid*, 45v)

Matías soberana fue la fuente (*Vergel*, Ubeda, 135)

Matiza con mil colores (MN 3724, 172v)

Matiza con mil colores (*RG* 1600, 124)

Mavorte por lanza en potencia Macedo (*Ixar*, 266)

Mayor fe en lo más dudoso (*Morán*, 91)

Mayor mal del que padezco (*CG* 1511, 149v)

Mayor mal es que morir (WHA 2067, 76v)

Mayor peligro sería (PN 373, 156)

Mayor que mi sufrimiento (*Morán*, 106v)

Mayor que mi sufrimiento (*Obras*, Cepeda, 83v)

Mayor que mi sufrimiento (*Padilla*, 251v)

Mayor venganza de ti (*CG* 1511, 142v)

Mayordomo del cielo (*Penagos*, 293)

Me impele amor no desista (MN 4127, p. 277)

Media cena era por filo (PN 418, p. 441)

Media noche era por filo / la luna daba en la calle (MP 996, 212)

Media noche era por filo / las doce daba el reloj (*RG* 1600, 128)

Media noche era por filo / los gallos quieren cantar (*Toledano*, 60)

Media noche era por hilo (MN 3725-2, 113)

Médico evangelista pintor santo (*Vergel*, Ubeda, 135)

Médico primero fuistes (*Vergel*, Ubeda, 136)

Medina Toro y Zamora (*Cid*, 240)

Medio y luz de los que ven (MP 617, 178v)

Mediodía era por filo (*RG* 1600, 228)

Mediodía era por filos / las doce daba el reloj (*Penagos*, 129v)

Mejor es trocar (RaC 263, 84v)

Mejor es trocar (*Romancero*, Padilla, 286v)

Mejor fuera no saber (*Padilla*, 235v)

Mejor habla el que más fía (PN 418, p. 431)

Mejor os fuera por cierto (MP 617, 209)

Melancólica estáis putidoncella (MP 973, 408v)

Melancólica estás putidoncella (FR 3358, 181)

Melancólica estás putidoncella (MN 3913, 46v)

Melancólica estás putidoncella (*Penagos*, 3)

Melancólico y a solas (*RG* 1600, 317v)

Tabla 187

Melífluo nombre dulce y delicado (*Jesuitas*, 266)

Melindres en mujer fea (*Sevillano*, 236v)

Meliso desfallece en su porfía (MN 3902, 45)

Membranza del mal pasado (*CG* 1511, 172v)

Memento hermosa dama (*CG* 1514, 185)

Memoria del bien pasado (MN 3723, 81)

Memoria del bien pasado (*RG* 1600, 89v)

Memoria parad un poco (*Obras*, Cepeda, 58v)

Memoria queréis oírme (PN 307, 230)

Memoria queréis oírme (*Sevillano*, 293)

Memoria triste nuevo descontento (*Obras*, Cepeda, 101v)

Memorias que otro tiempo alegres fuisteis (*Faria*, 23)

Memorias tristes de mi bien pasado (*Lemos*, 240)

Memorias tristes del dolor pasado (*Jacinto López*, 10)

Memorias tristes del mal (*RG* 1600, 358)

Memorias tristes del placer pasado (OA 189, 14v)

Memorias tristes del placer pasado (PN 314, 8v)

Memorias tristes del placer pasado (WHA 2067, 81v)

Menester es fortaleza (MP 617, 113v)

Menester ha procurar (RV 1635, 68)

Menga a Gil no satisface (*Sevillano*, 56v)

Menga de amor adolece (*Guisadillo*, Timoneda, 4)

Menga de amor adolece (*Padilla*, 104v)

Menga la del boscal (PBM 56, 13)

Menga me tiene agraviado (MP 1587, 162)

Menga son tantas las cosas (RaC 263, 72v)

Mengua el dolor mi mal siempre crece (MN 3902, 67v)

Mengua el dolor mi mal siempre crece (MP 617, 203)

Menguilla de mil primores (*RG* 1600, 205v)

Menina de los ojos verdes (*Evora*, 24)

Menina dos olhos verdes (PBM 56, 95v-96, 96v-97)

Meninas belas santas e ditosas (EM Ç-III.22, 28v)

Menos orgullo físico farsante (*Penagos*, 6)

Menos y más olvidado (*CG* 1511, 146)

Mensajera del día (FN VII-353, 100)

Mentidero de Madrid (MiB AD.XI.57, 19)

Mentiras trampas burlar (*FRG*, p. 219)

Mentiras trampas burlar (*Padilla*, 92)

Mentirosa casadilla (MN 3700, 3v)

Meona Venus madre del mocoso (MN 3913, 30v)

Merced merced le pidamos (*Colombina*, 79v)

Mercurio Apolo y Marte concurrieron (*Romancero*, Padilla, 199v)

Merezca yo por tus graciosos ojos (*Penagos*, 9)

Meta la mano en su seno (MN 3700, 21v)

Meteréis a mí en cuidado (*CG* 1511, 146)

Metida en el duro infierno (*Tesoro*, Padilla, 313)

Metido andaba en vanas alegrías (FN VII-354, 391)

Metido en el laberinto (*Lemos*, 254)

Metido entre amor y miedo (*Cid*, 37v)

Metido entre amor y miedo (*Peralta*, 8v)

Metido entre sayones (*Vergel*, Ubeda, 38)

Metido me he en la mar (WHA 2067, 3v)

Metidos en confusión (*Corte*, 151)

Metidos en confusión (MP 570, 121)

Metió caballero (PN 373, 52)

Metió en el seno la mano (MN 17.951, 144v)

Metióme el amor (WHA 2067, 3v)

Meu bem não vos appresseis (NH B-2558, 40v)

Meus males tudo procuram (*Corte*, 222v)

Mezcla de tal perfección (*CG* 1511, 85)

Mi alegría es acabada (MN 3902, 141v)

Mi alma con vos quedó (*CG* 1511, 182)

Mi alma con vos quedó (PN 307, 214)

Mi alma cuyos ojos extremados (MP 2803, 227v)

Mi alma de amores congojada (*Sevillano*, 54)

Mi alma de mi vida está enojada (*Jesuitas*, 463v)

Mi alma en sólo Dios descansa y vive (MN 17.951, 83v)

Mi alma estuvo en miraros (MN 3700, 142)

Mi alma eternalmente condenada (FR 3358, 97v)

Mi alma mala se para (*CG* 1511, 122)

Mi alma que es el timón (MP 2803, 159v)

Mi alma tenéisla vos (*Jacinto López*, 54v)

Mi alma tenéisla vos (NH B-2558, 40)

Mi alma y tu beldad se desposaron (*Jacinto López*, 225)

Mi alma y tu beldad se desposaron (NH B-2558, 36)

Mi amarga vida engendra dulce muerte (MP 3560, 33)

Mi amiga escogida en ciento (*Gallardo*, 69v)

Mi amor y el desamor tuyo contienden (TP 506, 313)

Mi ánima queda aquí (*CG* 1511, 148v)

Mi ánima queda aquí (PBM 56, 20)

Mi ánima se partió (*CG* 1554, 104v)

Mi bajel pasa un golfo alborotado (MP 3560, 38)

Mi Bartolo por guirnalda (*Sevillano*, 269)

Mi bien mientras más te sigo (*Toledano*, 80)

Mi canto levantar quiero del suelo (*Lemos*, 7v)

Mi canto levantar quiero del suelo (MN 3902, 18v)

Mi carne ofrezco y convidando ando (FN VII-353, 28)

Mi cautiverio y la gloria (*Faria*, 94)

Mi cautivo pensamiento (*CG* 1511, 181v)

Mi Clara después que he sido (*Morán*, 93v)

Mi Clara después que vi (*Morán*, 93)

Mi cobarde pensamiento (MN 4127, p. 102)

Mi cobarde pensamiento (MP 996, 77v)

Mi cobarde pensamiento (*RG* 1600, 308)

Mi copla desventurada (*CG* 1511, 174)

Mi corazón mi alma cuerpo y vida (*Morán*, 160v)

Mi corazón que robaba (*Heredia*, 187)

Mi corta pluma con su bajo vuelo (SU 2755, 35)

Mi dama no quiere (*Padilla*, 16)

Mi dama no quiere (*Romancero*, Padilla, 272)

Mi descanso y alegría (*Padilla*, 139)

Mi deseo no cansado (*CG 1511*, 147v)

Mi deseo no cansado (*Heredia*, 182v)

Mi desventura cansada (*CG 1511*, 139)

Mi dicha lo desconcierta (*CG 1511*, 144)

Mi dicha lo que recelas (*Lemos*, 13)

Mi dios mi bien mi salud (*CG 1511*, 174v)

Mi dolor jamás cansado (*CG 1514*, 211)

Mi dolor pide remedio (*Rojas*, 45v)

Mi Doris en su albergue (*RG 1600*, 133)

Mi dulce pastorcilla (TP 506, 365v)

Mi enemiga es la memoria (*CG 1511*, 144)

Mi enemiga es la memoria (*Evora*, 43)

Mi engaño y mi desengaño (MN 3913, 124v)

Mi esperanza es acabada (*CG 1514*, 129v)

Mi esperanza y deseo combatían (MBM 23/4/1, 243v)

Mi esperanza y deseo combatían (MN 17.951, 86)

Mi esperanza y deseo combatían (MP 1578, 101)

Mi esperanza y deseo combatían (WHA 2067, 9)

Mi espíritu y la carne mía (*Evora*, 32v)

Mi fe Gil ya de tu medio (*Evora*, 12)

Mi fe Gil ya de tu medio (MP 617, 269v, 317v)

Mi fe Gil ya de tu medio (PBM 56, 5v-6)

Mi fe Gil ya de tu medio (*Sevillano*, 69)

Mi fe nunca escarmentada (PN 418, p. 236)

Mi fe tan firme y segura (MP 617, 268v)

Mi ganado busque dueño (MP 644, 42v)

Mi ganado busque dueño (PN 371, 9v)

Mi ganado busque dueño (WHA 2067, 53)

Mi ganado mal me trata (*Corte*, 201v)

Mi ganado mal me trata (MN 3700, 175)

Mi ganado y mi cayado (*Corte*, 201v)

Mi ganado y mi cayado y mi zurrón (MN 3700, 175)

Mi gloria resplandor y sceptro sólo (MN 17.951, 14v)

Mi grave pena (WHA 2067, 73)

Mi libertad en sosiego (*CG 1511*, 139v)

Mi libertad vos tenéis (*Padilla*, 241)

Mi limpia voluntad he ofrecido (MN 2973, p. 140)

Mi madre que quiere (*Toledano*, 18)

Mi mal crece cada hora (MN 3902, 67)

Mi mal crece cada hora (PN 307, 251)

Mi mal de causa es y aquesto es cierto (*Recopilación*, Vázquez, 5v)

Mi mal quiérele apocar (*Heredia*, 35)

Mi mal quiérele apocar (PN 371, 49v)

Mi mal se cura con mal (*CG 1514*, 125)

Mi mal se entretiene (*Romancero*, Padilla, 326v)

Mi marido es cucharetero (*Jacinto López*, 68v)

Mi marido hace cucharas (*Jacinto López*, 69)

Mi mayor descanso (*Toledano*, 90v)

Mi mucha fe me asegura (*CG 1511*, 145v)

Mi mucha tristeza (*Toledano*, 66)

Mi mucha tristeza mi gran menoscabo (*Heredia*, 101v)

Mi niña blanca y colorada (RaC 263, 113v)

Mi ofensa es grande séalo el tormento (*Heredia*, 195v)

Mi ofensa es grande séalo el tormento (MN 2973, p. 46)

Mi ofensa es grande séalo el tormento (PN 307, 66v)

Mi pasión como no muere (*CG 1511*, 215)

Mi pasión es como el mundo (*Lemos*, 121)

Mi pasión es de tal suerte (*CG 1511*, 146)

Mi pasión mal agradecida (*CG1511*, 123v)

Mi pasión mata y recrea (*Tesoro*, Padilla, 341v)

Mi pasión tengo por buena (*Obras*, Cepeda, 88v)

Mi peligrosa pasión (*CG 1511*, 146v)

Mi pena manda que muera (*Morán*, 78)

Mi penada y triste vida (*Padilla*, 236v)

Mi pensamiento sube hasta el cielo (RaC 263, 5)

Mi pesar ya no es pesar (*CG 1554*, 113)

Mi pluma se levante (PN 258, 188

Mi pluma se levante (MN 4268, 193v)

Mi pluma se levante (MRAH 9-7069, 97v)

Mi pluma y tosco pincel (*Fuenmayor*, p. 109)

Mi poca seguridad (*Canc.*, Maldonado, 15)

Mi poco ser lo muy poco que entiendo (MN 17.951, 134)

Mi porfía (*CG 1514*, 145v)

Mi postrer punto es llegado (*Morán*, 30)

Mi querer tanto vos quiere (*Colombina*, 48v)

Mi querer y mi penar (PBM 56, 3)

Mi querer y vuestro olvido (*CG 1511*, 80)

Mi querido es ido al monte (TorN 1-14, 42)

Mi quintado va a la guerra (MN 17.556, 120v)

Mi quintado va a la guerra (*RG 1600*, 120v)

Mi remedio es esperar (*Lemos*, 134)

Mi sentimiento está tan ocupado (PN 373, 223)

Mi señor arcediano (MP 617, 222)

Mi señora Leonor estoy corrido (FN VII-353, 312v)

Mi señora me demanda (*Flor de enamorados*, 38v)

Mi señora qué hacéis (*Toledano*, 28)

Mi señora si querrás (PN 371, 16v)

Mi señora y valme (*Padilla*, 237v)

Mi ser no es otra cosa que el concepto (*Lemos*, 91v)

Mi ser no es otra cosa que el concepto (TP 506, 291v)

Mi servir nunca os erró (MP 617, 153v)

Mi seso está diferente (*CG 1511*, 194)

Mi seso lleno de canas (*CG 1511*, 115)

Tabla 189

Mi seso siempre encubrió (CG 1511, 194)
Mi sueño divino (Sevillano, 172)
Mi temor es tan a mano (CG 1511, 131)
Mi temor ha sido tal (CG 1511, 101)
Mi término es variar (PN 373, 211v)
Mi tormento gloria es (*Peralta*, 3v)
Mi tormento gloria es (*Rojas*, 60)
Mi trabajoso día (MN 3698, 138v)
Mi triste pena mortal (CG 1511, 148)
Mi triste vida en nada es diferente (PN 372, 254)
Mi ventura desterrado (Padilla, 235v)
Mi vida contradecía (*Jesuitas*, 445)
Mi vida de amor vencida (CG 1511, 144v)
Mi vida desesperada (MP 617, 158v)
Mi vida estando de vivir cansada (*Toledano*, 70)
Mi vida me es desabrida (*Jesuitas*, 445)
Mi vida pasó en lugar ameno (*Borges*, 88)
Mi vida que [cortado] (*Lemos*, 134v)
Mi vida quién la defiende (*Tesoro*, Padilla, 466)
Mi vida se desespera (CG 1511, 80)
Mi vida se desespera (MP 617, 154)
Mi vida tan corta fue (*Penagos*, 175v)
Mi vida va engañando la esperanza (*Faria*, 28v)
Mi vida vive muriendo (CG 1511, 96)
Mi vida y mi libertad (*Morán*, 117)
Mi vivir ya desterrado (CG 1511, 112v)
Mi voluntad durará (PN 307, 254)
Mienten y si acaso el rey (MN 3723, 170)
Mienten y si acaso el rey (MP 973, 001)
Mienten y si acaso el rey (RG 1600, 98v)
Mientra el fiero león fogoso ardiente (MN 2973, p. 200)
Mientra el hijo de Venus alcanzaba (TP 506, 374)
Mientra que a tus claros ojos (MP 570, 127)
Mientras a esos claros ojos (Jacinto López, 219)
Mientras con gran terror por cada parte (MN 2973, p. 309)
Mientras Corinto en lágrimas deshecho (*Lemos*, 209v)
Mientras Delia señora y vida mía (TP 506, 312)
Mientras duermen los sentidos (MN 17.556, 39)
Mientras duermen los sentidos (MP 996, 131)
Mientras duermen los sentidos (*Penagos*, 139)
Mientras duermen los sentidos (RaC 263, 142)
Mientras duermen los sentidos (RG 1600, 69)
Mientras el fuego arde y destruye (Corte, 53v)
Mientras en mí la esperanza florecía (MN 2973, p. 133)
Mientras Justo y Pastor viven (*Vergel*, Ubeda, 145)
Mientras la fuerza de mi desventura (MN 2856, 57v)
Mientras la fuerza de mi desventura (MN 2973, p. 221)
Mientras la fuerza de mi desventura (SU 2755, 122v)
Mientras la vida me dura (WHA 2067, 85)

Mientras las tiernas alas pequeñuelo (MN 2973, p. 310)
Mientras más de vos me acuerdo (CG 1511, 176)
Mientras más me meneo / más me regalo (MN 3913, 48)
Mientras más pena se extiende (CG 1511, 127)
Mientras para cantar la monarquía (*Faria*, 2)
Mientras por alegrarme el sol mostraba (MN 2973, p. 257)
Mientras que competir con tu cabello (MN 3913, 158)
Mientras que de sus canes rodeado (MN 2973, p. 381)
Mientras que el morico duerme (*Sevillano*, 63)
Mientras que gobernare (*Cid*, 59v)
Mientras que gobernare (*Jacinto López*, 286v)
Mientras que gobernare (Jesuitas, 327)
Mientras que gobernare (MN 3698, 227v)
Mientras que gobernare (MP 3560, 40)
Mientras que gobernare (MP 973, 9)
Mientras que la bella esposa (Sevillano, 86)
Mientras que reposa el niño (Sevillano, 128)
Mientras que sus pies nevados (MN 4127, p. 243)
Mientras que te agradaba (*Cid*, 50v)
Mientras que te agradaba (FN VII-353, 193)
Mientras que te agradaba (FR 3358, 211v)
Mientras que te agradaba (MN 3698, 19)
Mientras que te agradaba (*Morán*, 243v)
Mientras que te agradaba (MP 973), 44)
Mientras que te agradaba (MP 996, 249)
Mientras se apresta Jimena (RG 1600, 222v)
Mientras sobre los cielos van del mundo (*Lemos*, 274)
Mientras Urbano en lágrimas deshecho (MN 3913, 28v)
Mientras voy en seguimiento (MN 3691, 12)
Mil años ha que no canto (RG 1600, 47v)
Mil años ha que no canto / porque ha mil años que lloro (RG 1600, 112v)
Mil años me parece cada hora (PN 373, 219)
Mil años os serví señora mía (TP 506, 279v)
Mil años tu esposo goces (MN 3913, 62v)
Mil cantares y clamores (Sevillano, 149)
Mil celosas fantasías (MN 17.557, 80v)
Mil celosas fantasías (MP 996, 170)
Mil celosas fantasías (MP 996, 182)
Mil celosas fantasías (RG 1600, 229)
Mil ciudades arruinadas (FN VII-353, 46v)
Mil cosas me faltan / después que duermo (MN 3913, 48v)
Mil días ha que pretendo (FN VII-353, 40)
Mil dieron al enemigo (Jhoan López, 104v)
Mil gracias doy al cielo que ha sacado (SU 2755, 200)
Mil gustos o mil enojos (Jacinto López, 67v)
Mil higas en escabeche (PN 418, p. 215)
Mil lazos he rompido de aquel ciego (MN 3968, 164v)
Mil lecciones te he de dar (Jacinto López, 205v, 207v)

Mil siglos ha que pretende (*Fuenmayor*, p. 433)

Mil trabajos da el amor (MP 617, 171)

Mil varias pruebas hizo Amor en vano (PN 314, 37)

Mil varios açidentes ora magoas (EM Ç-III.22, 53v)

Mil varios pensamientos (*Fuenmayor*, p. 133)

Mil veces callo que mover deseo (PN 258, 206v)

Mil veces de tu mano me he escapado (MBM 23/4/1, 240v)

Mil veces de un semblante alegre y blando (*Morán*, 163)

Mil veces del semblante amigo y blando (MP 570, 208v)

Mil veces entre sueños tu figura (EM Ç-III.22, 4v)

Mil veces estoy pensando (MN 3700, 135v)

Mil veces he tentado de hablaros (SU 2755, 126v)

Mil veces he tratado de hablaros (MN 2973, p. 314)

Mil veces iba yo a buscar aquella (CG 1554, 193v)

Mil veces iba yo a buscar aquella (MN 1132, 9v)

Mil veces llamo la muerte (*Elvas*, 83v)

Mil veces mientra en vos estoy pensando (TP 506, 119v)

Mil veces os he ofrecido (OA 189, 16v)

Mil veces os he ofrecido (PN 314, 51v)

Mil veces os he ofrecido (PN 371, 82v)

Mil veces os he ofrecido (PN 373, 283v)

Mil veces os he ofrecido (WHA 2067, 59v)

Mil veces son las que he tomado (MP 617, 205v)

Milagro de natura (*Morán*, 139v)

Milagro fue no lo niego (TP 506, 349v)

Milagro fue que el cielo hacer quiso (*Padilla*, 117v)

Mingo Blas y Gil Matía (*Sevillano*, 46v)

Mingo olvida esa doncella (*Sevillano*, 288v)

Mingo Revulgo Mingo (*Corte*, 128)

Mingo Revulgo Mingo (MP 617, 189)

Mingo torna a tus amores (*Sevillano*, 299)

Minguilla guarte del cura (MN 3700, 90v)

Minha alma em seu mal esquivo (*Corte*, 221)

Minha alma lembraivos della (*Borges*, 3)

Minha liberdade tinha (*Corte*, 222v)

Minha ventura e tal (PBM 56, 105)

Ministros cuidosos (*Rojas*, 158)

Mío no lo puedo ser (*Morán*, 68)

Míos eran linda dama (*Cid*, 40)

Míos eran mi señora (FRG, p. 188)

Mira acá y de que te digo (MN 17.557, 58)

Mira bien que no te engañe (*Morán*, 78v)

Mira bien Tirsi que Menga (MN 3700, 27v)

Mira cómo sanará (MN 5593, 69)

Mira el cuerpo casi frío (MN 3723, 113)

Mira el cuerpo casi frío (RG 1600, 174v)

Mira el daño que hiciste (*Jacinto López*, 184v)

Mira el daño que hicistes (*Tesoro*, Padilla, 240v)

Mira el limbo Lucifer (*Vergel*, Ubeda, 21v)

Mira el noble rey don Juan (FN VII-353, 144)

Mira el noble rey don Juan (*Jacinto López*, 78v)

Mira el norte la imán fijo lucero (*Padilla*, 199v)

Mira el plato que te ha dado (*Canc.*, Ubeda, 42)

Mira el plato que te ha dado (*Vergel*, Ubeda, 77v)

Mira Gil que es Juan gracioso (*Vergel*, Ubeda, 5v)

Mira Gil qués Juan gracioso (*Canc.*, Ubeda, 25)

Mira las soberbias torres (*Penagos*, 300v)

Mira lo que debo niña a tus labios (MN 3913, 72)

Mira lo que dices Gil (*Canc.*, Ubeda, 7v)

Mira lo que dices Gil (*Vergel*, Ubeda, 5)

Mira los castillos fuertes (MP 1587, 105)

Mira mi mucha fe y poca ventura (*Morán*, 98)

Mira Muza que te aviso (MN 3723, 104)

Mira Muza que te aviso (RG 1600, 78v)

Mira Nero de Tarpeya (*Rosa Gentil*, Timoneda, 23v)

Mira Nero de Tarpeya (*Vergel*, Ubeda, 21v)

Mira Nero de Trapeya (EM Ç-III.22, 92v)

Mira no te cases (RV 1635, 105v)

Mira por dónde vengo a conocerme (*Obras*, Silvestre, 412v)

Mira qué dicen de ti (WHA 2067, 38v)

Mira que el faisán del cielo (*Canc.*, Ubeda, 56v)

Mira que es desamorada (*Sevillano*, 243)

Mira qué extremada (*Medinaceli*, 60v)

Mira qué extremada (*Sevillano*, 295)

Mira que jamás Amor (RV 1635, 103)

Mira qué mal es el mío (CG 1511, 149v)

Mira que soy niña (RG 1600, 309)

Mira qué te digo (*Padilla*, 97v)

Mira que te mira Dios (*Canc.*, Ubeda, 97)

Mira Tarfe que a Daraja (MN 3723, 165)

Mira Tarfe que a Daraja (*Penagos*, 131v)

Mira Tarfe que a Daraja (RG 1600, 79)

Mira tus males ausencia (CG 1511, 123v)

Mira ya en el suelo (MP 644, 198v)

Mira Zaida que te aviso (MN 17.556, 182v)

Mira Zaida que te aviso (MP 996, 187)

Mira Zaida que te digo (RG 1600, 324)

Mira Zaide que te aviso (MN 3723, 63)

Mira Zaide que te aviso (MN 4127, p. 1)

Mira Zaide que te aviso (MP 973, 261v)

Mira Zaide que te aviso (*Peralta*, 79v)

Mira Zaide que te digo (MN 3723, 65)

Miraba a Jesús su madre (*Vergel*, Ubeda, 16)

Miraba con grande amor (*Canc.*, Ubeda, 141)

Miraba con grande amor (*Vergel*, Ubeda, 117v)

Miraba desde la cruz (*Canc.*, Ubeda, 72v)

Miraba desde la cruz (*Vergel*, Ubeda, 45)

Tabla 191

Miraba dos jilguerillos (MN 17.557, 96v)

Miraba dos jilguerillos (MN 3724, 99)

Miraba dos jilguerillos (*RG* 1600, 317)

Miraba el cruel de Herodes (*Canc.*, Ubeda, 66)

Miraba el famoso Aquiles (*Penagos*, 135v)

Miraba el famoso Aquiles (*RG* 1600, 247v)

Miraba el moreno un día (MP 996, 208)

Miraba el niño Dios recién nacido (*Canc.*, Ubeda, 14v)

Miraba el niño Dios recién nacido (*Vergel*, Ubeda, 7v)

Miraba el rey Almanzor (MN 3700, 120v)

Miraba el tierno cuerpo desangrado (*Canc.*, Ubeda, 76)

Miraba el tierno cuerpo desangrado (*Vergel*, Ubeda, 49)

Miraba la mar (*Cid*, 240)

Miraba la mar (FN VII-353, 174v)

Miraba la mar (MoE Q 8-21, p. 179)

Miraba la mar (*Rojas*, 66)

Miraba Tisbe el cuerpo desangrado (*Vergel*, Ubeda, 49)

Miraba Tisbe el cuerpo traspasado (*Cid*, 224)

Miraba Tisbe el cuerpo traspasado (FR 2864, 34)

Miraba Tisbe el cuerpo traspasado (MiT 994, 6)

Miraba Tisbe el cuerpo traspasado (*Morán*, 100v)

Miraba Tisbe el cuerpo traspasado (MP 1587, 17v, 40v)

Miraba Tisbe el cuerpo traspasado (RaC 263, 19)

Mirábase Dios a sí (FN VII-353, 60)

Mirábase Dios a sí (*Morán*, 108v)

Mirad adónde ha subido (*Jesuitas*, 210v)

Mirad en que he dado (*Rojas*, 79v)

Mirad hombres a Dios hombre (*Jesuitas*, 477v)

Mirad las obras de amor (*Jesuitas*, 479)

Mirad marido si queréis algo (*Jacinto López*, 319), *ver* Marido si queréis, Pues con vos

Mirad ojuelos graciosos (*Canc.*, Maldonado, 35)

Mirad por dónde vengo a conocerme (MN 2973, p. 52)

Mirad que el faisán del cielo (*Vergel*, Ubeda, 76)

Mirad qué fuerza de amores (*Canc.*, Ubeda, 63v)

Mirad qué fuerza de amores (*Vergel*, Ubeda, 30v)

Mirad qué hace Amor y cuánto puede (*Cid*, 7v)

Mirad qué hace Amor y cuánto puede (PN 372, 221)

Mirad qué negro amor o qué nonada (*Tesoro*, Padilla, 198v)

Mirad qué negro amor y qué nonada (*Elvas*, 100v)

Mirad qué negro dios y qué aparejo (MP 617, 259)

Mirad que vivo mortal (MP 1587, 171)

Mirad Señor aqueste atribulado (*Jesuitas*, 351)

Mirad señora mía en el estado (*RH*, 212)

Mirad si estoy bien librado (PN 372, 90)

Mirada bien mi bajeza (*Morán*, 77)

Mirada pieza por pieza (*Heredia*, 347)

Mirado bien el lazo estrecho y fuerte (SU 2755, 219)

Miramos ya ningún ser (*Padilla*, 243v)

Mirando Cloris una fuente clara (MN 3913, 161)

Mirando como en dechado (MN 17.951, 145v)

Mirando dama hermosa (*Colombina*, 49v)

Mirando el agua risueña (*RG* 1600, 238)

Mirando el sagrado Ebro (MN 3724, 82)

Mirando está de Sagunto (MN 17.557, 73)

Mirando está de Sagunto (*RG* 1600, 221)

Mirando está las cenizas (*RG* 1600, 105v)

Mirando está un moro viejo (*Jhoan López*, 15v)

Mirando está un moro viejo (*León/Serna*, 104)

Mirando está un moro viejo (*Tesoro*, Padilla, 23v)

Mirando estaba Amor acaso un día (*Obras*, Cepeda, 107v)

Mirando estaba Belerma (*Cid*, 164)

Mirando estaba Damón (MN 17.556, 30)

Mirando estaba Damón (MN 4127, p. 129)

Mirando estaba Damón (MP 996, 124v)

Mirando estaba Danteo (PN 372, 207v)

Mirando estaba el pastor (MN 3724, 79)

Mirando estaba el pastor (*RG* 1600, 134v)

Mirando estaba Fileno (FN VII-353, 66)

Mirando estaba Lisardo (MN 17.556, 33v)

Mirando estaba Lisardo (*RG* 1600, 106)

Mirando la forma de su invención (CG 1511, 156)

Mirando las claras aguas (*Sablonara*, 13)

Mirando las cosas del grande universo (CG 1511, 197)

Mirando mis desventuras (*Morán*, 75v)

Mirando un corriente río (*RG* 1600, 233)

Mirando vuestra figura (CG 1511, 129v)

Mirándome está mi niña (MN 3700, 142)

Mirándoos de amores muere (CG 1511, 127)

Mirant en vos examen de pintura (CG 1514, 180)

Mirar vuestra perfección (CG 1514, 130)

Miraron vuestra figura (*Cid*, 33v)

Miraros no es de medroso (*León/Serna*, 114v)

Miraros y mi partida (CG 1511, 147)

Mírate mi corazón (PN 373, 149)

Mírate todos los días (*Borges*, 96)

Miré los ojos de mi ninfa bellos (MP 1587, 27v)

Mire qué le digo / no le digo nada (*Jacinto López*, 69v)

Mire quien en ti tiene confianza (MBM 23/4/1, 251v)

Mire quien en ti tiene confianza (PN 373, 284v)

Miréla cuitado (MN 3725-1, 34)

Miren el viejaco (MN 17.557, 74)

Mírenme Jacinta tus ojos claros (MN 3700, 41, 174)

Miro Señor en ese palo atado (*Rosal*, p. 11, 295)

Miro señora mía el edificio (MN 2973, p. 67)

Mis amorosos padres con contento (*Rosal*, p. 281)

Mis ansias y mi porfía (*Morán*, 117v)

Mis arreos son las armas (MN 3725-2, 28)

Mis arreos son las armas (PBM 56, 67v-68)
Mis bienes son acabados (*Gallardo*, 56)
Mis bienes son acabados (*Heredia*, 87)
Mis bienes son acabados (MN 3902, 46v)
Mis bienes son acabados (MN 5593, 85)
Mis bienes son acabados (MP 1587, 151v)
Mis bienes son como el viento (MP 1587, 161v)
Mis cosas me faltan después que duermo (MN 3913, 48v)
Mis cueros y mis huesos se han juntado (MN 2973, p. 23)
Mis cuidados busquen dueño (MP 570, 135)
Mis gemidos lastimeros (*Padilla*, 231)
Mis glorias murieron luego (CG 1511, 122)
Mis lágrimas publiquen lo que siento (*Obras*, Cepeda, 49)
Mis males nunca mudados (CG 1511, 130v)
Mis males razón sería (MN 3902, 68)
Mis males razón sería (OA 189, 130)
Mis manos que la muerte a tantos dieron (*Vergel*, Ubeda, 168)
Mis melancolías (MN 3725-1, 125)
Mis melancolías (*RG* 1600, 286)
Mis ojos cuando os miraron (CG 1554, 101
Mis ojos cuando os miraron (CG 1554, 110v)
Mis ojos cuando os miraron (*Padilla*, 96v)
Mis ojos cuando os miraron (RV 1635, 110)
Mis ojos cuando os miraron (*Tesoro*, Padilla, 289)
Mis ojos de llorar están cansados (FN VII-353, 64v)
Mis ojos de llorar están cansados (*Lemos*, 8v)
Mis ojos de llorar están cansados (*Lemos*, 8v)
Mis ojos de llorar están cansados (MP 570, 274)
Mis ojos de llorar están cansados (MP 617, 234)
Mis ojos de llorar están cansados (*Padilla*, 182)
Mis ojos de llorar ya están cansados (MN 2973, p. 399)
Mis ojos de llorar ya están cansados (TP 506, 360v)
Mis ojos de mirar están cansados (*Morán*, 19v)
Mis ojos embravecidos (MN 5593, 79)
Mis ojos llenos de amor (CG 1511, 175v)
Mis ojos que continuo están llorando (*Cid*, 6v)
Mis ojos qué miráis (*Obras*, Silvestre, 373)
Mis ojos que no vivían (MN 5593, 79)
Mis ojos siempre serán (*Jacinto López*, 162v, 185)
Mis pensamientos ancianos (EM Ç-III.22, 45v)
Mis suspiros despertad (CG 1511, 37)
Mis suspiros despertad (PBM 56, 78v-79)
Mis tristes tristes suspiros (*Colombina*, 27v)
Mis verdes campos y apacibles huertos (SU 2755, 43)
Miseria llama al llorar (*Jesuitas*, 126)
Misericordia pidió (*Vergel*, Ubeda, 20v)
Molinico por qué no mueles (*Tesoro*, Padilla, 469)
Molt be sap ella qui es (*Flor de enamorados*, 4v)

Mon esperit está plé de sospita (CG 1514, 139)
Mon marit es de fora (*Uppsala*, n. 17)
Mondego cristalino claro e puro (EM Ç-III.22, 35v)
Mongil tomaría y toca (RV 1635, 97v)
Monjas si queréis que os ame (*Morán*, 125)
Monstruo cruel que en el oscuro centro (*Canc.*, Maldonado, 59v)
Montaña hermosa (*Toledano*, 60)
Montaña inaccesible opuesta en vano (MN 3700, 88)
Montaña seca nublosa (MP 1578, 305)
Montaña seca nublosa (RV 1635, 57v)
Montaña seca y nublosa (*Cid*, 230v)
Montaña seca y nublosa (MP 570, 148v)
Montaña seca y nublosa (MP 973, 195v)
Montañas de Cataluña (PN 418, p. 109)
Montañas de mis desdichas (MN 3913, 128)
Monte fértil lusitano (*Cid*, 229v)
Monte fértil lusitano (MP 1578, 304)
Monte fértil lusitano (MP 570, 148)
Monte fértil lusitano (RV 1635, 56v)
Monte gentil lusitano (MP 973, 194)
Montes altos de la Iglesia (*Vergel*, Ubeda, 116v)
Montesina era la garza (CG 1511, 150v)
Mora que con sus amores (MN 3902, 63v)
Mora Zaida hija de Zaide (MN 3723, 88)
Mora Zaida hija de Zaide (*RG* 1600, 121v)
Morán a ti hermosa Clara mía (*Morán*, 112)
Morena cuando mis ojos (MP 996, 160v)
Morena la tan garrida (*Rojas*, 67)
Morena no te enamores (*RG* 1600, 86)
Morena que adoro (MN 17.557, 19)
Morena que adoro (TorN 1-14, 12, 56v)
Morena que ahora vienes (*RG* 1600, 86)
Morenica dime cuándo (*Romancero*, Padilla, 285)
Morenica me era yo (*Recopilación*, Vázquez, 6)
Morenica no desprecies (*Sevillano*, 59)
Morenica no desprecies (*Toledano*, 88)
Morenica no desprecies (TP 506, 288)
Morenica no seas boba (MN 3725-1, 6)
Morenica por qué no me queréis (*Jacinto López*, 68)
Morenica tente a las clines (MN 17.556, 180)
Moriana en el castillo (*Flor de enamorados*, 56)
Moriana en el castillo (*Rosa de Amores*, Timoneda, 5)
Morico a las cañas (*RG* 1600, 96)
Morir antes que olvidar (MN 5593, 39v)
Morir es menor mal que mi tormento (*Padilla*, 2)
Morir no me satisface (CG 1511, 128)
Morir os queréis mi padre (*Rosa Española*, Timoneda, 21)
Morir y nunca acabar (MP 617, 212v)

Tabla   193

Morir y nunca acabar (TP 506, 395v)

Morirán de amor mis ojos (WHA 2067, 19)

Moriré de amores (*Sevillano*, 94v)

Moriré moriré (*Sevillano*, 39)

Moriros queréis mi Dios (*Vergel*, Ubeda, 45v)

Moriros queréis mi padre (*Vergel*, Ubeda, 45v)

Moriste ninfa bella (*Lemos*, 222)

Moro alcaide moro alcaide (*Elvas*, 8v)

Moro alcaide moro alcaide (MP 1587, 33v bis)

Moro de la morería (FN VII-353, 146)

Moro extranjero en Sevilla (MN 3700, 161)

Mortal con desnudez y en el invierno (*Sevillano*, 143)

Mortal fiero dolor me abrasa el pecho (*Penagos*, 13v)

Mortales habéis visto mayor cosa (*Obras*, Silvestre, 376)

Mortales son los dolores (*Colombina*, 70v)

Mortales son los dolores (MP 617, 167)

Mostrábase por los campos (*RG* 1600, 149)

Mostráisme tener muy gran afición (*CG* 1511, 155)

Mostrando un ojo matáis (MBM 23/4/1, 406)

Mostrando unos desengaños (*RG* 1600, 129v)

Mostraros el corazón (*Tesoro*, Padilla, 162)

Mostróme amor crudo y fiero (MP 973, 125)

Mostróme amor un dedo blanco hermoso (*Jacinto López*, 9)

Mostróme el rostro ventura (*Obras*, Cepeda, 97)

Mostróme un dedo Amor lindo y hermoso (*Morán*, 147)

Mostróse al amor cruel (*Vergel*, Ubeda, 132v)

Movida de un humilde atrevimiento (MN 17.951, 84)

Movido se ha señora gran cuestión (*Cid*, 144)

Movido se ha señora gran pasión (MP 570, 254)

Movió mi fe sus alas con tal fuerza (TP 506, 280)

Movióle un ante ojo o ante tobillo (TP 506, 210)

Movite lingua ormai di'l tuo dolore (*CG* 1514, 154)

Moza de vuestra respuesta (*Toledano*, 25)

Moza que fuere briosa (*Jhoan López*, 144)

Mozo de Montemayor (MP 617, 211v)

Mozo de Montemayor (TP 506, 394v)

Mozuela de la saya de grana (FN VII-353, 175)

Mozuela de la saya de grana (*Jacinto López*, 68v)

Mozuela de la saya de grana (*Jhoan López*, 37)

Mozuela de la saya de grana (*Penagos*, 117)

Mozuela del botín verde (*Penagos*, 123v)

Mozuela paporroncita (*Toledano*, 23)

Mozuelas hermosas (RaC 263, 163)

Mozuelas las de mi barrio (*Jacinto López*, 21)

Mozuelas las de mi barrio (*RG* 1600, 38)

Mucabrama llega al rey (*Lemos*, 180v)

Mucha merced me habéis hecho (*Padilla*, 140)

Muchas cosas hallo yo (*Morán*, 34v)

Muchas cosas infalibles (*Toledano*, 78v)

Muchas cosas me promete (*Jhoan López*, 45)

Muchas habrán pensado (*Padilla*, 92)

Muchas veces lo que agrada (MP 2459, 67)

Muchas veces Silvia mía (*Jacinto López*, 48v)

Muchas veces Silvia mía (*Rojas*, 135)

Muchas veces vi por cierto (*CG* 1511, 191v)

Mucho a la magestad sagrada agrada (*Jesuitas*, 356)

Mucho a la magestad sagrada agrada (MRAH 9-7069, 132)

Mucho a la majestad sagrada agrada (*Cid*, 90v)

Mucho a la majestad sagrada agrada (*Corte*, 174v)

Mucho a la majestad sagrada agrada (*Faria*, 21v)

Mucho a la majestad sagrada agrada (FR 3358, 165)

Mucho a la majestad sagrada agrada (*Jacinto López*, 299v)

Mucho a la majestad sagrada agrada (MN 17.951, 70v)

Mucho a la majestad sagrada agrada (*Morán*, 182v)

Mucho a la majestad sagrada agrada (NH B-2558, 43)

Mucho a la majestad sagrada agrada (*Rojas*, 109v)

Mucho a lo justo desdice (MN 3700, 139)

Mucho agradezco a los cielos (MN 3700, 89)

Mucho corre la posta mi morenillo (MN 3913, 72v)

Mucho cuidado en prenderme (FN VII-353, 148)

Mucho disimula Dafne (*Cid*, 206)

Mucho emprendéis corazón (MN 3700, 24v)

Mucho en extremo holgara (*CG* 1511, 158)

Mucho es de maravillar (*Morán*, 51)

Mucho ha podido mi desaventura (MP 617, 202v)

Mucho hicistes en hacerme (*Heredia*, 189v)

Mucho hizo el padre eterno (*Vergel*, Ubeda, 68)

Mucho la magestad sagrada agrada (*Rosal*, p. 88)

Mucho mal está mi mal (*CG* 1511, 123)

Mucho más merecerás (*Padilla*, 95v)

Mucho me aprieta el deseo (*Cid*, 33, 252)

Mucho me aprieta el deseo (*Jesuitas*, 465v), *ver* Nada me aprieta

Mucho me duele mi pena (*CG* 1511, 126)

Mucho quisiera loar (MP 617, 86)

Mucho una dama quisiera (*Lemos*, 235)

Muchos bienaventurados (*CG* 1511, 13)

Muchos habrán procurado (*FRG*, p. 219)

Muchos hay que con llorar (RaC 263, 44)

Muchos heridos de amor (*Cid*, 219v)

Muchos mártires han dado (*Fuenmayor*, p. 389)

Muchos melindres hacéis (*Padilla*, 91v)

Mudado se ha el pensamiento (*CG* 1511, 138)

Mudam-se os tempos mudam-se as vontades (EM Ç-III.22, 2v)

Mudanzas del tiempo (*RG* 1600, 302)

Mudanzas del tiempo canto (*Penagos*, 142v)

Mudarse puede ventura (*CG* 1511, 129)

Muera de envidia de mí (*Tesoro*, Padilla, 341)

Muera el amoroso fuego (*Sevillano*, 231v)

Muera el que os vio (*Evora*, 18)

Muera el que os vio porque vio (*Morán*, 129)

Muera en las ondas (*Toledano*, 5v)

Muera la vida (*CG 1511*, 141v)

Muera pues que me conviene (*CG 1511*, 208v)

Muera ya Silvano muera (*FRG*, p. 190)

Mueran mueran que es razón (*Faria*, 96)

Mueran mueran que es razón (MN 17.951, 162)

Mueran mueran que es razón (MP 1587, 24)

Muerda de la toca / y estése queda (MN 3913, 48)

Muere de lo que vive el pensamiento (MN 3700, 95)

Muere el supremo príncipe mas luego (FN VII-353, 245v, 318)

Muere en la cruz por amoroso indicio (*Padilla*, 205v)

Muere quien vive muriendo (*CG 1511*, 134v)

Muéreseme una picaña (MP 1587, 162v)

Muéreseme una picaña (RaC 263, 113), *ver* Regálame una picaña

Muero de amores carilla (*Sevillano*, 263)

Muérome de antojos (*Rojas*, 96v)

Muerta está ya lo sé la viva llama (MN 3902, 116)

Muerta queda la milicia (PN 373, 227)

Muerta queda la milicia (RV 1635, 132)

Muerte cruel levanta tu estandarte (*Borges*, 91v)

Muerte cruel levanta tu estandarte (MP 617, 260v)

Muerte cruel nacida del pecado (MP 2456, 11)

Muerte de cuantos miráis (*CG 1514*, 191)

Muerte fiera cruel inexorable (TP 506, 343)

Muerte ha sido haberos visto (*Obras*, Cepeda, 93v)

Muerte que pones espanto (MN 3806, 79)

Muerte que pones espanto (RV 1635, 59)

Muerte si te das tal prisa (*RG 1600*, 309)

Muerte tú me das vida descansada (*Morán*, 219v)

Muerte vida osar temor (*CG 1511*, 144v)

Muerto dejaba don Diego (*León/Serna*, 107v)

Muerto descendéis Jesús (*Vergel*, Ubeda, 50)

Muerto es ya muerto señora (*CG 1511*, 147)

Muerto estuve de Tormes en la orilla (MN 2856, 93v)

Muerto había don Diego Ordóñez (*Cid*, 170v)

Muerto había don Diego Ordóñez (*Jesuitas*, 473)

Muerto había don Diego Ordóñez (*Morán*, 2v)

Muerto había don Diego Ordóñez (*RH*, 39v)

Muerto queda Durandarte (MP 617, 250)

Muerto queda Durandarte (PN 371, 44v), *ver* Muerto yace

Muerto ya el rey don Fernando (*Rosa Española*, Timoneda, 23)

Muerto yace don Alonso (*Elvas*, 6)

Muerto yace Durandarte (*Cid*, 68v)

Muerto yace Durandarte (*Evora*, 46v)

Muerto yace Durandarte (*León/Serna*, 101v)

Muerto yace Durandarte (MN 1317, 443v)

Muerto yace Durandarte (*Morán*, 40v)

Muerto yace Durandarte (MP 2803, 108)

Muerto yace Durandarte (*Obras*, Cepeda, 138v)

Muerto yace Durandarte (*Rosa de Amores*, Timoneda, 31v)

Muerto yace el gran Pompeyo (MP 996, 46v)

Muerto yace el rey don Sancho (*Jesuitas*, 472v)

Muerto yace el rey don Sancho (*León/Serna*, 93v)

Muerto yace el rey don Sancho (*Morán*, 1v)

Muerto yace el rey don Sancho (MP 1587, 37v)

Muerto yace el rey don Sancho (*RH*, 31)

Muerto yace Marco Antonio (*Lemos*, 92)

Muerto yace un caballero (EM Ç-III.22, 92)

Muerto yace un caballero (*León/Serna*, 91v)

Muerto yace un caballero (*Vergel*, Ubeda, 24v)

Muestra Dios el tesoro de su gloria (*Padilla*, 207v)

Muestra Galicio que a Leonarda adora (MN 4127, p. 206)

Muestra hermosa del poder divino (*Padilla*, 126v)

Muéstrame quien mi alma tanto quería (*Evora*, 33)

Muéstrase por lo exterior (*Fuenmayor*, p. 248)

Muéstrasenos agradable (MP 1587, 104)

Muéstrasenos agradable (PN 307, 300)

Muéstrate Virgen ser madre (*CG 1511*, 18v)

Muéstrate Virgen ser madre (*Ixar*, 69v)

Muéstrense las penas mías (PN 373, 119v)

Mueva mi voz sus acentos (MP 973, 306v

Mueva mi voz sus acentos (*RG 1600*, 263v)

Mueve a gran compasión mi llorar tanto (MN 2973, p. 194)

Mueve un gran rey de corona (*RH*, 242)

Muévese con eterna ley el cielo (MN 17.557, 21v, 64)

Mujer aunque sintáis lo que yo quiero (FN VII-354, 251)

Mujer aunque sintáis lo que yo quiero (*Jacinto López*, 2)

Mujer aunque sintáis lo que yo quiero (RaC 263, 121v)

Mujer de hombre sin mujer (*Penagos*, 174v)

Mujer fea y confiada (*Tesoro*, Padilla, 449)

Mujer fea y enamorada (MP 1587, 95)

Mujer mirad (*Cid*, 159v)

Mujer y tiempo y ventura (*Toledano*, 16v)

Mujeres de quis vel qui (RaC 263, 8)

Mujeres del tiempo (FN VII-353, 117v)

Mujeres para nuestro mal nacidas (*Jacinto López*, 24v)

Mujeres son crueles pero humanas (TP 506, 381)

Mundo qué me puedes dar (OA 189, 328v)

Mundo qué me puedes dar (PN 307, 232)

Mundo quien discreto fuere (*CG 1511*, 111)

Mundo quien te conociere (*Corte*, 155v)

Tabla 195

Mundo quien te conociere (FN VII-354, 434v)

Muriendo dio de sí don Pero Laso (*Lemos*, 12v)

Muriendo estoy por mostraros (MP 570, 109)

Muriendo la misma vida (*Vergel*, Ubeda, 69)

Muriendo mi madre (*Flor de enamorados*, 63v), ver Cantando mi madre

Murió con muy gran contento (*Sevillano*, 297v)

Murió Felipe Tercero (MiB AD.XI.57, 11)

Murió Felipe Tercero (MiT 1001, 10v)

Murió Lucía Blanca la hortelana (*Cid*, 124v)

Murmura el vulgo severo (MiB AD.XI.57, 44)

Murmuraba entre unas peñas (MN 3700, 119v)

Musa que sopla y no inspira (FN VII-353, 236v, 258)

Musa si la pluma mía (*Lemos*, 221)

Musas en esto creo estáis dañadas (TP 506, 57v)

Musas italianas y latinas (*Heredia*, 354v)

Musas italianas y latinas (MP 617, 241v)

Musas italianas y latinas (TP 506, 400v)

Música celestial del cielo santo (*Jesuitas*, 273)

Muy alto gran capitán (*CG* 1514, 188v)

Muy alto muy poderoso (PN 373, 68v)

Muy alto queréis cantar (*Heredia*, 172v)

Muy alto y muy poderoso (MP 617, 329v)

Muy amado y amador (*CG* 1511, 154v)

Muy bien conoces Tirsi una pastora (TP 506, 379)

Muy bien el amor os trata (*Jesuitas*, 271)

Muy bien ido seáis señor (MN 2856, 106v)

Muy bien muestra quién sois vos (*Fuenmayor*, p. 66)

Muy bien pensaba yo según el tiempo (*Obras*, Cepeda, 54)

Muy bien puedes hacerle a tu contento (MP 2459, 103v)

Muy bien se muestra Flora que no tienes (MP 973, 325)

Muy bien veo aunque estoy ciego (*Heredia*, 142)

Muy buena es la mujer si no tuviese (MN 3913, 24v)

Muy bueno su Majestad (PN 418, p., 340)

Muy claro se echa de ver (MP 2459, 24v)

Muy claros y hermosos (*Vergel*, Ubeda, 200v)

Muy confusa está Jarifa (*León/Serna*, 85)

Muy confuso está don Diego (*León/Serna*, 90)

Muy corrido y afrentado (*Jesuitas*, 476)

Muy crueles voces dan (*Colombina*, 11v)

Muy determinado vengo (*Heredia*, 51)

Muy discreta bella y buena (*CG* 1511, 226v)

Muy dulce cosa es miraros (*Elvas*, 30v)

Muy en cargo sois señor (TP 506, 396)

Muy enferma está María (FN VII-353, 33)

Muy enfermo de un camino (FN VII-353, 82v)

Muy enhorabuena sea (*Sevillano*, 81)

Muy formosa agraçada (*Lemos*, 26), ver Soy hermosa y agraciada, Soy morena

Muy furioso andaba el moro (RV 1635, 108v)

Muy gentilhombre novel (MP 617, 93)

Muy gran necedad sería (PN 314, 230)

Muy gran ocasión tuvieron (RV 1635, 111v)

Muy grande locura ha sido (*Obras*, Silvestre, 145)

Muy grandes voces se oyeron (FN VII-353, 141)

Muy grandes voces se oyeron (*Romancero*, Padilla, 114)

Muy ilustre enamorado (MP 617, 216)

Muy justa es mi perdición (MP 570, 162)

Muy justo fue que habiéndose caído (MN 3902, 82)

Muy lejos de mi ventura (PBM 56, 98)

Muy lejos de un gran deseo (*CG* 1511, 152)

Muy magnífica señora (MP 973, 99v)

Muy magnífico señor / cuyo siervo siempre he sido (*Lemos*, 64)

Muy magnífico señor / de muy enfermo maestro (*CG* 1511, 156)

Muy magnífico señor / un cantor / questá aquí casado en Torre (*CG* 1554, 119v)

Muy magnífico señor / un cantor / questá aquí casado en Torre (MP 617, 215)

Muy magnífico señor / viendo tan gran señoría (MN 3902, 84v)

Muy mal se guarda la moza (*Jhoan López*, 146)

Muy mal se puede encubrir (*Jhoan López*, 22v)

Muy malo estaba Antioco (*Rosa de Amores*, Timoneda, 17)

Muy malo estaba Espinelo (*Flor de enamorados*, 51v)

Muy malo estaba Espinelo (*Rosa de Amores*, Timoneda, 32)

Muy más bordado de fe (MP 617, 90)

Muy más clara que la luna (*CG* 1511, 29)

Muy más ilustres señoras (FN VII-354, 99v)

Muy más ilustres señoras (MN 3670, 48)

Muy más ilustres señoras (MP 973, 224)

Muy más ilustres señoras (PN 258, 106v)

Muy más necio y majadero (MP 973, 226)

Muy más negro el corazón (*Padilla*, 244)

Muy mejor prenda quisiera (*Gallardo*, 57v)

Muy necia vais esperanza (MN 3700, 88v)

Muy noble señor honrado (MP 617, 221v)

Muy nobles señoras a vos se dirije (MP 617, 105v)

Muy nuevo debes de ser (*Morán*, 51)

Muy pequeña es la victoria (MiT 994, 41v)

Muy poco entiendes de amores (PN 307, 316v), *ver* Poco te entiendes

Muy poco entiendes de amores (RV 768, 158)

Muy poco la ha exagerado (*Obras*, Cepeda, 97v)

Muy quejoso está Aníbal (*Peralta*, 77v)

Muy raro o casi nunca le veremos (*Jesuitas*, 468v)

Muy reverendo y curioso (*Toledano*, 106)

Muy ruín lance habéis echado (RV 1635, 53v)

Muy sañudo está Paris (*Rosa Gentil*, Timoneda, 46)   Muy triste será mi vida (MP 617, 149v)
Muy satisfecho de veras (*CG* 1554, 77)   *Muy tristes agüeros* (*Toledano*, 89v)
Muy triste será mi vida (*Colombina*, 19v)   *Muy tristes si no miráis* (MoE Q 8-21, p. 84)

N [nombre] *lumbre de mis ojos* (*Morán*, 135)
Na fonte está Leonor (PBM 56, 119v)
Na metade do céu subido ardia (*Borges*, 10)
Não é dano o que não dana (*Corte*, 56)
Não é de nenhum mortal (*Borges*, 59)
Não fendes cama bonihu não (PBM 56, 125v)
Não hajais por desatino (*Corte*, 152)
Não lhe vem de pouca é se (*Evora*, 44v)
Não me leixes sepultado (PBM 56, 100)
Não me respondestes (*Elvas*, 33)
Não pode a ventura dar (*Borges*, 58)
Não podem meus olhos ver-vos (*Elvas*, 77v)
Não sinto de cá (*Corte*, 160v)
Não tendes cama bom Ihu não (PBM 56, 125v)
Não tragais borceguís (PBM 56, 129v)
Não vejo meu bem precente (NH B-2558, 38v)
Não vejo rosto a niguem (*Corte*, 48v)
Não vos acabeis tão cedo (*Evora*, 6)
Não vos espante o tardar (*Evora*, 46v)
Nace Dios en un pesebre (*Sevillano*, 147v)
Nace el mundo en culpas muerto (*Sevillano*, 156)
Nace el rey del cielo (*Cid*, 181v)
Nace en la tierra estéril y sombría (*Jesuitas*, 264)
Nace estrella d'alba (*Cid*, 191v)
Nace la rosada Aurora (*Padilla*, 193)
Nace toda criatura (MP 617, 214)
Nacé ya nacé oh sol resplandeciente (MN 2973, p. 187)
Nacéis siendo Dios eterno (*Vergel*, Ubeda, 12)
Nacen Dios y hombre junto (*Sevillano*, 161v)
Nacer el Sol de una estrella (*Padilla*, 45)
Nací de abuelo y padre sin segundo (*Corte*, 143v)
Nací de abuelo y padre sin segundo (MN 4256, 262v)
Nací de abuelo y padre sin segundo (MP 570, 280)
Nací de abuelo y padre sin segundo (RaC 263, 130v)
Nací de padre y abuelo sin segundo (NH B-2558, 59v)
Nací libre y soy cautivo (CG 1511, 148)
Nací libre y soy cautivo (*Flor de enamorados*, 101v)
Nací libre y soy cautivo (*Lemos*, 98)
Nací para ser tuyo viviré (FN VII-353, 57)
Nacido soy de Amor de Amor criado (MBM 23/4/1, 375v)

Nacídole ha un hijo ajeno (PN 372, 200)
Nació del pecho real del regio infante (*Jhoan López*, 103v)
Nació en el mundo un casi desconcierto (*Borges*, 90v)
Nació entre animales una ave tan vil (MN 1317, 469)
Nació Juan como el lucero (*Jesuitas*, 464v)
Nació la flor de Jesé (*Peralta*, 39)
Nació para darnos vida (*Vergel*, Ubeda, 30)
Nació por mi desdicha una doncella (MBM 23/4/1, 350v)
Nació un animal por mal de la gente (MN 1317, 440v)
Nació un animal por mal de las gentes (*Lemos*, 18v)
Nació una flor de un árbol generoso (*Penagos*, 203v)
Nació vuestra señoría (MN 3670, 7)
Nació vuestra señoría (MP 1578, 132v)
Naciones aunque bárbaras rendidas (*Rosal*, p. 97)
Naciste escondidamente (MN 3700, 82v)
Naciste sólo por nos (*Canc.*, Ubeda, 31)
Nada do que vês é si (*Corte*, 50v)
Nada me aprieta el deseo (*Morán*, 109v), ver Mucho me
    aprieta
Nada puede pretender (*Morán*, 30)
Nada puede pretender (MP 1587, 96v)
Nada puede pretender (RV 1635, 26)
Nada puede ser más cierto (PN 418, p. 393)
Nada que mandáis escuso (MiB AD.XI.57, 20v)
Nada sin vos me entretiene (*Tesoro*, Padilla, 131)
Nadie con mujer pretenda (*Sevillano*, 199v)
Nadie de su libertad (PN 373, 245v)
Nadie debe confiar (OA 189, 50)
Nadie debe confiar (RaC 263, 66)
Nadie en pagar os iguala (PN 418, p. 474)
Nadie fíe en alegría (BeUC 75/116, 145v)
Nadie fíe en alegría (*Cid*, 200)
Nadie fíe en alegría (FN VII-354, 183v)
Nadie fíe en alegría (MBM 23/8/7, 175)
Nadie fíe en alegría (MiT 994, 35v)
Nadie fíe en alegría (MN 3670, 28)
Nadie fíe en alegría (MN 4256, 240)
Nadíe fíe en alegría (MN 4262, 210v)
Nadie fíe en alegría (MN 4268, 161v)
Nadie fíe en alegría (*Morán*, 50v, 66, 106)
Nadie fíe en alegría (MP 2805, 73)

Nadie fíe en alegría (MRAH 9-7069, 121)
Nadie fíe en alegría (PN 258, 151v)
Nadie fíe en alegría (PN 372, 9v)
Nadie fíe en alegría (RaC 263, 70)
Nadie fíe en alegría (RV 768, 175)
Nadie fíe en su alegría (PhUP1, 165)
Nadie haga del galán (*Vergel*, Ubeda, 85v)
Nadie haya que se asombre (*Vergel*, Ubeda, 12)
Nadie Juan te ha despertado (*Sevillano*, 282)
Nadie no diga (*Sevillano*, 244v)
Nadie no puede negar (*Romancero*, Padilla, 345v)
Nadie puede asegurar (*FRG*, p. 229)
Nadie puede saber lo que conviene (MN 6001, 60v)
Nadie se duela de mí (*Elvas*, 54v)
Nadie se parta que es un mal partido (WHA 2067, 88)
Nadie viva sin cuidado (*Tesoro*, Padilla, 334)
Naiades vós que os rios habitais (*Borges*, 62v)
Nam m'espanto já de não (PBM 56, 110v-111)
Namoráronse María (*Sevillano*, 129)
Naquela serra quero ir morar (*Corte*, 52)
Naquele brando Teijo saudoso (*Borges*, 72v)
Naquele longo desterro (*Corte*, 52v)
Naranjitas tira la niña (MoE Q 8-21, p. 177)
Natura con su poder (*Morán*, 78)
Natura quiso mostrarse (*Morán*, 62v)
Natura y perfección se han ajuntado (PN 372, 134v)
Naturaleza esmerar (EM Ç-III.22, 113v)
Naturaleza esmerar (*Romancero*, Padilla, 244v)
Naturaleza estaba deseosa (MN 2973, p. 323)
Naturaleza estaba en gran porfía (*Morán*, 159v)
Naturaleza estaba en gran porfía (MP 973, 73)
Naturaleza estando deseosa (PN 373, 255)
Naturaleza ha mostrado (*Lemos*, 54v)
Naturaleza y la diosa (MN 3700, 191)
Navarros y aragoneses (*Rosa Gentil*, Timoneda, 50v)
Navegando va el deseo (*Morán*, 62)
Navegando va la nave (*Rosa de Amores*, Timoneda, 14)
Navego en hondo mar embravecido (*Medinaceli*, 40v)
Navego en hondo mar embravecido (MP 1587, 21)
Navego en hondo mar embravecido (PN 307, 64)
Navego un hondo mar embravecido (MP 1578, 96)
Navegue el rico con seguro viento (MN 3913, 26v)
Navío celestial que en lo profundo (*Vergel*, Ubeda, 91v)
Necesidad enemiga (CG 1554, 66v)
Necio eclipsado Apolo que arrogante (*Rosal*, p. 288)
Necio vuestra indiscreción (*Jacinto López*, 153)
Negaste Pedro y hallo (MiT 1001, 9)
Negóme Marina (*Sevillano*, 232v)
Negra Pascua me dé Dios (*Tesoro*, Padilla, 176v)

Nenguma le da razão (PBM 56, 120)
Nenhum efeito torpe da cobiça (*Corte*, 127)
Nero emperador de Roma (*Flor de enamorados*, 112v)
Nero emperador de Roma (*Rosa Gentil*, Timoneda, 4v)
Nesta triste despedida (*Borges*, 22)
Neste deserto vivo desterrado (EM Ç-III.22, 11v)
Neste tão fundo vale que escondido (*Evora*, 41)
Nestes povoados (*Corte*, 52)
Nesun creda a la fama (*Tesoro*, Padilla, iii)
Ni ausente vivo gozoso (CG 1511, 125v)
Ni basta disimular (MP 617, 329v)
Ni digo lo que deseo (*Obras*, Cepeda, 91)
Ni doy ni tomo cuidado (CG 1511, 146)
Ni doy ni tomo cuidado (PN 314, 221v)
Ni el aire ni el frescor de la mañana (EM Ç-III.22, 83)
Ni el corazón ni el alma ni la vida (*Faria*, 33)
Ni el mar argentes ni los campos dores (FN VII-353, 238)
Ni el morir me viene a cuenta (CG 1511, 193v)
Ni el templo de Diana fabuloso (MN 17.951, 85)
Ni ellos se entienden ni son entendidos (MP 973, 202v)
Ni eres flaco ni eres fuerte (PBM 56, 103)
Ni Júpiter en rayos fue tan fiero (MP 617, 182v)
Ni la alta pira que de César cierra (MN 2856, 70)
Ni la gloria me da gloria (CG 1511, 125v)
Ni me mudo ni sosiego (CG 1514, 125v)
Ni me mudo ni sosiego (*Evora*, 43v)
Ni miento ni me arrepiento (CG 1511, 99)
Ni penado ni perdido (MP 1587, 163v)
Ni permitas que en el pecho (RG 1600, 136v)
Ni placeres me descansan (CG 1511, 127)
Ni por el cielo ir hermosa estrella (MN 2973, p. 171)
Ni por mostrarse blanda ni piadosa (MN 2973, p. 360)
Ni que mayor mal ni tal (CG 1511, 123v)
Ni sabe decir qué vido (CG 1514, 109v)
Ni sé de amor ni tengo pensamiento (*Faria*, 25v)
Ni sé ni puedo ni quiero (CG 1511, 146)
Ni sé si muero ni si tengo vida (MN 4127, p. 229)
Ni soy mío ni soy vuestro (MN 5593, 89), ver No soy
Ni vivir quiere que viva (CG 1511, 101)
Nicolás siendo del suelo (*Fuenmayor*, p. 430)
Ninfa cruel si buscas tú mi muerte (MP 2803, 223v)
Ninfa cuya belleza (*Morán*, 98)
Ninfa gentil que en medio la espesura (*Medinaceli*, 41v)
Ninfa más alba que la Lecotea (FR 3358, 187v)
Ninfas en esta ocasión (MN 3700, 129)
Ninfas que en Elicón monte sagrado (MN 3968, 98)
Ninfas que en las claras aguas (*Padilla*, 189)
Ninfas que en las tasqueras (MN 3913, 20v)
Ninfas que estáis gozando al viento frío (MP 570, 209)

Tabla 199

Ninfas que habéis de ser acá inmortales (MP 2803, 221v)

Ningún bien hay en la vida (*Cid*, 24)

Ningún bien hay en la vida (MP 617, 293v)

Ningún bien hay en la vida (PN 372, 86v)

Ningún bien hay que no tenga (*Romancero*, Padilla, 318v)

Ningún bien hay tan cumplido (MP 617, 293v)

Ningún bien hay tan cumplido (PN 372, 86)

Ningún descontentamiento (*Flor de enamorados*, 90v)

Ningún dolor iguala al acordarse (MN 17.556, 133)

Ningún engaño recela (CG 1514, 189)

Ningún galardón merece (*Lemos*, 105)

Ningún hombre mayor hijo (*Sevillano*, 177v)

Ningún hombre se llame desdichado (*Faria*, 25)

Ningún remedio hay tan bueno (*Morán*, 210)

Ninguna cosa me queda (FN VII-353, 54v)

Ninguna cosa me queda (*Morán*, 213v)

Ninguna cosa me queda (*Obras*, Silvestre, 99v)

Ninguna cosa me queda (RV 1635, 106)

Ninguna gloria consuela (CG 1511, 130v)

Ninguna más que a un señor (*Sevillano*, 198v)

Ninguna mujer hay que yo no quiera (FN VII-354, 251v)

Ninguna mujer hay que yo no quiera (MP 973, 268v)

Ninguna mujer hay que yo no quiera (RaC 263, 116v)

Ninguna parte dentro en mí se halla (PN 314, 199v)

Ninguna se tenga (*Jacinto López*, 71v)

Ninguna virtud tanto resplandece (MN 6001, 63)

Ninguno cierre las puertas (*Padilla*, 229v)

Ninguno desespere (*Cid*, 119)

Ninguno en mayor alteza (*Vergel*, Ubeda, 121v)

Ninguno esté temeroso (MP 973, 110v)

Ninguno fue en la tierra más dichoso (*Tesoro*, Padilla, 271v)

Ninguno haga mudanza (CG 1511, 126v)

Ninguno juzgue temerariamente (*Lemos*, 246)

Ninguno podrá señora (CG 1535, 192)

Ninguno puede servir (*Jacinto López*, 184)

Ninguno puede servir (*Morán*, 229v)

Ninguno puede vivir (MoE Q 8-21, p. 24)

Ninguno sabe el año (MP 570, 245)

Ninguno se desespere (*Padilla*, 99)

Ninguno se vio libre tan contento (*Padilla*, 89)

Ninguno se vio libre tan contento (*Tesoro*, Padilla, 291)

Ninguno subió tanto ni ha podido (*Vergel*, Ubeda, 107)

Ninguno sufra dolor (CG 1514, 108v)

Ninguno sufra dolor (MP 617, 154)

Ninguno tenga esperanza (CG 1511, 123v)

Ninguno tenga pasión (CG 1511, 126v)

Ninguno trate verdad (MN 3700, 59v)

Ninguno vive en ausencia (MP 617, 154)

Niña colérica y leve (PN 418, p. 193)

Niña cuya vista (MN 3725-1, 40)

Niña de los cielos (MN 3700, 152)

Niña de los ojos negros (MN 17.556, 109v)

Niña de los ojos negros (MP 996, 152v)

Niña de los ojos negros (RG 1600, 349v)

Niña de los soles negros (MN 3700, 20)

Niña de mi corazón (PN 418, p. 436)

Niña de mis ojos (RG 1600, 84)

Niña de mis ojos / a quien Dios bendiga (MN 3725-1, 103)

Niña de mis ojos / que por gloria tienes (MN 3725-1, 77)

Niña de quince años (MN 3725-1, 34)

Niña de quince años (RG 1600, 226v)

Niña de tanta lindeza (PN 418, p. 232)

Niña después que te vi (PN 418, p. 423)

Niña erguídeme los ojos (MP 617, 168)

Niña la que vives (MN 3725-1, 32)

Niña la que vives (RG 1600, 172v)

Niña por quien yo suspiro (*Morán*, 95, 252)

Niña por quien yo suspiro (PN 314, 211v)

Niña por quien yo suspiro (*Sevillano*, 236v)

Niña por quien yo suspiro (*Vergel*, Ubeda, 16)

Niña que de hermosos daños (PN 418, p. 426)

Niña si en mi perdición (PN 418, p. 214)

Niña si quieres ventura (MN 3913, 49v)

Niña y viña (*Colombina*, 72v)

Niño Amor nuestras peonzas (MN 17.556, 105)

Niño Amor nuestras peonzas (MP 996, 150)

Niño cuando me mirastes (*Jesuitas*, 132)

Niño de reyes servido (*Sevillano*, 143v)

Niño Dios decid qué habéis (*Sevillano*, 161)

Niño Dios nacido al hielo (*Sevillano*, 147)

Niño Dios por quien suspiro (*Canc.*, Ubeda, 32)

Niño Dios qué estáis llorando (*Sevillano*, 164)

Niño Dios que lloráis ahora (*Canc.*, Ubeda, 33)

Niño Dios quién os ha dado (*Jesuitas*, 457)

Niño porque en las gentes (*Uppsala*, n. 39)

Niño que en tan tierna edad (*Vergel*, Ubeda, 27v)

Niño que es Dios y en naciendo (*Vergel*, Ubeda, 30)

Niño sagrado y bendito (*Padilla*, 59)

Niño si ardéis en amor (*Jesuitas*, 293)

Niño tal tan afligido (*Sevillano*, 182)

Niño tal y en un portal (*Sevillano*, 182)

Niños briosos de ánimo constante (*Jesuitas*, 227v)

Niños quien a vuestra alteza (*Jesuitas*, 191)

No acostumbro hermana mía (MN 3968, 74v)

No al soberbio francés haber vendido (MP 2459, 51)

No altiva frente en vencedor romano (*Morán*, 91v)

No altiva suerte en vencedor romano (PN 372, 116v)

No andes tan aborrecido (WHA 2067, 52)

No andes tan aburrido (*Elvas*, 44v)

No andes tan aburrido (PBM 56, 100v-101)

No aprehende mi pergeño (MRAH 9-7069, *119*)

No aprovecha en este oficio (*Romancero*, Padilla, 304v)

No aquel illustre defensor troyano (MRAH 9-7069, 115)

No arguye más poder Fabio la ofensa (MN 3700, 133)

No ayunáis rey soberano (*Vergel*, Ubeda, 33)

No ayunéis santo bendito (*Vergel*, Ubeda, 153)

No bajáis por movimiento (*Vergel*, Ubeda, 75v)

No basta disimular (*Canc.*, Maldonado, 20v)

No basta disimular (MP 1578, 137)

No basta disimular (OA 189, 53)

No basta disimular (PN 373, 293v)

No basta disimular (RaC 263, 84)

No basta el entendimiento (*Sevillano*, 179v)

No basta mi sufrimiento (MP 644, 46)

No bastaba que amor puro ardiente (*Corte*, 122v)

No blasone libertades (RG 1600, 123v)

No borres pluma el verso mal limado (MN 6001, 52v)

No borres pluma en verso mal limado (*Rosal*, p. 105)

No burle de mí (*Toledano*, 95v)

No busco paz ni estoy para dar guerra (MP 973, 239v)

No busque nadie en mar larga bonanza (*Canc.*, Maldonado, 177)

No cabes en el orbe ni el camino (MN 17.951, 83v)

No canto el triunfo honroso y la victoria (Vergel, Ubeda, 137v)

No canto en triunfo honroso o la victoria (*Canc.*, Ubeda, 130)

No canto por descansar (MN 3913, 79)

No con mayor dolor la amarga historia (PN 372, 172)

No con mayor dolor la triste historia (*Jacinto López*, 79v)

No con mayor dolor la triste historia (MP 973, 300v)

No conocí mi ventura (*Obras*, Cepeda, 63v)

No conozco bienes míos (MN 3700, 46v)

No consiento ni me place (*Colombina*, 64v)

No consintió el hebreo rey Josía (*Vergel*, Ubeda, 58)

No contento el rey don Pedro (RG 1600, 200v)

No contento ni quejoso (CG 1511, 145)

No contra el hijo sabio de Laerte (FR 3358, 190)

No corras arroyo ufano (MN 3700, 82v)

No cortes a la esperanza (*Tesoro*, Padilla, 185v)

No creo haber jamás dolor tan fiero (PN 314, 210v)

No creo que tras gran sed a nadie agrada (MN 6001, 58)

No cubráis con negro velo (MP 996, 171)

No cubráis con velo (TorN 1-14, 47)

No cubráis el suelo (RG 1600, 68)

No cuidé que entre pastores (*Sevillano*, 264), ver No pensé que

No culpe mi pensamiento (MN 3700, 83)

No culpes mi pensamiento / señora por lo que quiso (*Sevillano*, 54)

No cure de mis versos ni los lea (*Corte*, 183v)

No cures de el pan del suelo (*Fuenmayor*, p. 280)

No cures del pan del suelo (*Fuenmayor*, p. 280)

No de algún pescador la varia vela (MN 2973, p. 13)

No de Grecia sólo Homero (FN VII-353, 35v)

No de las Musas que al Parnaso habitan (MP 2459, 22)

No de Mincio el cantor famoso y claro (PN 314, 79v)

No debe poco a sus ojos (WHA 2067, 36)

No debes dama real (CG 1511, 117)

No debo culpar a vos (MP 617, 167v)

No debo dar culpa a vos (*Colombina*, 3)

No deis muestra ni señal (PN 372, 69v)

No deis señor la rienda poderoso (PN 373, 256v)

No dejaré de quereros (*Jacinto López*, 184v)

No dejéis de llorar ojos cansados (*Morán*, 20v)

No dejéis de llorar ojos cansados (PN 373, 22)

No dejéis lágrimas tristes (*Flor de enamorados*, 100)

No denotan esperanza (*Sevillano*, 241v)

No desciendo de sangre tan cobarde (FN VII-353, 164v)

No desciendo de sangre tan cobarde (*León/Serna*, 105v)

No desciendo de sangre tan cobarde (PN 372, 182v)

No deseo jamás la clara fuente (CG 1554, 169v)

No deseo jamás la clara fuente (*Lemos*, 12v)

No deseó jamás la clara fuente (MN 1132, 161v)

No desesperes carillo (*Obras*, Silvestre, 350v)

No desesperes carillo (*Sevillano*, 81v)

No desmayéis amadores (*Morán*, 15v)

No desmayéis amadores (PN 373, 52v)

No desmayen amadores (*Flor de enamorados*, 24v)

No destrozada nave en roca dura (*Lemos*, 210v)

No diré de mi tormento (*León/Serna*, 112)

No diré yo Isabel que habéis andado (*Padilla*, 17)

No diré yo Isabel que habéis andado (*Romancero*, Padilla, 274)

No diréis oh Isabel que habéis andando (*Padilla*, 17)

No dudo que me muriese (PN 372, 322v)

No duermen mis ojos (RG 1600, 273v)

No el superbo triunfo y la grandeza (*Obras*, Cepeda, 66)

No en azules tahalíes (MN 17.557, 13)

No en azules tahalíes (MN 3723, 225)

No en azules tahalíes (MN 4127, p. 59)

No en azules tahalíes (RG 1600, 123)

No en palabras los ánimos gentiles (*Ixar*, 265v)

No en valde Rey Católico han llamado (*Lemos*, 271, 272)

No entendemos caballero (*Flor de enamorados*, 4)

No entiendo comer perdices (MP 2459, 61)

No enturbies el alegría (*Lemos*, 48)

No era bien amanecido (*Jesuitas*, 473)

No era bien amanecido (*León/Serna*, 82)

No era Medoro de aquéllos (MP 996, 15v)

Tabla 201

No eres nieve que fuera derretida (EM Ç-III.22, 41v)

No eres nieve que fueras derretida (*Faria*, 29v)

No eres nieve que fueras derretida (FR 3358, 163)

No eres nieve que fueras derretida (*Jacinto López*, 10)

No eres nieve que fueras derretida (MN 17.556, 138v)

No eres nieve que fueras derretida (MN 2856, 46)

No eres nieve que fueras derretida (*Morán*, 256v)

No eres nieve que fueras derretida (MRAH 9-7069, 133)

No eres nieve que fueras derretida (*Penagos*, 2)

No es alma ya mi alma que es medalla (*Morán*, 11v)

No es alma ya mi alma que es medalla (*Obras*, Silvestre, 365v)

No es alma ya mi alma que es medalla (PN 314, 199)

No es amigo muy sencilla (MiB AD.XI.57, 46)

No es amor el que es cruel (MN 3806, 88v)

No es ciego Amor mas yo lo soy que guío (PN 307, 62v)

No es cosa determinada (*Rosal*, p. 280)

No es de amor grande el exceso (*Tesoro*, Padilla, 377v)

No es el rayo de Febo luciente (*Ixar*, 264)

No es el tiempo que solía (Rojas, 11v)

No es Fortuna la que daña (PN 373, 156)

No es gana de maldecir (MP 996, 199v)

No es mal el mal que como mal maltrata (MN 3913, 124, 133v)

No es malo el amor (*Obras*, Cepeda, 95v)

No es malo mi mal (*Heredia*, 344)

No es malo mi mal (*Toledano*, 85)

No es menester que digáis (*Corte*, 219v)

No es menester sino sólo mirarte (Toledano, 91v)

No es mi dolor el que canto (MN 3913, 9)

No es mi mal para sufrir (*Flor de enamorados*, 95)

No es mi pena de callar (OA 189, 80)

No es mi pena de callar (PN 307, 181)

No es morir esto que siento (MN 5593, 77v)

No es mucho mi mal (*Heredia*, 344)

No es mucho no tener nada (Jacinto López, 212)

No es mucho que calléis cual mansa oveja (*Padilla*, 207)

No es muy grande la victoria (CG 1554, 107)

No es poco lo que te quiero (Penagos, 78)

No es posible mal tan grande (MP 1587, 31)

No es posible que dé pena (WHA 2067, 66)

No es posible que me queráis (Sevillano, 277)

No es posible que permita (MP 1587, 31)

No es razón dulce enemiga (*RG* 1600, 216v)

No es siempre poderosa (MN 3698, 148v)

No es tiempo o tierno llanto que me vea (MN 3902, 114)

No es tu carne de mármol gran monarca (*Rosal*, p. 104)

No es victoria menor haber sabido (MP 3560, 62)

No es vida la que vivo pues da muerte (MBM 23/4/1, 82v)

No es vida la que vivo pues da muerte (PN 373, 205)

No es vuestro donaire (Jhoan López, 44)

No espero por ningún arte (*CG* 1514, 100)

No espero remedio yo (*CG* 1511, 130v)

No está en partir mudarse el amor mío (MN 2973, p. 397)

No está para servir de otra materia (*Gallardo*, 54)

No estés descuidado (Sevillano, 89)

No estés esperando vanamente (MP 644, 192)

No estés Pedro de tal suerte (*Sevillano*, 221v)

No estés tan amodorrido (RV 1635, 68v)

No estés tan contenta Juana (*Obras*, Silvestre, 120)

No estés tan contenta Juana (*Sevillano*, 65, 284)

No estés tan contenta Juana (WHA 2067, 131)

No estés tan leda y contenta (Obras, Silvestre, 120v)

No estoy preso en cárcel real (MiT 994, 24)

No falta esfuerzo (MN 3691, 62)

No faltara qué decir (*Heredia*, 192)

No faltó Zaide quien trujo (MN 3723, 75)

No faltó Zaide quien trujo (*RG* 1600, 201v)

No fiáis señora mal (PN 418, p. 446)

No fíes Bras en Constanza (Jacinto López, 319)

No fíes Gil de pastora (FN VII-353, 243v)

No fíes Gil de pastora (*Obras*, Silvestre, 124)

No fíes Gil de pastora (*Padilla*, 84v)

No fíes Gil de pastora (*Sevillano*, 68v), *ver* Gil no

No fue caso tan liviano (Cid, 175v)

No fue de amor llagado (MP 2803, 210v)

No fue en mi mano miraros (PN 373, 130)

No fue la linda Elena celebrada (EM Ç-III.22, 83v)

No fue mi fe conocida (*Lemos*, 98)

No fuera infierno en mí la dulce gloria (Tesoro, Padilla, 323v)

No fuera infierno para mí la dulce gloria (*Morán*, 102)

No fuera malo mirar (MP 973, 54v)

No fuera nada olvidar (*Guisadillo*, Timoneda, 11v)

No gaste palabras / porque es en vano (MN 3913, 47v)

No gastéis más coplas mías (*Heredia*, 161v)

No gustan de amor pulido (Jhoan López, 3)

No gusto de ser querida (*Tesoro*, Padilla, 309v)

No ha de poder jamás no debe el cielo (MN 3902, 123v)

No ha estado malo el concierto (Jhoan López, 24)

No habiendo sido enseñados (*Obras*, Cepeda, 29)

No hable de la ausencia el que ha sido (EM Ç-III.22, 82v)

No hable en mal de ausencia aquel que ha sido (*Penagos*, 4)

No habrá tenido amor (MN 3700, 215)

No hace al caso ser hermosa (MP 1587, 157v)

No hagáis pesamiento mío (*Corte*, 236v)

No hagas mudanza (Vergel, Ubeda, 143v)

No hallándome conmigo (*CG* 1511, 201)

No hallo a mis males culpa (*CG* 1511, 125v)

No hallo a mis males culpa (*Lemos*, 23v)

No hallo a mis males culpa (MN 5602, 31)

No hallo a mis males culpa (*Morán*, 76v)

No hallo a mis males culpa (OA 189, 52v)

No hallo a mis males culpa (PBM 56, 128v)

No hallo a mis males culpa (PN 307, 231)

No hallo cosa en ti Lucida mía (*Tesoro*, Padilla, 74v)

No hallo cuál sea más fuerte (*Colombina*, 56v)

No hallo do me defienda (*CG* 1511, 142v)

No hallo en mis males culpa (MP 617, 154v)

No hallo en ti Luisa dulce mía (PN 372, 179v)

No hallo muerte que quiera (*Ixar*, 341v)

No hallo para mi mal (*Padilla*, 94)

No hallo ya en el mal inconveniente (MN 2973, p. 167)

No hallo ya en mi desconsuelo suelo (*Morán*, 92)

No hallo yo amadores que es cadena (OA 189, 125)

No hay acá en el suelo (FN VII-353, 100v)

No hay alguna estrella no (*Sevillano*, 41)

No hay amistad por firme que sea (*Lemos*, 123)

No hay ausencia do hay amor (*Padilla*, 14v)

No hay ausencia do hay amor (*Tesoro*, Padilla, 197)

No hay aviso sin prudencia (*Cid*, 221)

No hay aviso sin prudencia (FN VII-353, 56)

No hay aviso sin prudencia (*Jacinto López*, 236v)

No hay aviso sin prudencia (*Jhoan López*, 47)

No hay aviso sin prudencia (MN 3806, 58)

No hay bien contento alegre gloria (*Jacinto López*, 6)

No hay bien que el mar no le selle (PN 372, 68)

No hay corazón que no quiebre (*Sevillano*, 143v)

No hay cosa en toda la tierra (*Morán*, 77v)

No hay cosa más gastada ni raída (MN 3968, 103v), *ver*
    No vi cosa

No hay cosa que más despierte (FN VII-354, 435)

No hay cosa que no pene (*Elvas*, 28)

No hay cosa que tanto pruebe (*Vergel*, Ubeda, 137v)

No hay desengaño más cierto (*Corte*, 199)

No hay dolor en todo el mundo (MN 5593, 70)

No hay duda que el tiempo pueda (PN 371, 14)

No hay en amor tan áspera sentencia (OA 189, 15v)

No hay en amor tan áspera sentencia (PN 314, 15)

No hay en toda la ribera (*Enredo*, Timoneda, 7)

No hay en toda la ribera (*FRG*, p. 206)

No hay en todo este vallado (*FRG*, p. 206)

No hay fuerza que sostenga (*CG* 1514, 189)

No hay lugar teniendo vida (*CG* 1511, 145v)

No hay mal que a mi mal se iguale (OA 189, 71)

No hay mal que a mi mal se iguale (PN 307, 251)

No hay mal que a mi mal se iguale (PN 314, 53v)

No hay mal que ya no me sobre (*Jhoan López*, 40v)

No hay más ver que miraros (*Sevillano*, 89v)

No hay mayor mal que el morir (WHA 2067, 63)

No hay mayor mal que morir (*Morán*, 55v)

No hay mayor mal que morir (*Obras*, Cepeda, 85)

No hay miel que la dulce boca (*FRG*, p. 144)

No hay nadie que no se asombre (*Vergel*, Ubeda, 17)

No hay olvido (*Morán*, 118v)

No hay palabras que declaren (*CG* 1514, 14v)

No hay piedra tan fiel como balanza (MN 6001, 63)

No hay placer que un gran pesar (MN 3913, 140)

No hay placer sin libertad (FN VII-353, 56)

No hay placer sin libertad (*Jacinto López*, 236v)

No hay placer sin libertad (*Jhoan López*, 47)

No hay placer sin libertad (*Penagos*, 221)

No hay por qué alguno se alabe (RV 1635, 106v)

No hay que admirar que Epiro tenga fuente (MP 3560, 27)

No hay que esperar ni tener (*Padilla*, 174v)

No hay quienquiera por medida (*CG* 1535, 191v)

No hay regalo tan suave (*Padilla*, 95)

No hay sacro Bernardo en vos (*Fuenmayor*, p. 554)

No hay servicio en tal lugar (*CG* 1514, 109)

No hay tan fiera y cruda gente (*Morán*, 38v)

No hay tantas gotas de agua en nuestro río (*Cid*, 3v)

No hay temor (MN 3691, 78)

No hay torre tan alta ni guardada (MN 3968, 166v)

No hay torre tan alta ni guardada (*Padilla*, 182v)

No hay venganza (*CG* 1514, 129v)

No huyas morena (MoE Q 8-21, p. 156)

No invoco musa ninguna (FN VII-353, 251)

No jugáis buen caballero (MP 617, 95)

No juzguéis hombres lo que vistes (*Evora*, 30v)

No juzgues por el color (*CG* 1511, 88)

No la apartada sierra do tendido (SU 2755, 123)

No la debemos dormir (*Uppsala*, n. 34)

No la llaman y viene ella (*León/Serna*, 86v)

No la reina de las aves (MN 3723, 242)

No la reina de las aves (RG 1600, 104)

No labréis la tierra (*Jacinto López*, 66v)

No labréis la tierra pues (FN VII-353, 50)

No lágrimas suspiros juramentos (MP 570, 205)

No largo tiempo no temor de olvido (RV 1635, 34v)

No las puede tener malas (PN 373, 159)

No las superbas ondas del océano (*Peralta*, 27)

No le da pena el honor (FN VII-354, 404)

No le den tormento a la niña (MN 3913, 68)

No le entiendo al amor madre (PN 307, 299v)

No le entiendo al amor madre (PN 314, 174)

No le entiendo al amor madre (*Toledano*, 91), *ver* Que no le

Tabla 203

No le espanta al infante vuestro brío (MP 973, 70)

No le hallo haz ni envés (*Obras*, Silvestre, 46v)

No le sobrará contento (MP 973, 125)

No le vale que destuerza (*CG* 1511, 154)

No les consintáis mirarme (*Tesoro*, Padilla, 389)

No libre de la traición (*Rojas*, 16)

No llega el sentido (*Sevillano*, 64)

No llego a los altares (*Lemos*, 264)

No llevo de vos memoria (MP 1578, 132v)

No llora por pensar que está olvidado (RaC 263, 8v)

No llore Apolo con tan gran porfía (SU 2755, 46)

No lloréis amor (MN 3700, 75v)

No lloréis casada (MN 17.557, 63v)

No lloréis casada (MP 996, 80v)

No lloréis casada (*Penagos*, 124v)

No lloréis casada (*RG* 1600, 68)

No lloréis casada (TorN 1-14, 47), *ver* No lloréis amor

No lloréis colipoterra (*CG* 1557, 390v)

No lloréis dulces ojuelos (*Jhoan López*, 28)

No lloréis lindos ojuelos (*Heredia*, 204v)

No lloréis lindos ojuelos (MN 3700, 100v)

No lloréis lindos ojuelos (*Morán*, 252)

No lloréis madre (*CG* 1511, 10)

No lloréis mi madre (MN 3725-1, 105)

No lloréis mi niño así (*Jesuitas*, 273, 289)

No lloréis mis ojos tristes (*Gallardo*, 69)

No lloréis mis ojos tristes (*Heredia*, 183)

No lloréis mis ojos tristes (*Lemos*, 98)

No lloréis Niño aunque os cuadre (*Jesuitas*, 302)

No lloréis serena (MN 17.557, 54)

No lloréis sirena (*Penagos*, 119v)

No llores carillo no (WHA 2067, 104v)

No llores madre augusta que no es muerto (MP 2459, 5)

No llores más sin razón (*Sevillano*, 275)

No llores mis ojos tristes (*CG* 1511, 148v)

No llores pagano (PBM 56, 59)

No llores pastor amigo (PBM 56, 61v)

No lloro por ser amado (WHA 2067, 65v)

No lloro ya la dura esquiva suerte (*Canc.*, Maldonado, 179)

No lloro yo los dolores (*CG* 1511, 66)

No lo consiente firmeza (MP 617, 89v)

No lo dejéis a la lengua (*Cid*, 38v)

No lo dejéis a la lengua (*Obras*, Silvestre, 108v)

No lo dejéis a la lengua (PN 373, 176v)

No lo digo por blasfemia (*CG* 1511, 224)

No lo hacéis por matarme (*Jacinto López*, 68)

No lo recibáis por mote (*CG* 1514, 51)

No luches fiero tirano (*Vergel*, Ubeda, 144)

No más amor de aldeana (*Padilla*, 175)

No más amor de aldeana (RV 1635, 96v)

No más Dios mío ya no más ofensa (*Toledano*, 101)

No más fiero cruel duro enemigo (*Canc.*, Maldonado, 95)

No más lazos de amor arco y cadena (MN 2856, 53)

No más no más al agua (*Cid*, 54)

No más no más al agua (FR 3358, 208)

No más no más al agua (*Morán*, 240)

No más no más al agua (MP 973, 242)

No más no más alegría (*Morán*, 38)

No más no más no más ojos traidores (*Morán*, 105v)

No más Pireno ya limpia tus ojos (MBM 23/4/1, 141v)

No más Pireno ya limpia tus ojos (MN 3902, 35)

No más Pireno ya limpia tus ojos (PN 373, 235), *ver* No más Tirreno

No más señora ya que ya se acaba (PN 373, 80v)

No más Tirreno ya limpia tus ojos (PN 371, 85)

No más ya corazón no más contento (PN 373, 212)

No más ya pastor limpia tus ojos (PN 372, 199v)

No más ya zagal limpia tus ojos (*Sevillano*, 227)

No me admira Ana de vos (*Vergel*, Ubeda, 167v)

No me admira de vos Padilla tanto (*Tesoro*, Padilla, i v)

No me agravio de la pena (*Elvas*, 89v)

No me alegran los placeres (*Cid*, 242v)

No me alegran los placeres (*Gallardo*, 40)

No me alegran los placeres (*Morán*, 138)

No me alegran los placeres (*Obras*, Silvestre, 89)

No me alegran los placeres (PN 372, 292)

No me aparto yo de amor (*CG* 1511, 69)

No me atormentes mirando (*Cid*, 223)

No me bastaba el peligro (MN 3700, 208v)

No me bese tanto (FN VII-353, 234)

No me cante motetes (*Cid*, 133)

No me culpes si he hecho (*RG* 1600, 361)

No me da pena tu muerte (RV 1635, 13v)

No me das ya más consuelo (WHA 2067, 56v)

No me dé el suelo pastura (*Enredo*, Timoneda, 2)

No me dé el suelo pastura (*FRG*, p. 196)

No me dé señor mío (*Jacinto López*, 201v)

No me deja mi dolor (*CG* 1511, 134v)

No me dejo de no os ver (*CG* 1511, 130v)

No me demandes carillo (*Flor de enamorados*, 12)

No me demandes carillo (MN 5602, 27v)

No me demandes carillo (*Morán*, 24)

No me diréis aunque os toca (*Heredia*, 169)

No me duele aunque es mortal (*CG* 1511, 149v)

No me engañaréis otra vez (MN 17.556, 149)

No me engañaréis otra vez (MP 996, 159v)

No me entréis por el trigo (*Toledano*, 21)

No me espanto cierto no (WHA 2067, 74v)

No me espanto que Amor de vos me hiera (PN 373, 222)

No me falta qué decir (*Flor de enamorados*, 91)

No me firáis madre (*Recopilación*, Vázquez, 29)

No me firáis madre (*Toledano*, 18)

No me hace mudamiento (*CG* 1511, 140v)

No me halaguéis mi madre (*Toledano*, 18v)

No me huyas tanto (MoE Q 8-21, p. 157)

No me las amuestres más (*Uppsala*, n. 3)

No me llaman flor de las flores (*Toledano*, 89)

No me llaméis flor ninguna (*Lemos*, 122)

No me llaméis sega la erva (*Recopilación*, Vázquez, 32v)

No me llamen castillo fuerte (*Toledano*, 89)

No me llamen flor de ventura (*Toledano*, 89)

No me llega el sentimiento (PN 307, 254)

No me llevéis marido a la boda (FN VII-353, 209), *ver* Que no me llevéis

No me lloréis madre que me da gran pena (*Toledano*, 89v)

No me lo hagáis vida (*Jacinto López*, 319v)

No me lo pregunte madre (TorN 1-14, 30)

No me los ame nadie (FN VII-353, 119v, 122v)

No me los ame naide (*Jacinto López*, 319v)

No me mandéis descender (*Toledano*, 11)

No me mata mi tormento (*Cid*, 202v)

No me mata mi tormento (*Jesuitas*, 320v)

No me mata mi tormento (MP 1587, 66v)

No me mata mi tormento (MP 973, 111)

No me mata mi tormento (*Romancero*, Padilla, 302)

No me mata mi tormento (RV 1635, 23)

No me mataron mis males (PN 307, 234)

No me olvidéis buen amor (*Heredia*, 143)

No me olvides niña (MN 17.557, 70v)

No me olvides niña (MN 3725-1, 12)

No me olvides niña (RG 1600, 67v)

No me pago de romero (*CG* 1511, 223)

No me persigáis más vana esperanza (*Faria*, 22v)

No me persigas gesto de alpargate (*Rojas*, 40v)

No me pesa de tu muerte (MN 3968, 110v)

No me pesa que amor me haya rendido (*Morán*, 14v)

No me pregunte mi mal (MN 3913, 78)

No me punas Señor de que en la tierra (*CG* 1554, 186v)

No me quejo del amor (MP 617, 328v)

No me quejo del amor (PN 307, 283)

No me quejo del amor (PN 372, 65)

No me quejo del amor (*Sevillano*, 199), *ver* No me quejo yo

No me quejo Gila yo (*Jhoan López*, 40v)

No me quejo yo de amor (MP 973, 106)

No me queráis como os quiero (PN 373, 117)

No me queráis más mal que desearos (MP 1587, 161v)

No me quiero meter en tal hondura (MP 2459, 103)

No me roguéis madre (MP 996, 204)

No me sé determinar (*Lemos*, 64v)

No me tardé yo tanto en conoceros (*CG* 1554, 199v)

No me tardé yo tanto en conoceros (MN 1132, 33)

No me tengáis por hombre sin gobierno (*Jacinto López*, 5v)

No me tengáis por hombre sin gobierno (MBM 23/4/1, 38)

No me tengáis por hombre sin gobierno (*Morán*, 147)

No me tires Amor flechas en vano (*Tesoro*, Padilla, 63)

No me tires flechas rapaz Cupido (*Sablonara*, 75)

No me voy que con vos quedo (*Morán*, 141v)

No me voy que con vos quedo (*Obras*, Silvestre, 107)

No me voy que con vos quedo (*Peralta*, 14)

No me voy que con vos quedo (PN 307, 309v)

No me voy que con vos quedo (*Romancero*, Padilla, 288)

No me voy que con vos quedo (*Tesoro*, Padilla, 430v)

No me voy que con vos quedo (WHA 2067, 40v)

No meio de minha alma um pensamento (*Evora*, 30)

No merece pena igual (PBM 56, 128v)

No merece Zaida amiga (MN 2856, 126)

No merece Zaida amiga (MN 3700, 60v)

No mi padre será parte (PN 372, 181)

No miráis que sois esposa (*Lemos*, 109v)

No miráis si no matáis (*Sevillano*, 241v)

No mirar lo por venir (*Obras*, Cepeda, 32)

No miras encendida Magdalena (MP 617, 185)

No miras la luna (PN 307, 309)

No miras la luna (*Sevillano*, 262)

No miréis mi perdimiento (OA 189, 323)

No miréis mi perdimiento (PN 307, 229)

No miréis ojuelos (FN VII-353, 242)

No miréis ojuelos (*Jacinto López*, 48v)

No miren mi perdición (*Jacinto López*, 217)

No miren mi perdición (RV 1635, 72)

No miren mi perdimiento (*Jacinto López*, 54, 56)

No muestra en sus conceptos (*Sevillano*, 204v)

No muestra en sus conceptos (TP 506, 398v)

No nací para contento (*Morán*, 50)

No negar fuera mejor (*Heredia*, 159)

No ni sí me satisface (*CG* 1511, 144v)

No no Sí sí (*CG* 1554, 103)

No notas Blas el primor (*Jesuitas*, 464v)

No olvides Blas a Constanza (*Morán*, 51)

No os alabo porque sobra (*CG* 1511, 183)

No os alabo porque sobra (*Lemos*, 99)

No os alabo porque sobra (MP 617, 186)

No os cabe venir placer (MN 5593, 78)

No os cause pesar señora (MN 3913, 63v)

No os cumple venir placer (*Flor de enamorados*, 40v)

No os cumple venir placeres (*Peralta*, 72)

Tabla 205

No os doláis de mi dolor (*Heredia*, 120v)
No os duela mi madre (*Sevillano*, 88v)
No os he juntado aquí para animaros (*Rojas*, 160)
No os parezca desamor (*CG 1511*, 127v)
No os parezca señor a maravilla (*Sevillano*, 217v)
No os parezca señor a maravilla (*TP 506*, 64v)
No os parezcan desvaríos (*FN VII-353*, 205v)
No os parezcan desvaríos (*MP 1587*, 121)
No os pesará Juan hermano (*CG 1511*, 234)
No os pese de ser morena (*MN 3913*, 63v)
No os pese en verme mortal (*Heredia*, 121v)
No os pido que me queráis (*MBM 23/4/1*, 43)
No os pido que me queráis (*Morán*, 122)
No os pido que me queráis (*Tesoro*, Padilla, 351v)
No os puedo yo negar Albania mía (*Romancero*, Padilla, 191v)
No os quejáis caballero (*RaC 263*, 98v)
No os quejaréis del desasosegaros (*Penagos*, 20)
No os quejéis el caballero (*Flor de enamorados*, 11)
No os tardéis en socorrerle (*PN 372*, 122)
No os tengo de ver quejosa (*Sevillano*, 235)
No oso alzar los ojos (*MN 5593*, 76v)
No parece inconveniente (*BeUC 75/116*, 146v)
No parece inconveniente (*MBM 23/8/7*, 189)
No parece inconveniente (*MN 4256*, 216v)
No parece inconveniente (*MN 4262*, 212)
No parece inconveniente (*MN 4268*, 193)
No parece inconveniente (*MP 1578*, 58v)
No parece inconveniente (*MP 2805*, 71v)
No parece inconveniente (*PhUP1*, 166v)
No parece inconveniente (*RV 768*, 216)
No paséis el caballero (*MP 617*, 191v)
No paséis el caballero (*TorN 1-14*, 31)
No paséis el caballero (*TP 506*, 390)
No pecó la Magdalena (*Fuenmayor*, p. 37)
No pensé que entre pastores (*Padilla*, 231v), *ver* No cuidé que
No pensé que entre pastores (*Recopilación*, Vázquez, 18v)
No pensé que ser pudiera (*Ixar*, 341)
No pensé tanto quereros (*Enredo*, Timoneda, 3v)
No pensé tanto quereros (*FRG*, p. 198)
No pensé verme perdido (*FRG*, p. 198)
No penséis amenazarme (*CG 1514*, 129v)
No penséis con maltratarme (*Tesoro*, Padilla, 243v)
No penséis que me tenéis (*MP 2803*, 205v)
No penséis que taño en vano (*MP 996*, 80v)
No penséis que taño en vano (*Penagos*, 124v)
No pido triste amador (*CG 1514*, 100)
No piense que es buen modo de encimarse (*Penagos*, 5v)
No piensen que ha de acabar (*Elvas*, 45v)

No piensen que ha de acabar mal (*PBM 56*, 80v-81)
No pienses día triste nebuloso (*Morán*, 259v)
No pienses que por rondar (*MP 617*, 167)
No pierdas tal ocasión (*Vergel*, Ubeda, 120)
No pierde la esmeralda o piedra fina (*MP 2803*, 224v)
No podéis entrar placer (*Canc.*, Maldonado, 30)
No podrá mi mal hacerme (*CG 1514*, 130)
No podrán ser acabadas (*Padilla*, 232v)
No pongáis tanto cuidado (*Vergel*, 32)
No pongas tu pensamiento (*Jacinto López*, 296)
No pongas tus esperanzas (*MP 1587*, 138)
No pongo a mis males culpa (*MN 3902*, 33)
No por falta de lugar (*Peralta*, 12v)
No por lo que me ha herrado (*MN 3902*, 55v)
No por piadosa dejarás serrana (*FN VII-353*, 289)
No porque de antes dudaba (*CG 1511*, 127v)
No porque el cuerpo esté ausente (*Jhoan López*, 13)
No porque perdiéndoos gano (*CG 1511*, 124v)
No porque pienso moverte (*PN 371*, 117)
No porque queda cansada (*CG 1511*, 138)
No pregunte cómo están (*Vergel*, Ubeda, 77)
No procuraste Amor falso y perjuro (*SU 2755*, 107v)
No procures alma más (*CG 1511*, 143)
No procures Amor ciego y profano (*MBM 23/4/1*, 203v)
No procures Amor ciego y profano (*Obras*, Silvestre, 413v)
No pudo el grave mal largo y fiero (*MN 3968*, 103)
No pudo tanto la francesa mano (*MBM 23/4/1*, 346)
No pudo tanto la profunda vena (*PN 314*, 17)
No puede ausencia resfriar un pecho (*MN 3902*, 25v)
No puede ausencia resfriar un pecho (*Morán*, 183), *ver* No puede el ausencia
No puede causar fatiga (*MP 2459*, 24)
No puede el ausencia resfriar un pecho (*Lemos*, 11v)
No puede el largo mal tan largo tiempo (*MBM 23/4/1*, 373v)
No puede el que os ha mirado (*Padilla*, 228)
No puede el sufrir callar (*CG 1511*, 126)
No puede haber en el mundo (*Fuenmayor*, p. 57)
No puede mucho durar (*Corte*, 204, 220v)
No puede mucho durar (*Jhoan López*, 113v)
No puede mucho durar (*MP 1587*, 149v)
No puede nadie miraros (*MP 617*, 153v)
No puede sanar ventura (*CG 1511*, 134)
No puede ser mayor gloria (*CG 1511*, 127)
No puede tanto amor venir por arte (*MN 1132*, 64v)
No puede tanto Amor venir por arte (*PN 371*, 143)
No puede ya llevar el sufrimiento (*Padilla*, 74v)
No puede ya llevar el sufrimiento (*Tesoro*, Padilla, 290)
No pueden contra mi fe (*Romancero*, Padilla, 233)

No pueden desenlazarse (*Padilla*, 56)
No pueden desenlazarse (PN 372, 210v)
No pueden extender más (*Jacinto López*, 82v)
No pueden mis ojos veros (*CG* 1511, 186v)
No puedes quejar Amor (*Colombina*, 46v)
No puedo apartarme (*Recopilación*, Vázquez, 33)
No puedo con tus ojos bellos (TorN 1-14, 32)
No puedo creer de ti (*Sevillano*, 292)
No puedo dejar / querer y bien amar (*Colombina*, 100v)
No puedo entender (MN 17.557, 81v)
No puedo imaginar aunque he querido (MN 6001, 60)
No puedo jamás sufrir (*RG* 1600, 190v)
No puedo mostrar con veros (*Toledano*, 87v)
No puedo ni pudo amor (OA 189, 71)
No puedo partir de aquí (*Jacinto López*, 219v)
No puedo sino querer (*Colombina*, 26v)
No puedo vivir contento (*Obras*, Cepeda, 63)
No puedo vivir sin veros (*Morán*, 6)
No puedo ya llevar el sufrimiento (PN 372, 174)
No puedo ya llevar el sufrimiento (*Rojas*, 161)
No puedo ya vivir sólo un momento (*Morán*, 79v)
No punto se discordaron (*CG* 1511, 24v)
No quedará Dios contento (*Jesuitas*, 154v)
No quedará Dios contento (*Jesuitas*, 154v)
No quedo con solo el hierro (*RG* 1600, 161)
No quedo quedando (*CG* 1511, 164v)
No quejo de mi pasión (*CG* 1511, 129)
No queráis damas querer (*CG* 1511, 87)
No queréis que viva no (*CG* 1511, 122v)
No quereros no es posible (*Morán*, 118)
No queriendo sois querida (MP 617, 152v)
No quieras garzón (*Canc.*, Maldonado, 36)
No quieras ni permitas Dios eterno (*Cid*, 103)
No quiere el tirano (*RG* 1600, 273v)
No quieren ser de oro no (*Cid*, 65)
No quieren ser de oro no (*Obras*, Silvestre, 102)
No quieren ser de oro no (*Sevillano*, 242)
No quieren ser de oro no (WHA 2067, 75v)
No quiero amor con ninguna (*Cid*, 204)
No quiero amores tan libres (MN 3724, 253)
No quiero andar colgado de esperanza (*Tesoro*, Padilla, 299v)
No quiero bien que no tura (MN 4256, 238)
No quiero contar mi pena (TorN 1-14, 33)
No quiero dama de don (*Jacinto López*, 318)
No quiero dama de estrado (*Jacinto López*, 318)
No quiero decir lisonjas monjas (MiB AD.XI.57, 19v)
No quiero esperar ventura (*Tesoro*, Padilla, 243)
No quiero guardar ganado (MN 3902, 51)
No quiero guardar ganado (*Toledano*, 68v)

No quiero habitar más aqueste bosque (MN 2973, p. 130)
No quiero la gloria (*Morán*, 97)
No quiero la muerte no (*CG* 1514, 130)
No quiero malo no quiero bueno (PN 372, 312)
No quiero más alegría (MP 570, 134)
No quiero más amor vano (*Penagos*, 51v)
No quiero más de quererte (*Padilla*, 243v)
No quiero más esperanza (MN 3913, 115v)
No quiero mayor bien que mi tormento (*Tesoro*, Padilla, 210v)
No quiero moza (*Toledano*, 25)
No quiero ni estimo (*CG* 1557, 389v)
No quiero quedarme acá (*Jhoan López*, 101)
No quiero querer quereros (*Morán*, 43)
No quiero querer quereros (MP 2803, 216)
No quiero saber de vos (*Morán*, 59)
No quiero ser casada (*Toledano*, 19v)
No quiero ser consolado (*Morán*, 104)
No quiero vivir sin ti (*Fuenmayor*, p. 17)
No quiero ya Silvia mía (*Romancero*, Padilla, 316)
No quiero yo la dama tanto grave (MP 617, 292v)
No quisiera yo la dama tanto grave (MP 617, 228v)
No quiso bien quien olvida (MP 1587, 58)
No quiso Fili a Belardo (MN 17.556, 45v)
No quiso Fili a Belardo (MP 996, 132)
No quiso quien olvidó (MP 1587, 78v)
No sabe qué es penar ni lo ha sabido (*Rojas*, 145)
No saben ni sé do estoy (*CG* 1514, 109)
No sabes Gil qué he pensado (*Canc.*, Ubeda, 149v)
No sabes Gil qué he pensado (*Jesuitas*, 484v)
No salgáis a presentaros (RV 1635, 23)
No sé a quién comprar mi pena (*Lemos*, 121v)
No se atreva a contemplaros (*Jacinto López*, 45v)
No se atreva a contemplaros (MP 973, 111v)
No se atreva a contemplaros (OA 189, 17)
No se atreva a contemplaros (PN 371, 58)
No se atreve el duque Astolfo (*RH*, 61v)
No sé cómo en ese pecho (*Romancero*, Padilla, 264)
No sé cómo me atreví (*Obras*, Silvestre, 127v)
No sé cómo me atreví (PN 372, 319v)
No sé cómo me atrevía (*Sevillano*, 65v)
No sé con qué poder Amor pagarte (*Padilla*, 117)
No sé con qué poder Amor pagarte (*Tesoro*, Padilla, 287)
No sé cuál me sea mejor (*CG* 1511, 123)
No se dónde me metí (*Penagos*, 50v)
No se duda pues se sabe (*CG* 1511, 129v)
No se emmendarán jamás (PN 418, p. 430)
No se envía desde el suelo (MP 1578, 248)
No se esfuerce el que es querido (WHA 2067, 56)

Tabla 207

No se espera en mi dolor (*Jacinto López*, 65v)
No se fatigue no la bella dama (FN VII-353, 284)
No se fatigue no la bella dama (MP 973, 270v)
No se fatigue no la bella dama (RaC 263, 122v)
No se fatigue no la dulce dama (*Jacinto López*, 12)
No se halla una pizca Antandro (PN 418, p. 396)
No se han de llamar pasiones (*Padilla*, 20v)
No se hicieron los placeres (*FRG*, p. 201)
No se hicieron Pascuala (*Cid*, 209v, 210)
No se hicieron Pascuala (*Morán*, 50)
No se hicieron Pascuala (*Sevillano*, 216) *ver* Que no se
 hicieron Pascuala
No se le puede negar (*Obras*, Silvestre, 113)
No se les puede negar (*Sevillano*, 66)
No se me da dos coronados (FN VII-353, 70)
No se me da nada (FN VII-353, 114v)
No se me vuelva atrás Pase adelante (MN 3913, 32)
No se nos muestra tan hermoso el cielo (OA 189, 13)
No se nos muestra tan hermoso el cielo (PN 314, 119v)
No se nos pudiera dar (*Jhoan López*, 102)
No sé para qué me queje (*Padilla*, 229)
No sé para qué nací (CG 1511, 71v, 122v, 126r)
No sé para qué nací (MiA S.P. II.100, 12v)
No se pierde aunque se pierda (*CG 1511*, 144v)
No sé por dó huir a mi ventura (*Corte*, 145)
No sé por dónde empezar (CG 1554, 101v)
No sé por dónde se entró (CG 1511, 186)
No sé por qué me engañé (PBM 56, 15)
No sé por qué me fatigo (CG 1511, 125v, 203)
No sé por qué me fatigo (CG 1554, 77v)
No sé por qué me fatigo (*Corte*, 57)
No sé por qué me fatigo (OA 189, 52v)
No sé por qué me fatigo (PN 307, 237v)
No se puede aliviar (PN 371, 39v)
No se puede así acabar (PN 372, 210v)
No se puede imaginar (*Sevillano*, 189)
No se puede llamar muerte (*Padilla*, 110)
No se puede llamar rey (*RG* 1600, 78)
No se puede remediar (CG 1514, 118v)
No se pueden comparar (*Sevillano*, 85)
No se pueden divisar (*Sevillano*, 168v)
No se qin remey espera (*Flor de enamorados*, 15)
No sé qué camino hallé (MN 3691, 82)
No sé qué diga de verte (*Sevillano*, 293v)
No sé qué diga ni haga (PN 373, 99)
No sé qué escriba a vos (MN 3913, 23v)
No sé qué fuerza me forzó quereros (*Heredia*, 343v)
No sé qué llame ventura (CG 1511, 207v)
No sé qué me ha acaecido (*Heredia*, 61)

No sé qué me pica qué me pica (*Jhoan López*, 50v)
No sé qué me pica qué me pica (RaC 263, 108v)
No sé qué pendencia es esta (*Jacinto López*, 69v)
No sé qué traigo conmigo (*RG* 1600, 91)
No se queje de ventura (MBM 23/4/1, 366)
No sé quién pueda valerme (CG 1511, 86)
No se quiere quien no os quiere (CG 1554, 129)
No se quiere quien no os quiere (*Ixar*, 334v)
No se quiere quien no os quiere (*Lemos*, 104)
No se reputa por loco (MP 2459, 80)
No sé señora cómo me engañastes (MBM 23/4/1, 366)
No sé si de esta limpia y clara fuente (*Lemos*, 155)
No sé si en esto me engaño (MN 3806, 104v)
No sé si es paciencia o miedo (PN 373, 157v)
No sé si me queje Amor (*Canc.*, Maldonado, 31v)
No se suele conocer (MP 2459, 26)
No se sufre y es razón (MN 1317, 470v)
No se te olvide oh alma descuidada (*Jesuitas*, 121)
No se tiene el mundo majadero (*Tesoro*, Padilla, 370)
No sé traidor inhumano (*Rosal*, p. 25)
No sé traidor inhumano (*Rosal*, p. 25)
No sé triste consolar (CG 1511, 167)
No sé triste qué me diga (CG 1511, 199v)
No se usa sino cuernos (*Toledano*, 67)
No sé vida quién te alaba (*Cid*, 36v)
No sé vida quién te alaba (*Jacinto López*, 296v)
No sé vida quién te alaba (*Morán*, 131)
No sé vida quién te alaba (*Obras*, Silvestre, 334v)
No se vio en ciudad ni aldea (*Medinaceli*, 22v)
No se vio jamás tal cosa (MP 973, 315v)
No se vio ventura (MP 644, 187v)
No se vio ventura (*Sevillano*, 148)
No sé yo Bartolilla qué te tienes (FR 3358, 171)
No sé yo con qué intención (PN 314, 221v)
No sé yo de qué se precia (*Padilla*, 141)
No sé yo mal que temer (PN 373, 156)
No sé yo por qué os sangráis (*Canc.*, Ubeda, 60v)
No sé yo tal cirujano (MP 617, 208)
No seáis tan importuno (*Jacinto López*, 65v)
No seas dama pues eres vieja y fea (FR 3358, 87)
No será justa querella (MP 617, 191v)
No será mucho discreto (MP 617, 91v)
No siau cruel senyora (*Flor de enamorados*, 97)
No siempre descendiendo (MN 3698, 11)
No siempre descendiendo (MP 996, 246v)
No siempre es poderosa (FN VII-354, 368v)
No siendo querido (*Sevillano*, 88v)
No siendo vuestro ni mío (*Toledano*, 90v)
No siento cosa ninguna (CG 1554, 33v)

No siento la partida (Johan López, 11v)
No siento la partida (MP 2803, 174v)
No siento que viva viviendo mi vida (CG 1511, 197v)
No sigas a Silvia Blas (*Penagos*, 85)
No sin causa te pintan niño ciego (MP 617, 280)
No sin causa te pintan niño y ciego (MN 1132, 63v)
No sobre el cuello cortado (MN 2856, 110v)
No sois Ana planta estéril (*Vergel*, Ubeda, 167v)
No sois vos para en cámara Pedro (MP 1587, 189)
No sois vos para en cámara Pedro (RG 1600, 328)
No sólamente al templo divino (*Ixar*, 263v)
No sólo a gente vil y despreciada (MN 17.951, 126v)
No sólo al hombre Dios le ha dado en parte (MN 6001, 60v)
No sólo amor representa (*Jacinto López*, 46v)
No sólo Amor se contenta (Cid, 19, 138, 187v)
No sólo Amor se contenta (*Jesuitas*, 458)
No sólo Amor se contenta (Rojas, 27v)
No son de oro mis cabellos (*Evora*, 12)
No son de oro que no es él (Cid, 220v)
No son de oro que no es él (*Obras*, Silvestre, 100v), *ver* Que no son
No son los altos montes diferentes (MN 3902, 19)
No sonó instrumento (*Toledano*, 89v)
No soy de Dios sino vuestra (*Jacinto López*, 237)
No soy fea ni malata (Toledano, 35)
No soy libre ni cautivo (PBM 56, 1
No soy mío como muestro (*Jacinto López*, 185v)
No soy mío como muestro (Morán, 106)
No soy mío como muestro (*Morán*, 3v, 68)
No soy mío como muestro (*Obras*, Cepeda, 85v)
No soy mío cual lo muestro (RV 1635, 43)
No soy mío cúyo soy (CG 1511, 201)
No soy mío según muestro (*Cid*, 65)
No soy mío según muestro (*Toledano*, 90v)
No soy yo el que veis vivir (*Lemos*, 93v)
No soy yo quien veis vivir (*Sevillano*, 296v)
No soy yo quien veis vivir (*Uppsala*, n. 2, 11)
No subáis tan alto (*FRG*, p. 233)
No suele caber (Sevillano, 150)
No suele ser verdadero (MN 3700, 76)
No suele ser verdadero (MP 996, 80v)
No suele ser verdadero (Penagos, 124v)
No suene más la arpa que solía (*Obras*, Cepeda, 106v)
No sueñas madre de amor (FN VII-353, 287)
No suspiréis corazón (PN 372, 69v)
No suspiréis corazón (*Tesoro*, Padilla, 450v)
No tal fue (CG 1511, 142)
No tanta prisa al morir (MP 1587, 78)
No tanta prisa al morir (RV 1635, 97)

No tanta prisa al morir (Sevillano, 67)
No tanto en el contraste riguroso (*Penagos*, 210v)
No tardes Muerte que muero (CG 1514, 108v)
No te aflijas ni te pene (*Tesoro*, Padilla, 185v)
No te aflijas ni te penes (MBM 23/4/1, 319)
No te bastaba haberme maltratado (CG 1554, 166v)
No te bastaba haberme maltratado (MN 1132, 200)
No te canses Leoconia procurando (FN VII-353, 192)
No te ciegues brevemente (*Heredia*, 302v, 356v)
No te cojas en agraz (MN 3913, 49v)
No te creo el caballero (*Flor de enamorados*, 73v)
No te cures de tomar (CG 1511, 199v)
No te desmayes zagal (Sevillano, 200v)
No te enfade otro amador (*Morán*, 9)
No te engañe el dorado (FN VII-354, 361v)
No te engañe el dorado (MN 3698, 170)
No te espantes Antonilla (*Cid*, 187v)
No te fatigues Jenes (RaC 263, 77v)
No te gobierna razón (*Sevillano*, 233)
No te mataron villanos (*Flor de enamorados*, 106v)
No te mueras hija eh (Jacinto López, 318v)
No te muestres tan esquiva (Sevillano, 261)
No te pido en buen estrena (*Padilla*, 244)
No te pido mi Dios casas ni viñas (*Penagos*, 30)
No te quejes corazón (*Lemos*, 121)
No te quiero ya Gerardo (MN 4127, p. 244)
No te quillotres zagal (*Morán*, 46v)
No te vi de ver que muero (EM Ç-III.22, 125)
No te vi de ver que muero (Romancero, Padilla, 315)
No temáis Virgen amorosa y tierna (*Vergel*, Ubeda, 31v)
No temas que no hay de qué (Jacinto López, 82)
No temo dama real (CG 1514, 92)
No temo el competidor (TorN 1-14, 32)
No temo los peligros del mar fiero (*Jesuitas*, 360)
No temo los peligros del mar fiero (MN 3913, 160v)
No temo ya señora tus desvíos (*Morán*, 167v)
No tenga con vos amor (*Colombina*, 107v)
No tenga nadie esperanza (*Colombina*, 60v)
No tenga por desconciertos (*Penagos*, 45v)
No tenga yo jamás contentamiento (MN 2973, p. 310)
No tengáis burlas ni veras (MBM 23/4/1, 47)
No tengáis marido a mal (PN 372, 191)
No tengas tal garantía (MN 5602, 27v)
No tengas ya confianza (*Sevillano*, 263v)
No tengo cabellos madre (*Recopilación*, Vázquez, 31)
No tengo culpa yo del mal que muero (MN 17.556, 138)
No tengo de qué temer (Morán, 77v)
No tengo de qué tener (MN 3806, 99v)
No tengo de vos memoria (PN 307, 211)

Tabla 209

No tengo en tanto la pena (RV 1635, 23v)
No tengo hora segura (Colombina, 62v)
No tengo ya del placer (MN 3806, 72v)
No tengo ya que temer (*Penagos*, 50)
No teniendo del saber (*CG* 1511, 153v)
No teniendo qué perder (*CG* 1511, 51)
No tiene el ancho mar tantas arenas (MP 3560, 25)
No tiene el soto ni el valle (MN 3700, 209)
No tiene fuerza Fortuna (*CG* 1514, 189)
No tiene par mi dolor (*CG* 1511, 128v)
No tiene que pretender (*Jacinto López*, 185v)
No tiene tanta miel Atica hermosa (FR 3358, 183v)
No tiene tanta miel Atica hermosa (*Lemos*, 241)
No tiene tantas estrellas (*Tesoro*, Padilla, 104)
No tienen vado mis males (*CG* 1511, 146v)
No tienen vado mis males (*Elvas*, 88v)
No tienen vado mis males (*Uppsala*, n. 4)
No tingan jove dolors (*Flor de enamorados*, 7v)
No tocando en lo de Dios (*CG* 1511, 143)
No tomes Juana contento (RV 1635, 103)
No tratáis más Amor con escuderos (RaC 263, 9)
No triunfó Roma tanto en la victoria (MN 17.951, 60v)
No tuvo el padre más Virgen que daros (*Jesuitas*, 175)
No val das mais belas (PBM 56, 50v-51)
No vale decir que están (Padilla, 141v)
No valen contigo juegos (WHA 2067, 17v
No vanidades locas y ficciones (*Vergel*, Ubeda, viii)
No vayas Gil al sotillo (*Sablonara*, 60)
No vengáis a me matar (*Sevillano*, 259v)
No veo disculpa buena (*Jacinto López*, 300v)
No ver me hace penar (*Obras*, Cepeda, 95)
No veros es gran locura (Evora, 6v)
No veros es ver que muero (*CG* 1511, 144)
No veros es ver que muero (*Obras*, Cepeda, 64)
No veros y desearvos (*Elvas*, 80v)
No ves Amor que esta gentil mozuela (*Medinaceli*, 136v)
No ves Amor que esta gentil mozuela (MN 2973, p. 95)
No ves qué noble virtud (Morán, 9)
No vi cosa más gastada ni rayada (FN VII-354, 261), *ver* No hay cosa
No viene algún presente (León/Serna, 91v)
No viene el Sol descubierto (*Fuenmayor*, p. 279)
No viera mi perdición (*CG* 1511, 144)
No viéramos el rostro al Padre eterno (*Cid*, 102)
No viéramos el rostro al Padre eterno (FN VII-354, 382v)
No viéramos el rostro al Padre eterno (*Jesuitas*, 468)
No viéramos el rostro al Padre eterno (MN 2973, p. 8)
No viéramos el rostro al Padre eterno (*Penagos*, 230)
No viéramos el rostro al Padre eterno (RV 1635, 88)

No viéramos el rostro al Padre eterno (*Vergel*, Ubeda, 107v)
No vio el pasado siglo ni el presente (PN 314, 78v)
No viste Bras la parida (*Sevillano*, 189v)
No vivas Blas confiado (*Obras*, Cepeda, 94)
No vive quien así vive (PN 371, 57)
No vivo sin esperanza (*CG* 1511, 129)
No vuelvas esos ojos divinales (MN 2856, 53v)
No ya al mon major dolor (*Flor de enamorados*, 22v)
No yal mon major turment (*Flor de enamorados*, 77v)
Noble desengaño (MN 17.556, 25)
Noble desengaño (*Penagos*, 71)
Noble desengaño (*Peralta*, 96)
Noble desengaño (*RG* 1600, 39v)
Noble duque de Medina (*CG* 1511, 230v)
Noble duque de Medina (MP 617, 94v)
Noble esfrozado y fuerte caballero (*Vergel*, Ubeda, 132)
Noble francés que del sangriento Marte (MP 1578, 117)
Noble pastorcilla (MN 3725-1, 84)
Noble pastorcilla (*RG* 1600, 341)
Noble pensamiento (MN 4127, p. 80)
Noble reina de Castilla (MP 617, 85)
Noble vista angelical (MP 617, 219v)
Noche bienaventurada (Sevillano, 171)
Noche de mi consuelo y alegría (MN 2973, p. 311)
Noche más clara para mí que el día (MN 3902, 20v)
Noche serena clara más que el día (*Morán*, 89v)
Noche serena y fría (*Cid*, 32)
Noche serena y fría (FR 2864, 7)
Noches y días cansados (*FRG*, p. 165)
Nom entre 'ls noms excels nom de Maria (*CG* 1514, 18)
Nom façan exes vllades (*Flor de enamorados*, 82v)
Nombre tengo de mujer (MN 1317, 470)
Nome novo mirabel inmortale (*CG* 1514, 16v)
Nome perfecto che Dio tanto inamora (*CG* 1514, 17v)
Nome sobrels noms cridat pels alts misteris (*CG* 1514, 17v)
Non dubitar mia dea vivi sicura (MP 617, 245)
Norabuena estéis princesa (*Sevillano*, 181)
Norte de los mareantes (*CG* 1535, 191v)
Nos estando en nuestras tiendas (*León/Serna*, 88)
Nos príncipe galiano (MN 5602, 54v)
Nosotros los tres amigos (FN VII-353, 84v)
Nosotros no venimos de reyes (FN VII-354, 435)
Notad firmes amadores (*Obras*, Cepeda, 24v)
Nube do el sol de España está cubierto (MP 2459, 116)
Nuestro Dios en este día (*CG* 1511, 114v)
Nuestro Dios que nunca niega (MP 617, 146)
Nuestro Dios quiere casar (Sevillano, 176)
Nuestro placer y contento (MN 17.951, 165v)
Nuestro primer padre (Sevillano, 188)

Nueva confeción señora (*Morán*, 51v)

Nueva guerra de los campos (PN 418, p. 1)

Nueva llama de amor nuevo deseo (MP 1587, 42v)

Nueva manera de amar (*Morán*, 126v)

Nueva nos es allegada (*Heredia*, 171)

Nueva paciencia ha de ser (PN 373, 155v)

Nueva suerte de extrañeza (*Romancero*, Padilla, 346v)

Nueva te traigo chapada (*FRG*, p. 90)

Nueva te traigo Pascual (*FRG*, p. 90)

Nueva triste nueva triste (*León/Serna*, 97v)

Nuevas de nuevo primor (*Canc.*, Ubeda, 50)

Nuevas te traigo carillo (*Colombina*, 77)

Nueve meses ha (*Sevillano*, 135)

Nueve meses ha que un cuarto (MiB AD.XI.57, 21)

Nuevo esfuerzo y nuevo aliento (*Sevillano*, 214v)

Nuevo sol de la hermosura (*Flor de enamorados*, 60v)

Nuevos efectos de milagro extraño (MP 1587, 164)

Nuevos efectos de milagro extraño (RaC 263, 40)

Nuevos modos de dar pena (*Morán*, 255)

Nula segunda (*CG* 1511, 142v)

Num bosque que das ninfas se habitava (*Borges*, 3v)

Num vale florido e verde (NH B-2558, 34)

Nunca al fin hay bien cumplido (*Morán*, 108)

Nunca Amor de ti he quejado (MN 5593, 65)

Nunca Amor pensara (*Cid*, 200v)

Nunca cosa imaginara (MP 1587, 69)

Nunca cosa imaginara (*Obras*, Silvestre, 90v)

Nunca cosa que quisiere (MN 3968, 174)

Nunca cosa que quisiese (*Obras*, Silvestre, 72)

Nunca creí que la muerte (PBM 56, 60v-61)

Nunca da el amor pasión (MN 3806, 88v)

Nunca de amor se vio tan bajo estado (MP 617, 292)

Nunca de mirar me harto (*Toledano*, 43)

Nunca de ti he quejado (*Heredia*, 58v)

Nunca Dios te dé rencilla (MP 973, 174), *ver* Nunca vivas

Nunca el castigo tarda (*RG* 1600, 221)

Nunca el cielo permita ni consienta (*Romancero*, Padilla, 220v)

Nunca embajador tan bajo (*Heredia*, 175v)

Nunca en pecho temeroso (*Padilla*, 179v)

Nunca en pecho temeroso (*Penagos*, 79)

Nunca fue pena mayor (*CG* 1511, 112v)

Nunca fue pena mayor (*Colombina*, 16v)

Nunca fue pena mayor (MP 617, 151v)

Nunca fuera caballero (MN 1317, 452)

Nunca fuera caballero (MN 3725-2, 47)

Nunca jamás dejaré (*Flor de enamorados*, 78v)

Nunca la antigua ni moderna Roma (*Rosal*, p. 29)

Nunca libre quise creer (MP 570, 165v)

Nunca los amores cuajan (*Romancero*, Padilla, 304v)

Nunca más gloria que pase (*Gallardo*, 44v, 69)

Nunca más gloria que pase (MN 3902, 48v, 53)

Nunca más gloria que pase (*Obras*, Cepeda, 62v)

Nunca más verán mis ojos (MP 617, 329)

Nunca más verán mis ojos (PN 373, 210v)

Nunca me olvida dolor (*CG* 1511, 129v)

Nunca mi voto será (MP 617, 229)

Nunca mi voto será (PN 307, 317v)

Nunca mucho costó poco (*CG* 1511, 143v)

Nunca mucho costó poco (MP 1587, 74v)

Nunca mucho costó poco (*Obras*, Cepeda, 63v)

Nunca mucho costó poco (PN 314, 58)

Nunca mucho costó poco (WHA 2067, 43v)

Nunca ofendi la fe con la esperanza (*Faria*, 11v)

Nunca os he visto aunque muero (*Penagos*, 46)

Nunca parezca ante mí (*CG* 1557, 398v)

Nunca pensé que en tan seguro estado (SU 2755, 194)

Nunca pensé señora que cupiera (*Gallardo*, 54)

Nunca pudiste Cupido (*Guisadillo*, Timoneda, 6)

Nunca pudiste Cupido (*Obras*, Silvestre, 119)

Nunca pudiste Cupido (*Sevillano*, 66)

Nunca pudistes Cupido (MP 570, 123)

Nunca pudo la pasión (*CG* 1511, 123)

Nunca puede la pasión (*Obras*, Cepeda, 88)

Nunca río se vio muy caudaloso (*Morán*, 15v)

Nunca se achou ninh bem (*Borges*, 2v)

Nunca senador romano (*Morán*, 89)

Nunca soberbia parió (*Obras*, Cepeda, 21v)

Nunca supe qué era amar (*FRG*, p. 172)

Nunca tal (MN 3902, 138v)

Nunca tal madre se vio (*Sevillano*, 145v)

Nunca tales pechos hubo (*Sevillano*, 83v)

Nunca tan nueva manera (*CG* 1511, 140v)

Nunca te falte rencilla (PN 372, 37)

Nunca tendréis aunque muera (*Tesoro*, Padilla, 168)

Nunca Venus se vio ni Proserpina (*CG* 1554, 196)

Nunca Venus se vio ni Proserpina (MN 1132, 27v)

Nunca vi descanso cierto (*CG* 1514, 189)

Nunca vi tal caballero (*Obras*, Cepeda, 138)

Nunca vivas con rencilla (MN 3913, 62v), *ver* Nunca Dios te

Nunca vivas con rencilla (PN 372, 37v)

Nunca yo pude mirarte (*CG* 1514, 186v)

Nunca yo sentí dolores (*Flor de enamorados*, 95v)

Nunca yo sentí dolores (*FRG*, p. 172)

Nunca yo señora os viera (*Padilla*, 233)

Nuño Vero Nuño Vero (MN 3725-2, 110)

Nuño vero Nuño vero (*Obras*, Cepeda, 139)

Nuño Vero Nuño Vero (*RG* 1600, 139v)

O aspetata in ciel beata e bella (MP 617, 244v)

O cisne quando sente ser chegada (*Borges*, 61v)

O culto divinal se celebrava (*Borges*, 60v)

O di sciagure piena vita ahifrale (MP 570, 246)

O dia em que eu nasci morra e peresça (*Borges*, 65v)

O es defecto de natura (PN 373, 71)

O es o no lo que creo (CG 1514, 125v)

O espírito que honras vans que o mundo vende (*Faria*, 42)

O filho de Latona esclarecido (*Borges*, 10)

O fue milagro o ventura (PN 418, p. 44)

O garçons aquesta nit (*Uppsala*, n. 42)

O grande esforco e o saber fecundo (*Corte*, 187v)

O le falta al amor conocimiento (MN 3913, 41v)

O mal de meu pensamento (PBM 56, 42)

O mal que me atormenta não se entende (*Corte*, 213)

O más o menos cruel (*Morán*, 140v)

O meu mal pude-o sofrer (*Corte*, 54)

O mor trabalho de todos (*Corte*, 206)

O por dicha o por desdicha (*Lemos*, 20)

O quão ditosos sois os lavradores (EM Ç-III.22, 34)

O quam caro me cuesta o entenderte (*Borges*, 66)

O que se quer em extremo (*Corte*, 126v)

O que ver-vos meresceo (*Borges*, 58v)

O que vive de soo ver-vos (*Borges*, 59)

O quiem nunca conbecera (WHA 2067, 128)

O rayo christalino se extendia (*Borges*, 25)

O sea capilla plumas o bonete (FN VII-353, 13v)

O sol iagora naõ arde (*Elvas*, 32)

O tardar me da tormento (*Evora*, 44v)

O ya porque tus hebras y cabellos (FR 3358, 185)

O yo vivo en tinieblas o estoy ciego (*Obras*, Silvestre, 412v)

Obediencias que no eligen (PN 418, p. 204)

Obliga el que da y agrada (*Romancero*, Padilla, 341v)

Obra dos cosas amor (MN 3806, 16v)

Obra fue aquesta del cielo (CG 1557 399)

Obras son hechas de amor (*Toledano*, 21v)

Obriga vossa lindeza (*Elvas*, 78v)

Ocasión de mi contento (*Canc.*, Maldonado, 51v)

Océano gran padre de las cosas (MP 570, 207)

Ocho a ocho diez a diez (MP 973, 399v)

Ocho a ocho y diez a diez (*Jesuitas*, 488v)

Ocho a ocho y diez a diez (MN 17.556, 82)

Ocho a ocho y diez a diez (MN 3723, 263)

Ocho a ocho y diez a diez (RaC 263, 144v)

Ocho a ocho y diez a diez (RG 1600, 24v)

Ocupada en un papel (MN 17.557, 4v)

Ocupada en un papel (MN 4127, p. 12)

Ocupada en un papel (RG 1600, 222)

Ofendiérase el Amor (*Romancero*, Padilla, 303)

Ofrecen el deseo y la memoria (*Penagos*, 183v)

Ogni loco mi attrisce ove non veggo (MP 617, 244v)

Oh agradecido hado (RG 1600, 260v)

Oh alegre canción mía (CG 1511, 195v)

Oh alma desdichada (*Toledano*, 108)

Oh alma endurecida (*Sevillano*, 47v)

Oh alma mía criada para amar (*Toledano*, 77v)

Oh alma mía llora (*Canc.*, Ubeda, 147v)

Oh alma mía llora (*Vergel*, Ubeda, 184v)

Oh alma pecadora (MP 644, 189v)

Oh alma primero amor del alma mía (MN 6001, 262)

Oh alma que en la mía puedes tanto (*Lemos*, 4v)

Oh alma que en mi alma puedes tanto (CG 1554, 198)

Oh alma que en mi alma puedes tanto (MN 1132, 31)

Oh alma que en mi alma puedes tanto (MN 2973, p. 262)

Oh alma que en mi alma puedes tanto (MP 570, 251v)

Oh alta imaginación (PN 372, 283v)

Oh Amor cuán poderoso y cuán valiente (MN 6001, 57v)

Oh amor en Dios tan fuerte y encendido (MN 17.951, 125v)

Oh amor lleno de extremos (CG 1511, 86, 88)

Oh ánima gentil cuál convenía (MN 3902, 26)

Oh árbol fertilísima y hermosa (*Borges*, 80v)

Oh árbol maravilloso (*Jesuitas*, 447)

Oh árboles sombrosos (MBM 23/4/1, 124v)

Oh Babilonia tierra de amargura (*Jesuitas*, 339v)

Oh barba que sin duda te he mirado (MP 2459, 16)

Oh barco en alta mar la vida humana (MN 6001, 61v)

Oh barco ya cansado (FR 3358, 209v)

Oh barco ya cascado (*Morán*, 241)

Oh barco ya cascado (MP 973, 243), *ver* Oh navío

Oh Belerma oh Belerma (*Heredia*, 39)

Oh Belerma oh Belerma (MN 5593, 62)
Oh Belerma oh Belerma (*Obras*, Cepeda, 138v)
Oh bellos ricos manojos (*Penagos*, 48)
Oh bendita sin medida (*Uppsala*, n. 38)
Oh bienaventurada alma hermosa (MN 1132, 55)
Oh bienaventurada alma hermosa (PN 371, 144)
Oh bienaventurado (MP 3560, 39)
Oh bienaventuranza deseada (FR 3358, 99)
Oh Blanca a quien rendida está la nieve (MP 1587, 165)
Oh blanca ninfa más que nieve helada (*Morán*, 189)
Oh blanca ninfa más que nieve helada (MP 570, 205v)
Oh Borgoña oh Borgoña (*Elvas*, 15)
Oh Borgoña oh Borgoña (MP 2805, 72)
Oh Borgoña oh Borgoña (MRAH 9-7069, 122)
Oh Borgoña oh Borgoña (PhUP1, 144)
Oh Borgoña oh Borgoña (PN 373, 115v)
Oh breves horas de aquel bien que pudo (*Lemos*, 153)
Oh buen Jesús redentor (*CG* 1511, 17)
Oh buen ladrón valiente y animoso (MN 17.951, 69v)
Oh buen ladrón valiente y animoso (*Vergel*, Ubeda, 45)
Oh buena muerte no bien conocida (*Jesuitas*, 444v)
Oh buena muerte no bien conocida (MN 17.951, 67v)
Oh buenaventuranza deseada (*Padilla*, 69)
Oh burlas de amor ingrato (MN 3913, 141v)
Oh cabo de mis dolores (*CG* 1511, 49)
Oh cama de nuevas de ver girifaltes (MP 617, 90)
Oh caña de pescar muy transparente (*Faria*, 17v)
Oh caña oh ramo oh flor oh yerba oh planta (*Lemos*, 239)
Oh carnero muy manso oh buey hermoso (MN 4256, 157)
Oh carnero muy manso oh buey hermoso (*Sevillano*, 75v)
Oh carnero muy manso oh buey hermoso (TP 506, 388)
Oh castillo de Montayes (*Padilla*, 246)
Oh cegos que buscais na morte a vida (*Faria*, 56v)
Oh celosa dolencia (*RG* 1600, 52, 80)
Oh claro honor del líquido elemento (MRAH 9-7069, 143v)
Oh columna de Pilato (MP 644, 30)
Oh cómo he estado desapercibido (*CG* 1554, 188)
Oh cómo nunca amor cura la herida (*RH*, 213)
Oh como se me alonga de ano em ano (*Borges*, 70v)
Oh cómo ya se pasaron (*Penagos*, 49)
Oh con cuanto temor mi flaca mano (PN 314, 72v)
Oh contentamiento cuán bien suena (*Jacinto López*, 55v)
Oh contento dónde estás (*Cid*, 118, 201v)
Oh contento dónde estás (*Peralta*, 44v)
Oh contra de mi querer (MP 617, 25)
Oh contrario del dulce pensamiento (*Rojas*, 89v)
Oh convite de alta suerte (*Vergel*, Ubeda, 79)
Oh corazón afligido (PN 314, 59)
Oh corazón de piedra sin sentido (PN 314, 119)

Oh corazón de roble oh pecho impío (*Penagos*, 205)
Oh Córdoba dichosa oh fértil suelo (MN 17.951, 72)
Oh corona imperial (*CG* 1511, 3)
Oh corpo jaz aqui que o grão tesouro (*Corte*, 155v)
Oh corteses oh tiranos (PN 418, p. 527)
Oh cortesía oh dulce acogimiento (FN VII-354, 399v)
Oh cristalina mano delicada (FR 3358, 112v)
Oh Crucifijo mío qué es aquesto (*Jesuitas*, 467)
Oh crucifijo mío qué es aquesto (*Vergel*, Ubeda, 40v)
Oh crucifixo mío qué es aquesto (MN 2973, p. 7)
Oh cruel de mí conmigo (PN 372, 364v)
Oh cruel hijo de Aquiles (*Rosa Gentil*, Timoneda, 47v)
Oh cruel y en crueldad más porfiada (*Lemos*, 3)
Oh cruz árbol fiel noble hermoso (*Fuenmayor*, p. 236)
Oh Cruz que no Calvário sustentaste (*Faria*, 62)
Oh cuál tengo aquel caballo (MP 617, 85)
Oh cuán bien se ha librado (*Rosal*, p. 80)
Oh cuán bien Virgen trocastes (*Obras*, Silvestre, 290v)
Oh cuán desdichado estado (PN 373, 86)
Oh cuán desdichado Natura me hizo (*Toledano*, 89v)
Oh cuán dichosa sería (MP 617, 188v)
Oh cuán dichosos son los que moran (*Evora*, 32v)
Oh cuán diferentes son (*RG* 1600, 205v)
Oh cuán dulce serás Muerte (MP 617, 150)
Oh cuán errado y solo va el camino (*Canc.*, Maldonado, 105)
Oh cuán mala sois (MN 3691, 30v)
Oh cuán mudado veo aqueste mundo (MP 1578, 246)
Oh cuán perdido me viera (*Lemos*, 99)
Oh cuán pocos hay adonde quiera (MN 6001, 61v)
Oh cuán queridas son y deseadas (MP 973, 83)
Oh cuán soberbio estás tú pensamiento (*CG* 1554, 195v)
Oh cuán tristes son las noches (*Cid*, 201v)
Oh cuánto dice en su favor quien calla (MN 3700, 48)
Oh cuánto el mal hacer es mala cosa (MN 6001, 59)
Oh cúanto Job lo tienes mal mirado (MN 3698, 260)
Oh cuánto mejor fuera haber sufrido (PN 307, 96v)
Oh cuántos enamorados (*Evora*, 21v)
Oh cuentas que venís de aquella mano (PN 373, 205v)
Oh cuerpo hora de dios con el suzuelo (MN 3968, 163)
Oh dama de las bellas la más bella (*Lemos*, 8)
Oh dama de las bellas la más bella (*Morán*, 183)
Oh de cuán ricas esperanzas vengo (MP 1578, 102)
Oh de rara virtud y beldad rara (MN 2973, p. 250)
Oh del árbol más alto y más hermoso (MP 1578, 99)
Oh delincuente triste y sin prudencia (*Obras*, Silvestre, 415)
Oh desastrada partida (MP 617, 149v)
Oh desastrada ventura (*CG* 1511, 102v, 107)
Oh desdichado caso oh dura suerte (*Rojas*, 118v)
Oh desdichado deseo (*CG* 1514, 108v)

Tabla 213

Oh desengaños de amor (PN 371, 37)
Oh día oh hora oh último momento (*Morán*, 147v)
Oh dichosa Castilla cuya fama (MP 2459, 103v)
Oh digna que en metal Fidias te forme (MP 3560, 28v)
Oh Dios y quién pudiese tanto amarte (*Vergel*, Ubeda, 203v)
Oh divino banquete onde foi dada (*Faria*, 52v)
Oh divino regocijo (*Sevillano*, 87)
Oh dolorosa partida (CG 1557, 395v)
Oh dolorosa partida (*Colombina*, 41v)
Oh duce soledad vida sabrosa (*Obras*, Cepeda, 106v)
Oh dulce amor benigno amor dichoso (MP 617, 308)
Oh dulce amor oh dulce pensamiento (*Morán*, 80v)
Oh dulce contemplación (CG 1514, 98v)
Oh dulce contemplación (*Recopilación*, Vázquez, 16v)
Oh dulce de mi dulce pensamiento (PN 314, 161v)
Oh dulce gusto extraño y peregrino (*Obras*, Silvestre, 366)
Oh dulce Jesucristo al alma mía (*Padilla*, 68v)
Oh dulce Jesucristo alma mía (FR 3358, 105)
Oh dulce noche oh cama venturosa (FN VII-354, 247v)
Oh dulce noche oh cama venturosa (*Jacinto López*, 4)
Oh dulce noche oh cama venturosa (MN 3913, 44v)
Oh dulce noche oh cama venturosa (RaC 263, 126)
Oh dulce pan do está Dios encerrado (MN 2973, p. 28)
Oh dulce patria Oh dulce ayuntamiento (*Jesuitas*, 322v)
Oh dulce reina de vida y honor mía (*Ixar*, 264)
Oh dulce soledad a dó el sosiego (PN 314, 167)
Oh dulce soledad ocio sabroso (*Morán*, 24)
Oh dulce sueño dulce sentimiento / dulce imaginación
    dulce reposo (MP 973, 68v)
Oh dulce sueño más que yo esperaba (MN 2973, p. 139)
Oh dulce sueño oh dulce sentimiento / que si imagen de
    la muerte eres llamado (*Jacinto López*, 8)
Oh dulce suspiro mío (*Corte*, 201), *ver* Oh triste
Oh dulce suspiro mío (*Medinaceli*, 9v)
Oh dulce suspiro mío (*Obras*, Silvestre, 104)
Oh dulce suspiro mío (*Sevillano*, 66v)
Oh dulce suspiro mío (*Vergel*, Ubeda, 170)
Oh dulce tiempo bueno bien gastado (PN 373, 208)
Oh dulce y breve sueño de alegría (*Morán*, 113)
Oh dulce y breve sueño de alegría (MP 973, 72)
Oh dulce y breve sueño de alegría (*Obras*, Silvestre, 363v)
Oh dulces prendas cuando Dios quería (OA 189, 25)
Oh dulces prendas por mi mal halladas (*Gallardo*, 37)
Oh dulces prendas por mi mal halladas (*Toledano*, 81v)
Oh dura ausencia (RG 1600, 187)
Oh dura ley de Amor oh brava suerte (MP 617, 259)
Oh dura Troya oh fementida Elena (RG 1600, 93)
Oh dura y terrible ausencia (MN 3724, 167v)
Oh dura y terrible ausencia (MP 996, 218)

Oh dura y terrible ausencia (RG 1600, 67v)
Oh duro carecer del bien perdido (CG 1554, 171v)
Oh duro carecer del bien perdido (MN 1132, 172)
Oh enemiga de amor desconfianza (MN 3968, 150v)
Oh esperanza mía y mi consuelo (*Morán*, 18)
Oh esperanza mía y mi consuelo (RaC 263, 5)
Oh espíritu celeste que enviado (MP 644, 181)
Oh felice María y cuán dichosa (*Jacinto López*, 271)
Oh fin de mis alegrías (CG 1514, 158v)
Oh flor de Venus amada (*Lemos*, 96v)
Oh flor del campo dulce y hermosa (*Evora*, 33)
Oh Fortuna en el campo me tienes (*Lemos*, 122v)
Oh Fortuna en el campo me tienes (*Toledano*, 89v)
Oh Fortuna gasta placeres (*Lemos*, 122v)
Oh Fortuna perezosa (WHA 2067, 120v)
Oh Fortuna poderosa (*Morán*, 138)
Oh Fortuna poderosa (PN 372, 292)
Oh Fortuna variable (*Obras*, Silvestre, 89v)
Oh fresca rosa estrella matutina (MP 570, 254v)
Oh fuente clara de agua cristalina (*Cid*, 6)
Oh fuente de agua viva (MN 17.951, 39)
Oh fuente manante de sabiduría (CG 1511, 48)
Oh fuerza del amor que de él cantando (MP 617, 316v)
Oh gloria oscurecida (*Vergel*, Ubeda, 48)
Oh gloriosa cruz oh victorioso (*Borges*, 23v)
Oh gloriosa Magdalena (*Jesuitas*, 214)
Oh gloriosa Magdalena (*Obras*, Silvestre, 294v)
Oh gloriosa señora (*Jhoan López*, 102v)
Oh glorioso rey en tiempo tan guardado (MN 6001, 52)
Oh gran casa de Borgoña (MP 570, 114)
Oh gran Domingo do la fe sosiega (FN VII-353, 8v)
Oh gran ducha de Florencia (RaC 263, 171)
Oh grande novedad (MP 644, 199)
Oh griega mano (RG 1600, 247)
Oh guarda del vellocino (CG 1511, 226)
Oh guardas que con modo concertado (MP 617, 182v)
Oh gustos del Amor traidores (MP 996, 107v)
Oh hecho sólo del Omnipotente (MP 617, 181v)
Oh Hector venturoso que la vida (*Borges*, 85)
Oh hermosa señora y excelente (MP 2803, 2)
Oh hideputa Luis y qué hermosa (*Padilla*, 182)
Oh hija cualquier mortal (FN VII-353, 216)
Oh humana naturaleza (*Rosal*, p. 183)
Oh igual justicia y sin igual clemencia (MN 3968, 119)
Oh imagen de mi gloria (CG 1511, 191v)
Oh inestables ruedas de la humana suerte (PN 314, 118)
Oh ingrato Amor quien no te conociese (MP 570, 253)
Oh injusto rey (RaC 263, 19v)
Oh inmenso y sumo amor que Dios quisiese (*Morán*, 123v)

Oh Jarifa hermana mía (MBM 23/4/1, 40)

Oh Juan si el Empíreo cielo (*CG* 1535, 198)

Oh juventud oh tiempo oh edad primera (MN 17.951, 120)

Oh la gentil Galatea (MN 3691, 70v)

Oh lágrimas cansadas que en llegando (MP 973, 71)

Oh lágrimas pues sois claros indicios (*Jhoan López*, 32v)

Oh larga esperanza vana (EM Ç-III.22, 100v)

Oh larga esperanza vana (MP 1587, 112v)

Oh libertad preciosa (MP 996, 196v)

Oh luz donde a luz su luz le viene (*Obras*, Silvestre, 416v)

Oh mal terrible y crudo desatino (MP 570, 253)

Oh malaya el desposado (MP 1587, 171v)

Oh malicia del mundo oh triste suerte (*Vergel*, Ubeda, 50v)

Oh maná enviado a este desierto (*Penagos*, 226)

Oh manos mías tan bellas (*Heredia*, 184v)

Oh manos mías tan bellas (MN 5593, 73)

Oh manos poderosas de matarme (*Morán*, 160)

Oh manos poderosas de matarme (RV 1635, 77)

Oh mar de discreción y de cordura (*Morán*, 79v)

Oh mar oh mar (*Toledano*, 90)

Oh más dura que mármol a mis quejas (*Medinaceli*, 67v)

Oh más dura que mármol a mis quejas (MP 617, 237v)

Oh más dura que mármol a mis quejas (OA 189, 102)

Oh más dura que mármol a mis quejas (PN 307, 29v)

Oh más que la silvestre palma ingrata (MN 3913, 116)

Oh más que soberano Sacramento (MP 617, 187v)

Oh más que tigre hircana embravecida (*Morán*, 164v)

Oh memoria de mi vida (*CG* 1554, 117v)

Oh mi Dios oh mi bien y mi alegría (*Vergel*, Ubeda, 8v)

Oh mi Dios y cuán indigno (*Toledano*, 70v)

Oh mi Príamo consorte (*RG* 1600, 247)

Oh mis secretas pasiones (*Colombina*, 28v)

Oh mis secretas pasiones (MP 617, 150v)

Oh mísero mortal lleno de engaño (*Borges*, 84)

Oh misterio glorioso (*Vergel*, Ubeda, 76)

Oh Muerte cuán amarga es tu memoria (MN 17.951, 72)

Oh muerte cuán amarga es tu memoria (*Rosal*, p. 228)

Oh Muerte cuánta gloria has alcanzado (MP 617, 329v)

Oh Muerte cuánta gloria has alcanzado (PN 373, 68)

Oh Muerte oh vida mía Quién me llama (PN 373, 207v)

Oh Muerte pues que nos matas (*Lemos*, 110v)

Oh Muerte que sueles ser (MiA S.P. II.100, 12)

Oh Muerte y cuán sagaces (MN 17.951, 157v)

Oh musa si a tu lira mal templada (*Jesuitas*, 393)

Oh muy alto dios de amor (PN 314, 228)

Oh muy santa Trinidad (MP 617, 217v)

Oh navío cascado (*Cid*, 55), *ver* Oh barco

Oh ninfa de las bellas la más bella (*Obras*, Silvestre, 369v)

Oh ninfas que habitáis en la hondura (PN 373, 180)

Oh noche oscura de tinieblas llena (*Jhoan López*, 14v, 18)

Oh noche para mí muy claro día (MN 3902, 27)

Oh noche turbia y oscura (BeUC 75/116, 155v)

Oh noche turbia y oscura (FN VII-354, 71v)

Oh noche turbia y oscura (MBM 23/8/7, 219v)

Oh noche turbia y oscura (MN 3670, 40v)

Oh noche turbia y oscura (MN 4256, 189)

Oh noche turbia y oscura (MN 4262, 225v)

Oh noche turbia y oscura (MN 4268, 205)

Oh noche turbia y oscura (MP 2805, 82)

Oh noche turbia y oscura (MRAH 9-7069, 105)

Oh noche turbia y oscura (PhUP1, 180)

Oh noche turbia y oscura (PN 258, 123v)

Oh noche turbia y oscura (RV 768, 184v)

Oh Numancia que loada (MN 1317, 118v)

Oh Pan oh sacros Faunos oh Silvanas (MP 570, 243v)

Oh Parca inexorable qué guadaña (MP 644, 176)

Oh Parcas inhumanas y engañosas (*Rosal*, p. 101)

Oh pasión más que infernal (*Lemos*, 110v)

Oh pasos míos para mí mal dados (*Borges*, 83v)

Oh pasos tan sin fruto derramados (MN 2973, p. 311)

Oh patria del cielo oh tierra (*RG* 1600, 241)

Oh pecho causador de mi tormento (MN 17.557, 93)

Oh pena que me combates (*Colombina*, 9v)

Oh pensamiento con qué ligereza (*Corte*, 145)

Oh pensamiento con qué ligereza (FR 3358, 173)

Oh pensamiento con qué ligereza (*Jesuitas*, 463v)

Oh pensamiento con qué ligereza (PN 372, 120)

Oh pino oh pino pino florido (*Toledano*, 89v)

Oh Príncipe de gloria perdurable (MP 617 186)

Oh pura honestidad pura belleza (MN 2973, p. 233)

Oh pura honestidad pura belleza (*RH*, 211v)

Oh quão ditosos sois os lavradores (EM Ç-III.22, 34)

Oh qué aparato de guerra (MP 617, 95v)

Oh qué bien baila Gil (MoE Q 8-21, p. 125)

Oh que bien descoge al viento (PN 418, p. 333)

Oh qué buen señor tenemos (*Lemos*, 112)

Oh qué chiste aconteció (*Toledano*, 58v)

Oh qué cosa (*Obras*, Silvestre, 291)

Oh qué cosa os contaré (*Toledano*, 50)

Oh qué desgracia ha venido (PN 372, 278)

Oh qué dichoso pecado (*CG* 1514, 14v)

Oh qué gran convite (*Sevillano*, 130v)

Oh qué gran dolor (WHA 2067, 78)

Oh qué malquisto con Esgueva quedo (*Lemos*, 218v)

Oh qué mañanica mañana (*Recopilación*, Vázquez, 8v)

Oh qué materia tan digna (MP 617, 21v)

Oh qué merced tan crecida (*Vergel*, Ubeda, 76)

Oh que no hallo razón (*CG* 1511, 65v)

Tabla 215

Oh qué noche de alegría (*Sevillano*, 171)

Oh qué notoria crueldad (*CG* 1554, 20v)

Oh qué notoria crueldad (MN 1132, 93v)

Oh qué notoria crueldad (WHA 2067, 95)

Oh qué nueva novedad (*CG* 1514, 15)

Oh qué nuevas de Castilla (*CG* 1511, 229)

Oh qué pan oh qué comida (*Canc.*, Ubeda, 52v)

Oh qué pompa oh qué arreo (*CG* 1511, 229)

Oh qué pompa y qué arreo (MP 617, 95v)

Oh qué precioso convite (*Fuenmayor*, p. 342)

Oh qué refrán se han tomado (RV 1635, 134v)

Oh qué soberbio estás tú pensamiento (MN 1132, 12v)

Oh qué tengo allá en el cielo (*Evora*, 32v)

Oh qué trocado te veo (*Sevillano*, 299v)

Oh que venteziño (*Sevillano*, 40)

Oh qué zagalejas dos (*Vergel*, Ubeda, 100v)

Oh queja tan sin medida (MP 617, 155)

Oh quién fuese de amor tan apartado (*RH*, 213v)

Oh quién legua tuviese (*Jesuitas*, 155)

Oh quién me dará penas de paloma (*Evora*, 32v)

Oh quién no fuera carillo (*Sevillano*, 298v)

Oh quién pintar pudiese (*Cid*, 105)

Oh quien pintar pudiese (OA 189, 139v)

Oh quién pudiera mi Dios (*Vergel*, Ubeda, 55v)

Oh quién pudiese comer (*Lemos*, 102v)

Oh quién pudiese deciros (*CG* 1511, 69)

Oh quién pudiese hacer (OA 189, 323v)

Oh quién pudiese hacer (PN 307, 257v), *ver* Ay quién pudiera

Oh quién pudiese señora (OA 189, 324)

Oh quién pudiese señora (PN 307, 257v)

Oh quién señora os tuviese (*Cid*, 201)

Oh quién tal hurto como tú hoy has hecho (Vergel, Ubeda, 45)

Oh quién te desollara azote crudo (MN 2856, 124v)

Oh quién tuviera ingenio tan subido (MP 2459, 20v)

Oh quién tuviese un corazón de acero (MN 3902, 89v)

Oh rabiosas tentaciones (*CG* 1511, 32v)

Oh rabioso despedir (*CG* 1511, 68)

Oh recio acaecimiento (*Heredia*, 76v)

Oh recio acaecimiento (MN 5593, 56v)

Oh redención cumplida (*Vergel*, Ubeda, 43)

Oh Redentor del mundo qué es aquesto (*Obras*, Silvestre, 419)

Oh rey cruel injusto (RG 1600, 201)

Oh ricos despojos (RG 1600, 154)

Oh Ropero amargo triste (MP 617, 101v)

Oh rostro jocundo oh faz cristalina (PN 373, 132v)

Oh rutilante Aurora (*Canc.*, Ubeda, 77)

Oh rutilante Aurora (*Vergel*, Ubeda, 51v)

Oh sabio marinero que guiabas (*Vergel*, Ubeda, 151)

Oh sabroso maná muy diferente (*Vergel*, Ubeda, 62)

Oh sacra esposa del Espíritu Santo (*Ixar*, 68)

Oh sagrados edificios (RG 1600, 221)

Oh sagrario virginal (*CG* 1535, 190)

Oh santo Patriarca y nuestro abuelo (*Jesuitas*, 195, 245v)

Oh sed del pecador que por un trago (*Jesuitas*, 448)

Oh señor Mejía (*Toledano*, 95v)

Oh seso que tanto ser (*Heredia*, 183v)

Oh si acabase ya mi pensamiento (MN 2973, p. 386)

Oh si acabases ya mi pensamiento (*CG* 1554, 197v)

Oh si acabases ya mi pensamiento (MN 1132, 29v)

Oh si de este cansado inútil cuerpo (*Canc.*, Maldonado, 145v)

Oh si del mundo partiese (*Sevillano*, 275v)

Oh si en este punto la muerte viniese (*Toledano*, 90)

Oh si fuera tan grande mi ventura (MP 3560, 36v)

Oh si mi pena por ella (*CG* 1554, 44)

Oh si mis llagas mortales (MP 617, 146)

Oh si nacido no fuera (MP 617, 25v)

Oh si pudiese acabarse (*Padilla*, 228v)

Oh si pudiese olvidaros (*CG* 1511, 94)

Oh si pudiese olvidaros (MP 617, 37)

Oh si pudiese pastora (RG 1600, 303v)

Oh si quisiese el amor (MoE Q 8-21, p. 181)

Oh si saliese ya del alma mía (*Sevillano*, 139)

Oh si volasen las horas (MoE Q 8-21, p. 180)

Oh si volasen las horas de pesar (*Sablonara*, 73)

Oh si yo pudiera haber (*Morán*, 117)

Oh siempre mentiroso fugitivo (MN 3700, 168v)

Oh sin ventura yo. Oh mal nacido (MN 3968, 105)

Oh soberbios cogollos y sagradas ruinas (PN 372, 252v)

Oh sol de quien es rayo el sol del cielo (PN 314, 4)

Oh sol de quien es rayo el sol del cielo (TP 506, 340v)

Oh suave suspiro que saliste (EM Ç-III.22, 81)

Oh suelo triste con razón oscuro (*Vergel*, Ubeda, 106v)

Oh sueño dulce tregua al pensamiento (*Evora*, 14)

Oh suerte avara (RG 1600, 168v)

Oh sumo bien por quien ya es reparado (*Toledano*, 77v)

Oh suspiros de amargura (*CG* 1511, 72)

Oh suspiros Oh lágrimas hermosas (MN 2973, p. 197)

Oh terribles agravios (RG 1600, 48v)

Oh tez que eres vergel rico y florido (MP 2459, 16v)

Oh tiempo bueno, oh tiempo pasado (*Toledano*, 65v)

Oh tiempo mal despendido (*CG* 1511, 163v)

Oh tiempo suave dulce y sereno (MP 617, 120)

Oh tiempo variable que huyendo (SU 2755, 36v)

Oh tierno Infante que a la muerte muerte (*Jesuitas*, 358)

Oh tierno Infante que a la Muerte muerte (MN 17.951, 82)

Oh triste amargo y doloroso día (*Peralta*, 53v)

Oh triste ave que con triste canto (MN 17.556, 146v)

Oh triste cautiverio oh dura suerte (*Jesuitas*, 463v)

Oh triste cautiverio oh dura suerte (*Vergel*, Ubeda, 206v)

Oh triste suspiro mío (*Enredo*, Timoneda, 6v)

Oh triste suspiro mío (*FRG*, p. 204), *ver* Oh dulce suspiro

Oh triste ventura mía (*Heredia*, 247)

Oh triste ventura mía (MN 3902, 95v)

Oh triste ventura mía (MP 617, 161)

Oh triste ventura mía (PN 307, 264v)

Oh triste ventura mía (PN 372, 75v)

Oh triste vida de miserias llena (*Jesuitas*, 298)

Oh tristes y afligidos pensamientos (MN 2973, p. 361)

Oh tú cualquiera que sea (PN 418, p. 216)

Oh tú del gran milagro caballero (MN 17.556, 134)

Oh tú que cantas que llorar pudieras (MN 2856, 120)

Oh tú que emprendiste tu lira entonando (*CG* 1557, 394)

Oh tú que mis males (MP 996, 96v)

Oh tú que pasas alza la visera (MP 644, 178)

Oh tú que vas buscando con cuidado (*Jesuitas*, 350v)

Oh tú que vas tu vía caminando (MP 973, 75v)

Oh varios accidentes sin concierto (*Obras*, Cepeda, 68v)

Oh venturoso día (TP 506, 399)

Oh Venus alcahueta hechicera (MN 4268, 84)

Oh Venus alcahueta y hechicera (FN VII-353, 16v)

Oh Venus alcahueta y hechicera (FN VII-354, 41v, 260)

Oh Venus alcahueta y hechicera (MBM 23/8/7, 143v)

Oh Venus alcahueta y hechicera (MN 4256, 116v)

Oh Venus alcahueta y hechicera (MP 1578, 6)

Oh Venus alcahueta y hechicera (PN 258, 204v)

Oh Venus alcahueta y hechicera (RV 768, 252)

Oh Venus alcahueta y hechicera (TP 506, 367v)

Oh Venus la alcahueta hechicera (BeUC 75/116, 79v)

Oh Venus la alcahueta hechicera (MP 2805, 116), *ver* Di
    Venus

Oh Venus poderosa (MP 973, 37v)

Oh Venus tan temida (*Morán*, 238v)

Oh vida de gran tormento (*Flor de enamorados*, 97)

Oh vida de los hombres trabajada (MN 6001, 58v)

Oh vida de tantos daños (PBM 56, 122)

Oh vida fragil breve y peligrosa (*Jesuitas*, 360v, 466v)

Oh vida frágil breve y peligrosa (*Jesuitas*, 360v, 466v)

Oh vida humana breve y engañosa (MP 1578, 248v)

Oh vida mía afligida (*Flor de enamorados*, 58v)

Oh vida mía si de vos un hora (*Padilla*, 91)

Oh vida miserable (*Fuenmayor*, p. 30)

Oh Virgen a pesar del fiero momo (FN VII-353, 76v)

Oh Virgen donde fue Dios (*CG* 1535, 191v)

Oh Virgen Madre y Señora (*Sevillano*, 38v)

Oh Virgen más prudente y más graciosa (*Jesuitas*, 436v)

Oh Virgen muy pura (*Sevillano*, 150)

Oh Virgen nuestro consuelo (*Vergel*, Ubeda, 101v)

Oh Virgen que Dios pariste (*CG* 1511, 21)

Oh Virgen y cuál estás (*CG* 1511, 17)

Oh vista ardiente y pura do respira (SU 2755, 11v)

Oh volador pensamiento (MN 2856, 122)

Oh vos dubitantes creed las historias (*Ixar*, 255)

Oh vos preciosa lira (MP 644, 2v)

Oh vos preciosa lira (*Sevillano*, 144)

Oh ya porque tus hebras y cabellos (FR 3358, 185)

Oh ya seguro puerto (FN VII-354, 367)

Oh ya seguro puerto (MN 3698, 177v)

Oí disputa Luis y qué hermosa (MP 2803, 233v)

Oí palpé gusté vi y tuve olfato (MiB AD.XI.57, 17v)

Oí señor de muerte la sentencia (*Romancero*, Padilla, 17v)

Oíd amantes noveles (*RG* 1600, 45v)

Oíd de Dios amadores (*CG* 1535, 201)

Oíd galanes y damas (*Morán*, 1)

Oíd ninfas y pastores (*RH*, 188v)

Oíd nuevos amadores (*Penagos*, 45)

Oíd oíd amadores (MN 3806, 74)

Oíd oíd beatas desdichadas (*Jacinto López*, 83)

Oíd oíd oíd oíd atentos (MN 2856, 65)

Oíd pastores de Henares (MN 3913, 111v)

Oíd pastores del Tajo (PN 418, p. 218)

Oíd señor don Gaiferos (MN 4127, p. 22)

Oíd señor don Gaiferos (MN 6001, 300)

Oíd señor don Gaiferos (MP 996, 104v)

Oíd señor don Gaiferos (*RG* 1600, 44v)

Oíd señora mujer (MN 3724, 266)

Oíd señora mujer (*RG* 1600, 257v)

Oíd si gustáis un poco (*RG* 1600, 180v)

Oídme atentos ahora (*RG* 1600, 364v)

Oídme señor Belardo (MN 3723, 326)

Oídme señor Belardo (*RG* 1600, 150v)

Oídme señora mía (MBM 23/4/1, 55)

Oídme señora mía (MN 3724, 188v)

Oídme señora mía (*Obras*, Silvestre, 67v)

Oídme señora mía (*Padilla*, 187v)

Oídme señora mía (PN 372, 326)

Oídme señoras (*El Truhanesco*, Timoneda, 5v)

Oídme sordas orejas (*Penagos*, 182)

Oiga oiga buen soldado (MN 3725-2, 38)

Oiga tu merced y crea (*CG* 1511, 20)

Oiga tu merced y crea (*Colombina*, 21v)

Oiga tu merced y crea (MP 617, 152)

Oiga vuestra señoría (PN 373, 81v)

Oigame mire acá qué la digo (MP 570, 176)

Tabla 217

Oigame por mi fe señor Alcino (*Penagos*, 16)
Oigame señor doctor (RC 625, 56)
Oigame toda gorrona (MN 3913, 151)
Oigan las que se tiene por hermosas (MP 973, 316)
Oigan los que oír quisieren (MN 2856, 127v)
Oigan todos los vivientes (*Peralta*, 33v)
Oigan todos mi tormento / tengan fe y lealtad (*Elvas*, 20)
Oigan todos mi tormento / y quien libre está de amor (*Elvas*, 98v)
Oigan todos mi tormento / y quien libre está de amor (PBM 56, 33v-34)
Oír misa cada día (*Jesuitas*, 366)
Ojalá fuese señora mía (*Toledano*, 20v)
Ojo a la fe pecador (*Sevillano*, 168v)
Ojos ahora es tiempo que llorando (MP 570, 223)
Ojos bellos que miráis (*Jhoan López*, 4v)
Ojos cansados tristes que mirando (*Morán*, 89)
Ojos cejas y cabellos (*Vergel*, Ubeda, 108)
Ojos claros serenos (MN 2973, p. 197)
Ojos claros serenos (TP 506, 347)
Ojos claros y serenos (FN VII-353, 55v)
Ojos claros y serenos (*Medinaceli*, 2)
Ojos de llorar cansados (MN 2856, 130)
Ojos decídselo vos (MP 1587, 76v)
Ojos decídselo vos (*Obras*, Silvestre, 108v)
Ojos decídselo vos (PN 373, 175v)
Ojos decídselo vos (*Rojas*, repe 39, 81v)
Ojos decídselo vos (RV 1635, 12v, 19)
Ojos decídselo vos (*Tesoro*, Padilla, 480v)
Ojos decídselos vos (*Cid*, 38)
Ojos decíselo vos (*Obras*, Cepeda, 97v)
Ojos después que miráis (MN 3700, 110)
Ojos dulces de mirar (*Padilla*, 88)
Ojos en vuestra hermosura (*Faria*, 95)
Ojos garzos ha la niña (*Recopilación*, Vázquez, 30)
Ojos garzos ha la niña (*Uppsala*, n. 20)
Ojos herido me habéis (*Cid*, 218)
Ojos herido me habéis (*FRG*, p. 156)
Ojos herido me habéis (*Morán*, 116v)
Ojos hermosos amorosillos graves (*Medinaceli*, 49v)
Ojos hermosos amorosillos graves (TP 506, 400)
Ojos llenos de beldad (*Canc.*, Maldonado, 35)
Ojos llorad haciendo compañía (*Cid*, 5v)
Ojos matadores (PN 307, 285)
Ojos míos no creyera (MP 2803, 166v)
Ojos míos no lloréis (*Jacinto López*, 183)
Ojos míos pues mirastes (*Canc.*, Ubeda, 193)
Ojos míos pues mirastes (*Cid*, 176v)
Ojos míos que miráis (*Cid*, 213)

Ojos míos que miráis (RV 1635, 74v)
Ojos míos que siempre desmandados (MN 2973, p. 16)
Ojos morenos / cuándo nos veremos (*Recopilación*, Vázquez, 12)
Ojos morenos / de bonico color (*Recopilación*, Vázquez, 12)
Ojos morenos / irme a querellar (WHA 2067, 41v)
Ojos negros cuando os vi (*FRG*, p. 251)
Ojos negros cuando os vi (*Morán*, 63v)
Ojos negros cuando os vi (MP 973, 106v)
Ojos negros cuando os vi (RV 1635, 6)
Ojos negros que os miráis (*Sablonara*, 61)
Ojos no lloréis (TorN 1-14, 34)
Ojos no me miréis más (*Jhoan López*, 22)
Ojos no sois vosotros los que fuisteis (TP 506, 294)
Ojos no sois vosotros los que fuistes (OA 189, 127v)
Ojos noveleros (*León/Serna*, 112v)
Ojos noveleros (MP 2803, 171v)
Ojos ojos sois vos No sois vos ojos (MN 2973, p. 132)
Ojos ojuelos (PN 373, 234)
Ojos paciencia y llorad (PN 372, 67)
Ojos por quien yo suspiro (*Jhoan López*, 49v)
Ojos pues habéis mirado (*Obras*, Cepeda, 96v)
Ojos que a Dios sus ojos le robaron (*Jesuitas*, 480v)
Ojos que andáis agravados (PBM 56, 116v-117)
Ojos que con amargo y triste llanto (*Canc.*, Maldonado, 171)
Ojos que libres estáis (*Morán*, 209v)
Ojos que matáis (*Sevillano*, 201v)
Ojos que matáis mirando (*Morán*, 209v)
Ojos que me habéis mirado (*Cid*, 130)
Ojos que me habéis mirado (*Morán*, 4)
Ojos que me matáis con sólo verme (*Jacinto López*, 10v)
Ojos que no sois ojos sino estrellas (MN 3913, 43)
Ojos que no sois ojos sino estrellas (*Tesoro*, Padilla, 114v)
Ojos que no véis / quien veros desea (PN 372, 36)
Ojos que no ven (*Romancero*, Padilla, 287v)
Ojos que no ven / cómo ternán vida (*Jesuitas*, 458)
Ojos que no ven / lo que ver desean (*Cid*, 172)
Ojos que no ven / lo que ver desean (*Jesuitas*, 458)
Ojos que orientales (*Jacinto López*, 48v)
Ojos que sois del fuego mío instrumento (MN 2973, p. 346)
Ojos que sois la lumbre de mis ojos (PN 372, 251v)
Ojos que sois por mi daño (*Jhoan López*, 22v)
Ojos que tal muerte dais (MP 1587, 84v)
Ojos que tal muerte dais (*Padilla*, 48)
Ojos que tal muerte dais (PN 373, 8v)
Ojos que tenéis poder (MP 1587, 84v)
Ojos que ya llorastes vanamente (SU 2755, 106v)
Ojos que ya no veis (*Medinaceli*, 37v)
Ojos que ya no veis quién os miraba (OA 189, 356)

Ojos que ya no veis quién os miraba (*Padilla*, 187)
Ojos que ya no veis quién os miraba (*Padilla*, 74v)
Ojos que ya no veis quién os miraba (PN 307, 27v)
Ojos que ya no veis quién os miraba (*Tesoro*, Padilla, 289v)
Ojos queréis y quieren bien (*Corte*, 204v)
Ojos rayos del sol luces del cielo (MN 2973, p. 167)
Ojos rayos del sol luces del cielo (TP 506, 318)
Ojos rayos del sol resplandecientes (TP 506, 321)
Ojos si queréis vivir (MN 3913, 51v)
Ojos tristes no lloréis (*Sevillano*, 292v)
Ojos tristes que algún día (OA 189, 72)
Ojos y boca y cabellos (*Morán*, 210v)
Ojuelos donde amor tira (*Morán*, 187v)
Ojuelos graciosos (*Cid*, 40v)
Ojuelos graciosos (*Elvas*, 99v)
Ojuelos graciosos (*Jacinto López*, 319v)
Ojuelos graciosos (PN 307, 285)
Ojuelos graciosos (*Romancero*, Padilla, 286)
Ojuelos graciosos (*Sevillano*, 201v, 268)
Ojuelos mucho sabéis (*Jhoan López*, 4v)
Olalla yo lo diré (*Cid*, 184)
Olas que vais y venís (MN 3700, 8v)
Olhai que dura sentença (*Borges*, 20v)
Olhos pois servis de ver (NH B-2558, 38v)
Olhos que não vem (EM Ç-III.22, 99v)
Oliva lirio rosa planta estrella (*Jacinto López*, 273)
Ollai que fazaña (*Sevillano*, 172v)
Olmo fui ayer o hipérbole florido (PN 418, p. 273)
Olorosas son las rosas (*Toledano*, 10)
Oloroso jardín huerta florida (MP 2803, 152v)
Olvida Belisa a Blas (PN 373, 286)
Olvida Belisa a Blas (WHA 2067, 51v)
Olvida Blas a Benita (MP 570, 161), *ver* Olvida Gil
Olvida Blas a Benita (PN 373, 110, 286)
Olvida Blas a Benita (*Sevillano*, 243)
Olvida Blas a Constanza (MN 3968, 85, 110v)
Olvida Blas a Constanza (MN 4256, 228)
Olvida Blas a Constanza (MP 617, 228)
Olvida Blas a Costanza (BeUC 75/116, 115)
Olvida Blas a Costanza (MBM 23/8/7, 158)
Olvida Blas a Costanza (MN 4268, 160)
Olvida Blas a Costanza (*Morán*, 53v)
Olvida Blas a Costanza (MP 1578, 55)
Olvida Blas a Costanza (MP 2805, 62)
Olvida Blas a Costanza (OA 189, 295)
Olvida Blas a Costanza (PhUP1, 122v)
Olvida Blas a Costanza (PN 258, 191
Olvida Blas a Costanza (PN 307, 314v, 316v, 317v)
Olvida Blas a Costanza (RV 1635, 13v)

Olvida Blas a Costanza (RV 768, 158, 211)
Olvida de tantos males (*Lemos*, 139)
Olvida Gil a Benita (PN 314, 185), *ver* Olvida Blas
Olvida inmenso Dios nuestros pecados (MiB AD.XI.57, 34)
Olvida pasadas glorias (FN VII-353, 38)
Olvida toda pasión (*Jhoan López*, 3)
Olvida tu perdición (*Colombina*, 71v)
Olvidada del suceso (MN 17.556, 63)
Olvidada del suceso (MN 3724, 58v)
Olvidada del suceso (*RG* 1600, 20v)
Olvidada el suceso (FN VII-353, 130v)
Olvidado a quien olvida (CG 1511, 146v)
Olvidado corazón (*Cid*, 35v, 254)
Olvidado corazón (*Morán*, 136)
Olvidado de ti por este llano (*Borges*, 37)
Olvidado de ti por este llano (*Corte*, 141, 167v)
Olvidar no es cosa cierta (*Sevillano*, 69)
Olvidársete tan presto (Evora, 5v)
Olvidarte querría (*Heredia*, 142v)
Olvidaste zagala aqueste apero (*Medinaceli*, 141v)
Olvidásteme señora (MP 570, 109)
Olvidásteme señora (*Sevillano*, 281)
Olvidásteme señora (TP 506, 298)
Olvidástesme señora (*Padilla*, 187v)
Olvidé y aborrecí (FN VII-353, 59v)
Olvidé y aborrecí (*Guisadillo*, Timoneda, 11)
Olvidé y desconocí (MP 617, 214v)
Olvídese Dios de mí (*Morán*, 50)
Omnipotente Dios en quien consiste (RaC 263, 117v)
Omnipotente Padre a cuyo imperio (*Jesuitas*, 149)
Omnipotente Padre a cuyo imperio (*Morán*, 122v)
Once mil coronas fueron (*Fuenmayor*, p. 362)
Ondas que caminando (CG 1554, 127v)
Ondas que caminando (MN 1132, 167)
Ondas que caminando (*Morán*, 157)
Or che nel petto mio sta quel tesoro (MP 644, 133)
Or fatto ha Carlo una gran maravigla (*Heredia*, 180)
Ora s'en algún tiempo (*Penagos*, 165, 168)
Ora subas tus olas do no alcanza (*Canc.*, Maldonado, 104v)
Oración que vais al cielo (*Cid*, 175)
Ordena amor uma dança (NH B-2558, 40v)
Ordena el cielo como le parece (*Romancero*, Padilla, 225v)
Ordena en su ley amor (*Lemos*, 23v)
Ordene lo que quisiere la ventura (*Corte*, 145v)
Ordenó Amor que mirase (*Morán*, 130v)
Orejas a nadie sordas (MN.3700, 18)
Orgullosa Belisa toda eres perlas (MN 3913, 72v)
Orihuega el mayordomo (MN 3700, 165v)
Orilla del bando (*Penagos*, 117)

Tabla 219

Orilla del río (RaC 263, 162)
Orilla del sacro Henares (*RH*, 191)
Orilla del vado (FN VII-353, 175)
Orilla del vado (*Jacinto López*, 68v)
Orilla del vado (*Penagos*, 117)
Orillas de un claro río (MN 3724, 110v)
Orillica el vado (*Jhoan López*, 37)
Oro y plata mezcla hoy Dios (MN 17.951, 32)
Oros me faltan para hacer primera (MiB AD.XI.57, 16)
Os bens que estão na vontade (*Corte*, 126v)
Os dias que gastei no mal pasado (EM Ç-III.22, 34v)
Os meus castelos de vento (*Corte*, 54v)
Os que bivem sem vos ver (*Borges*, 57v)
Os sertórios canibais (*Corte*, 208v)
Os serviços leais que em fim pararam (*Faria*, 46)
Os vestidos Elisa revolvia (*Borges*, 19)
Oscura noche de tinieblas llena (*Jhoan López*, 18)
Oscura noche de tinieblas llena (MP 2803, 147)
Oscura noche de tinieblas llena (*Penagos*, 27)
Oscuras las envió (MN 3691, 78v)
Oso señora desear mirando (*Penagos*, 190)
Oteó Dios la zagala (*Sevillano*, 129)
Otra semejante adola (CG 1535, 191v)
Otra trinidad hallamos (MP 617, 215v)

Otra vez habláis de prisa (FN VII-354, 407)
Otras tachas tiene pues (MP 2459, 73)
Otras veces me habéis visto (TorN 1-14, 41)
Otro animal más fiero y cruel (MN 1317, 439)
Otro bien si a vos no tengo (*Flor de enamorados*, 35)
Otro bien si a vos no tengo (*Padilla*, 242v)
Otro bien si a vos no tengo (PBM 56, 46v-47)
Otro Joseph pareces en tus hechos (MN 6001, 43)
Otro mundo es el que ando (CG 1554, 55)
Otro mundo es el que ando (*Ixar*, 350v)
Otro que en el espejo tu figura (*Cid*, 119v)
Otros modos de matarme (*Gallardo*, 50v)
Ouvi-me minha señora (*Evora*, 34v)
Oxte morenica oxte (*Rojas*, 67)
Oye amigo Oye cochero (MN 3724, 288v)
Oye Isabel que aunque callo (*Jacinto López*, 45v)
Oye Isabel que aunque callo (MP 973, 111)
Oye Jusepa a quien tu bien desea (MN 3700, 153v)
Oye Jusepa mire que ya pisa (MN 3700, 154)
Oye pastor el triste canto mío (*RH*, 199)
Oye pastor el triste canto mío (*Tesoro*, Padilla, 474)
Oyeme rigurosa (MN 3913, 162)
Oyendo que era amor muy sin provecho (*Penagos*, 2)
Oyes deseo haz que luego ensillen (*Jhoan López*, 55)

Pabros no me diráis vos (*Jesuitas*, 163)
Pabros no me diréis vos (MRAH 9-7069, 119)
Paciencia señor marido (MN 3913, 52)
Paciendo su ganado (MBM 23/4/1, 59v)
Paciendo su ganado (PN 372, 136v)
Pacífica marquesa de Sansueña (*Jacinto López*, 259v)
Pacífica marquesa de Sansueña (*Penagos*, 3v)
Pacíficos amadores (MN 3724, 244)
Pacíficos amadores (RG 1600, 251)
Padeceré cual suele el condenado (*Canc.*, Maldonado, 93v)
Padezco en no veros (*Toledano*, 90)
Padilla cuya fama desde el suelo (*Romancero*, Padilla, 230)
Padre eternal glorioso (CG 1511, 17v)
Padre nuestro que estás (CG 1511, 11)
Padre nuestro que estás (*Ixar*, 82v)
Padre Océano que del bel Tirreno (MN 2973, p. 385)
Padre reverendo (*Jacinto López*, 318v)
Pagá lo que os quiero (RV 1635, 23)
Pagad lo que os quiero (MBM 23/4/1, 325)
Pagad lo que os quiero (*Rojas*, 72)
Págame lo que te quiero (*Evora*, 21)
Pagará mi corazón (CG 1554, 110v)
Pagóme Amor en medio del contento (PN 372, 252)
Pajarillos suaves (*Sablonara*, 65)
Pajarito que vas a la fuente (MN 17.557, 96)
Pajarito que vas a la fuente (MN 3724, 99)
Pajarito que vas a la fuente (RG 1600, 317)
Palabra de pensamientos (PN 372, 93)
Paloma simple sin la hiel nociva (*Padilla*, 212)
Pan del mejor caballero (MP 617, 98v)
Pan que atanto que coció (MN 17.951, 113)
Pan que eres vida y la das (MN 2856, 8)
Pan que quiere haberlo (MN 3913, 78)
Pan tierra y muchas flores (PN 418, p. 5)
Panadera soldadera (MP 617, 135v)
Papel bien afortunado (*Tesoro*, Padilla, 132v)
Papel de aquella mano soberana (*Obras*, Cepeda, 74)
Papel pues no te falta parte parte (*Rojas*, 108v)
Papel qué poco vales Oh nonada (MN 3806, 86)
Papeles rotos de mi mano airada (*Padilla*, 223)

Para alcanzarle y tenerle (*Lemos*, 112)
Para aliviar siquiera mi tormento (*Romancero*, Padilla, 208v)
Para aumentar sus hazañas (MoE Q 8-21, p. 22)
Para cantar tus engaños (MN 3700, 73)
Para casar a la niña (MN 3700, 54)
Para con voastedes y osos de Ocaña (MN 3700, 213)
Para cortar a Clori los cabellos (MN 3700, 74v)
Para dar señor tal glosa (CG 1511, 156)
Para darle de comer (*Fuenmayor*, p. 271)
Para dejaros de amar (*Jhoan López*, 14)
Para deshacer mis daños (MP 1587, 171)
Para el cuerpo de san Polo (*Elvas*, 85v)
Para el dolor que heredamos (CG 1535, 191)
Para el mal de mi tristeza (CG 1511, 134)
Para el mal de mi tristeza (CG 1554, 52)
Para festejar a Filis (MN 3700, 155)
Para gozar lo que goza (*Jhoan López*, 40)
Para haber de darse al hombre (*Jhoan López*, 102)
Para haber de engrandecer (CG 1535, 197v)
Para hacerme amor penar (*Rojas*, 172)
Para ilustrar en torno el monumento (MP 3560, 35)
Para jamás olvidaros (CG 1511, 186v)
Para justificarme en mi porfía (MN 2973, p. 60)
Para la amorosa llama (*Jacinto López*, 125v)
Para la rabia de amores (*Heredia*, 185)
Para mal no sé yo quien (*Obras*, Silvestre, 128v)
Para manso del ganado (MN 17.951, 17)
Para mayor desventura (*RH*, 32)
Para mejorar su venda (RV 1635, 50)
Para mí nacéis llorando (*Vergel*, Ubeda, 12)
Para mí para mí son penas (MP 617, 168)
Para mí para mí son penas (PN 373, 138v)
Para mí son las penas madre (MN 3700, 12)
Para mí tenéis vos manos (*Morán*, 55v)
Para não viver contente (*Evora*, 4)
Para no dar a la vida (CG 1511, 144v)
Para no desesperarme (*Padilla*, 115)
Para obediencia te doy (*Jhoan López*, 21v)
Para obligar a querer (*Tesoro*, Padilla, 196)
Para onde meus olhos levantarei (EM Ç-III.22, 30)

Para poder aliviar (*Tesoro*, Padilla, 261v)

Para poder probar qué es lo que os quiero (WHA 2067, 6)

Para poderse decir (*Morán*, 225)

Para poderse pasar (PN 372, 33)

Para poner fin el duque (*Romancero*, Padilla, 23v)

Para que a Pelayo (MN 3913, 5)

Para que al nombre siquiera (*Jesuitas*, 190)

Para qué busca el morir (*Recopilación*, Vázquez, 25)

Para que concluya (MP 1587, 169)

Para qué dais alegría (*Canc.*, Ubeda, 16v)

Para qué dais por perdido (*Vergel*, Ubeda, 32)

Para qué derramáis la sangre pura (*Vergel*, Ubeda, 27)

Para qué disimuláis (*Romancero*, Padilla, 308)

Para que el crudo Amor vea (*FRG*, p. 237)

Para que en demasía (MP 973, 38v)

Para que en un punto estén (PN 371, 24)

Para qué es dama tanto quereros (*Toledano*, 90v)

Para qué le dais pasión (*Evora*, 8)

Para qué Lucinda hermosa (MN 4127, p. 209

Para qué me dais tormento (MP 1587, 81)

Para qué me dais tormento (OA 189, 28), ver Para qué me dan

Para qué me dáis vida (PN 372, 214v)

Para qué me dan fatiga (*Corte*, 78v)

Para qué me dan tormento (*Corte*, 61, 78v))

Para qué me dan tormento (*Elvas*, 27v)

Para qué me dan tormento (MP 617, 152v)

Para qué me dan tormento (PBM 56, 21v-22)

Para qué me dan tormento (PN 307, 253v), ver Para qué me dais

Para qué me diste (*RG* 1600, 152v)

Para qué me perseguís (RV 1635, 73v)

Para que nacéis llorando (*Sevillano*, 92v)

Para que no te condenes (*CG* 1511, 10)

Para qué os aderezáis (*Sevillano*, 252)

Para qué os vais si venía (PN 307, 287v)

Para qué os vais si venís (OA 189, 373v)

Para que quereis senhora que ofereça (EM Ç-III.22, 1)

Para qué quieres la vida (*Lemos*, 108v)

Para qué quieres rehenes (*Sevillano*, 260)

Para qué quieres vivir (*Lemos*, 109)

Para qué quiero la vida (*Rojas*, 117v)

Para qué señores poetas (MN 3723, 324)

Para qué son los rigores (MN 4127, p. 209)

Para qué tan alto (*Jacinto López*, 72)

Para qué tan cruel mi ninfa hermosa (PN 314, 232)

Para qué tan cruel ninfa hermosa (MBM 23/4/1, 249v)

Para qué tan cruel ninfa hermosa (MiT 994, 7v)

Para qué tan cruel ninfa hermosa (MP 1587, 26)

Para qué tan cruel ninfa hermosa (*Padilla*, 185)

Para qué tan cruel ninfa hermosa (*Tesoro*, Padilla, 111v)

Para qué triste Muerte me has buscado (*Tesoro*, Padilla, 154v)

Para que vuelva en concordia (*Vergel*, Ubeda, 18v)

Para recibir a Elisa (MN 3700, 88v)

Para recibir a Elisa (MN 3913, 63v)

Para recibir al alba (FN VII-353, 65)

Para retar a don Olfos (MP 996, 181v)

Para se namorar de que formou (*Borges*, 8)

Para se namorar do que formou (EM Ç-III.22, 9)

Para ser su aficionado (RV 1635, 25v)

Para ser tan fea muerte (PN 307, 17)

Para ser uno poeta (*RG* 1600, 344)

Para subir mi ventura (RV 1635, 73)

Para tanta hermosura (OA 189, 27)

Para tantas despedidas (PN 307, 310)

Para tanto caballero (*Obras*, Cepeda, 138v)

Para todos hizo Dios (MoE Q 8-21, p. 6)

Para Toledo camina (*Jacinto López*, 125)

Para tomar de su tío (*Jacinto López*, 80)

Para tomar de su tío (*Jhoan López*, 8)

Para tomar de su tío (MP 973, 415v)

Para tomar de su tío (*RG* 1600, 166)

Para un alma enamorada (*Cid*, 192v)

Para un alma enamorada (*Romancero*, Padilla, 312)

Para ver a Dios acá (*Sevillano*, 43)

Para ver cuál es mi suerte (*CG* 1511, 127v)

Para ver vuestros cabellos (RaC 263, 47v)

Para verme con ventura (*Lemos*, 64)

Para verme con ventura (*Obras*, Cepeda, 93)

Para verme con ventura (*Uppsala*, n. 5)

Para vos fue instituido (*Sevillano*, 183v)

Para vos se hizo la fiesta (*Sevillano*, 145)

Para yo poder vivir (*CG* 1511, 143v)

Parábame a pensar el otro día (*Obras*, Cepeda, 99)

Parad mientes buen pastor (*Sevillano*, 85)

Parado ha la natura y hecho asiento (*Morán*, 260v)

Parca cruel que sin piedad cortaste (MP 2459, 32v)

Pardalio Amor te busca Y qué me quiere (*Sevillano*, 74v)

Pardiez señor soberano (MN 3700, 97v)

Parece cosa de risa (*Cid*, 92v)

Parece el darla señal (RV 1635, 24v)

Parece mal ordenado (MN 5602, 33v)

Parece mal ordenado (*Morán*, 84)

Parece oh duras peñas (*Cid*, 85)

Parece que os pido poco (MBM 23/4/1, 43)

Parecéis molinero amor (*RG* 1600, 65)

Parecéis Virgen preciosa (*Sevillano*, 181)

Paréceme cosa injusta (RaC 263, 45v)

Tabla 223

Paréceme señora Catalina (MN 3913, 34)
Pareceros ha que es vano (*Vergel*, Ubeda, 133v)
Parida vi una doncella (*Sevillano*, 86)
Pariendo juró Pelaya (FN VII-353, 52)
Pariendo juró Pelaya (*Jacinto López*, 68v)
Pariendo juró Pelaya (MP 1587, 171v)
Pariendo juró Pelaya (MP 973, 201v)
Pariendo la Virgen (*Colombina*, 89v)
Pariéronme madres nueve (*Lemos*, 18v)
Parió Antona la hija de Morcillo (*Tesoro*, Padilla, 427v)
Parió el doncel la doncella (*Peralta*, 40v)
Parió la reina el propio viernes santo (FN VII-353, 245, 317v)
Parió Marina en Orgaz (FN VII-353, 88)
Parió Marina en Orgaz (MN 2856, 6v)
Parió Marina en Orgaz (MP 996, 191v)
Parió Marina en Orgaz (*Penagos*, 162)
Parió un hijo corcovado (FN VII-353, 88)
Parió un niño como un oro (MN 3700, 92v)
Parióme mi madre (*Flor de enamorados*, 63)
Parióme mi madre (*Toledano*, 89)
Paris sin par es el nombre (*Jesuitas*, 468v)
Parlera sois así señora Juana (*Medinaceli*, 146v)
Parte de la gran Sevilla (MP 1587, 33 bis)
Parte de Lisboa (*Penagos*, 304v)
Parte el amoroso Febo (*RH*, 151)
Parte el cuerpo de os mirar (CG 1511, 129)
Parte el engaño mío (PhUP1, 131)
Parte el pensamiento mío (*Canc.*, Maldonado, 54v)
Parte el pensamiento mío (MN 3968, 76)
Parte el pensamiento mío (MN 4256, 230v)
Parte el pensamiento mío (MN 4268, 159)
Parte el pensamiento mío (MP 1578, 54)
Parte el pensamiento mío (MP 1587, 33)
Parte el pensamiento mío (MP 2805, 70v)
Parte el pensamiento mío (MP 570, 166)
Parte el pensamiento mío (PN 258, 187v)
Parte el pensamiento mío (RV 768, 234v)
Parte la Virgen pura y soberana (*Vergel*, Ubeda, 103v)
Parte más principal de esta alma vuestra (TP 506, 271v)
Parte para descansar (WHA 2067, 60v)
Parte pensamiento mío (MN 3700, 133v)
Parte tras del Aurora caminando (MBM 23/4/1, 399v)
Parten furiosos con violento paso (MN 17.951, 86)
Partenio tú pastor casi difunto (MP 617, 261)
Pártese de aquí (*Sevillano*, 285)
Pártese don Diego Ordóñez (MP 1587, 38)
Partí con algún contento (MP 2803, 213v)
Partí de donde estabas (MN 1132, 13)
Partí de donde estabas (*Morán*, 154v)

Partí de donde estabas (PN 307, 16v)
Partí del puerto un claro día (*Jesuitas*, 458)
Partí ledo por tu ver (*Elvas*, 69v)
Partía el pobre pastor (WHA 2067, 62)
Partido de mi vivir (CG 1511, 133v)
Partido está del camino (MN 3700, 83v)
Partiendo do jamás partir debiera (MP 617, 245v)
Partíme de Murcia (*Cid*, 239v)
Partió la noche de su albergue oculto (MP 1578, 286)
Partióse Cesar de Roma (*Romancero*, Padilla, 84v)
Partir no me atrevo (PBM 56, 25v-26)
Partir quiero yo (CG 1511, 147)
Partir quiero yo (*Flor de enamorados*, 92v)
Partir quiero yo (OA 189, 329)
Partir quiero yo (PN 307, 258)
Partir sin de vos partirme (*Lemos*, 97)
Partir-me de meu bem triste partida (EM Ç-III.22, 12)
Partir-me não me atrevo (*Evora*, 7)
Partir-me não me atrevo (WHA 2067, 125v)
Partiré con gran tristor (CG 1514, 108v)
Partirme puedo y quedarme (*Obras*, Silvestre, 107)
Partit haben companya (*Flor de enamorados*, 65v)
Parto sin dicha de mí (CG 1511, 124)
Pártome de vos señora (*Morán*, 67v)
Pártome sin [cortado] (*Lemos*, 134v)
Pasa Cristóbal en carrera larga (*Vergel*, Ubeda, 162)
Pasa la hermosa Venus navegando (MP 570, 235v)
Pasa la vida nuestra como el viento (*Jacinto López*, 299v)
Pasa mi nao el mar de olvido llena (MP 973, 238v)
Pasa mi nave llena de un olvido (MN 2973, p. 112)
Pasa por medio de un florido prado (MN 1317, 470)
Pasa volando el bien (NH B-2558, 40v)
Pasaba Amor en despoblado un día (*Morán*, 80v)
Pasaba Amor su arco desarmado (*Cid*, 87)
Pasaba Amor su arco desarmado (*Padilla*, 187v)
Pasaba Amor un día por la calle (MP 1587, 43v)
Pasaba el diciembre frío (PN 418, p. 4)
Pasaba el mar Leandro el animoso (MN 2973, p. 89)
Pasaba el tiempo la hermosa (*Rosal*, p. 292)
Pasado se había allende (*Rosa Española*, Timoneda, 85)
Pasados contentamientos (*Obras*, Silvestre, 103)
Pasados contentamientos (PN 307, 230, 276v)
Pasados contentamientos (*Sevillano*, 293)
Pasados eran dos días (MP 617, 335)
Pasados eran tres días (MP 617, 338v)
Pasaios por tal cosa (TP 506, 384)
Pasáme por Dios barquero (*Elvas*, 95v)
Pasan los años y la vida pasa (MN 3700, 113v)
Pasando ayer por una calle acaso (FR 3358, 179)

Pasando el mar de Creta descontento (PN 373, 179v)

Pasando el mar Leandro el animoso (*Borges*, 33v)

Pasando el mar Leandro el animoso (*Flor de enamorados*, 64v)

Pasando el mar Leandro el animoso (*León/Serna*, 99v, 101)

Pasando el mar Leandro el animoso (*Medinaceli*, 143v)

Pasando el mar Leandro el animoso (*Morán*, 98v)

Pasando el mar Leandro el animoso (MP 1587, 57v)

Pasando el mar Leandro el animoso (OA 189, 185)

Pasando el mar Leandro el animoso (PN 307, 93)

Pasando el mar Leandro el animoso (*Tesoro*, Padilla, 265)

Pasando el mar Leandro el animoso (*Toledano*, 81v)

Pasando el mundo aquellos gloriosos (MP 644, 180v)

Pasando por San Clemente (FN VII-353, 201v)

Pasando por tu ventana (*Jacinto López*, 319v)

Pasando por una huerta (*Lemos*, 18)

Pásase el tiempo ligero (MN 4127, p. 270)

Pascual ya el Amor recibe (PN 372, 220)

Pascual ya vivo conmigo (PN 372, 220)

Pascuala no me agradáis (OA 189, 360)

Pascuala no me agradáis (PN 307, 307)

Pascuala no me dirás (*Sevillano*, 168v)

Paseábase el buen conde (MN 3725-2, 36)

Paseábase el rey moro (*Rosa Española*, Timoneda, 58)

Paseándome una noche (MN 3724, 207)

Paseándome una noche / con ferrezuelo y espada (*Jacinto López*, 75)

Paseándome una noche / con ferrezuelo y espada (*Jhoan López*, 29v)

Paseándome una noche / con ferrezuelo y espada (*RG 1600*, 280v)

Paseándome una tarde / por la vega de Toledo (RG 1600, 116v)

Paseándose anda Dios (*Canc.*, Ubeda, 154v)

Paseándose anda Dios (*Jesuitas*, 483)

Paseándose anda Dios (*Vergel*, Ubeda, 2v)

Paseándose Gaudencio (*Jhoan López*, 136)

Paséme de un vuelo (RG 1600, 302)

Pasión de tanto cuidado (*Obras*, Cepeda, 55)

Pasiones y ansias tristes (CG 1511, 130v)

Pasito Belerma (*Toledano*, 95v)

Paso Amor no seas (RG 1600, 309)

Paso en fiero dolor llorando el día (*RH*, 210v)

Pasos baldíos horas trabajadas (SU 2755, 9v)

Passejava o infante (*Toledano*, 53)

Pastor aunque ves que son (*Sevillano*, 231v, 232)

Pastor del cielo enviado (*Sevillano*, 81)

Pastor desconfiado ten afrenta (PN 371, 88v)

Pastor di quiéresme bien (PN 307, 307v)

Pastor dichoso cuyo llanto tierno (*Canc.*, Maldonado, 185)

Pastor divino que las clines de oro (*Penagos*, 10)

Pastor insigne sois y valeroso (*Obras*, Silvestre, 3)

Pastor que guardas tristura (PN 373, 107v)

Pastor que puesto en cumbre de ventura (MP 570, 263)

Pastor triste cómo sin ventura (MP 3915, 177)

Pastora a quien se rinde al alma mía (PN 373, 270)

Pastora con vuestros lazos (*Jhoan López*, 5v, 9)

Pastora cuando voy adonde suelo (PN 373, 262v)

Pastora cuya ventura (PN 307, 147)

Pastora cuya ventura (*Sevillano*, 291)

Pastora ingrata cuya hermosura (*Romancero*, Padilla, 231)

Pastora mía ya que me has vedado (PN 372, 233)

Pastora que andas en sierra (*Sevillano*, 267v)

Pastora que en el cayado (*Cid*, 175v)

Pastora que en el cayado (EM Ç-III.22, 87)

Pastora que en el cayado (*Enredo*, Timoneda, 9)

Pastora que en el cayado (*FRG*, p. 211)

Pastora que en el cayado (MiT 994, 41v)

Pastora que en el cayado (*Morán*, 39, 148)

Pastora que en el cayado (*Rojas*, 25)

Pastora que en el cayado (RV 1635, 49)

Pastora que mis ojos haces fuentes (MP 617, 268)

Pastora si alguno quieres (MBM 23/8/7, 167v)

Pastora si alguno quieres (MN 3968, 36v)

Pastora si alguno quieres (MN 4268, 153v)

Pastora si alguno quieres (PN 307, 302v)

Pastora si alguno quieres (RV 768, 167v)

Pastora si bien me quieres (MP 2805, 73v)

Pastora si mal me quieres (BeUC 75/116, 146)

Pastora si mal me quieres (MN 4256, 213)

Pastora si mal me quieres (MN 4262, 211v)

Pastora si mal me quieres (OA 189, 23)

Pastora si mal me quieres (PhUP1, 166)

Pastora si mal me quieres (PN 258, 186)

Pastora si mal me quieres (RV 768, 176)

Pastora si mi mal quieres (MP 1578, 49)

Pastora tu desengaño (*Cid*, 216v)

Pastora tu desengaño (*Tesoro*, Padilla, 42v)

Pastorcico amigo / di cómo vienes tal (*Cid*, 240)

Pastorcico amigo / que vas a morir (*Padilla*, 246v)

Pastorcico bonico / de color de azor (FN VII-353, 50)

Pastorcico enamorado (*Canc.*, Ubeda, 12v)

Pastorcico enamorado (*Vergel*, Ubeda, 13v)

Pastorcico nuevo (*Jacinto López*, 66v)

Pastorcico nuevo (*Jhoan López*, 44)

Pastorcico nuevo (MP 1587, 178)

Pastorcico nuevo (*Penagos*, 212v)

Pastorcico por qué lloras (*Sevillano*, 138v)

Pastorcico que estás gimiendo (PBM 56, 12)

Tabla 225

Pensamiento ha sido (MN 3700, 80v)

Pensamiento mío (MN 3670, 54)

Pensamiento pues dicen que igualas (TorN 1-14, 44)

Pensamiento pues mostráis (*CG* 1511, 64)

Pensamiento qué aprovecha (*Romancero*, Padilla, 306v)

Pensamiento si tan mal (MN 3913, 119v)

Pensamiento trabajado (*CG* 1511, 69v)

Pensamiento ve dó vas (*Colombina*, 71)

Pensamiento veloz que en un instante (*Canc.*,
    Maldonado, 81v)

Pensamiento vuela y diles (FN VII-353, 259)

Pensamientos aquí es Troya (*RG* 1600, 131v)

Pensamientos atrevidos (*Morán*, 93v)

Pensamientos atrevidos (MP 1587, 170v)

Pensamientos de amor que de mi gloria (*Jacinto López*, 147v)

Pensamientos dónde vais (*Elvas*, 30v)

Pensamientos dónde vais (*Jacinto López*, 54v)

Pensamientos dónde vais (*Morán*, 93v)

Pensamientos dónde vais (MP 1587, 170v)

Pensamientos dónde vais (PN 314, 186)

Pensamientos dónde vais (*Sevillano*, 250), *ver* Pen-
    samiento a dó vais

Pensamientos me quitan (FN VII-353, 227v)

Pensamientos muy validos (PN 373, 159)

Pensamientos qué aguardáis (*Padilla*, 48v)

Pensando al amor cazar (MN 5593, 80)

Pensando en su ganado a la ribera (*Lemos*, 51v)

Pensando estoy señora (*Elvas*, 24)

Pensando estuve conmigo (*Morán*, 113v)

Pensando estuve conmigo (PN 373, 277v)

Pensando mudar tristura (MP 617, 155)

Pensando Pedro Marruellos (MN 17.557, 34v)

Pensando que ocupaba fuerza y arte (PN 373, 280)

Pensando que se acababa (PBM 56, 55v-56, 108v-109)

Pensando señora en vos (*CG* 1511, 98)

Pensant en vos tresor de ma ventura (*CG* 1514, 179v)

Pensar que habéis de acabarme (*Tesoro*, Padilla, 152)

Pensarán vuesas mercedes (MN 3670, 13)

Pensativo está Sireno (*Cid*, 205)

Pensativo está Sireno (*Rosa de Amores*, Timoneda, 3v)

Pensativo estaba el Cid (*Jhoan López*, 26)

Pensativo estaba el Cid (MP 996, 63)

Pensativo estaba el Cid (*RG* 1600, 75v)

Pensé que cómo podía (*CG* 1557, 392)

Pensé que por bien amarte (*Ixar*, 349)

Penséme señor Juvera (MP 617, 87)

Pensó la muerte mataros (MN 17.951, 91)

Peñas del Tajo deshechas (MN 3724, 55v)

Peñas del Tajo deshechas (MP 996, 99)

Peñas del Tajo deshechas (*RG* 1600, 235v)

Pequé Señor mas no porque he pecado (FN VII-353, 74v)

Per mi favor samaga (*Flor de enamorados*, 67v)

Per mon cla esperiment (*Flor de enamorados*, 33)

Pera tudo ouve remédio (*Evora*, 37v)

Perder la tristeza puedes (*Fuenmayor*, p. 267)

Perder la vida es ganarla (*Jesuitas*, 444v)

Perder por vos la vida mi señora (MoE Q 8-21, p. 138)

Perderle fue gran ventura (RaC 263, 82)

Perdesse alma contente (*Borges*, 57v)

Perdi a esperança (*Elvas*, 46v)

Perdi a esperança (*Evora*, 13v)

Perdí del bien que estimaba (MoE Q 8-21, p. 15)

Perdí esperanza (PBM 56, 9v)

Perdí la mi rueca (*Colombina*, 101)

Perdí mi consolación (*CG* 1511, 95v)

Perdí mi placer (*Lemos*, 126v)

Perdí mi ser porque me le han quitado (FN VII-353, 25)

Perdí yo la gracia (*Sevillano*, 88v)

Perdi-me dentro em mim como em deserto (*Corte*, 205v)

Perdi-me dentro em mim como em deserto (*Faria*, 61v)

Perdida la confianza (*Obras*, Cepeda, 113v)

Perdido ando señora entre la gente (FR 3358, 108)

Perdido ando señora entre la gente (*Morán*, 160)

Perdido ando señora entre mi gente (MP 973, 73v)

Perdido ha mi esperanza su navío (*Lemos*, 11v)

Perdido polos meus olhos (*Elvas*, 64v)

Perdido por ser ganado (PN 373, 247v)

Perdidos años verde edad florida (*Canc.*, Maldonado, 178v)

Perdidos bienes males ya pasados (NH B-2558, 45)

Perdidos tantos anos na esperança (*Faria*, 58)

Perdíme dentro de mí como en desierto (MN 4127, p. 173)

Perdíme en tal ocasión (*Jacinto López*, 54)

Perdíme tan bien perdido (*Morán*, 188v)

Perdió el pecador (*Sevillano*, 134v)

Perdió este día el mundo lo que pudo (MP 2459, 27)

Perdona doña Urraca si te fuere (MP 996, 67)

Perdone doña Juana y su belleza (*Jacinto López*, 162)

Peregrina yo en amor (PN 418, p. 477)

Peregrinaba el sentido (*CG* 1511, 5)

Perejil y culantro sequo (*Jacinto López*, 190)

Perejil y culantro sequo (*Penagos*, 212)

Perenal fuente sellada (*CG* 1511, 8)

Perezca el mundo no quede (*Jhoan López*, 68v)

Perezosa esperanza desabrida (MBM 23/4/1, 351v)

Perezosa esperanza desabrida (*Obras*, Silvestre, 364v)

Perfectísima figura (*Toledano*, 77v)

Perfectísima muestra de belleza (MN 3968, 162)

Perfecto amador del dulce saber (*CG* 1511, 150v)

Tabla 227

Perfecto real y falso ducado (MP 973, 200v)

Perfecto real y falso ducado (*Penagos*, 24v)

Periquito que ha conocido (MoE Q 8-21, p. 2)

Periquito y su vecina (MoE Q 8-21, p. 1)

Pero al tal le denegamos (MN 5602, 60)

Pero con más quedo yo (*Penagos*, 160v, 202)

Pero con más quedo yo (*Rojas*, 169v)

Pero porque al desigual (CG 1511, 157)

Pero si decís de sí (CG 1554, 107)

Pero si en lo tal me viera (CG 1514, 109v)

Pero todas fueron pocas (MN 3913, 129)

Perpetua cárcel dura tenebrosa (MP 1587, 173v)

Perpetua primavera os guarde el cielo (SU 2755, 45v)

Perra incasta Diana que te prestas (TP 506, 277)

Perro de muchas bodas / no le quiero yo (MN 3913, 48v)

Persona digna de amar (MP 617, 84)

Pésame de vos el conde (CG 1511, 131)

Pésame de vos el conde (MN 3725-2, 123)

Pesar del cuerpo de Dios (CG 1511, 230v)

Pesares gran prisa os dais (MN 4256, 222v)

Pesares gran prisa os dais (MN 4268, 151)

Pesares gran prisa os dais (OA 189, 370)

Pesares gran prisa os dais (PN 307, 292

Pesares no más cuidados (*Jacinto López*, 162)

Pesares no me apretéis (FN VII-354, 184)

Pesares no me apretéis (MBM 23/8/7, 186v)

Pesares no me apretéis (MN 3670, 30)

Pesares no me apretéis (MN 4256, 213v)

Pesares no me apretéis (MN 4268, 145v)

Pesares no me apretéis (MRAH 9-7069, 82v)

Pesares no me apretéis (OA 189, 51v)

Pesares no me apretéis (PN 258, 156)

Pesares no me apretéis (PN 307, 288

Pesares no me apretéis (RV 768, 213v), ver Pesares no me matéis

Pesares no me matéis (BeUC 75/116, 110v)

Pesares no me matéis (MN 3968, 84)

Pesares no me matéis (MN 4262, 202v)

Pesares no me matéis (MP 1578, 43v)

Pesares no me matéis (MP 2805, 57v)

Pesares no me matéis (PhUP1 118v)

Pesares si me acabáis (BeUC 75/116, 112v)

Pesares si me acabáis (FN VII-354, 93v)

Pesares si me acabáis (*Jacinto López*, 162)

Pesares si me acabáis (MBM 23/8/7, 189v)

Pesares si me acabáis (MN 3670, 28)

Pesares si me acabáis (MN 3968, 86v)

Pesares si me acabáis (MN 4256, 218)

Pesares si me acabáis (MN 4262, 205)

Pesares si me acabáis (MN 4268, 149)

Pesares si me acabáis (MP 1578, 45v)

Pesares si me acabáis (MP 2805, 59v)

Pesares si me acabáis (OA 189, 25v)

Pesares si me acabáis (*Penagos*, 43)

Pesares si me acabáis (PhUP1, 120)

Pesares si me acabáis (PN 258, 152v)

Pesares si me acabáis (PN 307, 290

Pesares si me acabáis (RV 768, 216v)

Pese a tal forcel y aína (CG 1511, 225)

Pestilencia dé a las viejas (*Padilla*, 88v)

Pestilencia por las lenguas (*Ixar*, 228)

Petit le camiset (*Colombina*, 101v)

Pícaro mi camisa (MP 1587, 168)

Pichardo que de uno a otro polo (MP 2459, 84)

Pico de tierra / cuán alto pareces (*Toledano*, 90)

Picuda y hermosa niña (MN 3724, 137)

Pide a tu juicio cuenta (*Corte*, 146)

Pide al cielo que llueva el santo Elías (*Padilla*, 199)

Pídeme de mí mismo el tiempo cuenta (MiB AD.XI.57, 26v)

Pídeme la fantasía (CG 1511, 122v)

Pídeme la fantasía (WHA 2067, 57v)

Pidiendo a las diez del día (*RG* 1600, 362v)

Pidiendo entráis señora Olalla (RaC 263, 9)

Pidiendo entráis Olaya no me agrada (*Morán*, 192v)

Pídoos por merced Boscán (CG 1554, 53v)

Pídoos por merced Boscán (*Ixar*, 350)

Piedad dulce enemiga ya no espero (MP 1587, 40v)

Piedra con mil quilates más preciosa (FR 3358, 186v)

Piedra de toque sois Pedro divino (*Jesuitas*, 227)

Piedra preciosa rica y esmaltada (*Vergel*, Ubeda, 177)

Piensa el hombre vano (MN 17.951, 117)

Piensa el hombre vano (MP 644, 3)

Piensan las gentes que soy de acero (*Toledano*, 90)

Piensan que estoy abrasado (*Romancero*, Padilla, 309)

Piense el rey en esta entrada (*Jacinto López*, 301)

Piense el rey en esta entrada (*Jesuitas*, 239, 465v)

Pienso que mi pensamiento (CG 1554, 117)

Pienso y encuentro el pensamiento en cosas (MBM 23/4/1, 271)

Pierda el ausente cuidado (*Cid*, 177v)

Pierda el ausente cuidado (EM Ç-III.22, 109)

Pierda el ausente cuidado (*Padilla*, 47)

Pierda el ausente cuidado (*Romancero*, Padilla, 237)

Pierda el ausente cuidado (RV 1635, 106)

Pierde el celoso amante el sufrimiento (*Obras*, Cepeda, 117v)

Pierde la paciencia (MBM 23/4/1, 68)

Pierde la paciencia (MP 1587, 102)

Pierden con sus mujeres los casados (*Jacinto López*, 12)

Pierdo el seso pierdo el brío (TorN 1-14, 30)
Piérdome yo señora por quereros (*Obras*, Silvestre, 357v)
Piérdome yo señora por quereros (PN 373, 212v)
Pincel divino venturosa mano (MN 2973, p. 134)
Pincel divino venturosa mano (*Morán*, 91v)
Pinceles dulces de pluma (PN 418, p. 371)
Pínguele respínguete (*Colombina*, 86ter v)
Pintado el fuego el aire el agua y tierra (MP 1578, 157)
Pintando Apeles con pincel ufano (PN 373, 203)
Píntanle niño desnudo (MP 2803, 113v)
Pintó Dios vuestra figura (*Morán*, 211)
Pintó el alto pintor una pintura (*Cid*, 270v)
Pintó el alto pintor una pintura (MP 617, 187)
Pintó el divino pintor (*Cid*, 105v)
Pintó en mi alma Amor vuestra figura (PN 314, 199)
Pintó en mi alma Amor vuestra hermosura (*Morán*, 11v)
Pintó un gallo un mal pintor (MN 3913, 54)
Pintó un retrato mi juicio al vivo (SU 2755, 40v)
Píntote Amor sin cabeza (MN 3806, 116v)
Pintura rica al vivo retratada (*Canc.*, Ubeda, 126v)
Pintura rica al vivo retratada (*Vergel*, Ubeda, 155v)
Piojos cría el cabello más dorado (MN 3913, 25v)
Pique repique zapote (MBM 23/4/1, 175)
Pique repique zapote (PN 372, 19v)
Pique y repique y zapote (RV 1635, 53v)
Pirenio cuidadoso por hallar (MP 617, 296v)
Pireno cuyo canto celebrado (PN 314, 78)
Pireno cuyo canto celebrado (PN 371, 90v)
Pirois ya volvía (PN 373, 313)
Pirra que joven tierno (FN VII-353, 191v), ver Quién es oh Nise
Pisa la menuda arena (*Jacinto López*, 199v)
Pisar amigo el polvillo (MP 973, 174)
Pisaré yo el polvillo (RC 625, 18v)
Pisó las calles de Madrid el fiero (MN 3913, 157v)
Pisuerga caudaloso (*Sevillano*, 56)
Più volte disposto ho di non ti amare (CG 1514, 154v)
Placer y alegría (*Jhoan López*, 5)
Placerá a Dios que algún día (Evora, 24v)
Placeres bien podéis iros (*Sevillano*, 198v)
Placeres buscad a quien (*Sevillano*, 198v)
Placeres podéis volveros (PN 314, 57)
Placeres tan espaciosos (PN 314, 57)
Placeres tarde venidos (*Peralta*, 72)
Planta enemiga al mundo y aun al cielo (BeUC 75/116, 74v)
Planta enemiga al mundo y aun al cielo (*Evora*, 59v)
Planta enemiga al mundo y aun al cielo (FN VII-354, 105)
Planta enemiga al mundo y aun al cielo (*Heredia*, 337v)
Planta enemiga al mundo y aun al cielo (MBM 23/8/7, 252v)

Planta enemiga al mundo y aun al cielo (MN 2973, p. 342)
Planta enemiga al mundo y aun al cielo (MN 3968, 61v)
Planta enemiga al mundo y aun al cielo (MN 4256, 113)
Planta enemiga al mundo y aun al cielo (MN 4262, 145v)
Planta enemiga al mundo y aun al cielo (MN 4268, 112v)
Planta enemiga al mundo y aun al cielo (MP 1578, 13)
Planta enemiga al mundo y aun al cielo (MP 2805, 111v)
Planta enemiga al mundo y aun al cielo (MRAH 9-7069, 65)
Planta enemiga al mundo y aun al cielo (PhUP1, 78v)
Planta enemiga al mundo y aun al cielo (PN 258, 195v)
Planta enemiga al mundo y aun al cielo (PN 311, 9v)
Planta enemiga al mundo y aun al cielo (PN 372, 201v)
Planta enemiga al mundo y aun al cielo (RV 768, 260v)
Planta enemiga al mundo y aun al cielo (TP 506, 31)
Planta que el eterno Padre (*Vergel*, Ubeda, 167v)
Planta real de varias flores llena (PN 314, 3)
Plantas bellas y hermosas (MN 4127, p. 233)
Plantó Dios en el suelo un paraíso (*Vergel*, Ubeda, ix)
Plantó el divino hortelano (MN 17.951, 166v)
Plantóse este árbol fuctuoso y santo (*Vergel*, Ubeda, 163)
Plañí y cantá la peligrosa guerra (TP 506, 40v)
Plata no podéis negarlo (TP 506, 396)
Plega a Dios que a alguno quieras (MN 3902, 69)
Plega a Dios que a alguno quieras (PN 373, 93)
Plega a Dios que alguno acierte (PN 371, 68v)
Plega a Dios que alguno quieras (*Morán*, 75)
Plega a Dios que mala Pascua (*Peralta*, 89)
Plega a Dios que ni él de ti (*Tesoro*, Padilla, 472)
Plega a Dios que quien te tiene (*Lemos*, 120)
Plega a Dios que si a otra mira (MN 17.556, 31)
Plega a Dios que si a otra mira (MP 996, 125v)
Plega a Dios que si yo creo (*Morán*, 65)
Plega a Dios que si yo creo (PN 372, 295v)
Plega a Dios que si yo creo (*RG* 1600, 155v)
Plega a Dios que si yo creo (*Sevillano*, 52v)
Plega a Dios quien mal me dice (*Toledano*, 15)
Plega al coime de las cumbres (CG 1557, 397)
Plegue a Dios que quien adoro (*El Truhanesco*, Timoneda, 3)
Plimo por qué se fue llorando Samo (FN VII-353, 3v)
Pluguiera a Dios Niño de oro (*Jesuitas*, 274)
Pluguiera a Dios que no fueras (*Sevillano*, 221)
Pluguiera a Dios que nunca yo naciera (*Sevillano*, 56)
Pluguiera a Dios que yo nunca naciera (EM Ç-III.22, 1v)
Pluguiera a Dios que yo nunca naciera (PN 373, 179)
Pluguiera a Dios que yo nunca soltara (MP 570, 210)
Pluguiera a Dios si aqueste es buen partido (*Obras*, Silvestre, 414)
Pluguiera a Dios ya que este es buen partido (*Jesuitas*, 349v)
Pluguiera Dios y aqueste es buen partido (*Penagos*, 226)

Tabla   229

Por Antequera suspira (*Morán*, 33, 33v)

Por Antequera suspira (*Obras*, Cepeda, 59)

Por Antequera suspira (PN 373, 58)

Por Antequera suspira (*Sevillano*, 77, 250v), *ver* Suspira por

Por aquel postigo viejo (*Elvas*, 12)

Por aquel postigo viejo (*León/Serna*, 109v)

Por aquel postigo viejo (*Obras*, Cepeda, 137v)

Por aquel postigo viejo (PBM 56, 71)

Por aquel postigo viejo (*Rosa Española*, Timoneda, 32)

Por aquel soberano y alto celo (*Jacinto López*, 297v)

Por aquellas peñas pardas (*Flor de enamorados*, 48)

Por aquí por allá (*Sevillano*, 144v)

Por aquí van allá (MN 3913, 53v)

Por arrimo su albornoz (MN 17.556, 8v)

Por arrimo su albornoz (MN 3723, 1)

Por arrimo su albornoz (MP 973, 403)

Por arrimo su albornoz (*Penagos*, 76v)

Por arrimo su albornoz (*RG* 1600, 8v)

Por ásperas montañas por fragosas (PN 373, 220v)

Por ásperos caminos ciegas iras (MN 3968, 155)

Por ásperos caminos desviando (*CG* 1554, 172v)

Por ásperos caminos desviando (MN 1132, 197v)

Por ásperos caminos he llegado (OA 189, 57v)

Por ásperos caminos he llegado (PN 307, 62)

Por ásperos desiertos y sin guía (*Canc.*, Maldonado, 84v)

Por beber comadre / por beber (*Colombina*, 102v)

Por Belén gime y suspira (*Vergel*, Ubeda, 24v)

Por bien del ganado (*Sevillano*, 157)

Por bosques y breñas por montes y llanos (MN 1317, 469)

Por camino no pensado (*Lemos*, 273, 288)

Por causa natural se comprehende (*Morán*, 271v)

Por Celia muere Silvano (*Cid*, 225v)

Por celosas niñerías (MN 3724, 71)

Por celosas niñerías (*RG* 1600, 187v)

Por cert qu'es brava cosa esta (*Rojas*, 74v)

Por Céspedes el bueno y Pero tales (FR 3358, 184)

Por cierta tuve tu muerte (*Obras*, Cepeda, 97v)

Por ciertas cosillas (*Peralta*, 74)

Por cierto gran victoria (FN VII-353, 161)

Por cierto muy de rondón (PN 373, 109)

Por cierto muy mal os trata (FN VII-354, 434)

Por ciertos antojos (*Sevillano*, 249)

Por cortar una rama (*Jacinto López*, 318v)

Por cosa muy verdadera (*Sevillano*, 193v)

Por cuál camino a maltratar probaste (MN 3902, 26v)

Por cualquier modo o manera (*Cid*, 243)

Por cualquier modo o manera (*Morán*, 124v)

Por cuanto algunos de bonete viejo (MN 3913, 58)

Por cuanto algunos necios majaderos (MP 973, 134)

Por cubrir la llama (MP 2803, 161v)

Por cumplir de amor las leyes (FN VII-353, 140v)

Por cumplir de amor las leyes (MP 973, 203v)

Por dama que ha sido hermosa (MP 1587, 163v)

Por damas el señor de Montalbano (*Faria*, 23v)

Por dar a Marte alabanza (*Morán*, 96v)

Por darnos hoy la paz tan deseada (*Jesuitas*, 272)

Por darnos lo que más pudo (*Jesuitas*, 479v)

Por daros mayor corona (*Fuenmayor*, p. 322)

Por daros señora un beso (MN 5593, 93)

Por demás es que me vele (*Corte*, 55v)

Por desviar (*CG* 1511, 143v)

Por Dios no hagáis morir la vida (*Colombina*, 106)

Por Dios que es cosa de risa (*Jhoan López*, 2)

Por divertirse Celín (MN 3723, 141)

Por divertirse Celín (*RG* 1600, 243)

Por divina operación (*Sevillano*, 82)

Por dó comenzaré mi triste llanto (*Medinaceli*, 62v)

Por do el caudaloso Betis (*RG* 1600, 330)

Por dó empezaré que acierte (*CG* 1554, 96)

Por do quiera que voy hallo presente (MN 1132, 39v)

Por donde el famoso Ebro (*RG* 1600, 186v)

Por donde la Fortuna pasa paso (FN VII-353, 176v)

Por dónde podré entrar a más provecho (*Jesuitas*, 354)

Por dónde podré entrar a más provecho (MN 17.951, 84v)

Por donde podré entrar más a provecho (*Canc.*, Ubeda, 67v)

Por dónde podré entrar más a provecho (*Vergel*, Ubeda, 37v)

Por dónde podré entrarte a más provecho (MN 2973, p. 7)

Por el airado mar a la ventura (MN 2973, p. 370)

Por el amor (FN VII-353, 291)

Por el ancho mar de España (*RG* 1600, 154v)

Por el bocado de Adán (*Vergel*, Ubeda, 70v)

Por el brazo de Hellesponto (*Rosa de Amores*, Timoneda, 20v)

Por el brazo del Esponto (*Flor de enamorados*, 108), *ver* Por ese mar

Por el camino que el rigor sangriento (*Lemos*, 284, 291v)

Por el deseo y la vista (*Obras*, Silvestre, 94)

Por el divino Dios que estaba era (FN VII-353, 2)

Por el dolor que sostengo (*Padilla*, 105)

Por el fiero volcán que en Madrid arde (MP 1578, 283)

Por el hilo se saca el ovillo (FN VII-353, 81v)

Por el honor maternal (*CG* 1535, 192)

Por el jardín de las damas (*RG* 1600, 190)

Por el mar de mi tristura (PN 314, 55v)

Por el mar de mi tristura (WHA 2067, 79v)

Por el mar va Filomena (*Cid*, 207v)

Por el mar va Filomena (*Rosa de Amores*, Timoneda, 57v)

Por el mes de mayo era (*Elvas*, 18)

Tabla 231

Por el mes era de mayo (*Toledano*, 18)

Por el montecico sola (MN 17.557, 66v, 68)

Por el montecido espeso (*Toledano*, 7)

Por el muro de Zamora (*Jesuitas*, 474)

Por el muro de Zamora (*RH*, 45)

Por el pecado de Adán (*Morán*, 69)

Por el precio del dolor (PN 372, 104v)

Por el precio del valor (RV 1635, 28)

Por el profundo mar de amor navego (MP 1587, 173)

Por el profundo mar de amor navego (*Romancero*, Padilla, 138)

Por el rastro de la sangre (*Jesuitas*, 481)

Por el rastro de la sangre (*Morán*, 32v)

Por el rastro de la sangre (MP 1587, 21v)

Por el rastro de la sangre (*RH*, 101v, 142)

Por el rastro de la sangre / que Adán de herencia dejaba (*Canc.*, Ubeda, 20v)

Por el rastro de la sangre / que Adán de herencia dejaba (*Vergel*, Ubeda, 23)

Por el rastro de la sangre / que de Inés virgen corría (*Vergel*, Ubeda, 174v)

Por el rastro de la sangre / que Jesús Cristo dejaba (*Vergel*, Ubeda, 44v)

Por el rastro de la sangre / que Jesús Cristo dejaba (*Canc.*, Ubeda, 69v)

Por el recuesto de un muy verde otero (FR 2864, 3v)

Por el reino de Granada (*Rosa Española*, Timoneda, 60v)

Por el río del amor madre (PN 371, 18)

Por el tu coco (*Jacinto López*, 320)

Por el Val de la Estacas (*Rosa Española*, Timoneda, 39)

Por el Val de las Estacas (*Elvas*, 2)

Por el Val de las Estacas (MN 5602, 22)

Por el Val de las Estacas (RG 1600, 139v)

Por el val verdico mozas (*Toledano*, 60)

Por encima de la oliva (*Rojas*, 67)

Por engañosos pasos me ha traído (CG 1554, 169v)

Por engañosos pasos me ha traído (MN 1132, 162)

Por engañosos pasos me ha traído (MP 570, 241)

Por entre casos injustos (*Cid*, 242)

Por entre casos injustos (*Elvas*, 29v)

Por entre casos injustos (*Morán*, 253v)

Por entre casos injustos (MP 1587, 150)

Por entre casos injustos (OA 189, 319)

Por entre casos injustos (*Tesoro*, Padilla, 64)

Por entre dos verdes zarzas (MN 17.557, 96v)

Por entre risas y peñas (MP 996, 172v)

Por entre sauces y mirtos (RG 1600, 121)

Por esas armas reales (*Fuenmayor*, p. 504)

Por esas puertas romanas (*RH*, 140)

Por ese mar de Helesponto (*Medinaceli*, 3v), *ver* Por el brazo

Por eso pensad ahora en al (*Toledano*, 11)

Por esta cruz por esta bella mano (MN 2973, p. 94)

Por estar dentro abrasado (*Vergel*, Ubeda, 86)

Por este pan que en el suelo (*Sevillano*, 43)

Por esto son escogidos (*Fuenmayor*, p. 260)

Por estrecho camino voy contando (MBM 23/4/1, 241)

Por Eva la muerte (*Sevillano*, 188)

Por experiencia he alcanzado (*Morán*, 50v)

Por gloria de vuestro nombre (*Sevillano*, 142)

Por gran mohína tengo el ser querida (*Morán*, 185)

Por haberme Amor llagado (*Sevillano*, 220v)

Por haberse descuidado (MN 17.951, 162)

Por hacer Amor tus hechos (OA 189, 33)

Por hacer Amor tus hechos (WHA 2067, 66v)

Por hacer mi mal mayor (CG 1511, 157v)

Por hacerme más crueza (CG 1511, 164)

Por intercesión de aquella (*Colombina*, 5)

Por iso quem na ti ver (PBM 56, 114)

Por la ausencia de Febo (*León/Serna*, 90v)

Por la barbacana viene (*Cid*, 179)

Por la barbacana viene (*Romancero*, Padilla, 243)

Por la calle abajo madre (FN VII-353, 120v)

Por la canción entendí (*Tesoro*, Padilla, 345)

Por la costa mal guardada (*Toledano*, 9)

Por la culpa mía (*Padilla*, 61)

Por la culpa paternal (*Sevillano*, 93)

Por la cumbre de un monte un can subía (MP 617, 246v)

Por la desdichada nueva (MP 996, 188v)

Por la divinal potencia (CG 1535, 191v)

Por la falta que padece (*Jacinto López*, 55v)

Por la m que nos mata (CG 1511, 86)

Por la mar abajo / van los mis ojos (*Jacinto López*, 319v)

Por la mar abaxo / se vão os meus olhos (*Penagos*, 306)

Por la mar navega Eneas (*Cid*, 173v)

Por la mar navega Eneas (*Flor de enamorados*, 47)

Por la mar navega Eneas (*Rosa Gentil*, Timoneda, 49)

Por la mucha afición que os he tenido (*Jacinto López*, 100)

Por la muerte que le dieron (RG 1600, 178)

Por la ocasión más subida (MP 973, 106)

Por la ofensa cometida (*Vergel*, Ubeda, 70)

Por la parte donde vido (*Jesuitas*, 471v)

Por la parte donde vido (*RH*, 100v)

Por la plaza de Sanlúcar (*Jhoan López*, 48)

Por la plaza de Sanlúcar (MN 17.556, 66)

Por la plaza de Sanlúcar (MN 3723, 42)

Por la plaza de Sanlúcar (MP 973, 418)

Por la plaza de Sanlúcar (RG 1600, 4)

Por la puente Juana (TorN 1-14, 1)

Por la puerta de la Vega (MN 3723, 155)

Por la Puerta de la Vega (*RG* 1600, 203v)

Por la puerta de Zamora (*Sevillano*, 230)

Por la ribera arenosa (*Jhoan López*, 34v)

Por la ribera de Júcar / Chiseo lleva el ganado (EM Ç-III.22, 93), *ver* Por las riberas

Por la ribera de Júcar / Niso lleva su ganado (*Cid*, 155v)

Por la ribera de Júcar / va un pastor tras su ganado (*RH*, 194v)

Por la ribera de Turia (*Rosa de Amores*, Timoneda, 23v)

Por la ribera del mar (*Morán*, 95)

Por la ribera del Nilo (*Padilla*, 180)

Por la risa y gran placer (*Heredia*, 156)

Por la suma afición que os he tenido (MP 973, 100)

Por la vega de Granada (*León/Serna*, 89)

Por la vega de Granada (*Rosa Española*, Timoneda, 66)

Por la villa va mohíno (PN 372, 200)

Por las coplas que enviaste (*CG* 1511, 168v)

Por las culpas pecadores (*Sevillano*, 39)

Por las faldas de una sierra (*Cid*, 220v)

Por las montañas de Jaca (MN 4127, p. 131)

Por las montañas de Jaca (RC 625, 9)

Por las montañas de Ronda (FN VII-353, 133)

Por las montañas de Ronda (*Jacinto López*, 175)

Por las montañas de Ronda (*Jhoan López*, 8v)

Por las montañas de Ronda (MN 17.556, 58)

Por las montañas de Ronda (MN 2856, 51v)

Por las montañas de Ronda (MP 996, 136)

Por las puertas del estío (MN 3700, 118v)

Por las riberas de Alberche (MN 3723, 340)

Por las riberas de Alberche (*RG* 1600, 271)

Por las riberas de Arlanza (*Rosa Española*, Timoneda, 10)

Por las riberas de Arlanza / Bernardo Carpio cavalga (*Morán*, 97)

Por las riberas de Arlanza / Bernardo el Carpio cavalga (*Cid*, 183v)

Por las riberas de Arlanza / Bernardo el Carpio cavalga (*Penagos*, 71v)

Por las riberas de Arlanza / el gran Bernardo cavalga (*Elvas*, 4v)

Por las riberas de Duero / no lejos de do nacía (*Morán*, 1)

Por las riberas de Duero / va Grisón tras su ganado (*León/Serna*, 99v)

Por las riberas de Júcar / va Niso con su ganado (*Sevillano*, 249),

Por las riberas de Júcar / va Niso con su ganado (OA 189, 169v), *ver* Por la ribera del Júcar

Por las riberas del Tajo (MN 3723, 279)

Por las riberas del Tajo (*RG* 1600, 338)

Por las riberas famosas (*Jacinto López*, 77v)

Por las riberas famosas (*RG* 1600, 13v)

Por las riberas holgando (PN 373, 189v)

Por las sangrientas batallas (*Jesuitas*, 142, 307)

Por las sierras de Madrid (*Toledano*, 32)

Por lo cual ufano y lleno (*Corte*, 53)

Por lo mal que le aconsejas (MP 617, 229)

Por lo mal que le aconsejas (PN 373, 110v)

Por lo más y no por más (*Morán*, 43)

Por los aljibes del agua (*Cid*, 167)

Por los aljibes del agua (RaC 263, 67)

Por los Alpes y altas sierras (*FRG*, p. 93)

Por los Alpes y altas sierras (*Rosa Real*, Timoneda, 57v)

Por los bosques de Cartago (*Rosa de Amores*, Timoneda, 28v)

Por los campos de Almenara (*Romancero*, Padilla, 144)

Por los campos de Jerez (*Cid*, 183v)

Por los campos de Jerez (*Rosa Española*, Timoneda, 81)

Por los campos de tristura (MP 644, 29)

Por los campos Eliseos (*Flor de enamorados*, 55)

Por los campos Eliseos (*Rosa de Amores*, Timoneda, 10)

Por los caños de Carmona (MN 1317, 442)

Por los chismes de Chamorro (MN 17.556, 79v)

Por los chismes de Chamorro (MN 3724, 215)

Por los chismes de Chamorro (MP 973, 412)

Por los chismes de Chamorro (MP 996, 141)

Por los chismes de Chamorro (*RG* 1600, 65v)

Por los cristalinos ojos (*RG* 1600, 20)

Por los delitos ajenos (MP 2459, 57)

Por los desdenes de Belis (MN 4127, p. 199)

Por los francos Bencerrajes (*Morán*, 103, 103v), *ver* Con los francos

Por los golpes no me cargo (MiT 994, 45v)

Por los húmedos ojos derramando (OA 189, 17v)

Por los jardines de Chipre (*Jhoan López*, 53)

Por los jardines de Chipre (MN 17.556, 57v)

Por los jardines de Chipre (MN 3724, 13v)

Por los jardines de Chipre (MP 1587, 176)

Por los jardines de Chipre (MP 973, 383)

Por los jardines de Chipre (MP 996, 54v)

Por los jardines de Chipre (*RG* 1600, 17v)

Por los llorosos ojos derramando (PN 314, 88v)

Por los más espesos montes (MN 5602, 25v)

Por los más espesos montes (*Rosa Española*, Timoneda, 87)

Por los más espesos montes (*Sevillano*, 257v)

Por los montes de Coñares (*Jacinto López*, 267v)

Por los montes de Tesalia (FN VII-353, 209v)

Por los montes y desiertos (*Obras*, Cepeda, 138v)

Por los muros de Tarifa (*Cid*, 203v)

Por los muros de Tarifa (*RH*, 138v)

Por los ojos lanza fuego (MN 17.557, 76)

Tabla   233

Por los ojos que os miraron (MP 570, 110v)
Por mais que o brando lírio entre a espessura (*Corte*, 123v)
Por mal vi comadre (*Colombina*, 102v)
Por males envolvedores (*Corte*, 52v)
Por mar navegando (*Penagos*, 306)
Por más que a penar me hago (*Rojas*, 52v)
Por más que se apresure el vano aliento (*Penagos*, 189)
Por más que sea cruel (*Corte*, 61)
Por más y más que batáis (*Vergel*, Ubeda, 86)
Por más y más que de tiniebla lleno (MN 3902, 108v)
Por me haber importunado (*CG* 1511, 234)
Por me haber perdido así (*Morán*, 118v)
Por mi culpa lo he perdido (PBM 56, 64)
Por mi desventura (*Toledano*, 47v, 92)
Por mi mal mis ojos vieron (*Morán*, 104v)
Por mi real provisión (*Jhoan López*, 50)
Por mi vida madre (*Recopilación*, Vázquez, 26v)
Por mi zagalilla (*Sevillano*, 242)
Por mirar quien me miró (*Lemos*, 45v)
Por mirar tu cristalino (MP 1587, 103v)
Por mirar vuestra figura (*Padilla*, 233)
Por mirar vuestros cabellos (*Jhoan López*, 16)
Por mirar vuestros cabellos (*Morán*, 6v)
Por mirar vuestros cabellos (MP 1587, 103)
Por mis tristes ojos (MN 3700, 125v)
Por muchas partes herido (*Rojas*, 150v)
Por mucho que te alargues débil pluma (MP 2459, 58)
Por muchos años vuestra señoría (*Romancero*, Padilla, 228v)
Por muchos años y buenos (MN 3724, 120)
Por muchos años y buenos (*RG* 1600, 99v)
Por muchos casos injustos (*Padilla*, 55)
Por muchos doctores buenos (*Obras*, Silvestre, 138v)
Por mujer culparme quieres (MN 3913, 1v)
Por mujer madre y esposa (*Padilla*, 58v)
Por Navidad la rosada (*CG* 1511, 230)
Por niñear un picarillo tierno (FR 3358, 188v)
Por niñear un picarillo tierno (*Lemos*, 218v)
Por niñear un picarillo tierno (MN 17.557, 86v)
Por niñear un picarillo tierno (MN 2856, 95)
Por niñear un picarillo tierno (MN 3913, 46)
Por niñear un picarillo tierno (*Penagos*, 8)
Por no perder ocasión (*Rojas*, 143)
Por no poder yo sufrillo (FRG, p. 242)
Por no ver solo Belilla (MN 17.557, 65v)
Por nuestra naturaleza (*Padilla*, 70v)
Por nuestra naturaleza (RV 1635, 60)
Por nuestro bien y mal fue (*Jacinto López*, 162)
Por nuestro mar navegando (*Jesuitas*, 147)
Por pago de sus dolores (*Cid*, 68v)

Por pago de sus dolores (*Morán*, 40v)
Por pago de sus dolores (MP 2803, 108)
Por pago de sus dolores (MP 617, 250)
Por pago de sus dolores (PN 371, 44v)
Por parecer más fuerte y más temido (MN 17.951, 201v)
Por passo sem esperança (*Corte*, 12)
Por poder mejor gozar (*CG*, 1511, 145)
Por poder siempre mirarla (MN 3806, 15v)
Por ponerse un albornoz (MN 4127, p. 57)
Por qué al yermo tan ligero (*Fuenmayor*, p. 575)
Por qué apartaste tu fe (*Sevillano*, 264v)
Por qué arrancas de su centro (FRG, p. 141)
Por qué causa un majadero (*Padilla*, 50)
Por qué crecen mis tormentos (*CG* 1511, 108v)
Por qué crees que es mayor daño (*CG* 1511, 147v)
Por qué de mí te alejas (*RG* 1600, 253)
Por qué dejáis lo engañoso (*Padilla*, 71)
Por qué dejas Gil a Antón (*Sevillano*, 237v)
Por qué después de aquella hora (*Padilla*, 4)
Por qué detienes Tetis envidiosa (MP 570, 206)
Por qué dí quieres penar (*Flor de enamorados*, 96)
Por qué duermes Penélope señora (MN 4256, 118)
Por qué duermes Penélope señora (PN 258, 62)
Por qué duermes Penélope señora (TP 506, 355)
Por qué duermes Penélope severa (FN VII-354, 221)
Por qué duermes Penélope severa (MN 4268, 212v)
Por qué es mal tan excelente (*CG* 1514, 130)
Por qué es su fuerza tan fuerte (*CG* 1511, 123)
Por qué honor o deshonor (FN VII-354, 404v)
Por qué huyes de alegría (*Morán*, 60v)
Por qué la diosa Venus este día (MBM 23/4/1, 195v)
Por qué la diosa Venus este día (MP 1587, 50v)
Por qué la madre diosa este día (*Jacinto López*, 225)
Por qué le diste al olvido (*Padilla*, 85)
Por qué lloráis con júbilos tan tiernos (*Vergel*, Ubeda, 164)
Por qué lloras moro (PBM 56, 58v-59)
Por qué lloras pastor Porque he partido (WHA 2067, 89)
Por qué me dais vida (*Morán*, 97)
Por qué me hiere un dolor (*CG* 1511, 154)
Por qué me quejo si veo (*CG* 1511, 124)
Por qué me tapas la boca (MN 17.556, 88)
Por qué me tapas la boca (MP 996, 143v)
Por qué Niño ensangrentáis (*Vergel*, Ubeda, 27v)
Por qué no ando como una fiera (*Evora*, 33)
Por qué no buscas Silvero (*Peralta*, 11)
Por qué no esperas Ana. Tengo miedo (RV 1635, 83)
Por qué no esperas Ana. Tengo miedo (*Sevillano*, 228)
Por qué no quieres Gil tomar amiga (*Cid*, 184v)
Por qué olvidas di pastor (FRG, p. 208)

Por qué olvidas el rebaño (*Enredo*, Timoneda, 7v)
Por qué olvidas el rebaño (*FRG*, p. 208)
Por qué Pisuerga dí cuando acogiste (*Lemos*, 33v)
Por qué publicas pastor (*FRG*, p. 168)
Por qué queréis señora que padezca (*Borges*, 19)
Por qué queréis señora que padezca (*Corte*, 156v)
Por qué razón lo desprecia (*CG* 1511, 145v)
Por qué rehuye ortiga entre las rosas (MN 3913, 38)
Por qué se alegra el mundo Porque espera (*Vergel*, Ubeda, 2v)
Por qué se espantan que sean (MP 617, 210)
Por qué se ha de creer de un niño ciego (*Padilla*, 106v)
Por qué se ha de creer de un niño ciego (*Tesoro*, Padilla, 346v)
Por qué señores poetas (*RG* 1600, 139v)
Por qué si al corazón apasionado (MN 3806, 11)
Por qué si amor tan duro no hay ninguno (MN 3806, 12v)
Por qué si da el amor a sus privados (MN 3806, 12v)
Por qué si la Fortuna con su rueda (MN 3806, 13)
Por qué si no hay amor tan sin amores (MN 3806, 11v)
Por qué Silvano me di (*Tesoro*, Padilla, 175v, 404)
Por qué sin arco y viras Amor llora (TP 506, 350v)
Por qué soberbia Parca solemnizas (MP 2456, 9v)
Por qué sois señora (*Padilla*, 241v)
Por qué tan desesperado (MP 1587, 141v)
Por qué tan desesperado (*Padilla*, 135)
Por qué tan triste accidente (*Romancero*, Padilla, 298v)
Por qué tanto dolor ánima mía (*Obras*, Silvestre, 377)
Por qué te ausentas zagala (*Sevillano*, 285v)
Por qué te das tormento (FR 3358, 213)
Por qué te das tormento (MN 3698, 17v)
Por qué te das tormento (MP 973, 44v)
Por qué te das tormento (MP 996, 249v)
Por qué te tardas ninfa a darme muerte (MBM 23/4/1, 139v)
Por qué te vas di pastor (Evora, 26v)
Por qué tenéis, Augustino (*Fuenmayor*, p. 522)
Por qué tienes con suspiros (RV 1635, 69)
Por qué tienes tú por cierto (*Padilla*, 98)
Por qué zagala te vas (MN 3913, 5)
Por quedar bien satisfecho (PN 314, 50)
Por querer melhorar o pensamento (*Corte*, 214v)
Por querer tanto quereros (WHA 2067, 56)
Por querer vuestro querer (*Sevillano*, 91)
Por quererte ha merecido (MP 1587, 100v)
Por quién lloras pastor Porque he partido (RV 1635, 77v)
  Por quién suspiras zagal (*Cid*, 22v, 93)
Por quién suspiras zagal (*Morán*, 116)
Por quién suspiras zagal (RV 1635, 46, 69, 69v)
Por quién suspiraste ahora (*Sevillano*, 294)
Por quién te aflige el deseo (RV 1635, 69v)

Por quién venís mi Dios hasta la tierra (*Sevillano*, 143)
Por quitaros de pensar (*CG* 1511, 206)
Por rey Enemergildo es hoy jurado (MN 17.951, 76v)
Por salud muy justoso es (PN 418, p. 320)
Por salvados no entendáis (*Fuenmayor*, p. 349)
Por salvados no entendáis (*Fuenmayor*, p. 349)
Por seguir un pensamiento (*Canc.*, Maldonado, 33v)
Por seguir una ocasión (*Canc.*, Maldonado, 33v
Por sentencia de Cupido (MP 973, 105)
Por ser como una azucena (*Penagos*, 85)
Por ser en todo propicio (*Fuenmayor*, p. 356)
Por ser hermosa y graciosa (*Sevillano*, 287)
Por ser Jesús se ha arriscado (*Vergel*, Ubeda, 28)
Por ser su merecimiento (*CG* 1511, 150v)
Por ser tal vuestra caída (*Vergel*, Ubeda, 67)
Por ser tan preclara la más que perfecta (*CG* 1511, 2)
Por ser tanta tu hermosura (*Penagos*, 175)
Por ser vos Dios verdadero (*Canc.*, Ubeda, 61)
Por ser vos niño tan bueno (*Canc.*, Ubeda, 61)
Por sola la hermosura (*Lemos*, 174)
Por sola la hermosura (MBM 23/4/1, 70v)
Por sola la hermosura (*Morán*, 25)
Por sola la hermosura (*Peralta*, 3v)
Por sola la hermosura (*Tesoro*, Padilla, 149v)
Por solamente saber (*Penagos*, 156v)
Por sólo que me abras (Jacinto López, 71v)
Por sólo visitar su desposado (*Cid*, 132v)
Por su amor desamorada (MN 3724, 63)
Por su amor desamorada (*RG* 1600, 85v)
Por su culpa y mal gobierno (*Obras*, Silvestre, 295v)
Por su virtud y limpieza (*Vergel*, Ubeda, 155)
Por sus ojuelos juró (*Morán*, 126)
Por tão nova formosura (*Corte*, 125v)
Por tal ocasión venida (*CG* 1511, 130)
Por tamanho interese (*Borges*, 58)
Por tan alta vía os dais (*Sevillano*, 178)
Por tan alto os tiene el mundo (*Sevillano*, 148)
Por tan difícil parte me ha llevado (FN VII-354, 104v)
Por tan difícil parte me han llevado (BeUC 75/116, 75v)
Por tan difícil parte me han llevado (MBM 23/8/7, 241v)
Por tan difícil parte me han llevado (MN 3968, 62v)
Por tan difícil parte me han llevado (MN 4256, 158)
Por tan difícil parte me han llevado (MN 4262, 147)
Por tan difícil parte me han llevado (MN 4268, 115v)
Por tan difícil parte me han llevado (MP 1578, 14
Por tan difícil parte me han llevado (MP 2805, 112v)
Por tan difícil parte me han llevado (MRAH 9-7069, 67v)
Por tan difícil parte me han llevado (PhUP1, 80)
Por tan difícil parte me han llevado (PN 258, 196)

Tabla   235

Por tan difícil parte me han llevado (RV 768, 250)

Por tan extraño camino (*Morán*, 131v)

Por tan extraño camino (OA 189, 129)

Por tener siempre ocupado (*Padilla*, 97)

Por tener treguas con vos (*Morán*, 253)

Por tí mi Alcida dejo en el aceña (FR 2864, 9v)

Por ti señora estoy tal (*Obras*, Silvestre, 128v)

Por ti vendré a gozar dulce alegría (*Morán*, 219v)

Por ti zagala estoy tal (*Canc.*, Maldonado, 24)

Por ti zagala estoy tal (MBM 23/4/1, 33)

Por ti zagala estoy tal (*Sevillano*, 69v)

Por tierra estéril mas sin conocerla (*Jhoan López*, 131v)

Por tierras de Palestina (*Canc.*, Ubeda, 29v)

Por todas partes herido (RaC 263, 68v)

Por traer diferente la natura (RaC 263, 109)

Por tres virtudes se alcanza (*Cid*, 199)

Por triunfo os queda en el suelo (*Penagos*, 187)

Por tu fe Clemente (*Sevillano*, 135v)

Por tu vida Lopillo que me borres (MiB AD.XI.57, 9)

Por tudo pode passar (*Borges*, 58)

Por un asombroso y soberbio prado (MN 1317, 470v)

Por un áspero camino (*Rojas*, 148)

Por un camino escabroso (MP 1587, 34)

Por un camino muy solo (CG 1511, 138)

Por un campo de verdura (MN 1317, 440)

Por un desengaño (EM Ç-III.22, 105v)

Por un desengaño (MP 1587, 179v)

Por un dichoso favor (*RG* 1600, 206v)

Por un lugar apartado (*Padilla*, 136)

Por un lugar apartado (*Tesoro*, Padilla, 279v)

Por un monte despoblado (*Cid*, 110)

Por un montecillo sola (*RG* 1600, 205)

Por un muy espeso monte (*Jesuitas*, 365)

Por un pajecito (*Jacinto López*, 319)

Por un papel he pedido (MiB AD.XI.57, 10v, 13)

Por un sí del hombre vengo (*Fuenmayor*, p. 261)

Por un sí dulce amoroso (*Rojas*, 132)

Por un soto verde umbroso (*Tesoro*, Padilla, 135)

Por un umbroso valle verde ameno (PN 372, 203)

Por un valle ameno (*Morán*, 49v)

Por un valle de tristura (*Flor de enamorados*, 53)

Por un valle de tristura (*León/Serna*, 97)

Por un valle de tristura (MN 3724, 165v)

Por un valle de tristura (*Rosa de Amores*, Timoneda, 9v)

Por un valle do natura (*Penagos*, 211v)

Por un verde prado (Jesuitas, 448)

Por un verde prado (MP 570, 244)

Por un verde prado (RV 1635, 115)

Por un verde prado (*Sevillano*, 195)

Por un verde prado (TP 506, 247)

Por un verde prado (WHA 2067, 133)

Por un verde prado de fresca sombra (*Cid*, 178v)

Por una alta montaña trabajando (MN 2973, p. 252)

Por una apacible sombra (*Cid*, 155)

Por una áspera montaña (*RH*, 201)

Por una ciudad de Egipto (*Jesuitas*, 143)

Por una fresca arboleda (*Peralta*, 18)

Por una gran espesura / que junto a Paría había (RV 1635, 114)

Por una nueva ocasión (MN 17.557, 82v)

Por una parte abundáis (*Canc.*, Ubeda, 16v)

Por una sola vez (*Elvas*, 59v)

Por una tal como vos (CG 1511, 172)

Por una triste espesura / por un monte muy subido (RH, 84v)

Por una verde espesura / que junto a Cártama había (RH, 80)

Por una verde espesura / que junto a Cártama había (*León/Serna*, 88v)

Por una vez que mis ojos alcé (*Recopilación*, Vázquez, 31)

Por unos cabellos de oro (FN VII-353, 81v)

Por unos dos negros ojos (*Sevillano*, 196)

Por unos negros ojuelos (MP 617, 327)

Por unos negros ojuelos (*Sevillano*, 196)

Por unos negros ojuelos / que miré (MP 617, 327)

Por unos ojos juré (MN 3913, 63)

Por unos ojos morenos (WHA 2067, 125)

Por usar de tus engaños (*Canc.*, Maldonado, 50)

Por ver a María (*Canc.*, Ubeda, 12)

Por ver la feria en Sevilla (*RG* 1600, 212)

Por ver lo que tienes en tus entrañas (MN 3913, 72)

Por ver que nunca mejora (PN 371, 56v)

Por ver si siempre buscáis (CG 1511, 34)

Por ver si tanto mal se acabaría (*Corte*, 209)

Por vida de mis ojos (*Heredia*,143v)

Por vida de mis ojos (*Recopilación*, Vázquez, 33)

Por vos Alcida dejo en el aceña (MN 3968, 111v)

Por vos Alcida dejo en el aceña (*Morán*, 92v)

Por vos Alcida dejo en el aceña (MP 973, 51v)

Por vos ardí señora y por vos ardo (MN 2973, p. 58)

Por vos envalla mi gloria (CG 1511, 152)

Por vos francesa gallarda (PN 418, p. 388)

Por vos hallar virtuosa (*Colombina*, 34v)

Por vos Lucida estoy tal (*Tesoro*, Padilla, 262v)

Por vuestra gran excelencia (CG 1511, 178)

Por vuestra gran perfección (CG 1511, 144v)

Por vuestras letras pasé (CG 1511, 127)

Por vuestro extremo valor (*Flor de enamorados*, 28)

Por vuestro fuego airado (Jacinto López, 70v)

Por vuestro gran merecer (*CG* 1514, 108v)

Por vuestros hechos verán (*Vergel,* Ubeda, 165v)

Por vuestros mandos y ruegos (*CG* 1511, 128v)

Por vuestros mandos y ruegos (*MP* 617, 84)

Por vuestros mandos y ruegos (*TP* 506, 398)

Por vuestros ojos hermosos (MN 3913, 63)

Porcia despés que del famoso Bruto (*MN* 4127, p. 171)

Porfía fue señora el atreverme (*Jhoan López,* 67v)

Porfía mata ven [cortado] (*Padilla,* 46)

Porfiáis damas que diga (*CG* 1511, 70)

Porfías deben de ser (*Padilla,* 5v)

Porfié con mi marido (Sevillano, 159)

Porque a tamanhas penas se ofrece (*Borges,* 69)

Porque al triste que se parte (*CG* 1511, 147v)

Porque alegre venga el sol (*Sablonara,* 57)

Porque Amor con tus rigores (Sevillano, 233)

Porque ante nos justamente (MN 5602, 55)

Porque aqueste desear (CG 1511, 128, 130)

Porque calláis caballero (*Flor de enamorados,* 91)

Porque contra el mal de amor (*CG* 1511, 156v)

Porque creéis que es mayor daño (Heredia, 182)

Porque cualquiera ocasión (CG 1511, 127v)

Porque cuando el afición (*MP* 570, 110v)

Porque de más de querella (CG 1511, 124)

Porque de veros me partí (CG 1514, 130)

Porque del bien que se alcanza (MP 617, 155)

Porque desde el primero día (PBM 56, 89)

Porque do está la afición (CG 1511, 128)

Porque duerme sola el agua (MN 3913, 18)

Porque el bien que amor hiciere (*CG* 1514, 122v)

Porque el corazon miráis (*Jesuitas,* 244)

Porque el cuerpo de tullido (CG 1511, 128v)

Porque el muy feo vestiglo (*CG* 1511, 104v)

Porque el perfecto deporte (*CG* 1511, 219)

Porque el presente dolor (CG 1511, 127v)

Porque el remedio y mi mal (Uppsala, n. 1)

Porque el rojo mar pasase (*Fuenmayor,* p. 237)

Porque el tiempo es ya pasado (*CG* 1511, 98)

Porque el triste con dolor (CG 1511, 134)

Porque el triste que padece (Colombina, 70v)

Porque en mí jamás fallecen (CG 1511, 199v)

Porque en tal convite gasto (Vergel, Ubeda, 79)

Porque en un mármol se encerrase en breve (Obras, Silvestre, 17)

Porque entiendo que es cansaros (*Romancero,* Padilla, 236)

Porque está en el padecer (CG 1511, 126)

Porque estando apercibido (CG 1511, 9v)

Porque fue el hombre traidor (Sevillano, 80v)

Porque fuese el medio fuerte (Vergel, Ubeda, 69v)

Porque fuiste venturosa (MN 3806, 151v)

Porque hierbas no dio para sanarte (*MP* 3560, 35v)

Porque la vida penada (CG 1511, 149)

Porque las dañadas leyes (*FN* VII-353, 180)

Porque las dañadas leyes (*FN* VII-354, 400v)

Porque las malvadas leyes (*Jesuitas,* 461v)

Porque las malvadas leyes (*MP* 973, 46v)

Porque lloráis con júbilos tan tiernos (*Jesuitas,* 459)

Porque los vieron serán (Padilla, 229v)

Porque más os conmováis (Sevillano, 199v)

Porque más sin duda creas (*Colombina,* 44v)

Porque más sin duda creas (MP 617, 26v)

Porque me não ves Joana (*Elvas,* 58v)

Porque me queráis no os quiero (*Morán,* 128v)

Porque me queráis no os quiero (*Romancero,* Padilla, 293)

Porque nesses desertos de Judeia (*Faria,* 45, 122)

Porque no falte dolor (CG 1511, 123)

Porque no os canse una vida (*NH* B-2558, 34v)

Porque no os canse una vida (*Tesoro,* Padilla, 194v)

Porque no pueda venir (CG 1511, 140)

Porque no quedases ciego (*Vergel,* Ubeda, 86v)

Porque nunca fue hallado (*MP* 617, 268)

Porque nunca fue hallado (*TP* 506, 392)

Porque nunca vi penado (CG 1511, 130v)

Porque pene y no que muera (*CG* 1511, 154v)

Porque pierdan sus derechos (*Morán,* 81)

Porque pudera abafar (*Corte,* 48v)

Porque quisistes os vimos (*Sevillano,* 91)

Porque se espantan que sea (*TP* 506, 394)

Porque sé que habrá placer (Peralta, 2)

Porque señora si os viese (CG 1511, 129v)

Porque sepáis amadores (*CG* 1514, 192v)

Porque sepáis amadores (*MP* 617, 69)

Porque siendo yo cautivo (CG 1511, 122v)

Porque siéndoos yo cautivo (CG 1511, 125)

Porque tal os hizo Dios (CG 1514, 109v)

Porque te besé carillo (*Sevillano,* 283)

Porque tu santa presencia (CG 1535, 191v)

Porque veros y vivir (Elvas, 30v)

Porque vi vuestra bondad (CG 1514, 109v)

Porque viene humilde / la mano tome (MN 3913, 48)

Porque vuestro fuego airado (FN VII-353, 173v)

Porque yo a mi vivir (CG 1511, 134)

Porque yo vuestro cautivo (CG 1511, 148)

Porsena rey poderoso (*Rosa Gentil,* Timoneda, 11v)

Posible fuera al hombre no acabarse (*Cid,* 98v)

Pouco do seu poder o tempo fia (Faria, 58v)

Pouco ofereco e muito quero (Corte, 126)

Tabla 237

Prado fértil do Aurora esclarescida (MP 973, 71v)

Prado fértil do la Aurora esclarecida (*Morán*, 92)

Prado verde y florido (*Medinaceli*, 64v)

Prado verde y florido (MP 2803, 223)

Prado verde y florido (TP 506, 382v)

Preciábase una dama de parlera (PN 258, 211)

Preciosa Margarita nueva Angélica (MP 1578, 295v)

Preciosísima doncella (*Sevillano*, 138v)

Preguntadle a Juan pastor (PN 307, 323)

Preguntáis señora qué vida es la mía (MN 5602, 51)

Preguntáisme qué tal es mi pena (*Toledano*, 90v)

Preguntáisme qué tal es mi vida (*Toledano*, 90v)

Preguntáisme qué vida es la mía (*Lemos*, 122), *ver* Preguntáisme señora

Preguntáisme qué vida es la mía (*Toledano*, 89)

Preguntáisme quién son mis enemigos (*Lemos*, 121)

Preguntando a Amor por mí (MN 3806, 131v)

Preguntando está Florida (*Rosa de Amores*, Timoneda, 62)

Preguntándole a mi vestido (MP 996, 96)

Preguntarme éis cómo vivo (MN 3902, 63)

Preguntaros yo a mi ver (CG 1511, 159)

Preguntas zagala mía (PN 371, 13v)

Preguntéle al niño tierno (*Canc.*, Ubeda, 60v)

Pregunto a las que leen esta historia (OA 189, 183v)

Pregunto a los amadores (*Obras*, Silvestre, 74)

Pregunto cuál es aquella guerra (*Lemos*, 19)

Pregunto cuál es aquella pelea (*Flor de enamorados*, 44)

Premática descubierta (*Penagos*, 125v)

Prenda es el cordón glorioso (*Fuenmayor*, p. 482)

Prenda es ésa para darla (*Obras*, Silvestre, 114)

Prendada de un pastor una pastora (*Jesuitas*, 228)

Prendas de eterna memoria (*Fuenmayor*, p. 386)

Prendas premio que amor de mi fe pura (MP 996, 201)

Prendédeme este moro (*Toledano*, 43)

Prendiéronme en el ganado (*Padilla*, 231v)

Prendiéronme en el ganado (*Recopilación*, Vázquez, 18v)

Prendióle querer y fe (CG 1511, 147v)

Prendióme el amor (FN VII-353, 148), *ver* Dejóme preso

Preniu dama mon consel (*Flor de enamorados*, 21)

Preñada Venus un día (MN 4127, p. 171)

Preñado el monte tímida la gente (FN VII-353, 5)

Presa yace la condesa (MP 617, 332v)

Presenta la memoria el fiero olvido (*Penagos*, 181)

Presente estando ya lo figurado (MN 2973, p. 12)

Presente pido ventura (CG 1511, 123)

Presente pido ventura (OA 189, 332)

Presente pido ventura (PN 307, 236v)

Presentes penas mortales (CG 1511, 128)

Presentes venganzas (*Penagos*, 124v)

Preso en la Torre del Oro (MN 3723, 214)

Preso en la Torre del Oro (RG 1600, 234v)

Preso está Fernán González (*Rosa Española*, Timoneda, 91)

Preso está mi corazón (CG 1511, 147v)

Preso está mi corazón (*Heredia*, 182)

Preso estaba el primer hombre (RV 1635, 114v)

Preso llevan a un amante (*Sevillano*, 158)

Preso llevan al caballero (*Sevillano*, 158v)

Preso me lo llevan (*Cid*, 240)

Preso tiene el rey al conde (MP 617, 331v)

Preso yace el Amor de amor herido (PN 372, 253v)

Presta la banda que tienes (MN 3724, 171v)

Presta la banda que tienes (RG 1600, 98)

Preste la Fama su vuelo (*Rosa Real*, Timoneda, 32)

Presto desmayas amigo (*Canc.*, Maldonado, 45)

Presto llevará de mí (*Penagos*, 48)

Presumes de buen arquero (*Padilla*, 54v)

Presumes de buen arquero (*Romancero*, Padilla, 328)

Presumes de muy arquero (RV 1635, 98)

Presumida perdición (MN 3913, 77)

Presumir de vos loar (CG 1511, 30v)

Presumís viles maldades (MP 973, 402v)

Pretender poder hallar (*Rojas*, 46)

Prevenid pañales Virgen (*Sevillano*, 128)

Príamo y Ecuba fueron (*Obras*, Cepeda, 13v)

Prima espada hizo por Dios (*Heredia*, 177v)

Primero con el verso siciliano (FN VII-354, 423v)

Primero con el verso siciliano (MN 3698, 54)

Primero con el verso siciliano (MP 973, 254)

Primero con el verso siciliano (MP 996, 232)

Primero con el verso siciliano (*Rosal*, p. 325)

Primero en el verso siciliano (FR 3358, 135)

Primero es abrazarla y retozarla (RaC 263, 116v)

Primero es besarla y retozarla (*Jacinto López*, 4)

Primero es el besarla y abrazarla (MN 3913, 45v)

Primero es el besarla y el tocarla (FN VII-354, 262)

Primero estaba libre el pensamiento (*Lemos*, 129v)

Primero faltará la luz al día (*Faria*, 26v)

Primero ha de acabar mi triste vida (*Padilla*, 131v)

Primero pagador del feudo humano (MiB AD.XI.57, 28)

Primero que ofendida (*Romancero*, Padilla, 141)

Primero se verá negra la nieve (*Tesoro*, Padilla, 246)

Primero sobre dos ejes del cielo (MBM 23/4/1, 216)

Primícias de meu infeliz estado (*Corte*, 206v)

Primogénito noble y entendido (MiB AD.XI.57, 30)

Princesa del sacro imperio (*Sevillano*, 90v)

Príncipe de cuyo nombre (CG 1511, 42v)

Príncipe de cuyo nombre (MP 617, 11)

Príncipe digno bien de cuanto el cielo (PN 314, 84v)

Príncipe dos mais apóstolos nomnado (EM Ç-III.22, 39v)

Príncipe muy excelente (*Ixar*, 78)

Príncipes descuidados (*Corte*, 77)

Principio sin principio verdadero (*Canc.*, Ubeda, 136)

Principio sin principio verdadero (*Vergel*, Ubeda, 1)

Principio y fin verdadero (*Vergel*, Ubeda, 1)

Principios de su muerte y nuestra vida (FN VII-353, 21v)

Prisión tormentos y muertes (*Vergel*, Ubeda, 141v)

Privado de tu vista cristalina (TP 506, 278v)

Probando a celebrar marquesa esa (*Jhoan López*, 135)

Probando en el campo su destreza (MN 17.556, 136v)

Probando en tu valor mi mano magno (MP 973, 113), *ver*
     Probando en tu valor mi mano mano

Probando en tu valor mi mano mano (FR 3358, 178v), *ver*
     Probando en tu valor mi mano magno

Procura alma llegar limpia (*Vergel*, Ubeda, 79v)

Procura de haber placer (*Lemos*, 49v)

Procures o no ofenderme (PN 418, p. 236)

Procuró prenderme (MP 1587, 166v)

Profana a bailar empieza (*Jesuitas*, 187v)

Profundo amor continuado (MN 3700, 163)

Promete gloria en medio de este infierno (MP 1587, 164v)

Prometéis favores (*Sevillano*, 268)

Prometí necio indiscreto (MN 3700, 162)

Prometióla el arrebol (FN VII-353, 110v)

Prometióla el arrebol (MP 996, 212v)

Prometióme de venir (*Sevillano*, 158v)

Prométoos señor López Maldonado (*Canc.*, Maldonado, 120)

Promover y proseguir (CG 1511, 4v)

Propiñán de Melyor (*Colombina*, 75v)

Propio mío era el placer (*Lemos*, 122v)

Protomártir glorioso que de un vuelo (*Vergel*, Ubeda, 136)

Providencia divinal (CG 1511, 3v)

Provócame el amor tiranamente (MN 3902, 124v)

Prudentísima Virgen qué talento (MN 17.951, 112)

Publica lengua mía la excelencia (MN 2973, p. 16)

Publico el sentimiento (*Lemos*, 270v, 272v)

Pude não vos louvar (*Borges*, 57v)

Pudiera traer (*Sevillano*, 160v)

Pudieras tiempo estar ya satisfecho (*Morán*, 91)

Pudieron medios injustos (*Faria*, 157)

Pudiese yo venganza haber de aquella (MN 2973, p. 139)

Pudistes el alma encender (MP 158, 184v)

Pudo de mi pensamiento (*Jhoan López*, 36v)

Pudo la rabia de aquel gran tirano (*Rosal*, p. 10, 293)

Pudo ser y ansí convino (*Vergel*, Ubeda, 81)

Pudo tanto mi querer (CG 1511, 146)

Pueda en mí la verdad de un desengaño (*Padilla*, 222v)

Puede Juana tu estropajo (FN VII-353, 157v)

Puede Juana tu estropajo (*Peralta*, 72v)

Puede la imaginación (*Tesoro*, Padilla, 197)

Puede llegar quien quisiere (*Canc.*, Ubeda, 46)

Puede llegar quien quisiere (*Vergel*, Ubeda, 76v)

Puede lo que el amor si está enojado (*Jacinto López*, 81v)

Puede ser mayor engaño (CG 1554, 127)

Puede ser mayor engaño (MP 617, 215)

Puede ser no conocerla (*Lemos*, 138v)

Puede tanto el disfavor (MP 570, 113v)

Puede tanto ingratitud (*FRG*, p. 195)

Puede tanto un pensamiento (PN 373, 155v)

Puede tanto un pensamiento (RaC 263, 44)

Puédese ésta llamar vida (*Corte*, 49)

Puerta del cielo con razón rasgado (MN 17.951, 84v)

Puertocarrero Señora (CG 1511, 160v)

Pues a batalla tan fuerte (*Peralta*, 59)

Pues a mí desconsolado (CG 1514, 191v)

Pues a mi poco saber le despriva (CG 1511, 156)

Pues a mis dulces bienes acabados (EM Ç-III.22, 114v)

Pues a mis dulces bienes acabados (*Romancero*, Padilla,
     250v)

Pues a vuestra causa muero (RV 1635, 19)

Pues a vuestra causa muero (*Tesoro*, Padilla, 480v)

Pues acabaste mi gloria (OA 189, 118v)

Pues acabaste mi gloria (PN 314, 59v)

Pues acabaste mi gloria (PN 373, 282v)

Pues acertastes a ver (*Jesuitas*, 188)

Pues adiós Gililla (MN 17.951, 200v)

Pues al extremo han llegado (*Morán*, 140v)

Pues allá llevaste el alma (RG 1600, 132v)

Pues amor así lo ordena (CG 1511, 149)

Pues Amor lo hace (MP 1587, 87)

Pues amor quiere que muera (CG 1511, 117v)

Pues amor quiere que muera (MN 3902, 102)

Pues aquel gran amor que me tuviste (MP 617, 272v)

Pues aquel gran amor que me tuviste (TP 506, 34)

Pues aquel grande amor que me tuviste (*Borges*, 32)

Pues aquel que nunca vos vio (*Evora*, 6v)

Pues aunque tengas memoria (PN 372, 73)

Pues beldad señora mía (TP 506, 171v)

Pues busco la soledad (MN 3913, 5v)

Pues cansarte y cansarme es por demás (MN 3724, 182)

Pues cómo yo no he sabido (*Sevillano*, 71)

Pues con la muerte me place (CG 1511, 146)

Pues con la vista enfermé (*Morán*, 55)

Pues con sobra de alegría (*Colombina*, 4v)

Pues con sobra de tristura (*Colombina*, 3v)

Pues con sobra de tristura (MP 617, 151)

Pues con su mirar gracioso (*Rojas*, 56v)

Tabla 239

Pues la Santa Inquisición (MN 3691, 67)

Pues la santa Inquisición (MP 617, 241v)

Pues la triste vida dice (*CG* 1511, 149v)

Pues la vida en su manera (*CG* 1514, 108v)

Pues la vida te gustó (MP 2459, 43)

Pues las faltas del secreto (*CG* 1514, 138)

Pues las naves del Austro combatidas (*Rosal*, p. 40)

Pues llamemos al barbero (*Jhoan López*, 22)

Pues lloráis Señor naciendo (*Jesuitas*, 479)

Pues lo que vos merecéis (*CG* 1511, 205)

Pues los pagos de Fortuna (PN 373, 103)

Pues luego que espero (*Lemos*, 121v)

Pues matáis cuando miráis (*Rojas*, 60v)

Pues matáis cuantos miráis (*Morán*, 209)

Pues matáis mi corazón (*Padilla*, 231v)

Pues matáis mi corazón (PN 373, 66)

Pues me demandáis do soy (*Flor de enamorados*, 77)

Pues me distes esta herida (*FRG*, p. 156)

Pues me distes madre (MoE Q 8-21, p. 140)

Pues me negaste pastora (*Morán*, 37)

Pues me negaste pastora (PN 373, 3)

Pues me negaste pastora (*RH*, 197)

Pues me tiene medio muda (*CG* 1514, 92)

Pues Menga te da tormento (RV 1635, 101v)

Pues mi contraria estrella ay suerte dura (PN 314, 83v)

Pues mi contraria estrella inicua y dura (OA 189, 18v)

Pues mi dama es labradora (*Padilla*, 128v)

Pues mi dama es labradora (*Tesoro*, Padilla, 344)

Pues mi desdicha es tan grande ande (*Toledano*, 54)

Pues mi determinación (*CG* 1511, 126)

Pues mi dicha no consiente (*Colombina*, 40v)

Pues mi mal es sin remedio (OA 189, 28)

Pues mi mal por bien será (*CG* 1511, 130)

Pues mi mal terrible y fiero (MP 1587, 172)

Pues mi muerte deseáis (*Tesoro*, Padilla, 151)

Pues mi propia propiedad (*CG* 1511, 115)

Pues mi ventura me aleja (MN 3902, 93v)

Pues mi ventura tal fue (*Sevillano*, 279v)

Pues mi vida así esforzando (*CG* 1511, 130)

Pues mi vida es vuestra vida (*Morán*, 38)

Pues mía no hay copla alguna (PN 418, p. 384)

Pues miráis mi perdimiento (*Flor de enamorados*, 71v)

Pues mis contrarias estrellas (WHA 2067, 91v)

Pues morir me siento (MP 996, 198v)

Pues morir nace del ver (*Obras*, Cepeda, 89v)

Pues muerto te tuve Juan (*Obras*, Cepeda, 97v)

Pues nació la res preciada (*Sevillano*, 155v)

Pues ni me queréis ni os quiero (*FRG* p. 138)

Pues no conoció su estado (MN 3700, 45v)

Pues no espero por serviros (*Tesoro*, Padilla, 338)

Pues no hallo semejante (FN VII-353, 299)

Pues no hay poder humano cuando un momento (*Tesoro*, Padilla, 459)

Pues no me vale servir (MN 4268, 165)

Pues no me vale ventura (*CG* 1511, 66v)

Pues no mejora mi suerte (*Colombina*, 58)

Pues no osáis aventuraros (*CG* 1554, 81)

Pues no puede el cansado sufrimiento (MBM 23/4/1, 314v)

Pues no puede el cansado sufrimiento (*Padilla*, 80)

Pues no puede mi amor a amar venceros (*Morán*, 164v)

Pues no puedo descansar (RaC 263, 64v)

Pues no puedo mudarme con mudanza (*Obras*, Cepeda, 51)

Pues no quisiste abrir (MN 5593, 105)

Pues no siempre tus rayos vengativos (MN 3700, 140v)

Pues no sufre lo que siento (*CG* 1511, 115)

Pues no te puedes hartar (*Fuenmayor*, p. 280)

Pues no tiene que vencer (MA S.P. II.100, 12v)

Pues no tiene remedio mi paciencia (*Obras*, Cepeda, 46v)

Pues no vale morir (MN 4256, 216v)

Pues no vale servir (MBM 23/8/7, 186)

Pues no vale servir (MN 3968, 76v)

Pues no vale servir (MP 1578, 48v)

Pues no vale servir (MP 2805, 71)

Pues no vale servir (PhUP1, 132)

Pues no vale servir (PN 258, 185v)

Pues no vale servir (RV 768, 213)

Pues nos hallamos juntos Mopso ahora (FN VII-354, 420v)

Pues nos hallamos juntos Mopso ahora (FR 3358, 131)

Pues nos hallamos juntos Mopso ahora (MN 3698, 49)

Pues nos hallamos juntos Mopso ahora (MP 996, 229v)

Pues nos hallamos juntos Mopso ahora (*Rosal*, p. 319)

Pues nunca te ha movido el largo llanto (MP 1587, 152v)

Pues oh cruel oh brava oh enojosa (*Lemos*, 4)

Pues os dio naturaleza (FN VII-353, 159)

Pues os dio naturaleza (RV 1635, 22v)

Pues os preciáis señor de amigo mío (*Jhoan López*, 117v)

Pues os preciáis señor de amigo mío (MP 973, 57v)

Pues os preciáis señor de amigo mío (*Rojas*, 136)

Pues otra paga no alcanza (*Romancero*, Padilla, 343v)

Pues pára el agua entretanto (MBM 23/4/1, 56)

Pues pára el agua entretanto (*Obras*, Silvestre, 67)

Pues pára el agua entretanto (PN 372, 326)

Pues para tan alta prueba (*Medinaceli*, 50v)

Pues paraste a la ventana (*Toledano*, 11)

Pues paso sin amaros (WHA 2067, 86)

Pues por besarte Minguillo (*Flor de enamorados*, 29v)

Pues por dar remedio al hombre (*Vergel*, Ubeda, 79)

Tabla 241

Pues que ya perdí la gloria (*CG* 1511, 144)
Pues que ya perdí la vida (*Evora*, 43)
Pues que ya tan dura estás (MN 3913, 9v)
Pues que yo claros crisoles (*Penagos*, 201v)
Pues quejar sé (*Elvas*, 51v)
Pues quien pregunta no yerra (*Lemos*, 111v)
Pues quiere Dios que seamos (*CG* 1511, 228v)
Pues quiere la Fortuna (*Jacinto López*, 49)
Pues quisisteis ser ajena (*CG* 1514, 108v)
Pues quiso mi ventura (MP 2803, 223v)
Pues riguroso (*Jacinto López*, 68)
Pues sabéis de estos dolores (*CG* 1511, 154)
Pues sabéis que estoy estrecho (*CG* 1511, 230v)
Pues sabes que mi placer (MP 1587, 93v)
Pues se conforma nuestra compañía (MN 3902, 17v)
Pues se despuebla Castilla (MN 4127, p. 151)
Pues se fue Juan tu zagala (*Cid*, 131v)
Pues se me niega victoria (*CG* 1557, 378)
Pues se parte mi señora (*CG* 1554, 107v)
Pues se parten mis amores (PN 307, 284v)
Pues señor me preguntáis (*CG* 1514, 99v)
Pues señora el alma os di (*Jacinto López*, 152v)
Pues serviros os desplace (MP 617, 151)
Pues si te han desengañado (MP 617, 171v)
Pues si vuestro merecer (*Morán*, 78)
Pues siempre tan sin causa pretendiste (MP 617, 271)
Pues siempre tan sin causa pretendiste (TP 506, 268)
Pues siendo sabio el pastor (MN 17.951, 95)
Pues Silvia quiere que muera (*FRG*, p. 189)
Pues Silvia quiere que muera (MN 3806, 16v)
Pues Silvia quiere que muera (PN 373, 282v
Pues sin ellas tenéis fuerza (PN 371, 11)
Pues sois el vellocino que tuvistes (*Jesuitas*, 176)
Pues sois esforzado (*Toledano*, 32)
Pues sois señora dechado (MP 973, 105v)
Pues sólo el veros me obliga (*Jacinto López*, 53v)
Pues tal encomienda os dan (*Jesuitas*, 257, 274, 290)
Pues tal fruto como vos (*CG* 1514, 130)
Pues tan injustamente (*Canc.*, Maldonado, 67v)
Pues tan lindo blanco veo (MN 17.951, 95v)
Pues tan presto habéis medrado (*Jesuitas*, 187v)
Pues tan presto se han trocado (*Lemos*, 64)
Pues tanto os cansa Amor tan firme y puro (*Canc.*, Maldonado, 105v)
Pues tantos hacéis caer (MN 5602, 33)
Pues tantos hacéis caer (*Morán*, 83v)
Pues te amo de veras (*RG* 1600, 156)
Pues te casaste pastora (*Tesoro*, Padilla, 472)
Pues te pregunto responde (PN 373, 236v)

Pues tengo lo que deseo (*Toledano*, 10)
Pues todavía queréis ir mis suspiros (MN 2973, p. 108)
Pues todo se ha de acabar (MN 5593, 45)
Pues todo tan poco dura (PBM 56, 92v)
Pues tornas alma bienaventurada (TP 506, 325)
Pues trabajo en ofenderme (*CG* 1554, 77v)
Pues tú eres señora verdadera (MP 2803, 220)
Pues tu famosa pluma (*Canc.*, Maldonado, vi v)
Pues tu nombre Señor siento (*Fuenmayor*, p. 349)
Pues tu nombre Señor siento (MN 17.951, 105v)
Pues tu vista me salvó (*CG* 1511, 20)
Pues tu vista me salvó (*Colombina*, 21v)
Pues tu vista me salvó (MP 617, 152)
Pues tuve corazón para partirme (PN 373, 128)
Pues tuve corazón para partirme (RV 1635, 1)
Pues vejo de mi huir (*Corte*, 57v)
Pues venís Reyes de Oriente (*Jesuitas*, 303)
Pues verme a mí cuitado en un convento (RaC 263, 87v)
Pues vivo sólo de veros (MN 5593, 70v)
Pues vos señora madre del que digo (*Morán*, 20)
Pues vos sobra la razón (MP 617, 26)
Pues vos sois árbol sagrado (*Fuenmayor*, p. 255)
Pues vuestra desventura (*CG* 1511, 49v)
Pues vuestra merced ganó (*CG* 1514, 109v)
Pues vuestra merced se casa (MN 3724, 236)
Pues ya desprecias el Tajo (*RG* 1600, 150v)
Pues ya la vida triste y dolorosa (*Canc.*, Maldonado, 142)
Pues ya no como a mis horas (*RG* 1600, 307)
Pues ya vive la mentira (*Rojas*, 185)
Pues yo con mi fuego os hielo (*Tesoro*, Padilla, 466)
Pues yo con mi fuego os hielo (WHA 2067, 46)
Pues yo de mi perdición (*Canc.*, Maldonado, 20)
Puesta ya la valentía (*Morán*, 101v)
Puesta ya la valentía (PN 372, 169v)
Puestas vi a una ventana (*Cid*, 242v)
Puesto en silencio y olvido (MP 1587, 168v)
Puesto en su dama el cuidado (*Cid*, 235v)
Puesto en vos el pensamiento (*CG* 1514, 109)
Puesto que sean sin fin (*Penagos*, 123v)
Puesto que tengo de quien (MP 1587, 132v)
Puesto ya el cerco a Granada (*Obras*, Cepeda, 59v)
Puesto ya el pie en el estribo (*Canc.*, Maldonado, 53v)
Puesto ya el pie en el estribo (*Cid*, 120v)
Puesto ya el pie en el estribo (FN VII-353, 92)
Puesto ya el pie en el estribo (*FRG* p. 258)
Puesto ya el pie en el estribo (*Jacinto López*, 104)
Puesto ya el pie en el estribo (*Jhoan López*, 13v)
Puesto ya el pie en el estribo (*León/Serna*, 110v)
Puesto ya el pie en el estribo (MN 3913, 8v)

Tabla   243

Puesto ya el pie en el estribo (MN 3968, 173)

Puesto ya el pie en el estribo (*Morán*, 30)

Puesto ya el pie en el estribo (MP 2803, 207)

Puesto ya el pie en el estribo (MP 973, 124)

Puesto ya el pie en el estribo (PN 307, 104v)

Puesto ya el pie en el estribo (RV 1635, 17)

Puesto ya el pie en el estribo (*Tesoro*, Padilla, 479)

Puestos en la mar los ojos (*Jhoan López*, 6v)

Puestos en la mar los ojos (MP 1587, 175v)

Puestos en Tormes los ojos (*RG* 1600, 105)

Puestos están frente a frente (*León/Serna*, 105v)

Puix mon cor teniu peniora (*Flor de enamorados*, 25)

Puix sou senyora la caixa (*Flor de enamorados*, 22)

Puntoso y alto pino verde prado (FR 3358, 98v)

Puntoso y alto pino verde prado (MBM 23/4/1, 208v)

Puntoso y alto pino verde prado (PN 373, 221)

Puñalitos dorados (*Sablonara*, 71)

Pura Pisuerga a fe de caballero (MN 3913, 157v)

Purísima hermosura relumbrosa (*Corte*, 91)

Purísima hermosura relumbrosa (EM Ç-III.22, 70)

Purísima Lucía casta y bella (*Jesuitas*, 227v)

Puse los ojos ay que no debiera (MN 4127, p. 258)

Puse mi amor verdadero (*FRG*, p. 259)

Puse mi amor verdadero (MP 2803, 207)

Puse mi amor verdadero (RV 1635, 17v)

Puse mi contento (*RG* 1600, 189v)

Puse mis amores (*Medinaceli*, 5v)

Puse mis amores (*Sevillano*, 290)

Puse mis cabellos en almoneda (TorN 1-14, 42)

Púseme a escribir un día (*Obras*, Silvestre, 77v)

Púseme con Amor en competencia (*Padilla*, 126)

Púseme con Amor en competencia (*Tesoro*, Padilla, 304)

Pusiera yo mis amores (*Corte*, 55)

Pusieron un corazón (*Sevillano*, 255)

Pusieron un corazón (*Vergel*, Ubeda, 139)

Puso amor mi pensamiento (*CG* 1554, 125v)

Puso el impero justo y monarquía (MN 6001, 52v)

Puso en el duro suelo la hermosa (*Rosal*, p. 39)

Puso en la cruz el pueblo ingrato y duro (*Padilla*, 208v)

Puso entre mí y Isabel (*Padilla*, 3v)

Puso la naturaleza (MN 3806, 153)

Puso lo criado (MP 644, 187v)

Puso tanto sentimiento (*CG* 1511, 128v)

Puso tanto sentimiento (*Gallardo*, 65v)

Puso tanto sentimiento (*Heredia*, 188)

Puso Venus a Cupido (*RG* 1600, 17)

Puso ya su esperanza y su contento (PN 373, 206v)

Púsome gran confusión (*Morán*, 36)

Púsose el sol (*RG* 1600, 172v)

Púsose sus corales y gorguera (*Cid*, 124)

Púsose sus corales y gorguera (MBM 23/4/1, 47v)

Púsose sus corales y gorguera (MN 3968, 169)

Puta hija de puta barragana (FN VII-354, 264v)

Putas putillas putallas (*Jacinto López*, 319v)

Quão bem pareçe um peito diamantino (*Corte*, 176, 185v)

Quae est ista quae descendit del desierto (FN VII-353, 15)

Qual ave que do laço vai fugindo (*Faria*, 42v)

Qualquer voz desentoa e desafina (*Faria*, 44v)

Quand'io signore le dolorose note (FN VII-353, 337, 347)

Quando amor se me mostrou (Faria, 100)

Quando as armas no mundo florecerão (*Faria*, 47)

Quando da bella vista e do seu riso (*Borges*, 4)

Quando de bela vista e doce riso (*Evora*, 9v)

Quando de siso cuido no que é ia passado (*Corte*, 174)

Quando do raro esforço que mostravas (*Faria*, 52)

Quando mais morro mais vivo (Corte, 208)

Quando minha liberdade (*Corte*, 222v)

Quando nos meus erros cuido (*Corte*, 48v)

Quando o Sol encuberto vai mostrando (*Borges*, 1v)

Quando verei meu Deus chegar a hora (*Faria*, 53)

Quantas vezes do fuso se esquecia (*Borges*, 67)

Quanto mores eles são (Evora, 3v)

Quanto podia dar vos tinha dado (EM Ç-III.22, 33v)

Quanto por muitos dias fui colhendo (NH B-2558, 42)

Quantos conselhos se dão (Corte, 55v)

Que a mí no se me da esto (MN 3700, 59v)

Que a Roque el dar jaque toque (*Fuenmayor*, p. 509)

Que acordaros del pasado (CG 1511, 124)

Qué agua matará mi vivo fuego (MP 3560, 33v)

Qué airoso salió el conde galán iba (FN VII-353, 255)

Que al fin casos de amor todo es ventura (Jacinto López, 147v)

Qué alegres están sin el triste enamorado (RaC 263, 124v)

Qué alegres son al triste enamorado (FN VII-354, 261)

Qué alegres son al triste enamorado (MN 3913, 43v)

Qué alegres son al triste enamorado (*Morán*, 7)

Qué amador tan desdichado (CG 1511, 100v)

Qué amante fue de Amor tan regalado (*Cid*, 7v)

Que ande con las ansias mías (Rojas, 159)

Qué ansias son las mías tan mortales (*Borges*, 82v)

Qué ansias son las mías tan mortales (MN 2973, p. 6)

Qué antojo te tomó dios y poeta (PN 373, 235v)

Qué años para pensar (PN 373, 159)

Qué aprovecha caballeros (*Heredia*, 44v)

Qué aprovecha caballeros (MN 5593, 60v)

Qué aprovecha estar ausente (PN 371, 17v)

Qué aprovecha la cordura (Rojas, 97v)

Qué aprovecha maltratarme (PN 371, 5v)

Qué aprovechan las grandezas (*Morán*, 15v)

Qué aprovechan las heridas (*Toledano*, 18v)

Qué aprovechan las paredes (*Penagos*, 84v)

Que aunque Dios a Adán crió (Fuenmayor, p. 35)

Que aunque el seso y discreción (CG 1511, 130v)

Que aunque estoy en lo que quiero (MP 617, 153v)

Que ausencia sin mudanza (RG 1600, 68v)

Qué avalentado que miras (MN 3700, 181v)

Qué banquete es éste Dios (*Canc.*, Ubeda, 43)

Qué banquete es éste Dios (*Vergel*, Ubeda, 77v)

Qué basilisco de mis ojos fieros (*Penagos*, 10v)

Qué belicoso amor y qué nonada (MN 3968, 186v)

Que Belilla no es hermosa (PN 418, p. 335)

Qué bestia habrá que tenga ya paciencia (FR 3358, 62v)

Qué bestia habrá que tenga ya paciencia (MN 4256, 292)

Qué bien puede igualarse al que poseo (*León/Serna*, 105)

Qué bien puede igualarse al que poseo (*Tesoro*, Padilla, 23v)

Qué bien que pela (PN 418, p. 537)

Qué bien se quiere Celinda (PN 418, p. 355)

Qué bien siente Galatea (*Sablonara*, 59)

Qué bienaventurado (*Morán*, 64)

Qué bonica labradora (*Recopilación*, Vázquez, 27v)

Qué bonica sois hermana (*Toledano*, 26)

Qué bonico y qué gracioso (Toledano, 8), *ver* Qué discreto

Qué bonito / Niño chiquito (*Colombina*, 89v)

Qué brío y qué lozanía (PN 314, 222v)

Qué buen aliño por cierto (Sevillano, 192v)

Qué bueno es para mí este santo día (*Vergel*, Ubeda, 43)

Qué buscan tus pensamientos (FN VII-353, 174)

Qué buscas Magdalena la amorosa (MP 617, 185)

Que buscas oh más bella que la aurora (MP 617, 182v)

Que cansarte y cansarme no aprovecha (MN 3724, 180)

Que canten los gallos (Padilla, 228v)

Qué causa apartará señora mía (*Morán*, 83v)

Qué causa puede haber a maltratarme (*Morán*, 109)

Qué cebo véis en el hombre (*Fuenmayor*, p. 273)

Qué ciego que anda un pobre enamorado (FR 3358, 156)

Tabla 247

Qué dolor puede ser igual al mío (MN 2973, p. 127)
Qué dolor puede ser igual del mío (*CG* 1554, 196v)
Qué dolor puede ser igual del mío (MN 1132, 28v)
Qué dolor te tiene tal (*Morán*, 9v)
Qué dolor te tiene tal (Sevillano, 200)
Qué dolor te tiene tal (WHA 2067, 61)
Qué dolores lastimeros (Colombina, 26v)
Que don Alvaro de Luna (*Jacinto López*, 170v)
Que donoso casamiento (*Obras*, Silvestre, 146v)
Qué dos luceros mostráis (MBM 23/4/1, 405v)
Que doudo pensamento este que sigo (NH B-2558, 60v)
Qué dulce le es a un pobre enamorado (*Jacinto López*, 8v)
Qué dulce lengua con sonido armónico (MP 2459, 113)
Qué dulce sueño dormía (PN 372, 11v)
Que é o que vejo (*Elvas*, 70v)
Que el corazón al fin muere (MP 617, 318)
Que el enemigo viene a darnos guerra (MN 3724, 145v)
Que el mal con buena esperanza (CG 1511, 130)
Que el mal que tiene esperanza (MP 617, 153)
Que el Padre eterno al Verbo sacrosanto (*Vergel*, Ubeda, 81v, 205)
Que el que bien amando muere (*Tesoro*, Padilla, 102v)
Que el que no se aventuró (CG 1511, 127v)
Que el que salió descargado (FN VII-354, 401v)
Que el remedio que se espera (Lemos, 134)
Que el ver vuestra hermosura (MP 617, 153v)
Que em tudo o tempo faz mudanças (EM Ç-III.22, 8v)
Que en amar sufre tormento (Padilla, 119)
Que en el mar de amor me anego (RaC 263, 103v)
Que en el sacro entendimiento (Vergel, Ubeda, 90)
Que en hacer un buen soneto (Peralta, 65)
Que en las cosas que hacemos (*Peralta*, 65)
Que en mi alma ya yo os veía (MN 3968, 165v)
Que en sufrir este engaño (Colombina, 9v)
Que en ti señora se esmalta (CG 1514, 15)
Qué enfermedad os ha dado (RV 1635, 53)
Qué entrañas de piedad y amor ajenas (*Rosal*, p. 57)
Qué es aqueso la Catalineta (MP 1587, 183v)
Qué es cosi cosa me di (Canc., Ubeda, 19v)
Qué es cosi cosa Pascual (*Canc.*, Ubeda, 19v)
Qué es cosicosa (*Toledano*, 55v)
Qué es cosicosa me di (Vergel, Ubeda, 17v)
Qué es cosicosa Pascual (*Vergel*, Ubeda, 17v)
Qué es de aquel grande recato (*Fuenmayor*, p. 286)
Qué es de la fe que me diste (MP 2803, 166v)
Qué es de la fe que me distes (*Cid*, 242v)
Qué es de la vida y la fe (*CG* 1511, 129v)
Qué es de los saltos que dabas (PN 371, 20)
Qué es de los saltos que dabas (Sevillano, 202)

Qué es de mi contento (RG 1600, 152v)
Qué es de ti mi reino antiguo (*Padilla*, 233)
Qué es del aire sosegado (Vergel, Ubeda, 171)
Qué es del hablar regalado (MN 3968, 141v)
Qué es el birlo de una pieza (*Sevillano*, 280v)
Qué es ese mal gentilhombre (Toledano, 36)
Qué es esto Qué has amor Quién te ha cansado (*Jesuitas*, 479v)
Qué es esto Yo en qué me fundo (*Jesuitas*, 237v)
Qué es esto carne di quién te ha subido (FN VII-353, 62)
Qué es esto ciego Amor que ya no vales (*Obras*, Silvestre, 365v)
Qué es esto dime Juan Mi fe la muerte (MN 2973, p. 355)
Qué es esto dios de Amor que ya no vales (*Cid*, 143v)
Qué es esto dios de Amor que ya no vales (*Morán*, 165)
Qué es esto dios de Amor que ya no vales (NH B-2558, 36v)
Qué es esto entendimiento Estás dormido (*Rosal*, p. 100)
Qué es esto eterno Dios Has olvidado (MN 2973, p. 20)
Qué es esto Gil que ya no sale al prado (*Tesoro*, Padilla, 237v)
Qué es esto gran señor que os ha movido (*Vergel*, Ubeda, 39)
Qué es esto noble señor (MN 3691, 30)
Qué es esto pensamiento (*RG* 1600, 332)
Qué es esto pensamiento (TorN 1-14, 4r 28)
Qué es esto que se siente y se padece (FR 3358, 112)
Qué es esto vanos pensamientos míos (MN 2856, 58)
Qué es esto vanos pensamientos míos (SU 2755, 37v)
Que es forzoso rendirse y sujetarse (*Rosal*, p. 103)
Qué es hombre o mujer lo que han colgado (*Lemos*, 211v)
Qué es la causa mi Lucía (MP 570, 134)
Qué es la causa que nadie en este mundo (*Rojas*, 122)
Qué es la cosa en esta vida (*Flor de enamorados*, 45v)
Qué es la cosa que en muriendo (*CG* 1514, 138v)
Qué es la cosa que muriendo (MN 1317, 439v)
Qué es lo que piensas Fortuna (*Ixar*, 239v)
Qué es mi vida preguntáis (*Colombina*, 24v)
Qué es quesicosa / ser mujer madre y esposa (*Padilla*, 58v)
Qué es tu galardón (*Lemos*, 121)
Qué es ver A Callarla quiero (*RG* 1600, 288)
Qué es ver la clavelina o blanca rosa (*Cid*, 119)
Qué es vuestro intento Señor (*Canc.*, Ubeda, 43v)
Qué es vuestro intento Señor (*Vergel*, Ubeda, 77)
Qué esfera es ésta de fogoso aliento (*Lemos*, 154)
Qué esfera es ésta de fogoso aliento (*Penagos*, 193)
Qué esfuerzo puede ser tal (*CG* 1511, 128v)
Que espelho clarificado (MP 1578, 244)
Qué esperanza terné yo (*CG* 1514, 109)
Qué espíritu inmortal Virgen María (*Canc.*, Ubeda, 134v)
Que esté mi gloria en no decir mi pena (*RH*, 206)

Que esté por tiempo escondida (MP 2459, 61)
Que esto es la condición (PBM 56, 56)
Que excusar tan fuerte pena (*CG* 1511, 152)
Qué ferem del pobre Joan (*Uppsala*, n. 30)
Qué festivo el arroyuelo (PN 418, p. 331)
Qué firmeza madre mía (TorN 1-14, 19)
Que forte fortuna sigo (*Faria*, 101v)
Que Francisco rey francés (FN VII-354, 402)
Qué fuego quemó jamás (*Sevillano*, 236)
Qué fuerza habrá que resista (MN 4127, p. 101)
Qué furia es ésta corazón cuitado (*Canc.*, Maldonado, 84)
Qué ganó tu pensamiento (*Sevillano*, 197)
Qué gloria gozara (*Rojas*, 43v)
Qué gloria ni qué dicha (*RG* 1600, 95)
Qué gloria puede esperar (*CG* 1511, 127)
Qué gloria puede esperar (OA 189, 331v)
Qué gloria puede esperar (PN 307, 233v)
Qué gloria siente y bienaventuranza (FN VII-353, 28v)
Qué gracia tienes Pascuala (MP 570, 128v)
Qué gracias tienes Pascuala (*Sevillano*, 53)
Qué gran posesión o espectativa (MN 3700, 169v)
Qué grande es la fuerza (MP 1587, 193v)
Que grande senseboria (*Corte*, 62)
Qué guirnalda tan galán (*Sevillano*, 140)
Que há de fazer ou cuidar (*Borges*, 57v)
Qué ha de hacer mi alma en tu partida (MN 1132, 62v)
Qué habéis sacre soberano (*Canc.*, Ubeda, 11)
Qué habéis sacre soberano (*Vergel*, Ubeda, 13)
Qué habéis visto Dios en mí (*Jesuitas*, 241r)
Qué hace acá mujer mía (MBM 23/4/1, 173)
Qué hace acá mujer mía (PN 372, 18v)
Que hace acá mujer mía (RV 1635, 53)
Qué hace el gran señor de los romanos (BeUC 75/116, 28v)
Qué hace el gran señor de los romanos (FN VII-354, 123)
Qué hace el gran señor de los romanos (MBM 23/8/7, 41)
Qué hace el gran señor de los romanos (MN 3670, 85, 131)
Qué hace el gran señor de los romanos (MN 3968, 15v)
Qué hace el gran señor de los romanos (MN 4256, 91)
Qué hace el gran señor de los romanos (MN 4262, 32)
Qué hace el gran señor de los romanos (MN 4268, 27)
Qué hace el gran señor de los romanos (MP 1578, 64, 196)
Qué hace el gran señor de los romanos (MP 2805, 103v)
Qué hace el gran señor de los romanos (MRAH 9-7069, 15)
Qué hace el gran señor de los romanos (OA 189, 199)
Qué hace el gran señor de los romanos (PhUP1, 28)
Qué hace el gran señor de los romanos (PN 258, 46)
Qué hace el gran señor de los romanos (PN 311, 66v)
Qué hace el gran señor de los romanos (RV 768, 41)
Qué hace tu majestad (*Sevillano*, 163)

Qué hace vuestra merced (*Toledano*, 33)
Qué hacéis allí mi bien (*Sevillano*, 258)
Qué hacéis boticaria amiga (*Jacinto López*, 201v)
Qué hacéis boticaria mía (MP 973, 405v)
Qué hacéis boticaria mía (RaC 263, 91)
Qué hacéis decí mi bien (MP 973, 114v)
Qué hacéis hermosa Mírome a este espejo (RaC 263, 117)
Qué hacéis hombre Estoyme calentando (FR 3358, 116v)
Qué hacéis señora Mírome al espejo (FN VII-354, 255)
Qué hacéis señora Mírome al espejo (FR 3358, 101)
Qué hacéis señora Mírome al espejo (MN 3913, 44)
Qué hacéis señora Mírome al espejo (MN 3968, 156)
Qué hacéis zapatero mocoso (RaC 263, 141)
Qué haces Bandolino Estoy llorando (*Jacinto López*, 7v)
Qué haces buen amigo Suspirando (RV 1635, 40v)
Qué haces hombre Estoyme aquí sentado (MN 3913, 39)
Qué haces hombre Estoyme aquí sentado (*Obras*, Cepeda, 105v)
Qué haces hombre Estóyme calentando (FR 3358, 116v, 177)
Qué haces hombre Estoyme calentando (*Morán*, 18v)
Que haces hombre Estoyme calentando (NH B-2558, 44)
Qué haces hombre di Estoy descansando (*Jacinto López*, 275)
Qué haces hombre di Estoyme calentando (*Sevillano*, 225)
Qué harán dos corazones (RV 1635, 50)
Qué harán dos corazones (*Sevillano*, 253v)
Qué harán dos corazones (*Tesoro*, Padilla, 213v)
Qué harán dos que Amor halla (RaC 263, 75v)
Qué harán dos que Amor halla (RV 1635, 50)
Qué harán dos que Amor halla (*Tesoro*, Padilla, 213v)
Qué harán dos que el amor halla (*Sevillano*, 225)
Qué harán los que pudieren (*Flor de enamorados*, 69v)
Qué harán mis ovejas (MoE Q 8-21, p. 187)
Qué haré Amor que muero (*Evora*, 31)
Qué haré con mis pasiones (*Peralta*, 14v)
Qué haré de mí sin vos (*Lemos*, 72)
Qué haré Mingo que muero (PN 371, 42)
Qué haré sin mí y sin ti (*Morán*, 15)
Qué haré yo señor teniente (MN 3700, 126v)
Qué hecho tan esclarecido (MP 617, 88v)
Qué hermosa es la primera (*Vergel*, Ubeda, 100v)
Qué hermosa fueras Belilla (*Sablonara*, 30)
Qué hermosura o qué talle (*Fuenmayor*, p. 278)
Qué hombre es éste Un angel disfrazado (*Jesuitas*, 350r)
Qué hombre es éste Un ángel disfrazado (MP 3560, 44v)
Qué honrado era Madrid Dios la perdone (FN VII-354, 253v)
Qué humanos ojos quedarán enjutos (MiB AD.XI.57, 9v)
Qué importa que maldicientes (*Lemos*, 260)
Qué importa que mis suspiros (MN 17.557, 62)

Tabla 249

Qué importa que mis suspiros (MN 4127, p. 149)
Qué importa que mis suspiros (*RG* 1600, 87v)
Qué importa que tenga el nombre (FN VII-353, 313v)
Qué importa que yo te diga (*RG* 1600, 87v)
Qué inconstante es el Amor (MP 2803, 111v)
Que jamás mi pensamiento (*Colombina*, 46v)
Que la esperanza de su ilustre estribo (MN 3902, 125v)
Que la esperanza perdida (*CG* 1511, 146v)
Que la misma condición (*CG* 1514, 109v)
Que la muerte muy traidora (*Colombina*, 72)
Que la que de un bote fuere (*Heredia*, 191v)
Qué lágrimas qué ansias qué suspiros (PN 371, 92)
Qué largas manos tenéis (PN 371, 10v)
Que las damas de la corte (MN 17.557, 89v)
Que las manos tengo blandas (*Heredia*, 184v)
Que las manos tengo blandas (MN 5593, 73)
Qué lástima traigo Juan (OA 189, 325)
Qué lástima traigo Juan (PN 307, 305)
Que le di la fe con desgaire (*Penagos*, 84)
Qué le digo a gentil hombre (MN 4127, p. 190)
Qué le faltara al hombre si pudiera (MN 6001, 62v)
Que le maldigamos (*CG* 1557, 393)
Qué le va a mi suerte dura (PN 372, 318)
Qué lejos está un necio de entenderse (*Obras*, Silvestre, 362)
Qué lengua habrá de provecho (*Fuenmayor*, p. 338)
Qué lengua habrá en el mundo tan bastante (MP 644, 195)
Qué lengua habrá que os alabe (*Canc.*, Ubeda, 119)
Qué lengua habrá que os alabe (*Morán*, 133)
Qué lengua habrá que os alabe (*Vergel*, Ubeda, 128)
Qué lengua humana y pequeña (*CG* 1535, 200)
Qué lengua podrá cobrar (MP 617, 180v)
Qué letrado puede ser (MP 644, 203v)
Qué ley de Amor o qué razón consiente (*Tesoro*, Padilla, 182)
Que lhevas crua Morte O claro dia (EM Ç-III.22, 8)
Que lhevas crua Morte O claro día (EM Ç-III.22, 8)
Qué linda que eres Pascuala (*León/Serna*, 111)
Qué lleva el señor Esgeva (FN VII-353, 30r 257)
Que los contentos de amor (*Tesoro*, Padilla, 120)
Que lucida es el alma con que vivo (*Tesoro*, Padilla, 123)
Que lugar tempo estado o esperança (*Faria*, 57)
Qué Lupercio Liñán o qué Padilla (MN 2856, 95v)
Que luve quanto devo manda amor (EM Ç-III.22, 21v)
Qué mal agüero (*RG* 1600, 95v)
Qué mal es ése que sientes (*Sevillano*, 247)
Qué mal es éste que siento (*Obras*, Silvestre, 96v)
Qué mal es éste que siento (PN 372, 284v)
Qué mal me podéis hacer (*CG* 1511, 149)
Qué mal me podéis hacer (*Colombina*, 53)
Qué mal me podéis hacer (MP 617, 167v)

Qué mal parece la gala (*Morán*, 36v)
Qué mal puede ser mayor (*CG* 1511, 126v)
Qué mal se puede igualar (*Padilla*, 20v)
Qué mar es éste Amor qué confianza (MN 3700, 164v)
Qué maraña y qué primor (*Sevillano*, 63v)
Qué maravilla vio jamás la tierra (MN 17.951, 81v)
Qué más gloria que miraros (MBM 23/4/1, 137)
Qué más gloria que miraros (*Sevillano*, 290v)
Qué más le puede tener (*Sevillano*, 201)
Qué más pena puede haber (*Padilla*, 21)
Qué más puede hacer amor (*Vergel*, Ubeda, 79)
Qué más queréis de haberme desterrado (MP 570, 252v)
Qué más querrá que un firme pensamiento (MN 3700, 104)
Qué más quiere que morir (*Morán*, 104)
Qué más quiere que morir (WHA 2067, 99v)
Qué más quieres de un cordero (*Canc.*, Ubeda, 149)
Qué mayor desaventura (*Flor de enamorados*, 91v)
Qué mayor desventura (*CG* 1511, 147)
Qué mayor mal puede haber (*Morán*, 55v)
Qué mayor muestra de amor (*Canc.*, Ubeda, 53)
Qué mayor muestra de amor (*Vergel*, Ubeda, 78v)
Qué mayor pena y tormento (*Padilla*, 246)
Que me crece la barriga (*Heredia*, 84v)
Que me da que se me dé (*Corte*, 221)
Qué me darés (*Toledano*, 50v)
Qué me lamentáis la tórtola triste (*Toledano*, 89v)
Que me maten la dije (MN 3725-1, 26)
Que me muero de gusto morena de oro (MN 3913, 72v)
Que me muero madre (WHA 2067, 1v)
Que me muero morena (FN VII-353, 201v)
Qué me pides di carillo (MP 570, 133)
Que me pode valer se me não vale (EM Ç-III.22, 3)
Qué me quedo por hacer (*Evora*, 14v)
Qué me queréis caballero (*Heredia*, 140)
Qué me queréis caballero (*Padilla*, 250v)
Qué me queréis desdichas (PN 418, p. 228)
Qué me queréis pensamientos (MP 1587, 182)
Que me quereis perpétuas saudades (*Borges*, 70v)
Qué me quiere este deseo (MN 3913, 77v)
Qué me quieres Amor di qué me quieres (*Corte*, 235)
Qué me quieres oh vago pensamiento (MN 4127, p. 208)
Qué me sirven mis cabellos (PN 373, 106)
Qué me sirven mis cabellos (RaC 263, 85v)
Qué me vale desear (RaC 263, 77)
Qué mejor loor de nos (*CG* 1535, 191v)
Que mi dama dé favores (MP 570, 104)
Que mi pena dolorida (*CG* 1511, 147)
Que mi secreta tristura (*CG* 1511, 146v)
Que miraba la mar (FN VII-353, 174v)

Qué miráis caballero (*Flor de enamorados*, 82)

Que mis ojos cuando vieron (CG 1511, 208v)

Qué monstruo es este o qué invisible fiera (Canc., Maldonado, 189)

Que morir para perderos (CG 1511, 128)

Qué mucho es que padezca detrimento (*Jesuitas*, 362r)

Qué mucho si el vituperio (*Fuenmayor*, p. 422)

Qué mucho si el vituperio (*Jesuitas*, 460r)

Qué muestra de dolor y de tristeza (*Obras*, Cepeda, 109)

Qué música qué pompa qué grandeza (MN 17.951, 71v)

Que muy mejor me sería (PN 371, 57v)

Que não parece razão (PBM 56, 32)

Que não tem conhecimento (PBM 56, 120v)

Qué necio estás Amor y que engañado (Obras, Silvestre, 378)

Qué necio que era yo antaño (*Peralta*, 88)

Que ni duermen los mis ojos (PN 314, 58v)

Qué niebla qué confusión (*Obras*, Silvestre, 49v)

Que no cogeré yo claveles (RG 1600, 327v)

Que no cogeré yo verbena (MN 3913, 50)

Que no cogeré yo verbena (MP 996, 120v)

Que no cogeré yo verbena (RG 1600, 327v)

Que no dormiré sola no (RaC 263, 180v)

Que no es para cada día (TorN 1-14, 3)

Que no hay amor que todo es burlería (*Morán*, 13v)

Que no hay quien baste (RG 1600, 161v)

Que no hay quien quiera (RG 1600, 138)

Que no hay tal andar (MoE Q 8-21, p. 166)

Que no hay tal vida en esta vida (RC 625, 50v)

Que no me desnudéis (*Recopilación*, Vázquez, 31v)

Que no me llevéis marido a la boda (Jacinto López, 65v), *ver* No me llevéis

Que no os engaño señor (MP 570, 123v)

Que no pueda [folio roto] (*Lemos*, 120)

Que no puede navegar (Toledano, 31v)

Que no puede ser señor licenciado (MP 1587, 184)

Que no puede ser señor licenciado (*Romancero*, Padilla, 299)

Que no puedo penar cuánto (CG 1511, 129v)

Que no quiero amores (CG 1557, 389v)

Que no quiero no casarme (*Jhoan López*, 2), *ver* Si el marido ha de mandarme

Que no sabéis que es (RC 625, 24)

Que no se ha de presumir (Uppsala, n. 6)

Que no se hicieron Pascuala (*Enredo*, Timoneda, 4v)

Que no se hicieron Pascuala (*FRG*, p. 200), *ver* No se hicieron

Que no sé hilar / ni aspar ni devanar (Colombina, 100v)

Que no sois vos a quien vengo (Peralta, 100)

Que no son amores (*Lemos*, 93)

Que no son del oro no (RaC 263, 75), *ver* No son de

Que no tengo culpa yo (PN 314, 183v)

Que no vengo con querellas (MP 617, 83v)

Qué noche tan mal dormida (*CG* 1511, 105)

Qué notable suspensión (MN 3913, 119, 129v)

Qué novedad es ésta de natura (*Obras*, Cepeda, 108v)

Que novo variar de pensamento (*Corte*, 216v)

Qué nube turbia con humor malino (MN 3902, 115v)

Que nunca falta un Gil que me persiga (*Tesoro*, Padilla, 364v), *ver* Que nunca habrá

Que nunca fue en las guerras descuidado (Jhoan López, 7)

Que nunca habrá un Gil que me persiga (*Tesoro*, Padilla, 364v), *ver* Que nunca falta

Que nunca hubiera morir (*Heredia*, 1)

Que nunca hubiera morir (MN 5593, 12)

Que nunca se asegura quien se ausenta (Romancero, Padilla, 140v)

Que oiráis mis querellas (*Lemos*, 121)

Que oiráis mis querellas (*Penagos*, 84v)

Qué ojos tan sin razón (Sevillano, 272)

Qué olas de congoja (MN 3725-1, 17)

Qué olas de congojas (RG 1600, 236)

Qué os empeñéis oh mi Dios (Canc., Ubeda, 43v)

Que os empeñéis oh mi Dios (Vergel, Ubeda, 77)

Que os fatigue a vos la bella (MN 3968, 175v)

Que os fatigue a vos la bella (*Obras*, Silvestre, 148v)

Que os fatigue a vos la bella (PN 372, 177)

Qué os parece Antón decí (MP 973, 300)

Qué os parece Antón decí (*Penagos*, 84v)

Que os perdáis (Toledano, 41)

Que os vea el hombre en un portal (*Canc.*, Ubeda, 13v)

Que os vea hombre en un portal (*Vergel*, Ubeda, 14)

Que pago de mi afición (CG 1511, 123), *ver* En pago

Qué pago me diste (Cid, 175v)

Que para todo hay lugar (MN 3700, 123)

Que pare hombre María (MN 17.951, 90)

Qué pena daré a mis ojos (PN 307, 303)

Qué pena es la que sentís (*Flor de enamorados*, 89)

Qué pena le pueden dar (Morán, 22)

Qué pena se da en infierno (CG 1554, 18)

Qué pena se da en infierno (MN 1132, 148v)

Qué pequeñeces qué grandeza (MN 17.951, 55v)

Qué pequeñez qué grandeza (*Jesuitas*, 127r)

Qué pequeñez tan grande qué grandeza (MN 17.951, 73)

Qué perdáis el alegría (*Sevillano*, 295v)

Qué perdáis el alegría (WHA 2067, 38)

Qué pérdida qué mal qué sentimiento (TP 506, 126v)

Qué perla tendrá el Indo mar o el Moro (*Canc.*, Maldonado, vii)

Que pida a un galán Minguilla (*Penagos*, 73v)

Tabla 251

Qué piensas Juan la mano en la mejilla (MN 3806, 26)
Qué placer y risa (Sevillano, 171v)
Que poderei do mundo já querer (*Borges*, 67v)
Que por lo que tu comiste (CG 1514, 14v)
Que por mayo era por mayo (*CG* 1511, 136)
Que por mayo era por mayo (MN 3724, 161)
Qué presentáis Virgen (*Sevillano*, 180)
Que pretenda dos años ser cornudo (MN 3670, 18)
Qué princesa habrá en el mundo (Sevillano, 148v)
Qué pudo darnos Dios que no nos diese (*Vergel*, Ubeda, 69v)
Qué pudo hacer que no hiciese (Vergel, Ubeda, 80v)
Que pueda la memoria (FR 2864, 24)
Qué puede la memoria (*Cid*, 94v)
Qué puedes aventurar (Padilla, 119v)
Qué puedes desear oh pensamiento (MN 3902, 21v)
Que pues malograda la come la tierra (Rojas, 23v, 140v)
Que pues no he hecho mal a nadie (FN VII-353, 150)
Que pusiese nombre eterno (MP 2459, 55)
Que quer Amor de mim que já não tenha (EM Ç-III.22, 18)
Qué queréis caballero (Padilla, 250v)
Que quien piensa que os alaba (CG 1535, 191v)
Qué rabioso mal esquivo (*CG* 1554, 127v)
Qué rabioso mal esquivo (MP 617, 295v)
Qué razón podéis tener (*Recopilación*, Vázquez, 8, 26)
Que razones tendrá para quejarse (*Corte*, 230v)
Qué regalo hay en la tierra (Padilla, 10)
Qué remedio Gil me di (*León/Serna*, 96v)
Qué remedio para usar (*Peralta*, 23v)
Qué remedio puede haber (Obras, Cepeda, 113)
Qué remedio puede haber (Padilla, 234)
Qué remedio qué favor (PN 307, 324v)
Qué remedio tomaré (*Enredo*, Timoneda, 10)
Qué remedio tomaré (*FRG*, p. 213)
Qué remédio tomarei (*Corte*, 49v)
Qué rostro tan acabado (MP 617, 214v)
Qué santo o qué gloriosa (FN VII-354, 372)
Qué santo o qué gloriosa (MN 3698, 186)
Que se case un don Pelote (*RG* 1600, 83v)
Qué se hizo Juan tu placer (*Medinaceli*, 8v)
Qué se hizo lo pasado (*Ixar*, 153)
Qué se hizo tu postura (Medinaceli, 8v)
Que se junte una cuadrilla (MN 3670, 1)
Qué se le da a mi madre (Jacinto López, 318)
Qué se le debe a un pastor (*Vergel*, Ubeda, 58v)
Qué se le debe al pastor (*Sevillano*, 142v)
Que se nos va la Pascua mozas (*Jacinto López*, 21)
Que se nos va la Pascua mozas (MP 973, 387v)
Que se nos va la Pascua mozas (*RG* 1600, 38)
Qué se os da a vos Don Miguel (MN 3670, 1)

Qué se podrá decir que no sea poco (Fuenmayor, p. 11)
Que se salga el alma mía (MBM 23/4/1, 367v)
Que se salga el alma mía (PN 372, 286)
Que seja cousa tão dura (*Borges*, 59)
Qué sentís corazón mío (*CG* 1511, 148v)
Qué sentís corazón mío (*Elvas*, 56v)
Qué sentís corazón mío (*Lemos*, 98)
Qué sentís corazón mío (PBM 56, 57v-58)
Qué sentís corazón mío (*Recopilación*, Vázquez, 18)
Qué sentiste aquel día (CG 1511, 148v)
Qué sentiste cuando viste (MP 617, 172)
Qué sentiste Pablo che (WHA 2067, 30)
Qué sentistes aquel día (PBM 56, 58)
Qué sentistes aquel día (Recopilación, Vázquez, 18)
Qué sentistes aquel disanto (WHA 2067, 30)
Qué sepultura es ésta tan pomposa (TP 506, 326)
Qué será mayor mal mayor castigo (MN 3700, 83)
Que si así el tiempo pasa (RG 1600, 233)
Que si de los ojos (RaC 263, 78v)
Que si descubrir hubiese (PBM 56, 22)
Que si el morir despartiese (CG 1511, 125)
Que si el perder la vida (CG 1511, 147v)
Que si el perder la vida (*Heredia*, 182v)
Que si en mi servir parece (CG 1511, 80)
Que si eres Marte en la guerra (RG 1600, 66v)
Que si esto no pensara (PN 371, 4v)
Que si la muerte pidiere (Recopilación, Vázquez, 25)
Que si lo falso se tira (CG 1511, 126)
Que si los ojos prendiesen (CG 1511, 125)
Que si mi memoria fuera (CG 1554, 107)
Que si mi servir parece (MP 617, 154)
Que si mío fuera el mal (WHA 2067, 104v)
Que si pones dilación (*Elvas*, 95v)
Que si verde era la ribera (MP 996, 160v)
Que si verde era la verbena (MN 17.556, 150)
Que si voluntad hallara (MP 617, 208)
Que si yo lloro madre (*Jesuitas*, 446r)
Que si yo vida tuviera (CG 1511, 124, 199)
Qué sientes Albaicín Estoy doliente (*Obras*, Silvestre, 378v)
Qué sientes alma mía que me voy (NH B-2558, 37)
Qué sientes hermano Blas (*Obras*, Silvestre, 116v)
Qué sientes sin compañía (*Toledano*, 48)
Qué signo celestial o qué planeta (MN 2973, p. 385)
Que sirva yo una mujer (Rojas, 158v)
Qué sirve tener conmigo (PN 373, 106)
Qué soberbio está el poeta (*RG* 1600, 310v)
Que sobre la cuarta esfera (MN 3913, 52v)
Que sois grande Juan mostráis (*Fuenmayor*, p. 71)
Qué solíades vos ser (MN 5593, 107v)

Qué son de aquellos favores (MP 1587, 141)

Qué son de tus gallardías (*Fuenmayor*, p. 286)

Qué son de tus gallardías (WHA 2067, 15v)

Qué suena Gil en el hato (*Jesuitas*, 483v)

Qué suena Gil en el hato (*Vergel*, Ubeda, 5)

Qué suena Gil en el hato / Blas que nació un donzel (*Canc.*, Ubeda, 7v, 25)

Qué suerte puede haber de desventura (*Tesoro*, Padilla, 161)

Que sufra yo sin razones (*Rojas*, 158v)

Que sufra yo un desengaño (*Rojas*, 159)

Qué tal comida es ésta Es muy subida (*Jesuitas*, 447r)

Qué tal comida es ésta Es muy subida (MN 17.951, 69v)

Que tal debe ser el daño (CG 1511, 146v)

Qué tal puede llegar el que ha perdido (*Lemos*, 12)

Que tan mal (MN 3700, 178)

Que tan ricos y llenos (TP 506, 296)

Qué te agrada di carillo (MP 2803, 148)

Qué te ha dado Teresilla (MBM 23/4/1, 324)

Qué te hice vil Fortuna (*Jacinto López*, 211)

Qué te hice vil Fortuna (MN 17.556, 159)

Qué te hice vil Fortuna (MP 973, 409)

Qué te hice vil Fortuna (*RG* 1600, 42v)

Qué te importa ser casada (MP 1587, 39v)

Qué te ofreceré yo ahora (WHA 2067, 34)

Qué te pones en la cara (*Canc.*, Maldonado, 49)

Qué te trae descolorida (*Penagos*, 80)

Qué tenéis Virgen sagrada (*Sevillano*, 162)

Que tengáis Príncipe fe (*Rosal*, p. 1)

Que tengo de morir que ha de acabarse (MiB AD.XI.57, 27)

Que teniendo en sí el poder (MP 617, 166v)

Qué terrible concierto (CG 1511, 130v)

Qué tiempos qué movimientos (PN 307, 238v)

Qué tiene el cura en tu casa (MP 2803, 204v)

Qué tienes pastor (*Sevillano*, 230v)

Que tocan al arma hermana (MP 996, 131), *ver* Ay que tocan al arma

Que tocan al arma hermana (*Penagos*, 128v)

Que tocan al arma hermana (RaC 263, 142)

Que tocan al arma hermana (*Tesoro*, Padilla, 334)

Que tocan al arma hermana (*Toledano*, 43v)

Que tocan al arma Juana (*RG* 1600, 69)

Que todas las desventuras (MN 5593, 46), *ver* Si todas

Que todo el fundamento de querello (*Padilla*, 124v)

Que todo vive y todo cabe en ella (*Romancero*, Padilla, 213)

Qué todos pudieran ver (CG 1511, 141v)

Que todos se pasan en flores (*Uppsala*, n. 6)

Que todos se van en flores (*Toledano*, 51)

Qué tormento pueden dar (MN 5593, 74v)

Qué traza es esa o qué corte (*Fuenmayor*, p. 375)

Qué triste mal de sufrir (CG 1511, 128)

Qué tumba es ésta De Filipo Augusto (MP 2456, 7)

Que un idota discante de Padilla (MN 2856, 96)

Que una serpiente de metal forjada (*Fuenmayor*, p. 242)

Qué vale cuanto ve (FN VII-354, 365)

Qué vale cuanto ve (MN 3698, 158v)

Qué vale en el fervor de mediodía (MN 17.951, 87)

Qué ve la imagen de la muerte dura (MN 1132, 34)

Qué ventura fue alcanzar (PN 371, 29)

Qué verán mis ojos (*Jacinto López*, 184v)

Qué verdadero dolor (FN VII-353, 29v)

Qué veré que me contente (*Corte*, 121v)

Qué vida será que sea (CG 1511, 138v)

Qué vida tendrá sin vos (CG 1511, 138v)

Qué viento levanta el vuelo (TorN 1-14, 22)

Qué virtud magno Carlos no florece (MP 3560, 62v)

Que vistes meus olhos (WHA 2067, 130)

Qué vistes zagal Pellico (MN 17.951, 103)

Que viva yo con engaño (MN 17.557, 75v)

Que vos farei meu cuidado (*Corte*, 55v)

Que vos majestad divina (MN 17.951, 101v)

Que voy ver a mis amores (*Lemos*, 106)

Que vuelva amor y me revuelva el cielo (FR 3358, 98)

Que vuestro merecimiento (CG 1511, 150)

Que ya no verán mis ojos (*Cid*, 185v)

Que yo mi madre yo (*Recopilación*, Vázquez, 7v)

Que yo no entiendo al amor madre (MP 1587, 104), *ver* No le entiendo

Que yo por mi mala suerte (CG 1511, 122)

Que yo sin bocas tuviese (*Corte*, 138)

Que yo vi tu Antonilla (PBM 56, 92)

Quebró su lanca y escudo la grandiosa (TP 506, 325v)

Quedá junto no me toquéis (*Padilla*, 85v), *ver* Quedito

Queda mi rostro de temor turbado (*Morán*, 20v)

Queda sin jamás pintarse (MP 617, 213v)

Queda sin jamás pintarse (TP 506, 397)

Quedad a Dios cabaña muy amada (*Cid*, 12)

Quedad ya Lisis adiós (*Padilla*, 216)

Quedáis con victoria (*Vergel*, Ubeda, 144)

Quedáisos señor Juan blanco (*Jesuitas*, 253v)

Quedamos sin alegría (*Sevillano*, 179)

Quedan de vuestra partida (CG 1511, 193v)

Quedando mi cuerpo aquí (*Jacinto López*, 55)

Quedando tan al cabo como quedo (*Lemos*, 24)

Quedando virgen entera (*Colombina*, 84)

Quedaos so ese peñasco (MN 17.556, 72)

Quedaos so ese peñasco (MP 996, 138)

Quedara contento (*Jacinto López*, 48)

Quedáramos sin consuelo (*Sevillano*, 47)

Tabla 253

Quédate a Dios y en paz (RG 1600, 153)
Quede la imagen de la muerte dura (*CG* 1554, 200)
Quede la imagen de la muerte dura (MBM 23/4/1, 71v)
Quede la imagen de la muerte dura (MN 1132, 34)
Quede la imagen de la muerte dura (MP 570, 251v)
Quédese aquí sobre estas peñas duras (*Padilla*, 225)
Quedito no me toquéis (*Peralta*, 10), *ver* Quedá junto
Quedo con penas extrañas (MN 5593, 79v)
Quedó mi cuerpo sin alma (MP 1587, 23)
Quedo triste receloso (*Elvas*, 40)
Quedo yo desconsolado (CG 1511, 150)
Quedóse Amor dormido entre unas flores (PN 373, 240v)
Quedóse vuestra hermosura (*Guisadillo*, Timoneda, 11)
Queixoso de querer sem ser querido (*Corte*, 207v)
Quejábanse mis males de Fortuna (*Lemos*, 95)
Quejábase un pastor cosa no nueva (*Cid*, 9)
Quejándose tiernamente (*Sablonara*, 66)
Quejáraste de ti mismo (RG 1600, 64v)
Quéjase que de mis ojos (Elvas, 59v)
Quéjome del dios de amor (*Lemos*, 107v)
Quejosa enojada y linda (PN 418, p. 460)
Quejosa tienes oh Lisi (PN 418, p. 199)
Quejóse el cura del Olmo (MN 3700, 75)
Quejóse el cura del Olmo (MP 996, 81)
Quejóse el cura del Olmo (*Penagos*, 125)
Quejoso está el rey francés (*FRG*, p. 24)
Quejoso está el rey francés (*Rosa Real*, Timoneda, 11v)
Quel gran Imperator q'l si honorato (MP 617, 259v)
Quem a este que na harpa lusina (*Borges*, 20)
Quem acerta de viver (Corte, 131v)
Quem cuidar e quem disser (*Corte*, (55v)
Quem desejara viver (*Borges*, 58)
Quem desmerece servindo (*Corte*, 126v)
Quem diz que com vos ver (*Borges*, 58v)
Quem diz que os perequitos e toucado (NH B-2558, 2)
Quem diz temor diz morte assim se escreve (*Corte*, 206v)
Quem do divino amor o peito enchese (*Borges*, 1)
Quem em tormento está (*Borges*, 59v)
Quem fosse acompanhando juntamente (*Borges*, 67v)
Quem jaz no grão sepulcro que descreve (*Borges*, 69v)
Quem levas ó crua morte Um claro dia (*Borges*, 71v)
Quem me dera por língua um raio ardente (*Faria*, 39v)
Quem me ora dera (PBM 56, 55)
Quem muito pode perder (*Borges*, 58)
Quem não parte na maré (*Corte*, 157v)
Quem novas me quiser dar (*Corte*, 126)
Quem ousasse de dizer (*Corte*, 126v)
Quem pode dar favor quem dar brandura (*Evora*, 41v)
Quem pode dar melhor fé (*Borges*, 58v)

Quem pode ter firmeza nem constância (EM Ç-III.22, 20)
Quem pudera dizer o que tem na alma (NH B-2558, 1)
Quem pudesse mostrar o que tem n'alma (*Faria*, 55v)
Quem pudesse ter seguro (*Corte*, 125v)
Quem puede amor negar a lo que ha sido (*Corte*, 175v)
Quem quiser comprar (PBM 56, 106v)
Quem quiser ver de amor uma excelêcia (*Borges*, 24v)
Quem se fiar em vano prazer mundano (*Corte*, 177)
Quem segues Portugal A quem me ofende (FR 3358, 93)
Quem te lovara mártir primeiro e santo (EM Ç-III.22, 40v)
Quem vai após o seu gosto (*Corte*, 1)
Quem vé señora claro y manifesto (*Corte*, 156v)
Quem viu pagar amor com aspereza (*Faria*, 49)
Queréis algo (PA 1506, p. 38)
Queréis dulce Alcida (PN 372, 21v)
Queréis mis males sabellos (CG 1511, 123v)
Queréis por aventura (*Cid*, 55v)
Queréis saber amantes una historia (PN 373, 178v, 252v)
Queréis saber señora de dó viene (MP 570, 234v)
Queréis ver amadores en qué grado (CG 1557, 357)
Queréis ver si le ha tocado (Vergel, Ubeda, 143)
Querella os damos buen rey (Toledano, 8v)
Querellas vanas vanos pensamientos (FN VII-354, 252v)
Querellas vanas vanos pensamientos (*Jacinto López*, 3)
Querellas vanas vanos pensamientos (MN 3913, 38v)
Querellas vanas vanos pensamientos (RaC 263, 118)
Querellóse ante el alcalde (MN 17.556, 168v)
Querellóse ante el alcalde (MP 996, 169)
Querelloso está Pacual (*Enredo*, Timoneda, 2v)
Querendo escrebir un día (*Tesoro*, Padilla, 261v)
Querendo escrever um dia (*Borges*, 4v)
Querer alguno bien sin ser querido (*Obras*, Cepeda, 69)
Querer bien sin ser querido (Morán, 55v)
Querer dar loanza do tanto bien sobra (CG 1511, 16v)
Querer de amor esperar (*Tesoro*, Padilla, 120)
Querer hablar me fatiga (*Jacinto López*, 236)
Querer señora contar (*Tesoro*, Padilla, 112v)
Querer vieja yo / no quiera Dios no (*Colombina*, 100)
Quererme Juana tan poco (MBM 23/4/1, 167v)
Quererme Juana tan poco (*Romancero*, Padilla, 300v)
Quereros escribir señora mía (*Tesoro*, Padilla, 150v)
Quereros para mí no es desamarme (*Corte*, 214)
Quereros para mí no es desamarme (*Faria*, 95)
Quereros yo como a mí (*Canc.*, Maldonado, 48)
Quereros yo como a mí (MP 1587, 66)
Quereros yo como a mí (*Romancero*, Padilla, 303)
Querida y celosa niña (PN 418, p. 342)
Querido manso mío que vinisteis (FN VII-353, 278)
Querido pueblo mío (*Fuenmayor*, p. 87)

Queriendo antes de tiempo Amor matarme (MBM
 23/4/1, 208v)
Queriendo antes de tiempo Amor matarme (PN 373, 209)
Queriendo despedirse (*Jacinto López*, 58v)
Queriendo Dios un hijo valeroso (*Vergel*, Ubeda, 177v)
Queriendo Dios usar de maravilla (MN 17.951, 73)
Queriendo el de Crotón pintor famoso (SU 2755, 125)
Queriendo el entendimiento (*Penagos*, 44)
Queriendo el señor del cielo (*Vergel*, Ubeda, 115v)
Queriendo eternizar vuestra memoria (*Penagos*, 146)
Queriendo hacer el Amor (*Morán*, 110v)
Queriendo hacer el Amor (MP 1578, 129v)
Queriendo hacer el Amor (PN 372, 141)
Queriendo hacer el Amor (PN 373, 105)
Queriendo hacer el Amor (RV 1635, 27v)
Queriendo hacer en vos Naturaleza (MBM 23/4/1, 92)
Queriendo hacer en vos Naturaleza (PN 373, 260)
Queriendo la pintora dar pintura (*Morán*, 19)
Queriendo la pintora dar pintura (PN 373, 253v)
Queriendo las tres parcas en su esfera (OA 189, 128v)
Queriendo Lucifer hacer su vida (MP 644, 196)
Queriendo mostrar natura (*Sevillano*, 223)
Queriendo natura un día (*Rojas*, 157)
Queriendo nuestro Dios que conociese (MP 617, 187)
Queriendo un escultor mostrar su arte (FR 3358, 158v)
Queriéndoos hoy alabar (*Jesuitas*, 177r)
Quérome chegar (*Vergel*, Ubeda, 14v)
Querrá Amor que espere nelle (PBM 56, 104)
Querría cantar amor de aquellos ojos (MP 570, 216v)
Querría contar mi vida (BeUC 75/116, 150v)
Querría contar mi vida (FN VII-354, 67v)
Querría contar mi vida (MBM 23/8/7, 213v)
Querría contar mi vida (MN 3670, 38)
Querría contar mi vida (MN 4256, 184)
Querría contar mi vida (MN 4262, 218)
Querría contar mi vida (MN 4268, 198v)
Querría contar mi vida (MP 2805, 77v)
Querría contar mi vida (MRAH 9-7069, 99)
Querría contar mi vida (PhUP1, 173v)
Querría contar mi vida (PN 258, 174)
Querría contar mi vida (RV 768, 177)
Querría saber quejarme (CG 1511, 202v)
Querría saber quejarme (*Gallardo*, 67)
Questa mia di cipreso e di genebro (MP 2459, 3v)
Qui t'a fet lo mal del peu (*Flor de enamorados*, 98v)
Qui te anguia per a cua (*Flor de enamorados*, 72)
Quien a dos amores ama (*Heredia*, 141v)
Quien a la fuerte diestra no domada (*Rosal*, p. 95)
Quien a mí quisiere (*Toledano*, 8)

Quien a tu valor se iguale (MoE Q 8-21, p. 150)
Quien a vuestras manos muere (*León/Serna*, 114v)
Quien a vuestras manos muere (PN 371, 5)
Quien a vuestras manos muere (WHA 2067, 99v)
Quien adora en vuestros ojos (MN 4127, p. 263)
Quien alabaros quisiera (CG 1535, 196)
Quien alegre no se vido (CG 1511, 128v)
Quien alegre no se vido (MP 1587, 73)
Quien alegre no se vido (*Romancero*, Padilla, 286v)
Quien ama con afición (RaC 263, 81)
Quien ama do no es querido (*Tesoro*, Padilla, 445v)
Quien ama sin ser amado (*Morán*, 22)
Quien ama sirve y padece (*Cid*, 75v)
Quien ama sirve y padece (FN VII-353, 222)
Quien ama sirve y padece (*FRG*, p. 178)
Quien ama sirve y padece (*Guisadillo*, Timoneda, 7v)
Quien ama sirve y padece (*Jacinto López*, 236)
Quien ama sirve y padece (*Morán*, 188)
Quien ama sirve y padece (*Obras*, Silvestre, 86)
Quien ama sirve y padece (PN 372, 288v)
Quien ama sirve y padece (*Sevillano*, 277)
Quien ama y se desvanece (*Rojas*, 116)
Quien ama y se desvanece (Tesoro, Padilla, 417v)
Quien amando no es amado (*Obras*, Silvestre, 114v)
Quien amor ha de sembrar (*Lemos*, 20)
Quien amores ten (*Toledano*, 8)
Quien amores tiene cómo duerme (*Recopilación*, Vázquez, 21)
Quien amores tiene de la casada (*Recopilación*, Vázquez, 21)
Quién atinará señora (*Canc.*, Maldonado, 17v)
Quien bastante puede ser (*Sevillano*, 222)
Quien belleza honra y estado (*Obras*, Cepeda, 63v)
Quien bien ama tarde olvida (*Morán*, 76v)
Quien bien amando persigue (CG 1511, 98)
Quien bien funda su esperanza (*Lemos*, 251, 257, 258, 259,
 260v, 261)
Quien bien funda su esperanza (MP 2459, 24v, 78, 79, 80,
 86, 90)
Quien bien hila y tuerce (*Jhoan López*, 141), *ver* Quien hila
Quien bien hila y tuerce (MP 973, 174)
Quien bien me quisiere (*Rojas*, 66v)
Quién busca en tierna edad ánimo fuerte (*Peralta*, 85v)
Quien busca gloria en la tierra (*Sevillano*, 177)
Quien buscara en amor contentamiento (*Jacinto López*, 46)
Quien buscare en amor contentamiento (*Tesoro*, Padilla, 9)
Quien camina sin consuelo (PN 373, 155)
Quien celos no tiene es simple (RG 1600, 315v)
Quien comenzara a decir (CG 1535, 192)
Quién como yo calla y muere (MP 1578, 58v)
Quien como yo quiero quiere (CG 1514, 109)

Tabla 255

Quién compondrá acá en el suelo (*CG* 1535, 195)
Quién compra un perrito damas (MP 973, 405v)
Quien con loco atrevimiento (*Morán*, 127v)
Quien con veros pena y muere (*Elvas*, 55v)
Quién dará a los mis ojos (*Evora*, 33v)
Quién dará a los mis ojos (MN 3902, 90)
Quién dará a los mis ojos (*Toledano*, 86v)
Quien de amor está herido (*Obras*, Cepeda, 94v)
Quien de amor libre se viere (*CG* 1511, 127)
Quien de amor y de mujeres (*CG* 1511, 178v)
Quien de aquel monte la más alta punta (MN 2973, p. 110)
Quien de aqueste pan comiese (*Sevillano*, 181v)
Quien de aquesto entiende poco (*Peralta*, 43)
Quien de bien hace esperanza (*CG* 1511, 124)
Quién de ciento del rebaño (*Sevillano*, 142v)
Quien de esta divina planta (MP 2459, 114)
Quien de hembras se sabe aprovechar (RaC 263, 82v)
Quien de los Alpes celestes influye (*CG* 1511, 2v)
Quién de manjar tan suave (*Canc.*, Ubeda, 58)
Quién de manjar tan suave (*Vergel*, Ubeda, 74v)
Quien de nuestra fe es el sello (*CG* 1511, 17)
Quien de tal Virgen fue escogido esposo (*Vergel*, Ubeda, 161)
Quien de tantos burdeles ha escapado (FN VII-354, 40v)
Quien de tantos burdeles ha escapado (MN 3968, 58)
Quien de tantos burdeles ha escapado (MN 4256, 116)
Quien de tantos burdeles ha escapado (MN 4268, 211)
Quien de tantos burdeles ha escapado (MP 1578, 2v)
Quien de tantos burdeles ha escapado (MP 2805, 115v)
Quien de tantos burdeles ha escapado (RV 768, 262)
Quien de tantos burdeles ha escapado (TP 506, 340)
Quien de tantos burdeles se ha escapado (MBM 23/8/7, 255)
Quien de tantos burdeles se ha escapado (MN 4262, 153v)
Quien de vida me destierra (*Jacinto López*, 235v)
Quien de vos recibe un beso (*Jhoan López*, 40)
Quien de vos señora mía (*Jacinto López*, 125v)
Quien de vuestra humildad canta (*Vergel*, Ubeda, 117)
Quien deja que se apodere (*Jesuitas*, 461r)
Quién dejará de mirar (*Padilla*, 19v)
Quién dejará de mirar (*Romancero*, Padilla, 301v)
Quien dejará de mirar (*Tesoro*, Padilla, 293)
Quien desconcierta lo cierto (*CG* 1511, 178v)
Quien desde que pudo veros (MN 4127, p. 263)
Quien determina subir (MP 1587, 181v)
Quien dice mal de mujeres (*CG* 1535, 205v)
Quien dice que el ausencia causa olvido (MN 3806, 60v), *ver* Quien dice que la
Quien dice que el esperar (MP 2459, 79)
Quien dice que es locura enamorse (*Padilla*, 181v)
Quién dice que hay amor Yo que lo siento (MN 3806, 18)

Quién dice que hay amor Yo que lo siento (PN 372, 249v)
Quien dice que la ausencia causa olvido (EM Ç-III.22, 103v)
Quien dice que la ausencia causa olvido (FR 2864, 27v)
Quien dice que la ausencia causa olvido (*Jacinto López*, 162v, 163)
Quien dice que la ausencia causa olvido (*Morán*, 7v, 23v, 56, 97v, 186)
Quien dice que la ausencia causa olvido (MP 2803, 215v)
Quien dice que la ausencia causa olvido (MP 973, 193v)
Quien dice que la ausencia causa olvido (OA 189, 167v)
Quien dice que la ausencia causa olvido (*Obras*, Cepeda, 76)
Quien dice que la ausencia causa olvido (PN 371, 100)
Quien dice que la ausencia causa olvido (PN 373, 131, 261v)
Quien dice que la ausencia causa olvido (RV 1635, 37v)
Quien dice que la ausencia causa olvido (*Sevillano*, 204v), *ver* Quien dice que el, Quien dijere, Quien niega
Quien dice que las mujeres (MN 2856, 18)
Quien dice que me parto está engañado (*Morán*, 88v)
Quién dice que pasó el siglo dorado (MN 17.556, 146)
Quien dice que pobreza no es vileza (FN VII-353, 49v)
Quien dice que pobreza no es vileza (FR 3358, 110)
Quien dice que pobreza no es vileza (MBM 23/4/1, 92)
Quien dice que pobreza no es vileza (MN 17.951, 67)
Quien dice que pobreza no es vileza (MN 3968, 102)
Quien dice que pobreza no es vileza (*Morán*, 21)
Quien dice que pobreza no es vileza (MP 1587, 182)
Quien dice que pobreza no es vileza (*Rojas*, 109)
Quien dice que pobreza no es vileza (*Tesoro*, Padilla, 307v), *ver* Quien dijere que pobreza
Quien dice tierra que eres elemento (MP 2459, 110, 116)
Quien dijere después que vos nacistes (*Jhoan López*, 133v)
Quien dijere que la ausencia (MN 3724, 101)
Quien dijere que la ausencia (RG 1600, 351), *ver* Quien dice que la ausencia
Quien dijere que la ausencia causa olvido (*Toledano*, 70)
Quien dijere que pobreza no es vileza (MN 3913, 31v), *ver* Quien dice que pobreza
Quien dijo que la ausencia causa olvido (*Elvas*, 25v)
Quién dio a los santo el ser (MiB AD.XI.57, 23)
Quién dirá vuestro valor (*Fuenmayor*, p. 424)
Quien do no pudo partir sin morir (WHA 2067, 82v)
Quién duda que en el fuego de Cupido (MP 2803, 4v)
Quien duerme / quien duerme (*Sevillano*, 89)
Quien duerme quien duerme (MP 996, 96v)
Quien el linaje antiguo y decendencia (MN 2856, 49v)
Quien en dos días de amor (MN 4127, p. 216)
Quién en el agua podrá (FN VII-353, 152v)
Quien en la estéril alta inculta sierra (*Canc.*, Maldonado, 118)

Quien en la furia de tan gran tormento (*Canc.*, Maldonado, 80)

Quien en mal punto se engendra (Rosa Gentil, Timoneda, 35v)

Quien en mala tierra siembra (*Lemos*, 20)

Quien en mi cetrería siente (*Heredia*, 167v)

Quien en peligro se pone (*CG* 1514, 189)

Quien en presencia (MN 5593, 58v)

Quién encendió la llama en la pelea (FR 2864, 16)

Quién encendió la llama en la pelea (MP 570, 221v)

Quién encendió mis querellas (*CG* 1511, 187v)

Quién entenderá (MN 3670, 54v)

Quien entendiera que un pastor de caza (MN 2856, 123v)

Quién entrase a ver las rosas (PN 373, 52)

Quién era aquel caballero (WHA 2067, 112v)

Quién eres Fuego soy Dó te encendiste (MP 2803, 109v)

Quién eres di hombre Tu hechura (*Sevillano*, 224v), *ver* Quién eres hombre

Quién eres hombre Soy tu echura (MP 644, 190v)

Quién eres hombre di Soy tu hechura (*Canc.*, Ubeda, 1v)

Quién eres hombre di Soy tu hechura (FN VII-353, 9v), *ver* Quién eres di

Quién eres hombre di Yo soy tu hechura (*Jesuitas*, 480r)

Quién eres invisible y triste suerte (PN 373, 47v)

Quién eres que así espantas sólo en verte (FR 3358, 117, 178)

Quién eres tú que así espantas sin verte (*Corte*, 139v)

Quién es aquel cantor que cantaba (MN 1317, 440)

Quién es aquel en cuerpo sin alma (*CG* 1511, 158v)

Quién es aquel hueco vano (MP 644, 204v)

Quién es aquel que apalpa lo vano (*CG* 1511, 151v)

Quién es aquel que con dos doncellas (*Lemos*, 18v)

Quién es aquel que está lleno (MP 644, 204)

Quién es aquel que la mujer toca (*Flor de enamorados*, 44v)

Quién es aquel si el cual no tuviera (*Lemos*, 65)

Quién es aquel tal ligero (*Flor de enamorados*, 45)

Quién es aquel tan diestro y tal sastre (*Flor de enamorados*, 44)

Quién es aquella hija del bruto (*Flor de enamorados*, 107v)

Quién es aquella que tan mal se trata (*Lemos*, 117v)

Quién es el falso galán (MP 644, 204)

Quién es el hombre que tiene una mano (*Flor de enamorados*, 107v)

Quién es el que así viene tan pujante (MP 617, 187v)

Quién es el que engendra y no es animal (*Flor de enamorados*, 108)

Quién es el que llama a tal hora y se queja (MiT 994, 32v)

Quién es el que no siente (*Cid*, 56)

Quién es el que no siente (MP 973, 37v)

Quién es el que no siente (*Rosal*, p. 265)

Quién es el que ventura tanto aprueba (*Obras*, Silvestre, 379v)

Quién es éste que en resguardo (MP 644, 32v)

Quién es la que hoy canta (*Sevillano*, 185v)

Quién es lo más bien nacido (MP 644, 204v)

Quién es oh Nisa hermosa (MP 996, 244)

Quién es oh Nise hermosa (MP 973, 35)

Quién es oh Pirra hermosa (*Morán*, 236v), *ver* Pirra

Quien es pródigo en querer (*Romancero*, Padilla, 260)

Quién es quien luego nació (MP 644, 205)

Quién es un juego ligero (*CG* 1511, 154)

Quién es un viejo ligero (*Flor de enamorados*, 43v)

Quien espera desespera (*Morán*, 78)

Quién está acá / Quién está ahí / Si es quien es (*Toledano*, 32v)

Quién está acá / Quién está ahí / Yo soy Jesucristo abri (*Sevillano*, 165)

Quién está acá / Quién está allí / Yo soy señora (*Toledano*, 20)

Quien está apartado (*Jhoan López*, 32v)

Quien fue dueño de sí después de veros (*Tesoro*, Padilla, 157r

Quién fue tan atrevido que ha llevado (MP 617, 185)

Quien fuego de amor atiza (*CG* 1511, 142)

Quien fuera se siente (PN 371, 12v)

Quien gentil señora pierde (*Flor de enamorados*, 33v)

Quien gentil señora tiene (*Flor de enamorados*, 73v)

Quien goza de tus favores (*CG* 1511, 88v)

Quien gusta de ser ligado (*Cid*, 189v)

Quien gusta de ser ligado (RV 1635, 10v)

Quien gusta este pan sin gana (*Vergel*, Ubeda, 79)

Quien gusto en amor pretende (*Jhoan López*, 27v)

Quien ha hallado el Criador (RV 1635, 71)

Quien ha hecho mentirosa (MP 973, 403v)

Quien ha perdido un galán (*Jacinto López*, 163v)

Quien ha puesto en ti carillo (MP 570, 127v)

Quién habrá que no se asombre (*Fuenmayor*, p. 512)

Quién habrá que no se asombre (Jesuitas, 275)

Quién hace sobre el mármol tan gran duelo (MP 570, 238)

Quién hay que no haya visto en el estío (FR 3358, 155v)

Quién hay que pueda sentir (*CG* 1535, 195)

Quien hila y tuerce (*Jhoan López*, 141)

Quien hila y tuerce (*Sevillano*, 145), *ver* Quien bien hila

Quién hizo al rey celestial (*Sevillano*, 40v)

Quien horrenda tiranía (*Canc.*, Maldonado, 8v)

Quién hubiera tal ventura (MP 1587, 107)

Quién hubiere tal ventura (MN 3725-2, 5)

Quién hubiese tal ventura / sobre aguas de este mar (MP 617, 247)

Quien hurtase la olla (MP 1587, 192)

Tabla 257

Quién Ignacio robó vuestros sentidos (*Jesuitas*, 459r)

Quien las cosas mucho apura (MP 617, 214)

Quién le mete por su vida (MP 570, 180)

Quién le mete por su vida (MP 996, 214v)

Quién le quita a esta vela que dé lumbre (MN 2973, p. 17)

Quien Leocadia de vos se admira mira (*Jhoan López*, 135)

Quién levanta a los menores (Jesuitas, 253r)

Quien levantara tanto el pensamiento (PN 314, 37v)

Quien llama al partir partir (RV 1635, 26v, 70v)

Quien llama dios de amor a un rapacillo (*Peralta*, 26), *ver* Quién llamó

Quien llamó al partir partir (*Cid*, 73)

Quien llamó al partir partir (*Lemos*, 99v)

Quien llamó al partir partir (MN 3806, 160)

Quien llamó dios de amor a un rapacillo (*Jacinto López*, 228v), *ver* Quien llama

Quien llamó el partir partir (*Morán*, 88)

Quien llora a Belisa muerta (MN 4127, p. 252)

Quien madruga Dios le ayuda (MN 3913, 50)

Quien madruga Dios le ayuda (MP 996, 120)

Quien madruga Dios le ayuda (*RG 1600*, 327)

Quien mal dice y peor siente (*Gallardo*, 69v)

Quien mal te quisiere (OA 189, 52)

Quien más bien consideró (*Lemos*, 98)

Quien más encumbrado vuela (RV 1635, 44v)

Quién mató al comendador (PN 418, p. 140)

Quién me aconsejó cuitado (EM Ç-III.22, 110v)

Quién me aconsejó cuitado (*Romancero*, Padilla, 238v)

Quién me aconsejó cuitado (RV 1635, 54v)

Quién me causa este dolor (MN 17.951, 190v)

Quien me da graves pasiones (CG 1511, 141)

Quién me dará que pueda (MP 973, 25)

Quién me dará ser Fénix en la vida (MN 2973, p. 37)

Quién me dijera algún día (*RG 1600*, 331)

Quién me dijera Elisa vida mía (*Medinaceli*, 69v)

Quién me dio pena por gloria (*Toledano*, 46, 65)

Quien me hallare si es fea (*Peralta*, 100)

Quien me mirare / con tal enemiga (*Toledano*, 40)

Quien me mirare / y mal me desea (*Toledano*, 40)

Quién me otorgase señora (*Recopilación*, Vázquez, 9)

Quién me paga lo que afano (MP 617, 222)

Quién me prestará elocuencia (*FRG*, p. 103)

Quién me prestará elucuencia (*Rosa Real*, Timoneda, 62)

Quién me recibió por suyo (CG 1511, 124)

Quién me viese aquel día (PBM 56, 94v)

Quién mejorará mi suerte (MN 17.951, 190v)

Quién menoscaba mis bienes (MN 17.951, 190)

Quien merece gozar el bien de veros (*Tesoro*, Padilla, 75, 165)

Quien mereciere ver tu gran belleza (MP 2803, 225v)

Quién mira que no ciega y se amortece (*Borges*, 89v)

Quien navega por el mar (*CG 1535*, 205)

Quien ni lo uno ni lo otro pierde (RaC 263, 82v)

Quien niega que la ausencia causa olvido (MP 2803, 4v), *ver* Quien dice

Quien no conoce de vino (RC 625, 33)

Quien no es enamorado (PN 371, 12)

Quien no espera galardón (CG 1511, 152)

Quien no estuviera en presencia (*Morán*, 74v, 188)

Quien no estuviera en presencia (*Romancero*, Padilla, 237)

Quien no estuviere en presencia (CG 1511, 122)

Quien no estuviere en presencia (*Cid*, 75v, 177v, 189v)

Quien no estuviere en presencia (EM Ç-III.22, 109)

Quien no estuviere en presencia (FN VII-353, 222)

Quien no estuviere en presencia (*FRG*, p. 177)

Quien no estuviere en presencia (*Guisadillo*, Timoneda, 7v

Quien no estuviere en presencia (*Jacinto López*, 236)

Quien no estuviere en presencia (MN 3691, 55)

Quien no estuviere en presencia (MP 570, 133)

Quien no estuviere en presencia (MP 617, 153)

Quien no estuviere en presencia (OA 189, 31v)

Quién no estuviere en presencia (*Obras*, Silvestre, 86)

Quien no estuviere en presencia (*Padilla*, 47)

Quien no estuviere en presencia (*Penagos*, 43v)

Quien no estuviere en presencia (PN 372, 288v)

Quien no estuviere en presencia (RV 1635, 106)

Quien no estuviere en presencia (*Sevillano*, 277)

Quien no ha sido enamorado (*Morán*, 35v)

Quien no mira cómo toco (MN 17.951, 121)

Quien no mira cómo toco (*Obras*, Silvestre, 262)

Quién no os amará (*Vergel*, Ubeda, 20v)

Quien no os vido no dará (*Padilla*, 232)

Quien no piensa lo por venir (*FRG*, p. 254)

Quién no podrá no amaros (RV 1635, 47v)

Quien no procurare (OA 189, 52)

Quien no sabe callar no alcance nada (*Padilla*, 182)

Quien no sabe de amor (*Obras*, Cepeda, 28)

Quien no sabe de amor y sus efectos (*Jacinto López*, 1, 250)

Quien no sabe de amor y sus efectos (RaC 263, 114)

Quien no sabe del amor y sus efectos (FN VII-354, 244)

Quien no sabe qué es dolor (*Cid*, 178)

Quien no sabe qué es gloria venga y mire (MP 570, 214)

Quien no se dispone bien (*Fuenmayor*, p. 277)

Quién no se harta de males (*Colombina*, 36v)

Quien no se puede engañar (*Sevillano*, 80v)

Quien no te conociese mundo, mundo (*Jesuitas*, 266, 466v)

Quien no te conociese oh mundo oh mundo (*Obras*, Silvestre, 414v)

Quien no te precia te aprecia (CG 1511, 145v)

Quién no tendrá por partido (*Heredia*, 191)

Quien no tiene que gastar (MBM 23/4/1, 346v)

Quien no toma el bien que tiene (MP 617, 214)

Quien no vio vuestros cabellos (*Heredia*, 185v)

Quien no vio vuestros cabellos (*León/Serna*, 84v)

Quien no vio vuestros cabellos (*Morán*, 213v)

Quien no vio vuestros cabellos (*Obras*, Silvestre, 80)

Quien nos da su carne y sangre (*Vergel*, Ubeda, 83)

Quien nuevas de corte tiene (*Jesuitas*, 202r)

Quién nunca os conociera (MN 5593, 84)

Quién nunca tal hurto ha visto (*Vergel*, Ubeda, 46v)

Quien nunca tuvo fortuna (PN 373, 157v)

Quien nunca tuvo pasión (CG 1511, 193v)

Quien nunca vio pastorcica (*Canc.*, Ubeda, 91)

Quien nunca vio pastorcica (MN 17.951, 36v)

Quien nunca vio pastorcica (*Vergel*, Ubeda, 101)

Quien oro no tuviere no se entone (*Rojas*, 115v)

Quien os apartó de mí (*Flor de enamorados*, 34)

Quién os dijo mal de mí (*Flor de enamorados*, 94)

Quién os engañó hermana Estefanía (*Morán*, 230)

Quién os engañó señor (*Cid*, 66)

Quién os engañó señor (*Jacinto López*, 43)

Quién os engañó señor (*Morán*, 12)

Quién os engaño señor (MP 973, 62v)

Quién os engañó señor (MP 996, 210)

Quién os engañó señor (*Rojas*, 34)

Quién os engañó señor (RV 1635, 20)

Quién os ha mal enojado (*Heredia*, 99v)

Quién os hizo Rey del cielo (*Sevillano*, 40v), ver Quién os trajo

Quién os trae mi Redentor (*Vergel*, Ubeda, 20)

Quién os trajo Rey del cielo (*Sevillano*, 149v), *ver* Quién os hizo

Quién oyó zagales (MN 3700, 207v)

Quien para tirar estira (CG 1554, 65v)

Quien pena sepa mi pena (CG 1511, 142v)

Quien pensando mereceros (TorN 1-14, 9)

Quien perdió lo que yo hallé (*Jacinto López*, 163v)

Quien pide más de su dama (*Tesoro*, Padilla, 482v)

Quien pierde por vos la vida (*Morán*, 138v)

Quien pierde por vos la vida (RV 1635, 109)

Quien pocas cosas procura (RV 1635, 109)

Quién poder amor negar a lo que ha sido (*Corte*, 186)

Quién podrá decir de vos (*Fuenmayor*, p. 545)

Quién podrá no amaros (*Cid*, 39, 180)

Quién podrá no amaros (*Morán*, 104v)

Quién podrá no amaros (MP 1587, 182v)

Quién podrá no amaros (*Obras*, Silvestre, 109v)

Quién podrá no amaros (*Vergel*, Ubeda, 20v)

Quién podrá olvidaros (*Padilla*, 92v)

Quién podrá olvidaros (RV 1635, 22v)

Quién podrá Virgen y Madre (CG 1535, 191)

Quien por bien servir alcanza (CG 1511, 122)

Quien por Dios pierde la vida (*Jesuitas*, 444v)

Quien por libre no se tiene (CG 1511, 124v)

Quien por veros pena y muere (PBM 56, 4v-5)

Quien por vos el seso pierde (*Morán*, 51v)

Quien por vos no tiene pena tiene culpa (MN 3902, 81v)

Quien por vos pena y muere (PBM 56, 5)

Quien por vos pierde la vida (MP 617, 158)

Quien por vos pierde la vida (*Obras*, Cepeda, 86)

Quien por vuestra causa muere (*Morán*, 89)

Quien presume de loaros (CG 1511, 131)

Quien pretende lo imposible (MP 1587, 181v)

Quién pretende mayor gloria (*León/Serna*, 114v)

Quien pretende subir (*León/Serna*, 113v)

Quien pretendiere nadar (MoE Q 8-21, p. 10)

Quien pretendiere sacar (*Jhoan López*, 27v)

Quien pudiese hacer amar (PBM 56, 2)

Quien pudiese no acordarse (CG 1511, 144v)

Quien pudiese o quién hiciese (PBM 56, 1v-2)

Quién pudiese persuadir (*Corte*, 204v, 220v)

Quién pudiese ya acordarse (WHA 2067, 124v)

Quién pudo como yo ver tu figura (*Obras*, Cepeda, 68)

Quien pudo levantar rústico el pino (PN 373, 32)

Quien puede contar sus males (RG 1600, 352v)

Quién pusiese debajo el almohada (*Tesoro*, Padilla, 432)

Quién puso a Dios so aqueste blanco velo (*Vergel*, Ubeda, 65v)

Quién puso a Dios so aqueste blanco velo (*Jacinto López*, 300)

Quien puso nombre de muerte (WHA 2067, 60v)

Quién quiere comer de un pan (*Canc.*, Ubeda, 52v)

Quien quiere el premio amadores (MP 644, 1)

Quién quiere llevar (*Rojas*, 66)

Quien quiere lo que no puede (MP 1578, 57)

Quien quiere lo que no puede (MP 2805, 65v)

Quien quiere sin ser querido (MN 3806, 101v)

Quién quiere un mozo galán y dispuesto (MP 1587, 180)

Quién quiere un mozo gallardo y dispuesto (*Jacinto López*, 104v)

Quién quiere un mozo zagal y dispuesto (*Rojas*, 174)

Quién quiere ver cuán penado (OA 189, 30)

Quien quiere ver si es mortal (OA 189, 30)

Quien quisiere que la muerte (CG 1511, 8v)

Quien quisiere ser amado (CG 1511, 122)

Quien quisiere ser amado (MN 3691, 55)

Quien quisiere ser amado (MP 617, 153)

Tabla 259

Quien quisiere ser librado (*CG* 1511, 127v)

Quien quisiere ver mortal (PN 373, 248v)

Quién sabe de un corazón (*Lemos*, 112v)

Quien se atreve al mal que espera (*CG* 1511, 126)

Quien se ausentó con amor (MN 3700, 116)

Quien se da contentamiento (*CG* 1514, 145v)

Quien se dio a sí mismo (MP 644, 187v)

Quien se halla de placer tan enfadado (*Morán*, 50)

Quién se maravilla tanto (*Heredia*, 176)

Quien se metiere en prisión (*CG* 1514, 189)

Quien se muda Dios le ayuda (MP 1587, 161)

Quién se para ahí a escuchar (*Heredia*, 89v)

Quien se pierde bien perdido (*Tesoro*, Padilla, 377v)

Quién se podrá escapar de tu guadaña (MN 17.557, 2v)

Quien se pondrá contigo (MP 2459, 95)

Quién se pudo alabar después de veros (MN 3913, 156v)

Quién se queja de amor si no lo entiende (*Morán*, 12)

Quien se quisiere vengar (*Cid*, 223v)

Quien se viere cual me veo (*CG* 1511, 123)

Quien sembrare en mí esperanza (*CG* 1514, 189)

Quién será tal coronista (*Canc.*, Ubeda, 105v)

Quién será tal coronista (*Fuenmayor*, p. 67)

Quién sin vos se ha de holgar (MP 617, 155)

Quién sois o dó vais así (MN 5593, 87)

Quién sólamente de vos (*Vergel*, Ubeda, 129)

Quién son aquellas hermanas de nombre (MN 1317, 440)

Quién son aquéllas que aun en su vejez (MN 1317, 441)

Quién son aquéllas que nacen (MN 1317, 441)

Quién son aquellos hermanos [cortado] (*Lemos*, 19)

Quién son aquéllos que juntos nacieron (MP 570, 234v)

Quién son dos mozos que vimos (MP 644, 203v)

Quién son los fuertes dragones (MP 644, 203v)

Quién sospechara pastor (MP 570, 127v)

Quien sufre pasión forzado (*CG* 1511, 208v)

Quien supiere el mal que callo (PN 373, 158v)

Quien supiese los males que he pasado (*Corte*, 144)

Quien tal hace que tal pague (*RG* 1600, 154)

Quien tal hizo que tal pague (*RG* 1600, 74)

Quién tal noche pierde el seso (PBM 56, 65v)

Quién tal pudiera pensar (*León/Serna*, 107)

Quien tan necio y libre fue (MP 996, 161)

Quien tanta parte de dolor encierra (*Canc.*, Maldonado, 97)

Quien tanto de su propio mal se agrada (MN 2973, p. 110)

Quien tanto veros desea (*CG* 1511, 125)

Quién te dio la muerte a ti (*Cid*, 221)

Quién te ha mudado pastor (MN 3700, 80)

Quién te hizo Juan hermano (*Sevillano*, 202)

Quién te hizo Juan pastor (*Heredia*, 303)

Quién te hizo Juan pastor (PBM 56, 3v-4, 107v-108)

Quién te hizo Juan pastor (PN 371, 20, 43v)

Quién te me enojó Isabel (*CG* 1557, 390v)

Quién te me enojó Isabel (MP 1587, 39v)

Quién te metió caballero (PN 373, 52)

Quién te puso en tu negra fantasía (MiB AD.XI.57, 19)

Quién te trajo el caballero (*Elvas*, 85v)

Quien te viere asentada en tu destrado (MN 3913, 41)

Quien tiene el corazón enternecido (MBM 23/4/1, 273)

Quién tiene la cabida (*Morán*, 237)

Quien tiene paciencia (*Cid*, 114v, 192, 217v)

Quien tiene paciencia (*Jhoan López*, 32v)

Quien tiene paciencia (MiT 994, 14v)

Quien tiene paciencia (MP 1587, 98)

Quien tiene paciencia (RV 1635, 51)

Quien tiene vida en esperanza (*Colombina*, 72)

Quien toda su esperanza (*Cid*, 62v)

Quien triste vida sostiene (MN 5602, 21v)

Quien triste vida sostiene (*Padilla*, 51v)

Quien triste vida sostiene (*Tesoro*, Padilla, 338v)

Quién tu espíritu tuviera (*Canc.*, Ubeda, 102v)

Quién tu espíritu tuviera (*Vergel*, Ubeda, 121)

Quién tu gloria contradice (PN 373, 39)

Quien tuviese fallos pies (*Lemos*, 102v)

Quien tuvo corazón para partirse (MN 3806, 146v)

Quién tuvo en poco el perderme (MN 17.556, 151v)

Quién tuvo en poco el perderme (MP 996, 161)

Quien vale más que yo me ha dado nueva (FR 3358, 102)

Quien ve las blancas y hermosas (*Morán*, 90v)

Quien ve las blancas y purpúreas rosas (MN 3968, 101v)

Quién ve que tanto priváis (*Sevillano*, 149)

Quien viendo el desamor con que me hieres (WHA 2067, 89)

Quién viera la grande gloria (*Padilla*, 64v)

Quién viera sin mortal velo (*Padilla*, 64v)

Quien viere dar más vueltas tu rosario (MN 3913, 40v)

Quien viere en bravo mar mi flaco leño (MN 3902, 110)

Quien viere mi señora tu figura (*Morán*, 80)

Quien viese los años pasados (PBM 56, 95)

Quién vio el blanco marfil de India traído (MN 17.951, 79v)

Quien vio madre al vencedor (FN VII-353, 120v)

Quién vio tal fuerza y vigor (*Jhoan López*, 4)

Quién vive como yo vivo (*Morán*, 55v)

Quién vive como yo vivo (*Sevillano*, 273)

Quien vive sin esperanza (PN 373, 156v)

Quien viviere con su grado (*CG* 1511, 153)

Quien vivir libre desea (MP 617, 151v)

Quién vos dio tal señorío (*Colombina*, 53v)

Quién vos pudiese servir (*Colombina*, 24v)

Quien vuestros ojos no vio (*Jacinto López*, 48)

Quien vuestros ojos no vio (MP 973, 109)

Quién yace aquí Don Diego de Espinosa (FR 3358, 99)
Quién yace aquí Quien fue rey de Castilla (NH B-2558, 44)
Quién yace aquí Un docto caballero (*Peralta*, 86v)
Quién yace aquí en esta sepultura (*Lemos*, 92v)
Quién yace en tan poca tierra (*Toledano*, 98v)
Quién yace muerto aquí Pero Mejía (TP 506, 126)
Quienes por ventura (FR 3358, 210v)
Quiénes son aquellas hermanas de nombre (MN 1317, 440)
Quiera mi dama a quien le pareciere (FN VII-354, 248)
Quiera mi dama a quien le pareciere (MBM 23/4/1, 348v)
Quiera o no quiera mi madre (*Sablonara*, 55)
Quiera quien querer solía (*Cid*, 191)
Quiere Dios y ordena (*Vergel*, Ubeda, 81)
Quiéreme como te quiero (*Obras*, Cepeda, 95)
Quiéreme porque mi suerte (CG 1514, 109v)
Quiéreme porque te quiera (*Flor de enamorados*, 70v)
Quiéreme pues mi señora (PN 371, 16v)
Quiérense Mingo y Minguilla (*Cid*, 184v)
Quieres saber Gil compadre (*Sevillano*, 42)
Quieres saber quién es Juana (WHA 2067, 31v)
Quieres un hecho galano (*Sevillano*, 68v)
Quiérese morir Antón (*Elvas*, 40v)
Quiérese morir Antón (*Morán*, 229)
Quiérese morir Antón (*Obras*, Silvestre, 113)
Quiérese morir Antón (*Sevillano*, 66)
Quiéreste casar (*Sevillano*, 268)
Quiero ahora aborrecerla (*Gallardo*, 44v)
Quiero ahora aborrecerla (MN 3902, 48v)
Quiero cantar con primor (MP 1587, 185v)
Quiero contar mis dolores (CG 1511, 68)
Quiero contarte Fileno mi cuidado (MN 3968, 157v)
Quiero decir Silvano lo que siente (MP 570, 241v)
Quiero dejar de llorar (FN VII-353, 125)
Quiero dormir y no puedo (MN 3913, 64)
Quiero dormir y no puedo (*Sevillano*, 150)
Quiero dormir y no puedo (*Tesoro*, Padilla, 339v)
Quiero forzarme a esforzar (*Gallardo*, 50)
Quiero hacer mi testamento (WHA 2067, 56 bis)
Quiero ir a ver / a quien mi mal trata (*Toledano*, 36v)
Quiero ir a ver / aquella figura (MN 5593, 104)
Quiero ir a ver / quien ansí me maltrata (MN 5593, 104)
Quiero levantarme / porque he acabado (MN 3913, 48v)
Quiero lo que no ha de ser (*Jacinto López*, 12, 45v)
Quiero lo que no ha de ser (MN 4256, 238)
Quiero lo que no ha de ser (MP 973, 111v)
Quiero lo que no ha de ser (OA 189, 17)
Quiero lo que no ha de ser (PN 314, 49v)
Quiero lo que no ha de ser (PN 371, 58, 58v)
Quiero lo que no ha de ser (WHA 2067, 29v, 122v)

Quiero lo que no he querido (PN 307, 227)
Quiero m'ir morar al monte (PBM 56, 111v)
Quiero m'ir morar sola (PBM, 56, 111v-112)
Quiero pues quiere razón (CG 1511, 143v)
Quiero tan sin igualdad (MN 3902, 55)
Quiero tanto a la mi alma (*León/Serna*, 111)
Quiero tanto la ansia mía (CG 1554, 45v)
Quiero tanto la ansia mía (MN 3968, 136)
Quiero tanto la ansia mía (OA 189, 28v)
Quiero tomar alegría (*Sevillano*, 80v)
Quiero y no saben que quiero (MN 3913, 77)
Quiero yo comprometerlas (*León/Serna*, 96v)
Quiero yo disimular (*Rojas*, 164v)
Quiérola mucho (RaC 263, 71)
Quiérome ir mi madre (PBM 56, 30v-31), *ver* Irme quiero
Quiérome ir mi madre (PBM 56, 31)
Quiérome ir mi madre (*Toledano*, 87)
Quiérome ir mi vida (*Jacinto López*, 318)
Quiérome querellar querellarme quiero (FN VII-353, 234v)
Quiéroos bien y tan de veras (MP 1587, 190v)
Quiéroos bien y tan de veras (*Rojas*, 52)
Quiéroos de manera (*Heredia*, 143v)
Quiéroos decir una cosa (*Lemos*, 120v)
Quiéroos pintar el miserable estado (MN 4127, p. 232)
Quiéroos señora contar (CG 1511, 163v)
Quiérote decir un poco (*Jhoan López*, 49)
Quiérote decir un poco (*Jhoan López*, 49)
Quince veces Febo (RG 1600, 145)
Quis miña ventura (*Recopilación*, Vázquez, 29v)
Quise apartar del amoroso juego (*Tesoro*, Padilla, 252)
Quise bajarte a ayudar (FN VII-353, 156)
Quise huir de la gente (*Corte*, 56)
Quise tanto una esperanza (MP 996, 160v)
Quisiera el pobre pastor (*Tesoro*, Padilla, 45)
Quisiera ingrata enemiga (MN 17.557, 85v)
Quisiera no ser nacido (*Lemos*, 107)
Quisiera que hubieras visto Leonardo (MN 3700, 38)
Quisiera yo pues sois mi Madalena (*Padilla*, 215v)
Quisieron mis hados / cuando fui nacido (*Toledo*, 89v)
Quisieron mis hados / que do más amase (*Toledano*, 89v)
Quiso Amor para burlarme (*Morán*, 253)
Quiso Blas a Menga tanto (*Sevillano*, 72)
Quiso dar el cielo al suelo (*Morán*, 121v)
Quiso dar una música el gaitero (MN 3968, 168)
Quiso dar una música el gaitero (*Peralta*, 29)
Quiso dar una música el gaitero (PN 372, 250v)
Quiso Dios multiplicar (*Jesuitas*, 449)
Quiso el amor defender (*Cid*, 157)
Quiso el Amor hacer alarde un día (*Morán*, 128v)

Tabla 261

Quiso el cielo engrandecerte (*Corte*, 121)
Quiso el pintor extremado (*Penagos*, 225)
Quiso Menandro ejercitar su musa (TP 506, 40)
Quiso mi pluma acaso alzar el vuelo (*Jesuitas*, 182r)
Quiso mi suerte un día y mi ventura (TP 506, 310)
Quiso mi ventura (EM Ç-III.22, 105v)
Quiso mi ventura (FN VII-353, 54)
Quiso mi ventura (*Penagos*, 79)
Quiso mi ventura (*Rojas*, 4v)
Quiso Pascual mi ventura (WHA 2067, 61)
Quiso tanto una zagala (*Sevillano*, 287)
Quísoseme igualar Jorge Vadillo (*Jacinto López*, 259v)
Quísoseme igualar Jorge Vadillo (MP 2803, 220)
Quita allá que no quiero (WHA 2067, 44v)

Quita el rebozo galán (*Jhoan López*, 105v)
Quitados allá desengaños (TP 506, 348)
Quitan a un triste penas y dolores (*Penagos*, 19)
Quitando estaba Medoro (MN 3700, 172)
Quitáos allá desengaños (*Corte*, 140v)
Quitáos allá desengaños (*Guisadillo*, Timoneda, 10), *ver* Tiráos allá
Quitáos allá desengaños (OA 189, 320v)
Quitáos allá desengaños (PN 307, 268v)
Quitáos allá desengaños (PN 371, 37)
Quitáos allá desengaños (RaC 263, 78)
Quitáos pastores afuera (OA 189, 373)
Quítese allá un poco (FN VII-353, 235)
Quizás pensaréis que vos (*CG* 1511, 128)

Rabia dolor y tormento (PN 314, 193v)

Rabia le dé madre (MN 3725-1, 29)

Rabia le dé madre (MP 996, 126v)

Rabia le dé madre (RaC 263, 143)

Rabia mortal que al corazón condenas (Canc., Maldonado, 92)

Rabioso mortal cuidado (MN 3700, 190)

Rabiosos celos le tenían perdido (FN VII-354, 250)

Rabiosos celos le tenían perdido (*Jacinto López*, 3)

Rabiosos celos le tenían perdido (MN 3913, 34)

Rabiosos celos le tenían perdido (RaC 263, 122)

Rapándoselo estaba cierta hermosa (FN VII-354, 252)

Rapándoselo estaba cierta hermosa (*Jacinto López*, 1v)

Rapándoselo estaba cierta hermosa (*Jhoan López*, 19v)

Rapándoselo estaba cierta hermosa (MP 973, 255v)

Rapándoselo estaba cierta hermosa (RaC 263, 127)

Raro pintor de la encendida llama (*Canc.*, Maldonado, V v)

Raro y nuevo milagro de natura (PN 314, 77v)

Raya oh dorado sol orna y colora (FN VII-353, 23)

Rayo no para matarla (RV 1635, 47v)

Rayos fulmine Júpiter tonante (MN 3913, 155)

Rayos son que el alma encienden (CG 1514, 130)

Razón es alma que creas (CG 1511, 149v)

Razón es Justo y Pastor (*Jesuitas*, 193v)

Razón es la que desvía (CG 1511, 142)

Razón me fuerza a querer (*Ixar*, 344v)

Razón será que se escriban (CG 1557, 399)

Real ciudad cuya dichosa espalda (FN VII-353, 22v)

Real y medio una vez otra dos reales (MN 3913, 41v)

Rebócese allá su amor (*Morán*, 187)

Recelos temores (PBM 56, 10)

Recia cosa es bien amar (*Morán*, 113v)

Recia cosa es bien amar (PN 373, 277v)

Recia cosa es desear (MP 1587, 80)

Recia cosa es que tratéis (*Morán*, 117)

Recibe Dios de Abel el sacrificio (*Vergel*, Ubeda, 205)

Recibí señora mía (*Obras*, Cepeda, 64v)

Recibid ambas a dos (*Lemos*, 223)

Recibid amorosa y blandamente (*Obras*, Silvestre, 3v)

Recibid hermosa Laura (MN 3913, 125v)

Recio galán y valiente (MP 973, 395v)

Recio galán y valiente (*Penagos*, 86v)

Reclínate en el tálamo precioso (*Obras*, Silvestre, 418v)

Recoge la rienda un poco (MN 3723, 17)

Recoge la rienda un poco (*Penagos*, 139v)

Recoge la rienda un poco (*RG* 1600, 98v, 182v)

Recoge ya en el seno (FN VII-354, 364)

Recoge ya en el seno (MN 3698, 172v)

Recógeme una noche o dos (MN 3700, 118)

Recogido en su aposento (*Jacinto López*, 171)

Recogido en su aposento (*Jhoan López*, 7v)

Recogido en su aposento (MP 1587, 116v)

Recójome conmigo a ver si puedo (MN 2973, p. 159)

Recontar si mal sentí (CG 1511, 108)

Recordad al dolorido (*Padilla*, 230v)

Recordad hermosa Celia (FN VII-353, 123v)

Recordad mis ojuelos verdes (*Padilla*, 230v)

Recordé que no dormía (*Padilla*, 230)

Recostada sobre un árbol (MP 2803, 1)

Recostado cuello y brazos (FN VII-353, 130)

Recostado está en el pecho (FN VII-353, 92)

Recostado está en el pecho (*Jacinto López*, 104)

Recostado está en el pecho (*Jhoan López*, 13v)

Recostado está en el pecho (MN 3913, 8v)

Recostado está Silvero (FN VII-353, 96)

Recostado está Silvero (*Jacinto López*, 76v)

Recréase mi memoria (MiT 994, 21)

Recuerda desacordado (MP 644, 169)

Recuerda oh pecador si estás durmiendo (*Vergel*, Ubeda, 41)

Recuerda triste pastor (PN 371, 3)

Recuerda triste pastor (WHA 2067, 41)

Recuerde el alma dormida (CG 1535, 201v)

Recuerde el alma dormida (*Medinaceli*, 97)

Recuerde el alma dormida (MP 617, 198)

Recuerde el alma dormida (*Obras*, Silvestre, 296)

Recuerde el alma dormida / avive el seso y despierte / contemplando/ cómo nace el rey de vida (Canc., Ubeda, 28)

Recuerde el alma dormida / avive el seso y despierte / contemplando / cómo nace el rey de vida (*Vergel*, Ubeda, 18v)

Redentor precioso (*Sevillano*, 38v)

Reduán anoche supe (MN 3723, 69)

Reduán anoche supe (*RG* 1600, 258v)

Refiere la lengua loca (*Padilla*, 220v)

Refrenar el poder del Africano (FR 3358, 111v)

Refrénate alborozo ten sosiego (*Obras*, Silvestre, 356v)

Regálame una picaña (MN 3725-1, 45)

Regálame una picaña (*RG* 1600, 38v), ver Muéreseme una picaña

Regalando el tierno pecho (MN 4127, p. 84)

Regalando el tierno vello (*RG* 1600, 249v)

Regalo contento y vida (MN 17.951, 166)

Regalos raros con abierta mano (MN 3968, 127v)

Regia corona en docta monarquía (MiB AD.XI.57, 30v)

Regla es ésta averiguada (RV 1635, 51v), *ver* Es regla

Regocijada y contenta (MN 3723, 295)

Regocijada y contenta (*RG* 1600, 189)

Regocijado y alegre (*Fuenmayor*, p. 520)

Regocijo hay en el suelo (*Canc.*, Ubeda, 17v)

Regocijo hay en el suelo (*Vergel*, Ubeda, 24)

Rehúyes de mí esquiva (MN 3698, 8v)

Rei bem-aventurado em que parece (*Corte*, 167v)

Reina de Chipre Pafo Eurice Gnido (MN 3913, 45)

Reina de consolación (*Sevillano*, 274v)

Reina de España Quién me llama Alerta (FR 3358, 167)

Reina de la beldad aunque la ultraje (MN 3902, 114v)

Reina de la jerarquía (*CG* 1535, 192)

Reina de la jerarquía (*Sevillano*, 169v)

Reina de los afligidos (MN 5602, 18)

Reina de mi pensamiento (MBM 23/4/1, 376)

Reina de todos y todas (*CG* 1511, 192v)

Reina del cielo eternal (*Toledano*, 82)

Reina esclarecida (*Sevillano*, 174)

Reina muy esclarecida (*Colombina*, 83v)

Reina y reino en quien reinó (*CG* 1535, 191)

Reinando el rey don Alfonso / el que casto se decía / andados diecisiete años (*Rosa Española*, Timoneda, 5)

Reinando el rey don Alonso / el que casto era llamado / después de haber a los moros (*Rosa Española*, Timoneda, 94v)

Rejas que de mi señora (MN 3700, 165)

Relación muy verdadera (PN 418, p. 415)

Reloj de mis desventuras (PN 418, p. 450)

Rematad que bien se paga (*Canc.*, Ubeda, 22)

Rematóse con voz de pregonero (*Jesuitas*, 352v)

Rematóse con voz de pregonero (MBM 23/4/1, 361v)

Rematóse con voz de pregonero (MN 3968, 169)

Rematóse con voz de pregonero (*Morán*, 67)

Remediad buen caballero (MP 617, 90)

Remedio de alegre vida (*CG* 1514, 108v)

Remedio de amadores (*Lemos*, 54v)

Remedio de mi tristeza (*CG* 1511, 144v)

Remedio es para quien pena en amores (*Lemos*, 9v)

Remedio es para quien pena en amores (*Morán*, 183)

Remedio incierto que en el alma cría (MN 17.951, 75v)

Remedio incierto que en el alma cría (MN 2856, 56v)

Remedio incierto que en el alma cría (MN 3902, 24v)

Remedio incierto que en el alma cría (MN 3968, 160v)

Remedio incierto que en el alma cría (MRAH 9-7069, 133)

Remedio incierto que en el alma cría (TP 506, 115v)

Remedio pidiendo (*Obras*, Silvestre, 109v)

Remendón solía ser (*Morán*, 92v)

Remóntese al pensamiento (*Padilla*, 244)

Rendida al crudo fuego (MN 2973, p. 172)

Rendida Clori de la ardiente siesta (MN 3700, 140)

Rendidas armas y vida (MN 17.556, 90v)

Rendidas armas y vida (MP 996, 144v)

Rendidas armas y vida (*RG* 1600, 355v)

Rendidas ya las banderas (*RG* 1600, 194v)

Rendido a su ventura (MN 2973, p. 90)

Rendido me tenéis usad clemencia (*Obras*, Silvestre, 356)

Rendido y preso me vi (RV 1635, 7)

Reniego de Plutón y de sus fueros (MP 570, 247v)

Reniego de ti Amor (*CG* 1511, 133v)

Renuévese el mal que siento (*Cid*, 77)

Renuévese el mal que siento (*Morán*, 81)

Reñían dos casados cierto día (FN VII-354, 265)

Reñían dos casados cierto día (MN 3913, 35v)

Reñían dos casados cierto día (RaC 263, 121)

Reñían dos casados cierto día (*Jacinto López*, 3v)

Repartido está Cupido (*Jacinto López*, 184)

Residiendo allá en Sevilla (FN VII-353, 269)

Resiste a mi contraria y ruin fortuna (*Faria*, 6v)

Resplandece el día (*RG* 1600, 327v)

Resplandeciente cielo (MN 17.951, 49)

Resplandeciente dulce amena planta (*Fuenmayor*, p. 226)

Resplandeciente lucero (*CG* 1535, 196v)

Resplandor de resplandores (*CG* 1511, 8)

Respóndame quien sabe qué es la muerte (MN 17.951, 76)

Respondedme señora qué he yo hecho (*Jhoan López*, 19v)

Responderos mucho temo (*CG* 1511, 159)

Respuesta de mi servicio (*Colombina*, 29v)

Resuelto ya Reduán (MN 3723, 132)

Resuelto ya Reduán (*RG* 1600, 151, 246v)

Resuene bien la lira (*Sevillano*, 83)

Resulta desde el alma en el sentido (*Jesuitas*, 354v)

Resulta desde el alma en el sentido (MP 644, 199v)

Retirado ya el de Orange (*Romancero*, Padilla, 32v)

Retraída está la infanta (MN 3725-2, 129)

Retraído en su aposento (*Peralta*, 16)

Tabla 265

Retraído solía ser (*Peralta*, 9v)
Retrato angelical do la natura (*Obras*, Cepeda, 101)
Retrato de pincel de escoba vieja (*Jacinto López*, 258v)
Retrato de pincel escoba seca (*Sevillano*, 75)
Retrato del mismo espanto (*Padilla*, 114)
Retrato del mismo espanto (*Tesoro*, Padilla, 301)
Retrato reverencia os hace el alma (*Lemos*, 174v)
Retrato vivo de un amor ardiente (*Fuenmayor*, p. 125)
Retrato vivo de un amor ardiente (*Jesuitas*, 479v)
Retrato vivo de un amor ardiente (MN 17.951, 66)
Retumbando crueles voces (*RG 1600*, 168)
Reverencia os hace el alma (*Lemos*, 174v)
Reverendo honrado fraile (*CG 1554*, 58v)
Reverendo honrado fraile (*Ixar*, 352v)
Reviente ya mi pasión (*Obras*, Cepeda, 91v)
Revuelta toda está Francia (*Rosa Real*, Timoneda, 73v)
Revuelto el cabello de oro (*Jhoan López*, 41v)
Revuelto sobre la sangre (RaC 263, 18)
Revuelve luego sobre sí diciendo (MN 3806, 118)
Rey a quien reyes adoran (*Uppsala*, n. 35)
Rey Alfonso cuyo nombre (*Ixar*, 155)
Rey alto a quien adoramos (*CG 1514*, 192)
Rey alto a quien adoramos (*Cid*, 232v)
Rey alto en quien adoramos (*Jacinto López*, 103)
Rey de España rey de España (MN 3700, 142v)
Rey de mi alma y de esta tierra (*RG 1600*, 66v)
Rey de muy gran señoría (MP 617, 85v)
Rey don Sancho rey don Sancho (MN 1317, 443v)
Rey don Sancho rey don Sancho / cuando en Castilla reinó (*Rosa Española*, Timoneda, 22)
Rey don Sancho rey don Sancho / no digas que no te aviso (*Rosa Española*, Timoneda, 26)
Rey muy discreto señor (PN 418, p. 137)
Rey que a Malsines escucha (MP 996, 206v)
Rey que a Malsines escucha (*RG 1600*, 310)
Rey soberano de la eterna gloria (*Vergel*, Ubeda, 37)
Reyes adversos echando (MP 617, 135)
Reyes al que nació rey (*Sevillano*, 192v)
Reyes si vais a Belén (*Canc.*, Ubeda, 65)
Reyes vienen al rey niño (*Sevillano*, 192v)
Rez&o é já que minha confiança (*Borges*, 62)
Ríanse las aguas (MN 3700, 185v)
Ribera de la mar Salicio estaba (*Jesuitas*, 446)
Ribera de un río (*Recopilación*, Vázquez, 9v)
Ribera el sacro Darro en el arena (PN 373, 114v)
Ribera el sacro Darro en la arena (*Medinaceli*, 192v)
Ribera umbrosa cuántos desengaños (*Morán*, 14v)
Ribera un dulce río a mediodía (*Lemos*, 51), *ver* Riberas de Danubio, Riberas del Danubio

Ribera verde umbrosa (*FRG*, p. 174)
Ribera verde umbrosa (*Sevillano*, 58v)
Ribera ya de espinas y de abrojos (SU 2755, 69)
Riberas de Aguadanto (RaC 263, 42v)
Riberas de Amaranta Amor andaba (MP 570, 215)
Riberas de Danubio al mediodía (*Corte*, 132v), *ver* Riberas del Danubio
Riberas de Genil a su ganado (PN 373, 80)
Riberas de Pisuerga apacentaba (MN 2973, p. 234)
Riberas de un dorado y manso río (MN 3968, 162)
Riberas de un hondo río (*Rosa de Amores*, Timoneda, 51)
Riberas de un hondo río (RV 1635, 100v)
Riberas de un río era un pastor echado (*Sevillano*, 60)
Riberas de una fuente deleitosa (MN 3968, 163v)
Riberas del Danubio a mediodía (MP 617, 245)
Riberas del Danubio a mediodía (PN 371, 85v)
Riberas del Danubio a mediodía (PN 373, 125v)
Riberas del Danubio a mediodía (*Sevillano*, 73v, 227)
Riberas del Danubio a mediodía (TP 506, 321v), *ver* Ribera un dulce, Riberas de
Riberas del Danubio fresco río (RV 1635, 118v)
Riberas del Duero arriba (*Elvas*, 3v)
Riberas del Duero arriba (MN 1317, 442v)
Riberas del Duero arriba (*Obras*, Cepeda, 138)
Riberas del Duero arriba (PBM 56, 71v)
Riberas del Duero arriba (*Rosa Española*, Timoneda, 24)
Riberas del río (MN 3725-1, 26)
Riberas del río (*Uppsala*, n. 13)
Riberas del vado (*Jacinto López*, 68v)
Ribericas del río madre (*Toledano*, 6v)
Rica medalla soberana idea (MP 2803, 221)
Ricarda dó el valor gracia y belleza (*Obras*, Cepeda, 104)
Ricas bodas Mecenisa (*Rosa Gentil*, Timoneda, 6)
Ricas bodas ricas danzas (*Rosa Española*, Timoneda, 11v)
Rico marfil en ébano entallado (MN 3968, 95)
Ricos de galas y flores (*Sablonara*, 18)
Ricos moros de Sevilla (*Jacinto López*, 63v)
Ríe burla la risa desenfrena (TP 506, 207v)
Rige mi pluma Amor manda la mano (*Cid*, 5)
Rigor en Dios tan desusado usado (*Jesuitas*, 358v)
Rigurosa y cruel ausencia (*RG 1600*, 153v)
Ríndase aquí mi bajo entendimiento (*Jacinto López*, 299)
Ríndase el entendimiento (*Vergel*, Ubeda, 77)
Riñó con Juanilla (MN 17.556, 15v)
Riñó con Juanilla (MN 3725-1, 89)
Riñó con Juanilla (MP 973, 406)
Riñó con Juanilla (MP 996, 122v)
Riñó con Juanilla (RaC 263, 181v)
Riñó con Juanilla (*RG 1600*, 158v)

Riñó Griñón y tuvo gran contienda (MBM 23/4/1, 361v)
Río de Sevilla / de barcos lleno (MoE Q 8-21, p. 82)
Río de Sevilla / de barcos lleno (TorN 1-14, 27)
Río de Sevilla / quién te pasase (FN VII-353, 123v)
Río de Sevilla / quién te pasase (*Jacinto López*, 320)
Río de Sevilla / quién te pasase (MoE Q 8-21, p. 81)
Río de Sevilla / quién te pasase (TorN 1-14, 27)
Río verde río verde (MN 3913, 50)
Río verde río verde (MP 996, 121)
Riselo de mi vida y de mis ojos (RG 1600, 188)
Riselo pastor de agravios (MN 17.556, 52v)
Riselo pastor de agravios (MP 996, 134)
Riselo un pastor de Tajo (RG 1600, 80v)
Riselo vive Dios que estoy corrido (MP 973, 419v)
Riselo vive Dios que estoy mohino (FR 3358, 226v)
Riselo vive Dios que estoy mohino (*Penagos*, 33)
Risueña fuentecilla (PN 418, p. 127)
Riu riu chiu (*Uppsala*, n. 43)
Robadas habían el austro y borea (CG 1511, 22)
Robáis Ana los despojos (RaC 263, 47v)
Robáis Ana mil despojos (MP 973, 110)
Robáis Ana mis despojos (*Jhoan López*, 5)
Robó mi alma un corazón altivo (MN 2973, p. 85)
Robóme mi corazón (MN 5593, 99)
Rocío de los cielos ha caído (MP 617, 181)
Rocío de los cielos ha caído (MP 644, 197)
Rodeada de platas y escudillas (FN VII-353, 14)
Rodillada está Moriana (*Rosa de Amores*, Timoneda, 6v)
Rogando está Cleopatra (*Rosa de Amores*, Timoneda, 64v)
Rogaros quiero señores (RaC 263, 58v)
Rogáselo madre (MN 17.557, 72)
Rogáselo madre (MN 3725-1, 19)
Rogáselo madre (RG 1600, 252)
Rogóme una letra hiciera (*Jhoan López*, 3)
Roja de sangre la espuela (RG 1600, 245)
Romances los mis romances (RG 1600, 316v)
Romerico florido (*Sablonara*, 77)
Romerico tú que vienes (*Elvas*, 94v)
Romerito florido (MN 3913, 63)
Rompa con gritos la región que enfrena (*Canc.*, Maldonado, 107)
Rómpase ya del alma el triste velo (MN 2973, p. 21)
Rompe el aire con suspiros (RG 1600, 213)
Rompe el pelícano sus entrañas (*Lemos*, 121v)
Rompe las venas del ardiente pecho (MP 1587, 130)
Rompe las venas del ardiente pecho (*Penagos*, 26v)
Rompe los lazos de la prisión fuerte (*Faria*, 70)
Rompe tu corazón de piedra dura (*Vergel*, Ubeda, 50)
Romped ese velo (*Canc.*, Ubeda, 45)

Romped la cortina (*Canc.*, Ubeda, 45)
Romped las dificultades (*Sablonara*, 49)
Romped pensamientos (MN 3725-1, 24)
Rompiendo el aire junto al alto cielo (FR 3358, 187)
Rompiendo el aire junto al alto cielo (PN 373, 219)
Rompiendo el aire junto al alto cielo (RV 1635, 41)
Rompiendo la mar de España (MN 17.556, 64)
Rompiendo la mar de España (MN 17.557, 47)
Rompiendo la mar de España (*RG 1600*, 11v)
Rompiendo los aires claros (*Jacinto López*, 198v)
Rompiendo los aires vanos (*Jacinto López*, 74v, 175v)
Rompiendo los aires varios (FN VII-353, 171)
Rompió el desdén el yugo y la coyunda (*Padilla*, 223v)
Rómulo soy divina Felisarda (FN VII-353, 298)
Rosa fresca rosa fresca (CG 1511, 132, 132v)
Rosa fresca rosa fresca (MN 5593, 42)
Rosa fresca rosa fresca / por vos se puede decir (CG 1511 136v)
Rosa si rosa me diste (CG 1511, 124v)
Rosados labios rostro cristalino (*Padilla*, 181)
Rosal divino celestial aurora (*Vergel*, Ubeda, 87v)
Rosales mirtos plátanos y flores (MBM 23/4/1, 308v)
Rosales mirtos plátanos y flores (*Medinaceli*, 71v, 94v)
Rosas jazmines alalíes y flores (FR 3358, 164)
Roselia cuánta belleza (MN 3913, 3)
Rotas las sangrientas armas / en la sangrienta batalla (*Jhoan López*, 20)
Rotas las sangrientas armas / y el cuerpo ya desangrado (*Jacinto López*, 173)
Rotas las sangrientas armas / y el cuerpo ya desangrado (*Jhoan López*, 25)
Rotas las sangrientas armas / y el cuerpo ya desangrado (MN 2856, 48)
Roto el cable el mástil roto (*Penagos*, 80v)
Royendo están dos cabras de un nudoso (MN 2973, p. 356)
Rubias hebras que a madejas de oro (SU 2755, 44v)
Rudeza una cantilena (*Canc.*, Ubeda, 34v)
Ruego a Dios en quien adoro (*Cid*, 189v)
Ruego a Dios en quien adoro (FN VII-353, 225v)
Ruego a Dios en quien adoro (RV 1635, 10v)
Ruego Amor cobarde y fuerte (MP 996, 101v)
Rufara rufarara (*Jacinto López*, 319)
Ruger cómo es posible que no entiendas (*Tesoro*, Padilla, 414v)
Ruger cual siempre fui siempre ser quiero (*Padilla*, 36)
Ruger cual siempre fui siempre ser quiero (*Romancero*, Padilla, 177v)
Ruger cual siempre fui tal esser quiero (MN 5602, 32v)
Rústico Pan no dios más un villano (MP 570, 253v)
Ruy Velázquez muy contento (*Rosa Española*, Timoneda, 16v)

S

São sinais de confiança (*Evora*, 11)

Sabe Dios que cuando os veo (*Sevillano*, 222)

Sabe el amor que no hubiera nacido (*Tesoro*, Padilla, 233v)

Sabed almas que estáis en fuego eterno (PN 372, 135)

Sabed Mauro que he venido (*Penagos*, 42)

Sabed poetas que ha llegado a término (*Jacinto López*, 213)

Sabed pues sois de rey vasallos (MP 617, 87v)

Sabed que es gran discreción (*Jhoan López*, 4v)

Sabed que la hermosura (*Sevillano*, 253)

Sabed que se ha movido una pasión (*Lemos*, 25v)

Sabed si no lo sabéis (*Cid*, 188)

Sabed si no lo sabéis (*Toledano*, 37v)

Sabed si no lo sabéis / que en mí más que yo podéis (*Sevillano*, 277)

Sabed si no lo sabéis / que no os creo aunque os canséis (*Sevillano*, 277)

Sabed si no lo sabéis / que os quiero más que os queréis (*Sevillano*, 276v)

Sabed si no lo sabéis / que os quiero más que os queréis (MN 5593, 80v)

Sabed vos dama y señora (*CG 1511*, 177)

Sabéis con qué me consuelo (*Sevillano*, 63)

Sabéis en qué he dado (FN VII-353, 225)

Sabéis por qué da pasión (*CG 1514*, 50v)

Sabéis qué me parece don Gonzalo (MN 4256, 160)

Sabéis qué me parece don Gonzalo (MN 4262, 85)

Sabéis que me parece don Gonzalo (MRAH 9-7069, 121v)

Sabéis qué me parece don Gonzalo (PhUP1, 138)

Sabéis quién es el amor (MP 3560, 45)

Sabemos de un animal (*CG 1514*, 185v)

Saber de mí y aun trasladar pintura (MN 2973, p. 232)

Saber sufrir y callar (PN 373, 158)

Sabes las nuevas Miguel (*Vergel*, Ubeda, 13)

Sábete linda zagala (*Medinaceli*, 2v)

Sábete linda zagala / que aunque estás do no te veo (*Sevillano*, 271v)

Sábete linda zagala / que aunque estás do no te veo (MP 617, 172)

Sábete linda zagala / que aunque estás do no te veo (PN 371, 16)

Sábete linda zagala / que ya es desposada Menga (*Sevillano*, 194v)

Sábete que ayer (*Sevillano*, 295v)

Sábete que Bartolilla (*Colombina*, 77)

Sabía que mi cuidado (*Morán*, 59v)

Sabiendo el rey cómo el conde (*Rosa Española*, Timoneda, 6)

Sabio de sabios abrigo (*CG 1511*, 158)

Sabios varones quién os ha traído (*Jesuitas*, 265)

Sabrás que yendo yo un día (*RG 1600*, 260v)

Sabreu dama molt aguda (*Flor de enamorados*, 16v)

Sabroso y dulce bocado (*Vergel*, Ubeda, 67v)

Saca buche de prendo / señora madre (MN 3913, 72)

Sacadme más que maestro (*CG 1511*, 157)

Sacaron a horca el otro día (*Romancero*, Padilla, 292)

Sacáronme los pesares (*Corte*, 55), *ver* Secáronme

Sacó Venus de mantillas (*Jacinto López*, 126)

Sacó Venus de mantillas (*Jhoan López*, 53)

Sacó Venus de mantillas (MP 996, 61)

Sacó Venus de mantillas (*RG 1600*, 16v)

Sacóme de la prisión (FN VII-353, 107v)

Sacóme de la prisión (MP 996, 214)

Sacra real majestad (*CG 1511*, 208)

Sacra real majestad (*CG 1554*, 103v)

Sacratísima concede (*CG 1511*, 5)

Sacrificado al amor (MN 3700, 63v)

Sacro Dios en vos se encierra (*Sevillano*, 84v)

Sacro Ministro a tua glória eleito (*Faria*, 50v)

Sacro pastor del lusitano coro (PN 373, 231v)

Sacro señor del cielo (*Vergel*, Ubeda, 94v)

Sacro Tomás quien tomó (MN 17.951, 10)

Sacro varón que en tierna edad quisiste (Vergel, Ubeda, 152v)

Sacro y anciano Tajo a qué persona (MRAH 9-7069, 115)

Sacros altos dorados capiteles (MN 2856, 93)

Saggia singnora nella cui beltade (Penagos, 216)

Sagrada Virgen siendo tú mi escudo (*Vergel*, Ubeda, 87v)

Sagradas ninfas musas y nayadas (MP 617, 303v)

Sagrado Antonio a quien el juego ardiente (MP 2459, 71v)

Sagrado Apolo que con dulce lira (*Tesoro*, Padilla, 453)

Sale de la gran Sevilla (*Cid*, 152)

Sale de un juego de cañas (MN 3723, 210)

Sale de un juego de cañas (*RG 1600*, 137)

Sale del seno del padre (*Obras*, Silvestre, 287v)

Sale el Aurora de su fértil manto (*Cid*, 26)

Sale el Aurora de su fértil manto (MBM 23/4/1, 97)

Sale el Aurora de su fértil manto (MN 2973, p. 113)

Sale el Aurora de su fértil manto (MP 973, 52v)

Sale el Aurora y de su fértil manto (MP 617, 267v), *ver* Sale la

Sale el dorado sol por el Oriente (FR 3358, 107v)

Sale el que siembra en la labrada tierra (*Vergel*, Ubeda, xi)

Sale Escébola de Roma (*RH*, 141v)

Sale la Aurora de su fértil manto (*Cid*, 246v)

Sale la Aurora de su fertil manto (FR 2864, 7v)

Sale la Aurora de su fértil manto (*Jacinto López*, 57v)

Sale la Aurora de su fértil manto (*Morán*, 150v)

Sale la Aurora de su fértil manto (MP 1578, 96v)

Sale la Aurora de su fértil manto (OA 189, 123)

Sale la blanca Aurora (*Sablonara*, 3)

Sale la clara Aurora arrebolada (*Vergel*, Ubeda, 176)

Sale la estrella de Venus (*Jhoan López*, 45v)

Sale la estrella de Venus (MN 17.556, 65)

Sale la estrella de Venus (MN 3723, 35)

Sale la estrella de Venus (MP 973, 417v)

Sale la estrella de Venus (MP 996, 37v)

Sale la estrella de Venus (RaC 263, 11v)

Sale la estrella de Venus (*RG* 1600, 3)

Sale mi blanca aurora y en saliendo (*Morán*, 165)

Sale mi blanca aurora y en saliendo (MP 570, 206v)

Sale Mudarra González (*Rosa Española*, Timoneda, 19v)

Salen de Sevilla / barquetes nuevos (*Cid*, 239)

Salen de Sevilla / barquetes nuevos (FN VII-353, 122v)

Salen de Sevilla / cincuenta frailes (MN 3913, 47v)

Salen del alma en abundante exceso (*Canc.*, Maldonado, 93)

Salen del mar y vuelven a sus senos (*Canc.*, Maldonado, 188)

Salen hoy Pastor y Justo (*Vergel*, Ubeda, 143v)

Salga con la doliente ánima fuera (OA 189, 13v)

Salga el cabo de Castilla (*CG* 1514, 51)

Salga fuera de mí el alma doliente (MN 2973, p. 393)

Salga la luna el caballero (*Recopilación*, Vázquez, 22v)

Salga norabuena (*Romancero*, Padilla, 277v)

Salgamos de este encanto pensamiento (MN 3700, 102v)

Salgan las palabras mías (*Jacinto López*, 262)

Salgan las palabras mías (*Lemos*, 93v)

Salgan las palabras mías (MN 3806, 79)

Salgan las palabras mías (MN 5593, 40v)

Salgan las palabras mías (*Padilla*, 70v, 114)

Salgan las palabras mías (*Tesoro*, Padilla, 300v)

Salgan las palabras mías / hambrientas del corazón (MN 17.951, 188)

Salgan salgan por mis ojos (*Flor de enamorados*, 27v)

Salgan ya de mis ojos las corrientes (*Vergel*, Ubeda, 41v)

Salgan ya mis alaridos (*Sevillano*, 205v)

Salí de mi casa por ver qué vería (*Lemos*, 19v)

Salí pues entraste (*Toledano*, 42)

Salía repastando (*Tesoro*, Padilla, 228)

Salid ansias mías (FN VII-353, 94v)

Salid con alma enferma y dolorosa (*RH*, 212v)

Salid de mi casa (*Toledano*, 42)

Salid del hondo centro (*Jhoan López*, 30v)

Salid lágrimas mías ya cansadas (BeUC 75/116, 71v)

Salid lágrimas mías ya cansadas (FN VII-354, 35)

Salid lágrimas mías ya cansadas (MBM 23/8/7, 240v)

Salíd lágrimas mías ya cansadas (MN 3968, 58)

Salid lágrimas mías ya cansadas (MN 4256, 158v)

Salid lágrimas mías ya cansadas (MN 4262, 141)

Salid lágrimas mías ya cansadas (MN 4268, 116v)

Salid lágrimas mías ya cansadas (MP 1578, 11)

Salid lágrimas mías ya cansadas (MP 1587, 20)

Salid lágrimas mías ya cansadas (MP 2805, 109v)

Salid lágrimas mías ya cansadas (MRAH 9-7069, 68)

Salid lágrimas mías ya cansadas (PhUP1, 74)

Salid lágrimas mías ya cansadas (PN 258, 199)

Salid lágrimas mías ya cansadas (RV 768, 249)

Salid Ninfas del vidrio transparente (SU 2755, 60)

Salid salid las hijas de Sión (*Evora*, 33)

Salid sin duelo lágrimas corriendo (*Jesuitas*, 320v)

Salid suspiros míos (FR 2864, 26)

Salid tristes alaridos (OA 189, 360v)

Salid tristes alaridos (PN 307, 136)

Salid tristes alaridos (PN 371, 66)

Salid tristes alaridos (*Rojas*, 70v)

Salid viscosidades de mi pecho (MN 2973, p. 47)

Salid ya lágrimas mías (*Ixar*, 367)

Salid ya lágrimas mías (MN 5602, 17v)

Salid ya palabras mías (MN 5602, 18)

Salido ha del sepulcro el varón fuerte (*Jesuitas*, 125)

Saliendo al ejido (*Sevillano*, 283)

Saliendo de una batalla (*Sevillano*, 227v)

Saliendo el Febo hermoso (*Canc.*, Ubeda, 68)

Saliendo el Febo hermoso (*Jesuitas*, 481v)

Saliendo Lucida un día (*Tesoro*, Padilla, 68)

Saliéndome a pasear por la ribera (MP 2459, 23)

Saliéndome ese otro día (*Lemos*, 219v)

Saliéndome este otro día (MN 3700, 216)

Salieron en esta justa (*Peralta*, 10)

Salíme paseando (*Tesoro*, Padilla, 334)

Salindo cómo el cielo ha permitido (MP 1578, 281)

Salió a coger chicorias Inesilla (MBM 23/4/1, 371v)

Salió a espaciarse una mañana Isabella (MN 4127, 220)

Salió a misa de parida (FN VII-353, 120)

Tabla 269

Sé que os puse en lugar (FN VII-353, 61)

Sé que se deja entender (MN 17.951, 162v)

Se revoca la sentencia (MN 5593, 60)

Se tanta pena tenho mereçida (*Borges*, 19v)

Se tendes per grande culpa (*Corte*, 125)

Se vos pudesse senhora (*Evora*, 4v)

Sea bienvenido (*Toledano*, 95v)

Sea Calíope adalida y guía (*CG 1511*, 48v)

Sea el rey quien lo es o quien lo sea (MN 2856, 94)

Sea gruñidor y recio (PN 372, 37v)

Sea mi amor tan verdadero (*Jacinto López*, 61v)

Sea señor arriscado (*CG 1511*, 153)

Séame helado Amor o sea herviente (SU 2755, 72v)

Seas capilla plumas o bonete (*Penagos*, 12v)

Sebastián Dios quiso en vos (*Fuenmayor*, p. 534)

Sebastián tan cerca puesta (*Fuenmayor*, p. 537)

Secáronla mis enojos (*Jesuitas*, 468v)

Secáronme los pesares (*CG 1511*, 148v)

Secáronme los pesares (*Elvas*, 41v)

Secáronme los pesares (*Evora*, 6v)

Secáronme los pesares (OA 186, 330v)

Secáronme los pesares (PBM 56, 7v-8)

Secáronme los pesares (PN 307, 232v), *ver* Sacáronme los

Secreto dolor de mí (*CG 1511*, 49v)

Secreto mal de morir (*CG 1511*, 194)

Secreto tiene en un valle (MN 3700, 27)

Sed cierta de lo que escribo (*CG 1511*, 146)

Sed secreto caballero (*Flor de enamorados*, 77)

Sed ya contenta Fortuna (MN 3691, 19v)

Sed ya contenta Fortuna (PN 372, 331)

Sedas brocados telas recamados (*Fuenmayor*, p. 75)

Sediento corazón (MN 17.951, 52v)

Sedientos venía beber (MN 17.951, 8)

Segredos nunca cuidados (*Corte*, 199v)

Segui o mar e deitei (NH B-2558, 40v)

Seguid seguid ardientes amadores (MP 2803, 4)

Seguidores vencen (*CG 1511*, 143v)

Seguir al amor me place (*RG 1600*, 37v)

Según el dolor que siento (*Colombina*, 49v)

Según el mal me siguió (*CG 1511*, 100)

Según entre amadores (*Morán*, 23v)

Según es señora / lo que padezco (MN 3913, 47v)

Según eso doite pena (*Cid*, 185)

Según lo que con vos gano (*Gallardo*, 48v)

Según lo que conocí (*CG 1511*, 153)

Según los puntos me han dado (MP 617, 209v)

Según Ovidio da nuevas (MN 3691, 69)

Según que fue vuestro engaño (*Morán*, 48v)

Según vuelan por el aire (*Lemos*, 220)

Según vuestra poesía (*Gallardo*, 51)

Según yo parto de los ojos bellos (*Canc.*, Maldonado, 179)

Segunda vez me despido (*CG 1557*, 391)

Segundo Apolo del mayor del mundo (MN 4127, 248)

Segundo Apolo por venir postrero (*Tesoro*, Padilla, ii)

Segundo Apolo si fue digno el mundo (*Borges*, 90)

Seguro estoy de nuevo descontento (MN 17.556, 140)

Seguro estoy de nuevo descontento (*Morán*, 126v)

Seguro estoy de nuevo descontento (MP 1587, 60v)

Seguro libre y sano (*Padilla*, 107v)

Seguro libre y sano (*Tesoro*, Padilla, 91)

Seguro puedes ir de la venganza (*RG 1600*, 304)

Seguro tiene su nido (MP 617, 268v)

Seis años tuvo a Coimbra (*Romancero*, Padilla, 66v)

Seja amor testigo (*RG 1600*, 360)

Sejais muito em boca (*Sevillano*, 169v)

Selim chi chiama io tu si chi sono l'alma (*Corte*, 160)

Sellado está en mi alma vuestro gesto (*Toledano*, 77)

Selvas y bosques de amor (MN 3700, 108v)

Sem luz e sem vista (EM Ç-III.22, 99v)

Sem ventura é por demais (*Borges*, 2v)

Sem vos sem esperança e com meu fado (*Corte*, 176v)

Sembradas de medias lunas (MN 3723, 291)

Sembradas de medias lunas (*RG 1600*, 118)

Sembradas de trece en trece (*Jacinto López*, 188)

Sembradas de trece en trece (MN 17.556, 119v)

Sembrando estaba papeles (MN 3700, 28v)

Sembré el amor de mi mano (*CG 1554*, 109v)

Sembré el amor de mi mano (*Flor de enamorados*, 31v)

Sembróse aquesta semilla (*Sevillano*, 132)

Sempre a rezão vencida foi de amor (*Borges*, 64v)

Sempre fiz vossa vontade (*Elvas*, 93v)

Senhora minha inda quem ausente esteia (NH B-2558, 44v)

Senhora quem vos disser (PBM 56, 18)

Senhora quero-me mal (*Evora*, 12v)

Senhora se do vosso lindo gesto (*Borges*, 71)

Sentada a orillas del mar (*RG 1600*, 247)

Sentado cabe una fuente (PN 372, 37)

Sentado cerca de un río (MP 973, 365v)

Sentado en la seca hierba (MN 17.556, 109)

Sentado en la seca hierba (*RG 1600*, 14v)

Sentado en la seca yerba (*Jhoan López*, 34)

Sentado en tierra agena el peregrino (*Rosal*, p. 15)

Sentado en tierra ajena el peregrino (FN VII-353, 23v)

Sentado está de finojos (*Penagos*, 302)

Sentado está el gran rey con doce al lado (*Jesuitas*, 151v)

Sentado está el señor rey (*RG 1600*, 209)

Sentados a un ajedrez (*RG 1600*, 325v)

Sentencia milagrosa justa y buena (*Obras*, Silvestre, 380v)

Tabla   271

Sentí del caro amigo y del pariente (*Jacinto López*, 155)
Sentí la muerte de amores (*CG* 1511, 125)
Sentóse el hombre a jugar (MN 17.951, 21v)
Senyora mal vos regiu (*Flor de enamorados*, 69)
Senyora mes val lo vell quel jove (*Flor de enamorados*, 85)
Señales hay en el mundo (*Cid*, 173v)
Señor a rogaros vengo (*Gallardo*, 46)
Señor a vuestra demanda (*CG* 1511, 230v)
Señor acorte razones (*RG* 1600, 281)
Señor Alfonso Alvarez gran sabio perfecto (*Ixar*, 141, 186)
Señor aquel amor por quien forzado (MN 3698, 142v)
Señor compadre el vulgo de envidioso (FN VII-354, 153v)
Señor compadre el vulgo de envidioso (MBM 23/8/7, 79)
Señor compadre el vulgo de envidioso (MN 3670, 151)
Señor compadre el vulgo de envidioso (MN 4256, 45)
Señor compadre el vulgo de envidioso (MN 4262, 110v)
Señor compadre el vulgo de envidioso (MP 1578, 230)
Señor compadre el vulgo de envidioso (PhUP1, 139)
Señor compadre el vulgo de envidioso (PN 258, 77v)
Señor compadre el vulgo de envidioso (RV 768, 75v)
Señor conde don Roldán (*RG* 1600, 335v)
Señor da al rey tu vara (MN 3698, 217)
Señor da al rey tu vara (MP 973, 17)
Señor de mi salud mi solo muro (MN 3698, 219v)
Señor del cielo padre poderoso (*Vergel*, Ubeda, 206)
Señor del mundo Dios del cielo eterno (MP 570, 215)
Señor demonio por Dios (MN 3913, 177v)
Señor doctor el gusto que recibo (*Canc.*, Maldonado, 122v)
Señor don Juan de notar (*Gallardo*, 58)
Señor don Juan de notar (*Heredia*, 172)
Señor don Juan si amor de amor se paga (MN 3968, 172)
Señor don Luis Ferrer (*Heredia*, 154v)
Señor el cual de virtud (*CG* 1511, 159v)
Señor en mi memoria (*Jacinto López*, 150)
Señor habed piedad (*CG* 1511, 14)
Señor Infante Cardenal (MiT 1001, 37v)
Señor infanzón sesudo (MN 3724, 277)
Señor Juan Montalbán pues que os inspira (SU 2755, 16)
Señor Lope de Vega a vos estima (MN 17.556, 130v)
Señor Lope de Vega a vos estima (*Penagos*, 11)
Señor marqués do se cría (*CG* 1511, 77)
Señor mío don Alonso (PN 372, 279v)
Señor Montemayor ese otro día (TP 506, 45)
Señor muy esclarecido (MP 617, 209v)
Señor no me reprehendas (*CG* 1511, 12v)
Señor no se despacha pretendiente (NH B-2558, 35v)
Señor oye mi oración (*CG* 1511, 15v)
Señor oye mis gemidos (*CG* 1511, 12)
Señor Peña yo presumo (*CG* 1511, 178)

Señor pretendiente amigo (MN 3724, 222)
Señor pues del airado y fiero Marte (TP 506, 175)
Señor pues ya del obstinado Marte (*Lemos*, 27)
Señor que por nos amar (MP 617, 247v)
Señor quiéroos consolar (*Gallardo*, 50v)
Señor Ramiro Felípez (PN 418, p. 174)
Señor Rey del cielo (*Sevillano*, 148v)
Señor rey don Sancho Abarca (MP 996, 170v)
Señor rey don Sancho Abarca (*RG* 1600, 250v)
Señor según al presente (*Gallardo*, 47v)
Señor señor Fenollar (*CG* 1511, 180v)
Señor si mi juicio no me engaña (*Obras*, Silvestre, 388)
Señor si vos me queréis (*Flor de enamorados*, 71)
Señor tanta deshonra (*Gallardo*, 49)
Señor tanto os humilláis (*Sevillano*, 86)
Señor testa vana (*Toledano*, 96v)
Señor todos del mundo ya enfadados (TP 506, 232)
Señora a Dios pluguiera (MP 570, 238v)
Señora a Dios pluguiera (PN 307, 20v)
Señora a quien Dios dé vida (*Canc.*, Maldonado, 43v)
Señora a quien tanto quiero (MP 617, 229v)
Señora a ti me convierte (*CG* 1511, 21v)
Señora Alcida no se entone tanto (*Morán*, 22)
Señora Alcida si de su Fileno (*Morán*, 89)
Señora aquesas labores (MP 2803, 222v)
Señora aunque no os miro (*Elvas*, 60v)
Señora aunque no os miro (PBM 56, 83v-84)
Señora aunque yo quisiera (*Morán*, 74)
Señora bem poderei (*Elvas*, 79v)
Señora bien conozco que mirando (PN 314, 9v)
Señora bien os quiero (*Padilla*, 246)
Señora bien podría (PN 373, 263)
Señora bobo soy mas no en amaros (MBM 23/4/1, 44)
Señora bobo soy y no en amaros (*Jacinto López*, 9v)
Señora cama en que habéis hallado (*Jacinto López*, 2v)
Señora cama en que habéis vos hallado (FN VII-354, 252)
Señora cama en que habéis vos hallado (RaC 263, 118)
Señora Catalina estoy corrido (FN VII-354, 249v)
Señora Catalina estoy corrido (*Jacinto López*, 4v)
Señora cual soy venido (*Colombina*, 36v)
Señora cuando yo os niegue (*CG* 1557, 390v)
Señora de cuya mano (MN 4127, 65)
Señora de hermosura (*CG* 1511, 52)
Señora de mi alma y de mi vida (MP 617, 259v)
Señora de mi cuidado (PN 371, 25)
Señora de mis enojos (*Canc.*, Maldonado, 35v)
Señora de mis entrañas (*Toledano*, 62v)
Señora de qué os quejáis (*CG* 1514, 50v)
Señora de quien no espero (*Morán*, 32)

Señora de ti misma estás ajena (*Morán*, 258v)

Señora de vos me parto (*CG* 1554, 76v)

Señora de vuestro trato (PN 418, p. 45)

Señora del alma mía (*Canc.*, Maldonado, 29)

Señora del alma mía (*CG* 1554, 39v)

Señora del mundo princesa de vida(PBM 56, 73v)

Señora después que os vi (*CG* 1511, 208)

Señora después que os vi (MN 3806, 64)

Señora después que os vi (MN 4127, 224)

Señora después que os vi (*Obras*, Silvestre, 70v)

Señora después que os vi (*Tesoro*, Padilla, 395v)

Señora después que os vi (TorN 1-14, 38)

Señora digo mi culpa (MP 1587, 67)

Señora doña Antonia qué es aquesto (MP 570, 210v)

Señora doña Francisca (*Gallardo*, 42v)

Señora doña fulana (MN 17.557, 51v)

Señora doña fulana (MN 3724, 271)

Señora doña fulana (*RG* 1600, 55v)

Señora doña María (MN 17.556, 116v)

Señora doña María (MP 996, 155v)

Señora doña Puente segoviana (*Lemos*, 213)

Señora doña terrible (MN 17.557, 78)

Señora doña terrible (*RG* 1600, 258)

Señora el dejar de veros (*RG* 1600, 254v)

Señora el eterno Padre (*Sevillano*, 142)

Señora el grave mal que el pecho tierno (*Jacinto López*, 259)

Señora el tiempo bobo es ya pasado (FR 3358, 114v, 172v)

Señora en aquesta plaza (*RG* 1600, 281)

Señora en cuyas manos Amor puso (*Tesoro*, Padilla, 295)

Señora en cuyo pecho (*Corte*, 120v)

Señora en fe del pensamiento mío (*Jacinto López*, 25)

Señora en quien he mirado (*CG* 1511, 114v)

Señora en ser de vos tan maltratado (*CG* 1554, 190v)

Señora estemos a cuenta (*Toledano*, 56)

Señora fálteme Dios (FN VII-353, 124v)

Señora favoreced (PN 418, p. 232)

Señora hasta cuándo tal tormento (MN 2973, p. 140)

Señora hay mayor mal que al deseoso (*Obras*, Silvestre, 364v)

Señora ilustre en sola vos parece (FN VII-353, 246)

Señora Inés que no soy perulero (*Cid*, 133)

Señora Inés que no soy perulero (FN VII-354, 263v), *ver* Señora Inés yo

Señora Inés sabed que estoy corrido (*Morán*, 24)

Señora Ines yo no soy perulero (*Morán*, 17v)

Señora la bendición (*CG* 1514, 99v)

Señora la de Galgueros (*Rojas*, 67v)

Señora la del arco y las saetas (MN 4262, 156)

Señora la más bella en las bellas (*Morán*, 183)

Señora la mi señora (*RG* 1600, 330v)

Señora Leonor estoy corrido (*Penagos*, 6v)

Señora lo posible y más te quiero (PN 372, 321)

Señora los tus cabellos (PN 373, 105), *ver* Señora vuestros cabellos, Zagala los tus cabellos

Señora los tus cabellos de oro son (MP 1578, 129v)

Señora mal me tratáis (*Canc.*, Maldonado, 47)

Señora mi confianza (*Toledano*, 43)

Señora mía como el sol hermosa (*Tesoro*, Padilla, 280v)

Señora mía el celestial semblante (*Tesoro*, Padilla, 222v)

Señora mía en no ver una hora (MN 1132, 171)

Señora mía estad asegurada (*Tesoro*, Padilla, 63v)

Señora mía la más bella en las bellas (*Lemos*, 8)

Señora mía mi triste suerte y ventura (MN 5593, 84)

Señora mía si en no ver una hora (*CG* 1554, 171)

Señora mía si saber deseas (FN VII-353, 214)

Señora mire un poco (*Toledo*, 16v)

Señora muy acabada (*CG* 1511, 221)

Señora no hay más gloria que miraros (*Morán*, 139v)

Señora no hay quien te quiera (*Morán*, 124)

Señora no más tormento (*Jacinto López*, 49)

Señora no más tormento (MP 973, 54)

Señora no más tormento (*Toledano*, 88)

Señora no me agradáis (*Lemos*, 109v)

Señora no me culpéis (*Colombina*, 14)

Señora ʀo me matéis (WHA 2067, 39)

Señora no pensé yo que el no mirarme (MP 2803, 3)

Señora no penséis que el no mirarme (MN 2973, p. 355)

Señora no sé qué ha sido (*Obras*, Silvestre, 98)

Señora no tanto amén (*Peralta*, 22v)

Señora no tratéis esas [ilegible] etas (*Peralta*, 26)

Señora no vale aquí (*Padilla*, 141v)

Señora no veis que muero (*Padilla*, 135v)

Señora no veis que muero (*Tesoro*, Padilla, 279)

Señora nombre no hallo (*Tesoro*, Padilla, 234v)

Señora nuestro papel (MN 3724, 204)

Señora oíd la mi suerte (*Corte*, 49)

Señora para quejar (*CG* 1511, 215v)

Señora perdido estoy (*Peralta*, 1v)

Señora pois sois fermosa (PBM 56, 31v-32)

Señora por Dios no tan desdeñosa (MN 3902, 82v)

Señora por vos me muero (*Jacinto López*, 53v)

Señora pues claro sé (MP 996, 197)

Señora pues con amaros (WHA 2067, 29v)

Señora pues mis ojos merecieron (MN 3902, 15v)

Señora pues no os doléis (*CG* 1511, 181)

Señora pues que padezco (*Peralta*, 1)

Señora pues sois servida (*CG* 1511, 147v)

Señora pues sois servida (*Gallardo*, 69)

Señora qué es de la fe (*Evora*, 5v)

Tabla 273

Señora qué es lo que hice (*Morán*, 47v)
Señora quem vos dizer (PBM 56, 18)
Señora quien de mirar (MN 3806, 106)
Señora quien presumiere (*Rojas*, 45)
Señora quién sois vos claro se muestra (*Rojas*, 40)
Señora quiéroos contar (*Flor de enamorados*, 45v)
Señora sea para bien (MP 973, 108)
Señora sea por bien (*Jacinto López*, 47)
Señora si a poetas sutil arte (TP 506, 206)
Señora si basta ausencia (MN 3806, 106)
Señora si bien mirades (*Evora*, 15)
Señora si con amaros (*OA 189*, 17)
Señora si con amaros (PN 314, 50)
Señora si con amores (PN 371, 58v)
Señora si es amor cómo se entiende (TP 506, 117)
Señora si falta el verte (CG 1557, 392v)
Señora si falta el verte (*Morán*, 15v, 53)
Señora si falta el verte (PN 373, 90v)
Señora si falta el verte (RaC 263, 82)
Señora si jamás pensé ofenderos (MN 2973, p. 76)
Señora si jamás pensé ofenderos (*Obras*, Silvestre, 359)
Señora si me creéis (*Toledano*, 62)
Señora si mis enojos (*Canc.*, Maldonado, 10)
Señora si os enfadan mis antojos (*Obras*, Silvestre, 366v)
Señora si pensáis que por no amarme (MN 3806, 140)
Señora si sois servida (*Peralta*, 72)
Señora sin ti conmigo (*Cid*, 25v)
Señora sin ti y conmigo (PN 373, 72v)
Señora tal entender (*Gallardo*, 51v)
Señora tengo entendido (MP 617, 171)
Señora todos los dones (*Morán*, 148v)
Señora tu aspereza (MN 2973, p. 400)
Señora tus asperezas (MP 570, 227)
Señora un dolor mortal (MN 3700, 199v)
Señora un oso tenéis (*Jacinto López*, 230v)
Señora ved cuál estoy (*Gallardo*, 43)
Señora ved los ojos con que os miro (SU 2755, 195)
Señora védesme aquí (CG 1511, 141v)
Señora vengo informado (*Jacinto López*, 202)
Señora vengo informado (MP 973, 405v)
Señora vuestros cabellos (*Morán*, 108v, 110v, 138)
Señora vuestros cabellos (MP 2803, 156v)
Señora vuestros cabellos (*Obras*, Silvestre, 100v)
Señora vuestros cabellos (PN 372, 141)
Señora vuestros cabellos (TP 506, 397v)
Señora vuestros cabellos / de oro son (*Cid*, 200v), *ver* Señora los tus cabellos, Zagala los tus
Señora vuestros cabellos / gran peligro es desearlos (CG 1554, 127v)

Señora y siempre de mí (CG 1511, 106)
Señora ya estoy cansado (MN 3724, 258)
Señora ya estoy cansado (RG 1600, 181)
Señora ya me desmayo (*Jacinto López*, 44)
Señora ya me desmayo (MP 973, 93)
Señora ya no hay valor (MBM 23/4/1, 237v)
Señora ya no soy yo (*Uppsala*, n. 2, 11)
Señora ya veis que muero (MN 3806, 135)
Señora ya veis que muero (*Morán*, 47v)
Señora yo he padecido (CG 1511, 163v)
Señora yo me despido (*Romancero*, Padilla, 239v)
Señora yo me despido (*Tesoro*, Padilla, 254v)
Señora yo quisiera (PN 372, 125)
Señoras con pie muy llano (MN 1317, 441v)
Señoras monjas pues sin culpas nuestras (FR 3358, 166)
Señoras pues os tenéis (MN 1317, 441v)
Señoras quién es aquél (MN 1317, 441v)
Señoras si mal canto (CG 1514, 50v)
Señores desque so entrat (*Flor de enamorados*, 7)
Señores el que es nacido (*Uppsala*, n. 44)
Señores estoy corrido (MN 3700, 123)
Señores papantes aire (RG 1600, 287)
Señores qué es quesicosa (*Padilla*, 51)
Señores qué me mandáis (CG 1511, 209)
Sepa el rey y sepan todos (MP 617, 208v)
Sepa el rey y sepan todos (TP 506, 392v)
Sepan cuantos esta carta (MN 2856, 108v)
Sepan cuantos son nacidos (MN 5602, 53v)
Sepan los enamorados (*Jhoan López*, 2v)
Sepan todos cómo peno (PBM 56, 34)
Sepultado con un mar de inconvenientes (*Rojas*, 152)
Ser cautivo es libertad (*Flor de enamorados*, 107)
Ser desamado (PN 372, 316v)
Ser Dios hombre y hombre Dios (CG 1514, 15)
Ser quiero madre (*Toledano*, 46)
Ser secreta mi pasión (*Sevillano*, 248)
Ser tan pobre y ser tan rica (CG 1535, 192)
Ser vieja y arrebolarse (FN VII-353, 160v)
Ser vieja y arrebolarse (*Sevillano*, 222v)
Ser vuestras llagas perfectas (*Vergel*, Ubeda, 145v)
Ser vuestro llamo yo ser (MN 3968, 177)
Ser y vida miserable (*Lemos*, 98)
Ser yo loco es manifiesto (PN 307, 238)
Ser yo loco es manifiesto (RaC 263, 64v)
Ser yo loco es manifiesto (*Sevillano*, 293)
Será de efecto darme al fiero estruendo (MN 3902, 107v)
Será perderos pediros (CG 1511, 144)
Será posible que a la pena mía (MiT 1001, 5)
Será quitar el amor (*Romancero*, Padilla, 346v)

Será tal vista cobrar (MP 617, 150)

Será verdad permitirálo el cielo (Canc., Maldonado, 91v)

Seráfico Francisco espíritu puro (Faria, 41v)

Seréis monja madre (Jhoan López, 113v)

Serenísima María (Fuenmayor, p. 336)

Serenísima reina en quien se halla (PN 373, 73v)

Serenísimo auditorio (PN 418, p. 55)

Serenísimo César glorioso (MP 617, 260v)

Serenísimo infante a quien se debe (Corte, 17v)

Serenísimo señor (CG 1511, 230)

Serenísimo varón (MP 617, 95)

Serenísimos galanes (RG 1600, 306v)

Serenos ojos ay llenos de enojos (MP 996, 202)

Serpientes del Flejetón (Jesuitas, 412v)

Serrana de altura (Flor de enamorados, 75v)

Serrana dónde dormiste (PN 371, 10v)

Serrana dónde dormistes (Heredia, 183v)

Serrana dónde dormistes (Recopilación, Vázquez, 12v), ver Casada dónde

Serrana onde iovueste (Corte, 52v)

Servía en Orán al rey (MN 17.557, 30)

Servía en Orán al rey (MN 4127, 98)

Servicios bien empleados (MN 3968, 76v)

Servicios bien empleados (MN 4268, 165)

Servicios bien empleados (MP 1578, 48v)

Servicios bien empleados (PN 258, 186v)

Servicios bien empleados (PN 307, 255v)

Servicios bien empleados (PN 373, 198v)

Servir donde el pensamiento (PN 373, 198v)

Servirlos mi alma procura (FN VII-353, 119v)

Serviros y adoraros noche y día (MoE Q 8-21, p. 138)

Serviros y contentaros (CG 1511, 113)

Servís con firme querer (MP 617, 212)

Servís con firme querer (TP 506, 395)

Servís con gran querer (Obras, Silvestre, 61v)

Sete anos de pastor Jacob servia (Borges, 11)

Sete anos de pastor Jacob servia (EM Ç-III.22, 36), ver Siete años

Sevilla está en una torre (Rosa Gentil, Timoneda, 53v)

Si a Blas olvida Costanza (Sevillano, 193)

Si a carillo vieres (MP 1587, 192v)

Si a carillo vieres (Sevillano, 249)

Si a dicha le salgo a ver (MN 5593, 76)

Si a dicha vivir queréis (Vergel, Ubeda, 148)

Si a Dios no tienes qué tienes (Heredia, 252)

Si a la fiesta de san Juan (Sablonara, 15)

Si a la región que de su helado aliento (Penagos, 191)

Si a la Virgen alabamos (Fuenmayor, p. 596)

Si a la Virgen alabamos (Jesuitas, 212v)

Si a los que penan por vos (Sevillano, 200v)

Si a mi Leonor (MP 1587, 35)

Si a mis oídos llegase (Rojas, 132)

Si a murciélago más claro (Jesuitas, 468v)

Si a nadie el Amor dio cuyo (Tesoro, Padilla, 183)

Si a todos tratas Amor como a mí (WHA 2067, 17v)

Si a traición me mataron (MN 3700, 123v)

Si a una doncella el angel vos al mundo (FN VII-353, 8v)

Si a vuestro hijo queréis (Peralta, 40v)

Si abrasa amor vuestro fuego (FN VII-353, 173v)

Si abrasa amor vuestro fuego (Jacinto López, 70v)

Si acá bajase Apolo de los cielos (MN 3968, 1)

Si acaso en Babilonia sois llamados (RaC 263, 19)

Si acaso gran Francisco yo os hallara (Faria, 19)

Si acaso me dais del codo (MP 973, 123v)

Si acaso por no valerme (MP 2803, 205v)

Si acaso vas a pasearte (RaC 263, 115v)

Si acaso vuestro rostro mirar puedo (Morán, 256)

Si acertare o si muriere (CG 1511, 141v)

Si Acteón porque a Diana vido (MN 2973, p. 313)

Si agradó tanto al persa poderoso (MP 3560, 30v)

Si agua bastase matar (CG 1511, 142)

Si Agustina me olvidare (Jhoan López, 3v)

Si ahora con mi canto enternece (PN 371, 101v)

Si al ámbar rubio transparente y claro (SU 2755, 42)

Si al ciego dios te ofreciste (MP 973, 406)

Si al ciego dios te ofreciste (RaC 263, 182v)

Si al cielo que me oyere (Rosal, p. 38)

Si al corazón más esento (Canc., Maldonado, 27v)

Si al fin es fuerza (RG 1600, 87v)

Si al fino oro de Arabia esos cabellos (SU 2755, 14v)

Si al hijo de Venus niñas (Lemos, 180)

Si al mar es vuesta partida (Lemos, 93v)

Si al más endurecido y helado pecho (Jacinto López, 225v)

Si al mismo Cupido (MP 1587, 182v)

Si al niño ciego dios le ofreciste (MN 17.556, 16)

Si al niño ciego dios le ofreciste (MP 996, 123)

Si al niño ciego dios le ofreciste (Penagos, 86)

Si al niño ciego dios le ofreciste (RaC 263, 182)

Si al que amor quiso llorar (Padilla, 230)

Si al que de vos se enamora (Flor de enamorados, 98)

Si al que pretende gloria conocida (Penagos, 144v)

Si al que quitaste la vida (Vergel, Ubeda, 85)

Si al que te quiere no quieres (Sevillano, 234)

Si al sospechoso acrecientan (MP 1578, 131v)

Si al sospechoso acrecientan (PN 307, 247)

Si al tiempo que Neptuno se embravece (MP 617, 182)

Si al valor trabajo industria y arte (MP 2459, 84)

Si alabaros señora pretendiese (PN 372, 195v)

Tabla 275

Si alargarse pudiera (MN 3724, 32v)

Si alcanza conocimiento (MN 3700, 138, 145)

Si alegra el rostro de la primavera (MN 2973, p. 188)

Si alegra el sol cuando en su cuarta esfera (*Rosal*, p. 87)

Si algún bien me habéis de hacer (*Jhoan López*, 134v)

Si algún bien me habéis de hacer (MP 1587, 121)

Si algún bufón si algún guarlante herrático (FR 3358, 169)

Si algún dios de amor había (*CG* 1511, 88v)

Si algún favor alcanzamos (MN 3691, 55)

Si algún favor alcanzamos (MP 570, 133)

Si algún tiempo te fui dulce y querido (MP 570, 216v)

Si alguna cuenta contamos (*Fuenmayor*, p. 188)

Si alguna dulce lira (*Padilla*, 100)

Si alguna vanagloria (BeUC 75/116, 63v)

Si alguna vanagloria (*Borges*, 78)

Si alguna vanagloria (*CG* 1554, 173v)

Si alguna vanagloria (*Evora*, 64)

Si alguna vanagloria (FN VII-354, 181)

Si alguna vanagloria (*Lemos*, 133)

Si alguna vanagloria (MBM 23/4/1, 12)

Si alguna vanagloria (MBM 23/8/7, 122)

Si alguna vanagloria (MN 1132, 105)

Si alguna vanagloria (MN 3670, 56, 62)

Si alguna vanagloria (MN 3968, 50)

Si alguna vanagloria (MN 4256, 98v)

Si alguna vanagloria (MN 4262, 131v)

Si alguna vanagloria (MN 4268, 118v)

Si alguna vanagloria (MP 617, 232v)

Si alguna vanagloria (MRAH 9-7069, 107v)

Si alguna vanagloria (OA 189, 45)

Si alguna vanagloria (PhUP1, 65)

Si alguna vanagloria (PN 258, 216v)

Si alguna vanagloria (PN 307, 13v)

Si alguna vanagloria (PN 311, 13v)

Si alguna vanagloria (RV 768, 121v)

Si alguna vez ligero pensamiento (*Tesoro*, Padilla, 1)

Si alguna vez mi Galatea me mira (MP 570, 209)

Si alguno de este pueblo es ignorante (FN VII-354, 269)

Si alguno de herida muerto ha sido (MN 2973, p. 224)

Si alguno de herida muerto ha sido (TP 506, 49)

Si alguno en este pueblo es ignorante (*León/Serna*, 40)

Si alguno estando ausente (PN 371, 100)

Si alguno quiere hallar (TP 506, 291)

Si alma limpia y temerosa (*Vergel*, Ubeda, 75)

Si amo el galardón (*Elvas*, 23)

Si amor de amor no muriera (*Sevillano*, 253)

Si amor en mí halló jamás entrada (MN 3902, 22)

Si amor enciende el fuego en vuestros ojos (WHA 2067, 8)

Si amor es cosa noble y generosa (MP 2803, 227)

Si amor es firme y tal que no ha perdido (PN 372, 199)

Si amor es fuego vivo (*Tesoro*, Padilla, 115)

Si amor es pura fuerza que cautiva (*Lemos*, 130)

Si amor es pura fuerza que cautiva (*Morán*, 186)

Si amor es puro amor por qué me ofende (EM Ç-III.22, 6v)

Si amor es puro amor por qué me ofende (*Lemos*, 7v)

Si amor es puro amor por qué me ofende (*Morán*, 20v)

Si amor es puro amor por qué me ofende (PN 373, 208v)

Si amor es puro amor por qué me ofende (*Toledano*, 81), *ver* Si es puro

Si Amor está enamorado (MP 1587, 68)

Si Amor está enamorado (*Sevillano*, 253)

Si amor humano convierte (*Sevillano*, 45)

Si amor me diera tasado (*Jacinto López*, 65v)

Si amor no es qué mal es el que siento (*CG* 1554, 194)

Si amor no es qué mal es el que siento (MN 1132, 10v)

Si amor pone las escalas (*CG* 1511, 139v)

Si amor quiere dar combate (*CG* 1511, 139v)

Si amor supiera el metal (MN 3968, 173v)

Si amor supiera el metal (*Obras*, Silvestre, 62v)

Si Amor tan ciego es cómo es certero (MP 2803, 219)

Si amores me han de matar (FN VII-353, 207)

Si amores me han de matar (*Padilla*, 12v, 250)

Si amores me han de matar (*Sevillano*, 173v)

Si amores me han de matar (*Uppsala*, n. 50), *ver* Amores me han

Si amores mudas Amor (*Flor de enamorados*, 118v)

Si amores quisieren (*Toledano*, 67v, 92v)

Si antes de morir Hector supiera (*Borges*, 85)

Si Apolo tanta gracia (MN 2973, p. 135)

Si Apolo tanta gracia (OA 189, 308)

Si Apolo tanta gracia (PN 307, 44)

Si aquél de la venda (MoE Q 8-21, p. 87)

Si aquel dolor que da a sentir la muerte (MN 2973, p. 253)

Si aquel dolor que da a sentir la muerte (TP 506, 106)

Si aquel dorado acíbar que cubierto (*Cid*, 128v)

Si aquel dorado acíbar que cubierto (*Morán*, 233)

Si aquel dorado acíbar que cubierto (PN 372, 117)

Si aquel dorado acíbar que encubierto (MP 973, 238)

Si aquel enmudecer en tu presencia (*CG* 1554, 168v)

Si aquel enmudecer en tu presencia (MN 1132, 160)

Si aquel rayo del sol impetuoso (MN 17.951, 86)

Si aquesta vida amigo es como un prado (Vergel, Ubeda, 191v)

Si aquí da consuelo (*Vergel*, Ubeda, 106v)

Si así durase el sol sereno cuanto (MN 2973, p. 61)

Si así me trata el frío que tengo (*Sevillano*, 180v)

Si atendéis que de los brazos (FN VII-353, 41v)

Si Aurora en urna de rosa (PN 418, p. 436)

Si ausente un solo sol la noche oscura (*Penagos*, 183)

Si ayunar queréis mi Dios (*Vergel*, Ubeda, 33)

Si bastasen las lágrimas y el llanto (MN 2973, p. 130)

Si cabello de oro y aun más rubio (FN VII-353, 281v)

Si cada flecha que tiras (*FRG*, p. 152)

Si Calderón está como le pintas (MiA AD.XI.57, 25v)

Si cantan los gallos (*Padilla*, 228v)

Si Celia duerme Amor lo mismo hace (*Padilla*, 145v)

Si Celia duerme Amor lo mismo hace (*Tesoro*, Padilla, 285v)

Si cien bocas yo tuviese (PN 307, 111v)

Si como damasco vistes (*RG* 1600, 1v)

Si como el viene el mal durase (*Lemos*, 121v)

Si como estoy sin culpa la tuviera (*Cid*, 16v)

Si como la largueza sin medida (*Canc.*, Maldonado, 188v)

Si como sois conocida (*CG* 1511, 49)

Si como vas N. yo me fuese (*Morán*, 41)

Si como viene el pesar durase (*Toledano*, 89)

Si con ausencia quisiste (*RG* 1600, 187v)

Si con ausencia y olvido (MP 570, 161)

Si con cien ojos como el pastor Argo (MN 2973, p. 93)

Si con los enanos pelean gigantes (*CG* 1511, 158)

Si con mi triste cuidado (*CG* 1511, 177)

Si con plumas de saetas (MN 17.951, 25v)

Si con soberbia la mujer primera (*Vergel*, Ubeda, 92v)

Si con sólo el pensamiento (MP 996, 179v)

Si con tanta gloria penas (FN VII-353, 174)

Si con tanta gloria penas (*Jacinto López*, 69)

Si con tanto olvido (*Cid*, 236v)

Si con tanto olvido (MBM 23/4/1, 325)

Si con tanto olvido (*Morán*, 7)

Si con tanto olvido (PA 1506, p. 16)

Si con tanto olvido (*Rojas*, 71v)

Si confesar yo quererte (MN 5602, 31)

Si cosa he dicho yo que a vos ofenda (TP 506, 108)

Si Costanza echó en olvido (*Sevillano*, 193)

Si creéis lo que os dijere (*Toledano*, 62)

Si creyendo atajar mi pensamiento (PN 314, 38)

Si creyendo atajar mi pensamiento (WHA 2067, 92v)

Si crían las montañas más fragosas (*Vergel*, Ubeda, 134)

Si cualquier prima pintura (MN 17.951, 5v)

Si cualquiera el desdén vivo mirase (*Morán*, 164)

Si cuando determinastes (PN 372, 67)

Si cuando fuisteis pedidas (MP 2803, 163)

Si cuando Galatea al viento tiende (SU 2755, 13v)

Si cuando me vía (*Jhoan López*, 41)

Si cuando triste os miré (*CG* 1511, 149)

Si cuando triste os miré (*Lemos*, 98)

Si cuando yo por vos estoy gimiendo (MN 3902, 25)

Si cuanto más cerca mana (*Fuenmayor*, p. 405)

Si cuanto nos da Ventura (MP 1587, 73v)

Si cuatro deidades van (PN 418, p. 215)

Si cuidáis que sois señora (PBM 56, 13v)

Si culpa concebir nacer tormento (MP 1578, 284)

Si culpa el concebir nacer tormento (*Faria*, 4)

Si culpado fui en irme (*Ixar*, 341)

Si cumplieres Señor lo que te pido (*Lemos*, 262)

Si damas de tal metal (*Jhoan López*, 31v)

Si dar de San Martín razón (*Heredia*, 168v)

Si dar gracias debe hombre al cielo entero (MN 6001, 58)

Si dar mal por mal es mal (*CG* 1511, 123v)

Si daros cuanto puedo siendo el daros (MN 2973, p. 327)

Si daros cuanto puedo siendo el daros (*Rosal*, p. 236)

Si de algún efecto fuese (*Morán*, 66)

Si de alguna esperanza asegurada (*Tesoro*, Padilla, 214)

Si de amor la llama fuerte (*Morán*, 193v)

Si de amor libre estuviera (*CG* 1514, 118v)

Si de amor libre estuviera (*Elvas*, 18)

Si de amor te dicen (*Jhoan López*, 144)

Si de amor te dicen (*Penagos*, 79v)

Si de amores mato a Juan (*Lemos*, 65v)

Si de aquel amor tan firme (*Canc.*, Maldonado, 23)

Si de clemencia asomase un día (*Corte*, 122)

Si de correr opuesto al sacro Oriente (MN 3913, 160)

Si de descubrir hubiese (MP 617, 152v)

Si de Dios el pecho abierto (*Fuenmayor*, p. 70)

Si de Dios fue establecido (MN 17.951, 46)

Si de esta manera crece (*RG* 1600, 359v)

Si de Filis cruel los ojos miro (MN 17.556, 131)

Si de Filis cruel los ojos miro (*Penagos*, 11)

Si de Fortuna la rueda (*León/Serna*, 113)

Si de la gloria crecida (*Canc.*, Maldonado, 51v)

Si de la gravedad de mi delito (*Rosal*, p. 285)

Si de los bellos ojos donde encierra (*Canc.*, Maldonado, 101)

Si de los ojos nace (*Sevillano*, 68)

Si de Lucinda el mirar (MN 4127, 192)

Si de mi baja lira (PN 307, 39v)

Si de mi grave tormento (*Padilla*, 138)

Si de mi pensamiento (*Cid*, 112v)

Si de mi pensamiento (*Elvas*, 25)

Si de mi pensamiento (*Morán*, 7v)

Si de mi pensamiento (OA 189, 167v)

Si de mi pensamiento (PN 373, 131)

Si de mí se aleja (PBM 56, 31)

Si de mi torpe lengua (*Cid*, 255)

Si de mi triste pasión (*CG* 1511, 178)

Si de mis secretos fueran (*CG* 1511, 140)

Si de nuestras culpas hallo (*Heredia*, 24)

Si de principal intento (*Morán*, 207)

Tabla 277

Si de Roma el ardor si el de Sagunto (MN 2973, p. 392)
Si de sólo verla muero (*Sevillano*, 70)
Si de ti mi bien allá encerrado (*Evora*, 32)
Si de toda la hermosura (FR 3358, 91)
Si de todos los que os miran (*Morán*, 11)
Si de todos los que os miran (*Peralta*, 3v)
Si de todos los que os miran (PN 314, 182)
Si de todos los que os miran (*Sevillano*, 61v)
Si de triste licor tan larga pena (PN 314, 99)
Si de triste licor tan larga pena (PN 371, 13)
Si de tu amor verdadero (*Morán*, 39)
Si de tu descendencia miro el tronco (*Penagos*, 16v)
Si de una piedra fría enamorado (MN 2973, p. 201)
Si de ver en mí el dolor (*Penagos*, 51)
Si de veras me quisiera (*Romancero*, Padilla, 301)
Si de vivir señora estoy dudoso (PN 372, 187)
Si de vos mi bien me aparto (*Uppsala*, n. 51)
Si de vos señora (WHA 2067, 15)
Si de vuestro valor gentil señora (PN 371, 84v)
Si debe por verdad ser admitido (*Obras*, Silvestre, 418)
Si decís que Amor es ciego (MP 1587, 184)
Si decís que Amor es ciego (*Romancero*, Padilla, 299)
Si deja amor conmigo (*Evora*, 43v)
Si deja dolor conmigo (CG 1511, 145)
Si del alma producidas (*Padilla*, 113v)
Si del amargo intenso pensamiento (MN 3968, 100v)
Si del celoso ardor con mano fría (*Rojas*, 102v)
Si del cielo aca bajáis (*Jesuitas*, 477)
Si del haber mentido (MP 973, 39, 40)
Si del hablar nace (FN VII-353, 145)
Si del hablar nace (PN 307, 275v)
Si del hablar nace (*Rojas*, 110)
Si del hombre las partes has sabido (MN 17.556, 128v)
Si del hombre las partes has sabido (*Penagos*, 15v)
Si del maestro Samio la sentencia (MP 973, 85)
Si del parlar se comiera (*Padilla*, 50)
Si del que te quiere más (*Sevillano*, 234)
Si dentro de un falso pecho (PA 1506, p. 20)
Si dentro de un falso pecho (RaC 263, 165)
Si desdichas consolasen (CG 1511, 133)
Si deseas ser querido (*Morán*, 4)
Si después de tanto arder (*Jacinto López*, 70v)
Si di o no di (*Toledano*, 91v)
Si dice que su madre no fue mora (MiA AD.XI.57, 12)
Si dicen que a vuestra madre (MiT 1001, 10v)
Si dicen que con sangre se enternece (*Lemos*, 129)
Si dicen que es ciego (PN 373, 230v), *ver* Dicen que es cruel
Si dicen que va confuso (*Heredia*, 147)
Si dices que Cupido se preciaba (MN 2856, 72)

Si dijeras cómo a ti (*Medinaceli*, 142v)
Si dijeras cómo a ti (*Sevillano*, 290)
Si Dios a Dios nos dio para salvarnos (*Jesuitas*, 468)
Si Dios a la alma que llama ama (*Jacinto López*, 300)
Si Dios al alma que le llama ama (*Vergel*, Ubeda, 72v)
Si Dios comunicase (*Sevillano*, 190v)
Si Dios por madre te quiere (*Sevillano*, 186v)
Si don Alfonso el Casto le viviera (*Tesoro*, Padilla, 353v)
Si dormida estáis (MN 3700, 181)
Si dormís cordero (*Sevillano*, 174)
Si dormís gentil señora (*Tesoro*, Padilla, 402)
Si dormís la mi niña (MN 3700, 181)
Si dormís señor (*Sevillano*, 172, 174)
Si dormís señora mía (MP 1587, 138)
Si dudan por ser mujer (CG 1514, 14)
Si duermes señora mía (MP 2803, 168v)
Si el acerbo cuchillo de la muerte (*Penagos*, 188v)
Si el agua de mi alegría (RG 1600, 20v)
Si el alma de este cuerpo es apartada (MP 617, 187v)
Si el alma está de vos llena (MN 3902, 81v)
Si el alma me es apartada (*Jacinto López*, 55v)
Si el alma venturosa mi señora (*Jacinto López*, 180v)
Si el Almirante se parte (MP 617, 210)
Si el almirante se parte (TP 506, 394)
Si el amaros es locura (FRG, p. 180)
Si el amaros es locura (*Guisadillo*, Timoneda, 9v)
Si el amor ciego se ofende (MP 2803, 156v)
Si el amor con amor solo se paga (*Fuenmayor*, p. 159)
Si el amor es de mi bando (*Penagos*, 84v)
Si el amor mundano y feo (*Peralta*, 14v)
Si el amor no lo trazara (*Padilla*, 45)
Si el amor por las obras su fineza (*Vergel*, Ubeda, 131)
Si el amor que me mostráis (RV 1635, 107)
Si el amor quisiere (*Toledano*, 92v)
Si el amor un alma enciende (*Corte*, 224)
Si el amoroso fuego en que te inflama (*Obras*, Silvestre, 419)
Si el árbol por la fruta es conocido (*Jesuitas*, 446)
Si el bien no dura no es bien (*Padilla*, 174v)
Si el bien tan poco dura (RaC 263, 77)
Si el blanco cisne con su dulce canto (*Jacinto López*, 10v)
Si el buen consejo aprovecha (*Heredia*, 165v)
Si el caballo os han muerto (RG 1600, 311v)
Si el cabo de hermosura (CG 1511, 143)
Si el celeste pintor no se extremara (MN 2973, p. 165)
Si el cielo no remedia el mal que siento (PN 314, 16v)
Si el cielo tiene ser tan sublimado (*Fuenmayor*, p. 435)
Si el cielo y la tierra (*Sevillano*, 187)
Si el claro sol del alma se desvía (MP 617, 188v)
Si el corazón con lágrimas descansa (MN 3806, 10v)

Si el corazón de viento sacudido (FN VII-353, 18)

Si el corazón de vientos sacudido (*Vergel*, Ubeda, 26)

Si el corazón os sacaran (CG 1535, 197v)

Si el diluvio de Júpiter hubiera (FR 3358, 159)

Si el dolor de morir es tan crecido (MN 4256, 96v, 247)

Si el dolor está en el alma (PN 314, 170)

Si el doloroso canto (*Morán*, 110)

Si el enojaros señora (*Rojas*, 101)

Si el espantoso mar en medio puesto (*Corte*, 124)

Si el esperar suceso venturoso (*Cid*, 129)

Si el Fénix es solo en el mundo (*Lemos*, 121v)

Si el fiero mal que dentro en mi alma siento (MP 570, 280v)

Si el fuego da más calor (Jesuitas, 202)

Si el fuerte amor mi Dios os ha rendido (*Jesuitas*, 270)

Si el galán es avisado (*FRG*, p. 241)

Si el galán es avisado (*Jacinto López*, 318v)

Si el galán es avisado (RV 1635, 51v)

Si el galán fuere avisado (*Padilla*, 99v)

Si el gran Bautista santo se halla indigno (*Canc.*, Ubeda, 55)

Si el gran Bautista santo se halla indigno (*Vergel*, Ubeda, 64v)

Si el grano de mostaza no muriere (*Jesuitas*, 255v)

Si el llanto es del dolor lengua y testigo (*Faria*, 31v)

Si el mal de muchos juntos padecido (Canc., Maldonado, 100v)

Si el mal que con furia viene (PN 371, 22v)

Si el mal que vos me habéis hecho (CG 1511, 127v)

Si el mal se esfuerza y crecen los desdenes (MP 1587, 131)

Si el manjar que coméis vos (*Jhoan López*, 33v)

Si el marido ha de mandarme (*Jhoan López*, 2)

Si el marido ha de mandarme (MP 1587, 39v)

Si el más alto pensamiento (*Cid*, 188)

Si el mayor contentamiento (*Tesoro*, Padilla, 243)

Si el miedo de perderos no te place (WHA 2067, 87)

Si el mirar dulce de Beatriz me mata (MN 2973, p. 117)

Si el miraros y mirarme (*Obras*, Cepeda, 93v)

Si el morir nace del ver (*Morán*, 193)

Si el mundo inmundo falso y halagueño (MP 1578, 266)

Si el navegante mirase (CG 1511, 83)

Si el necio aunque afortunado (PN 418, p. 274)

Si el no poder mudar (CG 1511, 142v)

Si el novio quisiere luego (RaC 263, 53v)

Si el pastorcico es nuevo (*Recopilación*, Vázquez, 14)

Si el penoso y triste llanto (*Peralta*, 166v)

Si el pensamiento firme (OA 189, 74)

Si el perderte por ganar (PN 373, 247v)

Si el pesado suceso de mis males (*Canc.*, Maldonado, 143)

Si el pescador pensase (MN 2973, p. 47)

Si el pie moví jamás o el pensamiento (FR 3358, 95)

Si el pie moví jamás o el pensamiento (MN 3968, 98, 154)

Si el pie moví jamás o el pensamiento (OA 189, 8v)

Si el preso pudo librarse (*Gallardo*, 59)

Si el que da al pobre de su hacienda parte (*Vergel*, Ubeda, 153v)

Si el que es más desdichado alcanza muerte (MN 3913, 159v)

Si el que hospeda al peregrino (*Fuenmayor*, p. 114)

Si el que muere por su amigo (*Vergel*, Ubeda, 80)

Si el que parte en esta vida (CG 1511, 115)

Si el que pudo pasar y no pasó (*Jesuitas*, 245v)

Si el que servirte desea (MN 4268, 194v)

Si el que servirte desea (MP 1578, 42v)

Si el que servirte desea (MP 2805, 63)

Si el que servirte desea (PhUP1, 124)

Si el que vive descontento (*Sevillano*, 273)

Si el remedio de perderla (CG 1511, 142)

Si el remedio está dudoso (CG 1511, 124v)

Si el rey del cielo os da pecho (*Jesuitas*, 204)

Si el rey me escuchara a mí (FN VII-353, 116)

Si el saber de Homero yo aquí tuviera (MP 1587, 119)

Si el sacro Olimpo con su fuerza inmensa (MP 2459, 101)

Si el ser que tan vuestro es (*Jesuitas*, 241)

Si el servir a mujeres es de suerte (*Morán*, 116v)

Si el Sol que aquí llevamos encubierto (MP 617, 187v)

Si el sumo movedor del alto cielo (PN 314, 43)

Si el suspiro da dolor (*Cid*, 180)

Si el suspiro da pasión (*Cid*, 162)

Si el suspiro da pasión (*Morán*, 35v)

Si el suspiro da pasión (MP 2803, 214)

Si el suspiro da pasión (*RH*, 205)

Si el suspiro da pasión (*Sevillano*, 254)

Si el tiempo que gasté contigo lloro (MN 3700, 180)

Si el unicornio es preciado (*Lemos*, 111v)

Si el villancico no vino (CG 1554, 76)

Si el vivir en esta vida (MP 2459, 46)

Si ella por mí se muriere (*Jhoan López*, 3v)

Si en alta mar Licinio (FR 3358, 216)

Si en alto mar Licinio (FN VII-353, 196v)

Si en alto mar Licinio (MN 3698, 12)

Si en alto mar Licinio (*Rosal*, p. 277)

Si en amor viera que hubiera (Flor de enamorados, 9v)

Si en cuanto mover puede mi fatiga (*Jhoan López*, 123v)

Si en dicha de otra señora (*Heredia*, 185v)

Si en el portal do nací (*Sevillano*, 192)

Si en el propicio viento con que inspira (*Penagos*, 195)

Si en el punto que pecó (*Toledano*, 100)

Si en esta clara ausencia he de olvidarte (*Sevillano*, 225v)

Si en estar un día sin veros (MN 5593, 77v)

Si en la cruz Virgen María (*Sevillano*, 151)

Tabla 279

Si fuese muerto ya mi pensamiento (OA 189, 25)

Si fuese muerto ya mi pensamiento (PhUP1, 73)

Si fuese muerto ya mi pensamiento (PN 258, 198v)

Si fuese muerto ya mi pensamiento (PN 311, 8v)

Si fuese muerto ya mi pensamiento (RV 768, 259)

Si fuese muerto ya mi pensamiento (TP 506, 30v), *ver* Si fuese ya

Si fuese vuestra presencia (*CG* 1511, 176)

Si fuese ya muerto mi pensamiento (*Evora*, 58v), *ver* Si fuese muerto

Si ganada es Antequera (*Flor de enamorados*, 42)

Si gozar tu beldad Filena hermosa (*Faria*, 29)

Si gran fortaleza templanza y saber (*CG* 1511, 151)

Si gran gloria me viene de mirarte (*Evora*, 30v)

Si grana del labio Celia mueves (FN VII-353, 289)

Si ha de ser tan vidriado (*Morán*, 187)

Si habemos de dar cuenta de la vida (MiA AD.XI.57, 24)

Si hago de mi triste vida (*Penagos*, 296v)

Si hay amor que muerte sea (*CG* 1511, 136v)

Si hay más querer del posible (*Tesoro*, Padilla, 225)

Si hay porque el hombre duerma (*Vergel*, Ubeda, 34v)

Si he sido en estos consejos atrevido (FN VII-353, 287)

Si he sido en mis palabras atrevido (FN VII-354, 400)

Si he sido en mis palabras atrevido (*Jacinto López*, 103)

Si hebras de oro son vuestros cabellos (*Romancero*, Padilla, 125)

Si hermosura buscáis (*Vergel*, Ubeda, 27v)

Si hubiera encarecimiento (MN 3700, 99v)

Si hubiera Tomás tomado (*Jesuitas*, 253v)

Si igual a mi deseo (*Jesuitas*, 196, 616)

Si igual a mi deseo (MP 973, 213v)

Si imaginas que se achica (MiA AD.XI.57, 46)

Si Jacob fiel criado (*Vergel*, Ubeda, 58v)

Si Jacob y Raquel en sus amores (*Cid*, 133v)

Si Jacob y Raquel en sus amores (*Jesuitas*, 153)

Si jamás el morir se probó en vida (MN 2973, p. 141)

Si jaras al amor y si tormento (*Jacinto López*, 8)

Si Jesús va al corazón (*Jesuitas*, 301)

Si la carne que recibo (*Ixar*, 334)

Si la causa de mi daño (*Ixar*, 332)

Si la causa soy yo de lo que siento (*Corte*, 230v)

Si la ciencia que tenía (*Jacinto López*, 60)

Si la corte y sus primores (*Jacinto López*, 123)

Si la culpa disculpa (PN 371, 25)

Si la esperanza es dudosa (*Padilla*, 230)

Si la fe que me tenéis (*Morán*, 95v)

Si la femenil esencia (MP 973, 108)

Si la Fortuna potente (*Lemos*, 258)

Si la gloria de vivir (*Morán*, 107)

Si la gloria que se ofrece (*Peralta*, 4v)

Si la harpa si el órgano sabroso (*Obras*, Silvestre, 389)

Si la hermosura (*Sevillano*, 141)

Si la injuria y menosprecio (*Jesuitas*, 461)

Si la lanza no me miente (MN 3691, 35)

Si la lengua helada muerta fría (*Jacinto López*, 153v)

Si la Magdalena es guía (*CG* 1511, 182)

Si la mar suele anegar (PN 371, 21v)

Si la memoria despierta (*Canc.*, Maldonado, 34)

Si la menos dama sobra (*CG* 1514, 145v)

Si la necesidad en que me he visto (FN VII-354, 103v)

Si la noche hace oscura (*Heredia*, 87v)

Si la noche hace oscura (MN 5593, 82v)

Si la noche hace oscura (*Uppsala*, n. 8)

Si la pluma igualara al pensamiento (*Tesoro*, Padilla, 230)

Si la ponzoñosa fiera del engaño (SU 2755, 199)

Si la que el mundo tiene por más bella (*Tesoro*, Padilla, 4v)

Si la vida deseada (PN 371, 23v)

Si la vieras (*CG* 1511, 143)

Si la voluntad merece (MP 1587, 78v)

Si lágrimas no pueden ablandarte (*Elvas*, 24)

Si lágrimas no pueden ablandarte (*Morán*, 105)

Si lágrimas no pueden ablandarte (PN 372, 186)

Si lágrimas pudieran ablandarte (MN 3968, 157v)

Si las mudanzas varias de Fortuna (MN 3968, 143)

Si las penas que dais son verdaderas (*Heredia*, 352v)

Si las penas que dais son verdaderas (MN 3691, 68)

Si las penas que dais son verdaderas (MP 617, 242v)

Si las sagradas letras llamar suelen (MP 1578, 263v)

Si levantáis los ojos al trofeo (MN 17.951, 76v)

Si libres alcé mis ojos (*Flor de enamorados*, 25v), *ver* Libres alcé

Si linda es la madrina (MP 973, 173v)

Si llegara mi pluma oh gran Hurtado (PN 373, 275v)

Si llueve con tristeza (*Toledano*, 31v)

Si llueve menudico (*Toledano*, 31v)

Si lo más es más dudoso (*CG* 1511, 150)

Si lo que confiesa el mundo (*Canc.*, Maldonado, 48)

Si lo que digo no fuese (MN 5602, 26)

Si lo que en nuestros tiempos ha acaecido (MP 570, 253v)

Si lo que muestras de ira y de rigor (*Corte*, 61)

Si lo que yo respondiere (*CG* 1511, 154)

Si los alzo y miro dicen que mato (MN 3700, 30v)

Si los cabellos de oro oro cabellos (*Jacinto López*, 10v)

Si los cielos cuentan la gloria del Señor (*Evora*, 32v)

Si los cuidados que por vos padezco (*Heredia*, 343)

Si los delfines tienen amores (*Toledano*, 90v)

Si los hombres más despiertos (*Vergel*, Ubeda, 191v)

Si los hombres se admiran (*Fuenmayor*, p. 526)

Si los mis llantos y penas (*CG* 1511, 106v)

Si los mis llantos y penas (MP 617, 104)

Tabla 281

Si no me dais lo que pido (*Toledano*, 41)

Si no me engaña el efecto (*CG* 1511, 34v)

Si no me engaña el efecto (*Ixar*, 85v)

Si no me engaño aquí cerca era (*Heredia*, 274v)

Si no me engaño aquí cerca era (MBM 23/4/1, 129)

Si no me engaño aquí cerca era (MN 1132, 17v)

Si no me engaño aquí cerca era (MN 3902, 7)

Si no me queréis creer (*Padilla*, 3)

Si no me quieres de veras (*Romancero*, Padilla, 317v)

Si no muero por ti yo sin ti viva (*Cid*, 132v)

Si no os digo verdad si en algo os miento (MN 3902, 23v)

Si no os hubiera mirado (*CG* 1511, 57v)

Si no os hubiera mirado (*Recopilación*, Vázquez, 24v)

Si no os hubiera mirado (*Uppsala*, n. 7)

Si no ponéis en olvido (*Corte*, 122)

Si no puede razón o entendimiento (MRAH 9-7069, 39)

Si no pueden razón o entendimiento (BeUC 75/116, 48v)

Si no pueden razón o entendimiento (FN VII-354, 161v)

Si no pueden razón o entendimiento (MBM 23/8/7, 127)

Si no pueden razón o entendimiento (MN 2973, p. 119)

Si no pueden razón o entendimiento (MN 3968, 38)

Si no pueden razón o entendimiento (MN 4256, 57)

Si no pueden razón o entendimiento (MN 4262, 66v)

Si no pueden razón o entendimiento (MN 4268, 77v)

Si no pueden razón o entendimiento (MP 2805, 134)

Si no pueden razón o entendimiento (OA 189, 246)

Si no pueden razón o entendimiento (PhUP1, 50v)

Si no pueden razón o entendimiento (PN 258, 71)

Si no pueden razón o entendimiento (RV 768, 127v)

Si no queda qué perder (MN 3902, 92)

Si no queda qué perder (MP 617, 164v)

Si no sabéis de la suerte (MP 1587, 35)

Si no se hiciere la cosa (*CG* 1557, 392v)

Si no socorre Amor la frágil nave (MN 2973, p. 347)

Si no tiene el ser cruel (*Tesoro*, Padilla, 125v)

Si no tienes que le dar (*Penagos*, 85)

Si nos hubiera mirado (PN 372, 62v)

Si olvido gloria pasada (*CG* 1511, 123)

Si Orfeo cantando a piedad movía (*Padilla*, 113)

Si Orfeo con su música extremada (*Jesuitas*, 229)

Si os digo que por vos muero (*Romancero*, Padilla, 286, 344v)

Si os dio vuestro suegro el don (MP 617, 212)

Si os dio vuestro suegro el don (TP 506, 395)

Si os fuérades sin quedar (*Sevillano*, 47)

Si os he de querer Silvera (*Sevillano*, 235)

Si os he ofendido yo señora mía (*Morán*, 55)

Si os he ofendido yo señora mía (OA 189, 20)

Si os parece señor que el atreverme (PN 314, 39v)

Si os partís señora mía (*Evora*, 6)

Si os pedí dama limón (*CG* 1511, 122v)

Si os pesa de ser querida (*Cid*, 185v)

Si os pesa de ser querida (*FRG*, p. 180)

Si os pesa de ser querida (*Guisadillo*, Timoneda, 9v)

Si os pesa de ser querida (*Morán*, 211)

Si os pesa de ser querida (*Morán*, 211)

Si os pesa de ser querida (MP 973, 106)

Si os pesa de ser querida (*Obras*, Silvestre, 97v)

Si os pesa de ser querida (*Padilla*, 46v)

Si os pesa de ser querida (PN 307, 282, 311)

Si os pesa de ser querida (PN 373, 130, 193)

Si os pesa de ser querida (*Romancero*, Padilla, 285)

Si os pesa de ser querida (*Sevillano*, 197v)

Si os pesa de ser querida (*Tesoro*, Padilla, 334)

Si os pesa de ser querida (WHA 2067, 14)

Si os sirviese con mi muerte (*Recopilación*, Vázquez, 17)

Si os valga San Martín (*CG* 1511, 230v)

Si osase decir mi boca (*Jacinto López*, 212)

Si otras veces he partido (*Morán*, 67v)

Si otro diluvio Júpiter lloviese (MP 3560, 26v)

Si oyeses mi mal señora (*CG* 1554, 17)

Si oyeses mi mal señora (MN 1132, 147v)

Si oyeses mi mal señora (PN 307, 286v)

Si para dibujar aquel retrato (*Canc.*, Maldonado, 135)

Si para Dios con Dios nos disponemos (*Canc.*, Ubeda, 109v)

Si para Dios con Dios nos disponemos (FN VII-353, 255v)

Si para Dios con Dios nos disponemos (*Jacinto López*, 275v)

Si para Dios con Dios nos disponemos (*Jesuitas*, 349, 485)

Si para Dios con Dios nos disponemos (*Padilla*, 71v)

Si para Dios con Dios nos disponemos (RaC 263, 109v)

Si para más lastimarme (*Canc.*, Maldonado, 34)

Si para poder quejarme (*Tesoro*, Padilla, 181)

Si para sufrir agravios (*RG* 1600, 360)

Si para ver y callar (*RG* 1600, 360)

Si Paris fuera buen huésped (*RG* 1600, 93)

Si pasáis pena y tormento (*Evora*, 24v)

Si pasión al vencimiento (*CG* 1511, 123v)

Si pensáis matarme el fuego (MP 2803, 163)

Si pensara o si creyera (*CG* 1557, 392)

Si pensase por medida (*CG* 1511, 129v)

Si perezoso buey el ciervo alado (*Jhoan López*, 103v)

Si pesar o penar os diera (*CG* 1511, 128)

Si piensa el señor Cupido (MN 3724, 256)

Si piensa el señor Cupido (*RG* 1600, 180)

Si pienses por aventura (*Sevillano*, 284)

Si pluguiese a Dios del cielo (*Recopilación*, Vázquez, 15)

Si poco sabéis de amores corazón (MP 1587, 35)

Si podrá darme contento (*Morán*, 209)

Si pone el alma el bastón (*Jhoan López*, 16)

Tabla 283

Si ponen al más osado (*Fuenmayor*, p. 548)
Si por amar el hombre ser amado (TP 506, 360)
Si por amar el hombre y ser amado (*Lemos*, 92v)
Si por amaros tanto (*Morán*, 41v)
Si por amor penar mucho creía (CG 1554, 190)
Si por bien querer (PN 372, 21)
Si por caso yo viviere (CG 1514, 109v)
Si por caso yo viviese (CG 1511, 124, 199)
Si por caso yo viviese (*Corte*, 220)
Si por desdén de esa serena frente (MN 17.556, 139)
Si por fe se alcanza (*Penagos*, 78)
Si por flores fueres (*Sablonara*, 52)
Si por haber confesado (MN 3902, 101v)
Si por la pena se alcanza (CG 1511, 126)
Si por mostraros áspera y turbada (MP 973, 239)
Si por otra me dejares (CG 1557, 391)
Si por pensar enojaros (CG 1554, 117)
Si por quien perdí vida (CG 1514, 122v)
Si por rendido merece (*Corte*, 223v)
Si por señales o por conjeturas (MP 617, 112)
Si por ser la noche fría (*Sevillano*, 84)
Si por serviros señora (*Flor de enamorados*, 80v)
Si por sólo ser quien sois (*Sevillano*, 177v)
Si por tales pasos vais (*Jesuitas*, 446)
Si por ventura perdéis (*Morán*, 188v)
Si por vuestra divina hermosura (MN 2973, p. 344)
Si preguntáis mi nombre fue María (PN 258, 192v)
Si preguntas mi nombre fue María (*Heredia*, 340v)
Si preguntas mi nombre fue María (MN 4256, 115v)
Si preguntas mi nombre fue María (MN 4268, 118)
Si preguntas mi nombre fue María (PN 311, 94v)
Si prenda de tus manos no trajeran (*Lemos*, 129)
Si presto no vuelvo a ver (*Padilla*, 238v)
Si pretendéis acabarme (*Padilla*, 135v)
Si pretendéis ser querido (*Morán*, 78v)
Si pretenden gozarte sin bolsón (MN 3700, 131v)
Si pretendes el bien que siempre esperas (MN 3700, 78)
Si principio antiguamente (*Jesuitas*, 382)
Si procuro acomodarme (*Jacinto López*, 66)
Si procuro acomodarme (*Jhoan López*, 35)
Si profunda conclusión (CG 1511, 7v)
Si pudiera aborreceros (*Morán*, 76)
Si pudiera aborreceros (MP 2803, 231)
Si pudiera aborreceros (PN 307, 325), *ver* Si pudiere
Si pudiera con un ay (*Morán*, 115v)
Si pudiera mi pasión (*Obras*, Silvestre, 87)
Si pudiera ser no veros (*Padilla*, 235v), *ver* Si pudiera
Si pudieran la lengua y el deseo (*Tesoro*, Padilla, 190)
Si pudiere aborreceros (*Sevillano*, 57v),

Si pudiere mi voz enflaquecida (PN 314, 111)
Si pudiese con la vida (MP 617, 329)
Si pudiese mi pasión (CG 1511, 129v)
Si puede celebrar mi rudo canto (*Penagos*, 177v, 180)
Si puede más el amor (*Corte*, 121)
Si puse yo jamás mi pensamiento (PN 373, 282)
Sí que le ví que le vi al zagal (MP 644, 199)
Sí que le ví que le vi llorando (MP 644, 199)
Si queréis buen caballero (*Cid*, 116v, 129)
Si queréis que dé a entenderos (*Recopilación*, Vázquez, 10)
Si queréis que os enrame la puerta (*Jacinto López*, 319)
Si queréis que os enrame la puerta (RC 625, 19v)
Si queréis que vuelva acá (CG 1511, 175)
Si queréis saber por dónde (MN 3913, 53v)
Si queréis saber qué hacen (*Peralta*, 20v)
Si queréis sois bien querida (*Evora*, 6)
Si quien causa la contienda (CG 1554, 86)
Si quien éstas hizo pudiera hacer (*Lemos*, 56v)
Si quien mata ha de morir (*Rojas*, 60v)
Si quieres al mal que siento (CG 1511, 130)
Si quieres alma mía (*Vergel*, Ubeda, 71v)
Si quieres con afición (*Lemos*, 65)
Si quieres contento (*Padilla*, 131v)
Si quieres en la muerte hallar vida (*Fuenmayor*, p. 29)
Si quieres espera (*Tesoro*, Padilla, 344v)
Si quieres que noche y día (*Jhoan López*, 40)
Si quieres religioso estar contento (*Vergel*, Ubeda, 204v)
Si quieres ser perfecto religioso (*Fuenmayor*, p. 148)
Si quieres ver el fin triste que espera (MiA AD.XI.57, 17v)
Si quiero celebrar la hermosura (MP 570, 205)
Si razón me acompañase (CG 1511, 210v)
Si rebozo tienes para mirarme (MN 3700, 123v)
Si reparas en saber (MN 3168, 145v)
Si retozas en el verde (MoE Q 8-21, p. 130)
Si retozas en lo verde (*Penagos*, 121v)
Si retratas al vino / morena de oro (MN 3913, 72)
Si rota el asta del cruel tirano (FR 3358, 107)
Si Rugero se congoja (*Tesoro*, Padilla, 414v)
Si sabes qué son pasiones (MN 3724, 168)
Si sabes que son pasiones (MN 4127, 106)
Si sabes que son pasiones (RG 1600, 96)
Si sale blanco mi bien (*Flor de enamorados*, 66v)
Si salen dos combatientes (*Fuenmayor*, p. 7)
Si santos garzones (FN VII-353, 175v)
Si se da a mi culpa dura (*Vergel*, Ubeda, 34v)
Si se encuentran allá dentro (TP 506, 347v)
Si se entiende el mal de amor (RC 625, 17v)
Si se está mi corazón (*Flor de enamorados*, 54v)
Si se fue enojado (MP 1587, 192v)

Si se me niega la cosa (RaC 263, 82)

Si se pasa este galán (*Heredia*, 151)

Si se pesase en un peso (*Jesuitas*, 246)

Si se pudiese el dolor (*Heredia*, 79)

Si se pudiese el dolor (MN 5593, 59)

Si se va mi sol (MN 3700, 142)

Si sentís lo que yo siento (*Morán*, 95v)

Si siempre crecen así (RG 1600, 359v)

Si siempre os mostráis (*Toledano*, 52v)

Si siendo Tomico (*Jhoan López*, 41)

Si siente lo que dice / me sobra el brío (MN 3913, 47v)

Si sintiérades de amor (MP 617, 169v)

Si sois águila del cielo (*Jesuitas*, 448)

Si sois casada pensad (*Heredia*, 140v)

Si sois mi Dios tan sabroso (*Vergel*, Ubeda, 75)

Si sola la fama (*Padilla*, 92v)

Si soledad ahora hallar pudiese (OA 189, 147)

Si sólo al labrador se le concede (*Jesuitas*, 159)

Si sólo de oír tu gala (*Evora*, 13)

Si sólo imaginar que he de partirme (PN 314, 31)

Si sólo por unas flores (MN 5593, 69)

Si subir puedo el mal limado canto (*Penagos*, 161v, 180v)

Si sufres mi gran dolor (*Padilla*, 229v)

Si sus mercedes me escuchan (FN VII-353, 43v)

Si sus mercedes me escuchan (*Peralta*, 89v)

Si suspiros bastasen a moveros (*Toledano*, 81)

Si tal vuelta me entrego al sueño blanco (MP 570, 207)

Si tan bien arrojas lanzas (MN 3723, 30)

Si tan bien arrojas lanzas (*RG* 1600, 88v)

Si tan poco sentimiento (*Heredia*, 39)

Si tan poco sentimiento (MN 5593, 61v)

Si tantas excelencias celebramos (*Jesuitas*, 181)

Si tantas partes hay por vuestra parte (MN 2856, 64v)

Si tantos garzones (FN VII-353, 175v)

Si tantos halcones (MoE Q 8-21, p. 36)

Si tantos monteros (MN 3691, 34v)

Si tantos monteros (*Toledano*, 7)

Si tarda por no matarme (PN 307, 298v)

Si te durmieres morena (MN 3724, 2v)

Si te durmieres morena (*RG* 1600, 84v)

Si te entiendes de ir callando (*Uppsala*, n. 26)

Si te hizo amor dichoso (*Morán*, 24)

Si te me doy por comida (*Sevillano*, 183v)

Si te quito las cadenas (WHA 2067, 34)

Si te recelabas de eso (*Romancero*, Padilla, 298v)

Si te vas a bañar Juanilla (*Uppsala*, n. 26)

Si tela queréis ordir (CG 1514, 50v)

Si temeridad llaman y osadía (PN 372, 98)

Si tengo bien no me dura (*Tesoro*, Padilla, 387)

Si tienes el corazón (MN 3723, 73)

Si tienes el corazón (MN 4127, 119)

Si tienes el corazón (*RG* 1600, 323v)

Si tienes grato el oído (*Penagos*, 115v)

Si todas las desventuras (*Heredia*, 93v), *ver* Que todas

Si todo cuanto Dios tiene criado (*Jesuitas*, 263)

Si todo el resplandor saliese fuera (MN 6001, 53v)

Si todo es vanidad si todo es viento (PN 314, 104v)

Si tomas marido (*Sevillano*, 268v)

Si traer al pensamiento (MN 5593, 36)

Si tres a tres por uno en la campaña (MiA AD.XI.57, 41v)

Si tú carillo supieses (*Sevillano*, 298)

Si tú confiesas la culpa (*Obras*, Silvestre, 122)

Si tu conocimiento (PN 373, 181)

Si tu favor no tenemos (*Jesuitas*, 209)

Si tú finges que me aleje (*Jhoan López*, 50)

Si tú me oyeses señora (TP 506, 129)

Si tú pudieses con un gesto airado (CG 1554, 189v)

Si tu vista ha de ser de mí apartada (CG 1554, 197)

Si tu vista ha de ser de mí apartada (MN 1132, 29)

Si tu vista ha de ser de mí apartada (MN 2973, p. 386)

Si tus bellos ojos (MN 3700, 205)

Si tus ojos divinos (*Sablonara*, 50)

Si tuviera la voz y la elocuencia (MN 4262, 118)

Si tuviera la voz y la elocuencia (PN 258, 84v), *ver* Si tuviese

Si tuviera mil almas que entregaros (FN VII-353, 204)

Si tuviese la voz y la elocuencia (BeUC 75/116, 137)

Si tuviese la voz y la elocuencia (MBM 23/8/7, 116v)

Si tuviese la voz y la elocuencia (MN 3670, 155)

Si tuviese la voz y la elocuencia (MN 4256, 128v)

Si tuviese la voz y la elocuencia (*Morán*, 136v)

Si tuviese la voz y la elocuencia (MP 973, 353)

Si tuviese la voz y la elocuencia (RV 768, 115v)

Si un alma convertida en Galatea (*Morán*, 163v)

Si un dulce sueño de imperfecta gloria (*Lemos*, 9)

Si un dulce sueño de imperfecta gloria (MN 3902, 29)

Si un edificio pesado (*Canc.*, Maldonado, 21)

Si un favor tuyo mi bien (PN 418, p. 388)

Si un fuego solamente me abrasara (MP 617, 186v)

Si un punto de mi alma os apartase (*Jhoan López*, 136v)

Si un rato me dejase (MP 570, 261)

Si un rato me dejase (PN 314, 27)

Si un semblante angélico que hacía (*Lemos*, 132)

Si un tronco rudo a la maestra mano (*Penagos*, 17v)

Si un verdadero amor amor merece (RC 625, 5v)

Si un verdadero amor nada fingido (MBM 23/4/1, 45v)

Si un verdadero amor nada fingido (PN 373, 125)

Si una beldad carísima me ofende (FR 3358, 173v)

Si una dulce vista (*Sevillano*, 68)

Tabla 285

Si una fe amorosa no fingida (MN 1132, 7v)

Si una fe amorosa y no fingida (*CG* 1554, 192)

Si una luz al mundo se mostrase (FN VII-353, 290v)

Si us confesau senyoreta (Flor de enamorados, 8)

Si vais a ver el ganado (*Jhoan López*, 15v)

Si vais a ver el perdido (*Jhoan López*, 15v)

Si vas a buscar contento (*Lemos*, 253v)

Si ventura es de tal suerte (*Morán*, 6, 61v)

Si ver a Cristo en el suelo (*Vergel*, Ubeda, 33v)

Si verme desesperado (*CG* 1511, 117)

Si versos fuesen perlas plata y oro (TP 506, 312)

Si vida darme queréis (*Morán*, 238)

Si vienen al corazón (*Morán*, 33)

Si vieras Blas la doncella (*Sevillano*, 189)

Si vieras tú pastor la soberana (MN 3902, 28)

Si viva a tu Isabel ver deseas (*Rojas*, 118)

Si vivo muero pensando (*Morán*, 48v)

Si voarcé se paga de discretos (FN VII-353, 283), *ver* Si vuesasted

Si voleu que us vulla be (*Ixar*, 346v)

Si vos Adán primer hombre (*Vergel*, Ubeda, 68v)

Si vos mais no vir meus olhos (*CG* 1557, 393)

Si vos me quisistes (*Colombina*, 100v)

Si vos mostráis primero al caminante (*Peralta*, 38)

Si vos os hacéis beata (*Flor de enamorados*, 5v)

Si vos penas mías (MN 3691, 62)

Si vos sois del oscuro y triste infierno (*Vergel*, Ubeda, 47)

Si voy a decir verdad hermana Olalla (MP 1587, 117)

Si voy a decir verdad hermana Olalla (*Rojas*, 103v)

Si voy a decir verdad señora Olalla (RaC 263, 69v)

Si vuesasted se paga de discretos (FN VII-354, 253v), *ver* Si voarcé

Si vuestra alma ha de pagar (*Lemos*, 112)

Si vuestra ausencia me pena (*Toledano*, 70)

Si vuestra gracia especial (*CG* 1535, 193v) no en bibliofil

Si vuestra merced desea (*Gallardo*, 51v)

Si vuestro favor no alienta (*Jesuitas*, 460)

Si vuestro padre os dio el don (*Gallardo*, 34)

Si vuestro rostro se cubre (*Jhoan López*, 105v)

Si ya la vista de llorar cansada (*Lemos*, 214)

Si yo algo siento o sé conocer (*CG* 1511, 151v)

Si yo del alma mía (*Obras*, Silvestre, 372)

Si yo dineros tuviera (*Padilla*, 139v)

Si yo dudo en vuestra fe (*CG* 1511, 130)

Si yo en saliendo a luz luego cegara (MBM 23/4/1, 367)

Si yo estuviera ausente (*Jacinto López*, 162v)

Si yo estuviese en la región oscura (*Canc.*, Maldonado, 94v)

Si yo gobernara el mundo (MN 3724, 299)

Si yo lo dije viva en desventura (*Morán*, 20)

Si yo madre me adurmiere (*Padilla*, 233v)

Si yo mato a Juan de amores (*Lemos*, 65v)

Si yo mi insuficiencia (*Ixar*, 66v)

Si yo mismo me aborrezco (MP 570, 130v)

Si yo mismo me aborrezco (PN 307, 210v)

Si yo mismo me aborrezco (SU 2755, 227)

Si yo no vivo en esta mortal vida (MBM 23/4/1, 246v)

Si yo pensase acá en mi pensamiento (FR 3358, 102v, 176)

Si yo pensase acá en mi pensamiento (*Obras*, Silvestre, 416)

Si yo por Lucida muero (*Tesoro*, Padilla, 183)

Si yo por tu calor me estoy helando (*Vergel*, Ubeda, 181)

Si yo pudiera alabarte (MP 2459, 56)

Si yo pudiese sacar mi pasión (*Gallardo*, 30), *ver* Si yo supiese

Si yo salto de coser (MP 1578, 306)

Si yo supiese sacar mi pasión (MP 617, 203)

Sibila está en una torre (*Elvas*, 1)

Sibila está en una torre (*León/Serna*, 82)

Siempre al amador cobarde (*Padilla*, 179v)

Siempre al amador cobarde (*Penagos*, 79)

Siempre alcanza lo que quiere (MP 973, 110v)

Siempre amar y amor seguir (*CG* 1511, 143v)

Siempre crece mi cuidado (*CG* 1511, 145v)

Siempre crece mi serviros (*CG* 1511, 128, 206)

Siempre crece mi serviros (*Colombina*, 32v)

Siempre crece mi serviros (MP 617, 152)

Siempre guerra nos dais terribles celos (MN 4127, 207)

Siempre la imaginación (MN 3806, 168v)

Siempre lo tuviste Ignacio (*Vergel*, Ubeda, 166)

Siempre lo tuviste moro (MP 1587, 33v bis)

Siempre me aqueja (*Padilla*, 235)

Siempre mi Galatea que te veo (MP 570, 214v)

Siempre nace y ha nacido (*Jhoan López*, 104v)

Siempre os he de ser quien fui (*Penagos*,49)

Siempre os vi señor don Juan (*CG* 1514, 210v)

Siempre os vi señor don Juan (MP 617, 210)

Siempre se debe contar (*CG* 1514, 109)

Siempre señor que vuestros tristes ojos (*Canc.*, Maldonado, 140)

Siempre soy quien ser solía (*CG* 1511, 144v)

Siempre soy quien ser solía (*Evora*, 43v)

Siempre soy quien ser solía (*Gallardo*, 66v)

Siempre temí de amor dura mudanza (*Canc.*, Maldonado, 89v)

Siempre temí de Fortuna (*Morán*, 94v)

Siempre temí lo que ha sido (*Morán*, 78)

Siempre tengo en la presencia (*Obras*, Silvestre, 325)

Siempre tuve mal indicio (*Morán*, 71v)

Siendo albergue de cuanto el alto cielo (MBM 23/4/1, 373v)

Siendo albergue de cuanto el alto cielo (MN 3968, 102v)
Siendo conde de Castilla (*Rosa Gentil*, Timoneda, 51v)
Siendo cuenta tan sobrada (*Morán*, 39v)
Siendo de amor Susana requerida (*Medinaceli*, 201v)
Siendo de gozo vos la viva fuente (FN VII-353, 11v)
Siendo de vuestro bien ojos ausentes (MN 2973, p. 164)
Siendo de vuestro bien ojos ausentes (*Morán*, 18v)
Siendo de vuestro bien ojos ausentes (TP 506, 263v)
Siendo Dios el que allí está (*Vergel*, Ubeda, 76)
Siendo dios eres cruel (MP 1587, 123)
Siendo Dios muy poderoso (*Sevillano*, 191v)
Siendo Dios tan sin medida (*Sevillano*, 138v)
Siendo emperador Majencio (*Flor de enamorados*, 114v)
Siendo emperador Majencio (*Rosa Gentil*, Timoneda, 9v)
Siendo falto mi temor (*CG* 1554, 113)
Siendo Isabelica (MBM 23/4/1, 64)
Siendo llegada el Aurora (*RH*, 97)
Siendo mi pasión tan clara (*CG* 1511, 70)
Siendo míos di pastora (*Medinaceli*, 72v)
Siendo ninfa era preciada (*Sevillano*, 267v)
Siendo novicio algún día (FN VII-353, 59v)
Siendo novicio algún día (*Guisadillo*, Timoneda, 11, 11v)
Siendo Señor la misma eterna ciencia (*Vergel*, Ubeda, 32)
Siendo siervo del pecado (*Obras*, Silvestre, 290)
Siendo tan baja mi suerte (*Lemos*, 57v)
Siendo tan baja mi suerte (*Morán*, 4v)
Siendo un río sin ribera (MN 3902, 140)
Siendo vos el rey del cielo (*Sevillano*, 164)
Siendo vos justo yo el reo (*Vergel*, Ubeda, 36)
Siendo vuestra su figura (*Canc.*, Ubeda, 13v)
Siendo vuestra su figura (*Vergel*, Ubeda, 14)
Siendo vuestro prisionero (*Padilla*, 251)
Siendo ya de la prisión (*Corte*, 124)
Siendo ya el tiempo llegado (*Cid*, 229v)
Siendo ya el tiempo llegado (MP 973, 197v)
Siendo yo criada (*Sevillano*, 148v)
Siendo yo un tan entero enamorado (*Borges*, 89)
Sienta quien amor porfía (*CG* 1511, 126v)
Siéntate un poco Dantisco (*RG* 1600, 142v)
Siente Juana mía (*Morán*, 97v)
Siente perder el bien quien le ha gozado (*Faria*, 28)
Siente que mi perdición (*CG* 1511, 148)
Siento en mi alma tanto descontento (MP 617, 291v)
Siento en mí tanta mudanza (*Jacinto López*, 54v)
Siento gran contentamiento (*Toledano*, 87v)
Siento tanto el esquivo mal de ausencia (*Tesoro*, Padilla, 105v)
Siéntome a la ribera de estos ríos (MN 1132, 45v)
Siéntome a la ribera de estos ríos (MP 617, 259v, 277)
Siéntome a las riberas de estos ríos (FN VII-354, 145v)

Siéntome a las riberas de estos ríos (PN 314, 231)
Siéntome a las riberas de estos ríos (PN 373, 147)
Siéntome a las riberas de estos ríos (*Vergel*, Ubeda, 42)
Siéntome a las riberas de los ríos (*Cid*, 204), *ver* Siéntome en
Siéntome arder en un secreto fuego (MN 17.556, 147v)
Siéntome de mi pena tan penado (*Padilla*, 93)
Siéntome de mi pena tan penado (*Tesoro*, Padilla, 348v)
Siéntome en la ribera de estos ríos (MP 570, 232)
Siéntome en la ribera de estos ríos (WHA 2067, 7)
Siéntome en las riberas de estos ríos (PN 371, 104v)
Siéntome en las riberas de estos ríos (TP 506, 252), *ver* Siéntome a
Siete años de pastor Jacob servía (*Jesuitas*, 361v)
Siete años de pastor Jacob servía (MN 3700, 205), ver Sete anos
Siete cabezas los moros (*Rosa Española*, Timoneda, 17v)
Significa aquí la tinta (MN 3806, 113)
Signore cuattro semo (RaC 263, 164)
Sigue a la oscura noche el claro día (MN 2973, p. 93)
Sigue el amor de dos años (MN 3700, 19)
Síguenos todos a vos (*Vergel*, Ubeda, 165v)
Siguiendo los mandamientos (*Peralta*, 73v)
Siguiendo tu cuidado (*Morán*, 13v)
Siguiendo voy un deseo (PN 418, p. 341)
Siguió la antigua ley vieja costumbre (*Penagos*, 284)
Sileno del Amor se está quejando (MN 2973, p. 300)
Sileno dime si quieres (*Padilla*, 44)
Sileno qué causa ha habido (*Padilla*, 135)
Silvano amigo grande es la tristeza (MiT 994, 36v)
Silvano amigo grande es tu tristeza (*Jhoan López*, 31v)
Silvano amigo grande es tu tristeza (MBM 23/4/1, 320)
Silvano amigo grande es tu tristeza (MP 1587, 47)
Silvano amigo grande es tu tristeza (*Tesoro*, Padilla, 186)
Silvano amigo la desconfianza (MBM 23/4/1, 321)
Silvano del silvestre valle donde (*Obras*, Silvestre, 395)
Silvano di cómo estás (*Padilla*, 52v)
Silvano di cómo estás (*Romancero*, Padilla, 329)
Silvano di qué se ha hecho (*Padilla*, 98)
Silvano par de una fuente (*Tesoro*, Padilla, 180)
Silvano por Menga muere (*Padilla*, 44v, 45)
Silvano que va siguiendo (MN 3700, 110v)
Silvia gloria de mis ojos (*Corte*, 224v)
Silvia la hermosa ingrata (PN 373, 282v)
Silvia mi cuidado (MBM 23/4/1, 374v)
Silvia mucha es tu belleza (*Morán*, 32v)
Silvia no quiero burlas contigo (*Romancero*, Padilla, 217)
Silvia por ti moriré (*Guisadillo*, Timoneda, 1v)
Silvia por ti moriré (MP 1587, 70)
Silvia por ti moriré (*Obras*, Silvestre, 121v)

Tabla 287

Silvia primero has de ver (*Cid*, 201)
Silvia primero has de ver (*Morán*, 32v)
Silvia primero has de ver (*Rojas*, 135)
Silvia pues de mí triunfas (RaC 263, 66v)
Silvia que tan a su costa (*Cid*, 214v)
Silvia que tan a su costa (*Tesoro*, Padilla, 37v)
Silvia si nadie ha sabido (*Romancero*, Padilla, 255v)
Silvia si quieres acabarme (*Tesoro*, Padilla, 326)
Silvio de Eneas eu secor [*sic*] famoso (*Penagos*, 296)
Sin acuerdo de mí ni del ganado (MBM 23/4/1, 178v)
Sin acuerdo de mí ni del ganado (*Tesoro*, Padilla, 464)
Sin alguna diferencia (CG 1511, 150)
Sin alma ninguno vive (*Tesoro*, Padilla, 84v)
Sin amor y con dinero (*Morán*, 95v)
Sin armas sin virtud y sin aliento (MN 17.951, 78v)
Sin ausentarse Amarilis (PN 418, p. 119)
Sin color anda la niña (*Sablonara*, 44)
Sin color en el rostro hermoso (MN 3700, 78v)
Sin comedimiento (*Toledano*, 51)
Sin cruz y Dios no viera el cielo el hombre (*Fuenmayor*, p. 244)
Sin cuidado de nada se entretiene (MN 3724, 75)
Sin dar castigo al malo y premio al bueno (FR 3358, 88v)
Sin decir que me quisistes (MP 1587, 96)
Sin decir que me rendistes (*Padilla*, 115v)
Sin decir que me rendistes (*Tesoro*, Padilla, 288)
Sin desatar vuestra alma el lazo estrecho (FN VII-353, 26)
Sin Dios y con mi pecado (*Jesuitas*, 234v)
Sin Dios y sin vos y mí (CG 1511, 143v), *ver* Yo sin vos
Sin duda buen amador (CG 1511, 154)
Sin duda hermana Juanica (MN 17.556, 119)
Sin duda hermana Juanica (MP 996, 157)
Sin dudar (*Jesuitas*, 449)
Sin dudar (MN 3902, 139v)
Sin dudar (MP 644, 199)
Sin dudar / nunca en gota cupo mar (MN 17.951, 115)
Sin esperanza en su tormenta esquiva (MN 4127, 238)
Sin esperanza y con ella (CG 1511, 146)
Sin esperar galardón (*Cid*, 179v)
Sin la fe y sin el amor (*Sevillano*, 47)
Sin límite ea mozo (MN 3724, 34v)
Sin Lucida no hay amor (*Tesoro*, Padilla, 212v)
Sin luz mas no sin temor (MN 3913, 170)
Sin mí sin vos y sin Dios (*Morán*, 91v)
Sin miedo de padecer (PN 373, 292v)
Sin ningún temor ni miedo (*Heredia*, 44v)
Sin ningún temor ni miedo (MN 5593, 60v)
Sin ninguna compasión (*Heredia*, 141v)
Sin placer y con cuidado (MN 3806, 143v)

Sin poderle dar respuesta (*Tesoro*, Padilla, 40)
Sin razón estáis celoso (RG 1600, 61)
Sin remedio es mi herida (WHA 2067, 85v)
Sin reposar sola un hora (*Romancero*, Padilla, 14v)
Sin rey sin vos y commigo (PN 418, p. 94)
Sin saber el fin que espero (CG 1511, 146)
Sin ser posible ya disimularlo (*Faria*, 7)
Sin temer el camino voy contando (MN 3902, 16v)
Sin tener competidor (FN VII-354, 405v)
Sin ti de ti yo me parto (CG 1511, 205)
Sin ti divina Amatilis (*Corte*, 234v)
Sin ti dulce Galatea (*Tesoro*, Padilla, 92v)
Sin ventura y olvidado (*Padilla*, 187v)
Sin ventura y olvidado (*Sevillano*, 281)
Sin veros por vos penando (CG 1511, 126)
Sin vida queda de veros (CG 1511, 149)
Sin voluntad me destruís (CG 1514, 99v)
Sin vos y con mi cuidado (*Canc.*, Maldonado, 29v)
Sin vos y con mi cuidado (MP 1587, 77)
Sin vos y con mi cuidado (*Obras*, Silvestre, 111v)
Sin vos y con mi cuidado (PN 373, 233v)
Sin vos y con mi cuidado (*Sevillano*, 70v)
Sin vos y con mi cuidado (*Tesoro*, Padilla, 216)
Sin vos y con mi cuiddo (*Romancero*, Padilla, 287)
Sin vos y sin Dios y mí (*Evora*, 43)
Sino cuando más se halla (*Colombina*, 64v)
Sintiendo vuestra partida (CG 1514, 130)
Sireno que debajo un olmo estaba (TP 506, 50)
Sirva mi mal a todos de escarmiento (*Canc.*, Maldonado, 106v)
Sirve desde niño (*Jesuitas*, 446)
Sirviendo a la que servís (*Flor de enamorados*, 80)
Sirviendo a quien lo merece (*Padilla*, 118v)
Sirviendo una perfecta hermosura (*Morán*, 48)
Sitiada tenía Roma (*Rosa Gentil*, Timoneda, 10v)
Sitio de amor con gran artillería (*Ixar*, 263v)
So la mimbrera en el huerto (*Sevillano*, 175v)
So la mimbrera mimbrera (*Sevillano*, 175v)
So la rama minha (PBM 56, 22v-23)
So palabras de loor (*Cid*, 230)
So palabras de loor (MP 1578, 304v)
So palabras de loor (MP 570, 148)
So palabras de loor (MP 973, 195)
So qui so que no so yo (*Flor de enamorados*, 16)
So una verde haya recostado (*Lemos*, 10), *ver* Sobre la verde
So voleu que us vulla ve (*Ixar*, 346v)
Só vos conhece amor quem vos conhece (*Faria*, 59)
Soberana beldad puerto y carrera (MN 17.951, 86v)
Soberana beldad puerto y carrera (RH, 207v)

Soberana señora (*Penagos*, 295v)

Soberano pastor mira el ganado (MN 6001, 43v)

Soberano pescador (*Fuenmayor*, p. 270)

Soberbia cae sin mina (*Obras*, Silvestre, 332)

Soberbia silla pretendida en vano (*Rosal*, p. 290)

Soberbio Tajo que de tus corrientes (*Rojas*, 50)

Soberbios edificios de la gloria (FR 3358, 102v, 176)

Soberbios edificios de la gloria (MN 3968, 154)

Soberbios hinchados vanos (*Obras*, Silvestre, 332v)

Soberbios muros que a la invicta mano (*Lemos*, 155)

Soberbísima pompa que eternizas (*Faria*, 13)

Sobraba Cristo a sentarnos (*Canc.*, Ubeda, 57)

Sobraba Cristo a sentarnos (*Vergel*, Ubeda, 75)

Sobraba rey soberano (*Canc.*, Ubeda, 57)

Sobraba rey soberano (*Vergel*, Ubeda, 75)

Sobre coros celestiales (*Sevillano*, 141v)

Sobre cuál mal me ofenda (*Heredia*, 349)

Sobre cuál más me ofenda (MBM 23/4/1, 252)

Sobre cuál más me ofenda (MN 2973, p. 113)

Sobre cuál más me ofenda (*Rosal*, p. 264)

Sobre cuál más me ofenda (WHA 2067, 118)

Sobre destroncadas flores (MN 3723, 231)

Sobre destroncadas flores (*RG* 1600, 277)

Sobre el acerado hierro (MN 3723, 110)

Sobre el acerado hierro (*RG* 1600, 122)

Sobre el alto y vistoso firmamento (MN 17.951, 84)

Sobre el arena tendido (PN 307, 320v)

Sobre el arena tendido (PN 373, 65v)

Sobre el cayado de pechos (*Sevillano*, 246), *ver* Sobre un

Sobre el cayado inclinada (EM Ç-III.22, 87)

Sobre el corazón difunto (*Jesuitas*, 475v)

Sobre el corazón difunto (MP 2803, 153v)

Sobre el corazón difunto (*RH*, 104)

Sobre el cuerpo de Cervino (*Cid*, 154v)

Sobre el cuerpo de Cervino (*Cid*, 158)

Sobre el cuerpo de Cervino (*Morán*, 100)

Sobre el cuerpo de Leandro / que orillas del mar yacía (*Morán*, 53v)

Sobre el cuerpo de Leandro / que ribera del mar yacía (*León/Serna*, 101)

Sobre el cuerpo de Rodrigo (*Jesuitas*, 474)

Sobre el cuerpo de Rodrigo (*León/Serna*, 109)

Sobre el cuerpo de Rodrigo (*Morán*, 42)

Sobre el cuerpo de Rodrigo (PN 372, 218)

Sobre el cuerpo de Rodrigo (*RH*, 47v)

Sobre el cuerpo desangrado (MN 3725-2, 111)

Sobre el cuerpo ya difunto (*RG* 1600, 110)

Sobre el desangrado cuerpo (FN VII-353, 107)

Sobre el don y preminencia (MN 17.951, 152)

Sobre el herido cuerpo de Medoro (*Jacinto López*, 28v)

Sobre el herido cuerpo de Medoro (*Rojas*, 7)

Sobre el lago sanguinoso (*Jhoan López*, 10)

Sobre el prestado tesoro (MP 2459, 105, 106)

Sobre el sangriento cuerpo de Medoro (*Jhoan López*, 17)

Sobre el ya difunto cuerpo (*Jhoan López*, 12v)

Sobre el yelmo recostado (*Jacinto López*, 75v)

Sobre el yelmo recostado (*Jhoan López*, 1)

Sobre la arena sentada (*Tesoro*, Padilla, 11v)

Sobre la blanca frente (*Corte*, 219)

Sobre la blanca frente (*Penagos*, 70)

Sobre la blanca frente (*RG* 1600, 244)

Sobre la desierta arena (*RH*, 132v)

Sobre la flaca mano (MN 2973, p. 242)

Sobre la florida hierba (*RG* 1600, 305)

Sobre la fresca hiedra recostada (*Jacinto López*, 25v)

Sobre la hierba durmiendo (*Jhoan López*, 6)

Sobre la más alta cumbre (*León/Serna*, 110)

Sobre la rebelde isla (*Jhoan López*, 25v)

Sobre la ribera extraña (*CG* 1557, 398)

Sobre la verde hiedra recostado (*Cid*, 221), *ver* So una verde

Sobre la verde hiedra recostado (MN 2973, p. 153)

Sobre la verde hiedra recostado (*Sevillano*, 228v)

Sobre la verde yedra recostado (*FRG*, p. 250)

Sobre la verde yedra recostado (*Jesuitas*, 231v)

Sobre la verde yedra recostado (MN 17.951, 16v)

Sobre la verde yedra recostado (OA 189, 157v)

Sobre las aguas de Amor (*FRG*, p. 166)

Sobre las aguas de Amor (MP 1587, 33v)

Sobre las aguas de Amor (MP 973, 90v)

Sobre las aguas de Amor (TP 506, 390v)

Sobre las aguas de Amor (WHA 2067, 2v)

Sobre las aguas del mar (MP 973, 91)

Sobre las claras corrientes (MP 973, 89v)

Sobre las cumbres del cielo (*Fuenmayor*, p. 64)

Sobre las ondas del divino Reno (MN 2973, p. 300)

Sobre las ondas del furioso Reno (*Rosal*, p. 63)

Sobre lo verde y las flores (*RG* 1600, 27v)

Sobre los claros ríos (MN 3902, 134v)

Sobre los claros ríos (MP 996, 270v)

Sobre los hombros del alba (MN 3700, 51)

Sobre los tres hijos muertos (MN 17.556, 69)

Sobre moradas violetas (MN 17.556, 34)

Sobre moradas violetas (MN 17.557, 46)

Sobre moradas violetas (MN 3724, 103v)

Sobre moradas violetas (*RG* 1600, 18v)

Sobre moradas violetas (*Sablonara*, 42)

Sobre moradas violetas (TorN 1-14, 40)

Tabla   289

Sobre nevados riscos levantado (MBM 23/4/1, 211)
Sobre nevados riscos levantado (FN VII-353, 182v)
Sobre nevados riscos levantado (MN 2973, p. 68)
Sobre nevados riscos levantado (MN 3968, 132)
Sobre nevados riscos levantado (MN 4256, 257)
Sobre nevados riscos levantado (*Morán*, 53, 69v)
Sobre nevados riscos levantado (NH B-2558, 56)
Sobre nevados riscos levantado (OA 189, 1)
Sobre nevados riscos levantado (PN 314, 87)
Sobre nevados riscos levantado (WHA 2067, 105v)
Sobre os rios que vão (*Borges*, 11v)
Sobre rudas corrientes (*Jacinto López*, 300v)
Sobre su gabán tendido (*Tesoro*, Padilla, 146)
Sobre tanto haber callado (FN VII-353, 114)
Sobre un cayado de pechos (MN 1579, 7r bis)
Sobre un cayado de pechos (OA 189, 325)
Sobre un cayado de pechos (PN 307, 305v)
Sobre un cayado de pechos (PN 373, 7v)
Sobre un cayado de pechos (*Tesoro*, Padilla, 170v), *ver*
    Sobre el cayado
Sobre un desdichado lecho (*Jacinto López*, 197v)
Sobre un peñasco nevado (*Jesuitas*, 213)
Sobre un terrible interese (*Lemos*, 170)
Sobre una lanza en hombros sustentada (*Padilla*, 201)
Sobre una peña del Amor batida (PN 373, 115)
Sobre una peña do la mar batía (*Medinaceli*, 65v)
Sobre una roca que la mar batía (FR 3358, 165v)
Sobre una triste pizarra (MN 3724, 77)
Sobre una triste pizarra (*RG* 1600, 132v)
Sobre unas altas rocas (*Penagos*, 122v)
Sobre unas tajadas rocas (MN 3724, 173)
Sobre unas tajadas rocas (*RG* 1600, 186)
Sobre vuestras cejas bellas (*Cid*, 204)
Sobre vuestras cejas bellas (MBM 23/4/1, 371)
Sobre vuestras cejas bellas (*Morán*, 210)
Sobróme l'amor (*Flor de enamorados*, 63v)
Socorre Amor el amoroso canto (*Morán*, 43v)
Socorré con agua al fuego (*Jacinto López*, 184v)
Socorred con agua al fuego (MiT 994, 11)
Socorred con agua al fuego (*Morán*, 9)
Socorred con agua al fuego (*Romancero*, Padilla, 287)
Socorred con agua al fuego (*Tesoro*, Padilla, 240v)
Socorred con agua el fuego (*Cid*, 184v)
Socorred con ropa al niño (*Canc.*, Ubeda, 22v)
Socorred luego que aguarda (*Vergel*, Ubeda, 143v)
Socorred ojos con agua (MoE Q 8-21, p. 39)
Socorred Pastor al fuego (*Vergel*, Ubeda, 143v)
Socórreme Amor Amor (MN 3806, 107)
Socórreme pastora Oh alma mía (*Medinaceli*, 95v)

Socorro ilustre hijo de Latona (MP 570, 242v)
Socorro socorro Amor (*Penagos*, 47)
Soem as vezes ser mais estimadas (*Corte*, 124)
Soías de cantar onde pastavas (*Corte*, 190v)
Sois como el sol escogida (*Vergel*, Ubeda, 109v
Sois el bien de mi querer (*Sevillano*, 236v)
Sois el bien de mi querer (*Vergel*, Ubeda, 16)
Sois el mayor trovador (*Heredia*, 160)
Sois flor del sol que en naciendo (*Vergel*, Ubeda, 91)
Sois hecho de pescador (MN 17.951, 116)
Sois hecho de pescador (MN 17.951, 64)
Sois hermosa sobre todo (*Vergel*, Ubeda, 102)
Sois hija porque os crió (*CG* 1535, 191)
Sois Juan del alto rey el camarero (*Jesuitas*, 202v)
Sois la más hermosa cosa (*CG* 1554, 127)
Sois la más hermosa cosa (OA 189, 100)
Sois linda como unas flores (*Toledano*, 26)
Sois mansito y apacible (*RG* 1600, 65)
Sois mayor y sois menor (*Jesuitas*, 444)
Sois para alcaide especial (MP 617, 209)
Sois para alcaide especial (TP 506, 393)
Sois Pichardo tan famoso (*Lemos*, 252)
Sois Roque roca y calvario (*Fuenmayor*, p. 306)
Sois sacra religión, mina admirable (*Fuenmayor*, p. 96)
Sois tan grande santo vos (*Sevillano*, 154)
Sois una opinião (PBM 56, 13v)
Sol che non luce o lira che non sone (*CG* 1514, 16v)
Sol da sapiencia humanato Dio eterno (*CG* 1514, 16v)
Sol de eterna luz nacido (MN 17.951, 150v)
Sol de quien es un rayo el sol del cielo (MN 3968, 166)
Sol de quien es un rayo el sol del cielo (*Padilla*, 142)
Sol de quien es un rayo el sol del cielo (*Tesoro*, Padilla, 24v)
Sol envidioso si las dos estrellas (SU 2755, 57)
Sol que eres un rayo del sol del cielo (*Jacinto López*, 27)
Sol resplandeciente (MN 17.556, 104)
Sol resplandeciente (MN 3725-1, 62)
Sol resplandeciente (*RG* 1600, 284v)
Sola esperanza de veros (*Morán*, 77)
Sola esta vez quisiera (*RG* 1600, 68)
Sola esta voz me consuela (*RG* 1600, 146v)
Sola estaba la doncella (*Sevillano*, 93)
Sola estáis Virgen sagrada (*Sevillano*, 93)
Sola me dejaste en aquel yermo (*Corte*, 53)
Sola mi fe consintió (*CG* 1511, 187v)
Sola mi fe es cortada a su medida (*Tesoro*, Padilla, 100v)
Sola sois vos quien podéis (*CG* 1511, 144)
Sola una puntada dieron (*CG* 1535, 191v)
Sola vos que me vences (*CG* 1511, 144v)
Solamente en las fregonas (FN VII-353, 241)

Solamente por serviros (MP 617, 152)

Solamente pretendistes (*Morán*, 108)

Solamente Riselo (RG 1600, 352v)

Solas tengo yo por damas (*Sevillano*, 288)

Soledad me guía (MN 17.557, 66v, 68)

Soledad me guía (RG 1600, 205)

Soledad no hay compañía (PN 418, p. 536)

Soledad que aflige tanto (MN 17.556, 158)

Soledad que aflige tanto (MN 3724, 5)

Soledad que aflige tanto (MP 996, 165)

Soledad que aflige tanto (*RG 1600*, 278)

Soledad tengo de ti (*Recopilación*, Vázquez, 23v)

Soledad triste que siento (CG 1511, 128v)

Soledad triste triste sentimiento (*Morán*, 80v)

Soledades venturosas (*Sablonara*, 72)

Soles Niño son (*Jesuitas*, 131)

Soleta yo so así (*Uppsala*, n. 17)

Solía a ser bien querido (*Evora*, 44)

Solía cantar de amor dulces clamores (MN 2973, p. 133)

Solía de cuando en cuando (PN 307, 319)

Solía Menga quererlo (Sevillano, 284v)

Solía que reposaba (Uppsala, n. 21)

Solía ser que tenías (PBM 56, 4, 108)

Solía yo la sin ventura (Toledano, 69v)

Solía yo tener con que miraba (EM Ç-III.22, 67)

Solías por las praderas (Morán, 9v)

Sólo amor me puso aquí (MP 644, 156v)

Sólo aquí se mostró cuanto podía (MP 1578, 95v)

Sólo del bien y mal acompañado (MN 52v)

Sólo Dios señora y vos (*Evora*, 25)

Sólo el eco ha quedado (MN 3725-1, 46)

Sólo es parte a remediarme (MP 1587, 70)

Solo lloroso y triste y sin consuelo (OA 189, 60v)

Solo muero por amores (Sevillano, 294v)

Sólo para entretener (*Tesoro*, Padilla, 216)

Solo sin vos y mi dolor presente (*Penagos*, 151v)

Solo solo / cómo lo haré yo todo (*Heredia*, 23)

Solo triste y ausente (*Sablonara*, 39)

Sólo una razón me ayuda (RaC 263, 148)

Solo vivo en tal estado (Rojas, 46)

Solos aquí en confesión (MN 17.556, 11v)

Solos aquí en confesión (RG 1600, 126v)

Soltad niño Jesús la rienda al llanto (MN 17.951, 74v)

Soltando ador ha vox e a vox ao pranto (EM Ç-III.22, 60)

Soltando de su lengua las prisiones (*León/Serna*, 1)

Soltando do imtimo peito cruas maguoas (EM Ç-III.22, 61v)

Soltó la venda el arco y el aljaba (OA 189, 63v)

Somnoliento pastor desacordado (PN 373, 25v)

Son Ana tus ojos bellos (MP 2803, 147v)

Son de Isabel los dos soles (PN 418, p. 238)

Son de suerte los favores (EM Ç-III.22, 122)

Son de suerte los sabores (*Romancero*, Padilla, 266v)

Son de Tolú o son de Puerto Rico (*Lemos*, 211)

Son del cuerpo los dolores (CG 1511, 123v)

Son dos hermanas llamadas de un nombre (*Lemos*, 19v)

Son esas burlas pesadas (Padilla, 85v)

Son fáciles en querer (Padilla, 87)

Son fuego amoroso (Jacinto López, 72)

Son mis manos atán bellas (TP 506, 370)

Son mis pasiones de amor (CG 1511, 124)

Son muy traidores los dones (*Flor de enamorados*, 14)

Son pastor y pastora (MiT 1001, 25)

Son tales la llave y hueso (CG 1511, 157v)

Son tales que con la vida (Padilla, 232)

Son tan contrarios los fuegos (*Corte*, 224)

Son tan gafas mis dolencias (CG 1511, 209v)

Son tan hermosas zagala (*Sevillano*, 233v)

Son tan lindos y tan bellos (FRG, p. 139)

Son tan lindos y tan bellos (Morán, 258v)

Son tan lindos y tan bellos (Uppsala, n. 3)

Son tan lindos y tan vivos (Recopilación, Vázquez, 30)

Son tan lindos y tan vivos (Uppsala, nn. 3, 20)

Son tantos ya los enojos (WHA 2067, 57v)

Son todas tan pedigüeñas (Peralta, 14)

Son tus ojos niña (MoE Q 8-21, p. 148)

Son veinte y cinco y no más (FR 3358, 274)

Soñaba anoche doña Artemidora (FN VII-353, 279)

Soñaba que vi justar (CG 1511, 222)

Soñaba señora mía (MP 2803, 211)

Soñaba una doncella que dormía (FN VII-354, 255)

Soñaba una doncella que dormía (*Penagos*, 5)

Soñaba yo que tenía (*Cid*, 19, 105, 138, 187v)

Soñaba yo que tenía (*Jesuitas*, 458)

Soñaba yo que tenía (MN 3968, 177)

Soñaba yo que tenía (Morán, 29)

Soñaba yo que tenía (*Padilla*, 125v)

Soñaba yo que tenía (Peralta, 4v)

Soñaba yo que tenía (PN 307, 278)

Soñaba yo que tenía (PN 314, 55v)

Soñaba yo que tenía (*Rojas*, 27v)

Soñaba yo que tenía (*Sevillano*, 219)

Soñaba yo que tenía (*Tesoro*, Padilla, 466v)

Soñaba yo señora y fue mi sueño (FN VII-354, 257)

Soñaba yo señora y fue mi sueño (*Morán*, 135)

Soñé que de una peña me arrojaba (MN 2973, p. 176)

Soñé que habiendo escapado (WHA 2067, 79v)

Soñoliento pastor desacordado (*Morán*, 222)

Soplan los contrarios vientos (RG 1600, 154v)

Tabla 291

Subieron a Geromilla (MN 3724, 229)
Subieron a Geromilla (*RG* 1600, 302)
Subieron a Jeromilla (*Jhoan López*, 52)
Subieron a Jeromilla (*Penagos*, 143v)
Subieron ayer (*Penagos*, 116v)
Subió tanto mi querer (PN 373, 146v)
Subióme amor a do ningún nacido (*Borges*, 92v)
Subióme lo que podía (*Morán*, 5v)
Subióse de altanería (*Canc.*, Ubeda, 27v)
Subir do inferno ao céo en um momento (*Faria*, 46v)
Subir quería al monte su ganado (MiA AD.XI.57, 34)
Subiránse las flores hasta el cielo (MN 4127, 267)
Subiros el Señor a tal alteza (*Vergel*, Ubeda, 161)
Subiste a la sierra (MP 570, 134)
Suele amor como a soslayo (*Vergel*, Ubeda, 15v)
Suele cualquier mal (*Morán*, 55v)
Suele el olvido matar (*Morán*, 118v)
Suele esconderse el sol tan solamente (*Rojas*, 105v)
Suele la avecilla apresurarse (*Corte*, 120)
Suele la ilustre dama muy hermosa (MP 570, 218)
Suele una muerta memoria (*RG* 1600, 69v)
Suelen cuidados tanto fatigarme (MP 570, 218v)
Suelen decir que el amor (MN 4127, 226)
Suelen los cielos nacer (MN 3700, 89)
Suelen los niños amar (*Vergel*, Ubeda, 27v)
Suelen los que edificar (CG 1513, 194v)
Suelen mis ojos hechos agua y fuego (*RH*, 212v)
Suelen nacer de varias ocasiones (*Tesoro*, Padilla, 238)
Suelo paredes capitel y pomo (FN VII-353, 29)
Suelta mi manso pastorcillo extraño (MN 17.556, 126v)
Suelta mi manso pastorcillo extraño (*Penagos*, 12)
Suelten los ojos su profunda vena (*Obras*, Silvestre, 371v)
Sueltos son ya los lazos y rompida (MN 3968, 155v)
Suena con vuestro valor (*Corte*, 179)
Suena con vuestro valor (*Fuenmayor*, p. 444)
Suena con vuestro valor (*Jesuitas*, 200v, 459v)
Suena con vuestro valor (MP 973, 61)
Suena con vuestro valor (*Toledano*, 97)
Suena con vuestro valor (*Vergel*, Ubeda, 154)
Suena de bien en mejor (*Fuenmayor*, p. 532)
Suena de vos una fama (CG 1511, 223v)
Suenan en la mar las trompas (*Penagos*, 115)
Suenan tiros arcabuces (*RG* 1600, 6v)
Suene mi triste voz y suspirando (*Morán*, 271v)
Sueña con vuestro valor (*Lemos*, 237v)
Sueño fugitivo y blando (MN 3700, 198)
Súfrase quien penas tiene (MN 17.951, 165v)
Súfrase quien penas tiene (MN 3968, 180v)
Sufre amigo, con paciencia (MP 2459, 83)

Sufre y calla (*RG* 1600, 13)
Súfrete pues no me sufro (*Padilla*, 229v)
Sufrid alma la cadena (*Morán*, 112v)
Sufrid que pueda quejarme (*Sevillano*, 198)
Sufriendo el corazón pasar podía (MN 1132, 27)
Sufriendo el corazón pasar podría (CG 1554, 195v)
Sufriendo el corazón pasar podría (MN 2973, p. 380)
Sufriera el mal que busqué (CG 1511, 123)
Sufriera el mal que busqué (MP 617, 150v)
Sujeto a Simeón santo glorioso (*Vergel*, Ubeda, 105v)
Sulcando el salado campo (MN 3724, 141)
Sumo gozo el corazón (*Fuenmayor*, p. 372)
Super flumina Babilonia (PBM 56, 75v)
Suplícoos señora mía (MN 5593, 76v)
Suplícoos señora mía (MP 2456, 1)
Suplícote que leas esta carta (*Heredia*, 290)
Supo el amor que en la Escitia (MN 17.556, 156v)
Supo el amor que en la Escitia (MP 996, 164)
Supremo artífice que com alto intento (EM Ç-III.22, 29)
Supremo Hacedor (*Sevillano*, 85v)
Supuesto que hubisteis vos (FR 3358, 90)
Surcando un salado charco (FN VII-353, 68v)
Sus espumosas olas levantaba (PN 373, 304v)
Sus galardones iguales (CG 1511, 50v)
Sus ojos claros miré (MP 2803, 155v)
Sus rayos de oro ya el señor de Delo (PN 314, 22)
Sus sus péñola tardía (*Gallardo*, 61)
Sus sus péñola tardía (MN 3691, 62v)
Sus sus péñola tardía (MN 5602, 51)
Sus sus péñola tardía (MP 617, 253)
Sus varios arcos armados (*Morán*, 111v)
Sus varios arcos armados (RV 1635, 19v)
Sus verdes ojos juró (MP 973, 122v)
Suspensa está doña Urraca (*Jhoan López*, 42)
Suspensa está doña Urraca (MN 17.556, 85)
Suspensa está doña Urraca (MP 996, 142v)
Suspenso y embebecido (*RH*, 64)
Suspenso y embelesado (*Peralta*, 16v)
Suspensos estaban todos (MN 3723, 314)
Suspensos estaban todos (*RG* 1600, 214v)
Suspira como mozuela (*Colombina*, 100)
Suspira el humilde Justo (*Vergel*, Ubeda, 144v)
Suspira por Antequera (*Rosa de Amores*, Timoneda, 29v),
    ver Por Antequera
Suspiraba una señora (*Toledano*, 68v)
Suspiro llévame en ti (*Medinaceli*, 9v)
Suspiro llévame en ti (*Obras*, Silvestre, 104)
Suspiro llévame en ti (*Sevillano*, 66v)
Suspiro mío ve manso y quieto (MP 1578, 115v)

Tabla 293

Suspiro mío ve manso y quieto (*Padilla*, 182v)
Suspiro mío ve manso y quieto (PN 307, 89v)
Suspiro mío ve manso y quieto (TP 506, 56)
Suspiro no me enciendas si a otro tiras (TP 506, 213v)
Suspiro triste engendrado (FRG, p. 205)
Suspiros acentos tristes (FRG, p. 199)
Suspiros adónde vais (MN 3806, 137)
Suspiros de do soléis / no salgáis (*Padilla*, 52)
Suspiros encendidos (*Jesuitas*, 467)

Suspiros id do soléis / y decid mi muerte cierto (*Cid*, 41)
Suspiros inflamados que cantáis (*Borges*, 17v)
Suspiros míos tristes y cansados (MN 2973, p. 395)
Suspiros no hay que doler (*Enredo*, Timoneda, 4)
Suspiros no hay que doler (*FRG*, p. 199)
Suspiros no me dejéis (*CG* 1511, 149v)
Suspiros no me dejéis (*Lemos*, 98)
Suspiros penas extrañas (*CG* 1511, 125)
Suspiros que al cielo ides (*Jesuitas*, 489v)

Tal afición te tomé (*Sevillano*, 229)

Tal amador no se vio (*Evora*, 22v)

Tal animal no s'posa may en rama (*CG 1514*, 133v)

Tal conejuelo tal conejito (*MP 1587*, 105v)

Tal conejuelo tal conejito (*RC 625*, 22)

Tal de vuestro mal me veo (*CG 1511*, 152)

Tal é a vista que tenho (*Corte*, 209)

Tal edad hay del tiempo endurecida (*BeUC 75/116*, 131v)

Tal edad hay del tiempo endurecida (*FN VII-354*, 106v)

Tal edad hay del tiempo endurecida (*MBM 23/8/7*, 93v)

Tal edad hay del tiempo endurecida (*MN 2973*, p. 96)

Tal edad hay del tiempo endurecida (*MN 3670*, 113, 121v)

Tal edad hay del tiempo endurecida (*MN 4256*, 75v)

Tal edad hay del tiempo endurecida (*MN 4262*, 94v)

Tal edad hay del tiempo endurecida (*MN 4268*, 68v)

Tal edad hay del tiempo endurecida (*MRAH 9-7069*, 32)

Tal edad hay del tiempo endurecida (*OA 189*, 260)

Tal edad hay del tiempo endurecida (*PhUP1*, 154)

Tal edad hay del tiempo endurecida (*PN 258*, 31)

Tal edad hay del tiempo endurecida (*RV 768*, 90)

Tal es el bien que poseo (*Tesoro*, Padilla, 424v)

Tal es este mi deseo (*FRG*, p. 213)

Tal es la beldad y maña (*OA 189*, 49)

Tal es la esperanza mía (*RC 625*, 45)

Tal es mi corazón en el pesar (*Lemos*, 122v)

Tal estoy del sentimiento (*Corte*, 127v)

Tal estoy desque partí (*CG 1511*, 153)

Tal gesto para adorarlo (*CG 1511*, 122v)

Tal gloria siento a vueltas de mi pena (*SU 2755*, 38)

Tal manera tiene en sí mi pena fiera (*CG 1554*, 47)

Tal me veo y en tal fatiga (*RaC 263*, 7)

Tal niño y pastor (*Sevillano*, 92)

Tal sello impreso traéis (*Fuenmayor*, p. 500)

Tal te veo en tal fatiga (*Penagos*, 43v)

Tal valor en vos se encierra (*Fuenmayor*, p. 384)

Tal veneno está encerrado (*Sevillano*, 242)

Tal vez al son de tu suave lira (*Penagos*, 155v)

Taladrar las estrellas y ensimarse (*Padilla*, 196)

Tales olhos como os vosos (*Recopilación*, Vázquez, 32)

Tales son mis pensamientos (*Padilla*, 232)

Tales son por mi ventura (*PN 371*, 27)

Tales tristezas me tenían a cargo (*Canc.*, Maldonado, 177)

También me decí si hay tales dos (*Flor de enamorados*, 44v)

También soy Abencerraje (*MN 3723*, 180)

También soy Abencerraje (*RG 1600*, 143v)

Tan acertada cordura (*MP 1587*, 74v)

Tan agena de consuelo (*Padilla*, 247v)

Tan alta al desear hallo la vía (*MN 2973*, p. 341)

Tan alta fue la manera (*Obras*, Cepeda, 84)

Tan alta gloria concibe (*PN 307*, 234)

Tan alta gloria sintió (*EM Ç-III.22*, 101v)

Tan alta majestad tanta grandeza (*MN 2973*, p. 168)

Tan alta puso Amor mi fantasía (*MP 1587*, 42v)

Tan alta puso Amor mi fantasía (*RaC 263*, 86), ver Tan alto puso

Tan alto es el favor el bien que siento (*Borges*, 30)

Tan alto es el favor y bien que siento (*EM Ç-III.22*, 63)

Tan alto es el favor y bien que siento (*FR 2864*, 1)

Tan alto es el favor y bien que siento (*MP 1578*, 93v)

Tan alto es el favor y bien que siento (*MP 1587*, 28v)

Tan alto es el favor y bien que siento (*MP 617*, 295v)

Tan alto es el favor y bien que siento (*OA 189*, 303v)

Tan alto es el favor y bien que siento (*PN 371*, 141)

Tan alto es el favor y bien que siento (*RaC 263*, 86v)

Tan alto es el favor y el bien que siento (*MBM 23/4/1*, 48)

Tan alto es el favor y el bien que siento (*PN 307*, 59v)

Tan alto es el valor y bien que siento (*MN 3968*, 136v)

Tan alto es el valor y el bien que siento (*Jacinto López*, 22), ver Es tan alto

Tan alto ha puesto Amor mi pensamiento (*FR 3358*, 104v)

Tan alto puso Amor su fantasía (*Rojas*, 118v), ver Tan alta

Tan altos alcé mis ojos por miraros (*Borges*, 31v)

Tan cansado está ya mi sufrimiento (*MBM 23/4/1*, 136)

Tan cansado está ya mi sufrimiento (*Corte*, 210)

Tan cansado está ya mi sufrimiento (*Jacinto López*, 22)

Tan cansado está ya mi sufrimiento (*Rojas*, 42)

Tan cansado está ya mi sufrimiento (*RV 1635*, 84)

Tan cansado está ya mi sufrimiento (*Tesoro*, Padilla, 190)

Tan celosa está Adalifa (*MN 3723*, 13)

Tan clara estrella y luz resplandeciente (*FN VII-353*, 303)

Tan contento estoy de vos (*CG 1514*, 109v)

Tan contento estoy de vos (*Faria*, 94)

Tan contento estoy de vos (MN 3806, 145)

Tan contento estoy de vos (MP 1587, 69)

Tan contento estoy de vos (*Obras*, Silvestre, 90)

Tan delicado estómago tenía (*Jesuitas*, 294)

Tan diestra y ligera (MN 4127, p. 113)

Tan dulce mano es de ver (*Obras*, Silvestre, 93)

Tan en extremo indignado (*Sevillano*, 207v)

Tan engañada va mi confianza (*Lemos*, 155v)

Tan excesivo don a tal pobreza (MN 3902, 102v)

Tan extraña es la afición (*Corte*, 125v)

Tan extraño es el amor (MP 2803, 231)

Tan fiero es el dolor de mi tormento (RaC 263, 37)

Tan fiero es el dolor del mal que siento (MN 3968, 171),
     ver Tan grave es el dolor

Tan fuertes llagas de amor (MP 617, 202v)

Tan gentil os vieron ir (CG 1511, 172)

Tan gran bien es conoceros (CG 1514, 109v)

Tan grande es el contento que recibo (PN 372, 134v)

Tan grande es Juan el amor (*Fuenmayor*, p. 62)

Tan grande su deseo era (*Jesuitas*, 461v)

Tan grandes males recibo (CG 1511, 123)

Tan grandes son los males de ausencia (MN 3806, 147v)

Tan grave dolor me diste (CG 1511, 193v)

Tan grave es el dolor del mal que siento (*Romancero*,
     Padilla, 204v), *ver* Tan fiero

Tan hecho estoy a pesar (PN 307, 299v)

Tan hermosa os hizo Dios (OA 189, 127)

Tan hidalga cortesía (*Romancero*, Padilla, 340)

Tan lindos amores (*Sevillano*, 175)

Tan llena el alma de amor (RG 1600, 52, 80)

Tan llena el alma de amores (MP 996, 180v)

Tan llena tiene el alma de contento (PN 373, 63v)

Tan mala noche me diste (*Uppsala*, n. 27)

Tan maltrechos ojos míos (PN 371, 36)

Tan noble es un desengaño (RG 1600, 127v)

Tan peligroso y alto es el camino (MN 3700, 188)

Tan peregrina he nacido (PN 418, p. 479)

Tan poco avisado aviso (MN 4127, p. 67)

Tan poco tiempo ha mudado (*Morán*, 102v)

Tan presto al cielo inaccesible llego (FR 3358, 156)

Tan puesta al rigor (MP 996, 159)

Tan puesto tengo en vos el pensamiento (TP 506, 117v)

Tan quejoso está y sañudo (*RH*, 116)

Tan reciamente batís (*Canc.*, Ubeda, 105v)

Tan reciamente batís (*Vergel*, Ubeda, 120v)

Tan sin medio mi mal veo (MP 617, 158v)

Tan sin piedad me anda fatigando (*Cid*, 12v)

Tan subida va la garza (CG 1511, 150v)

Tan supremo regocijo (*Sevillano*, 177)

Tan trabajoso estado Amor me ha dado (TP 506, 400)

Tan triste memoria (MP 1587, 133v)

Tan triste soledad tan gran tormento (FN VII-353, 63)

Tan triste soledad tan gran tormento (*Gallardo*, 37v)

Tan triste soledad tan gran tormento (MP 617, 204v)

Tan triste vivo en mi aldea (*Sablonara*, 37)

Tan valiente te has mostrado (MN 3913, 155v)

Tan vivo es mi padecer (MA S.P. II.100, 11, 13)

Tant vos vull mes del que mostré (*Heredia*, 186v)

Tanta gloria en veros siento (*Obras*, Silvestre, 79)

Tanta gracia en vos se encierra (*Vergel*, Ubeda, 109v)

Tanta luz van esparciendo (MP 2803, 134)

Tanta Zaida y Adalifa (MN 17.556, 113)

Tanta Zaida y Adalifa (MN 17.557, 8)

Tanta Zaida y Adalifa (RG 1600, 51), *ver* Tanto Zaida

Tantas de penas me dais (MP 617, 154v)

Tantas horas de un abano (PN 418, p. 455)

Tantas mudanzas veo en el bien mío (MN 2973, p. 362)

Tanto a Dios el amor llaga (MN 17.951, 154)

Tanto a Dios el amor llaga (*Vergel*, Ubeda, 66)

Tanto a mi Dios agradáis (*Sevillano*, 190)

Tanto allegastes a Dios (*Canc.*, Ubeda, 139)

Tanto amor subió de puntos (MN 3806, 99v)

Tanto bien como hay en el bien (*Morán*, 22)

Tanto bien en veros siento (*Padilla*, 86v)

Tanto bien en veros siento (RV 1635, 96)

Tanto cuanto me desplace (*Colombina*, 24)

Tanto cuanto merecéis (CG 1511, 129)

Tanto de la alterna llaga (*Jhoan López*, 105)

Tanto de meu estado mucho incerto (*Borges*, 65)

Tanto de morir ajena (CG 1511, 145v)

Tanto desdén y tantas libertades (*Tesoro*, Padilla, 310v)

Tanto es lo que merecéis (*Obras*, Cepeda, 89)

Tanto espacio de tierra y tan gran seno (MN 2973, p. 166)

Tanto ha podido el Amor (*Fuenmayor*, p. 274)

Tanto la vida me enoja (CG 1554, 107)

Tanto la vida me enoja (MP 617, 154v)

Tanto la vida me enoja (*Padilla*, 104)

Tanto mal es este celo (*Obras*, Silvestre, 116v)

Tanto mal hizo el pecado (*Sevillano*, 153)

Tanto mal tanto mal tanto mal (*Sevillano*, 153)

Tanto mi dolor me duele (CG 1511, 149v)

Tanto mi pasión subió (*Lemos*, 97)

Tanto os cansa mi vida tanto tarda (RG 1600, 356)

Tanto os duele mi pasión (PBM 56, 38)

Tanto os he querido amar (*Morán*, 68v)

Tanto os quiso el sumo Padre (*Sevillano*, 186)

Tanto os quiso querer Dios (*Sevillano*, 186)

Tabla 297

Tenéis señora Aldonza tres treinta años (MN 3968, 103)

Tenéis tan lindo mirar (*Morán*, 209v)

Tener alas de Amor sin ser amado (MiT 1001, 2v)

Tener boca grande / no es falta en mujer (MN 3913, 49)

Tener don y sin dinero (FN VII-353, 313v)

Tener fe do no hay amor (MP 617, 154)

Tener fe do no hay amor (PBM 56, 52)

Tener los hombres graves entereza (*Padilla*, 152v)

Tener mucha hermosura (FN VII-353, 49)

Tenga buena la intención (CG 1554, 119v)

Tenga Dios en el cielo a Toledano (MN 3670, 16)

Tenga Dios en el cielo a *Toledano* (MN 3700, 129)

Tenga Dios en el cielo a *Toledano* (MP 1578, 300)

Tenga la esperanza leda (CG 1511, 150v)

Téngale señores que me ha robado (MN 3700, 26v)

Tengan tengan señores / a esa morena (*Jacinto López*, 320v)

Tengas joven gallardo el sol luciente (MN 4127, p. 268)

Tengo confianza (PN 373, 234)

Tengo confianza (*Sevillano*, 65)

Tengo el alma temerosa (*Peralta*, 8v)

Tengo el corazón morado (MN 3806, 113)

Tengo el gusto hecho (RaC 263, 60)

Tengo el marido celoso (TorN 1-14, 31)

Tengo en las cosas de amor (*Jacinto López*, 58)

Tengo la S y el clavo (*Vergel*, Ubeda, 27)

Tengo los gustos de amor (RaC 263, 3)

Tengo mi cuidado (*Elvas*, 34v)

Tengo por enemigo el pensamiento (*Tesoro*, Padilla, 323)

Tengo puesto el pensamiento (*Morán*, 117v, 214v)

Tengo puesto el pensamiento (MP 570, 128)

Tengo puesto el pensamiento (*Obras*, Silvestre, 91v)

Tengo puesto el pensamiento (PN 371, 29)

Tengo puesto tan alto el pensamiento (MN 17.951, 80v)

Tengo señora tela gran mancilla (MN 17.557, 86v)

Tengo señora tela gran mancilla (*Penagos*, 7v), *ver* Téngoos señora

Tengo sobre mi secreto (MP 1587, 81)

Tengo un cuidado en el alma (FN VII-353, 37)

Tengo un jilguerillo / dentro en mi jaula (MN 3913, 72v)

Tengo voz de replicar (FN VII-353, 42)

Téngoos señora tela gran mancilla (FR 3358, 171), *ver* Tengo señora

Tenho a minha conta cheia (*Corte*, 55v)

Tenho um amo singular (*Corte*, 144v)

Tenho um bem que mal me trata (*Corte*, 208)

Tenho-vos tanta amizade (*Corte*, 125)

Tenía Dios al hombre prometido (*Penagos*, 289)

Tenía una viuda triste (*Jacinto López*, 127v)

Tenía una viuda triste (MN 17.556, 71)

Tenía una viuda triste (*Penagos*, 132v)

Tenía una viuda triste (*Peralta*, 60v)

Tenía una viuda triste (*RG* 1600, 33)

Teniendo conformidad (MP 1587, 18v)

Teniendo el gran Lucifer (*Jesuitas*, 250)

Teniendo mi corazón (*Canc.*, Maldonado, 28)

Teniendo nuevas don Diego (*RH*, 33v)

Teniendo suma riqueza (MP 644, 131)

Teniu fermes esperances (*Flor de enamorados*, 68)

Teniu vos per despedit (*Flor de enamorados*, 84v)

Tente no caigas (MN 3725-1, 40)

Tente tente corazón (PN 373, 241)

Teñido en sangre de mis llagas puras (SU 2755, 73)

Teotónicos y Cimbrios (*Rosa Gentil*, Timoneda, 7)

Teresa esos tus ojos de lechuza (TP 506, 399v)

Teresa hermana lumbre de mis ojos (*Tesoro*, Padilla, 345v)

Teresa Olalla y Andrea (*Peralta*, 23)

Teresa su cabello suelto al viento (*Penagos*, 3)

Teresa Teresaza Teresona (TP 506, 399v)

Teresica dame un beso (MP 2803, 150v)

Teresica hermana (*Uppsala*, n. 32)

Término de la humana hermosura (PN 314, 32)

Términos lleva este día (*Vergel*, Ubeda, 142v)

Términos lleva María (*Sevillano*, 69, 188v), *ver* Camino lleva

Terreno en vivos santos manantiales (MN 3913, 159v)

Terrible ejecutor que al más valiente (*Borges*, 91v)

Terrible ejecutor que al más valiente (MP 617, 260)

Terrible mal es vivir (*Obras*, Cepeda, 93)

Terrível confusão morte forçosa (*Faria*, 49v)

Teseo siendo casado (*Cid*, 207)

Teseo siendo casado (*Rosa de Amores*, Timoneda, 56v)

Tesoros de engaños (TorN 1-14, 6)

Testigo soy de ello (*Cid*, 111v)

Testimonios de fe archivos santos (*Faria*, 33v)

Testou minha ventura (*Elvas*, 67v)

Tibar en cabellos (MN 3700, 181)

Tibias de llanto en sangre convertidas (PN 372, 118)

Tibio en amores no sea yo jamás (BeUC 75/116, 74)

Tibio en amores no sea yo jamás (*Evora*, 55v)

Tibio en amores no sea yo jamás (FN VII-354, 38)

Tibio en amores no sea yo jamás (*Heredia*, 337)

Tibio en amores no sea yo jamás (MBM 23/8/7, 252)

Tibio en amores no sea yo jamás (MN 4256, 113)

Tibio en amores no sea yo jamás (MN 4262, 145)

Tibio en amores no sea yo jamás (MN 4268, 112)

Tibio en amores no sea yo jamás (MP 2805, 111v)

Tibio en amores no sea yo jamás (OA 189, 24)

Tibio en amores no sea yo jamás (PhUP1, 78)

Tibio en amores no sea yo jamás (PN 258, 197v)

Tabla 299

Tibio en amores no sea yo jamás (PN 311, 5v)

Tibio en amores no sea yo jamás (RV 768, 260)

Tibio en amores no soy yo jamás (MRAH 9-7069, 64v)

Tibio en amores nunca yo jamás (MN 3968, 61)

Tiembla en la mano la pluma (*Canc.*, Maldonado, 41v)

Tiempo bien contemplado (MN 4268, 123v)

Tiempo bien empleado (BeUC 75/116, 61)

Tiempo bien empleado (FN VII-354, 188)

Tiempo bien empleado (MBM 23/8/7, 171)

Tiempo bien empleado (MN 3968, 48)

Tiempo bien empleado (MN 4256, 51v)

Tiempo bien empleado (MN 4262, 128v)

Tiempo bien empleado (MRAH 9-7069, 111)

Tiempo bien empleado (PhUP1, 62)

Tiempo bien empleado (PN 258, 213)

Tiempo bien empleado (PN 307, 36v)

Tiempo bien empleado (RV 768, 171)

Tiempo bueno tiempo bueno (*Heredia*, 36, 115, 209, 247)

Tiempo bueno tiempo bueno (MN 3691, 79)

Tiempo bueno tiempo bueno (MN 3902, 95v)

Tiempo bueno tiempo bueno (MP 617, 161)

Tiempo bueno tiempo bueno (OA 189, 54)

Tiempo bueno tiempo bueno (*Obras*, Cepeda, 86v, 138v)

Tiempo bueno tiempo bueno (PN 307, 264v)

Tiempo bueno tiempo bueno (PN 372, 75v)

Tiempo es amigo de coger las riendas (Canc., Maldonado, 125)

Tiempo es Amor que el buen servicio pagues (*Obras*, Silvestre, 356v)

Tiempo es el caballero / tiempo es de andar de aquí / que me crece la barriga (MN 3725-2, 33)

Tiempo es el caballero / tiempo es de andar de aquí / que me crece la barriga (MP 617, 234v)

Tiempo es el caballero / tiempo es de andar de aquí /que ni puedo andar de pie (MN 3725-2, 35)

Tiempo es ya Castillejo (MN 3724, 1v)

Tiempo es ya Castillejo (MN 5602, 31v)

Tiempo es ya de no callar (*Heredia*, 64v)

Tiempo es ya de no callarse (MN 5593, 54)

Tiempo es ya de no callarse (MP 617, 324)

Tiempo es ya de no callarse (PN 307, 214v)

Tiempo es ya de recoger (*Peralta*, 73)

Tiempo fue que Blas amaba (*Morán*, 186v)

Tiempo lugar y ventura (*Morán*, 28v, 34, 97)

Tiempo lugar y ventura (MP 973, 107)

Tiempo sereno ay tiempo que algún día (*Canc.*, Maldonado, 177v)

Tiempo sería que el amor volviese (*Canc.*, Maldonado, 85)

Tiempo turbado y perdido (BeUC 75/116, 123)

Tiempo turbado y perdido (FN VII-354, 51)

Tiempo turbado y perdido (MBM 23/4/1, 93)

Tiempo turbado y perdido (MBM 23/8/7, 196)

Tiempo turbado y perdido (MN 17.556, 184)

Tiempo turbado y perdido (MN 3968, 73v)

Tiempo turbado y perdido (MN 4256, 177)

Tiempo turbado y perdido (MN 4268, 164bis)

Tiempo turbado y perdido (MP 2805, 68v)

Tiempo turbado y perdido (PhUP1, 129)

Tiempo turbado y perdido (PN 307, 225v)

Tiempo turbado y perdido (PN 314, 220)

Tiempo turbado y perdido (*Romancero*, Padilla, 286)

Tiempo turbado y perdido (RV 768, 222)

Tiempo ventura y lugar (FN VII-353, 214v)

Tiempo vi yo que Amor puso un deseo (BeUC 75/116, 75)

Tiempo vi yo que Amor puso un deseo (*Evora*, 61v)

Tiempo vi yo que Amor puso un deseo (FN VII-354, 38)

Tiempo vi yo que Amor puso un deseo (*Heredia*, 334)

Tiempo vi yo que Amor puso un deseo (MBM 23/8/7, 259)

Tiempo vi yo que Amor puso un deseo (MN 2973, p. 106)

Tiempo vi yo que Amor puso un deseo (MN 3968, 62)

Tiempo vi yo que Amor puso un deseo (MN 4256, 111)

Tiempo vi yo que Amor puso un deseo (MN 4262, 146v)

Tiempo vi yo que Amor puso un deseo (MN 4268, 109v)

Tiempo vi yo que Amor puso un deseo (MP 1578, 14)

Tiempo vi yo que Amor puso un deseo (MP 2805, 112)

Tiempo vi yo que amor puso un deseo (MRAH 9-7069, 62v)

Tiempo vi yo que Amor puso un deseo (OA 189, 157)

Tiempo vi yo que Amor puso un deseo (PhUP1, 79v)

Tiempo vi yo que Amor puso un deseo (PN 258, 205)

Tiempo vi yo que Amor puso un deseo (PN 311, 4v)

Tiempo vi yo que Amor puso un deseo (RV 768, 266v)

Tiempos a un tiempo avivados (*Peralta*, 163v)

Tiempos hay de ser mandado (CG 1511, 126v)

Tiende Amor tu veloz purpúreo vuelo (SU 2755, 70v)

Tiende sus alas la ligera fama (MP 2459, 16)

Tiene Amor por propio oficio (MN 3806, 133v)

Tiene el valle tal ponzoña (PBM 56, 106)

Tiene madre tales mañas (PN 371, 18v)

Tiene ordinariamente (*Romancero*, Padilla, 323v)

Tiene tanta calidad (*Cid*, 71v)

Tiene tanta calidad (*Morán*, 132)

Tiene tanta fuerza amor (CG 1514, 140v)

Tiénela ella ocupada (RaC 263, 75v)

Tiéneme Amor de tal suerte (PN 373, 209v)

Tiéneme cautivo Amor (FN VII-353, 299)

Tiéneme deseo que me va en boleo (RaC 263, 60)

Tiéneme el agua de los ojos ciego (FN VII-354, 399)

Tiéneme el agua de los ojos ciego (*Jacinto López*, 20v)

Tiéneme el agua de los ojos ciego (MN 2973, p. 151)

Tiéneme el agua de los ojos ciego (MN 3968, 100v)

Tiéneme el agua de los ojos ciego (MRAH 9-7069, 142)

Tiéneme el Amor medrosa (*Morán*, 46v)

Tiéneme el seso Amor tan estragado (*Gallardo*, 53)

Tiéneme en duda Amor por más tormento (MN 2973, p. 131)

Tiéneme los ojos ciegos (*Lemos*, 66)

Tiéneme tal mi pasión (*Cid*, 94)

Tiéneme tan apurado (*Padilla*, 22)

Tiéneme tan apurado (*Tesoro*, Padilla, 298)

Tiéneme tan consumido (PN 373, 211v)

Tiéneme tan lastimado (MP 1578, 119)

Tiéneme tan lastimado (OA 189, 311)

Tiéneme tan lastimado (SU 2755, 238)

Tiéneme tan temeroso (WHA 2067, 112)

Tiéneme ya el dolor tan lastimado (MN 2973, p. 200)

Tiéneme ya el temor en tal estrecho (*CG* 1554, 170v)

Tiéneme ya el temor en tal estrecho (MN 1132, 170v)

Tiéneme ya tan rendida (WHA 2067, 121)

Tienen de Mavio sus versos la belleza (MN 3670, 3v)

Tienen el oro en desprecio (*Obras*, Silvestre, 102v)

Tienen fuerza tus manos / más que un gigante (MN 3913, 47)

Tienen las mujeres (RaC 263, 180v)

Tienen las mujeres (*RG* 1600, 206)

Tienen mando sobre todo (*Sevillano*, 199v)

Tienen muy gran competencia (*Obras*, Silvestre, 289v)

Tienen no sé qué esos ojos (*FRG*, p. 220)

Tiénenme los trabajos tan cansado (FR 3358, 174v)

Tiénenme tan combatido (*CG* 1511, 149)

Tiénenme tan lastimado (MBM 23/4/1, 1)

Tiénenme tan lastimado (MP 570, 129)

Tiénenme tan lastimado (PN 307, 193)

Tiénenme tan lastimado (PN 373, 139)

Tiénenme tanto cuidado (*CG* 1511, 146)

Tienes amo Pedro No (RaC 263, 170v)

Tiénese por certidumbre (*CG* 1554, 52)

Tiénesme vos sojuzgado (*CG* 1511, 128)

Tierna y reciente planta que ofrecistes (FN VII-353, 19v)

Tiernas frescas suaves dulces flores (TP 506, 336)

Tiernas plantas hermosas bien nacidas (PN 372, 118v)

Tierra di qué deidad es esta nueva (MP 3560, 19)

Tierra y cielos se quejaban (*CG* 1511, 139v)

Tigres me abran el pecho (*RG* 1600, 129v)

Timbre de amor con el cual combate (*Ixar*, 264v)

Timbria gloria y honor de esta ribera (MN 2973, p. 178)

Timbria mujer romana (*Rosa Gentil*, Timoneda, 14v)

Tiñó la cara en púrpura de Tiro (MP 3560, 26v)

Tiraban al más certero (*El Truhanesco*, Timoneda, 11)

Tiraban al más certero (*Morán*, 52, 111v)

Tiraban al más certero (PN 314, 223v)

Tiraban al más certero (*Sevillano*, 255), *ver* Jugaban

Tirana Muerte cómo has derribado (FN VII-353, 73v)

Tirano Amor que con iguales viras (MN 3913, 19)

Tiráos allá desengaños (*Cid*, 76v), *ver* Quitáos allá

Tiráos allá desengaños (MP 570, 166v)

Tiráos allá desengaños (PN 307, 272v)

Tiráos allá desengaños (*Sevillano*, 221)

Tiráos allá desengaños (WHA 2067, 37)

Tiros suenan y no es salva (MoE Q 8-21, p. 11)

Tirsi amor es mariposa (MN 3700, 87v)

Tirsi pastor del más famoso río (MN 3968, 105v)

Tirsi pastor del más famoso río (*Morán*, 161)

Tirsi quien vio derramar (MN 3700, 197v)

Tirsis el pastor ausente (MN 17.556, 89)

Tirsis el pastor ausente (MP 996, 144)

Tirsis y Coridón arman contienda (MRAH 9-7069, 115v)

Tisbe y Píramo que fueron (*Flor de enamorados*, 46)

Tisbe y Píramo que fueron (*Rosa de Amores*, Timoneda, 22v)

Tiseo fue un pastor enamorado (*Cid*, 140v)

Títiro so la encina reposando (MP 973, 257v)

Títulos generales caballeros (FN VII-353, 5v)

Toca Blas su rabelón (*Cid*, 182v)

Toca Bras ese instrumento (*Jesuitas*, 303)

Tocad recio la trompa hermosa Diana (MP 2459, 27)

Toda esta noche me veo (*Lemos*, 26v)

Toda la parte que quiso (*Morán*, 254)

Toda la tristeza (*Sevillano*, 168)

Toda mi vida os amé (PBM 56, 8v-9)

Toda noite e todo dia (*Elvas*, 72v)

Toda se vuelve en mancilla (*CG* 1511, 72v)

Toda sois Virgen hermosa (*Sevillano*, 173v)

Todas as cousas têm cabo (*Corte*, 49)

Todas as cousas têm seu próprio tempo (*Corte*, 78)

Todas as cousas têm seu próprio tempo (*Evora*, 29)

Todas cuantas damas son (*Peralta*, 90, 179)

Todas estas bizarrías (MP 2803, 165v)

Todas estas confirmaron (*CG* 1511, 140v)

Todas estas viejas son (*Padilla*, 88v)

Todas las cosas criadas (*Morán*, 3v)

Todas las cosas que son (MP 2459, 45)

Todas las mujeres (MN 3725-1, 21)

Todas las zagalas (*Tesoro*, Padilla, 403)

Todas son del pensamiento (*CG* 1511, 143)

Todas vienen de la vela (*Corte*, 52)

Todavía no acaba ese bellaco (*Rosal*, p. 287)

Todo animal da calma repousava (*Borges*, 3)

Todo animal da calma repousava (EM Ç-III.22, 22v)

Todo cuanto el cielo encubre (*Jhoan López*, 23)

Tabla 301

Tómame en esta tierra una dolencia (MBM 23/8/7, 46)

Tómame en esta tierra una dolencia (MN 3670, 88, 143v)

Tómame en esta tierra una dolencia (MN 3968, 19)

Tómame en esta tierra una dolencia (MN 4256, 61v)

Tómame en esta tierra una dolencia (MN 4262, 37)

Tómame en esta tierra una dolencia (MN 4268, 32)

Tómame en esta tierra una dolencia (MP 1578, 78v, 200v)

Tómame en esta tierra una dolencia (MRAH 9-7069, 19)

Tómame en esta tierra una dolencia (OA 189, 204v)

Tómame en esta tierra una dolencia (PhUP1, 31v)

Tómame en esta tierra una dolencia (PN 258, 64)

Tómame en esta tierra una dolencia (PN 311, 83)

Tómame en esta tierra una dolencia (RV 768, 46), *ver* Tomóme

Tomando estaba sudores (MN 3700, 203v)

Tomándole está la jura (*Sevillano*, 257)

Tomás glorioso cuya mano y pluma (*Vergel*, Ubeda, 150v)

Tome vuestra majestad (*CG* 1511, 183)

Tome vuestra señoría (*CG* 1511, 177v)

Tomélos por mi placer (*Padilla*, 233v)

Tomó Dios el pulso al hombre (*Canc.*, Ubeda, 60)

Tomó Dios el pulso al hombre (*Vergel*, Ubeda, 28)

Tomó Naturaleza (PN 373, 272)

Tomóme en esta tierra una dolencia (MP 2805, 118), *ver* Tómame

Tomóse a brazo partido (*Vergel*, Ubeda, 12)

Tomou-me a vossa vista soberana (*Evora*, 38v)

Topáronse en una venta (MN 3724, 16)

Topáronse en una venta (*RG* 1600, 18v)

Topó al ciego virotero (MN 3724, 219)

Topó Melisa en la menuda arena (*Cid*, 4)

Topó una vez la fe al entendimiento (*Cid*, 98)

Toquen a prisa a rebato (MN 3723, 332)

Toquen a prisa a rebato (*RG* 1600, 243)

Toquen y tañan esas campanas (MoE Q 8-21, p. 114)

Toquen y tañan esas campanas (*Rojas*, 184v)

Torciendo Job el rostro dice: el mundo (MN 3698, 262)

Toribio y Juan Domínguez Descobosa (Tesoro, Padilla, 351v)

Tormento alegre gloriosa pena (*Borges*, 84)

Tormento alegre gloriosa pena (MN 2973, p. 5)

Tormes a quien eterna primavera (PN 372, 121v)

Torna Gil a enamorarte (PN 307, 301)

Torna Mingo a enamorarte (*Recopilación*, Vázquez, 17v)

Torna Mingo a enamorarte (*Sevillano*, 287v, 299)

Torna Mingo a enamorarte (TP 506, 172v)

Torna torna Barcelona (*Colombina*, 11v)

Tornado era Febo a ver el tesoro (*CG* 1511, 52)

Tornaos a deshacer vano rodeo (*Faria*, 8)

Tornarás por ventura (FN VII-353, 194)

Tornarás por ventura (MN 3698, 6)

Tornarás por ventura (*Morán*, 242)

Tornarás por ventura (MP 973, 36, 244)

Tornaros por ventura (MP 996, 244v)

Tornou-se-me tudo em vento (*Corte*, 48v)

Trabajo tiene el príncipe en su estado (MN 3913, 39v)

Trabalho é desejar (*Corte*, 206)

Trae en ausencia un bien la fantasía (*Faria*, 6)

Trae sus cabellos dorados (PN 372, 206v)

Tráeme Amor de pensamiento vano (BeUC 75/116, 70)

Tráeme Amor de pensamiento vano (FN VII-354, 33)

Tráeme Amor de pensamiento vano (MN 3968, 55v)

Tráeme Amor de pensamiento vano (MN 4262, 139)

Tráeme Amor de pensamiento vano (MN 4268, 110v)

Tráeme Amor de pensamiento vano (MP 1578, 9)

Tráeme Amor de pensamiento vano (MP 2805, 108v)

Tráeme Amor de pensamiento vano (MRAH 9-7069, 63v)

Tráeme Amor de pensamiento vano (PhUP1, 72)

Tráeme Amor de pensamientos vanos (*Evora*, 54v)

Tráeme Amor de pensamientos vanos (*Heredia*, 335)

Tráeme Amor de pensamientos vanos (MBM 23/8/7, 250)

Tráeme amor de pensamientos vanos (MN 2973, p. 263)

Tráeme Amor de pensamientos vanos (MN 4256, 112)

Tráeme Amor de pensamientos vanos (PN 258, 197)

Tráeme Amor de pensamientos vanos (PN 311, 3v)

Tráeme Amor de pensamientos vanos (RV 768, 258)

Traes revuelto el quillotro (MP 644, 198v)

Traía la memoria olvido (MN 3902, 66)

Traído me ha el Amor a do no hallo (*CG* 1554, 167)

Traído me ha el Amor a do no hallo (MN 1132, 200v)

Traidor no me decías que me amabas (RV 1635, 74)

Traidora adversa le dice (*RG* 1600, 62)

Traidora desleal ingrata y firme (MP 1587, 54)

Traidorcillo eres Amor (*Morán*, 40v)

Traiga la memoria olvido (PN 307, 250v)

Traigo bandos con Cupido ((MBM 23/4/1, 140v)

Traigo bandos con Cupido (*Tesoro*, Padilla, 360v)

Traigo Blas grave dolor (PN 373, 7)

Traigo como ves tristura (*CG* 1511, 141v)

Traigo delante de los ojos míos (*Faria*, 3v)

Traigo esperanza porque (*CG* 1511, 141)

Traigo herido el corazón (*Sevillano*, 221v)

Tráigolas porque volváis (*CG* 1511, 209v)

Tranforma-se o amor na cousa amada (*Borges*, 62)

Transportado en cuerpo ajeno (*CG* 1511, 215v)

Tranza sus cabellos / la blanca niña (MN 3913, 47v)

Tras de un amoroso lance (*Jhoan López*, 15v)

Tras el arado y bueyes a porfía (*Heredia*, 357r)

Tras el arado y bueyes a porfía (MN 3968, 101v, 164v)

Tabla 303

Tras el arado y bueyes a porfía (MP 570, 282v)

Tras esto dos laureles (*Padilla*, 156)

Tras infinitos dolores (*Guisadillo*, Timoneda, 11v)

Tras la bermeja Aurora el sol dorado (MN 3913, 158v)

Tras las niñas me como los dedos (*Jacinto López*, 82)

Tras lo más y menos cierto (*Morán*, 78)

Tras once Apóstoles sacros (*Canc.*, Ubeda, 138)

Tras sus ovejas ya que el sol tendía ((MBM 23/4/1, 262)

Tras sus ovejas ya que el sol tendía (EM Ç-III.22, 81)

Tras sus ovejas ya que el sol tendía (MP 1587, 49v)

Tras sus ovejas ya que el sol tendía (PN 373, 184)

Tras un descansado ay (RG 1600, 134v, 197)

Tras un mal viene otro mal (FN VII-353, 45v)

Tras un virote perdido (*CG* 1511, 222)

Tras vos voy doquier que vais (*CG* 1514, 109)

Trasplanta Dios en tierra belemítica (MN 17.951, 125)

Trátame como enemiga (*Corte*, 144)

Trátame como enemigo (PBM 56, 83)

Tratan entre la tierra y entre el cielo (*Canc.*, Maldonado, iii)

Tratar quiero de amor en este canto (MP 570, 224)

Traten otros del gobierno (*Penagos*, 116v)

Trazendo alma presa de um cuidado (EM Ç-III.22, 51v)

Tre tacci ahime mala novella (FN VII-353, 321)

Trébole ay Jesús cómo huele (MN 3913, 50)

Trébole ay Jesús cómo huele (MP 996, 121)

Trébole ay Jesús cómo huele (RG 1600, 327v)

Trébole de la blanca niña (MN 3913, 50)

Trébole de la niña de algo (RG 1600, 327v)

Trébole de mis cuidados (MP 996, 121)

Trébole oledero amigo (*Jhoan López*, 146)

Trébole oledero amigo (MN 17.556, 149v)

Trébole oledero amigo (MP 996, 160)

Tremo la terra intorno pianger l'aque (*Rojas*, 144v)

Trenza sus cabellos la blanca niña (MN 3913, 47v)

Trepan los gitanos (*Lemos*, 215)

Tres ánades madre (*Toledano*, 19)

Tres blancas me dan por él (RaC 263, 174)

Tres conozco sin debate (MP 617, 208v)

Tres conozco sin debate (TP 506, 392v)

Tres cosas pensando está (*Morán*, 107v)

Tres cosas pensando está (MP 2803, 209v)

Tres damas este otro día (*Heredia*, 158v)

Tres desdichas me persiguen (MN 4127, p. 253)

Tres fieros vestiglos soberbios gigantes (*CG* 1514, 9v)

Tres formas de servidores (MP 617, 208v)

Tres formas de servidores (TP 506, 392v)

Tres fueron los que vinieron (*Morán*, 184v)

Tres hijuelos había el rey (MN 3725-2, 44)

Tres hormas si no fue un par (*Lemos*, 172v)

Tres males lloro contino (MN 3806, 87v)

Tres peces se han pescado en la rivera (MiT 1001, 9)

Tres perlas orientales tres estrellas (MP 570, 207v)

Tres personas soberanas (*Canc.*, Ubeda, 89)

Tres personas soberanas (*Vergel*, Ubeda, 99v)

Tres puntos me pide / porque le aprieta (MN 3913, 49)

Tres reyes adoran uno (*Lemos*, 55)

Tres reyes adoran uno (*Morán*, 184v)

Tres reyes parten de Oriente (*Canc.*, Ubeda, 62)

Tres reyes parten de Oriente (*Vergel*, Ubeda, 30)

Tres serranas he topado (*Heredia*, 204v)

Tres soles una estrella van siguiendo (*Jesuitas*, 266)

Tres suertes hallo yo de enamorados (MN 3902, 84)

Tres veces abrazó vuestra figura (MN 17.556, 132v)

Tres veces ha rodeado (*Jesuitas*, 253v)

Tres vienen a ver a uno (*Jesuitas*, 265)

Tres vos escribí señora (EM Ç-III.22, 44)

Trilirán de la farirunfirá (*Toledo*, 43v)

Triste afligido penoso (*Rosa Gentil*, Timoneda, 37)

Triste afligido y penoso (FN VII-353, 133v)

Triste amarga y afligida (*Vergel*, Ubeda, 171v)

Triste anda y descolorida (PN 372, 352)

Triste avecilla que te vas llorando (*CG* 1554, 187v)

Triste avecilla que te vas llorando (MN 1132, 34v)

Triste avecilla que te vas quejando (MN 3902, 16)

Triste corazón (*Jacinto López*, 173v)

Triste corazón cuán mal libraste (*Lemos*, 121v)

Triste corazón cuitado (*Padilla*, 47v)

Triste corazón dónde te veo (*Lemos*, 123)

Triste cuán mal miré la primer hora (MN 3902, 118)

Triste cuando pensé que había oprimido (*Jesuitas*, 354v)

Triste cuando pensé que había oprimido (MP 644, 180)

Triste de aquel que quiere y no es querido (*Morán*, 60v)

Triste de hombre que de amor tocado (FN VII-354, 250), ver Triste el hombre

Triste de mí cuitada (*Jacinto López*, 318v)

Triste de mí desdichado (*Corte*, 51)

Triste de mí que me lleva la muerte (TP 506, 211)

Triste de mí que parto mas no parto (MP 1578, 104)

Triste de mí que parto mas no parto (MP 973, 180v)

Triste de mí que parto mas no parto (PN 314, 213)

Triste de mí que parto mas no parto (WHA 2067, 9v)

Triste de mi que vivo ya sin vida (*Obras*, Silvestre, 377)

Triste de quien ama (MN 3913, 79v)

Triste del hombre hambriento que se vía (MN 3902, 123)

Triste el hombre que de amor tocado (RaC 263, 128v), *ver* Triste de hombre

Triste está el rey Menelao (*Elvas*, 16v)

Triste está Juanilla (*León/Serna*, 96v)

Triste está Juanilla (PN 372, 204v)

Triste está mi corazón (*Rosa de Amores*, Timoneda, 25)

Triste estaba Durandarte (FRG, p. 239)

Triste estaba el caballero / triste está sin alegría / con lágrimas y suspiros (CG 1511, 135v)

Triste estaba el caballero / triste y sin alegría / pensando en su corazón (CG 1511, 138v)

Triste estaba el caballero (MN 3725-2, 31)

Triste estaba el caballero / triste y sin alegría (MN 3725-2, 32)

Triste estaba el Padre santo (FRG, p. 129)

Triste estaba el Padre santo (*Rosa Real*, Timoneda, 77v)

Triste estaba el rey Menelao (CG 1511, 134v)

Triste estaba y afligido (RaC 263, 38)

Triste estaba y muy penosa (*Rosa Gentil*, Timoneda, 48)

Triste estaba y pensativo (*Rosa Gentil*, Timoneda, 41v)

Triste experiencia de cosas pasadas (MN 3902, 40)

Triste experiencia de cosas pasadas (MP 617, 202v)

Triste hombre que de amor tocado (*Jacinto López*, 2v) ver Triste de hombre

Triste memoria enemiga (RG 1600, 114)

Triste pisa y afligido (MN 17.557, 40)

Triste pisa y afligido (MN 3723, 328)

Triste pisa y afligido (*Penagos*, 140v)

Triste pisa y afligido (RG 1600, 181v)

Triste qué ha de ser de mí (*Sevillano*, 51v)

Triste remate lamentable historia (*Jesuitas*, 320v)

Triste remate lamentable historia (*Vergel*, Ubeda, 179)

Triste solo y pensativo (PN 372, 166)

Triste solo y pensativo (*Romancero*, Padilla, 247v)

Triste vida paso (MN 17.951, i v)

Triste vida se me ordena (*Borges*, 7)

Triste vida viviré (PBM 56, 48)

Triste y áspera Fortuna (BeUC 75/116, 104)

Triste y áspera Fortuna (FN VII-354, 52v)

Triste y áspera Fortuna (MBM 23/8/7, 201v)

Triste y áspera Fortuna (MN 3670, 30v)

Triste y áspera Fortuna (MN 3968, 81v)

Triste y áspera Fortuna (MN 4256, 178v)

Triste y áspera Fortuna (MN 4262, 193)

Triste y áspera Fortuna (MN 4268, 138v)

Triste y áspera Fortuna (MP 1578, 31v)

Triste y áspera Fortuna (MP 2805, 51)

Triste y áspera fortuna (MRAH 9-7069, 77)

Triste y áspera Fortuna (PhUP1, 111v)

Triste y áspera Fortuna (PN 258, 213)

Triste y áspera Fortuna (RV 768, 227)

Triste y ocupada (*Jacinto López*, 66)

Tristes húmedos ojos ayudadme (MN 2973, p. 324)

Tristes marchando (RG 1600, 123)

Tristes nuevas le trajeron (*Romancero*, Padilla, 102v)

Tristes van los zamoranos (*Rosa Española*, Timoneda, 30v)

Tristeza e tormento (*Elvas*, 32v)

Tristeza me impide el veros (RG 1600, 234)

Tristeza muy sin consuelo (*Lemos*, 55v)

Tristeza por qué combates (CG 1511, 68v)

Tristeza que al más triste (OA 189, 92)

Tristeza quien a vos me dio (PN 307, 295v)

Tristeza quien a vos me dio (PN 371, 18)

Tristeza Señora mía (CG 1557, 398v)

Tristeza si a un alma triste (*Cid*, 34v, 252v)

Tristeza si a un alma triste (*Morán*, 133v)

Tristeza si a un alma triste (WHA 2067, 83v)

Tristeza si me dejares (*Sevillano*, 264)

Tristeza vida mía Quién me llama (*Obras*, Cepeda, 105)

Tristezas y disfavor (*Corte*, 121v)

Tristura conmigo va (CG 1511, 215)

Triunfo del honesto amor (*Cid*, 45)

Trobáis sonetos toscanos (*Heredia*, 177)

Trobemos señor trobemos (CG 1511, 156v)

Trocá españoles vuestro ronco acento (MP 2459, 15v)

Trocado se había la suerte (*Sevillano*, 267v)

Trocádose ha ya la suerte (PN 373, 287v)

Trocai-me o mal señora tão dobrado (*Borges*, 72v)

Trocar dos almas su corpórea casa (MN 3913, 115)

Tronando las nubes negras (FN VII-353, 112v)

Tronando las nubes negras (MN 17.556, 92)

Tronando las nubes negras (MN 3724, 62v)

Tronando las nubes negras (MP 996, 146)

Tronando las nubes negras (RG 1600, 81v)

Tropellando desengaños (RG 1600, 91)

Truécanse los tiempos (MN 3725-1, 52)

Trujo felino o alcanzó de un nido (MN 2973, p. 177)

Tú águila caudal del alto cielo (MP 644, 195)

Tu amarga soledad anciano río (*Penagos*, 10)

Tu aspereza y tu desdén (*Padilla*, 22)

Tu aspereza y tu desdén (*Tesoro*, Padilla, 298)

Tu cabello me enlaza ay mi señora (FN VII-354, 267)

Tu cabello me enlaza ay mi señora (*Jacinto López*, 3v)

Tu cabello me enlaza ay mi señora (RaC 263, 126v)

Tu cabello me enlaza mi señora (MN 3913, 42)

Tu carta Fabia recibí y con ella (MP 973, 349)

Tu carta recibí que no debiera (*Jacinto López*, 31)

Tu carta recibí que no debiera (MN 2973, p. 146)

Tu carta recibí que no debiera (RV 1635, 31v)

Tu congoja desabrida (*Sevillano*, 187)

Tú cuyo lustre entre una y otra almena (*Lemos*, 212v)

Tú de merced desterrada (MP 617, 29v)

Tú de mi bien sepultura (CG 1511, 88)

Tabla

305

Tú de mi bien sepultura (*Lemos*, 112v)

Tú de mi libertad libre señora (MN 3902, 128v)

Tú dichoso yo perdido (*CG* 1511, 142v)

Tu dolor no tiene cura (*CG* 1511, 142)

Tu dorado cabello zagala mía (*Medinaceli*, 90v)

Tu dorado cabello zagala mía (TP 506, 385v)

Tu dulce canto Silvia me ha traído (*Medinaceli*, 36v)

Tu dulce canto Silvia me ha traído (OA 189, 327)

Tu dulce canto Silvia me ha traído (PN 314, 87v)

Tu dulce honestidad con mansedumbre (SU 2755, 125)

Tu dulzura y ademán (MP 973, 112v)

Tú eras serás y eres (*CG* 1511, 125)

Tú eres doctor sagrado (*Vergel*, Ubeda, 149v)

Tu fe tan enamorada (RV 1635, 66)

Tu flor dorada tu purpúrea rosa (SU 2755, 90v)

Tu fuego nunca me quema (RV 1635, 95v)

Tú gitana que adivinas (*Elvas*, 61v)

Tu gracia tu valor tu hermosura (BeUC 75/116, 79)

Tu gracia tu valor tu hermosura (*Evora*, 63)

Tu gracia tu valor tu hermosura (FN VII-354, 33)

Tu gracia tu valor tu hermosura (*Heredia*, 342)

Tu gracia tu valor tu hermosura (MBM 23/8/7, 247)

Tu gracia tu valor tu hermosura (MN 2973, p. 77)

Tu gracia tu valor tu hermosura (MN 4256, 114v)

Tu gracia tu valor tu hermosura (MN 4262, 152v)

Tu gracia tu valor tu hermosura (MN 4268, 114v)

Tu gracia tu valor tu hermosura (MP 2805, 115)

Tu gracia tu valor tu hermosura (MRAH 9-7069, 66v)

Tu gracia tu valor tu hermosura (PhUP1, 85)

Tu gracia tu valor tu hermosura (PN 258, 198)

Tu gracia tu valor tu hermosura (PN 311, 12)

Tu gracia tu valor tu hermosura (RV 768, 255v)

Tu gracia tu valor tu hermosura (TP 506, 284v)

Tu gracia tu valor y tu hermosura (MN 3968, 66r

Tu gran ciencia y virtud tu ingenio raro (MP 2459, 65)

Tu gran fuerza tu poder (*Morán*, 207)

Tú hombre que estás leyendo (*Ixar*, 144, 226)

Tu idea en bellos ojos clara frente (TP 506, 206v)

Tú llevas mayor ventaja (PN 371, 31v)

Tú lo que puedes hacer (*Padilla*, 54v)

Tú me digas alma mía (PBM 56, 63v-64)

Tú me robaste el bien del alma mía (*Medinaceli*, 78v)

Tu mirar Juanica (FN VII-353, 53)

Tu mirar Juanica (*Jacinto López*, 67v)

Tu mirar Marica (*Jhoan López*, 39v)

Tu mirar Marica (MP 1587, 123v)

Tu misericordia tanto (*Jacinto López*, 262)

Tú mueres por sus amores (*Sevillano*, 288v)

Tú niña no ves (MN 3725-1, 71)

Tú niña no ves (*RG* 1600, 227)

Tú no te ajunques jamás (*Morán*, 46v)

Tú no ves carillo (PN 373, 108v)

Tú noche que alivias (*RG* 1600, 144)

Tu oblicua luz nos envía (MN 2856, 122v)

Tu papel muchas veces he leído (TP 506, 58)

Tú pobrecico romero (*CG* 1511, 111v)

Tu poder no hay quien lo tema (*Romancero*, Padilla, 328v)

Tú por quien mi vida siente (*CG* 1511, 95v)

Tu presencia deseada (*Corte*, 56)

Tu propia mano ha sido la homicida (*Jacinto López*, 45)

Tu propia mano ha sido la homicida (MP 973, 203v)

Tú que con paso perezoso y lento (FR 3358, 162v)

Tú que en tal día como hoy (*Heredia*, 12v)

Tú que en tal día como hoy (MN 5593, 1)

Tú que Fortuna y su prestado estado (MP 2459, 50)

Tú que me estás mirando (*Jacinto López*, 319)

Tú que me matas mirando (*Morán*, 188)

Tú que me miras a mí (*Jacinto López*, 296)

Tú que me miras a mí (*Obras*, Silvestre, 329, 331)

Tú que me miras a mí (*Penagos*, 175)

Tú que publicas el llanto (PN 372, 14)

Tú que quieres sacar de muerte vida (*Fuenmayor*, p. 25)

Tú que quieres sacar de muerte vida (*Rosal*, p. 87)

Tú que siendo ciego tanto ves (FR 3358, 161v)

Tú que tal día como hoy (*Heredia*, 12v)

Tú remisión tu descuido (*RG* 1600, 356v)

Tú rogado de ti mismo (*CG* 1511, 7)

Tu rostro hace que adore tus despojos (MN 3913, 28v)

Tu sempiterna bondad (MP 617, 238v)

Tu ser y tu valor es tan subido (*Morán*, 84v)

Tu soberana cabaña (*Sevillano*, 138v)

Tu sopa fue sin sabor (MP 570, 150)

Tú Títiro a la sombra descansando (FN VII-354, 410)

Tú Títiro a la sombra descansando (MN 3698, 33)

Tú Títiro a la sombra descansando (MP 996, 220)

Tú Títiro a las sombras descansando (FR 3358, 117)

Tú Títiro a la sombra descansando (*Rosal*, p. 301)

Tú triste esperanza mía (*CG* 1511, 123v)

Tú triste rendido cedo (*CG* 1511, 111)

Tu valer me da gran guerra (*Colombina*, 86v)

Tu valeroso brazo defendía (*Vergel*, Ubeda, 151)

Tú vas a caballo / y yo voy a pie (MN 3913, 48v)

Tu venida que he esperado (MP 2803, 218)

Tu vista digo cierto que es locura (RaC 263, 41v)

Túbal nieto de Noé (MN 1317, 222)

Tudo acaba assim (*Corte*, 53)

Tudo o imaginado (*Borges*, 59v)

Tudo passa em um momento (*Corte*, 50v)

Tudo que vejo tem fim (*Corte*, 208v, 209)
Tuerce oh dulce Duero tu camino (*Lemos* 54)
Tulia hija de Tarquino (*Flor de enamorados*, 114)
Tulia hija de Tarquino (*Rosa Gentil*, Timoneda, 20v)
Tundidor maestro de buenos maestros (*CG 1511*, 164v)
Turbados tengo todos mis sentidos (*Jesuitas*, 236v)
Turbias van las aguas madre (MN 17.556, 63v)
Turbias van las aguas madre (*RG 1600*, 20v)
Tururururo y vino de Toro (*Lemos*, 103v)
Tus armas un león Felipe tienen (MN 6001, 39v)
Tus claros ojos serenos (*Morán*, 38v)
Tus consejos son de sano (*Evora*, 12)
Tus divinos ojos (MN 3913, 64)
Tus envidias me hablan (*Sablonara*, 19)
Tus gracias y perfecciones (MP 617, 172)
Tus gracias y perfecciones (*Sevillano*, 271v)
Tus hojas de sangre alzaron (MP 617, 132v)
Tus misericordias canto (*Canc.*, Ubeda, 96)

Tus misericordias canto (*Cid*, 63v)
Tus misericordias canto (*Fuenmayor*, p. 291)
Tus misericordias canto (*Jesuitas*, 234)
Tus misericordias canto (*Obras*, Silvestre, 327v)
Tus ojos hermosos (*León/Serna*, 113v)
Tus ojos zagala mía (PN 372, 73)
Tus ojuelos Mariana (*Jhoan López*, 2)
Tus palabras Silicio Amor decía (*Corte*, 123)
Tus penetrantes suspiros (MN 3724, 182)
Tuve los engaños (MP 1587, 179v)
Tuvieron Marte y Amor (MN 3723, 293)
Tuvieron Marte y Amor (*RG 1600*, 188v)
Tuvieron tan buen estado (MiB AD.XI.57, 11v)
Tuvistes para ofenderme (*CG 1554*, 91)
Tuvo en su casa Obededón el arco (*Padilla*, 198v)
Tuvo una vez el dios Vulcano celos (FR 3358, 188)
Tuyo es este valle y por ti atiende (*Corte*, 115v)

Ufano alegre altivo enamorado (*Faria*, 65)

Ufano alegre altivo enamorado (MN 3913, 121v)

Ufano alegre libre enamorado (MN 3913, 11)

Ufano con mil victorias (*RG* 1600, 208)

Ulises fue gran señor (*Obras*, Cepeda, 45v)

Ulises tu Penélope te escribe (MP 617, 281v)

Ulises tu Penélope te escribe (TP 506, 77v)

Ulls y cor ab gran debat (*Flor de enamorados*, 10)

Um amor e desamor (*Evora*, 45)

Um desejo desumano (*Faria*, 99)

Um firme coração posto em ventura (EM Ç-III.22, 17v)

Um tempo sem mal nem bem (*Corte*, 143v)

Uma fineza grande um lance bravo (NH B-2558, 1)

Uma morte hei de morrer (*Corte*, 49v)

Umas irmãs de Castela (*Evora*, 2)

Un abrazo me dio Inés / bailando allá en el aldea (*Obras*, Silvestre, 127v)

Un abrazo me dio Inés / estando allá en el aldea (*Jacinto López*, 320)

Un abrazo me dio Inés / estando allá en el aldea (PN 372, 319)

Un abrazo me mandó Inés / bailando allá en el aldea (*Sevillano*, 65v)

Un alma en carne y sangre ha confesado (*Fuenmayor*, p. 611)

Un alma en carne y sangre ha confesado (MN 17.951, 71)

Un alto pensamiento se ha fraguado (MN 17.951, 33)

Un amante necio y loco (*Morán*, 9)

Un amigo me contó (MBM 23/4/1, 252)

Un amigo me contó (*Morán*, 26)

Un amigo me contó (*Tesoro*, Padilla, 314v)

Un amigo que yo había (*Recopilación*, Vázquez, 8, 26)

Un amigo que yo había / sega la erva me decía (*Recopilación*, Vázquez, 32v)

Un amoroso accidente (*Canc.*, Maldonado, 37)

Un amoroso pastor (MP 1587, 77v)

Un ánima que os quiere y ama tanto (MP 973, iii)

Un animal cruel muy furioso (MN 1317, 439)

Un árbol dio tres manzanas (*Jesuitas*, 117v)

Un árbol lindo había mas plantado (*Jesuitas*, 447)

Un arzobispo santo hubo en Florencia (*Vergel*, Ubeda, 152v)

Un atrevido temor (*Corte*, 221v)

Un bajo entendimiento acá en el suelo (MP 2803, 133v)

Un beso me dio el melero (*Morán*, 31), *ver* Besóme el colmenero

Un blanco pequeñuelo y bel cordero (MN 2856, 66)

Un blando en todo concierto (PN 418, p. 325)

Un bulto casi sin bulto (*Fuenmayor*, p. 476)

Un caballero estaba aficionado (*Jacinto López*, 224v)

Un capote me ha rozado (*Peralta*, 179v)

Un caso nuevo ya de amor se ofrece (*Jesuitas*, 353)

Un castellano gracioso (MP 1587, 87)

Un castillo tengo allá en mi tierra (*Evora*, 30v)

Un claro ingenio un vivo entendimiento (*Obras*, Silvestre, 388v)

Un clavel entreverado (MN 17.951, 37)

Un corazón desdichado (MP 1578, 131v)

Un corazón lastimado (*Morán*, 35v)

Un corazón lastimado (MP 1587, 76, 97)

Un corazón lastimado (*Padilla*, 84v)

Un corazón lastimado (*Romancero*, Padilla, 294)

Un cristiano caballero (MP 973, 403)

Un cuidado que la miña vida ten (*Recopilación*, Vázquez, 29v)

Un cura que mucho amaba (*Rojas*, 182v)

Un día que en vos empleo (NH B-2558, 40)

Un dibujo Dios había (MN 17.951, 145)

Un doctor con buen intento (*Lemos*, 166v)

Un dolor muy sin medida (*Morán*, 67v)

Un dolor tengo en el alma (*Evora*, 8v, 14v)

Un dolor tengo en el alma (*Uppsala*, n. 6)

Un dolor tengo en la vida (*Evora*, 9)

Un domingo de mañana (*Morán*, 114v)

Un domingo de mañana (*Toledano*, 100v)

Un don quiero yo pediros (MP 2459, 74)

Un encendido amor de un amor puro (MN 2973, p. 189)

Un esclavo de Ochalí (*RG* 1600, 169)

Un escuadrón muy hermoso (MN 17.951, 37v)

Un espejo cristalino (MN 17.951, 24v)

Un fuego helado un ardiente hielo (EM Ç-III.22, 7)

Un fuego helado un ardiente hielo (MN 2973, p. 55)

Un galán andaba enamorado (FN VII-354, 263v)

Un galán andaba enamorado (FR 3358, 183)

Un galán enamorado (*Jacinto López*, 237)

Un galán había dormido (FN VII-353, 207)

Un galán me han dado como saúco (MN 3913, 49)

Un galán muy mal acierta (*Padilla*, 50)

Un gallardo caballero (*Jesuitas*, 161)

Un gallardo paladín (RG 1600, 167)

Un gorrión madre mía (RaC 263, 167)

Un gorrioncico casero (RaC 263, 165v)

Un grande tahur de amor (*Penagos*, 126v)

Un grande tahur de amor (RG 1600, 68)

Un grande tahur de amores (MN 17.556, 43v)

Un grande tahur de amores (MP 996, 131)

Un grano vino del cielo (*Sevillano*, 132)

Un grave sobresalto al alma hiere (MP 2803, 226v)

Un grave sobresalto al alma hiere (TP 506, 351)

Un grave tormento (FN VII-353, 174v)

Un hijo del rey de Troya (*Tesoro*, Padilla, 191)

Un hijo del rey don Sancho (*Rosa Española*, Timoneda, 88v)

Un hombre llegó a un platero (*Lemos*, 170v)

Un hombre necio pobre y malcontento (MP 3560, 47)

Un hora me era un año más ahora (MN 3806, 34)

Un juguete me pide mi dama (*Jhoan López*, 45)

Un labrador ha venido (*Jesuitas*, 482)

Un labrador ha venido / en cabello desgreñado / ante el supremo consejo / de Dios eterno y sagrado (*Canc.*, Ubeda, 105v)

Un labrador mal criado (FN VII-353, 159v)

Un lencero portugués (MN 3724, 315)

Un lencero portugués (RG 1600, 359)

Un lunes por la mañana (*Romancero*, Padilla, 87)

Un lustre antiguo de la gran nobleza (MN 17.557, 21)

Un mal ventecillo (RaC 263, 89)

Un mancebiño galante (*Vergel*, Ubeda, 14)

Un manojo de mirra es mi amado (*Evora*, 33)

Un marido atán lozano (*Padilla*, 136v)

Un marquesote bravo y entonado (FN VII-354, 261v)

Un marquesote bravo y entonado (*Jacinto López*, 226)

Un marquesote bravo y entonado (*Morán*, 8v)

Un marquesote bravo y entonado (MP 2803, 201)

Un marquesote bravo y entonado (*Padilla*, 183)

Un marquesote bravo y entonado (*Penagos*, 16v)

Un marquesote bravo y entonado (PN 373, 87)

Un marquesote bravo y entonado (RV 1635, 41)

Un mártir de Dios estaba (MN 17.557, 90)

Un médico mancebo había criado (MP 2803, 189v)

Un medio toro y medio serpiente (MN 1317, 439v)

Un melindre desabrido (*Sevillano*, 237)

Un mensajero es llegado (*Lemos*, 112)

Un mercader genovés (RG 1600, 36)

Un miércoles que partiera (*Gallardo*, 1v)

Un monte tiranizaba (MN 3700, 193)

Un muy donoso pregón (*Lemos*, 266v)

Un muy donoso pregón (*Peralta*, 21)

Un niño de tal potencia (*Sevillano*, 156v)

Un niño nos ha nacido (*Uppsala*, n. 39)

Un nuestro amigo mancebo (*Obras*, Silvestre, 149v)

Un nuevo dolor me mata (PBM 56, 82v-83)

Un nuevo sol nos nace en Occidente (MN 17.951, 74)

Un nuevo sol vi yo en humano gesto (MN 2973, p. 60)

Un padre amoroso querido del mundo (MN 1317, 470v)

Un pastor enamorado (*Sevillano*, 187v)

Un pastor pobre y humilde (RG 1600, 105)

Un pastor soldado (MN 17.557, 70v)

Un pastor soldado (MN 3725-1, 12)

Un pastor soldado (RG 1600, 67v)

Un pastor vide muy triste (*Rosa de Amores*, Timoneda, 4v)

Un pastorcillo la mira (MN 3700, 202)

Un pastorcillo solo está asentado (RaC 263, 8v)

Un pastorcillo solo está cantando (PN 372, 188)

Un pastorcillo solo está sentado (*Cid*, 138, 169)

Un perro cayó en el pozo (*Jacinto López*, 318)

Un pobre desesperado (MBM 23/8/7, 176v)

Un pobre desesperado (MN 4256, 237v)

Un pobre desesperado (PN 258, 185)

Un pobre desesperado (RV 768, 176)

Un poco más alcemos nuestro canto (FN VII-354, 418v)

Un poco más alcemos nuestro canto (FR 3358, 128)

Un poco más alcemos nuestro canto (MN 3698, 46)

Un poco más alcemos nuestro canto (MP 996, 228)

Un poco más alcemos nuestro canto (*Rosal*, p. 314)

Un poco te quiero Inés (*Jacinto López*, 190v)

Un poco te quiero Inés (*Jhoan López*, 49, 144v)

Un poco te quiero Inés (*Penagos*, 78)

Un precioso rubí se ha descubierto (MN 17.951, 48v)

Un pronóstico ha salido (*Tesoro*, Padilla, 373)

Un querer puro y perfecto (*Penagos*, 292v)

Un real a una dama es menosprecio (FN VII-353, 12v)

Un requiebro lisonjero (MN 3806, 104v)

Un rey conde un conde rey jurado (MiT 1001, 35)

Un rey poderoso pulido y galano (MN 1317, 471)

Un rico y soberano pensamiento (MN 3698, 214v)

Un sacristán de un aldea (*Tesoro*, Padilla, 425)

Un soberano artificio (*Vergel*, Ubeda, 83v)

Un sol nació en este mundo (*Canc.*, Ubeda, 117v)

Un sol nació en este mundo (*Vergel*, Ubeda, 127)

Un sol se mostró en el mundo (MN 17.951, 150v)

Un soldador se ha vuelto caballero (*Penagos*, 18)

Un solo bien que tenía (*Cid*, 21v)

Tabla 309

Una nueva locura se ha asentado (MN 3913, 38)
Una nueva locura se ha asentado (RaC 263, 117v)
Una nueva locura se ha asentando (MP 973, 268) ver Una necia
Una obstinada crueldad (PN 418, p. 304)
Una pajarilla hermosa (Jhoan López, 145)
Una pajarita hermosa (Jacinto López, 197)
Una palma ha florecido (*RG 1600*, 59v)
Una parda mariposa (MN 3724, 85)
Una parda mariposa (*RG 1600*, 92)
Una parte de la vega (*RG 1600*, 23)
Una pastora hermosa (MoE Q 8-21, p. 39)
Una perpetua esperanza (PN 418, p. 275)
Una persona soñaba (MBM 23/4/1, 272 bis)
Una picaza de estrado (MN 3700, 151v)
Una rabiosa tigre con gran saña (*Borges*, 87)
Una rubia pastorcilla (MN 17.557, 79v)
Una rubia pastorcilla (*RG 1600*, 48)
Una señora es Fortuna (*Morán*, 71)
Una señora me tiene (*Flor de enamorados*, 1v)
Una señora por quien (Toledano, 68v)
Una siesta el mayo (MN 3913, 5)
Una sola de estas dos (*Cid*, 21)
Una tan triste vida y tan pesada (*Tesoro*, Padilla, 101v)
Una tan vieja querella (*Jesuitas*, 457)
Una vida bestial de encantamiento (FN VII-353, 6v)
Una vieja como Sara (Colombina, 100)
Una vieja deforme que el pellejo (*Morán*, 20v)
Una vieja disforme que el pellejo (MBM 23/4/1, 83)
Una vieja disforme que el pellejo (PN 373, 160v)
Una vieja zorroclueca (MP 2459, 73v)
Una Virgen pura (*Sevillano*, 52, 133)
Una virgen vi parida (Canc., Ubeda, 8v)
Una viuda en Aragón había (*Jacinto López*, 13v, 238)
Una viuda en Aragón había (*León/Serna*, 81v
Una viuda en Aragón había (MP 2803, 120v)
Una viuda en Aragón vivía (FN VII-354, 332)
Una viuda loca (FN VII-353, 34)
Una voz del Verbo eterno (Jhoan López, 104)
Una voz os echó en tierra (Jhoan López, 103v)
Una zagala hermosa (Sevillano, 166v)
Una zagaleja (MN 3725-1, 82)
Unas coplas me han mostrado (FN VII-354, 84v)
Unas coplas me han mostrado (MBM 23/4/1, 309)
Unas coplas me han mostrado (MBM 23/8/7, 232)

Unas coplas me han mostrado (MN 2856, 62)
Unas coplas me han mostrado (MN 3670, 45v)
Unas coplas me han mostrado (MN 4256, 201v)
Unas coplas me han mostrado (MN 4262, 234)
Unas coplas me han mostrado (MN 4268, 220v)
Unas coplas me han mostrado (*Morán*, 10v)
Unas coplas me han mostrado (MP 2805, 87v)
Unas coplas me han mostrado (MP 570, 164)
Unas coplas me han mostrado (MRAH 9-7069, 125)
Unas coplas me han mostrado (PhUP1, 187)
Unas coplas me han mostrado (PN 258, 115)
Unas coplas me han mostrado (PN 372, 347v)
Unas coplas me han mostrado (RV 768, 197)
Unas monjas acaso disputando (*Penagos*, 3v)
Unas monjas acaso disputando (RaC 263, 126v)
Unas nuevas oí en esta villa (*Toledano*, 25)
Undoso palio que en mentidas aguas (*Faria*, 35v)
Uno a uno se tiran perlas (MN 3700, 8v)
Uno de los verdaderos (*CG 1511*, 230)
Uno de los verdaderos (MP 617, 95v)
Uno es uno (*Fuenmayor*, p. 287)
Uno es uno (RV 1635, 98v)
Uno llevará el jubón (CG 1535, 189)
Uno solo es el contento (*CG 1514*, 189)
Uno tengo al remo (*Cid*, 239)
Unos de baila (Jacinto López, 163v)
Unos de bailar (FN VII-353, 144v)
Unos dicen que fue justo (RG 1600, 122v)
Unos dulces ojos (MN 2856, 134)
Unos granos de aljófar / te los voy dando (MN 3913, 72v)
Unos me dicen que vaya (*Sevillano*, 134)
Unos por descansar (Cid, 204)
Unos por se alegrar (PN 314, 231)
Unos por se alegrar (PN 373, 147)
Unos por se alegrar (*Rosal*, p. 53)
Unos que bien me quieren (Recopilación, Vázquez, 6)
Unos suelen con llorar (FRG p. 170)
Unos suelen con llorar (OA 189, 374)
Unos suelen con llorar (PN 307, 286)
Unos viven señora en tu presencia (*Corte*, 121v)
Urnas plebeyas túmulos reales (*Lemos*, 213v)
Usando de su clemencia (PN 373, 63)
Usase entre enamorados (MP 1587, 102v)
Uso es del amor dañar (MP 973, 206v)

Va de jácara y de gusto (PN 418, p. 129)
Va de versos va de glosa (MN 4127, p. 245)
Va limpiando el reino el rey (MiT 1001, 11)
Va llorando sin pensar (Morán, 7v)
Va mi vida con la muerte (CG 1511, 142)
Va muy fuera de razón (MN 17.557, 22)
Va presto mi pensamiento (CG 1514, 189)
Va regando el claro río (MN 4127, p. 137)
Va regando un claro río (RG 1600, 12v)
Va tan a prisa el deseo (MP 617, 212)
Va tan a prisa el deseo (PN 371, 81v)
Va tan a prisa el deseo (TP 506, 394v)
Va y viene el pensamiento (BeUC 75/116, 125)
Va y viene el pensamiento (MBM 23/8/7, 210v)
Va y viene el pensamiento (MN 4256, 230)
Va y viene el pensamiento (MP 1578, 54)
Va y viene el pensamiento (MP 1587, 32v)
Va y viene el pensamiento (MP 2805, 70v)
Va y viene el pensamiento (PhUP1, 131)
Va y viene el pensamiento (RV 768, 234v)
Va y viene mi pensamiento (*Canc.*, Maldonado, 54v)
Va y viene mi pensamiento (MN 3968, 76)
Va y viene mi pensamiento (MN 4268, 159)
Va y viene mi pensamiento (MP 570, 166)
Va y viene mi pensamiento (OA 189, 109)
Va y viene mi pensamiento (PN 258, 187
Va y viene mi pensamiento (PN 307, 240v)
Va y viene mi pensamiento (PN 373, 160)
Vãuse meus amores (*Penagos*, 305v)
Vade retro Satanás (CG 1511, 142v)
Vai-se alongando o mal e a triste vida (EM Ç-III.22, 29v)
Vai-se ponido nas estrelas (PBM 56, 50)
Vais con el Señor (MP 644, 198v)
Vaisos amores (MN 17.556, 148v)
Vaisos amores (MN 3700, 75v)
Vaisos amores (MoE Q 8-21, p. 144)
Vaisos amores (MP 996, 80, 159v)
Vaisos amores (Penagos, 124v)
Vaisos amores de aqueste lugar (TorN 1-14, 39)
Vaisos señora mi bien inmortal (Sevillano, 179)

Vaisos vos a Ingalaterra (Padilla, 231v)
Vaite conmigo Juana (Jacinto López, 319)
Vale poco en cuanto mía (EM Ç-III.22, 74)
Vale tan mal que yo creo (OA 189, 323v)
Vale tan mal que yo creo (PN 307, 305)
Valencia ciudad antigua (CG 1511, 139)
Valga el diablo tantos moros (MN 3723, 344)
Válgalo la maldición (RaC 263, 165v)
Válgame Dios que Dios baja a la tierra (*Fuenmayor*, p. 345)
Válgame Dios qué penas he pasado (MN 4127, p. 213)
Válgasme Santa María (Obras, Cepeda, 139v)
Válgate la maldición (RaC 263, 167)
Válgate la mona Antona (*Jacinto López*, 67)
Válido santo cuya luz fue roca (MiB AD.XI.57, 33v)
Valiente Gandalín de color ético (MN 2856, 121)
Valle sombrío fresco y fértil prado (*Jacinto López*, 260)
Valles floridas frescas y sombrosas (CG 1554, 187)
Valme mi señora (Padilla, 237v)
Valor de hermosura no pensado (*Morán*, 260v)
Valor hermosura y fe (FN VII-353, 130v)
Valor saber frescura y gentileza (*Morán*, 80)
Valor y cortesía qué se han hecho (PN 314, 31v)
Vámonos a la guerra (Jacinto López, 318)
Vámonos Juan al aldea (*Elvas*, 86v)
Vámonos luego mi tío (Obras, Cepeda, 138)
Vamos al divino banco (*Fuenmayor*, p. 281)
Vamos al Portal (*Sevillano*, 41)
Vamos aquel vergel (Toledano, 7v)
Vamos Gil Vicente (*Sevillano*, 180v)
Vamos os três reis (*León/Serna*, 92v)
Vamos y veremos (Sevillano, 159v)
Van a la par la pena del deseo (*Canc.*, Maldonado, 82)
Van las muestras por mostraros (CG 1511, 183)
Vana esperanza amor mal entendido (OA 189, 13)
Vana esperanza amor mal entendido (PN 314, 6v)
Vana esperanza amor mal entendido (WHA 2067, 93)
Vana esperanza en mi deseo incierto (SU 2755, 19v)
Vana esperanza mía (*Canc.*, Maldonado, 78)
Vana esperanza que mi pensamiento (MP 617, 257)
Vana sombra y terror del pensamiento (MBM 23/4/1, 397v)

Vandalio a quien virtud siempre acompaña (MN 2973, p. 208)
Vandalio si la palma de amadores (MN 3968, 161)
Vandalio si la palma de amadores (SU 2755, 120)
Vanse mis amores (*Flor de enamorados*, 39)
Vanse mis amores (*Sevillano*, 203v)
Varios discursos hace el pensamiento (OA 189, 14)
Varios discursos hace el pensamiento (PN 314, 7)
Varón dichoso que con sólo un velo (MiB AD.XI.57, 28v)
Vas y vienes a la villa (*Cid*, 187v)
Vase del amor riendo (RaC 263, 74v)
Vase Dios mi amor (*Sevillano*, 139v)
Váseme mi amor (*Sevillano*, 285)
Vaste amore (*Toledano*, 18v)
Vate bien de amor zagal (*Padilla*, 123v)
Vaya el cobarde cruel (TP 506, 371)
Vaya fuera mi tristeza (*Obras*, Cepeda, 92)
Vaya fuera tal herror (*Lemos*, 104v)
Vaya la pena dentrambos (CG 1557, 396)
Vaya la pena dentrambos (*Cid*, 92)
Vaya o venga (*Romancero*, Padilla, 285)
Vayan a buscar verdura (WHA 2067, 53)
Vayas muy enhorabuena (FN VII-353, 94v)
Vayas muy enhorabuena (MP 996, 133v)
Vayas muy enhorabuena (RG 1600, 192)
Ve discreto mensajero (CG 1511, 97)
Ve dó vas mi pensamiento (*Cid*, 76, 219v)
Ve dó vas mi pensamiento (*Lemos*, 24v, 57v)
Ve dó vas mi pensamiento (MN 17.951, 161)
Ve dó vas mi pensamiento (MN 3806, 130)
Ve dó vas mi pensamiento (*Morán*, 4v, 5, 67)
Ve dó vas mi pensamiento (MP 2803, 230)
Ve dó vas mi pensamiento (MP 617, 157v)
Ve dó vas mi pensamiento (OA 189, 29v)
Ve dó vas mi pensamiento (*Obras*, Cepeda, 87)
Ve dó vas mi pensamiento (PN 307, 294)
Ve dó vas mi pensamiento (PN 371, 31)
Ve dó vas mi pensamiento (PN 372, 283v)
Ve dó vas mi pensamiento (RaC 263, 71v)
Ve dó vas mi pensamiento (RV 1635, 27v)
Ve dó vas mi pensamiento (*Sevillano*, 207)
Ve dó vas pensamiento (PN 307, 294)
Ve donde vas lijero pensamiento (*Cid*, 5v)
Ve donde vas lijero pensamiento (*Morán*, 136)
Ve mi ganado perdido (MP 644, 42v)
Ve pensamiento mío al dulce nido (*Jesuitas*, 353v)
Veamos pues si es tal mi desventura (*Jacinto López*, 11v, 230)
Véante mis ojos (*Heredia*, 194v)
Véante mis ojos / y muérame yo luego (*Sevillano*, 296)
Ved a qué ha llegado (*Jesuitas*, 457)

Ved amor qué empacho pone (CG 1554, 70v)
Ved cuál es mi desvarío (*Jacinto López*, 185v)
Ved cuál será mi pasión (*Obras*, Cepeda, 95)
Ved cuán fuera de razón (*Peralta*, 12)
Ved cuán posible sería (*Heredia*, 186)
Ved el cuerpo dónde llega (CG 1511, 96v)
Ved el premio que se alcanza (WHA 2067, 40)
Ved el vivo si es razón (CG 1511, 141v)
Ved en lo que he dado (RV 1635, 129v)
Ved lo que os duele no os ver (CG 1554, 112v)
Ved mi desdicha y mi duelo (MP 1587, 162v)
Ved qué congoja la mía (CG 1511, 101v)
Ved qué cosa tan subida (*Sevillano*, 94v)
Ved qué desventura tiene (CG 1511, 140v)
Ved qué dios y qué manera (*Morán*, 22)
Ved qué ley que tiene ahora (CG 1511, 126v)
Ved qué milagro de amor (*Vergel*, Ubeda, 143)
Ved qué puede hermosura (CG 1511, 143)
Ved qué quiere mi vivir (CG 1511, 127)
Ved qué tal es mi ventura (CG 1511, 129)
Ved qué tanto es más mortal (CG 1514, 108v)
Ved qué vida es la que paso (WHA 2067, 89v)
Ved quien nunca ha merecido (MP 372, 65v)
Ved quien nunca ha merecido (MP 617, 329v)
Ved señora qué es mi mal (PN 373, 209v)
Ved señora que tal vengo (*Toledano*, 45v)
Ved si por lo que codicio (MN 3902, 66)
Ved si puede ser mayor (CG 1511, 129)
Vede qua la barca de nu mal contenti (PA 1506, p. 31)
Védeme señora (PBM 56, 96)
Véente mis ojos / Dios y hombre en el suelo (*Sevillano*, 168)
Veinte borregos lanudos (MiB AD.XI.57, 11v)
Veinte borregos lanudos (MiT 1001, 12)
Veis aquí do vuelvo yo (CG 1511, 66)
Veis aquí el verbo Dios omnipotente (*Vergel*, Ubeda, 38)
Veis aquí va la verdad (MP 570, 133v)
Veisme aquí que por quereros (*Canc.*, Ubeda, 17)
Veisme aquí que por quereros (*Vergel*, Ubeda, 16v)
Vejo que em tudo o tempo faz mudança (*Corte*, 186)
Vejo que en tudo o tempo fas mudanças (EM Ç-III.22, 8v)
Vela del que contino se desvela (*Cid*, 12v)
Vela mi esperanza (MN 17.557, 63v)
Vela vela alma dormida (*Jesuitas*, 445v)
Vela vela vela (WHA 2067, 33)
Velador que el castillo velas (MN 17.556, 93)
Velador que el castillo velas (MP 617, 167)
Velador que el castillo velas (MP 996, 146v)
Velador que el castillo velas (RaC 263, 180)
Velas recibiendo / morena mía (MN 3913, 48)

Tabla 313

Velas recibiendo que las arrojo (MN 3913, 48)

Vemos dos vivos estar entre muertos (*Flor de enamorados*, 107v)

Vemos que cuanto al fuego es aplicado (*Tesoro*, Padilla, 57)

Vemos vuestra majestad (*Sevillano*, 176v)

Ven a la mesa divina (MN 3700, 141)

Ven acá dijo compadre (PBM 56, 43)

Ven acá tú Juan Miguel (*Sevillano*, 155v)

Ven como rayo que viere (CG 1511, 128v)

Ven con nosotros pastor (*Jacinto López*, 67)

Ven con nosotros pastor (*Rojas*, 184)

Ven Muerte mas ay no vengas (*Cid*, 218)

Ven Muerte tan escondida (CG 1511, 128v)

Ven Muerte tan escondida (*Cid*, 71v)

Ven muerte tan escondida (*Jesuitas*, 459)

Ven Muerte tan escondida (*Morán*, 132)

Ven Muerte tan escondida (MP 1587, 93v)

Ven oveja donde estoy (*Sevillano*, 138)

Ven pues tienes ocasión (OA 189, 92)

Ven seguro Señor no seas más duro (MP 570, 286v)

Ven ventura ven y dura (PN 307, 238v)

Ven ventura ven y tura (CG 1514, 98v)

Ven y verás Bras a Antón (*Jesuitas*, 130)

Ven ya muerte mi querida (MP 617, 160v)

Ven ya triste muerte mía (CG 1511, 96)

Vence el deseo a la desconfianza (*Canc.*, Maldonado, 105v)

Vence el León a la muerte (*Canc.*, Ubeda, 50)

Vence el león a la muerte (*Vergel*, Ubeda, 78)

Venced venced mi Dios venced mil veces (MP 1578, 258)

Vencedor quien se venció (*Jesuitas*, 444v)

Vencedor quien se venció (MN 17.951, 153)

Vencedores son tus ojos (*Evora*, 7v)

Vencen en la color al muy fino oro (MN 3902, 94v)

Vencer al cartaginés (FN VII-354, 402v)

Vencida de mi tormento (*Jacinto López*, 77)

Vencido de gran sueño estando un día (TP 506, 280v)

Vencido del dolor y del deseo (MBM 23/4/1, 123)

Vencido del trabajo el pensamiento (CG 1554, 190)

Vencido ha la pasión al sufrimiento (*Canc.*, Maldonado, 95)

Vencido señor me habéis (*Lemos*, 110)

Vencido ya Anibal del gran Escipión (PN 372, 133v)

Vencíme de los amores (MN 5593, 95)

Vende el reloj de la torre (FN VII-353, 271)

Venderle quiero barato (*Jhoan López*, 19v)

Vendiónos Adán de balde (*Obras*, Silvestre, 288v)

Venga el mal cuando quisiere (*Cid*, 21v)

Venga el poder de mil emperadores (MN 2973, p. 22)

Venga la muerte y acabe (CG 1557, 389)

Venga mal cuanto quisiere (CG 1511, 205)

Venga mal cuanto quisiere (MN 3902, 84v)

Venga mal cuanto quisiere (PN 307, 279)

Venga mi memoria a olvido (MP 1587, 72v)

Venga y vaya (*Sevillano*, 84)

Venga ya triste la muerte (MP 617, 155)

Vengada la hermosa Filis (MN 3913, 156)

Vengado está ya Amor de cuantos daños (MN 3968, 155)

Vengáis en hora buena cortesano (*Vergel*, Ubeda, 10v)

Vengamos a pesar de mi tormento (*Lemos*, 153v)

Venganza Amor que una hermosa dama (*Morán*, 78v)

Venganza viese yo del negro velo (MP 570, 206v)

Vengo a padecer (Padilla, 61v)

Vengo a ver al Almirante (MP 617, 215)

Vengo a ver la sepultura (MP 617, 217v)

Vengo a ver la sepultura (PN 372, 10v)

Vengo alegre y muy contento (*Sevillano*, 44v)

Vengo de allende la sierra (CG 1511, 109)

Vengo de allende la sierra (MA S.P. II.100, 12)

Vengo de ver los dolores (CG 1511, 168)

Vengo de ver un zagal (PN 373, 228v)

Vengo de ver un zagal (*Sevillano*, 147)

Vengo desde el cielo (*Sevillano*, 43v)

Vengo enamoradillo (MN 17.951, 94)

Vengo llena de tristeza (PBM 56, 94)

Vengo mal herido (*Sevillano*, 138v)

Vengo señora a quereros (MN 3700, 23v)

Véngome a buscar acá (*Jacinto López*, 54)

Véngome a buscar acá (*Morán*, 127v)

Véngome a buscar acá (MP 2803, 212v)

Véngome a buscar acá (*Padilla*, 94v)

Véngome a buscar acá (RV 1635, 110v)

Véngome a buscar aquí / arrastrado del deseo (MP 1587, 23)

Vénguese ya de mí quien mal me quiere (*Canc.*, Maldonado, 176v)

Vení ninfas lloremos tal estado (PN 373, 276)

Venid a llorar pastores (*Sevillano*, 287)

Venid a suspirar al verde prado (*Elvas*, 103v)

Venid amadores veréis maravilla (CG 1511, 172)

Venid conmigo señora (*Toledano*, 59)

Venid contentos de mi triste pecho (MP 996, 257)

Venid oh sacras musas del Parnaso (MP 2459, 20v)

Venid pastores (*Sevillano*, 128v)

Venid Sebastián segad (MN 17.951, 26)

Venid veréis al lince que encerrado (*Vergel*, Ubeda, 124v)

Venid veréis un pastor (*Sevillano*, 59)

Venida soy Señor considerada (MN 2973, p. 18)

Venida soy Señor considerada (RV 1635, 79v)

Venido el segundo día (MP 617, 335)

Venidos somos adonde (CG 1511, 106v)

Venís con tal valor duque corriendo (Penagos, 11v)

Venís tan apitonado (RG 1600, 328)

Venís tan disimulado (Obras, Silvestre, 294)

Ventana celestial ilustre puerta (MP 617, 182v)

Ventanazo para mí (MN 3724, 260)

Ventanazo para mí (RG 1600, 125v)

Vente a mí el perro moro (RH, 137)

Vente conmigo Miguel (Vergel, Ubeda, 4)

Ventecico murmurador (RG 1600, 240v)

Ventura dame lugar (Guisadillo, Timoneda, 12)

Ventura dame lugar (Obras, Cepeda, 62)

Ventura fue conoceros (MP 617, 155)

Ventura me había subido (Obras, Cepeda, 97)

Ventura pues que quisiste (Guisadillo, Timoneda, 12)

Ventura quiso que os viese (CG 1511, 123v)

Ventura quiso que os viese (Obras, Silvestre, 99)

Ventura sin alegría (PBM 56, 45v-46)

Ventura soltó el sabueso (CG 1511, 141v)

Ventura tiempo y lugar (MP 617, 294v)

Ventura tiempo y lugar (PN 307, 280v)

Ventura ya no vengas que no quiero (Morán, 190)

Venturas del mundo (RG 1600, 333v)

Venturas y dichas son (MN 3700, 134)

Venturosa fui en mirarte (Sevillano, 53)

Venturosa peña dura (CG 1557, 392)

Venturosa peña dura (Morán, 47v)

Venturoso el día (MN 3725-1, 64)

Venturoso el día (RG 1600, 111)

Venturoso ventalle a quien ha dado (MN 2973, p. 258)

Venturoso ventalle a quien ha dado (TP 506, 121v)

Venus alcahueta y hechicera (MN 3968, 57)

Venus alcahueta y hechicera (MN 4262, 154v)

Venus madre del Amor (MN 3968, 90)

Venus no es tan linda (Rojas, 79v)

Venus por entero Marte amaba (TP 506, 309)

Venus que a Marte en l'alma tiene impreso (RaC 263, 125)

Venus que a Marte en su alma tiene impreso (FN VII-354, 257v)

Venus se vistió una vez (MBM 23/8/7, 171)

Venus se vistió una vez (MN 4256, 231)

Venus se vistió una vez (MN 4268, 171v)

Venus se vistió una vez (OA 189, 176v)

Venus se vistió una vez (PN 258, 188v)

Venus se vistió una vez (TP 506, 349)

Venus vestida una vez (MN 3968, 37)

Veo mi bien acabado (PN 307, 249)

Veo mi dulce Señor (Jesuitas, 133)

Veo que Dios los pasos me ha tomado (MN 17.557, 44)

Veo ser la noche fría (Sevillano, 85)

Veo tener a mi amiga (FN VII-354, 79)

Véolos aunque cautivos (Vergel, Ubeda, 142v)

Véome cerca de morir (Morán, 68v)

Véoos señor cual pájaro a la liga (MP 570, 266)

Véoos señor cual pájaro a la liga (PN 372, 235v)

Véoos tan cerca de Dios (Sevillano, 149)

Véote tan sin reposo (Lemos, 105)

Ver en la tiniebla oscura (Vergel, Ubeda, 177v)

Ver esos dulces ojuelos (Padilla, 9v)

Ver los motes que se dan (Heredia, 170)

Ver que a mi mal no puede darse medio (Romancero, Padilla, 219)

Ver que mi mal es sin cura (Tesoro, Padilla, 50v)

Verás el mar sin agua navegarse (MP 570, 247)

Verás en la villa (Sevillano, 180v)

Verás una dama (MoE Q 8-21, p. 99)

Verbífera María sois hermosa (Jesuitas, 446)

Verbo del Padre eterno (Vergel, Ubeda, 36)

Verbo Dios por qué te vas (Jesuitas, 127)

Verbo inmenso che bella fai natura (CG 1514, 17)

Verbum caro factum est (Uppsala, n. 36)

Verdad dónde estáis puesta y escondida (MP 2803, 219v)

Verdad es que a su Silvano (Jacinto López, 71)

Verdad gracia soberana (MP 2459, 80)

Verdad que los cielos riges (RG 1600, 334v)

Verdade amor rezão merescimento (Borges, 68)

Verdaderas ansias mías (CG 1514, 186)

Verdades hay que no es bien que se crean (Heredia, 111v)

Verdades salidas (RG 1600, 31)

Verde en cualquier sazón siempre de flores (MBM 23/4/1, 271v)

Verdes alamedas (FN VII-353, 109v), ver Frescas alamedas

Verdes resplandecientes y hermosos (MP 2803, 222)

Verdugo es de mi alma la memoria (NH B-2558, 45)

Veréis señora si acaso (MP 1587, 191)

Veréis un mozo gallardo (León/Serna, 91v)

Verla sin razón esenta (Sevillano, 246v)

Verme en tanta hermosura (Obras, Cepeda, 64v)

Veros damas en prisión (CG 1511, 177v)

Veros harto mal ha sido (Uppsala, n. 7)

Veros me causó afición (MP 617, 269v)

Verte me costó la vida (Obras, Cepeda, 95v)

Vestida de esperanza (MN 5593, 71v)

Vestida já de luz e divindade (Corte, 200)

Vestida nací mezquina (CG 1511, 159)

Vestido el cuerpo de cielo (MN 3723, 143)

Vestido el cuerpo de cielo (RG 1600, 276)

Vestido un gabán leonado (MN 17.557, 68v)

Vestido un gabán leonado (RG 1600, 237, 347v)

Tabla 315

Viendo el amor el golpe hecho en vano (*CG* 1554, 132v)

Viendo el amor el golpe hecho en vano (*MN* 1132, 162v)

Viendo el amor su desprecio (*Jhoan López*, 42v)

Viendo el divino artífice (*Fuenmayor*, p. 470)

Viendo el divino Juan el desusado (*Jesuitas*, 271)

Viendo el fuerte y fiero Héctor (*RH*, 14v)

Viendo el mal de que os quejáis (*Gallardo*, 58)

Viendo el mal de que os quejáis (*Heredia*, 193)

Viendo el mal que amor le ha hecho (*Obras*, Silvestre, 126v)

Viendo el mal que amor le ha hecho (*Sevillano*, 67)

Viendo el niño entre animales (*Canc.*, Ubeda, 24)

Viendo la gran potencia y valentía (*RV* 1635, 39)

Viendo la hermosa Dido (*Jhoan López*, 42)

Viendo la Virgen parida (*Heredia*, 30v)

Viendo los rizos del oro (*Morán*, 6v)

Viendo Lucifer (*Sevillano*, 88, 171)

Viendo mayor mi tormento (*Cid*, 34v, 252v)

Viendo mayor mi tormento (*Morán*, 133v)

Viendo pues el Amor que yo tenía (*Padilla*, 124v)

Viendo que crece la mortal tormenta (*Canc.*, Maldonado, 178)

Viendo que el cerco bárbaro apresura (*MN* 3913, 161)

Viendo que hervía la ira rabiosa (*CG* 1511, 16)

Viendo que holgáis de verme (*Heredia*, 67)

Viendo que holgáis de verme (*MN* 5593, 67)

Viendo su bien tan lejos mi deseo (*FR* 3358, 104)

Viendo su bien tan lejos mi deseo (*MBM* 23/4/1, 240v)

Viendo su reino usurpado (*Vergel*, Ubeda, 63)

Viendo tan vivas centellas (*Fuenmayor*, p. 56)

Viendo tus ojos abrasar me siento (*Tesoro*, Padilla, 153v

Viendo un galán que una dama moría (*FN* VII-354, 248v)

Viendo una dama que un galán moría (*RaC* 263, 129)

Viendo una dama que un galán vivía (*MN* 3913, 33v)

Viendo va de amor la zagaleja (*MN* 4127, p. 87)

Viendo vuestra hermosura (*CG* 1511, 191v)

Viendo vuestra perfección (*FRG*, p. 202)

Viendo ya cuán mal le iba (*Cid*, 107)

Viéndome como me muero (*CG* 1511, 110)

Viéndome con correr presto y lijero (*OA* 189, 327)

Viéndome con correr presto y lijero (*PN* 314, 87v)

Viéndome de vos alegre (*MN* 4256, 237)

Viéndome de vos ausente (*Jacinto López*, 43)

Viéndome de vos ausente (*MN* 3670, 98v)

Viéndome de vos ausente (*MN* 4268, 189v)

Viéndome de vos ausente (*OA* 189, 43v)

Viéndome de vos ausente (*PN* 307, 213v)

Viéndome de vos ausente (*PN* 373, 325)

Viéndome por vos perdido (*Obras*, Silvestre, 83v)

Viéndome predestinado (*PN* 373, 91)

Viéndome tan lastimado (*Corte*, 57)

Viéndoos humilde peón (*CG* 1535, 191)

Viéndose Amor en extremo (*Penagos*, 160v, 202)

Viéndose Amor en extremo (*Rojas*, 169v)

Viéndose en un fiel cristal (*MN* 3700, 140v)

Viene a remediarme (*Sevillano*, 139v)

Viene dulce muerte viene (*Corte*, 148v)

Viene vencido de amor (*Sevillano*, 135v)

Vienen de todos lenguajes (*MP* 617, 147v)

Vienen juntas la esperanza (*Padilla*, 239)

Vienen los reyes ante el rey del cielo (*Vergel*, Ubeda, 29)

Vila andar desconocida (*OA* 189, 321v)

Vila el cabello tendido (*PN* 372, 190)

Vila tan hermosa y bella (*Colombina*, 76)

Vila tan resplandeciente (*Sevillano*, 133v)

Vilos y luego al momento (*Jhoan López*, 1v)

Vime disgustado un día (*Padilla*, 15)

Vime disgustado un día (*Romancero*, Padilla, 269v)

Vime en el excelso trono (*RG* 1600, 67)

Vime ser amado (*Sevillano*, 248v)

Vime tan alto subido (*CG* 1554, 109v)

Vimos en julio una semana santa (*FN* VII-353, 1)

Vinde cá pensamento vinde a conta (*Corte*, 207)

Vine a ser amado (*RV* 1635, 127v)

Vine de lo alto del cielo (*Sevillano*, 120v)

Vine en pies de amigo (*Toledano*, 96v)

Vine yo mi madre (*Sevillano*, 160v)

Víneme a tierras extrañas (*FN* VII-353, 65, 124)

Viniendo el Cid a entender (*Cid*, 156)

Viniendo el Cid a entender (*Morán*, 34)

Viniendo el gran capitán (*FN* VII-353, 140)

Vinieron muy escondidos (*Padilla*, 230)

Vinistes Señor del cielo (*Sevillano*, 81)

Vino a Roma un labrador (*León/Serna*, 93)

Vino con Juanilla (*Penagos*, 85v)

Vino desde tierras lueñas (*Penagos*, 163v)

Vínose Inés de la aldea (*MN* 3724, 130)

Vínose Inés de la aldea (*MP* 996, 140)

Vínose Inés del aldea (*MN* 17.556, 78v)

Vínose Inés del aldea (*RG* 1600, 152v)

Viña moza y garbanzal (*Jhoan López*, 146)

Vio Dios en el mundo una figura (*MP* 3560, 45)

Víos y améos junto (*PBM* 56, 9)

Vióse cosa más brava que el olvido (*MP* 2803, 5v)

Virgem pura escolhida honesta santa (*Faria*, 82)

Virgen bella soberana (*Vergel*, Ubeda, 98v)

Virgen bendita sin par (*CG* 1535, 189)

Virgen cómo cabe en vos (*Vergel*, Ubeda, 98)

Virgen cuyo divino nacimiento (*MN* 2973, p. 30)

Tabla 317

Virgen de Dios fuistes digna (*Sevillano*, 134v)

Virgen digna de honor (*Colombina*, 88v)

Virgen eternal esposa (*CG 1511*, 22)

Virgen gloriosa y bella (*Canc.*, Ubeda, 92v)

Virgen gloriosa y bella (*Vergel*, Ubeda, 93v)

Virgen hermosa en quien el sol de vida (*Canc.*, Ubeda, 88)

Virgen hermosa en quien el sol de vida (*Vergel*, Ubeda, 91v)

Virgen muy más que el sol resplandeciente (*MP 973*, 1v)

Virgen norabuena estéis (*Sevillano*, 181)

Virgen preciosa de muy dulce aspecto (*Ixar*, 84v)

Virgen pues que en este suelo (*Sevillano*, 85v)

Virgen pura hoy quiere Dios (*Canc.*, Ubeda, 85)

Virgen pura hoy quiere Dios (*Jesuitas*, 485v)

Virgen pura hoy quiere Dios (*Vergel*, Ubeda, 109)

Virgen pura reina nuestra (*Jesuitas*, 270)

Virgen pura tanta cuenta (*Fuenmayor*, p. 198)

Virgen pura un corazón (*CG 1511*, 11)

Virgen pura un corazón (*Jesuitas*, 458v)

Virgen que el sol más pura (*FN VII-353*, 177)

Virgen que el sol más pura (*Cid*, 85v)

Virgen que el sol más pura (*FN VII-354*, 383v)

Virgen que el sol más pura (*Jesuitas*, 172)

Virgen que el sol más pura (*MN 3698*, 181v)

Virgen que el sol más pura (*MN 4127*, p. 153)

Virgen que el sol más pura (*Morán*, 45v)

Virgen que el sol más pura (*MP 973*, 2)

Virgen que el sol más pura (*Vergel*, Ubeda, 112v)

Virgen que fuiste criada (*Ixar*, 63)

Virgen que sobre todas las criaturas (FN VII-354, 385)

Virgen quién pudo loar (*Vergel*, Ubeda, 99

Virgen reina emperadora (*CG 1535*, 190v)

Virgen se quedó la madre (*Sevillano*, 169)

Virgen si al pie de la cruz (*Sevillano*, 151)

Virgen soberana (*Sevillano*, 188)

Virgen soberana / hoy habéis parido (*Sevillano*, 187v)

Virgen tus amores (*Sevillano*, 131v)

Virgen y madre de Dios (*Jesuitas*, 179)

Virgen y mártir que teniendo vida (*Canc.*, Ubeda, 133v)

Virgen y mártir que teniendo vida (*Vergel*, Ubeda, 176v)

Virginal por Dios electa (*CG 1511*, 3)

Virginal rosa en cuyo sacro huerto (*Vergel*, Ubeda, 87)

Virtiendo la sangre hermana (*Jhoan López*, 28v)

Virtiendo lágrimas vivas (*Jacinto López*, 193)

Virtiendo vida la Aurora (*MN 3700*, 201)

Virtud hija del cielo (*FN VII-354*, 353)

Virtud hija del cielo (*MN 3698*, 145)

Visarma del tiempo viejo (*CG 1511*, 230)

Visitando a quien visita (*MP 617*, 34)

Visitando a su prima (*Jacinto López*, 284)

Víspera de san Cosme se juntaron (*Tesoro*, Padilla, 435v)

Vista ciega luz oscura (*CG 1511*, 75v)

Vista ciega luz oscura (*MN 3725-1*, 1)

Vista está la perdición (*CG 1511*, 128, 130)

Vista está la perdición (*MA S.P. II.100*, 12v)

Vista interior suspende tu discurso (*MP 1578*, 260)

Vista tanta gentileza (*Colombina*, 54v)

Viste cuanto deseabas (*Sevillano*, 177v)

Viste Gil a mi zagala (*Medinaceli*, 21v)

Vistes tan nuevo primor (*Canc.*, Ubeda, 49v)

Vístete de verde (*Jacinto López*, 319)

Vistióse de esta blancura (*Canc.*, Ubeda, 52)

Vistióse el prado galán (*Sablonara*, 53)

Visto el lastimero caso (*Jesuitas*, 217)

Vite de tan gran valer (*Colombina*, 86v)

Viu por acerto o bem que incerto tinha (*Borges*, 27v)

Viva cometa que trepando el muro (*MiB AD.XI.57*, 30)

Viva contenta y segura (*Romancero*, Padilla, 345)

Viva el Amor (*Toledano*, 6)

Viva mil años Filipo (*RG 1600*, 288v)

Viva viva la gracia viva (*MoE Q 8-21*, p. 65)

Viva viva nuestro estado (*Sevillano*, 231v)

Viva viva viva (*Toledano*, 6)

Vivan las damas hermosas (*MoE Q 8-21*, p. 102)

Vivan las damas y viva el amor (*MoE Q 8-21*, p. 102)

Vivas centellas de aquellos divinos (*CG 1554*, 195)

Vivas centellas de aquellos divinos (*MN 1132*, 12)

Vivas centellas de aquellos divinos (*MP 2803*, 110v)

Vivas con salud entera (*MP 973*, 174v)

Vive alegre y sin temor (*Sevillano*, 157)

Vive Dios señor don Juan (*RG 1600*, 332)

Vive Dios señor Hernando (*RG 1600*, 236v)

Vive Dios señor Hernando (*MN 3724*, 231)

Vive en mí sólo un contento (*Sevillano*, 296v)

Vive leda si podrás (*CG 1514*, 191v)

Vive leda si podrás (*CG 1557*, 395v)

Vive leda si podrás (*Cid*, 25v)

Vive leda si podrás (*Colombina*, 41v)

Vive leda si podrás (*Jacinto López*, 82v, 218v)

Vive leda si podrás (*Lemos*, 109)

Vive leda si podrás (*MBM 23/8/7*, 263v)

Vive leda si podrás (*Morán*, 110)

Vive leda si podrás (*MP 2803*, 134)

Vive leda si podrás (*MP 617*, 149v)

Vive leda si podrás (*PN 371*, 39v bis)

Vive leda si podrás (*PN 373*, 72, 152v)

Vive leda si podrás (*RV 1635*, 15v, 125v)

Vive pues ves como muero (*PN 371*, 40)

Viví libre de amor y de cuidado (*FR 3358*, 112)

Vivía esta alma alegre contemplando (*Corte*, 121)
Viviendo muere la Iglesia (*Jesuitas*, 480v)
Viviente polvo inspiración divina (MiB AD.XI.57, 27v)
Vivir es el poseerte (*Jesuitas*, 459)
Vivir sin vos es morir / mil muertes cada momento (*Lemos*, 102)
Vivir sin vos es morir / que sin veros cualquier vida (*Lemos*, 102)
Vivir yo sin ver a vos (*CG* 1511, 147v)
Vivirá siempre muriendo (PBM 56, 5)
Vivirán los pensamientos (MP 617, 149v)
Vivirán los tormentos (*Colombina*, 19v)
Vivirán mis pensamientos (MP 617, 114)
Vivirás segura (*Morán*, 54v)
Vivirás segura (*Padilla*, 185)
Viviré mis tristes días (*Cid*, 25)
Viviré mis tristes días (PN 307, 277)
Viviré muy triste vida (PBM 56, 48)
Viviré segura (Peralta, 3)
Viviría consolado (*Padilla*, 232v)
Vivís Francisca con pena (*Sevillano*, 241)
Vivís mi Ana tan helada (*Jhoan López*, 3v)
Vivo en la memoria vuestra (*CG* 1511, 129)
Vivo en tierras apartadas (MN 4256, 197v)
Vivo en tierras apartadas (MN 4268, 177v)
Vivo en tierras apartadas (OA 189, 276)
Vivo en tierras apartadas (PN 258, 181v)
Vivo muerto (*CG* 1554, 48)
Vivo porque vuestro vivo (*CG* 1511, 129)
Vivo retrato del que en sombra pura (PN 372, 120v)
Vivo sin vivir en mí (MN 4127, p. 272, 274)
Vivo sintiendo placer (*CG* 1511, 122)
Vivo triste y temeroso (*Canc.*, Maldonado, 28)
Vivo yo más ya no soy (MN 17.951, 121)
Vivo yo mas ya no yo (*Rosal*, p. 20)
Vivos rayos del sol claros serenos (*Canc.*, Maldonado, 82v)
Vivos suspiros id al pecho frío (MN 17.556, 139v)
Voi che siete nel conclave (FN VII-353, 324v)
Volaba tras mi madre a la lijera (MN 17.951, 88)
Volad Fénix milagrosa (*Padilla*, 193v)
Volando pasa el año su carrera (MN 17.556, 124)
Volcaban los vientos coros (MN 3724, 146v)
Volcaban los vientos coros (*RG* 1600, 167v)
Voleu aber qui es l'amor (*Flor de enamorados*, 82)
Voluntad no trabajéis (*CG* 1511, 124)
Volved acá pensamiento (MP 996, 84v)
Volved mi pensamiento ya la rienda (*Canc.*, Maldonado, 83v)
Volved pensamiento mío (MP 996, 217)
Volved pensamiento mío (TorN 1-14, 11)

Volved presto el caballero (*Flor de enamorados*, 92)
Volved señora los ojos (MP 996, 118v)
Volvedle Antonio a su madre (*Jhoan López*, 104)
Volvedle la blancura a la azucena (FR 3358, 96)
Volvedle la blancura a la azucena (*Jacinto López*, 228v)
Volvedle la blancura a la azucena (MN 2973, p. 111)
Volvedle la blancura a la azucena (*Morán*, 163v)
Volvedle la blancura a la azucena (TP 506, 377)
Volvedle la blancura al azucena (MN 3968, 166)
Volvedle la blancura al azucena (MP 617, 291)
Volví yo sin ventura a la ribera (MN 2973, p. 196)
Volvióse Gil cortesano (MoE Q 8-21, p. 126)
Vos al muy gran rey anejo (*CG* 1511, 224)
Vos cometistes traición (*CG* 1511, 100)
Vos como madre escogida (*Uppsala*, n. 45)
Vos cuidado y provisor (RC 263, 104v)
Vos de la lealtad minero (MP 617, 87)
Vos debéis tan cierta ser (PN 307, 296)
Vos debéis tan cierta ser (WHA 2067, 50)
Vos deseo podéis ver (*CG* 1514, 129v)
Vos don Juan de Carvajal (MN 1317, 103)
Vos en ir de Dios huyendo (Vergel, Ubeda, 64v, 65, 65v)
Vos en quien del Parnaso el sacro estilo (MN 2973, p. 109)
Vos en quien todo bien cabe (*CG* 1511, 228v)
Vos en quien todo bien cabe (MP 617, 87)
Vos estáis de amor cautiva (MBM 23/4/1, 67)
Vos fuistes la vencedora (*Colombina*, 4v)
Vos fuistes la vencedora (MP 617, 151)
Vos ganado andad baldío (PN 371, 9v)
Vos habéis perdido el seso (*Heredia*, 97)
Vos la culpa yo la pena (*CG* 1511, 145v)
Vos me matáis de tal suerte (*CG* 1514, 109)
Vos me matastes / niña el cabello (*Recopilación*, Vázquez, 9v)
Vos me trajiste zagala (*CG* 1557, 391)
Vos mi Dios por mi tristura (*CG* 1511, 112)
Vos mi Dios por mi ventura (*CG* 1511, 177)
Vos muchacha y vos hermosa (OA 189, 360)
Vos no sois sayo ni saya (*CG* 1511, 128v)
Vos os queréis por amor (*Toledano*, 37v)
Vos ovejas perderéis (PBM 56, 17)
Vos podéis no me querer (*Padilla*, 14)
Vos podéis no me quererr (PN 372, 74)
Vos podréis no me querer (*Romancero*, Padilla, 287v)
Vos podréis no me querer (*Tesoro*, Padilla, 294)
Vos por dar fin a mi vida (*CG* 1511, 126)
Vos por me haber defamado (*CG* 511, 125, 203)
Vos prima de los Herreras (MP 617, 145)
Vos que casi fuistes guía (MP 2459, 60)
Vos que de gozo vestido (*Canc.*, Ubeda, 44)

Tabla 319

Vuestra ausencia nos fatiga (MP 1587, 174v)

Vuestra ausencia y mis enojos (RaC 263, 2)

Vuestra beldad consintió (*CG* 1511, 198v)

Vuestra carta señor he recibido (MN 2973, p. 334)

Vuestra carta señor he recibido (*Rosal*, p. 244)

Vuestra carta señor he recibido (TP 506, 327r-333)

Vuestra condición condena (*Morán*, 229v)

Vuestra condición esquiva (*CG* 1511, 145)

Vuestra condición que fue (*CG* 1511, 123)

Vuestra es la culpa de mi atrevimiento (*Gallardo*, 33v)

Vuestra es la culpa de mi atrevimiento (MP 617, 203)

Vuestra esmerada belleza (RV 1635, 107v)

Vuestra extremada belleza (*Morán*, 138)

Vuestra gracia y hermosura (*Morán*, 138v)

Vuestra majestad se alegre (*FRG*, p. 69)

Vuestra merced me mandó (*CG* 1511, 81)

Vuestra merced me mandó (MN 3691, 6)

Vuestra santidad es tanta (*Sevillano*, 177v)

Vuestra soberana suerte (*Fuenmayor*, p. 39)

Vuestra tirana esención (*Cid*, 141)

Vuestra tirana esención (FN VII-353, 155)

Vuestra tirana esención (FN VII-354, 405)

Vuestra tirana esención (MN 3698, 140v)

Vuestra tirana esención (MP 973, 49)

Vuestra ventura y la mía (*Flor de enamorados*, 43v)

Vuestra vida Joan tal era (*Vergel*, Ubeda, 128v)

Vuestra vida y perfección (*Fuenmayor*, p. 542)

Vuestra virtud guarnecida (*CG* 1511, 130v)

Vuestra vista me repara (*Ixar*, 146v, 269v)

Vuestras coplas tales son (MP 617, 212v)

Vuestras coplas tales son (TP 506, 395v)

Vuestras gracias conocidas (*CG* 1511, 122, 130v)

Vuestras gracias y lindezas (PN 372, 309)

Vuestras llagas mías son (*CG* 1514, 109v)

Vuestras mudas sin razones (RG 1600, 301)

Vuestras obras quiso Dios (*Vergel*, Ubeda, 128v)

Vuestro abuelo fue barbero (FN VII-353, 30v)

Vuestro amor señora (*Sevillano*, 130v)

Vuestro bajel Magdalena (*Fuenmayor*, p. 127)

Vuestro caballo mirado (*Lemos*, 110)

Vuestro donaire gracioso (RaC 263, 1v)

Vuestro enojo reina mía (MN 3691, 34)

Vuestro entero merecer (*CG* 1511, 153v)

Vuestro es el sello (*CG* 1511, 127v)

Vuestro gusto estimo en más (MN 3700, 3)

Vuestro hecho quede eterno (*Vergel*, Ubeda, 175)

Vuestro hijo con ser Dios (*Vergel*, Ubeda, 106)

Vuestro llanto es mi consuelo (*Canc.*, Ubeda, 33v)

Vuestro mal según excede (*CG* 1511, 111)

Vuestro merecer señora (*CG* 1511, 208v)

Vuestro nombre de Cupido (*Jacinto López*, 163)

Vuestro papel recibí (MN 17.557, 87v)

Vuestro poder y grandeza (*Sevillano*, 149v)

Vuestro por no acordaros (MN 5593, 89)

Vuestro rosario es pretina (*Fuenmayor*, p. 191)

Vuestro rosario sagrado (*Fuenmayor*, p. 370)

Vuestro saber cotejando (*CG* 1511, 153)

Vuestro saber cotejando (MP 617, 223)

Vuestro soberano celo (*Vergel*, Ubeda, 115)

Vuestro valor muy subido (*Sevillano*, 277)

Vuestro valor señora está quebrando (*Obras*, Silvestre, 355v)

Vuestros cabellos Leonor (FN VII-353, 159)

Vuestros cabellos Leonor (RV 1635, 22)

Vuestros cabellos preciosos (RaC 263, 75)

Vuestros cabellos señora (*Morán*, 108v, 110v, 138)

Vuestros divinales ojos (*Morán*, 254v)

Vuestros graciosos ojuelos (*Morán*, 209)

Vuestros hechos tan loados (*Fuenmayor*, p. 265)

Vuestros hermosos ojos y estimados (MP 617, 291)

Vuestros lindos ojos Ana (MN 3691, 56v)

Vuestros negros ojos bellos (MP 1587, 93)

Vuestros ojos bellos (MP 2803, 160v)

Vuestros ojos divinales (PN 372, 324)

Vuestros ojos Juana son (*FRG*, p. 2)

Vuestros ojos me enloquecen (*Rojas*, 56v)

Vuestros ojos me enloquecen (*Tesoro*, Padilla, 389)

Vuestros ojos me han herido (*Padilla*, 230)

Vulgo ignorante monstruo desbocado (*Obras*, Silvestre, 378)

Y a mí triste que de os ver (MP 617, 151v)

Y agora tempo sería (*Corte*, 51)

Y allí me han dejado estar (*Elvas*, 29v)

Y añade pero si no soy creído (MN 3698, 243)

Y aqueste conocimiento (*Colombina*, 16v)

Y aqueste conocimiento (MP 617, 151v)

Y así no puedo morir (CG 1511, 128v)

Y así queda concluida (*Jacinto López*, 55v)

Y aun vos qué más queréis (PN 371, 5)

Y aunque a solas el ganado (PN 372, 212v)

Y aunque de la una pueda (CG 1514, 108v)

Y aunque esté de placer mi alma agena (PN 314, 79v)

Y aunque hay tal diferencia (CG 1511, 124v)

Y aunque me parto no parte (CG 1554, 126)

Y aunque mi desdicha ordena (CG 1511, 148v)

Y aunque mi desdicha ordena (*Heredia*, 183)

Y aunque mis penas mortales (*Lemos*, 133)

Y aunque muriendo viva (RG 1600, 98)

Y cien mil muertes que muero (CG 1511, 127)

Y como por excelencia (*Vergel*, Ubeda, 100v)

Y como sin diferencia (CG 1511, 129v)

Y como vido el cautivo (RG 1600, 169)

Y con ella el cielo (RaC 263, 5v)

Y con esta condición (CG 1511, 124)

Y con esta vida tal (*Colombina*, 44v)

Y con este mal presente (CG 1511, 123)

Y con esto me partí (*Tesoro*, Padilla, 337v)

Y con esto mi vivir (MP 617, 151)

Y con esto puso fin (*Tesoro*, Padilla, 38v)

Y cual con la venida del lucero (*Morán*, 123v)

Y cuando ya el sol salía (*Morán*, 2v)

Y de aquesta conclusión (CG 1511, 128v)

Y de ella soy tan ufano (CG 1514, 109)

Y de esta contienda tal (CG 1554, 101v)

Y de estar mortificado (PBM 56, 8)

Y de quedar cual yo quedo (*Corte*, 55)

Y de tal guisa tropieza (CG 1511, 127)

Y de tal temor vencido (CG 1511, 206)

Y de tal temor vencido (*Colombina*, 32v)

Y de tal temor vencido (MP 617, 152)

Y de verse entristecido (CG 1511, 127v)

Y decidme serranicas eh (*Uppsala*, n. 1), *ver* Decí serranicas

Y dejas Pastor santo (MN 3698, 185)

Y dejas Pastor santo (MP 973, 24v)

Y del besar (*Sevillano*, 194)

Y dice a tu pesar cruel tirano (*Medinaceli*, 14v)

Y digo dije y diré en cuanto viva (MN 1132, 65v)

Y dije luego a mis ojos (CG 1511, 212v)

Y dijo Bien sabe el cielo (RG 1600, 153)

Y el corazón enemigo (CG 1511, 185)

Y el de cualquier indiscreto (FN VII-354, 403)

Y el que de amar se retira (*Padilla*, 88)

Y en ausencia tan amarga (CG 1554, 112v)

Y en cobrando el aliento de la vida (*Tesoro*, Padilla, 268v)

Y en diciendo estas razones / luego el rabel ha dejado (*Tesoro*, Padilla, 173)

Y en diciendo estas razones / quedó sobre el cuerpo amado (*Tesoro*, Padilla, 269v)

Y en esto por vos se ha visto (*Vergel*, Ubeda, 117)

Y en un momento en el alma (RG 1600, 97v)

Y estos tristes pobladores (CG 1511, 125v)

Y fue tanto bien ser vuestro (CG 1511, 129)

Y hará muy presto un año (*Corte*, 184v)

Y la Virgen le decía (*Uppsala*, n. 36)

Y labro en vuestro dechado (CG 1511, 11v)

Y las campanas de Baeza (RG 1600, 8v)

Y las dos luces de vida (FN VII-354, 405v)

Y las ninfas del Tajo (MoE Q 8-21, p. 183)

Y llena de angustias tristes (RG 1600, 57)

Y los de Enrique (RG 1600, 122v)

Y mercóme mi marido (*Colombina*, 100v)

Y muestra la diferencia (CG 1514, 109v)

Y no por estar ausente (*Uppsala*, n. 16)

Y no que pueda mudarse (MP 617, 152)

Y no recibáis enojo (*Sevillano*, 61v)

Y para mostrar quién era (CG 1535, 191)

Y para qué os componéis (*Sevillano*, 252)

Y por esto es de creer (CG 1511, 126)

Y por ser yo cuyo soy (*Evora*, 36)

Y pues el veros quitaré a mis ojos (*Rojas*, 99v)

Y pues este biem falece (PBM 56, 113)

Y pues me tenéis tan loco (WHA 2067, 122)
Y pues muerte satisface (CG 1511, 122v)
Y pues no hay comparación (CG 1511, 122v)
Y pues no se halla en vero (CG 1511, 129v)
Y pues puede hermosura (CG 1511, 128)
Y pues que de ti salió (Lemos, 45v)
Y pues que mi desventura (WHA 2067, 24v)
Y pues que quisiste querer (Evora, 23)
Y pues vuestra poca fe (CG 1511, 128)
Y pues ya está conocida (CG 1514, 129v)
Y pues ya está conocida (PN 307, 228v)
Y puesto que yo pudiese (CG 1511, 147v)
Y que muestra (Toledano, 22)
Y que por los versos desligados (Obras, Silvestre, 10v)
Y queda mi corazón (CG 1514, 108v)
Y querer tanto os quiere (PBM 56, 85v-86)
Y sé que estoy condenado (MP 1587, 33, 75)
Y será triste perderle (CG 1511, 128)
Y si a mi fortuna niega (CG 1511, 125v)
Y si amor y su belleza (CG 1511, 124v)
Y si con esto declaro (CG 1511, 122v)
Y si cosa tan mal hecha (CG 1557, 390v)
Y si ésta no tuviese (CG 1511, 129)
Y si luego allí en un punto (MN 5602, 57v)
Y si no viniera aquí (CG 1514, 109)
Y si por vos se maneja (CG 1511, 127v)
Y siendo yo maltratado (CG 1511, 129)
Y tenéis lindos cabellos (Recopilación, Vázquez, 21v)
Y todo me sería nada (MP 617, 154v)
Y trescientas cosas más (MN 2856, 6v, 8)
Y tú Fortuna tente (RG 1600, 136v)
Y tú sol que de las sierras (FN VII-353, 94v)
Y ver las alabanzas de María (Obras, Silvestre, 15v)
Y vi tanta perfección (MP 2803, 158v)
Y viéndome aborrecer (Romancero, Padilla, 232v)
Y vos os desentonáis (Flor de enamorados, 23v)
Y vos señora madre del que digo (MN 3968, 162v)
Y vosotros ojos tristes (Uppsala, n. 52)
Y yo me sé el porqué aunque no lo digo (Morán, 105v)
Y yo soy el poeta, señora (MP 2459, 28)
Ya a mis tiranos desdenes (RG 1600, 129v)
Ya aquel rutilante Febo (MN 17.556, 53)
Ya bien puedes Amor tener sosiego (MBM 23/4/1, 176)
Ya Blas los tiernos cuidados (MRAH 9-7069, 120)
Ya cantan los gallos (Elvas, 92v)
Ya cantan los gallos (Padilla, 228v)
Ya cavalga dios Cupido (Rosa de Amores, Timoneda, 2)
Ya colmaba el labrador (Penagos, 135)
Ya comienza el invierno tempestuoso (FR 3358, 203)

Ya comienza el invierno tempestuoso (MP 996, 253v)
Ya con lágrimas tristes (MN 3724, 180)
Ya conozco que en vano me fatigo (Tesoro, Padilla, 153)
Ya conozco que mi pena (Lemos, 105v)
Ya conozco señora cuán rendido (Morán, 80v)
Ya cubre la primavera (MN 3724, 95)
Ya cubre la primavera (RG 1600, 217v, 236)
Ya cumpliste tu curso presuroso (MN 3968, 99)
Ya Cupido no me aplacen (Padilla, 103v)
Ya Cupido no me aplacen (RV 1635, 72v)
Ya de amor era partido (Colombina, 54v)
Ya de Basilio magno la gran fiesta (Padilla, 150)
Ya de corcoba en corneja (MN 3811, 43v)
Ya de corcoba en corneja (PN 418, p. 285)
Ya de hoy más hay buen tempero (Lemos, 97)
Ya de la fiera lucha había escapado (Canc., Maldonado, 75)
Ya de las flechas de tus bellos ojos (MN 4127, p. 202)
Ya de los altos montes (MN 3724, 26v)
Ya de todo consuelo soy privado (Lemos, 53v)
Ya de tus errores (Sevillano, 157v)
Ya del amor despedido (PN 314, 187)
Ya del cansado destierro (MN 4127, p. 42)
Ya del hato ni cabaña (PBM 56, 16)
Ya del soberbio Moncayo (Sablonara, 24)
Ya desmayan los franceses (CG 1511, 137v)
Ya desmayan mis servicios (CG 1511, 137v)
Ya desposan a Veleta (MP 1587, 106v)
Ya después que hubo caído (MP 644, 188)
Ya Diego Ordóñez se parte (Jesuitas, 472v)
Ya Diego Ordóñez se parte (RH, 34v), *ver* Ya se parte
Ya Dios es nacido (Sevillano, 166v)
Ya Dios sabe qué es dolor (Jesuitas, 126), *ver* Ya sabe
Ya dolor de quien se vio (CG 1511, 165v)
Ya dolor del dolorido (CG 1511, 30)
Ya don Gonzalo González (Morán, 101v)
Ya el encanto dio en el suelo (MiB AD.XI.57, 11v)
Ya el excesivo rigor (MN 3724, 198)
Ya el hombre librado (Sevillano, 181v)
Ya el monte ha sacudido (FN VII-353, 162v)
Ya el sol es salido (Sevillano, 159v)
Ya el sol revuelve con dorada frente (Morán, 153)
Ya el sol revuelve con dorado freno (BeUC 75/116, 143)
Ya el sol revuelve con dorado freno (CG 1554, 175v)
Ya el sol revuelve con dorado freno (FN VII-354, 190v)
Ya el sol revuelve con dorado freno (MBM 23/8/7, 124v)
Ya el sol revuelve con dorado freno (MN 3670, 63v)
Ya el sol revuelve con dorado freno (MN 3968, 35)
Ya el sol revuelve con dorado freno (MN 4256, 100)
Ya el sol revuelve con dorado freno (MN 4262, 126)

Tabla 323

Ya el sol revuelve con dorado freno (MN 4268, 121)

Ya el sol revuelve con dorado freno (MP 617, 233v)

Ya el sol revuelve con dorado freno (MRAH 9-7069, 109)

Ya el sol revuelve con dorado freno (OA 189, 61v)

Ya el sol revuelve con dorado freno (PhUP1, 163)

Ya el sol revuelve con dorado freno (PN 311, 17)

Ya el sol revuelve con dorado freno (RV 768, 125)

Ya el sol vuelve con dorado freno (MN 1132, 108v)

Ya empieza a deletrear (*RG* 1600, 58)

Ya en la fragosa porfía (*RH*, 49)

Ya es acabado el infeliz Clerino (*Canc.*, Maldonado, 176)

Ya es cosa muy notoria y muy sabida (NH B-2558, 12v)

Ya es muerta la esperanza que solía (TP 506, 391v)

Ya es posible que crueza (MP 617, 153)

Ya es tiempo Amor que el buen servicio pagues (MP 531, 91)

Ya es tiempo de olvidar el dulce estilo (SU 2755, 30)

Ya es tiempo señora mía (MN 3700, 48v)

Ya espina no sois espina (*Canc.*, Ubeda, 74v)

Ya espina no sois espina (MN 17.951, 3)

Ya espina no sois espina (*Vergel*, Ubeda, 37)

Ya está a caballo don Diego (*RH*, 35v)

Ya está esperando Don Diego (*Jesuitas*, 473)

Ya está esperando don Diego (*Morán*, 2v)

Ya esta esperando don Diego (*RH*, 38)

Ya está fuera de tormento (*Sevillano*, 275)

Ya está muriendo de ausencia (MN 3700, 2)

Ya estaba en alto el brazo miserable (SU 2755, 108)

Ya estaba Febo en medio de la tórrida (MN 17.951, 18)

Ya florecen los almendros (*Recopilación*, Vázquez, 20v)

Ya florecen los árboles Juan (*Recopilación*, Vázquez, 20v)

Ya fue tiempo que solía (MP 617, 327v)

Ya Guadiana en su corriente llora (*Penagos*, 155)

Ya ha salido el invierno albricias flores (MN 4127, p. 191)

Ya harto debrías de estar (MN 5602, 25v)

Ya he visto yo a mis ojos más contentos (*Padilla*, 188)

Ya imaginarlo queda (*Padilla*, 21)

Ya la alegre señal de primavera (*Canc.*, Maldonado, 65)

Ya la Aurora clara y bella (*Jhoan López*, 20v)

Ya la Aurora venía (*Borges*, 51v)

Ya la cristalina diosa (*León/Serna*, 109v)

Ya la esperanza es perdida (MN 17.951, 160v)

Ya la fresca mañana por los prados (OA 189, 161)

Ya la garza mía (MoE Q 8-21, p. 36)

Ya la gran noche pasaba (CG 1511, 24)

Ya la pasada porfía (*Colombina*, 38v)

Ya la primera nave fabricada (*Rosal*, p. 111)

Ya la Tierra y el Aurora (MN 3700, 36)

Ya la Tierra y el Aurora (MN 3913, 67v)

Yá ledo em males sem cura (*Corte*, 50v)

Ya llegaba Abindarráez (MN 3723, 97)

Ya llegaba Abindarráez (*RG* 1600, 357)

Ya llegase agua (*Sevillano*, 72v)

Ya llegó donde fueron las banderas (*Padilla*, 213)

Ya lo va metiendo / y me ha lisiado (MN 3913, 48)

Ya los boticarios suenan (FN VII-353, 207v)

Ya los cabellos las manos (FN VII-353, 131)

Ya los dioses me han oído (PN 373, 49)

Ya los peñascos duros se enternecen (MP 570, 232)

Ya los peñascos duros se enternecen (PN 373, 186)

Ya los rayos del sol la blanca sierra (*Jacinto López*, 161)

Ya me agora pesaría (PBM 56, 111)

Ya me enojo ya aplaco vivo y muero (MP 3560, 37v)

Ya me enojo ya aplaco vivo y muero (MP 3560, 37v)

Ya me voy desengañando (*Obras*, Cepeda, 51)

Ya mi alma entristecida (CG 1511, 193)

Ya mi gloria feneció (PBM 56, 115)

Ya mi triste corazón (RaC 263, 158)

Ya mis males se van casi acabando (MN 2973, p. 308)

Ya mis males se van casi acabando (MN 3902, 24)

Ya mis males se van casi acabando (TP 506, 118)

Ya murieron los placeres (*Padilla*, 229)

Ya murió Cupido (MP 1587, 87)

Ya murió el mal (*Sevillano*, 91)

Ya murió el manso cordero (MiB AD.XI.57, 11)

Ya murió el manso cordero (MiT 1001, 11)

Ya murió ingrata pastora (*FRG*, p. 140)

Ya murió ingrata señora (*Morán*, 35)

Ya murió todo el placer (PBM 56, 114v-115)

Ya não poso ser contento (PBM 56, 104v)

Yá não quero de meu mal (*Corte*, 150v)

Ya nació el Mesías (*Toledano*, 95v)

Ya nació que naciera (*Toledano*, 95v)

Ya no basta el sufrimiento (*Jhoan López*, 2v)

Ya no bastaban los ojos (*Jacinto López*, 191v, 122v)

Ya no curo de mi gala (PN 371, 3)

Ya no de estéril mas de fértil planta (*Vergel*, Ubeda, 167)

Ya no durarás engaño (PN 307, 245)

Ya no empecerá (*Sevillano*, 157v)

Ya no entiendo a mi ganado (PBM 56, 88)

Ya no entiendo en mi ganado (WHA 2067, 53)

Ya no es amor el que anda entre las gentes (*Obras*, Cepeda, 105v)

Ya no es pasión la que siento (CG 1511, 127v)

Ya no es pasión la que siento (MP 617, 327v)

Ya no es tiempo de callar (*Obras*, Cepeda, 55)

Ya no es tiempo de callarse (PN 372, 90)

Ya no espera mi pasión (*Morán*, 193)

Ya no espere ver mis ojos (*RG* 1600, 121v)

Ya no está en mi libertad (*Obras*, Cepeda, 64)
Ya no fíes en amores (*Cid*, 186)
Ya no hay a mi mal buscar (MP 617, 327v)
Ya no hay noche (*Sevillano*, 161v)
Ya no les pienso pedir (MN 3700, 173)
Ya no les pienso pedir (*Sablonara*, 25)
Ya no más amor de aldea (*Padilla*, 175)
Ya no más amor de aldea (RV 1635, 96v)
Ya no más cascabelada (MN 2856, 128v)
Ya no más guerra Amor hagamos paces (FN VII-353, 279v)
Ya no más por no más ver (CG 1511, 145v)
Ya no más por no ver más (EM Ç-III.22, 42)
Ya no más por no ver más (*Morán*, 117)
Ya no más por no ver más (*Tesoro*, Padilla, 445v)
Ya no más vida que es cansada cosa (PN 307, 64v)
Ya no más vida que es cansada cosa (*Tesoro*, Padilla, 458v)
Ya no me avengo a pensar (*Padilla*, 7)
Ya no me basta paciencia (*Obras*, Silvestre, 74)
Ya no me congojan tanto (MRAH 9-7069, 120)
Ya no me espanta Amor tu bizarría (*Tesoro*, Padilla, 114v)
Ya no me espanto de nada (FN VII-353, 116v)
Ya no me pondré guirnalda (PN 307, 284v)
Ya no me quieras Lisarda (RG 1600, 235v)
Ya no peno ni me muero (PN 373, 278v)
Ya no podrás Amor de hoy más dañarme (*Peralta*, 26v)
Ya no puedo no quereros (CG 1511, 144)
Ya no puedo no quereros (*Evora*, 43)
Ya no puedo no quereros (MP 570, 110)
Ya no puedo no quereros (*Obras*, Cepeda, 64)
Ya no queda cruel señora mía (*Penagos*, 183)
Ya no quiero del contento (MN 2856, 81)
Ya no quiero más probar (PN 371, 17v)
Ya no quiero que me quieras (*Morán*, 63v)
Ya no quiero que me quieras (PN 314, 81, 213
Ya no quiero ser pastor (PBM 56, 16v-17)
Ya no quiero ser pastora (PBM 56, 97v-98)
Ya no quiero ser vaquero (MN 3902, 51)
Ya no quiero ser vaquero (*Sevillano*, 202v)
Ya no quiero ser vaquero (*Toledano*, 68v)
Ya no quiero tener cuenta (WHA 2067, 19)
Ya no sé cómo me quejé (CG 1511, 67)
Ya no se puede mirar (OA 189, 48)
Ya no se puede mirar (PN 307, 274)
Ya no se puede mirar (*Rojas*, 26)
Ya no sé que he de mirar (PN 314, 175)
Ya no soy quien ser solía (*Obras*, Silvestre, 290)
Ya no soy quien ser solía (TorN 1-14, 3)
Ya no suena bien el canto (*Obras*, Cepeda, 136v)

Ya no sufre mi cuidado (CG 1511, 32v)
Ya no te fatigues por cosa perdida (*Toledo*, 65v)
Ya no temo cosa alguna (*Morán*, 63)
Ya no tengo cosa alguna (*Cid*, 20)
Ya no tiene más que dar (*Sevillano*, 46)
Ya no vale ser galán (PN 372, 191v)
Ya nos mudamos Marica (FN VII-353, 134v)
Ya nos mudamos Marica (MN 17.556, 62)
Ya nos mudamos Marica (MP 996, 136v)
Ya nunca verán mis ojos (*Jacinto López*, 219v)
Ya nunca verán mis ojos (MP 617, 169)
Ya nunca verán mis ojos (*Obras*, Silvestre, 105v)
Ya nunca verán mis ojos (PN 372, 64v)
Ya nunca verán mis ojos (*Romancero*, Padilla, 287v)
Ya nunca veréis mis ojos (OA 189, 71v)
Ya nunca veréis mis ojos (PN 307, 252v)
Ya nunca veréis mis ojos (WHA 2067, 24v)
Ya os abrí a deshora (*Corte*, 125v)
Ya pareció la Virgen entera (*Sevillano*, 46v)
Ya parte la Virgen pura (*Jesuitas*, 464)
Ya pasados pocos días (*Rosa Española*, Timoneda, 9v)
Ya pasó el tiempo (*Toledano*, 65v)
Ya pastora tu pastor (MN 3806, 65v)
Ya Pedro que no sois vos (*Jhoan López*, 104)
Ya pereció (*Sevillano*, 91)
Ya piensa don Bernaldino (MN 3725-2, 15)
Ya por cierta cosa sé (FN VII-353, 207)
Ya por el balcón de Oriente (MN 3723, 2246)
Ya por el balcón de Oriente (RG 1600, 306)
Ya pudo un tiempo Amor con lazo estrecho (SU 2755, 74)
Ya puedo soltar mi llanto (PN 307, 129)
Ya pues que te vas zagal (MP 617, 171v)
Ya que a despedirme vengo (MN 3724, 224)
Ya que acabó la vigilia (RG 1600, 179)
Ya que de nuestro hemisferio (*RH*, 23)
Ya que dejé el libre estado (MP 617, 295)
Ya que del ciego dios habéis cantado (*Romancero*, Padilla, iv)
Ya que el Aurora dejaba (RG 1600, 202)
Ya que el nocturno velo desdoblaba (*Morán*, 98v)
Ya que el rutilante Febo (MP 996, 134v)
Ya que el tirano Amor quiso enlazarme (*RH*, 206)
Ya que en faldas de la Aurora (*Rojas*, 8v)
Ya que entre Cupido y Venus (*Rojas*, 10)
Ya que estaba don Reinaldos (MN 3725-2, 175)
Ya que estoy en tu poder (*Cid*, 73v)
Ya que estoy en tu poder (*Morán*, 214)
Ya que estoy en tu poder (MP 617, 160)
Ya que estoy en tu poder (*Sevillano*, 247v)
Ya que Filipo la Parca (MP 2459, 31)

Tabla 325

Ya que he despedazado el negro velo (SU 2755, 56)
Ya que la aurora dejaba (MN 3723, 59)
Ya que mi ingenio muy rudo y grosero (*Lemos*, 117)
Ya que muero por os ver (PBM 56, 84)
Ya que por el morir he hecho tanto (*Canc.*, Maldonado, 138)
Ya que por mi suerte (MN 3725-1, 44)
Ya que por mi suerte (PA 1506, p. 11)
Ya que por mi suerte (RG 1600, 331v)
Ya que se sufra Amor andar cual ando (EM Ç-III.22, 6)
Ya que se sufra Amor andar cual ando (MBM 23/4/1, 318v)
Ya que se sufra Amor andar cual ando (*Tesoro*, Padilla, 185)
Ya que su persona encubre (*Canc.*, Ubeda, 58v)
Ya que su persona encubre (*Vergel*, Ubeda, 75v)
Ya que tengo la mano / quiero besarla (MN 3913, 48)
Ya que tu muerte es venida (*Lemos*, 278)
Ya que viene humilde / la mano tome (MP 3913, 48)
Ya quería el dorado Febo (*RH*, 161v)
Ya recojo lo que es mío (FRG, p. 215)
Ya recojo mi ganado (*Enredo*, Timoneda, 10v)
Ya recojo mi ganado (FRG, p. 214)
Ya recojo mi ganado (*Peralta*, 73)
Ya recojo mi ganado (PN 314, 187)
Ya recojo mi ganado (*Sevillano*, 283v)
Ya regala el blanco aljófar (FN VII-353, 14v)
Ya rendido Leandro agua bebía (*Faria*, 14v)
Ya rompí la cadena Amor tirano (*Romancero*, Padilla, 211)
Ya sabe Dios qué es dolor (*Jesuitas*, 126), *ver* Ya Dios
Ya sacan de la prisión (*León/Serna*, 102)
Ya sacan de la prisión (MiT 994, 15)
Ya salió el oculto acero (MiT 1001, 10v)
Ya sanó de incordio y las heridas (MiT 1001, 35v)
Ya se acabaron los días (RV 1635, 25)
Ya se acabaron los días (*Sevillano*, 238v)
Ya se acerca Señor o es ya llegada (MP 1578, 95)
Ya se acerca Señor o ya es llegada (MBM 23/4/1, 355v)
Ya se acercaba Joaquín (*Vergel*, Ubeda, 168)
Ya se arma el sacro Marte (MN 5602, 29v)
Ya sé cuán en vano espero (*Tesoro*, Padilla, 103)
Ya se declaró tu pecho (*Corte*, 234)
Ya se descubre al mundo la lumbrera (*Lemos*, 132v)
Ya se ha desposado nuestro amo (*Sevillano*, 135)
Ya se la arranca a Cerbino (*León/Serna*, 101)
Ya se metía en el mar de Occidente (FR 3358, 110)
Ya se metía en el mar del occidente (PN 373, 219v)
Ya se parte Albanio el fuerte (*RH*, 85v, 88v)
Ya se parte Diego Ordóñez (*Morán*, 2), *ver* Ya Diego Ordóñez
Ya se parte el caballero (PBM 56, 46)
Ya se parte el moro Urgel (*RH*, 85v)

Ya se parte el rey del cielo (*Vergel*, Ubeda, 34v)
Ya se parte la caravela (*Lemos*, 123)
Ya se parte un diestro moro (*RH*, 118)
Ya se partía el rey moro (*Rosa Española*, Timoneda, 59v)
Ya se pasó el tiempo bueno (MP 1587, 102v)
Ya se sale Diego Ordóñez (*Rosa Española*, Timoneda, 29)
Ya se salen de Alcalá (MN 3700, 72)
Ya se salen de Alcalá (MN 3700, 72)
Ya se salen de Jaén (*Romancero*, Padilla, 287)
Ya se salen de Jaén (*Rosa Española*, Timoneda, 69)
Ya se salen de Sevilla (MN 3700, 96)
Ya se te viene llegando (*Corte*, 140)
Ya se tornó sin mi cargo (CG 1511, 142v)
Ya se venga amor de mí (TP 506, 169v)
Ya señor vos conocéis (*Ixar*, 340)
Ya señora estáis vengada (PN 373, 66v)
Ya señora mía (MN 3725-1, 120)
Ya señora que el pregón (MiT 1001, 190, 234v)
Ya ser mío más no puede (CG 1511, 198v)
Ya sería media noche (*RH*, 164)
Ya son mis pensamientos acabados (FR 3358, 170v)
Ya son rompidas las treguas (*Rosa Gentil*, Timoneda, 40v)
Ya sueltan su anillo presos (*Lemos*, 179)
Ya suspira la princesa (*RH*, 187)
Ya tal señora me siento (MP 570, 154v)
Ya te he dicho carillo (TP 506, 385v)
Ya tengo de suspiros lleno el viento (CG 1554, 194v)
Ya tengo de suspiros lleno el viento (MN 1132, 11)
Ya tengo de suspiros lleno el viento (MN 2973, p. 379)
Ya tienes cruel verdugo (RG 1600, 52, 80)
Ya tira el Amor tirano (MP 1587, 156v)
Ya tu muy linda color (CG 1511, 123v)
Ya va encendida en amoroso zelo (OA 189, 16)
Ya va la cierva herida (*Toledano*, 6v)
Ya Venus aflojando (FN VII-354, 245)
Ya Venus aflojando (*Jhoan López*, 18v)
Ya Venus aflojando (MP 973, 271v)
Ya Venus aflojando (RaC 263, 119)
Ya Venus se vistió de arnés y malla (MN 2973, p. 253)
Ya vos sabéis mi partida (*Obras*, Silvestre, 41)
Ya yo me voy señora y cada día (*Heredia*, 111)
Ya yo os digo que en amiga (CG 1514, 210v)
Ya zagala tu pastor (*Morán*, 148)
Yace adonde el sol se pone (MP 996, 173v)
Yace debajo de esta piedra fría (*Corte*, 223)
Yace debajo de esta piedra fría (*Lemos*, 210)
Yace del alto monte carpentano (*Vergel*, Ubeda, 139v)
Yace donde el sol se pone (MN 3724, 59)
Yace donde el sol se pone (RG 1600, 209v)

Yace en esta iglesia chica (*Obras*, Silvestre, 17v)

Yace en esta sepultura (*Peralta*, 87)

Yaces en fría y triste sepultura (SU 2755, 193v)

Yendo a la plaza (*Jacinto López*, 319)

Yendo descuidado (*Sevillano*, 231)

Yendo hacia un verde prado Amor un día (MP 1587, 51)

Yendo por una montaña (MP 2803, 1)

Yendo por vía sacra acaso un día (FR 3358, 198)

Yendo solo paseando (*CG* 1511, 191v)

Yendo y viniendo (*Elvas*, 35)

Yéndome y viniendo (*Sevillano*, 202)

Yéndome y viniendo (*Uppsala*, n. 3)

Yerra con poco saber (*CG* 1511, 178v)

Yerro es hacer ofensa al poderoso (MN 3913, 28)

Yo a seguirte tú a huir (*Penagos*, 78v)

Yo a seguirte y tú a huir (*Jhoan López*, 35)

Yo a seguirte y tú a huir (MP 1587, 128v)

Yo ante vos me presento (PN 307, 238)

Yo ante vos me presento (RaC 263, 64v)

Yo Apolo dios de la ciencia (*RG* 1600, 86v)

Yo ardo sin saber quien es la dama (FN VII-353, 281v)

Yo ardo sin ser quemado (*CG* 1511, 196v)

Yo ardo sin ser quemado (MP 617, 34v)

Yo bel dexaría (*Flor de enamorados*, 17v)

Yo bien pensaba cuando al mal injusto (*Corte*, 182v)

Yo bien puedo ser casada (*Sevillano*, 261v)

Yo bien sé Pascual a quién (*Cid*, 180)

Yo bien sé Pascual a quién (*Padilla*, 132v)

Yo bien sé Pascual a quién (*Romancero*, Padilla, 295)

Yo bien sé que vuestro amor (*Cid*, 65v)

Yo callé males sufriendo (*CG* 1511, 97v)

Yo caminando como acostumbraba (*CG* 1554, 188v)

Yo celos yo color de Almoradux (FN VII-354, 267v)

Yo como alcanzo lo digo (*CG* 1511, 127v)

Yo como siglos de oro traje al mundo (PN 373, 204v)

Yo como vine al mundo condenado (MiB AD.XI.57, 22)

Yo con vos y vos sin mí (*CG* 1511, 128v)

Yo conozco que Gileta (RV 1635, 46v)

Yo consiento por serviros (*Flor de enamorados*, 89v)

Yo cuello azul pecador (MN 3670, 2v, 3)

Yo de buen celo os lo digo (*Morán*, 11)

Yo de buen celo os lo digo (PN 314, 182v)

Yo de oír tal bizarría (*Tesoro*, Padilla, 310v)

Yo de quien todo el bien se ha derivado (*Jesuitas*, 444v)

Yo de ver vuestra figura (*CG* 1511, 148)

Yo de ver vuestra figura (PBM 56, 37)

Yo de vos partirme espero (*CG* 1511, 87)

Yo dejaré desde aquí (PN 307, 273v)

Yo del otro lado (MN 3700, 59)

Yo determino sufrir (WHA 2067, 35v)

Yo digo claro entre nos (*CG* 1511, 163v)

Yo digo que desde aquí (*Morán*, 125)

Yo digo que muy poco alcanza (*Cid*, 122)

Yo el cura del Pejugal (FN VII-353, 51)

Yo el enemigo de mí (*CG* 1511, 86v)

Yo el mayor preguntador (PN 418, p. 228)

Yo el muy triste sentimiento (*CG* 1511, 51v)

Yo el poeta Cabrera que entre humanos (MN 2856, 123)

Yo el que más miseria paso (FR 3358, 190v)

Yo el que más miseria paso (*Jhoan López*, 114)

Yo el que más miseria paso (MP 973, 336)

Yo el rey que a todos somete (*Jhoan López*, 50)

Yo el único caballero (MN 3700, 127)

Yo en justa injusta expuesto a la sentencia (*Lemos*, 209v)

Yo en justa injusta expuesto a la sentencia (MN 4256, 267v)

Yo en vos y vos en Dios (*CG* 1511, 145v)

Yo entendí que se enojara (*Morán*, 46v)

Yo estaba por mi ventura (*CG* 1511, 175v)

Yo estando acaso un día (*RH*, 202v)

Yo estó malo y so inmortal (*CG* 1514, 125)

Yo estoy bueno (MN 3913, 51)

Yo estoy muy bien despachado (*RG* 1600, 313v)

Yo firme que este nombre sin ventura (MN 3902, 104)

Yo fui servidor (*Sevillano*, 202)

Yo hablo tan a lo cierto (MP 617, 154)

Yo hallo por experiencia (*CG* 1511, 122)

Yo hallo que es gran cordura (MP 973, 104v)

Yo hallo que lo pasado (*CG* 1554, 35)

Yo he hecho lo que he podido (*Canc.*, Maldonado, 34v)

Yo he hecho lo que he podido (*Obras*, Silvestre, 99)

Yo he llegado muy perdido (MP 1587, 98v)

Yo he sido tan peregrina (PN 418, p. 477)

Yo he visto tan al ojo el desengaño (FN VII-353, 282)

Yo hice lo que he podido (*Corte*, 203v)

Yo holgara de sufrir (MP 1587, 96)

Yo holgara de sufrir (*Padilla*, 115v)

Yo iré para dormir en sueño eterno (PN 314, 191v)

Yo Juan Bautista de Vivar poeta (FR 3358, 184v)

Yo Juan Fernández deudor (*CG* 1511, 202v)

Yo Juan Fernández deudor (*Gallardo*, 67)

Yo la llamo toda buena (*Obras*, Silvestre, 350)

Yo la llamo toda buena (*Sevillano*, 182v)

Yo la vi detrás de un cerro (PBM 56, 27)

Yo la vide andar perdida (RaC 263, 70v)

Yo le digo que es liviano (MP 1587, 84)

Yo le vendo por travieso (*Penagos*, 141v)

Yo le vi desde una cumbre (*Vergel*, Ubeda, 80v)

Yo lloré riberas de este río (*Sevillano*, 266)

Tabla 327

Yo loco creía (Gallardo, 15)
Yo loco creía (MN 3691, 66v)
Yo Lucrecia sin ventura (Obras, Cepeda, 127v)
Yo m'estando em Coimbra (PBM 56, 69v-70)
Yo may estich punt ni moment (Uppsala, n. 18)
Yo me acuerdo de algún día (MN 3700, 188v)
Yo me era mora Moraima (CG 1511, 135v, 136)
Yo me era mora Moraima (MN 3724, 159v)
Yo me era niña (MP 996, 159v)
Yo me era Periquito de Embera (Jacinto López, 188v)
Yo me era viuda de un año (Sevillano, 57)
Yo me estaba allá en Coimbra (Rosa Española, Timoneda, 78v)
Yo me estaba en Barbadilla (CG 1511, 133v)
Yo me estaba en pensamiento (CG 1511, 133v)
Yo me estaba reposando (Elvas, 9v)
Yo me estando en Giromena (Rosa Española, Timoneda, 72)
Yo me estoy maravillando (CG 1554, 57)
Yo me estoy maravillando (Ixar, 351)
Yo me hallo más perdido (CG 1511, 130v)
Yo me iba la mi madre (PBM 56, 13)
Yo me levantara madre (Jhoan López, 121v)
Yo me levantara madre (MN 3724, 162)
Yo me levantara un lunes (Lemos, 45)
Yo me lo sé el por qué aunque no lo digo (MP 1587, 41)
Yo me lo sé el por qué mas no lo digo (EM Ç-III.22, 63v)
Yo me lo sé el porqué aunque no lo digo (Jacinto López, 223)
Yo me lo sé el porqué aunque no lo digo (OA 189, 6)
Yo me lo sé el porqué aunque no lo digo (PN 314, 81)
Yo me lo sé el porqué aunque no lo digo (RaC 263, 42)
Yo me lo sé el porqué aunque no lo digo (RV 1635, 42)
Yo me lo sé por qué aunque no lo digo (Tesoro, Padilla, 299v)
Yo me parto entero y sano (PN 373, 152v)
Yo me parto sin partirme (CG 1511, 129)
Yo me parto y no me aparto (CG 1554, 126)
Yo me quiero ataviar (CG 1511, 231)
Yo me quitaré mi velo (Lemos, 109v)
Yo me siendo enamorado (Jacinto López, 319v)
Yo me soy el rey Palomo (MN 3913, 78v)
Yo me soy la morenica (Uppsala, n. 41)
Yo me vendí yo soy quien me ha engañado (Heredia, 112)
Yo me vi algún día (Lemos, 121)
Yo me vi algún día (Penagos, 84v)
Yo me vi contento (OA 189, 51)
Yo me vi de favor puesto tan alto (MN 2973, p. 273)
Yo me vi de favor puesto tan alto (MN 3902, 15)
Yo me vi que no debiera (Morán, 60v)
Yo me voy con mi ganado (León/Serna, 87)
Yo me voy con mi ganado (Recopilación, Vázquez, 15v)
Yo me voy con mi ganado (Sevillano, 289)

Yo me voy sin alegría (Toledano, 69)
Yo me voy tú lo quisiste (PBM 56, 30)
Yo mi madre yo (Toledano, 8)
Yo mi señora soñaba (MN 3968, 178v)
Yo Mofarón el coplero (Jacinto López, 103v)
Yo Morfocín el coplero (MP 973, 297)
Yo moriré de vos enamorado (MN 3700, 81v)
Yo muero después que os vi (CG 1511, 122v)
Yo muero Galatea y tú contenta (MP 570, 209v)
Yo no alabo ni condeno (PN 372, 310)
Yo no contrasto a Amor que él me combate (MN 2973, p. 157)
Yo no contrasto amor que me combate (CG 1554, 198)
Yo no contrasto amor que me combate (MN 1132, 30v)
Yo no contrato amor que me combate (WHA 2067, 94v)
Yo no culpo a quien (MP 1587, 35v)
Yo no curo de mi gala (WHA 2067, 41)
Yo no entiendo ese primor (Obras, Silvestre, 118v)
Yo no estimara en Juana Gil hermano (OA 189, 106)
Yo no hallo a mi pasión (Flor de enamorados, 31)
Yo no hallo en mi pasión (CG 1511, 128v)
Yo no he de salir contigo (PN 418, p. 487)
Yo no quiero que me quieras (RV 1635, 95v)
Yo no sé de quién quejarme (Obras, Silvestre, 35v)
Yo no sé en qué se recrea (RV 1635, 25v)
Yo no sé hallar camino (Sevillano, 70)
Yo no sé Leonorica qué te tienes (MP 2803, 233v)
Yo no sé qué el tal pretende (RG 1600, 36v)
Yo no sé qué ha sido (Morán, 7)
Yo no sé qué más fuentes que los ojos (Faria, 7v)
Yo no sé qué vían en la pobreza (MP 617, 278v)
Yo no sé qué vían en la pobreza (TP 506, 260)
Yo no siento quien lo sienta (PN 371, 56v)
Yo no temo cosa alguna (PN 314, 188)
Yo nunca vi hombre (Uppsala, n. 12)
Yo os doy mi fe que venís (Peralta, 10)
Yo os doy palabra Amor que el alma mía (Cid, 44)
Yo os juro a fe Amor que si os cogiese (Peralta, 75)
Yo os juro a fe Amor que si os cogiese (Sevillano, 75v)
Yo os quiero más que a mi vida (Rojas, 164v)
Yo os tenía compasión (CG 1511, 200v)
Yo padre os pregunto (Flor de enamorados, 44)
Yo para qué nací Para salvarme (MiB AD.XI.57, 22)
Yo parto y muero en partirme (BeUC 75/116, 121)
Yo parto y muero en partirme (CG 1554, 179v)
Yo parto y muero en partirme (FN VII-354, 81)
Yo parto y muero en partirme (Heredia, 355)
Yo parto y muero en partirme (MBM 23/8/7, 168v)
Yo parto y muero en partirme (MN 1132, 114)

Yo parto y muero en partirme (MN 3670, 98)
Yo parto y muero en partirme (MN 3968, 85v)
Yo parto y muero en partirme (MN 4256, 236)
Yo parto y muero en partirme (MN 4268, 188v)
Yo parto y muero en partirme (*Morán*, 208)
Yo parto y muero en partirme (MP 1578, 59v)
Yo parto y muero en partirme (MP 2805, 66v)
Yo parto y muero en partirme (MRAH 9-7069, 96)
Yo parto y muero en partirme (OA 189, 43)
Yo parto y muero en partirme (PhUP1, 127)
Yo parto y muero en partirme (PN 307, 212)
Yo parto y muero en partirme (RV 768, 168v)
Yo parto y muerto en partirme (MP 617, 234v)
Yo pasé por vuestra casa (*CG* 1511, 176)
Yo pensé por apartarme (*CG* 1511, 106v)
Yo pensé que mi deseo (*CG* 1511, 147v)
Yo pensé que mi deseo (*Gallardo*, 66)
Yo pensé que mi deseo (*Heredia*, 182v)
Yo perverso pecador (*CG* 1535, 207)
Yo perverso pecador (*Toledano*, 82v)
Yo por libre me tenía (*Jesuitas*, 446v)
Yo propio me cautivé (MP 2803, 148v)
Yo protesto (*Heredia*, 56)
Yo protesto (*Ixar*, 333v)
Yo que de firmeza llevo (*CG* 1511, 193)
Yo qué la hice yo qué la hago (*RG* 1600, 328)
Yo que no duermo (MN 3913, 81)
Yo que no sé nadar morenica (*Lemos*, 93)
Yo que no sé nadar morenica (MN 17.556, 150)
Yo que no sé nadar morenica (MP 996, 160v)
Yo que pensando daría (*Peralta*, 13v)
Yo quedo muy satisfecho (*Romancero*, Padilla, 316)
Yo quería enloquecer (*León/Serna*, 111)
Yo quiero deciros un secreto (FN VII-353, 4)
Yo quiero determinarme (*Morán*, 192)
Yo quiero más un favor (*Padilla*, 175)
Yo quiero pues vos querés (*CG* 1511, 150)
Yo quiero querer serviros (*Morán*, 43)
Yo quiero querer serviros (MP 2803, 216)
Yo quiero ser su cautiva (*Vergel*, Ubeda, 83v)
Yo quiero ya de esta vez (*Toledano*, 23v)
Yo quisiera señor tener paciencia (*Jacinto López*, 255v)
Yo quisiera señor tener paciencia (*Morán*, 120)
Yo sé que aunque estéis endurecida (EM Ç-III.22, 33)
Yo sé que muero y si no soy querido (MN 3913, 42)
Yo sé que sin cruz no hay cielo (*Lemos*, 167)
Yo sé quien me prometió (*Colombina*, 14)
Yo siempre sirviendo (*Uppsala*, n. 2, 14)
Yo sin mí sin vos acá (RV 1635, 44)

Yo sin mí y sin vos acá (*Jacinto López*, 55)
Yo sin mí y sin vos estoy (*Jacinto López*, 55)
Yo sin vos sin mí sin Dios (*CG* 1511, 143v), *ver* Sin Dios
Yo sola fui paridora (*CG* 1511, 139v)
Yo solía andar perdido (*Sevillano*, 244)
Yo sólo a Gileta quiero (*FRG*, p. 173)
Yo sólo a Gileta quiero (*Morán*, 187)
Yo sólo a Gileta quiero (*Sevillano*, 193)
Yo sólo muero por ella (*Sevillano*, 193)
Yo sólo sigo tristeza (*CG* 1511, 157)
Yo sólo soy a quien faltó ventura (MP 1587, 112)
Yo sólo soy a quien faltó ventura (PA 1506, p. 1)
Yo soñaba que me hablaba (PBM 56, 90v-91)
Yo soy adonde se encierra (*Canc.*, Maldonado, 24)
Yo soy áquel en quien faltó ventura (*Cid*, 177)
Yo soy áquel en quien faltó ventura (*León/Serna*, 83)
Yo soy aquel que Fortuna (*RG* 1600, 238)
Yo soy aquél que fui señora mía (*CG* 1557, 392v)
Yo soy cruel Amor el que has traído (BeUC 75/116, 71)
Yo soy cruel Amor el que has traído (FN VII-354, 34v)
Yo soy cruel Amor el que has traído (MBM 23/4/1, 11)
Yo soy cruel Amor el que has traído (MBM 23/8/7, 240)
Yo soy cruel Amor el que has traído (MN 3968, 56v)
Yo soy cruel Amor el que has traído (MN 4256, 159)
Yo soy cruel Amor el que has traído (MN 4262, 140v)
Yo soy cruel Amor el que has traído (MN 4268, 116)
Yo soy cruel Amor el que has traído (MP 1578, 10v)
Yo soy cruel Amor el que has traído (MP 2805, 109)
Yo soy cruel Amor el que has traído (MRAH 9-7069, 67v)
Yo soy cruel Amor el que has traído (PhUP1, 73v)
Yo soy cruel Amor el que has traído (PN 258, 199v)
Yo soy cruel Amor el que has traído (RV 768, 249)
Yo soy del tiempo cierto desengaño (*Cid*, 45)
Yo soy Duero (MP 996, 182v)
Yo soy Duero (*RG* 1600, 346v)
Yo soy el que más miserias paso (*Jacinto López*, 50v)
Yo soy el que siempre llora (*CG* 1511, 66)
Yo soy el rey de Argel traidor Rugiero (MN 2856, 48v)
Yo soy fin y remate de los males (*Jacinto López*, 276v)
Yo soy gallina (*Lemos*, 121v)
Yo soy la que mereció (*CG* 1511, 20v)
Yo soy malo para alcalde (*CG* 1514, 210v)
Yo soy mariposa (*Lemos*, 121)
Yo soy Martigüelo (*RG* 1600, 227v)
Yo soy más hermosa (*Sevillano*, 175)
Yo soy quien al Amor más fácilmente (*Jhoan López*, 109v)
Yo soy quien al Amor más fácilmente (MN 3913, 54v)
Yo soy quien al Amor más fácilmente (*Morán*, 8)
Yo soy quien el Amor más fácilmente (MP 1587, 14)

Tabla 329

Yo soy quien el Amor más fácilmente (MP 973, 129)
Yo soy quien libre me vi (*CG* 1511, 143v)
Yo soy quien libre me vi (*Evora*, 43)
Yo soy Riselo el humilde (*RG* 1600, 109)
Yo soy salamandria (*Lemos*, 121v)
Yo soy suyo pues me he hecho (*Sevillano*, 90)
Yo soy un enamorado (MP 996, 182v)
Yo soy vos y vos sois yo (*CG* 1511, 86)
Yo soy vuestra madre (*Sevillano*, 154v)
Yo soy vuestro prisionero (*CG* 1511, 127)
Yo suelo con tu memoria (*Sevillano*, 262)
Yo también descargo / todo va junto (MN 3913, 48v)
Yo te aconsejo Pascual (*Elvas*, 96v)
Yo te aconsejo Pascual (PBM 56, 105v-106)
Yo te llamo a desafío (*Toledano*, 23)
Yo tuve con cierta doña (MN 3724, 242)
Yo tuve con cierta dueña (*RG* 1600, 126)
Yo vengo como pasmado (*Corte*, 27v)
Yo vi a Juana estar lavando (*Rojas*, 38), *ver* Vide a Juana, Vi a Juana
Yo vi al sol que se escondía (*CG* 1514, 185v)
Yo vi estando en mi sentido (*Sevillano*, 215)
Yo vi Gil al mayoral (*Vergel*, Ubeda, 80v)

Yo vi sobre dos basas plateadas (*Rojas*, 186)
Yo vi sobre dos piedras plateadas (*Corte*, 216v)
Yo vi sobre dos piedras plateadas (*Penagos*, 13)
Yo vi sobre dos piedras platedas (FR 3358, 165v)
Yo vi un gran señor nacido de tierra (*Flor de enamorados*, 44v)
Yo vi un hombre ciego y mudo (*Sevillano*, 215)
Yo vi una mozuela (MN 3725-1, 42)
Yo vi una mozuela (RaC 263, 167v)
Yo vi una mozuela (*RG* 1600, 185)
Yo vi una mozuela (TorN 1-14, 21)
Yo vi una que hería (*Lemos*, 19v)
Yo vi unos que peleaban (*Sevillano*, 215)
Yo vi yo vi serranos (MN 3700, 186)
Yo vine con mucho gozo (MP 617, 83v)
Yo vine con mucho gozo (TP 506, 398)
Yo vivo aunque muriendo a mi despecho (MN 2973, p. 349)
Yo vivo muriendo (*Evora*, 9)
Yo voy por donde amor quiere llevarme (*Morán*, 59)
Yo voy por donde amor quiere llevarme (OA 189, 115)
Yo voy por donde Amor quiere llevarme (PN 314, 32v)
Yo voy por senda estrecha al monte inculto (MN 3902, 130)
Yo ya me estaba cautivo (*Padilla*, 227)

Zagal alegre te veo (OA 189, 327v)
Zagal alegre te veo (PN 307, 306v)
Zagal alegre te veo (*Sevillano*, 293v)
Zagal como cuántos son (RV 1635, 48v)
Zagal hablas con pasión (*Lemos*, 64v)
Zagal muy claro parece (*Lemos*, 64v)
Zagal muy libre te veo (*Sevillano*, 264v)
Zagal no sé qué te veo (*Sevillano*, 222)
Zagal no te asombres (*Flor de enamorados*, 124)
Zagal por lo que te quiero (*Sevillano*, 219v)
Zagal qué es la causa di (MP 644, 190)
Zagal que tanto me quieres (PN 372, 269)
Zagal quién podrá pasar (OA 189, 350)
Zagal quién podrá pasar (PN 307, 306)
Zagal sé de tu dama honesta y bella (NH B-2558, 6v)
Zagal sepulta en olvido (RV 1635, 101v)
Zagal si nueva zagala (MP 570, 113v)
Zagal si vas al aldea (RV 1635, 97)
Zagal sobre cuantos son (MN 3806, 93)
Zagal tan triste no estés (*Padilla*, 99)
Zagala así Dios te guarde (MN 3700, 191v)
Zagala ay del zagal (PN 307, 320)
Zagala como las flores (*Morán*, 40)
Zagala como una flor (*Flor de enamorados*, 128v)
Zagala como una flor (MP 570, 135v)
Zagala cuán libre estás (*Sevillano*, 155, 294)
Zagala cuando me veo (*Sevillano*, 260)
Zagala cuya hermosura (MN 3700, 114)
Zagala dame rehenes (*Sevillano*, 260), *ver* Carillo dame
Zagala de gran belleza (MP 570, 134v)
Zagala de linda gala (*Obras*, Cepeda, 95v)
Zagala de lindo gesto (*Sevillano*, 287)
Zagala de lindos ojos (PN 418, p. 475)
Zagala del Tajo (MN 3700, 128, 183)
Zagala desque te vi (*Flor de enamorados*, 121)
Zagala di qué harás (*Flor de enamorados*, 121v)
Zagala di qué harás (*Lemos*, 101)
Zagala di qué harás (*León/Serna*, 86v)
Zagala di qué harás (MN 3806, 65)
Zagala di qué harás (*Morán*, 148)

Zagala di qué harás (MP 617, 173)
Zagala di qué harás (PN 371, 5v)
Zagala di qué harás (*Sevillano*, 298), *ver* Di zagala
Zagala disimulada (*Obras*, Cepeda, 93v)
Zagala duerme a buen sueño (MN 5602, 28v)
Zagala duerme y reposa (FRG, p. 193)
Zagala hermosa estáis (*Morán*, 65)
Zagala hermosa y querida (*Morán*, 39v)
Zagala juzga mi fe (*Sevillano*, 56v)
Zagala los tus cabellos (*Sevillano*, 282), *ver* Señora los cabellos
Zagala mal me parece (*Sevillano*, 276)
Zagala más que las flores (CG 1557, 395v)
Zagala más que las flores (*Heredia*, 302v, 356v)
Zagala más que las flores (*Sevillano*, 288v)
Zagala no me agradáis (MN 3806, 14)
Zagala no me agradáis (MN 3968, 176v)
Zagala no me agradáis (*Morán*, 228v)
Zagala no me agradáis (*Sevillano*, 64v, 276)
Zagala por mi ventura (WHA 2067, 17v)
Zagala por qué me dejas (*Sevillano*, 261)
Zagala por qué olvidaste (*Obras*, Cepeda, 95)
Zagala presto quisiste (*Sevillano*, 285)
Zagala pues no me quieres (FRG, p. 193)
Zagala pues no me quieres (PN 373, 137)
Zagala pues que me parto (*Sevillano*, 296)
Zagala pues vas a dar (WHA 2067, 68v)
Zagala qué es de la fe (*Canc.*, Maldonado, 49v)
Zagala qué es de la fe (*Flor de enamorados*, 119v)
Zagala qué es de la fe (*Sevillano*, 285)
Zagala qué libre estás (*Evora*, 24v)
Zagala qué sorda estarás (*Flor de enamorados*, 120)
Zagala que vas por la sierra (RV 1635, 111)
Zagala quiéresme di (*Padilla*, 52)
Zagala resplandeciente (*Sevillano*, 155)
Zagala si me olvidares (*Lemos*, 65)
Zagala si os guarde Dios (*Padilla*, 145)
Zagala sigue tus bríos (MN 3913, 4v)
Zagala ten por contento (*Sevillano*, 56v)
Zagala tente a la rama (*Guisadillo*, Timoneda, 5)
Zagala tomad pastor (*Sevillano*, 253)

...alma no te ahogues (*Fuenmayor*, p. 260)
...causare en mí movimiento (*Padilla*, 188)
...con aquel que no las tiene (*Jhoan López*, 146)
...con el color difunto (*Fuenmayor*, p. 75)
...danzas alborotos fiestas (MiT 1001, 1)
...en algún reino extranjero (*Padilla*, 173)
...fuera del cielo (MP 617, 158)
...háceme gran ventaja en una cosa (TP 506, 6)
...imposible de mi amor (MiT 1001, 1) -
...la ausencia y la soledad (MN 17.951, 189v bis)
...otro bien que a vos no tengo (*Padilla*, 242v)
...pues las tres más preciosas (*Fuenmayor*, p. 11)
...que jugáis alguna trecha (*Toledano*, 15)
...que yela en qualquier sazón (MP 617, 213)
...y alma quedará esta honrosa palma (*Penagos*, 184)
...y cuando se juntaron a matarme (*Padilla*, 143)
...y demos obra que para formarte (WHA 2067, 153)
...y en medio de su ausencia y agonía (*Morán*, 60)
...y porque más se avive (*Jesuitas*, 159v)

Esta

TABLA
de los principios de la
poesía Española

fue compuesta por Bethmarie Cuninngham en la
Universidad de Cleveland y se imprimió
en Ashtabula (Ohio) el trece de
junio de mil novecientos
noventa y tres, día
de san Antonio
de Padua

TÍTULOS PUBLICADOS

Cancionero de poesías varias. Manuscrito nº 617 de la Biblioteca Real de Madrid, 1986.

Cancionero de Pedro de Rojas. Manucrito 3924 de la Biblioteca Nacional de Madrid, 1988.

Cancionero de poesías varias. Manuscrito 3902 de la Biblioteca Nacional de Madrid, 1989.

Cartapacio de Francisco Morán de la Estrella. Manuscrito nº 531 de la Biblioteca Real de Madrid, 1989.

Cartapacio de poesías varias. Manuscrito nº 2803 de la Biblioteca Real de Madrid, 1989.

Poesías del Maestro León y de Fray Melchor de la Serna y otros (S. XVI). Manuscrito 961 de la Biblioteca Real de Madrid, 1991.

Tabla de los principios de la poesía española. (Siglos XVI-XVII), 1993.

Cancionero de poesías varias. Manuscrito nº 1587 de la Biblioteca Real de Madrid, 1994.

DE PRÓXIMA APARICIÓN

Diego Hurtado de Mendoza. Edición crítica de sus poesías.

El cancionero sevillano. Manuscrito nº B-2486 de la Biblioteca de la Hispanic Society of America.

Romancero de Palacio. Manuscrito nº 996 de la Biblioteca Real de Madrid.

Cancionero autógrafo de Pedro de Padilla. Manuscrito 1579 de la Biblioteca Real de Madrid.

PEDIDOS

Prof. Ralph A. DiFranco
2303 S. Benton Court
Lakewood, CO 80227